JN171539

第3版
プロバイダ責任制限法

［著］総務省総合通信基盤局消費者行政第二課

第一法規

第3版　まえがき

　本書の改訂版が刊行されたのは2011年である（その後、2014年と2018年とに増補がなされている）。この10年余りの間、本書が解説するいわゆるプロバイダ責任制限法を取り巻く環境は劇的に変化した。

　もっとも重要な変化は、拡散力の強いSNSとスマートフォンの普及であろう。この2つによって、誰もがいつでも情報を発信することができるようになり、また、一個人の発言であっても広く拡散して社会に影響を与え得ることになった。

　これによって今まで抑圧されてきたマイノリティの声が広く認識され、社会課題の解決に向けて動き出すといった望ましい動向が生まれた一方で、いわゆる誹謗中傷等による被害も格段に深刻化し、大きな社会的注目を集めた事案も発生した。

　こうした状況を踏まえ、2021年にプロバイダ責任制限法が改正されることになった。同法は2001年に制定されたもので、図らずも制定20周年の年に、初めての大規模改正がなされたことになる。これにより、改正前の同法は全5か条の小さな法律だったものが、全18か条となり、施行のための政省令に加えて最高裁規則まで制定されることとなった。

　振り返ってみれば、プロバイダ責任制限法はもともと、その通称が示す通り、プロバイダの損害賠償責任の範囲を明確化し（同法3条）、そのもとで自主的な削除を促進することを実際上の主たる狙いとしていた。こうした目的は相応に実現されている一方で、制定時には相対的には注目を集めなかった発信者情報開示制度（同法4条）についても実務上は活用が進み、それに応じて様々な実務的課題が指摘されるようになった。

2021年の改正は、これに対応しようとするもので、発信者情報開示に関する「新たな裁判手続」を導入するなど、この制度の実効性を向上させ、被害者救済と表現の自由、通信の秘密とをより高いレベルで調整しようとするものである。

　今回の改正がなされるに当たっては、総務省に「発信者情報開示の在り方に関する研究会」が設置され、2020年12月、「発信者情報開示の在り方に関する研究会　最終とりまとめ」が公表されている。図らずも筆者は同研究会の座長をつとめたが、そこでは、被害者救済の必要性と、通信の秘密や表現の自由の保障の要請との間で、構成員間で真剣な議論が展開された。構成員諸氏のほか、そこでの議論の取りまとめや、その後の立案作業に尽力された関係者各位には、この場を借りて厚く御礼を申し上げる。

　さて、本書はこうして成立した改正法の解説書である。初版以降、本書はプロバイダ責任制限法の基本文献として活用されてきたが、今回の改正によって、同法は大変複雑なものとなったことから、今回の第3版がこれまで以上に広く参照され、同法の適切な解釈適用に資することを期待したい。

2022年8月

京都大学大学院法学研究科教授
曽我部　真裕

改訂版　まえがき

　インターネットの普及は多くの人々に利便性をもたらす一方、負の側面をも有する。とりわけ、電子掲示板等、不特定多数の人々がアクセスする場を通じての情報流通は、他人の利益を侵害する情報や社会全体にとって有害な情報の流通を容易にし、被害の時間的・空間的拡大をもたらす。こうした問題については、民間の自主的な取組による対処も必要であり、かつ、しばしば有効であるが、それとともに適切な法的枠組みの設定も要請される。

　かつては他人の権利を侵害する情報が匿名で発信された場合、仮にプロバイダ等が発信者を特定する情報を保有していたとしても、被害者がプロバイダ等にそうした情報の開示を求める法的根拠はなく、また、一見して他人の権利を侵害しているかにみえる情報が掲示板等に掲示された場合にプロバイダ等がいかに行動すべきかも、明らかであるとはいえなかった。

　こうした問題に対処するため、2001年に、いわゆるプロバイダ責任制限法が成立し、プロバイダ等の法的権限及び責任の明確化が図られるとともに、一定の場合に被害者が発信者情報の開示を求めることのできる権利が法定された。

　制定後10年を迎えて、この法律を前提とする各種ガイドラインの策定等、民間での取組も進展し、裁判例も積み重ねられている。また、同様の問題に直面する諸外国においても制度やその運用の進展がみられる。その一方で、インターネットをめぐって新たな技術・サービスも展開されており、プロバイダ責任制限法及び関連する制度に関する社会の期待にも変化が生じているかに見受けられる。

　総務省の「利用者視点を踏まえたICTサービスに係る諸問題に関する研究会」は、こうした状況を踏まえて、2010年9月にプロバ

イダ責任制限法検証ワーキンググループを設置し、広く関係者からの意見を聴取した上で同法の検証を行い、同法の扱うべき情報の範囲や送信防止措置の在り方、並びに発信者情報開示制度の在り方等について、詳細な検討を行った。その成果は、2011年7月に「プロバイダ責任制限法検証に関する提言」として、同研究会から公表されている。

　本書の初版は2002年8月に刊行されているが、この度、上述の研究会での検討結果をも踏まえて内容を見直した改訂版が刊行されることとなった。本書が初版と同様、インターネットに関心を寄せる方々に広く活用されることを期待したい。

2011年9月

東京大学大学院法学政治学研究科教授
長谷部　恭男

初版　まえがき

　インターネットの発展に伴い、誰もが自己の意見・思想・情報等を自由に発信し、また、他の者の意見・思想・情報等を自由に受信することができる範囲が飛躍的に拡大してきている。

　歴史の一時期を振り返ってみると、1948年に国連総会において全会一致で採択された世界人権宣言（Universal Declaration of Human Rights）の第19条は、その時代における情報の発信と受信の自由の理念を高らかにうたっている。同条は、次のようになっている。

　「すべての者は、意見及び表現の自由についての権利を有する。この権利には、干渉を受けることなく自己の意見を持つ自由、並びにあらゆる方法により、かつ、国境を越えると否とにかかわりなく、情報及び思想を求め、受け及び伝える自由を含む。」

　その後における情報テクノロジーの発展は目覚しく、メディアも新たなものが実用化されるようになった。

　世界人権宣言第19条は、今日からみると、バーチャルな世界で理想を掲げたようにも思われる。ところが、インターネットの発展は、それをリアルな世界で語ることを可能にするに至った。その意義は、人類のコミュニケーションの歴史の上で、特筆されなければならない。

　しかし、いいことずくめではない。インターネット上では、違法な情報や有害な情報も流通している。

　これらについては、基本的には発信者が自ら責任をもって対処すべきであるが、情報流通を媒介するプロバイダ等も一定の対応が可能であり、その対応が適切になされることが期待される。そのような場合に、プロバイダ等の措置について損害賠償責任を制限するこ

とが考えられる。また、発信者が匿名で自由に発信できることが重要な意味を持つが、それにより自己の権利が侵害されたと主張する者が発信者を特定することができなければ、対抗措置を講じることも不可能である。そのような場合に、発信者を特定しうるプロバイダ等に対して発信者情報の開示を請求し、プロバイダ等が発信者情報を開示することができるようになるならば、問題解決にも役立つであろう。

このようなことは、旧郵政省の研究会等で様々な角度から検討されてきた。それらの成果を踏まえ、多くの議論を重ねながら、ようやく制定された法律が、「特定電気通信役務提供者の損害賠償責任の制限及び発信者情報の開示に関する法律」（平成13年11月30日公布、平成14年5月27日施行）である。

日本では、こうした法的ルール化は初めてであり、この法律が適切に運用されるならば、インターネット時代の法的諸問題の一定部分は、解決されるであろう。そのためには、この法律がどのようなものであり、具体的にどのような場合に法律に基づいて適切な措置を講じることができるかなどが明らかにされていなければならない。

今回、このような形で解説書が刊行されるようになったことは、大変時宜にかなっており、関係者の努力と協力に対し改めて衷心から謝意を表したい。

本書が、インターネットに関心を寄せる多くの人々に十分に活用され、21世紀の高度情報通信ネットワーク社会の進展に寄与することを期待したい。

2002年8月

中央大学法学部教授
堀部　政男

凡　例

1）法令名等略語

本法律	特定電気通信役務提供者の損害賠償責任の制限及び発信者情報の開示に関する法律（平成13年法律第137号） ※第２〜第３の「逐条解説」においては原則、令和３年改正法による改正後の特定電気通信役務提供者の損害賠償責任の制限及び発信者情報の開示に関する法律（平成13年法律第137号）を指す。
令和３年改正法	特定電気通信役務提供者の損害賠償責任の制限及び発信者情報の開示に関する法律の一部を改正する法律（令和３年法律第27号）
旧法	令和３年改正法による改正前の特定電気通信役務提供者の損害賠償責任の制限及び発信者情報の開示に関する法律
施行規則	特定電気通信役務提供者の損害賠償責任の制限及び発信者情報の開示に関する法律施行規則（令和４年総務省令第39号）
旧省令	特定電気通信役務提供者の損害賠償責任の制限及び発信者情報の開示に関する法律第四条第一項の発信者情報を定める省令（平成14年総務省令第57号）
開示命令事件手続規則	発信者情報開示命令事件手続規則（令和４年最高裁判所規則第11号）

開示命令	発信者情報開示命令
開示命令事件	発信者情報開示命令事件
開示命令の申立てについての決定	発信者情報開示命令の申立てについての決定
開示請求訴訟	発信者情報開示請求訴訟
開示仮処分	発信者情報開示仮処分

※解説本文中の条文の数字はアラビア数字に改めた。

2）判例出典略語

民集	最高裁判所民事判例集
民録	大審院民事判決録
判時	判例時報
判タ	判例タイムズ

※判例の書誌事項の表示について

　解説本文中の判例には、原則として判例情報データベース「D1-Law.com 判例体系」（https://d1l-dh.d1-law.com）の検索項目となる判例IDを〔　〕で記載した。

　例：最一小判平成22・4・8民集64巻3号676頁〔28160871〕

3）掲載資料について

　「第4　ガイドライン」、「第5　参考資料」に掲載のガイドラインについては、原則原本まま掲載した。

目　次

第 3 版　まえがき
改訂版　まえがき
初　版　まえがき
凡　例

第 1　立案の経緯・背景

　1　立法当時の状況……………………………………………………… 2
　　(1)　立案の背景………………………………………………………… 2
　　(2)　立案の経緯………………………………………………………… 7
　　(3)　法律の公布・施行………………………………………………… 8
　　(4)　本法律の規定を具体化するガイドラインの策定……………… 9
　2　立法以後の検証……………………………………………………… 9
　　(1)　平成17年における検証…………………………………………… 9
　　(2)　平成21年における検証…………………………………………… 10
　　(3)　平成23年における検証及び省令改正…………………………… 11
　　(4)　平成25年における法改正………………………………………… 12
　　(5)　平成26年における「私事性的画像記録の提供等による被
　　　　害の防止に関する法律」の成立………………………………… 13
　　(6)　平成27年における省令改正……………………………………… 13
　　(7)　平成28年における省令改正……………………………………… 14
　　(8)　令和 2 年における省令改正及び令和 3 年における法改正…… 14
　　(9)　令和 4 年における民事訴訟法等の一部を改正する法律に
　　　　よる法改正………………………………………………………… 14
　　(10)　令和 4 年における「性をめぐる個人の尊厳が重んぜられ
　　　　る社会の形成に資するために性行為映像制作物への出演に
　　　　係る被害の防止を図り及び出演者の救済に資するための出
　　　　演契約等に関する特則等に関する法律」の成立……………… 15
　3　令和 3 年における法改正…………………………………………… 16

⑴　発信者情報開示の在り方に関する研究会の設置……………16
　⑵　令和2年における省令改正………………………………………17
　⑶　発信者情報開示の在り方に関する研究会の「最終とりまとめ」………………………………………………………………18
　⑷　令和3年における改正法の公布…………………………………19
　⑸　令和4年における改正法の施行…………………………………20

第2　プロバイダ責任制限法の逐条解説

第1章　総則（第1条・第2条）……………………………………22
　第1条（趣旨）………………………………………………………22
　第2条（定義）………………………………………………………26
第2章　損害賠償責任の制限（第3条・第4条）…………………37
　第3条（損害賠償責任の制限）……………………………………37
　第4条（公職の候補者等に係る特例）……………………………57
（参考）　私事性的画像記録の提供等による被害の防止に関する法律　第4条……………………………………………………68
（参考）　性をめぐる個人の尊厳が重んぜられる社会の形成に資するために性行為映像制作物への出演に係る被害の防止を図り及び出演者の救済に資するための出演契約等に関する特則等に関する法律　第16条………………………79
第3章　発信者情報の開示請求等（第5条－第7条）………………89
　第5条（発信者情報の開示請求）…………………………………93
　第6条（開示関係役務提供者の義務等）…………………………118
　第7条（発信者情報の開示を受けた者の義務）…………………131
第4章　発信者情報開示命令事件に関する裁判手続（第8条－第18条）………………………………………………………134
　第8条（開示命令）…………………………………………………139
　第9条（国際裁判管轄）……………………………………………142
　第10条（国内裁判管轄）……………………………………………159
　第11条（発信者情報開示命令の申立書の写しの送付等）………184
　第12条（発信者情報開示命令事件の記録の閲覧等）……………188

第13条（開示命令の申立ての取下げ）………………………192
　　第14条（異議の訴え）……………………………………………197
　　第15条（提供命令）………………………………………………208
　　第16条（消去禁止命令）…………………………………………234
　　第17条（非訟事件手続法の適用除外）…………………………243
　　第18条（最高裁判所規則）………………………………………247
　令和3年改正法附則 ………………………………………………249
　　第1条（施行期日）………………………………………………249
　　第2条（経過措置）………………………………………………250
　　第3条（検討）……………………………………………………252
　（補論）プロバイダ責任制限法と非訟事件手続法の規定の適用
　　　　　関係について………………………………………………253
　（参考）渉外的法律関係における本法律の適用及び裁判管轄……283

第3　プロバイダ責任制限法施行規則の逐条解説

　本則…………………………………………………………………292
　　第1条（用語）……………………………………………………292
　　第2条（発信者情報）……………………………………………293
　　第3条（特定発信者情報）………………………………………321
　　第4条（法第五条第一項第三号ロの総務省令で定める特定発
　　　　　信者情報以外の発信者情報）……………………………324
　　第5条（侵害関連通信）…………………………………………327
　　第6条（提供の方法）……………………………………………339
　　第7条（法第十五条第一項第一号ロの総務省令で定める発信
　　　　　者情報）……………………………………………………344
　附則…………………………………………………………………354

第4　ガイドライン

　1　プロバイダ責任制限法名誉毀損・プライバシー関係ガイド
　　ライン………………………………………………………………358
　2　プロバイダ責任制限法名誉毀損・プライバシー関係ガイド

ライン別冊「公職の候補者等に係る特例」に関する対応手引き …580
3 プロバイダ責任制限法著作権関係ガイドライン ……………607
4 プロバイダ責任制限法商標権関係ガイドライン ……………637
5 プロバイダ責任制限法発信者情報開示関係ガイドライン ……660
6 プロバイダ責任制限法発信者情報開示関係ガイドライン別冊「発信者情報開示命令事件」に関する対応手引き ……………704

第5 参考資料

1 条文 ……………………………………………………………732
　(1) 特定電気通信役務提供者の損害賠償責任の制限及び発信者情報の開示に関する法律(平成十三年法律第百三十七号) …732
　(2) 特定電気通信役務提供者の損害賠償責任の制限及び発信者情報の開示に関する法律の施行期日を定める政令（平成十四年政令第百七十八号） ………………………………………749
　(3) 特定電気通信役務提供者の損害賠償責任の制限及び発信者情報の開示に関する法律の一部を改正する法律の施行期日を定める政令（令和四年政令第二百八号） ………………………749
　(4) 特定電気通信役務提供者の損害賠償責任の制限及び発信者情報の開示に関する法律施行規則（令和四年総務省令第三十九号） …………………………………………………………749
　(5) 発信者情報開示命令事件手続規則（令和四年最高裁判所規則第十一号） ……………………………………………………756
　(6) 民事訴訟法等の一部を改正する法律　新旧対照条文（抜粋）（令和四年法律第四十八号） ………………………………759
2 国会審議における附帯決議 ………………………………………769
3 インターネット上の違法な情報への対応に関するガイドライン ……………………………………………………………………772
4 違法・有害情報への対応等に関する契約約款モデル条項 ……829
5 違法・有害情報への対応等に関する契約約款モデル条項の解説 ………………………………………………………………836

第1 立案の経緯・背景

1 立法当時の状況

(1) 立案の背景

① インターネット上を流通する情報による権利侵害の発生

ア インターネットによる情報流通の拡大と問題の発生

　立法当時、インターネットを通じた情報流通が急速に拡大してきており[1]、インターネットを利用した情報の流通によって、他人の権利が侵害されるという負の事象が顕在化してきた[2]。また、刑事上の犯罪に当たるような違法性の極めて高い事例も著しく増加してきていた[3]。

イ インターネットにおける情報流通手段の特質

　電気通信による情報流通手段には様々なものがあり、このような負の事象は、これまでインターネット以外の情報流通手段においても存在していたが、インターネットの急速な普及に伴い、インターネットでのチャット、ストリーミング、メールマガジン、ウェブページ、電子掲示板など不特定の者に対して送信する形態で行われる電気通信（以下「特定電気通信」という。）に関し、特に負の事象の発生が顕著となっていた。

　特定電気通信を1対1の電話、放送等の他の電気通信メディアと

1　インターネットの世帯普及率は平成8年には3.3％であったものが、平成13年には60.5％に上昇した（総務省「平成14年版情報通信白書」）。
2　インターネット上の違法・有害情報に関してプロバイダに寄せられる苦情の件数は大手プロバイダ5社に限っても年間1万1千件（平成12年度に総務省（旧郵政省）で行った調査結果）であった。
3　ハイテク犯罪に関する相談件数は平成11年には2,965件であったものが、平成12年には11,135件、平成13年には17,277件であった（警察庁「平成13年中のハイテク犯罪等に関する相談受理状況について」）。

比較した場合、以下の特徴がある。
㋐　情報発信に対する経済的・物理的・心理的制約が少なく、誰しもが反復継続して情報の発信を行うことが容易であるため、他人の権利を侵害する情報の送信に対するハードルが低く、加害行為が行われやすい（加害の容易性）
㋑　ひとたび特定電気通信によって他人の権利を侵害する情報の送信が行われた場合、法益の侵害が即時かつ際限なく拡大し、被害が甚大になってしまいやすい（被害の拡大性）
㋒　他人の権利を侵害する情報の発信が匿名で行われると当該情報の発信者を特定することが困難である場合も多いことから、匿名発信の場合は被害を受けた者が民事的に被害を回復することが難しい（被害回復の困難性）

このため、特定電気通信では、他の電気通信メディアと比べても、他人の権利を侵害する情報による被害の拡大が深刻化しているものと考えられた。

②　これまでの対応及びその問題点
　ア　違法な情報の送信を防止するための対応

前述のとおり特定電気通信における他人の権利を侵害する情報の流通が問題化し、深刻化していることに対応して、総務省や関連業界団体は、他人の権利を侵害する情報の送信を差し控えるよう利用者向けの啓発活動を行ってきた。しかし、特定電気通信による情報発信を行う者が国民の相当数に上っていることや、特定電気通信は加害の容易性という特徴を有していること等から、依然として他人の権利を侵害する情報の送信が後を絶たない状況にあった。

一方、このような情報の流通への対応が可能な立場にある、特定電気通信を媒介するプロバイダ等の中には、他人の権利を侵害する疑いのある情報を自己が削除する可能性があること等を契約約款に規定し、実際にそれに基づいて対応している者もあり、業界団体も

4　第1　立案の経緯・背景

こうした条項を盛り込むことを推奨していた[4]。しかしながら、プロバイダ等の対応については、特定電気通信における情報の流通により被害を受けたとする者に対して情報の削除等を行わない場合にプロバイダ等がどのような責任を負うかが明確ではなく、また、そのような者とプロバイダ等は契約関係にないため契約約款上で明確化することも不可能である、契約約款に基づく対応は自主的かつ任意のものであり、すべてのプロバイダ等が対応を行っているものではない、契約約款に前記の規定を盛り込んでいても、契約の相手方たる発信者から削除に対する責任を問われる可能性があることから、情報内容に踏み込まない立場をとるプロバイダ等が存在する、という限界があり、十分な対応が行われていない状況にあった。

　　イ　被害回復のための対応

①で述べたとおり、特定電気通信においては匿名による情報発信が容易であるため、他人の権利を侵害するような情報発信が匿名で行われた場合には、被害者は加害者を特定して責任追及をすることができず、被害の回復が極めて困難であるという問題がある。不法行為の加害者が特定できないという事態は、特定電気通信における情報発信による権利侵害の場合に限られないものの、特定電気通信の場合は、発信者と受信者の間に立って情報の媒介等を行っているプロバイダ等が存在し、プロバイダ等は発信者の特定に資する情報

---

[4]　(一社)テレコムサービス協会では、平成10年2月に「インターネット接続サービス等に係る事業者の対応に関するガイドライン」（平成15年5月最終改訂）を、平成12年1月に「インターネット接続サービス契約約款モデル条項（α版）」（平成20年6月にβ版）を策定・公表し、その周知を図った。その後、(一社)テレコムサービス協会、(一社)電気通信事業者協会、(一社)日本インターネットプロバイダー協会及び(一社)日本ケーブルテレビ連盟において、平成18年11月に「違法・有害情報への対応等に関する契約約款モデル条項」（平成28年4月最終改訂）及びその解説（平成29年3月最終改訂）を策定・公表している（829頁以下参照）。

（以下「発信者情報」という。）を保有している可能性が高いという特徴がある。したがって、被害者がプロバイダ等から発信者情報の開示を受けることができるのであれば、被害の回復の可能性が生じることになるといえ、現にプロバイダ等は、特定電気通信における情報流通により被害を受けたとする者から発信者情報の開示の求めを受けていた。

　一方で、匿名による表現行為が行われた場合における表現者の氏名等の情報は、表現の自由の保障及びプライバシーの保護、通信の秘密の保護を図る観点から憲法上の保護が及ぶものと解され、この保障の趣旨は、私法の一般条項を通じて特定電気通信の利用者とプロバイダ等との関係においても妥当するものと解される。したがって、プロバイダ等が発信者本人の同意なく発信者情報を開示することができるのは、発信者の匿名表現の自由、通信の秘密及びプライバシーを上回る対立利益が存在する場合であって、かつ制約目的実現のために必要やむを得ない場合に限られるということになる。

　しかしながら、個別の開示の求めに関し、何ら明確な法律上の要件もないまま、こうした場合に該当するものであるか否かをプロバイダ等が適切に判断することは困難であることから、法律上の規定のない状況の下でプロバイダ等が開示の求めに応じて任意に発信者情報を開示することは期待できなかった。

　さらに、訴訟手続等の法的措置により発信者情報の開示を受けようとしても、当時の訴訟手続等では以下のような問題があり、開示を受けることは困難となっていた。

(ア)　匿名の発信者を相手方とする訴訟を提起して証拠調べ手続で発信者情報を明らかにすることは、現行の民事訴訟法（平成8年法律第109号）において、訴状の被告への送達が訴訟係属の要件となっていること等から不可能である

(イ)　プロバイダ等に対して発信者情報の開示を求める訴訟を提起し

ても、発信者情報の開示請求権といった実定法上の権利が設けられていないため、そのような請求が認められることは極めて困難であると考えられる

(ウ) プロバイダ等に対する損害賠償請求訴訟の中で発信者情報の開示を求めても、発信者が誰であるかはプロバイダ等の法的責任とは関係がないので、発信者情報を含む文書を訴訟における文書提出命令等によって提出させることは困難である。また、訴えの提起前における証拠保全についても、発信者情報が記載された文書が文書提出命令の対象とならない以上、プロバイダ等が証拠保全に応じることは考えにくい

(エ) 刑事告発を行っても、被害者が発信者情報を知ることを権利として保障されているわけではなく、被害者が確実に発信者情報を知り得るのは刑事事件として立件された後、公判請求された場合に限られてしまう

以上のとおり、既存の法の手続では匿名の発信者が誰であるかを知ることはできず、被害者は被害回復の道を閉ざされている状況にあった。

③ 新たな対策の必要性

以上述べたとおり、特定電気通信における他人の権利を侵害する情報の流通に対するこれまでの対応策は十分な効果をあげていたとはいえず、また、匿名による情報発信の場合は、発信者情報の開示を受ける手立てがなかったことから、その状況を放置すれば、他人の権利を侵害する情報が蔓延することにより特定電気通信における権利侵害が一層深刻化して国民が安心して特定電気通信を活用できなくなる可能性があった。そのような事態に陥れば、国民の生活基盤となるべきインターネット等の普及、ひいては我が国の高度情報通信ネットワーク社会の健全な発展を阻害することとなりかねないため、迅速かつ適切な対策を講ずる必要性が高まっていた。

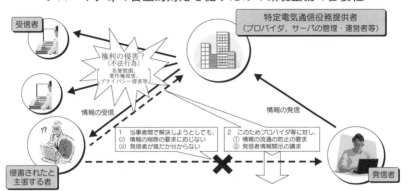

プロバイダ等の自主的対応を促すための環境整備の必要性

- 情報の違法性の判断が困難等自主対応による措置の責任が不明確な場合がある
- 民事事件ではほとんど発信者情報の開示はされず、被害者救済が困難なことがある

⇒ プロバイダ等による自主的対応を促し、その実効性を高める環境整備の必要性

(2) 立案の経緯

　総務省（旧郵政省）では、平成8年に「電気通信における利用環境整備に関する研究会」、平成9年に「電気通信サービスにおける情報流通ルールに関する研究会」を開催するなど、インターネット上の違法・有害情報対策の在り方についての検討を継続的に行ってきた。

　このような継続的な検討の中で、平成12年5月から「インターネット上の情報流通の適正確保に関する研究会」を開催し、その報告書が同年12月に取りまとめられた[5]。同報告書では、誰もが安心してインターネットを利用できるよう、インターネット上の違法な情報への対策として、サービス・プロバイダ等による自主的な対応を促進し、その実効性を高めるため、㋐サービス・プロバイダ等による他人の権利利益を侵害するとされる情報に対する措置に係る責

---

[5]　「インターネット上の情報流通の適正確保に関する研究会　報告書」（https://warp.da.ndl.go.jp/info:ndljp/pid/283520/www.soumu.go.jp/joho_tsusin/pressrelease/japanese/PDF/denki/001220j60101.pdf）

任の明確化、(イ)サービス・プロバイダ等の保有する発信者情報を被害を受けたと主張する者に対して開示するための制度、について法制度整備を図る必要があるとの提言がなされた。

(3)　法律の公布・施行

この提言及びその後に行われた同報告書に対する意見募集結果[6]等を踏まえて、総務省において、「特定電気通信役務提供者の損害賠償責任の制限及び発信者情報の開示に関する法律」の立案が行われ、同法の法律案が平成13年10月30日に閣法第15号として第153回国会に提出され、同年11月9日に参議院、同月22日に衆議院においてそれぞれ全会一致で可決され[7]、成立し、同月30日に平成13年法律第137号として公布された。

その後、平成14年5月22日に「特定電気通信役務提供者の損害賠償責任の制限及び発信者情報の開示に関する法律の施行期日を定める政令及び特定電気通信役務提供者の損害賠償責任の制限及び発信者情報の開示に関する法律第四条第一項の発信者情報を定める省令」（以下「発信者情報開示省令」という。）が制定され、同月27日に施行された。

6　意見募集は、平成12年12月20日から平成13年1月19日までの1か月間実施されたもので、同年2月2日、総務省においてその結果が報告されている。意見募集結果については、「インターネット上の情報流通の適正確保に関する研究会」報告書への意見募集結果（https://warp.da.ndl.go.jp/info:ndljp/pid/283520/www.soumu.go.jp/joho_tsusin/pressrelease/japanese/sogo_tsusin/010202_1.html）を参照。

7　国会の審議の過程において、発信者の表現の自由の確保及び通信の秘密の保護に万全を期すこと、特定電気通信役務提供者が違法な情報の削除・発信者情報の開示を迅速かつ適切に行うことができるよう運用の在り方等について検討すること等の附帯決議が附されている。

(4) 本法律の規定を具体化するガイドラインの策定

　本法律の成立を契機に、プロバイダ等の団体、著作権関係団体その他幅広く関係者が集まり、海外の団体や関係省庁もオブザーバとして参加して、平成14年に「プロバイダ責任制限法ガイドライン等検討協議会」（以下「ガイドライン等検討協議会」という。）が設置された。ガイドライン等検討協議会により、本法律において規定されている「情報の流通によって他人の権利が侵害されていることを知ることができたと認めるに足りる相当の理由があるとき」（第3条第1項第2号）、「情報の流通によって他人の権利が不当に侵害されていると信じるに足りる相当の理由があったとき」（同条第2項第1号）及び発信者情報の開示要件にいかなる場合が該当するかを具体化すべく、同年に、名誉毀損・プライバシーに関するガイドライン及び著作権侵害に関するガイドラインが、平成17年に商標権侵害に関するガイドラインが、平成19年に発信者情報開示に関するガイドラインが策定された[8]。

2　立法以後の検証

(1) 平成17年における検証

　平成13年に本法律が制定された後も、インターネットは、急速な発達、普及を続け、国民の社会活動、文化活動及び経済活動等のあらゆる活動の基盤となる一方で、インターネット上における違法な情報、有害な情報の流通が大きな社会問題にもなった。

---

[8]　令和4年8月時点における最新の各ガイドラインは、「第4　ガイドライン」参照。

そこで、政府では、平成17年6月、「インターネット上における違法・有害情報等に関する関係省庁連絡会議（IT安心会議）」において、インターネット上の違法・有害情報対策として、プロバイダ等による自主規制の支援等を対策の柱の1つとする取りまとめを行った[9]。

この取りまとめを受けて、総務省では、同年8月からインターネット上の違法・有害情報について、プロバイダや電子掲示板の管理者等による自主的対応及びこれを効果的に支援する方策等について検討すべく、「インターネット上の違法・有害情報への対応に関する研究会」を開催し、その報告書が平成18年8月に取りまとめられた[10]。同報告書を受けて、例えば(一社)テレコムサービス協会、(一社)電気通信事業者協会、(一社)日本インターネットプロバイダー協会及び(一社)日本ケーブルテレビ連盟において、「インターネット上の違法な情報への対応に関するガイドライン」[11]が策定されるなど、民間の自主的対応を中心とした多くの施策が実行された。

(2) 平成21年における検証

しかし、その後もインターネット上の違法・有害情報の流通に関する問題はなくならず、さらなる対応策が急務となったことから、それまでの対策に加え、さらに総合的な対策を検討すべく、総務省

---

[9] 「インターネット上における違法・有害情報対策について」
[10] 「インターネット上の違法・有害情報への対応に関する研究会　最終報告書」（http://search.e-gov.go.jp/servlet/PcmFileDownload?seqNo=0000013345）
[11] 令和4年8月時点における最新のガイドラインは、「第4　ガイドライン」参照。
[12] 「インターネット上の違法・有害情報への対応に関する検討会　最終取りまとめの公表」(https://www.soumu.go.jp/menu_news/s-news/2009/090116_1.html)

では、平成19年11月から「インターネット上の違法・有害情報への対応に関する検討会」を開催し、本法律に対する検証も含む提言が平成21年1月に取りまとめられた[12]。同提言に関連し、例えば、PTAの全国組織、大学教授、地方公共団体の首長、インターネット関連企業などが発起人となり、インターネットに関する総合的なリテラシー向上の促進、民間の自主的取組の推進、インターネットの利用環境整備に関する知見の集約を目的とした協議会である「安心ネットづくり促進協議会」[13]が平成21年2月に設立されるなどの取組が行われた。

(3) 平成23年における検証及び省令改正

本法律が制定されてから10年の節目を迎えるに当たり、関連業界における本法律の運用状況やインターネット等を取り巻く環境[14]、諸外国の動向を踏まえた本法律の検証をすべく、総務省では、平成22年9月に「利用者視点を踏まえたICTサービスに係る諸問題に関する研究会」を開催し、同研究会は「プロバイダ責任制限法検証WG」を設け、その提言を平成23年7月に取りまとめた[15]。同提言では、本法律の改正の必要性はないものの、発信者情報の開示請求に関する開示範囲に関し、いわゆる個体識別番号を開示の対象となる発信者情報に追加することを検討すべきであること等が指摘されている。

同提言を踏まえて、総務省において、平成23年9月15日、発信者

---

[13] https://www.good-net.jp/anshinkyo/参照。
[14] インターネットの人口普及率は平成21年末で78.0％（インターネット利用者は9,408万人）まで拡大し、また、モバイル端末からインターネットを利用している利用者は平成21年末で85.1％（8,010万人）となっていた（総務省『平成22年版情報通信白書』160、161頁）。
[15] 「プロバイダ責任制限法検証に関する提言」(https://www.soumu.go.jp/main_content/000122708.pdf)

情報開示省令を改正し、開示の対象となる発信者情報につき、侵害情報に係る携帯電話端末等からのインターネット接続サービス利用者識別符号、侵害情報に係るSIMカード識別番号のうち、携帯電話端末からのインターネット接続サービスにより送信されたもの及びこれらに係る開示関係役務提供者の用いる特定電気通信設備に侵害情報が送信された年月日及び時刻を追加した。

(4) 平成25年における法改正

　平成25年3月13日に、自由民主党、公明党、日本維新の会から、「インターネット選挙運動の解禁等を内容とする公職選挙法の一部を改正する法律案」が衆法第3号として第183回国会に提出され、一部修正されたうえ、同年4月12日に衆議院、同月19日に参議院においてそれぞれ全会一致で可決され、成立した。その後、同法は、平成25年4月26日に平成25年法律第10号として公布され、同年5月26日に施行された。

　同法による公職選挙法の改正により、インターネット等を利用する方法による選挙運動が解禁されるとともに、公職選挙法の一部を改正する法律附則第6条による本法律の一部改正により、選挙運動期間中における名誉侵害情報の流通に関する公職の候補者等に係る特例（第3条の2）が追加された。

　また、当該改正を契機として、平成25年4月に、ガイドライン等検討協議会により、「プロバイダ責任制限法名誉毀損・プライバシー関係ガイドライン」に関し、インターネット等を利用する方法による選挙運動を解禁する改正公職選挙法に照らし、特に補足、変更又は留意すべき事項を取りまとめた『プロバイダ責任制限法名誉毀損・プライバシー関係ガイドライン別冊「公職の候補者等に係る

16　令和4年8月時点における最新の手引きは、「第4　ガイドライン」参照。

特例」に関する対応手引き』が策定された[16]。

(5) 平成26年における「私事性的画像記録の提供等による被害の防止に関する法律」の成立

　平成26年11月18日に、私事性的画像記録の提供等により私生活の平穏を侵害する行為の処罰や本法律の特例等について定める「私事性的画像記録の提供等による被害の防止に関する法律」（いわゆるリベンジポルノ防止法）が衆議院総務委員長から衆法第17号として第187回国会に提出され、同日に衆議院において全会一致で、翌日に参議院において賛成多数で、それぞれ可決され、成立した。同法は、平成26年11月27日に平成26年法律第126号として公布され、第3条及び第4条を除き同日施行された（第3条は同年12月17日、第4条は同月27日施行）。

　同法では、性的画像記録のうち、性的名誉及び性的プライバシーとして保護すべき一定のものが私事性的画像記録として定義されたうえ（第2条）、当該私事性的画像記録について本法律第3条第2項の損害賠償責任の制限についての特例（第4条）が設けられた。

(6) 平成27年における省令改正

　総務省では、個人に関する情報や通信の秘密の保護の対象とされる情報などICTサービスにおける個人情報・利用者情報等の取扱いの在り方について、近時の動向を踏まえ、専門的な観点から検討することを目的として、「ICTサービス安心・安全研究会」の下に「個人情報・利用者情報等の取扱いに関するWG」を設置し、平成27年1月から議論を行った。

---

[17]「インターネット上の個人情報・利用者情報等の流通への対応について　ICTサービス安心・安全研究会　報告書」(https://www.soumu.go.jp/main_content/000369245.pdf)

同研究会では、平成27年7月、報告書[17]を取りまとめた。同報告書では、ポート番号を本法律の開示の対象となる発信者情報に追加することを検討すべきであるとの考え方が示された。

同報告書を踏まえて、総務省においては、平成27年12月9日に、発信者情報開示省令を改正し、侵害情報に係るアイ・ピー・アドレスと組み合わされたポート番号を開示の対象となる発信者情報に追加した（同日施行）。

(7) 平成28年における省令改正

平成27年5月15日、電気通信事業法等の一部を改正する法律（平成27年法律第26号）が成立し、電気通信事業法（昭和59年法律第86号）第164条第2項第3号にアイ・ピー・アドレスの定義が追加された。これに伴い、平成28年3月29日に、総務省は、発信者情報開示省令を改正し、従前「IPアドレス」と表記されていた箇所につき、アイ・ピー・アドレスを定義した電気通信事業法の条項を引用する形とした（電気通信事業法改正及び発信者情報開示省令改正のいずれも平成28年5月21日施行）。

(8) 令和2年における省令改正及び令和3年における法改正

後述のとおり、令和2年8月31日に、発信者情報開示省令が改正された。

また、令和3年に本法律の改正が行われ、同年4月28日に公布された。

(9) 令和4年における民事訴訟法等の一部を改正する法律による法改正

令和4年5月25日、民事訴訟法等の一部を改正する法律（令和4年法律第48号）が成立し、「当事者に対する住所、氏名等の秘匿」

の制度が創設された。これに伴い、後述の令和3年改正法により創設された開示命令事件の手続においても、当該制度を利用可能とするため、民事訴訟法等の一部を改正する法律附則第91条及び第92条により本法律の改正が行われた（民事訴訟法等の一部を改正する法律附則第91条による改正については、公布の日から起算して9月を超えない範囲内において政令で定める日に、同法附則92条による改正については公布の日から起算して4年を超えない範囲内において政令で定める日に施行）[18]。

⑽ 令和4年における「性をめぐる個人の尊厳が重んぜられる社会の形成に資するために性行為映像制作物への出演に係る被害の防止を図り及び出演者の救済に資するための出演契約等に関する特則等に関する法律」の成立

令和4年5月25日に、「性をめぐる個人の尊厳が重んぜられる社会の形成に資するために性行為映像制作物への出演に係る被害の防止を図り及び出演者の救済に資するための出演契約等に関する特則等に関する法律案」（いわゆる AV 出演被害防止・救済法）が衆議院内閣委員長から衆法第43号として第208回国会に提出され、同月27日に衆議院において、同年6月15日に参議院において、それぞれ可決され、成立した。同法は、令和4年6月22日に令和4年法律第78号として公布され、第5章を除き同月23日に施行された（第5章は公布の日から起算して20日後に施行）。

同法では、性行為映像制作物について本法律第3条第2項の特定電気通信役務提供者の損害賠償責任の制限についての特例（第16条）が設けられた。

---

[18] 民事訴訟法等の一部を改正する法律による改正後の本法律の解説については、本書においては記載していない。民事訴訟法等の一部を改正する法律については、「第5　参考資料　1　条文⑹」を参照。

16　第1　立案の経緯・背景

3　令和3年における法改正

(1)　発信者情報開示の在り方に関する研究会の設置

　本法律の制定から約20年が経過し、インターネット上の権利侵害投稿が増加する中[19]、発信者の特定のためには一般的に少なくとも2回の裁判手続が必要になること[20]から、多くの時間・コストがかかり、救済を求める被害者にとって大きな負担となっていることや、経由プロバイダが保有するアイ・ピー・アドレスなどの通信ログが開示の請求前に消去されてしまうことなどにより、発信者の特定に至らない場合が増加していることなどが指摘されていた。

　そこで、令和2年4月、総務省は、インターネット上の情報流通の増加や、情報流通の基盤となるサービスの多様化、それに伴うインターネット上における権利侵害投稿の流通の増加を踏まえ、特定電気通信役務提供者の損害賠償責任の制限及び発信者情報の開示に関する法律における発信者情報開示制度の見直しに向けた検討を行う「発信者情報開示の在り方に関する研究会」を設置し、同研究会は同月から検討を開始した。インターネット上の誹謗中傷が社会問題となり、発信者情報開示制度の見直しを求める社会的要請が高まる中[21]、同研究会は、同年8月、「中間とりまとめ」[22]を取りまとめた。同「中間とりまとめ」では、前述の発信者情報開示のプロセス

---

[19]　例えば、総務省が委託・運営する違法・有害情報相談センターで受け付けている相談件数は近年高止まりの傾向にあり、令和元年度の相談件数は、受付を開始した平成22年度の相談件数の約4倍に増加している（「発信者情報開示の在り方に関する研究会」第1回資料1－2）。
[20]　一般に、①コンテンツプロバイダに対する開示仮処分の申立て、②経由プロバイダに対する発信者情報開示請求の訴え、が必要とされている（後掲「発信者情報開示の在り方に関する研究会　中間とりまとめ」4頁参照）。

に多くの時間・コストがかかり、被害者にとって大きな負担となっているという課題に対応するため、例えば、1つの手続の中で発信者を特定することができるプロセスなど、より円滑な被害者の権利回復を可能とする裁判手続の実現を図る必要がある一方で、発信者の利益擁護及び手続保障が十分に確保される裁判手続の実現を図る必要があるなどとして、「例えば、法改正により、発信者情報開示請求権という実体法上の請求権に基づく開示制度に代えて、非訟手続等として被害者からの申立てにより裁判所が発信者情報の開示の適否を判断・決定する仕組み（新たな裁判手続）を創設することについて、創設の可否を含めて、検討を進めることが適当」とされた。

(2) 令和2年における省令改正

同研究会の「中間とりまとめ」において、通信ログが一定期間後に消去されることで発信者の特定に至らない可能性があるという問題の解消にも資すると考えられるなどとして、「電話番号」を本法律に基づく開示請求の対象となる発信者情報に追加することを検討すべきであるとの考え方が示された。

総務省では、同「中間とりまとめ」を踏まえて、令和2年8月31日に、発信者情報開示省令を改正し、「発信者の電話番号」を開示の対象となる発信者情報に追加した（同日施行）。

---

21 例えば、令和2年6月には、自由民主党の「インターネット上の誹謗中傷・人権侵害等の対策PT」と公明党の「インターネット上の誹謗中傷・人権侵害等の対策検討PT」から、同年7月には、自由民主党の情報通信戦略調査会から、被害者救済の実効性を強化するため発信者情報開示制度を見直すべきとする提言がなされている。

22 「発信者情報開示の在り方に関する研究会　中間とりまとめ」(https://www.soumu.go.jp/main_content/000705095.pdf)

(3) 発信者情報開示の在り方に関する研究会の「最終とりまとめ」

同研究会では「中間とりまとめ」を踏まえ、「新たな裁判手続」の創設の可否及びその在り方等について集中的に検討を行い[23]、同年12月に「最終とりまとめ」[24]を取りまとめた。同「最終とりまとめ」では、主に、①新たな裁判手続（非訟手続）の創設及び特定の通信ログの早期保全と、②発信者情報の対象拡大（ログイン時情報）やこれに伴う「開示関係役務提供者」の範囲の見直しについて法改正及び省令改正を行うのが適当との考え方が示された。

① 新たな裁判手続（非訟手続）の創設及び特定の通信ログの早期保全

1つの手続の中で発信者を特定することができるプロセスとして、開示請求権を存置したうえで、非訟手続を新たに設けることが適当とされた。また、権利侵害か否かが争われている個々の事案に関連する特定の通信ログを迅速に保全できるようにする仕組みを設けることが適当とされた。具体的な制度設計としては、裁判所が、㋐発信者情報の開示命令、㋑コンテンツプロバイダが保有する権利侵害に関係する発信者情報を、申立人（被害者）には秘密にしたまま、経由プロバイダに提供するための命令（提供命令）、㋒権利侵害に関係する発信者情報の消去を禁止する命令（消去禁止命令）を発することができる手続を創設することが考えられるとされた。提供命令によりコンテンツプロバイダの発信者情報から経由プロバイ

---

[23] こうした検討を行うためには、裁判実務を担当する裁判所の知見が必要不可欠であることから、「発信者情報開示の在り方に関する研究会」第7回会合（令和2年9月）から、最高裁判所がオブザーバ参加をしている。

[24] 「発信者情報開示の在り方に関する研究会　最終とりまとめ」(https://www.soumu.go.jp/main_content/000724725.pdf)

ダを早期に特定し、経由プロバイダとコンテンツプロバイダの手続をまとめ、1つの開示判断で開示が可能になることが考えられ、さらに、経由プロバイダへの消去禁止命令により、発信者の住所・氏名等を早期に特定し、開示決定まで保全することが可能になると考えられるなどとされた。また、新たな裁判手続の創設に当たっては、発信者の権利利益の確保に十分配慮しつつ、迅速かつ円滑な被害者の権利回復が適切に図られるようにするという目的を両立した制度設計が求められるとされた。

② 発信者情報の対象拡大（ログイン時情報）やこれに伴う「開示関係役務提供者」の範囲の見直し

㈦SNS（ソーシャルネットワーキングサービス）などのログイン型サービスにおいて、そのシステム上、投稿時のアイ・ピー・アドレスが保存されていない場合が増加していることを踏まえ、権利侵害投稿時の通信経路を辿って発信者を特定することができない場合においてログイン時のアイ・ピー・アドレス及びタイムスタンプの開示を求めることを可能とすること、㈡開示対象の範囲については、ログイン時のアイ・ピー・アドレス以外にも、電話番号によるSMS認証を行った際の通信に係る情報等も含めることとしたうえで、権利侵害投稿との一定の関連性を有するものや発信者の特定に必要最小限度のものに限定すること、㈢これらを実現するために、法改正により、「特定電気通信」や「開示関係役務提供者」の要件や範囲の見直しを行うことが適当とされた。

⑷ 令和3年における改正法の公布

総務省は、この「最終とりまとめ」における提言内容を踏まえて「特定電気通信役務提供者の損害賠償責任の制限及び発信者情報の開示に関する法律の一部を改正する法律案」の立案を行い、同法案は令和3年2月26日に閣法第38号として第204回通常国会に提出さ

れた。その後、同法案は同年4月8日に衆議院の総務委員会において全会一致で可決され、同月13日に衆議院本会議でも全会一致で可決された。同月20日には参議院の総務委員会において全会一致で可決され、同月21日に参議院本会議でも全会一致で可決されて成立し、同月28日に令和3年法律第27号として公布された[25]。

(5) 令和4年における改正法の施行

その後、令和4年5月27日に施行規則が制定され、また、令和4年3月15日に開示命令事件手続規則が制定され、令和4年10月1日に施行されることとなった。

---

[25] 国会の審議の過程において、迅速的確な被害者救済とともに、民主主義の根幹である表現の自由、通信の秘密が確保されるよう特に留意のうえ、関係機関・団体に協力を求めてインターネット上の誹謗中傷・人権侵害対策に当たること等の附帯決議が附されている(「第5　参考資料　2　国会審議における附帯決議」参照)。

第2　プロバイダ責任制限法の逐条解説

本法律の構成

令和3年における法改正により新たに章が設けられ、旧法第1条（趣旨）及び第2条（定義）が「第1章　総則」と、旧法第3条（損害賠償責任の制限）及び第3条の2（公職の候補者等に係る特例）が「第2章　損害賠償責任の制限」と、旧法第4条（発信者情報の開示請求）が「第3章　発信者情報の開示請求等」とされるとともに、新たに定められた発信者情報開示命令事件に関する裁判手続について「第4章」が設けられた。

第1章
総則（第1条・第2条）

第1条（趣旨）

(趣旨)

第一条　この法律は、①特定電気通信による②情報の流通によって③権利の侵害があった場合について、④⑤特定電気通信役務提供者の損害賠償責任の制限及び⑥発信者情報の開示を請求する権利について定めるとともに、⑦発信者情報開示命令事件に関する裁判手続に関し必要な事項を定めるものとする。

第1章　総則（第1条・第2条）　23

> 趣旨

　本条は、特定電気通信役務提供者の損害賠償責任の制限及び発信者情報の開示に関する法律の趣旨を定めるものである。令和3年における法改正により、新たに発信者情報開示命令事件に関する裁判手続が定められたことから、その旨が趣旨に追加された。

> 解説

(1) 本法律で規定する事項

　本法律では、特定電気通信による情報の流通によって他人の権利が侵害された場合について、(ア)特定電気通信役務提供者の損害賠償責任の制限、(イ)（被害を受けた者の）発信者情報の開示請求権、(ウ)発信者情報開示命令事件に関する裁判手続について規定する。

(2) 用語の説明

①　「特定電気通信」

　「特定電気通信」とは、インターネットでのウェブページやSNS、電子掲示板等の不特定の者により受信されることを目的とするような電気通信の送信のことである。第2条第1号において定義される。

②　「情報の流通によって」

　情報の「流通」とは、情報を「送り、伝え、受けること」の3面を併せて表現したものである。なお、情報の「送信」とは、情報の「流通」のうち「送ること」という一側面をとらえて表現するものである。

　ここで、権利を侵害したとされるのは、あくまでも「情報の流通」であり、「情報」自体ではない。すなわち、当該情報を作成したこと等が問題とされるのではなく、当該情報を特定電気通信によ

り不特定の者が受信し得る状態に置いたことが問題とされるものである。

また、権利の侵害が「情報の流通」自体によって生じたものである場合を対象とするものである。すなわち、流通している情報を閲読したことにより詐欺の被害に遭った場合などは、通常、情報の流通と権利の侵害との間に相当因果関係があるものとは考えられないため、本法律の対象とはならない。

③ 「権利の侵害」

「権利の侵害」とは、本法律で独自に定義されるものではなく、個人法益の侵害として、民事上の不法行為等の要件としての権利侵害に該当するものである。ここで、侵害されることとなる「権利」については、著作権侵害、名誉毀損、プライバシー侵害等様々なものが想定され、特に限定をすることなく、それらについて、横断的に対象とするものである。これは、一般不法行為等の場合と同様である。

なお、刑法上のわいせつに該当する情報、児童ポルノに該当する情報などは、当該情報の流通により、社会的法益が侵害されることとなるものであるが、同時に特定個人の権利が侵害されるものでなければ、本法律の対象とはならない。また、暴力的な表現を内容とする情報等、有害ではあるが法令には違反しないような情報についても、当該情報の流通によって特定個人の権利が侵害されることとはならないため、本法律の対象とはならない。

④ 「特定電気通信役務提供者」

「特定電気通信役務提供者」とは、ウェブホスティングを行う者やSNSの運営者、電子掲示板の管理者など、特定電気通信の用に供される電気通信設備を用いて他人の通信を媒介している者等である。第2条第3号において定義される。

⑤ 「特定電気通信役務提供者の損害賠償責任の制限」

「損害賠償責任の制限」とは、特定電気通信役務提供者の損害賠償責任の制限に関する第3条及び第4条の規定のことである。

なお、制限されることとなる責任は、情報の送信を防止する措置を講じなかったことによる権利を侵害された者に対する責任及び情報の送信を防止する措置を誤って講じたことによる発信者に対する責任の両方である。

⑥ 「発信者情報の開示を請求する権利」

「発信者情報の開示を請求する権利」とは、権利を侵害されたとする者による特定電気通信役務提供者に対する発信者情報の開示を請求する権利に関する第5条の規定のことである。

権利を侵害されたとする者には、本法律の制定時までは、特定電気通信役務提供者に対して、発信者情報の開示を請求する権利は存在していなかったところ、本法律によって、その請求権を創設的に認めることとするものである。

なお、「発信者情報」とは、ある情報の発信者を特定するために役に立つ情報のことである。第2条第6号で規定される。

⑦ 「発信者情報開示命令事件に関する裁判手続に関し必要な事項を定める」

「発信者情報開示命令事件に関する裁判手続」とは、開示命令事件に関する裁判管轄のほか、当該事件の申立て、審理、不服申立て（開示命令の申立てについての決定に対する異議の訴えを含む。）等の方法に関する手続を指すものである（第4章）。

第2条（定義）

（定義）
第二条 この法律において、次の各号に掲げる用語の意義は、当該各号に定めるところによる。
一 特定電気通信 ①不特定の者によって受信されることを目的とする電気通信（電気通信事業法（昭和五十九年法律第八十六号）第二条第一号に規定する電気通信をいう。以下この号及び第五条第三項において同じ。）の送信（②公衆によって直接受信されることを目的とする電気通信の送信を除く。）をいう。
二 特定電気通信設備 ①特定電気通信の用に供される電気通信設備（電気通信事業法第二条第二号に規定する電気通信設備をいう。第五条第二項において同じ。）をいう。
三 特定電気通信役務提供者 ①特定電気通信役務（特定電気通信設備を用いて提供する電気通信役務（電気通信事業法第二条第三号に規定する電気通信役務をいう。第五条第二項において同じ。）をいう。同条第三項において同じ。）を提供する者をいう。
四 発信者 特定電気通信役務提供者の用いる特定電気通信設備の①記録媒体（当該記録媒体に記録された情報が不特定の者に送信されるものに限る。）に情報を記録し、又は当該特定電気通信設備の②送信装置（当該送信装置に入力された情報が不特定の者に送信されるものに限る。）に情報を入力した者をいう。
五 侵害情報 ①特定電気通信による情報の流通によって自

己の権利を侵害されたとする者が当該権利を侵害したとする情報をいう。
六　発信者情報　氏名、住所その他の侵害情報の発信者の特定に資する情報であって総務省令で定めるものをいう。
七　開示関係役務提供者　第五条第一項に規定する特定電気通信役務提供者及び同条第二項に規定する関連電気通信役務提供者をいう。
八　発信者情報開示命令　第八条の規定による命令をいう。
九　発信者情報開示命令事件　発信者情報開示命令の申立てに係る事件をいう。

[趣旨]

　本条は、本法律における主要な用語について、その定義を行っているものである。

[解説]

1　特定電気通信（第1号）
(1)　概要

　本号は、本法律の規律の対象となる通信を定めるものである。現在、インターネット上のウェブページやSNS、電子掲示板等の不特定の者によって受信されることを目的とする電気通信の送信において、他人の権利を侵害する情報の流通の問題が生じていることから、このような形態で行われる通信を「特定電気通信」として定義し、本法律において必要な措置を講ずることとしている。

(2) 用語の説明

① 「不特定の者によって受信されることを目的とする電気通信……の送信」

インターネット上のウェブページやSNS、電子掲示板等は、電気通信の一形態ではあるが、不特定の者によって受信されることを目的とする電気通信（有線、無線その他の電磁的方式により、符号、音響又は影像を送り、伝え、又は受けること（電気通信事業法（昭和59年法律第86号）第2条第1号））の送信であることから、このような形態で送信される電気通信を通信概念から切り出し、「特定電気通信」としたものである。電子メール等の1対1の通信は、「特定電気通信」には含まれない。なお、多数の者に宛てて同時に送信される形態での電子メールの送信も、1対1の通信が多数集合したものにすぎず、「特定電気通信」には含まれない。

特定電気通信は、特定電気通信設備（第2号：特定電気通信の用に供される電気通信設備）の記録媒体に記録された情報が不特定の者に送信される形態で行われるもの（蓄積型）と特定電気通信設備の送信装置に入力された情報が不特定の者に送信される形態で行われるもの（非蓄積型）がある。蓄積型に該当するものは、ウェブページやSNS、電子掲示板、いわゆるインターネット放送（オンデマンド型のもの）など、非蓄積型に該当するものは、いわゆるインターネット放送（リアルタイム型のもの）などが考えられる。

「不特定の者によって受信されることを目的」とするか否かについては、送信に関与する者の主観とかかわりなく、その態様から客観的、外形的に判断されるものである。

② 「公衆によって直接受信されることを目的とする電気通信の送信」

「公衆によって直接受信されることを目的とする電気通信の送信」

とは、放送法（昭和25年法律第132号）第2条第1号で定義される放送[1]のことである。放送に該当する電気通信の送信については、放送法において、別途の規律が図られており、本法律の対象とする必要はないことから、本法律において対象とする通信から除くこととしている。

2 特定電気通信設備（第2号）
(1) 概要

本号は、特定電気通信の用に供される電気通信設備を「特定電気通信設備」として定義したものである。

(2) 用語の説明

① 「特定電気通信の用に供される電気通信設備」

「用に供される」とは、何々の用途に充てられる、何々のために用いられるの意味であり、「特定電気通信の用に供される電気通信設備」とは、特定電気通信を行うに当たり用いられる電気通信設備をいう。具体的には、蓄積型の特定電気通信において用いられるウェブサーバや非蓄積型の特定電気通信において用いられるストリームサーバ等が該当する。

3 特定電気通信役務提供者（第3号）
(1) 概要

本号は、本法律の規定の対象となる者を定めたものである[2]。特

---

[1] 放送につき、放送法第2条第1号は、「公衆によつて直接受信されることを目的とする電気通信（電気通信事業法（昭和五十九年法律第八十六号）第二条第一号に規定する電気通信をいう。）の送信（他人の電気通信設備（同条第二号に規定する電気通信設備をいう。以下同じ。）を用いて行われるものを含む。）」と規定している。

定電気通信役務を提供する者を「特定電気通信役務提供者」としている。

　プロバイダは、自らが提供する特定電気通信役務において用いる特定電気通信設備が特定電気通信の用に供された場合に、当該特定電気通信によって他人の権利を侵害する情報が流通しているときは、(ｱ)当該情報の送信を防止するための措置をとる、(ｲ)発信者の特定に資する情報（発信者情報）を開示する、という対応をとることが可能な場合があるため、本法律では、このようなプロバイダを対象とし、特定電気通信による情報の流通によって権利が侵害された場合について、(a)適切かつ迅速な対応を促進するための損害賠償責任の制限、(b)権利の侵害を受けた者が当該情報の発信者情報の開示を受けることができるための権利を規定することとしている。

　企業・大学等は、特定電気通信設備を設置して、企業の従業員、大学の職員・学生に外部の者との通信のために当該設備を使用させている場合がある。このような場合、企業・大学等は、プロバイダと同様の役務を営利を目的とせずに提供しているものと考えられ、前記(ｱ)、(ｲ)の対応をとることのできる者という意味では、プロバイダと何ら異なるものではない。そこで、本法律においては、役務を提供する者を営利目的で限定することとはせず、企業・大学等を含めた特定電気通信設備を用いて電気通信役務を提供しているすべての者を対象者とすることとしている。具体的には、ウェブホスティ

2　旧法においては、「特定電気通信役務提供者」は「特定電気通信設備を用いて他人の通信を媒介し、その他特定電気通信設備を他人の通信の用に供する者」（旧法第2条第3号）と定義されていたが、本法律第5条第3項において「侵害関連通信」を定義するに当たって「特定電気通信設備を用いて他人の通信を媒介し、その他特定電気通信設備を他人の通信の用に供する」という「役務を提供する行為」に着目する形で規定したことに伴い、当該行為が初出する本号の条文を「特定電気通信役務」という語を用いる形に変更した。

ング等を行ったり、第三者が自由に書込みのできる SNS や電子掲示板を運用したりしている者であれば、電気通信事業法の規律の対象となる電気通信事業者だけでなく、例えば、企業、大学、地方公共団体や、SNS や電子掲示板を管理する個人等も特定電気通信役務提供者に該当し得るものである。

なお、「最終的に不特定の者に受信されることを目的として特定電気通信設備の記録媒体に情報を記録するためにする発信者とコンテンツプロバイダ[3]との間の通信を媒介する経由プロバイダ[4]」につき、最高裁は「特定電気通信役務提供者」に該当すると判示している（最一小判平成22・4・8民集64巻3号676頁〔28160871〕）。

(2) 用語の説明

① 「特定電気通信役務」

「特定電気通信役務」とは、特定電気通信設備を用いて提供する電気通信役務をいい、例えば、インターネット上のウェブページやSNS、電子掲示板等の不特定の者によって受信されることを目的とする電気通信の送信を行う電気通信役務が該当する。

4 発信者（第4号）
(1) 概要

本号は、発信者として特定電気通信において情報を流通過程に置いた者を定めるものである。

---

[3] SNS や電子掲示板等を運営するプロバイダをいう。
[4] 本書においては、以下、「最終的に不特定の者に受信されることを目的として特定電気通信設備の記録媒体に情報を記録するためにする発信者とコンテンツプロバイダとの間の通信を媒介するプロバイダ」に加えて、「発信者とコンテンツプロバイダとの間の侵害関連通信を媒介するプロバイダ」を総称する用語として「経由プロバイダ」を用いる。

本法律は、他人の権利を侵害する情報を流通過程に置いた者（一義的に私法上の責任を負うべき者）以外の者で情報の流通に関与したものである特定電気通信役務提供者の私法上の責任が制限される場合を明確にするものであり、また他人の権利を侵害する情報を流通過程に置いた者の特定に資する情報を開示するための権利や手続を定めるものであることから、特定電気通信においてどのような行為をした者が情報を流通過程に置いた者であるかを明確に定めておく必要がある。

当該情報の流通によって他人の権利が侵害された場合、その責任を一義的に負うべき者は、当該情報を流通過程に置いた者であり、特定電気通信においては、特定電気通信役務提供者の特定電気通信設備の記録媒体（当該記録媒体に記録される情報が不特定の者に送信されるものに限る。）に情報を記録した者又は当該特定電気通信設備の送信装置（当該送信装置に入力される情報が不特定の者に送信されるものに限る。）に情報を入力した者がこれに該当することから、これらの者を「発信者」として定義するものである。

なお、誰が情報を流通過程に置いた者に該当するかは、当該情報を流通過程に置く意思を有していた者が誰かということにかかわる。したがって、法人の従業員が業務上送信行為をしたにすぎないような場合は、発信者は当該法人であるが、受委託の関係があるものの委託先の業者が委託元とは独立して情報流通に関与しているような場合は、委託先の業者が発信者となるものと考えられる。

(2) 用語の説明

① 「記録媒体（当該記録媒体に記録された情報が不特定の者に送信されるものに限る。）に情報を記録」

蓄積型の特定電気通信における発信者の行為をとらえたものである。蓄積型の特定電気通信（ウェブページ等）においては、情報を

発信しようとする者は、特定電気通信設備（ウェブサーバ等）の記録媒体（ハードディスク等）に自己の発信しようとする情報を記録することによって、当該情報を流通過程に置いている。特定電気通信設備の記録媒体には、記録された情報が不特定の者に送信されるもの以外にも様々なものがある。特定電気通信における情報の発信者は、不特定の者に情報を送信する目的で情報を流通過程に置いた者であるため、「記録された情報が不特定の者に送信される記録媒体」に情報を記録した者のみを発信者とすることとしている。

② 「送信装置（当該送信装置に入力された情報が不特定の者に送信されるものに限る。）に情報を入力」

非蓄積型の特定電気通信における発信者の行為をとらえたものである。非蓄積型の特定電気通信（リアルタイムのストリーミング送信等）においては、情報を発信しようとする者は、特定電気通信設備（ストリームサーバ等）の送信装置に自己の発信しようとする情報を入力することによって、当該情報を流通過程に置いている。

特定電気通信設備の送信装置には、入力された情報を不特定の者に送信するもの以外の送信装置もあるが、特定電気通信における情報の発信者は、不特定の者に情報を送信する目的で情報を流通過程に置いた者であるため、「入力された情報が不特定の者に送信される送信装置」に情報を入力した者のみを発信者とすることとしている。

5　侵害情報（第5号）
(1)　趣旨

本号は、特定電気通信による情報の流通によって自己の権利を侵害されたとする者が当該権利を侵害したとする情報を「侵害情報」として定義したものである。

(2) 用語の説明

① 「特定電気通信による情報の流通によって自己の権利を侵害されたとする者が当該権利を侵害したとする情報」

　特定電気通信による情報の流通によって自らの権利が侵害されたと主張する者が、その権利を侵害すると主張する情報を指すものである。ここで、「権利を侵害された・と・す・る」と規定されているのは、この者が本当に権利を侵害されたのかどうかが不明であるためであり、「侵害した・と・す・る」と規定されているのは、この情報がまだ本当に「権利を侵害した」のかどうか不明であるためである。

6　発信者情報（第6号）
(1) 趣旨

　本号は、発信者情報開示請求の対象となる発信者情報を定めるものである。

(2) 用語の説明

① 「氏名、住所その他の侵害情報の発信者の特定に資する情報であって総務省令で定めるもの」

　「発信者情報」とは、ある情報の発信者の特定に資する情報のことである。これは、発信者を特定するために参考となる情報一般を意味し、このうち、開示請求をする者の損害賠償請求等を可能とするという観点から、その相手方を特定し、何らかの連絡を行うのに合理的に有用と認められる情報が、総務省令において限定列挙されている。

7 開示関係役務提供者（第7号）
(1) 趣旨

本号は、発信者情報の開示請求の相手方となる者を定めたものである。

(2) 用語の説明

① 「第五条第一項に規定する特定電気通信役務提供者及び同条第二項に規定する関連電気通信役務提供者」

開示関係役務提供者に該当する者として、第5条第1項に規定する「当該特定電気通信の用に供される特定電気通信設備を用いる特定電気通信役務提供者」[5]及び第5条第2項に規定する「関連電気通信役務提供者」を定めたものである。

8 発信者情報開示命令（第8号）
(1) 趣旨

本号は、発信者情報開示命令を定めるものである。

(2) 用語の説明

① 「第八条の規定による命令」

第8条の規定による命令を発信者情報開示命令として定めるものである。

---

[5] 旧法においては、「当該特定電気通信の用に供される特定電気通信設備を用いる特定電気通信役務提供者」のみが開示関係役務提供者とされていた（旧法第4条第1項）。

9 発信者情報開示命令事件（第9号）

(1) 趣旨

本号は、発信者情報開示命令事件を定めるものである。

(2) 用語の説明

① 「発信者情報開示命令の申立てに係る事件」

発信者情報開示命令の申立てに係る事件を発信者情報開示命令事件として定めるものであり、提供命令の申立てに係る事件及び消去禁止命令の申立てに係る事件を含むものではない。

なお、「事件」とは、問題となっている事項、事実又は関係を意味し、訴訟や審判手続においてはその対象となっている事柄を表す用語である[6]。

---

6 角田禮次郎ほか編『法令用語辞典〈第10次改訂版〉』学陽書房（2016年）345頁以下

第2章
損害賠償責任の制限(第3条・第4条)

第3条(損害賠償責任の制限)

(損害賠償責任の制限)
第三条　①特定電気通信による情報の流通により他人の権利が侵害されたときは、②当該特定電気通信の用に供される特定電気通信設備を用いる特定電気通信役務提供者(以下この項において「関係役務提供者」という。)は、③これによって生じた損害については、④権利を侵害した情報の不特定の者に対する送信を防止する措置を講ずることが技術的に可能な場合であって、次の各号のいずれかに該当するときでなければ、⑤賠償の責めに任じない。ただし、⑥当該関係役務提供者が当該権利を侵害した情報の発信者である場合は、この限りでない。
一　⑦当該関係役務提供者が当該特定電気通信による情報の流通によって他人の権利が侵害されていることを知っていたとき。
二　⑦当該関係役務提供者が、当該特定電気通信による情報の流通を知っていた場合であって、当該特定電気通信による情報の流通によって他人の権利が侵害されていることを知ることができたと認めるに足りる相当の理由があるとき。

2　特定電気通信役務提供者は、特定電気通信による①情報の送信を防止する措置を講じた場合において、当該措置により②送信を防止された情報の発信者に生じた損害については、③当該措置が当該情報の不特定の者に対する送信を防止するために必要な限度において行われたものである場合であって、次の各号のいずれかに該当するときは、④賠償の責めに任じない。

一　⑤当該特定電気通信役務提供者が当該特定電気通信による情報の流通によって他人の権利が不当に侵害されていると信じるに足りる相当の理由があったとき。

二　⑥特定電気通信による情報の流通によって自己の権利を侵害されたとする者から、侵害情報、侵害されたとする権利及び権利が侵害されたとする理由（以下この号において「侵害情報等」という。）を示して当該特定電気通信役務提供者に対し侵害情報の送信を防止する措置（以下この号において「送信防止措置」という。）を講ずるよう申出があった場合に、当該特定電気通信役務提供者が、当該侵害情報の発信者に対し当該侵害情報等を示して当該送信防止措置を講ずることに同意するかどうかを照会した場合において、当該発信者が当該照会を受けた日から七日を経過しても当該発信者から当該送信防止措置を講ずることに同意しない旨の申出がなかったとき。

[趣旨]

　本条は、特定電気通信による情報の流通に関し、当該情報の流通によって他人の権利が侵害された場合の特定電気通信役務提供者の不作為を理由とする権利を侵害された者に対する損害賠償責任（第1項）及び特定電気通信による情報の送信を防止する措置を講じた

場合の特定電気通信役務提供者の作為を理由とする発信者に対する損害賠償責任（第2項）の制限について規定するものである。

[解説]

1 第1項
(1) 概要

本項は、特定電気通信役務提供者が、自ら提供する特定電気通信による他人の権利を侵害する情報の送信を防止するための措置を講じなかったことに関し、特定電気通信役務提供者に作為義務が生ずるのかどうかが明確ではない中で、当該情報の流通により権利を侵害されたとする者との関係での損害賠償責任（不作為責任）が生じない場合を可能な範囲で明確にするために規定するものである。

本項の規定により、特定電気通信役務提供者が不作為責任を負い得る場合が一定の範囲で明確化されることとなり、問題とされる情報に対して特定電気通信役務提供者による適切な対応が促されることになるものと期待される。また、逆に、特定電気通信役務提供者が、問題とされる情報の送信を防止する措置を講じないことにより不作為責任を問われることをおそれるあまり、過度に送信を防止する措置を行って発信者の表現の自由を不当に侵害することを抑止する効果も有するものと考えられる。

(2) 用語の説明等

① 「特定電気通信による情報の流通により他人の権利が侵害されたとき」

本項の対象とするのは、「特定電気通信による情報の流通により他人の権利が侵害されたとき」であり、本項は、関係役務提供者が、他人の権利を侵害する情報であるにもかかわらず送信を防止す

る措置を講じなかったときの損害賠償責任の制限について規定したものである。

ここで、「情報の流通により」としているのは、権利の侵害が「情報の流通」自体によって生じたものである場合を対象とするものであることを示すためであり、例えば詐欺に関する情報の場合には、権利の侵害が「情報の流通」自体によって生じたものとはいえないので、対象とならない。

また、「他人の権利が侵害された」としているのは、本項は、情報の流通によって実際に損害が発生した場合について、当該情報の発信者ではなく、その流通に関与した関係役務提供者の事後的な損害賠償責任の有無の判断に当たっての規範であり、「権利が侵害された」ことが前提となるためである。

なお、ここにいう「権利が侵害された」とは、不法行為を規定する民法（明治29年法律第89号）第709条の「他人の権利又は法律上保護される利益を侵害した」[1]と同趣旨であり、名誉毀損、プライバシー侵害、著作権侵害等、保護される法益の範囲に限定はない。

しかし、問題とされる情報に違法性が認められる場合であっても、およそ人の権利利益との関連がなく、不法行為が成立する可能性がないような場合には、これに含まれない。

② 「当該特定電気通信の用に供される特定電気通信設備を用いる特定電気通信役務提供者」

本項の対象となる特定電気通信役務提供者を規定しているものである。すなわち、本項で対象とするのは、特定電気通信により情報が流通している場合に、問題とされる情報が記録されているウェブサーバを提供している者など当該情報の流通に関する特定電気通信

---

[1] 民法の一部を改正する法律（平成16年法律第147号）による改正前は、「権利ヲ侵害シタ」とされていた。

設備を提供している者である。

③ 「これによって生じた損害」

本項の対象となる損害は、特定電気通信による情報の流通によって他人の権利の侵害が生じた場合に、それによって現実に生じた損害である。これは、問題とされる情報の流通自体によって現実に損害が発生している場合でなければ損害賠償責任を問われることはないためである。そのため、例えば、ある情報が特定電気通信設備に記録されたが、他の誰かが受信する前に被害を受ける者がそれに気付き、発信者に連絡する等して、それ以降の流通が防止されたような場合等、現実の損害が生じていない場合には、本項の適用はないこととなる。逆に、関係役務提供者がある時点で情報の送信を防止するための措置を講じた場合であっても、それまでの間に当該情報の流通によって損害が生じていれば、関係役務提供者は、その損害についての責任を問われる可能性があり、本項で制限されることとなる責任には、そのような損害についての責任も含まれるものである。

なお、本項では、権利侵害の態様について特に制限を加えていないことから、安全配慮義務違反等の契約上の義務違反が問われることがあれば、不法行為のみならず、そのような義務違反による権利の侵害により生じた損害をも含むことになる。

④ 「権利を侵害した情報の不特定の者に対する送信を防止する措置を講ずることが技術的に可能な場合」

そもそも当該情報の不特定の者に対する送信を防止する措置を講ずることが技術的に可能でない場合には、結果回避可能性がなく、関係役務提供者に作為義務が生じることはないことから、それを明確化するものである。

ここで、関係役務提供者に期待される措置は、あくまで権利の侵害を防止するために必要な限度にとどまるものである。例えば、問

題とされる情報の送信を防止するためには他の関係ない大量の情報の送信を停止しなければならないような場合や、インターネットへの接続自体をさせない等、当該情報の発信者の情報発信のすべてを停止するしかない場合には、関係役務提供者がその措置を講ずることが「技術的に可能」とはいえないものと解される。

また、技術的に可能かどうかは客観的に判断されるべきものであり、通常の技術力のある関係役務提供者であれば措置を講じることが可能であるが、当該関係役務提供者の技術力では必要な限度で措置を講じることは不可能であるというような場合については、本項による責任の制限には該当しないものと解される。

⑤ 「賠償の責めに任じない」

「賠償の責めに任じない」とは、民事上の賠償責任、すなわち、不法行為に基づく損害賠償責任や債務不履行に基づく損害賠償責任が生じないことである。被害回復措置は、通常は金銭的賠償のことであるが（民法第417条及び第722条第1項）、名誉毀損の場合には、賠償に代えて名誉を回復するに適当な処分を命じ得ることとされており（民法第723条）、本項においても、それと同じである。

また、本項は、関係役務提供者に対する差止めが認められるかどうかについては、何ら規定していない。このため、差止めが可能かどうかについては、侵害される権利の性質等に応じ、当該権利について規定する法律に則ってそれぞれ個別に判断されることとなる。

さらに、本項は、刑事上の責任について規定しているものではない。関係役務提供者が違法情報の送信を防止する措置を講じなかったことについては、関係役務提供者が当該情報の発信者である場合や、違法情報であること及びその結果により被害が生じることを知りつつその流通を促進していた場合等、関係役務提供者が当該情報の流通に積極的に関与していた場合等には刑事上の責任を問われる可能性があるが、単に、関係役務提供者が違法情報が流通している

ことを知っただけでは、直ちに刑事上の責任を問われることは考えにくい。

⑥　「当該関係役務提供者が当該権利を侵害した情報の発信者である場合は、この限りでない」

関係役務提供者が自らウェブページを作成する場合等、関係役務提供者自身が当該情報を記録媒体に記録し、又は送信装置に入力した者（発信者）となっている場合については、本項本文の適用の対象から除外するものである。そのような場合に、発信された情報の流通によって生じた損害については、関係役務提供者は、当然、当該情報の発信者としての責任を負うべきものであり、本項本文の要件を満たすか否かにかかわらず、一般則に従って責任を負い得ることとなる。

なお、このことは、関係役務提供者が他の発信者と共同で情報発信を行う場合など、発信者が複数存在する場合の1人になっているときでも、同様である。

⑦　要件（第1号、第2号）

関係役務提供者が賠償責任を負い得る場合の要件として、㋐当該情報の流通によって他人の権利が侵害されていることを知っていたとき（第1号）、又は、㋑当該情報が流通していることを知っていた場合であって当該情報の流通によって他人の権利が侵害されていることを知ることができたと認めるに足りる相当の理由があるとき（第2号）、が規定されている。これらの要件は、情報の流通に関する認識と情報が権利侵害に当たるかどうかの認識という2つの観点から定められているものである。

ア　情報の流通に関する認識

まず、関係役務提供者に賠償責任が生じることがあるのは、特定電気通信によりその情報が流通していることを知っていた場合に限られる。ここで、「知っていた」とは、当該情報が流通していると

いう事実を現実に認識していたことである。

　この規定は、前記のような事実を認識していなかった場合には、その理由を問わず責任が生じないとするものであり、結果として、関係役務提供者には、特定電気通信により流通する情報の内容を網羅的に監視する義務がないことを明確化するものである。

　これは、関係役務提供者が特定電気通信により流通する情報の内容を一般的に監視することとなると、発信者の表現の自由との関係で重大な問題があると考えられること、関係役務提供者が他人の権利を侵害する情報が流通していることを知らなかったことについて責任を問われ得ることとなると、その追及をおそれるあまり、サービスの提供を中止することや、疑わしい情報はすべてあらかじめ削除するようになるおそれがあること、によるものである。

　なお、当該情報の流通によって他人の権利が侵害されていることを知っていたときは、必ず当該情報が流通していることをも知っていることとなるため、第１号では要件として文言上規定していない。

　　イ　権利侵害に関する認識
　次に、関係役務提供者が、不作為責任を問われる可能性があるのは、アの特定電気通信により当該情報が流通しているという事実を認識していた場合であって、さらに、権利侵害に関する認識という観点から、当該関係役務提供者が当該情報の流通によって他人の権利が侵害されていることを知っていたとき（第１号）、又は、当該関係役務提供者が当該情報の流通によって他人の権利が侵害されていることを知ることができたと認めるに足りる相当の理由があるとき（第２号）、に限られることとするものである。

　ここで、「認めるに足りる相当の理由」とは、通常の注意を払っていれば知ることができたと客観的に考えられることである。どのような場合に「相当の理由」があるとされるのかは、最終的には司

法判断に委ねられるところであるが、例えば、関係役務提供者が次のような情報が流通しているという事実を認識していた場合は、相当の理由があるものとされよう。

(a) 通常は明らかにされることのない私人のプライバシー情報（住所、電話番号等）
(b) 公共の利害に関する事実でないこと又は公益目的でないことが明らかであるような誹謗中傷を内容とする情報

逆に、以下のような場合には、「相当の理由があるとき」には該当せず、関係役務提供者は責任を負わないものと考えられる。

(c) 他人を誹謗中傷する情報が流通しているが、関係役務提供者に与えられた情報だけでは当該情報の流通に違法性があるのかどうかがわからず、権利侵害に該当するか否かについて、十分な調査を要する場合
(d) 流通している情報が自己の著作物であると連絡があったが、当該主張について何の根拠も提示されないような場合
(e) 電子掲示板等での議論の際に誹謗中傷等の発言がされたが、その後も当該発言の是非等を含めて引き続き議論が行われているような場合

⑧ **他の要件との関係及び主張・立証責任**

この規定は、関係役務提供者の不作為責任の判断の際に、当然に考慮されるべき事情を独立の要件として抽出し、類型化して規定することで、関係役務提供者が民事上の責任を問われ得る場合を明確化するものである。したがって、被害を受けたと主張する者は、関係役務提供者に対して損害賠償請求をするに当たっては、まず、本項の各要件に該当することを主張・立証したうえで、作為義務の存在や因果関係等損害賠償請求に必要な他の要件をも主張・立証する必要がある。すなわち、本項の規定は、主張・立証責任を転換するものではなく、また、本項の要件に該当した場合に当然に損害賠償

責任があることとなるわけでもない。

2　第2項
(1)　概要

本項は、特定電気通信役務提供者が、自ら提供する特定電気通信により流通する情報の送信を防止する措置を講じたことに関して、当該情報の発信者との関係で損害賠償責任（作為責任）を負い得る場合について規定するものである。

本項の規定により、特定電気通信役務提供者は、一定の要件に該当する場合でなければ発信者との関係で責任を負わないことが明確となるため、他人の権利を侵害する情報の送信を防止する措置を講ずることを過度に躊躇することなく、自らの判断で適切な対応をとるよう促されることが期待される。

(2)　用語の説明等

①　「情報の送信を防止する措置を講じた場合」

本項の対象とするのは、特定電気通信役務提供者が「情報の送信を防止する措置を講じた場合」であり、本項は、特定電気通信役務提供者が、その情報が他人の権利を侵害するものでないにもかかわらず、結果として誤って送信を防止する措置を講じてしまったときに発信者との関係で生じ得る損害賠償責任について規定したものである。

②　「送信を防止された情報の発信者に生じた損害」

情報の送信を防止するための措置を講じたことによって、当該情報の発信者が本来社会に流通させることができたはずの情報の送信ができなくなったことによる損害である。具体的には、表現を不当に妨害されたことによる精神的損害、収益を上げることが予定されていた表現行為を妨害されたことによる逸失利益等が考えられる。

なお、特定電気通信役務提供者が当該情報の発信者となっている場合について、第1項と異なり、規定上明文で除外されていないが、これは、そもそも、自らウェブページを作成する場合等、特定電気通信役務提供者自身が情報の発信者となる場合には、発信者としての特定電気通信役務提供者が自ら措置を講じるものであり、責任の制限という観点から規定を置く必要性がないためである。

③ 「当該措置が当該情報の不特定の者に対する送信を防止するために必要な限度において行われたものである場合」

送信を防止する措置は、表現行為に対する重大な制約となり得るものであるため、措置の目的に照らして必要な限度において行われたものであることを、損害賠償の責めに任じない場合の要件とするものである。

具体的にどのような場合に「必要な限度」を超えていると解されるのかは一概にはいえないが、例えば、問題とされている情報が一部であり、当該情報のみの消去が可能であるにもかかわらず、当該情報の発信者が作成し、記録した情報をすべて消去する場合や、特定電気通信役務提供者が故意に他人の権利を侵害するとされる情報を隠匿する目的で複製をすることなく論理的に消去した場合などは、必要な限度を超えているものと解されることとなろう[2]。

「不特定の者に対する送信」としているのは、特定電気通信では、流通する情報が不特定の者により受信され得るからこそ権利の侵害の拡大が問題となっていることから、権利の侵害を防止するために必要な措置として求められるのも、不特定の者に対する送信が防止されることであって、特定の者に対する送信が行われることをも防止することまで含まれるものではないことを明らかにするため

---

[2] このように規定しているのは、その情報やその情報の流通に関する情報に証拠として意味がある場合があることにも配意したものである。

である。

④　「賠償の責めに任じない」

「賠償の責めに任じない」とは、民事上の賠償責任が生じないことである。すなわち、不法行為責任や債務不履行責任が生じないことをいう。第1項におけるのと同様である。

なお、本項では、特定電気通信役務提供者の刑事責任は、対象としていない。違法でない情報を違法情報であると誤認して送信を防止する措置を講じたことによって特定電気通信役務提供者が問われる可能性がある刑事上の責任としては、当該措置を講じたことによる業務妨害が考えられるが、誤って措置を講じたこと（過失）により業務妨害に問われることはないこと等によるものである。

⑤　要件（第1号）

特定電気通信役務提供者がある情報の流通により他人の権利が不当に侵害されると信じてその情報の送信を防止する措置を講じた場合について、結果としてその情報の流通によって他人の権利が不当に侵害されていなかったときであっても、通常の注意を払っていたとしてもそう信じたことがやむを得なかったときには、特定電気通信役務提供者の賠償責任を免除することを規定するものである。

ア　「権利が不当に侵害されている」

「権利が侵害されている」とは、民法第709条の「他人の権利又は法律上保護される利益を侵害した」と同義であるが、「権利が不当に侵害されている」とは、単に違法な権利侵害があることに加えて、正当防衛のような違法性阻却事由等がないことをも含む意である。これは、表現の自由との関係で本項の要件についてはできる限り限定的に規定することが望ましいことによるものである。また、一般的に不法行為における違法性阻却事由についての主張・立証責任は加害者側にあるとされているが、本条においても、特定電気通信役務提供者が違法性阻却事由がないことを主張・立証するのでは

なく、その情報の発信者が違法性阻却事由があることを主張・立証することになる。

イ 「信じるに足りる相当の理由があった」

特定電気通信役務提供者が情報の送信を防止するための措置を講じている場合には、当然、当該情報が他人の権利を侵害するものと考えたうえで措置をしているはずであるが、当該情報が他人の権利を侵害するものでなかった場合であっても、通常の注意を払っていてもそう信じたことがやむを得なかったときには、責任を負わないこととするものである。どのような場合に「相当の理由」があるとされるのかは、最終的には司法判断に委ねられるところであるが、例えば、次のような場合は、相当の理由があるものとされよう。

(ｱ) 発信者への確認その他の必要な調査により、十分な確認を行った場合
(ｲ) 通常は明らかにされることのない私人のプライバシー情報（住所、電話番号等）について当事者本人から連絡があった場合で、当該者の本人性が確認できている場合

⑥ 要件（第2号）

権利を侵害する情報の流通による被害の拡大を防止するという観点から、流通する情報の内容にかかわらない客観的・外形的な基準に従って、問題とされる情報の送信を防止するための措置を講じても、特定電気通信役務提供者は、損害賠償責任を問われないこととするものである。具体的には、発信者の表現行為を過度に制約することとならないよう、権利を侵害されたとする者からの申出により発信者に対して照会をし、意見表明の機会を与えたにもかかわらず、発信者から一定の期間を経過しても何らの申出もない場合である。一方の当事者が自らの権利の侵害があることを主張している中で、他方の当事者が、意見表明の機会を与えられているにもかかわらず、何ら自らの権利等に係る主張を行わない場合であることか

ら、当事者間の利害の平衡を考え、このような客観的・外形的な判断にも妥当性があるものと考えられるためである。

　　ア　「自己の権利を侵害されたとする者」
　申出を行うことができるのは、「自己の」権利を侵害されたとする者であり、知り合いの権利や特定個人の権利とはいえないような社会的な法益等、自己以外の者の権利が侵害されたとする者が行った申出は、本項の規定による申出とはならない。なお、「権利を侵害されたとする」と規定されているのは、申出の段階では、本当に権利を侵害されたのかどうかが不明であるためである。

　なお、第三者からの連絡に基づく場合や、特定電気通信役務提供者自身が発見した場合等であって、特定電気通信役務提供者が、権利侵害が明らかであれば自らの責任で送信防止措置を講じたときに、第1号の要件に合致すれば、本項の規定によって責任が制限されることとなる。

　　イ　申出に当たり示すべき事項
　権利を侵害されたとする者が送信防止措置を講ずるよう申出を行うに当たっては、㋐侵害情報、㋑侵害されたとする権利、㋒権利が侵害されたとする理由を示すことを要する。権利を侵害されたとする者が申出を行うに当たって示す事項は、そのまま特定電気通信役務提供者が発信者に照会する際に示されることとなるが、発信者にとって十分な手続的な保障が与えられているものとするためには、少なくともこれらの事項が示されている必要があるためである。

　「侵害されたとする権利」については、それがどのようなものであるのかが具体的かつ適切に示される必要があるとともに、申出をする者が、その権利を正当に保有していることをも的確に示される必要がある。また、「権利が侵害されたとする理由」も、紛争の中核になるものであり、具体的かつ適切に示される必要がある。

　なお、申出をする者は、自己の権利が侵害された事実を明確にす

るために、当然、特定電気通信役務提供者に対して氏名等の必要な情報を示して申出をすることとなるものと考えられる。

　ウ　「侵害情報の送信を防止する措置（以下この号において「送信防止措置」という。）」

　「送信を防止する措置」とは、発信者が特定電気通信設備の記録媒体に侵害情報を記録し、又はその送信装置に情報を入力したのちに、不特定の者からの求めにより自動的に行われる「送信」を防止するための措置である。

　エ　「講ずるよう申出があった場合」

　権利を侵害されたとする者は、自ら送信防止措置を講ずることはできないため、特定電気通信役務提供者によって問題とする情報の送信を防止する措置が講じられるよう申出をすることとなる。

　オ　「侵害情報等を示して」

　発信者に対して、措置に同意するか照会する際には、権利を侵害されたとする者からの申出の際に示された事項（侵害情報、侵害されたとする権利及び権利が侵害されたとする理由）を示して行うこととするものである。特定電気通信役務提供者が発信者に対して照会する場合には、これらの事項が発信者に対して示されることとなり、その結果、これらの事項は、発信者側で侵害防止措置を講ずることに同意するかどうかの判断に資することとなるものである。

　なお、申出をした者の氏名等の個人情報については、プライバシー侵害の場合など、それを発信者に示すことでかえって被害が拡大することも考えられることから、必ず発信者に示すべき事項とはされておらず、特定電気通信役務提供者において、場面に応じた適切な判断がなされるべきものと考えられる。

　カ　「当該送信防止措置を講ずることに同意するかどうか」

　特定電気通信役務提供者が発信者に対して照会するのは、特定電気通信役務提供者が権利を侵害されたとする者からの申出を受けて

キ 「照会した場合」

申出を受けて、特定電気通信役務提供者は、発信者に対して、送信防止措置に同意するかどうか照会することとなるが、本法律は、任意にこの照会をした場合の特定電気通信役務提供者の責任の制限について規定しているものにすぎず、自己の権利を侵害されたと主張する者から申出があった場合に、特定電気通信役務提供者に対して発信者に照会することを義務付けるものではない[3]。

ク 「当該照会を受けた日」

本項の規定は、情報の送信を防止する措置という表現行為に対して重大な影響を与える措置を講じることができることとするものであり、そうした措置を講ずる前提として、発信者が手続の趣旨や権利を侵害されたとする者の申出の内容等を実際に伝達され、実際に意見表明の機会が与えられていることが不可欠である。このため、起算日についても、発信者が実際に照会を受けた日とされている。

ケ 「七日を経過しても」

権利を侵害されたとする者との関係では、権利の侵害による被害が拡大し続けるおそれがあることから期間はできる限り短くする必要がある一方で、発信者との関係では、申出をするのに十分な時間的余裕を設ける必要がある。このため、郵便の利用も考慮に入れ、1週間、すなわち、7日間とするものである。

---

[3] 申出をした者は、情報の送信を防止する措置を講ずるよう求めて申出をするものであるが、発信者の責任を追及する際には、その情報が証拠としての意味を有する場合も考えられる。しかし、情報の送信を防止する措置を講じた結果として、その情報が特定電気通信設備から削除されることがあることについて申出をした者が認識していない可能性もある。このため、特定電気通信役務提供者は、被害者が発信者等の責任を追及する意思を有している場合があることに配意し、場合により事前に申出をした者にその旨説明することや警察への相談等を行うよう助言することに努めることが望ましい。

第2章 損害賠償責任の制限（第3条・第4条）

コ　「同意しない旨の申出がなかったとき」

　照会を受けたにもかかわらず、発信者から送信防止措置を講ずることに同意しない旨の申出がなかったときである。発信者が、自己の権利を侵害されたと主張する者の申出を受け入れ、送信防止措置を講ずることに同意した場合はもちろんのこととして、何ら応答をしない場合をも含める趣旨である。

⑦　主張・立証責任

　本項の規定は、発信者が一般的な不法行為の要件事実を立証した場合に、特定電気通信役務提供者の側で抗弁として、本項の各要件を主張・立証できれば、責任を負わないこととする免責事由を定めるものである。したがって、本項の各要件に該当することは、特定電気通信役務提供者側で主張・立証することとなる。

プロバイダ等の損害賠償責任の制限の概要

⑥被害者に対する責任は、
(1)権利が侵害されているのを知っていたとき　又は、
(2)これを知り得たと認めるに足りる相当の理由があるとき　以外は、
　削除しなくても免責
　（第3条第1項）

⑤削除せず　③削除

④発信者に対する責任は、
(1)権利が不当に侵害されていると信じるに足りる相当の理由があるとき　又は、
(2)発信者に削除に同意するか照会したが7日以内に反論がない場合には、
　削除しても免責
　（第3条第2項）

被害者　②削除の申出　電子掲示板の管理者（プロバイダ等）　①情報の書込み　発信者

「①ヤブ医者」

プロバイダ等による対応

⑧　規定の性格

　本項の規定は、特定電気通信役務提供者が情報の送信を防止する措置を講じた場合に発信者に対して負い得る責任に関するものであるが、特定電気通信役務提供者と発信者とは契約関係にある場合、

例えば、契約約款等により別の定めをしている場合も少なくないと考えられる。本項の規定は、その場合の当事者間の取決めを排除する趣旨ではないので、その性質は、あくまで任意規定に当たるものと考えられる。もっとも、民法その他の法律における強行規定の適用があることはもちろんであり、特定電気通信役務提供者と発信者の間の免責の定めが著しく正義に反するというような極端な場合には、民法第90条の公序良俗違反として当該特約の効力は否定され、その結果として、本法律の規定が適用されることになるものと解される。

第2章 損害賠償責任の制限（第3条・第4条） 55

(参考)

特定電気通信役務提供者の不作為による
損害賠償責任の場合の主張・立証（第1項）

〈特定電気通信役務提供者が情報の流通につき
不法行為責任を負う場合の判断構造〉

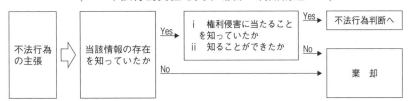

〈被害者が特定電気通信役務提供者に対して情報を削除
しないことによる損害賠償を請求する場合のイメージ〉

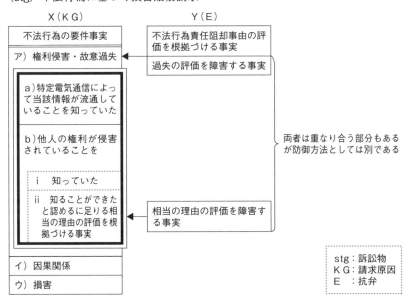

※ 不法行為責任阻却事由の例としては、正当防衛、緊急避難、正当業務行為等がある。

56　第2　プロバイダ責任制限法の逐条解説

（参考）

特定電気通信役務提供者の作為による
損害賠償責任の場合の主張・立証（第2項）

〈発信者が特定電気通信役務提供者に対して情報の送信防止措置をとられたことによる損害賠償を請求する場合のイメージ〉

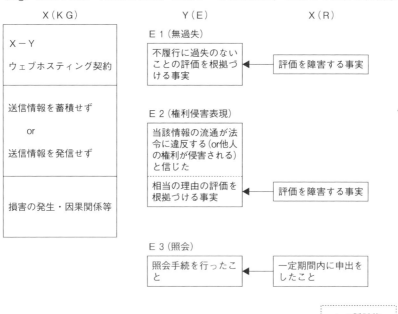

第4条（公職の候補者等に係る特例）

（公職の候補者等に係る特例）
第四条 ①前条第二項の場合のほか、特定電気通信役務提供者は、特定電気通信による②情報（選挙運動の期間中に頒布された文書図画に係る情報に限る。以下この条において同じ。）の送信を防止する措置を講じた場合において、当該措置により③送信を防止された情報の発信者に生じた損害については、④当該措置が当該情報の不特定の者に対する送信を防止するために必要な限度において行われたものである場合であって、次の各号のいずれかに該当するときは、⑤賠償の責めに任じない。
一 特定電気通信による情報であって、①選挙運動のために使用し、又は当選を得させないための活動に使用する文書図画（以下この条において「特定文書図画」という。）に係るものの流通によって自己の名誉を侵害されたとする公職の候補者等（公職の候補者又は候補者届出政党（公職選挙法（昭和二十五年法律第百号）第八十六条第一項又は第八項の規定による届出をした政党その他の政治団体をいう。）若しくは衆議院名簿届出政党等（同法第八十六条の二第一項の規定による届出をした政党その他の政治団体をいう。）若しくは参議院名簿届出政党等（同法第八十六条の三第一項の規定による届出をした政党その他の政治団体をいう。）をいう。次号において同じ。）から、②当該名誉を侵害したとする情報（以下この条において「名誉侵害情報」という。）、名誉が侵害された旨、名誉が侵害されたと

する理由及び当該名誉侵害情報が特定文書図画に係るものである旨（以下この条において「名誉侵害情報等」という。）を示して当該特定電気通信役務提供者に対し③名誉侵害情報の送信を防止する措置（以下この条において「名誉侵害情報送信防止措置」という。）を④講ずるよう申出があった場合に、当該特定電気通信役務提供者が、当該名誉侵害情報の発信者に対し⑤当該名誉侵害情報等を示して⑥当該名誉侵害情報送信防止措置を講ずることに同意するかどうかを⑦照会した場合において、当該発信者が⑧当該照会を受けた日から⑨二日を経過しても当該発信者から当該名誉侵害情報送信防止措置を講ずることに⑩同意しない旨の申出がなかったとき。

二　特定電気通信による情報であって、①特定文書図画に係るものの流通によって自己の名誉を侵害されたとする公職の候補者等から、②名誉侵害情報等及び名誉侵害情報の発信者の電子メールアドレス等（公職選挙法第百四十二条の三第三項に規定する電子メールアドレス等をいう。以下この号において同じ。）が同項又は同法第百四十二条の五第一項の規定に違反して表示されていない旨を示して当該特定電気通信役務提供者に対し③名誉侵害情報送信防止措置を④講ずるよう申出があった場合であって、⑤当該情報の発信者の電子メールアドレス等が当該情報に係る特定電気通信の受信をする者が使用する通信端末機器（入出力装置を含む。）の映像面に正しく表示されていないとき。

[趣旨]

　第183回国会において成立した公職選挙法の一部を改正する法律（平成25年法律第10号）により本法律の一部改正がなされ、本条

（公職の候補者等に係る特例）が追加された。

本条は、特定電気通信により選挙運動の期間中に頒布された文書図画に係る情報の送信を防止する措置を講じた場合の特定電気通信役務提供者の作為を理由とする発信者に対する損害賠償責任の制限について規定するものである。

> 解説

1　柱書

(1)　概要

本条は、特定電気通信役務提供者が、自らの提供する特定電気通信により流通する選挙運動の期間中に頒布された文書図画に係る情報の送信を防止したことに関して、当該情報の発信者との関係で損害賠償責任（作為責任）が生じない場合について規定するものである。

本条の規定により、特定電気通信役務提供者は、一定の要件に該当する場合であれば発信者との関係で責任を負わないことが明確となるため、公職の候補者等の名誉を侵害する情報の送信を防止する措置を講ずることを過度に躊躇することなく、自らの判断で適切な対応をとるよう促されることが期待される。

(2)　用語の説明等

①　「前条第二項の場合のほか」

本条は、第3条第2項に加えて、特定電気通信役務提供者が送信防止措置を講じたことにつき当該情報の発信者との関係で損害賠償責任（作為責任）が生じない場合を追加的に定めるものである。そのため、たとえ本条に定める要件に該当しない場合であっても、第3条第2項に定める要件に該当するときは、特定電気通信役務提供

者は発信者との関係で責任を負わない。

② 「情報（選挙運動の期間中に頒布された文書図画に係る情報に限る。以下この条において同じ。）の送信を防止する措置を講じた場合」

本条の対象は、特定電気通信役務提供者が、その情報が他人の権利を侵害するものでないにもかかわらず、結果として誤って送信を防止する措置を講じてしまったときに発信者との関係で生じ得る損害賠償責任について規定したものであり、その点においては第3条第2項と同様である。

一方で、本条の対象とされる「情報」は、第3条第2項と異なり、「選挙運動の期間中に頒布された文書図画に係る情報」に限定されている。ここで、「選挙運動の期間」とは、公示・告示日から選挙期日の前日までの期間のことである。したがって、本条の「情報」とは、公示・告示日から選挙期日の前日までの期間に頒布された文書図画に掲載された情報をいうものである。

なお、「文書図画」とは、文字若しくはこれに代わるべき符号又は象形を用いて物体の上に多少永続的に記載された意識の表示をいうものであり、コンピュータ、携帯電話等のディスプレイに表示された文字等の意識の表示は、「文書図画」に含まれる。

③ 「送信を防止された情報の発信者に生じた損害」

情報の送信防止措置を講じたことによって、当該情報の発信者が本来社会に流通させることができたはずの情報の送信ができなくなったことによる損害であり、第3条第2項と同様である。

また、特定電気通信役務提供者が当該情報の発信者となっている場合については規定上明文で除外されていないが、これについても第3条第2項と同様、特定電気通信役務提供者自身が情報の発信者となる場合には、発信者としての特定電気通信役務提供者が自ら措置を講ずるものであり、責任の制限という観点から規定を置く必要

がないためである。

④ 「当該措置が当該情報の不特定の者に対する送信を防止するために必要な限度において行われたものである場合」

送信防止措置は、表現行為に対する重大な制約となり得るものであるため、措置の目的に照らして必要な限度において行われたものであることを、損害賠償の責めに任じない場合の要件とするものであり、第3条第2項と同様である。

⑤ 「賠償の責めに任じない」

「賠償の責めに任じない」とは、民事上の賠償責任が生じないことであり、不法行為責任や債務不履行責任が生じないことをいう。第3条と同様である。

⑥ 規定の性格

本条は、特定電気通信役務提供者が情報の送信防止措置を講じた場合に発信者に対して負い得る責任に関するものであるが、特定電気通信役務提供者と発信者が契約関係にある場合の当事者間の取決めを排除する趣旨ではないので、その性質は、第3条第2項と同様、任意規定に当たるものと考えられる。

2 第1号

(1) 概要

本号は、特定電気通信役務提供者が、選挙運動用又は落選運動用文書図画に係る情報の流通によって自己の名誉を侵害されたとする公職の候補者等から送信防止措置を講ずるよう申出を受けて、送信防止措置に同意するか否かを発信者に照会し、当該照会を受けた日から2日を経過しても発信者から送信防止措置を講ずることに同意しない旨の申出がない場合には、必要な限度において当該情報の送信防止措置を講じたとしても、当該特定電気通信役務提供者は損害賠償責任を問われないことを規定するものである。一定の要件を満

たす場合に、第3条第2項第2号で規定する同意照会に対する回答期間を「7日」から「2日」に短縮している。

(2) 用語の説明等

① **「選挙運動のために使用し、又は当選を得させないための活動に使用する文書図画(以下この条において「特定文書図画」という。)に係るものの流通によって自己の名誉を侵害されたとする公職の候補者等」**

申出を行うことができるのは、選挙運動用又は落選運動用文書図画に係る情報の流通によって「自己」の名誉を侵害されたとする公職の候補者等である。そのため、公職の候補者等以外の者の権利が侵害されたとする者が行った申出や公職の候補者等による申出であっても名誉以外の権利が侵害されたとする申出、選挙運動用又は落選運動用文書図画に係る情報の流通によらずに名誉が侵害されたとする申出は、本号の規定による申出とはならない。

ここで、「選挙運動」とは、判例・実例によれば、特定の選挙について、特定の候補者の当選を目的として、投票を得又は得させるために直接又は間接に必要かつ有利な行為と解されている。また、「当選を得させないための活動」とは、単に特定の候補者の落選のみを図る活動をいうものと解されている。

なお、「公職の候補者等」とは、公職の候補者又は候補者届出政党(公職選挙法(昭和25年法律第100号)第86条第1項又は第8項の規定による届出をした政党その他の政治団体)若しくは衆議院名簿届出政党等(同法第86条の2第1項の規定による届出をした政党その他の政治団体)若しくは参議院名簿届出政党等(同法第86条の3第1項の規定による届出をした政党その他の政治団体)をいう。

② **申出に当たり示すべき事項**

　名誉を侵害されたとする公職の候補者等が送信防止措置を講ずるよう申出を行うに当たっては、(ア)名誉を侵害したとする情報（名誉侵害情報）、(イ)名誉が侵害された旨、(ウ)名誉が侵害されたとする理由、(エ)名誉侵害情報が特定文書図画に係るものである旨を示すことを要する。権利を侵害されたとする公職の候補者等が申出を行うに当たって示す事項は、そのまま特定電気通信役務提供者が発信者に照会する際に示されることとなるが、発信者にとって十分な手続保障が与えられているものとするためには、少なくともこれらの事項が示されている必要があるためである。

　ここで、「侵害したとする」としているのは、この申出の段階では、まだ本当に「名誉を侵害した」のかどうか不明であるためであり、第3条第2項第2号と同様である。

　「名誉が侵害された旨」については、名誉が侵害されたことが示される必要があり、「名誉が侵害されたとする理由」については、紛争の中核となるものであるから、具体的かつ適切に示される必要がある。

　また、「名誉侵害情報が特定文書図画に係るものである旨」については、名誉侵害情報が選挙運動用又は落選運動用文書図画に掲載されていることが示される必要がある。

③ **「名誉侵害情報の送信を防止する措置（以下この条において「名誉侵害情報送信防止措置」という。）」**

　「送信を防止する措置」とは、発信者が特定電気通信設備の記録媒体に侵害情報を記録し、又はその送信装置に情報を入力したのちに、不特定の者からの求めにより自動的に行われる「送信」を防止するための措置であり、第3条第2項と同様である。

④ **「講ずるよう申出があった場合」**

　名誉を侵害されたとする公職の候補者等は、自ら送信防止措置を

講ずることはできないため、特定電気通信役務提供者によって問題とする情報の送信を防止する措置が講じられるよう申出をすることとなる。第3条第2項第2号と同様である。

⑤ 「当該名誉侵害情報等を示して」

特定電気通信役務提供者が、発信者に対して、措置に同意するか照会する際には、名誉を侵害されたとする公職の候補者等からの申出の際に示された事項（名誉侵害情報、名誉が侵害された旨、名誉が侵害されたとする理由及び名誉侵害情報が特定文書図画に係るものである旨）を示して行うこととするものであり、第3条第2項第2号と同様である。

⑥ 「当該名誉侵害情報送信防止措置を講ずることに同意するかどうか」

特定電気通信役務提供者が発信者に対して照会するのは、特定電気通信役務提供者が名誉を侵害されたとする公職の候補者等からの申出を受けて送信防止措置を講ずることについてであり、第3条第2項第2号と同様である。

⑦ 「照会した場合」

申出を受けて、特定電気通信役務提供者は、発信者に対して、送信防止措置に同意するかどうか照会することとなるが、第3条第2項第2号と同様、本条も任意にこの照会をした場合の特定電気通信役務提供者の責任の制限について規定しているものにすぎず、名誉を侵害されたと主張する公職の候補者等から申出があった場合に、特定電気通信役務提供者に対して発信者に照会することを義務付けるものではない。

⑧ 「当該照会を受けた日」

本条は、情報の送信防止措置という表現行為に対して重大な影響を与える措置を講じることができることとするものであり、そうした措置を講ずる前提として、発信者に対し、手続の趣旨や権利を侵

害されたとする者の申出の内容等が実際に伝達され、意見表明の機会が与えられていることが不可欠であるため、起算日についても、発信者が実際に照会を受けた日とされている。第3条第2項第2号と同様である。

⑨ 「二日を経過しても」

発信者との関係では、申出をするのに時間的余裕を設ける必要がある一方、名誉を侵害されたとする公職の候補者等との関係では、公示・告示日から選挙期日までの期間が7日に満たない場合もあることから期間はできる限り短くする必要がある。このため、第3条第2項第2号よりも短縮して、2日とするものである。

⑩ 「同意しない旨の申出がなかったとき」

照会を受けたにもかかわらず、発信者から送信防止措置を講ずることに同意しない旨の申出がなかったときであり、第3条第2項第2号と同様である。

3　第2号

(1)　概要

本号は、特定電気通信役務提供者が、選挙運動用又は落選運動用文書図画に係る情報の流通によって自己の名誉を侵害されたとする公職の候補者等から送信防止措置を講ずるよう申出があった場合で、発信者の電子メールアドレス等が通信端末機器の映像面に正しく表示されていないときには、必要な限度において当該情報の送信防止措置を講じたとしても、当該特定電気通信役務提供者は損害賠償責任を問われないことを規定するものである。

(2)　用語の説明等

① 「特定文書図画に係るものの流通によって自己の名誉を侵害されたとする公職の候補者等」

申出を行うことができるのは、選挙運動用又は落選運動用文書図画に係る情報の流通によって自己の名誉を侵害されたとする公職の候補者等であり、本条第1号と同様である。

② **申出に当たり示すべき事項**

第1号と同様に、㋐名誉侵害情報等（名誉侵害情報、名誉が侵害された旨、名誉が侵害されたとする理由、名誉侵害情報が特定文書図画に係るものである旨）を示すとともに、㋑名誉侵害情報の発信者の電子メールアドレス等（公職選挙法第142条の3第3項に規定する電子メールアドレス等）が同項又は同法第142条の5第1項の規定に違反して表示されていない旨を示すこととする。

「電子メールアドレス等」とは、電子メールアドレス（特定電子メールの送信の適正化等に関する法律（平成14年法律第26号）第2条第3号に規定する電子メールアドレス）その他のインターネット等を利用する方法によりその者に連絡をする際に必要となる情報（公職選挙法第142条の3第3項）とされており、「その他のインターネット等を利用する方法によりその者に連絡をする際に必要となる情報」とは、例えば、SNS等のユーザーアカウントなど、電子メールアドレス以外でインターネット等を用いて発信者に対し、連絡可能な情報をいう。

そして、「電子メールアドレス等」は公職選挙法上、通信端末機器の映像面に「正しく表示」することが要求されていることから、㋑については、発信者の電子メールアドレス等が、受信者の通信端末機器の映像面に正しく表示されていないことを具体的に示す必要がある。

③ **「名誉侵害情報送信防止措置」**

「名誉侵害情報送信防止措置」とは、発信者が特定電気通信設備の記録媒体に侵害情報を記録し、又はその送信装置に情報を入力したのちに、不特定の者からの求めにより自動的に行われる「送信」

を防止するための措置であり、第3条第2項及び本条第1号と同様である。

　④　「講ずるよう申出があった場合」

　名誉が侵害されたとする公職の候補者等は、自ら送信防止措置を講ずることはできないため、特定電気通信役務提供者によって問題とする情報の送信を防止する措置が講じられるよう申出をすることとなる。第3条第2項第2号及び本条第1号と同様である。

　⑤　「当該情報の発信者の電子メールアドレス等が当該情報に係る特定電気通信の受信をする者が使用する通信端末機器（入出力装置を含む。）の映像面に正しく表示されていないとき」

　名誉を侵害したとする情報の発信者の電子メールアドレスその他のインターネット等を利用する方法によりその者に連絡をする際に必要となる情報が、特定電気通信の受信をする者が使用する通信端末機器の映像面に「正しく表示」されていないことを、損害賠償責任の責めに任じない要件とするものである。

　具体的にどのような場合に電子メールアドレス等が「正しく表示」されていないと解されるのかは一概にはいえないが、例えば、電子掲示板における個々の記載や当該記載に張られたリンク先のページに電子メールアドレス等が表示されていない場合、電子メールアドレス等が虚偽の場合などは、「正しく表示」されていないものと解されることとなろう。

(参考) 私事性的画像記録の提供等による被害の防止に関する法律第4条

（特定電気通信役務提供者の損害賠償責任の制限及び発信者情報の開示に関する法律の特例）

第四条 ①特定電気通信役務提供者の損害賠償責任の制限及び発信者情報の開示に関する法律第三条第二項及び第四条（第一号に係る部分に限る。）の場合のほか、特定電気通信役務提供者（同法第二条第三号に規定する特定電気通信役務提供者をいう。第一号及び第二号において同じ。）は、特定電気通信（同法第二条第一号に規定する特定電気通信をいう。第一号において同じ。）による②情報の送信を防止する措置を講じた場合において、③当該措置により送信を防止された情報の発信者（同法第二条第四号に規定する発信者をいう。第二号及び第三号において同じ。）に生じた損害については、④当該措置が当該情報の不特定の者に対する送信を防止するために必要な限度において行われたものである場合であって、次の各号のいずれにも該当するときは、⑤賠償の責めに任じない。

一 ①特定電気通信による情報であって私事性的画像記録に係るものの流通によって自己の名誉又は私生活の平穏（以下この号において「名誉等」という。）を侵害されたとする者（撮影対象者（当該撮影対象者が死亡している場合にあっては、その配偶者、直系の親族又は兄弟姉妹）に限る。）から、②当該名誉等を侵害したとする情報（以下この号及び次号において「私事性的画像侵害情報」とい

(参考) 私事性的画像記録の提供等による被害の防止に関する法律　第4条　69

　　う。)、名誉等が侵害された旨、名誉等が侵害されたとする理由及び当該私事性的画像侵害情報が私事性的画像記録に係るものである旨（同号において「私事性的画像侵害情報等」という。）を示して当該特定電気通信役務提供者に対し③私事性的画像侵害情報の送信を防止する措置（以下この条及び次条において「私事性的画像侵害情報送信防止措置」という。）を④講ずるよう申出があったとき。
二　当該特定電気通信役務提供者が、当該私事性的画像侵害情報の発信者に対し⑤当該私事性的画像侵害情報等を示して⑥当該私事性的画像侵害情報送信防止措置を講ずることに同意するかどうかを⑦照会したとき。
三　当該発信者が⑧当該照会を受けた日から⑨二日を経過しても当該発信者から当該私事性的画像侵害情報送信防止措置を講ずることに⑩同意しない旨の申出がなかったとき。

【趣旨】

　第187回国会において成立した私事性的画像記録の提供等による被害の防止に関する法律（以下「リベンジポルノ防止法」という。）第4条において、本法律第3条第2項の損害賠償責任の制限の特例が設けられた。
　この特例は、特定電気通信による私事性的画像記録に係る情報の送信を防止する措置を講じた場合の特定電気通信役務提供者の作為を理由とする発信者に対する損害賠償責任の制限について規定するものである。

1 柱書

(1) 概要

　私事性的画像記録がインターネットを通じて流通すると、興味本位で拡散しやすく、被害者が受ける損害は重大かつ回復困難であり削除の緊急性が高いという実態に鑑み、本条は、その削除を一層促す観点から、特定電気通信役務提供者が私事性的画像記録に係る情報の送信を防止したことに関して、当該情報の発信者との関係で損害賠償責任（作為責任）が生じない場合を追加して規定するものである[4]。

　本条の規定により、特定電気通信役務提供者は、本法律第3条第2項及び第4条の場合に加えて、一定の要件に該当する場合であれば発信者との関係で責任を負わないことが明確となるため、撮影対象者（当該撮影対象者が死亡している場合には、その配偶者、直系の親族又は兄弟姉妹）の名誉又は私生活の平穏（以下「名誉等」という。）を侵害する私事性的画像記録に係る情報の送信を防止する措置を講ずることを過度に躊躇することなく、自らの判断で適切な対応をとるよう促されることが期待される。

(2) 用語の説明等

①　「特定電気通信役務提供者の損害賠償責任の制限及び発信者情報の開示に関する法律第三条第二項及び第四条（第一号に係る部分に限る。）の場合のほか」

　本条は、本法律第3条第2項及び第4条に加えて、特定電気通信役務提供者が送信防止措置を講じたことにつき当該情報の発信者と

---

[4] 皆川治之「リベンジポルノ対策－私事性的画像記録の提供等による被害の防止に関する法律」時の法令1974号（2015年）25頁

（参考）　私事性的画像記録の提供等による被害の防止に関する法律　第4条　71

の関係で損害賠償責任（作為責任）が生じない場合を追加的に定めるものである。そのため、たとえ本条に定める要件に該当しない場合であっても、本法律第3条第2項又は第4条に定める要件に該当するときは、特定電気通信役務提供者は発信者との関係で責任を負わない。

②　「情報の送信を防止する措置を講じた場合」

　本条の対象は、特定電気通信役務提供者が、その情報が他人の名誉等を侵害するものでないにもかかわらず、結果として誤って送信を防止する措置を講じてしまったときに発信者との関係で生じ得る損害賠償責任について規定したものであり、その点においては本法律第3条第2項及び第4条と同様である。

③　「当該措置により送信を防止された情報の発信者（同法第二条第四号に規定する発信者をいう。第二号及び第三号において同じ。）に生じた損害」

　情報の送信防止措置を講じたことによって、当該情報の発信者が本来社会に流通させることができたはずの情報の送信ができなくなったことによる損害であり、本法律第3条第2項及び第4条と同様である。

　また、特定電気通信役務提供者が当該情報の発信者となっている場合については規定上明文で除外されていないが、これについても本法律第3条第2項及び第4条と同様、特定電気通信役務提供者自身が情報の発信者となる場合には、発信者としての特定電気通信役務提供者が自ら措置を講ずるものであり、責任の制限という観点から規定を置く必要がないためである。

④　「当該措置が当該情報の不特定の者に対する送信を防止するために必要な限度において行われたものである場合」

　送信防止措置は、表現行為に対する重大な制約となり得るものであるため、措置の目的に照らして必要な限度において行われたもの

であることを、損害賠償の責めに任じない場合の要件とするものであり、本法律第3条第2項及び第4条と同様である。

⑤ 「賠償の責めに任じない」

「賠償の責めに任じない」とは、民事上の賠償責任が生じないことであり、不法行為責任や債務不履行責任が生じないことをいう。本法律第3条及び第4条と同様である。

⑥ 規定の性格

本条は、特定電気通信役務提供者が情報の送信防止措置を講じた場合に発信者に対して負い得る責任に関するものであるが、特定電気通信役務提供者と発信者が契約関係にある場合の当事者間の取決めを排除する趣旨ではないので、その性質は、本法律第3条第2項及び第4条と同様、任意規定に当たるものと考えられる。

2 各号

(1) 概要

本条各号は、特定電気通信役務提供者が私事性的画像記録に係る情報の送信を防止したことに関して、当該情報の発信者との関係で損害賠償責任(作為責任)が生じない場合の要件について規定するものである。具体的には、特定電気通信役務提供者が、私事性的画像記録に係る情報の流通によって自己の名誉等を侵害されたとする撮影対象者(撮影対象者が死亡している場合には、その配偶者、直系の親族又は兄弟姉妹)から送信防止措置を講ずるよう申出を受けて、送信防止措置に同意するかどうかを発信者に照会し、当該照会を受けた日から2日を経過しても発信者から送信防止措置を講ずることに同意しない旨の申出がない場合には、必要な限度において当該情報の送信防止措置を講じたとしても、当該特定電気通信役務提供者は損害賠償責任を問われないことを規定するものである。私事性的画像記録に係る情報の流通による名誉等の侵害については、撮

影対象者本人のほか、撮影対象者が死亡している場合におけるその配偶者、直系の親族又は兄弟姉妹も送信防止措置の申出主体となることを認めるとともに、本法律第4条と同様、本法律第3条第2項第2号で規定する同意照会に対する回答期間を「7日」から「2日」に短縮している。

(2) 用語の説明等

① 「特定電気通信による情報であって私事性的画像記録に係るものの流通によって自己の名誉又は私生活の平穏（以下この号において「名誉等」という。）を侵害されたとする者（撮影対象者（当該撮影対象者が死亡している場合にあっては、その配偶者、直系の親族又は兄弟姉妹）に限る。）」

申出を行うことができるのは、特定電気通信による情報であって「私事性的画像記録」に係るものの流通によって「自己」の名誉等を侵害されたとする者（撮影対象者か、当該撮影対象者が死亡している場合におけるその配偶者、直系の親族又は兄弟姉妹。以下「撮影対象者等」と総称する。）である[5]。そのため、撮影対象者等以外の者の申出や名誉等以外の権利が侵害されたとする申出、私事性的画像記録に係る情報の流通によらずに名誉等を侵害されたとする申出は、本条の規定による申出とはならない。

ここで、「私事性的画像記録」とは、次のいずれかが撮影された画像に係る電磁的記録その他の記録をいう（リベンジポルノ防止法第2条第1項）。

---

[5] 撮影対象者が死亡している場合でも、私事性的画像記録に係る情報の流通によって、なお遺族の名誉等が侵害され得ると考えられることから、これら遺族を保護するための政策判断として、被害者死亡時の親族の告訴権に関する刑事訴訟法（昭和23年法律第131号）第231条第2項を参考に、特に配偶者、直系の親族又は兄弟姉妹による申出を認めたものとされている（前掲注4・26、27頁）。

㋐ 性交又は性交類似行為に係る人の姿態（第1号）
㋑ 他人が人の性器等（性器、肛門又は乳首をいう。）を触る行為又は人が他人の性器等を触る行為に係る人の姿態であって性欲を興奮させ又は刺激するもの（第2号）
㋒ 衣服の全部又は一部を着けない人の姿態であって、殊更に人の性的な部位（性器等若しくはその周辺部、臀部又は胸部をいう。）が露出され又は強調されているものであり、かつ、性欲を興奮させ又は刺激するもの（第3号）

ただし、撮影対象者が第三者（撮影をした者、撮影対象者及び撮影対象者から提供を受けた者以外の者）が閲覧することを認識したうえで、任意に撮影を承諾し又は撮影をしたものは私事性的画像記録から除外されている（同項柱書）。これは、第三者に公開することを前提として、撮影対象者が任意に撮影に応じたものや自ら撮影したものについては、これが第三者に提供等されたとしても名誉等の侵害があったとは評価できないことから、これらを除く趣旨である[6]。

私事性的画像記録の提供等による被害の防止に関する法律（平成26年法律第126号）

（定義）
第二条 この法律において「私事性的画像記録」とは、次の各号のいずれかに掲げる人の姿態が撮影された画像（撮影の対象とされた者（以下「撮影対象者」という。）において、撮影をした者、撮影対象者及び撮影対象者から提供を受けた者以外の者（次条第一項において「第三者」という。）が閲覧

---

[6] 前掲注4・21頁

(参考) 私事性的画像記録の提供等による被害の防止に関する法律 第4条

することを認識した上で、任意に撮影を承諾し又は撮影をしたものを除く。次項において同じ。）に係る電磁的記録（電子的方式、磁気的方式その他人の知覚によっては認識することができない方式で作られる記録であって、電子計算機による情報処理の用に供されるものをいう。同項において同じ。）その他の記録をいう。
一 性交又は性交類似行為に係る人の姿態
二 他人が人の性器等（性器、肛門又は乳首をいう。以下この号及び次号において同じ。）を触る行為又は人が他人の性器等を触る行為に係る人の姿態であって性欲を興奮させ又は刺激するもの
三 衣服の全部又は一部を着けない人の姿態であって、殊更に人の性的な部位（性器等若しくはその周辺部、臀部又は胸部をいう。）が露出され又は強調されているものであり、かつ、性欲を興奮させ又は刺激するもの
2 （略）

② 申出に当たり示すべき事項

名誉等を侵害されたとする撮影対象者等が送信防止措置を講ずるよう申出を行うに当たっては、㈠名誉等を侵害したとする情報、㈡名誉等が侵害された旨、㈢名誉等が侵害されたとする理由、㈣当該私事性的画像侵害情報が私事性的画像記録に係るものである旨を示すことを要する。名誉等を侵害されたとする撮影対象者等が申出を行うに当たって示す事項は、そのまま特定電気通信役務提供者が発信者に照会する際に示されることになるが、発信者にとって十分な手続保障が与えられているものとするためには、少なくともこれらの事項が示されている必要があるためである。

ここで、「侵害したとする」としているのは、この申出の段階で

は、まだ本当に「名誉等を侵害した」のかどうか不明であるためであり、本法律第3条第2項第2号及び第4条と同様である。

「名誉等が侵害された旨」については、名誉等が侵害されたことが示される必要があり、「名誉等が侵害されたとする理由」については、紛争の中核となるものであるから、具体的かつ適切に示される必要がある。

また、「私事性的画像侵害情報が私事性的画像記録に係るものである旨」については、名誉等を侵害した情報が私事性的画像記録に係るものであることが示される必要がある。

③ 「私事性的画像侵害情報の送信を防止する措置(以下この条及び次条において「私事性的画像侵害情報送信防止措置」という。)」

「送信を防止する措置」とは、発信者が特定電気通信設備の記録媒体に侵害情報を記録し、又はその送信装置に情報を入力したのちに、不特定の者からの求めにより自動的に行われる「送信」を防止するための措置であり、本法律第3条第2項及び第4条と同様である。

④ 「講ずるよう申出があったとき」

名誉等を侵害されたとする撮影対象者等は、自ら送信防止措置を講ずることはできないため、特定電気通信役務提供者によって問題とする情報の送信を防止する措置が講じられるよう申出をすることとなる。本法律第3条第2項第2号及び第4条と同様である。

⑤ 「当該私事性的画像侵害情報等を示して」

特定電気通信役務提供者が、発信者に対して、措置に同意するか否かを照会する際には、名誉等を侵害されたとする撮影対象者等からの申出の際に示された事項(名誉等を侵害したとする情報、名誉等が侵害された旨、名誉等が侵害されたとする理由、当該私事性的画像侵害情報が私事性的画像記録に係るものである旨)を示して行

うこととするものであり、本法律第3条第2項第2号及び第4条と同様である。

⑥ 「当該私事性的画像侵害情報送信防止措置を講ずることに同意するかどうか」

特定電気通信役務提供者が発信者に対して照会するのは、当該特定電気通信役務提供者が名誉等を侵害されたとする撮影対象者等からの申出を受けて送信防止措置を講ずることにつき同意するかどうかであり、本法律第3条第2項第2号及び第4条と同様である。

⑦ 「照会したとき」

本条は、撮影対象者等からの申出を受けて、特定電気通信役務提供者が発信者に対して送信防止措置に同意するかどうかを任意に照会した場合の特定電気通信役務提供者の責任の制限について規定しているものにすぎず、撮影対象者等からの申出があった場合に、特定電気通信役務提供者に対して発信者に照会することを義務付けるものではない。本法律第3条第2項第2号及び第4条と同様である。

⑧ 「当該照会を受けた日」

本条は、情報の送信防止措置という表現行為に対して重大な影響を与える措置を講じることができることとするものであり、そうした措置を講ずる前提として、発信者に対し、手続の趣旨や名誉等を侵害されたとする者の申出の内容等が実際に伝達され、意見表明の機会が与えられていることが不可欠であるため、起算日についても、発信者が実際に照会を受けた日とされている。本法律第3条第2項第2号及び第4条と同様である。

⑨ 「二日を経過しても」

私事性的画像記録の公表による被害は甚大であり、その後の拡散も早く、迅速に削除しなければ被害の回復は困難となること等を踏まえ、本法律第3条第2項第2号よりも同意照会の回答期間を短縮

して、2日としている。

⑩ 「同意しない旨の申出がなかったとき」

照会を受けたにもかかわらず、発信者から送信防止措置を講ずることに同意しない旨の申出がなかったときであり、本法律第3条第2項第2号及び第4条と同様である。

（参考）性をめぐる個人の尊厳が重んぜられる社会の形成に資するために性行為映像制作物への出演に係る被害の防止を図り及び出演者の救済に資するための出演契約等に関する特則等に関する法律　第16条

第十六条　①特定電気通信役務提供者の損害賠償責任の制限及び発信者情報の開示に関する法律第三条第二項及び第四条（第一号に係る部分に限る。）並びに私事性的画像記録の提供等による被害の防止に関する法律第四条の場合のほか、特定電気通信役務提供者（特定電気通信役務提供者の損害賠償責任の制限及び発信者情報の開示に関する法律第二条第三号の特定電気通信役務提供者をいう。第一号及び第二号において同じ。）は、特定電気通信（同法第二条第一号の特定電気通信をいう。第一号において同じ。）による②情報の送信を防止する措置を講じた場合において、当該措置により③送信を防止された情報の発信者（同法第二条第四号の発信者をいう。第二号及び第三号において同じ。）に生じた損害については、④当該措置が当該情報の不特定の者に対する送信を防止するために必要な限度において行われたものである場合であって、次の各号のいずれにも該当するときは、⑤賠償の責めに任じない。

一　①特定電気通信による情報であって性行為映像制作物に係るものの流通によって自己の権利を侵害されたとする者（当該性行為映像制作物の出演者に限る。）から、②当該権

利を侵害したとする情報（以下この号及び次号において「性行為映像制作物侵害情報」という。）、当該権利が侵害された旨、当該権利が侵害されたとする理由及び当該性行為映像制作物侵害情報が性行為映像制作物に係るものである旨（同号において「性行為映像制作物侵害情報等」という。）を示して当該特定電気通信役務提供者に対し③性行為映像制作物侵害情報の送信を防止する措置（同号及び第三号において「性行為映像制作物侵害情報送信防止措置」という。）を④講ずるよう申出があったとき。

二　当該特定電気通信役務提供者が、当該性行為映像制作物侵害情報の発信者に対し⑤当該性行為映像制作物侵害情報等を示して⑥当該性行為映像制作物侵害情報送信防止措置を講ずることに同意するかどうかを⑦照会したとき。

三　当該発信者が⑧当該照会を受けた日から⑨二日を経過しても当該発信者から当該性行為映像制作物侵害情報送信防止措置を講ずることに⑩同意しない旨の申出がなかったとき。

> [!NOTE] 趣旨

　第208回国会において成立した性をめぐる個人の尊厳が重んぜられる社会の形成に資するために性行為映像制作物への出演に係る被害の防止を図り及び出演者の救済に資するための出演契約等に関する特則等に関する法律（以下「AV出演被害防止・救済法」という。）第16条において、本法律第3条第2項の損害賠償責任の制限の特例が設けられた。

　この特例は、特定電気通信による性行為映像制作物に係る情報の送信を防止する措置を講じた場合の特定電気通信役務提供者の作為を理由とする発信者に対する損害賠償責任の制限について規定する

ものである。

[解説]

1　柱書

(1)　概要

　特定電気通信役務提供者が性行為映像制作物に係る情報の送信を防止したことに関して、当該情報の発信者との関係で損害賠償責任（作為責任）が生じない場合を追加して規定するものである。

　本条の規定により、特定電気通信役務提供者は、本法律第3条第2項及び第4条並びに私事性的画像記録の提供等による被害の防止に関する法律第4条の場合に加えて、一定の要件に該当する場合であれば発信者との関係で責任を負わないことが明確となるため、出演者の権利を侵害する性行為映像制作物に係る情報の送信を防止する措置を講ずることを過度に躊躇することなく、自らの判断で適切な対応をとるよう促されることが期待される。

(2)　用語の説明等

①　「特定電気通信役務提供者の損害賠償責任の制限及び発信者情報の開示に関する法律第三条第二項及び第四条（第一号に係る部分に限る。）並びに私事性的画像記録の提供等による被害の防止に関する法律第四条の場合のほか」

　本条は、本法律第3条第2項及び第4条並びに私事性的画像記録の提供等による被害の防止に関する法律第4条に加えて、特定電気通信役務提供者が送信防止措置を講じたことにつき当該情報の発信者との関係で損害賠償責任（作為責任）が生じない場合を追加的に定めるものである。そのため、たとえ本条に定める要件に該当しない場合であっても、本法律第3条第2項若しくは第4条又は私事性

的画像記録の提供等による被害の防止に関する法律第 4 条に定める要件に該当するときは、特定電気通信役務提供者は発信者との関係で責任を負わない。

② 「情報の送信を防止する措置を講じた場合」

本条の対象は、特定電気通信役務提供者が、その情報が他人の権利を侵害するものでないにもかかわらず、結果として誤って送信を防止する措置を講じてしまったときに発信者との関係で生じ得る損害賠償責任について規定したものであり、その点においては本法律第 3 条第 2 項及び第 4 条並びに私事性的画像記録の提供等による被害の防止に関する法律第 4 条と同様である。

③ 「送信を防止された情報の発信者（同法第二条第四号の発信者をいう。第二号及び第三号において同じ。）に生じた損害」

情報の送信防止措置を講じたことによって、当該情報の発信者が本来社会に流通させることができたはずの情報の送信ができなくなったことによる損害であり、本法律第 3 条第 2 項及び第 4 条並びに私事性的画像記録の提供等による被害の防止に関する法律第 4 条と同様である。

また、特定電気通信役務提供者が当該情報の発信者となっている場合については規定上明文で除外されていないが、これについても本法律第 3 条第 2 項及び第 4 条並びに私事性的画像記録の提供等による被害の防止に関する法律第 4 条と同様、特定電気通信役務提供者自身が情報の発信者となる場合には、発信者としての特定電気通信役務提供者が自ら措置を講ずるものであり、責任の制限という観点から規定を置く必要がないためである。

④ 「当該措置が当該情報の不特定の者に対する送信を防止するために必要な限度において行われたものである場合」

送信防止措置は、表現行為に対する重大な制約となり得るものであるため、措置の目的に照らして必要な限度において行われたもの

であることを、損害賠償の責めに任じない場合の要件とするものであり、本法律第3条第2項及び第4条並びに私事性的画像記録の提供等による被害の防止に関する法律第4条と同様である。

⑤ 「賠償の責めに任じない」

「賠償の責めに任じない」とは、民事上の賠償責任が生じないことであり、不法行為責任や債務不履行責任が生じないことをいう。本法律第3条及び第4条並びに私事性的画像記録の提供等による被害の防止に関する法律第4条と同様である。

⑥ 規定の性格

本条は、特定電気通信役務提供者が情報の送信防止措置を講じた場合に発信者に対して負い得る責任に関するものであるが、特定電気通信役務提供者と発信者が契約関係にある場合の当事者間の取決めを排除する趣旨ではないので、その性質は、本法律第3条第2項及び第4条並びに私事性的画像記録の提供等による被害の防止に関する法律第4条と同様、任意規定に当たるものと考えられる。

2　各号

(1)　概要

本条各号は、特定電気通信役務提供者が性行為映像制作物に係る情報の送信を防止したことに関して、当該情報の発信者との関係で損害賠償責任（作為責任）が生じない場合の要件について規定するものである。具体的には、特定電気通信役務提供者が、性行為映像制作物に係る情報の流通によって権利を侵害されたとする者（当該性行為映像制作物の出演者に限られる。）から送信防止措置を講ずるよう申出を受けて、送信防止措置に同意するかどうかを発信者に照会し、当該照会を受けた日から2日を経過しても発信者から送信防止措置を講ずることに同意しない旨の申出がない場合には、必要な限度において当該情報の送信防止措置を講じたとしても、当該特

定電気通信役務提供者は損害賠償責任を問われないことを規定するものである。性行為映像制作物に係る情報の流通による権利の侵害については、本法律第4条及び私事性的画像記録の提供等による被害の防止に関する法律第4条と同様、本法律第3条第2項第2号で規定する同意照会に対する回答期間を「7日」から「2日」に短縮している。

(2) 用語の説明等

① 「特定電気通信による情報であって性行為映像制作物に係るものの流通によって自己の権利を侵害されたとする者(当該性行為映像制作物の出演者に限る。)」

申出を行うことができるのは、特定電気通信による情報であって「性行為映像制作物」に係るものの流通によって「自己」の権利を侵害されたとする者(当該性行為映像制作物の出演者に限られる。)である。そのため、出演者以外の者の申出、性行為映像制作物に係る情報の流通によらずに権利を侵害されたとする申出は、本条の規定による申出とはならない。

ここで、「性行為映像制作物」とは、性行為に係る人の姿態を撮影した映像並びにこれに関連する映像及び音声によって構成され、社会通念上一体の内容を有するものとして制作された電磁的記録(電子的方式、磁気的方式その他人の知覚によっては認識することができない方式で作られる記録であって、電子計算機による情報処理の用に供されるものをいう。)又はこれに係る記録媒体であって、その全体として専ら性欲を興奮させ又は刺激するものをいい(AV出演被害防止・救済法第2条第2項)、「性行為」とは、性交若しくは性交類似行為又は他人が人の露出された性器等(性器又は肛門をいう。)を触る行為若しくは人が自己若しくは他人の露出された性器等を触る行為をいう(同条第1項)。

また、「出演者」とは、性行為映像制作物への出演をし、又はしようとする者をいう（同条第4項）。

性をめぐる個人の尊厳が重んぜられる社会の形成に資するために性行為映像制作物への出演に係る被害の防止を図り及び出演者の救済に資するための出演契約等に関する特則等に関する法律（令和4年法律第78号）

　　（定義）
第二条　この法律において「性行為」とは、性交若しくは性交類似行為又は他人が人の露出された性器等（性器又は肛門をいう。以下この項において同じ。）を触る行為若しくは人が自己若しくは他人の露出された性器等を触る行為をいう。
2　この法律において「性行為映像制作物」とは、性行為に係る人の姿態を撮影した映像並びにこれに関連する映像及び音声によって構成され、社会通念上一体の内容を有するものとして制作された電磁的記録（電子的方式、磁気的方式その他人の知覚によっては認識することができない方式で作られる記録であって、電子計算機による情報処理の用に供されるものをいう。以下同じ。）又はこれに係る記録媒体であって、その全体として専ら性欲を興奮させ又は刺激するものをいう。
3　（略）
4　この法律において「出演者」とは、性行為映像制作物への出演をし、又はしようとする者をいう。
5〜8　（略）

② 申出に当たり示すべき事項

　自己の権利を侵害されたとする出演者が送信防止措置を講ずるよう申出を行うに当たっては、㋐権利を侵害したとする情報、㋑権利が侵害された旨、㋒権利が侵害されたとする理由、㋓当該性行為映像制作物侵害情報が性行為映像制作物に係るものである旨を示すことを要する。自己の権利を侵害されたとする出演者が申出を行うに当たって示す事項は、そのまま特定電気通信役務提供者が発信者に照会する際に示されることになるが、発信者にとって十分な手続保障が与えられているものとするためには、少なくともこれらの事項が示されている必要があるためである。

　ここで、「侵害したとする」としているのは、この申出の段階では、まだ本当に「権利を侵害した」のかどうか不明であるためであり、本法律第3条第2項第2号及び第4条並びに私事性的画像記録の提供等による被害の防止に関する法律第4条と同様である。

　「権利が侵害された旨」については、自己の権利が侵害されたことが示される必要があり、「権利が侵害されたとする理由」については、紛争の中核となるものであるから、具体的かつ適切に示される必要がある。

　また、「当該性行為映像制作物侵害情報が性行為映像制作物に係るものである旨」については、自己の権利を侵害した情報が性行為映像制作物に係るものであることが示される必要がある。

③　「性行為映像制作物侵害情報の送信を防止する措置（同号及び第三号において「性行為映像制作物侵害情報送信防止措置」という。）」

　「送信を防止する措置」とは、発信者が特定電気通信設備の記録媒体に侵害情報を記録し、又はその送信装置に情報を入力したのちに、不特定の者からの求めにより自動的に行われる「送信」を防止するための措置であり、本法律第3条第2項及び第4条並びに私事

性的画像記録の提供等による被害の防止に関する法律第4条と同様である。

④ 「講ずるよう申出があったとき」

　自己の権利を侵害されたとする出演者は、自ら送信防止措置を講ずることはできないため、特定電気通信役務提供者によって問題とする情報の送信を防止する措置が講じられるよう申出をすることとなる。本法律第3条第2項第2号及び第4条並びに私事性的画像記録の提供等による被害の防止に関する法律第4条と同様である。

⑤ 「当該性行為映像制作物侵害情報等を示して」

　特定電気通信役務提供者が、発信者に対して、措置に同意するか否かを照会する際には、自己の権利を侵害されたとする出演者からの申出の際に示された事項（権利を侵害したとする情報、権利が侵害された旨、権利が侵害されたとする理由、当該性行為映像制作物侵害情報が性行為映像制作物に係るものである旨）を示して行うこととするものであり、本法律第3条第2項第2号及び第4条並びに私事性的画像記録の提供等による被害の防止に関する法律第4条と同様である。

⑥ 「当該性行為映像制作物侵害情報送信防止措置を講ずることに同意するかどうか」

　特定電気通信役務提供者が発信者に対して照会するのは、当該特定電気通信役務提供者が権利を侵害されたとする出演者からの申出を受けて送信防止措置を講ずることにつき同意するかどうかであり、本法律第3条第2項第2号及び第4条並びに私事性的画像記録の提供等による被害の防止に関する法律第4条と同様である。

⑦ 「照会したとき」

　本条は、出演者からの申出を受けて、特定電気通信役務提供者が発信者に対して送信防止措置に同意するかどうかを任意に照会した場合の特定電気通信役務提供者の責任の制限について規定している

ものにすぎず、出演者からの申出があった場合に、特定電気通信役務提供者に対して発信者に照会することを義務付けるものではない。本法律第3条第2項第2号及び第4条並びに私事性的画像記録の提供等による被害の防止に関する法律第4条と同様である。

⑧ 「当該照会を受けた日」

本条は、情報の送信防止措置という表現行為に対して重大な影響を与える措置を講じることができることとするものであり、そうした措置を講ずる前提として、発信者に対し、手続の趣旨や権利を侵害されたとする者の申出の内容等が実際に伝達され、意見表明の機会が与えられていることが不可欠であるため、起算日についても、発信者が実際に照会を受けた日とされている。本法律第3条第2項第2号及び第4条並びに私事性的画像記録の提供等による被害の防止に関する法律第4条と同様である。

⑨ 「二日を経過しても」

性行為映像制作物に係る情報の流通による被害は甚大であり、その後の拡散も早く、迅速に削除しなければ被害の回復は困難となること等を踏まえ、本法律第3条第2項第2号よりも同意照会の回答期間を短縮して、2日としている。

⑩ 「同意しない旨の申出がなかったとき」

照会を受けたにもかかわらず、発信者から送信防止措置を講ずることに同意しない旨の申出がなかったときであり、本法律第3条第2項第2号及び第4条並びに私事性的画像記録の提供等による被害の防止に関する法律第4条と同様である。

第3章
発信者情報の開示請求等（第5条－第7条）

1 本章の概要

(1) 令和3年における法改正により設けられた本章は、旧法第4条第1項から第4項までに定められていた事項を踏まえ、発信者情報の開示請求権（第5条）、開示請求を受けた特定電気通信役務提供者の義務（第6条）及び発信者情報の開示を受けた者の義務（第7条）を定めるものである。

(2) 特定電気通信を通じた情報流通の拡大により、その負の側面として、他人の権利利益を侵害するような情報の流通が問題となっている。もとより、ある情報の流通によって他人の権利利益が侵害されるということ自体は、特定電気通信以外の媒体を利用する場合であっても問題とされていたことであり、この分野に限って問題となるわけではない。しかしながら、特定電気通信による情報発信は、社会的・財政的に制約が少ないために、誰しもが反復継続して情報の発信を行うことが可能であり、また、不特定の者に対して情報発信が行われ、しかも高度の伝播性がある点で、他の情報流通手段と比較すると、他人の権利利益を侵害する情報の発信が容易であり、いったん被害が生じた場合には、被害が際限なく拡大していくという特質を有している。

(3) さらに、特定電気通信においては、匿名あるいは仮名による情報発信が可能であり、他人の権利利益を侵害するような情報発信が匿名あるいは仮名で行われた場合には、加害者を特定して責任追及をすることができないことから、先に述べた被害の拡大性に

加えて、被害の回復が極めて困難であるという特徴が現れることになる。

(4) もっとも、不法行為の加害者が直ちに特定できない事態は、特定電気通信による情報の流通によって生じる被害についてのみ現れる問題ではなく、他の不法行為類型の場合にも十分に想定され得るところである。しかしながら、他の不法行為類型における加害者不明の場合には、不法行為の態様や加害行為の痕跡を手掛かりとして、ある程度加害者の範囲を絞り込むことができる場合が類型的に想定できる。これに対し、特定電気通信上において匿名で加害行為が行われた場合には、対象の絞り込みが極めて困難な場合が通常であるし、さらに、特定電気通信においては、特定電気通信役務を提供する特定電気通信役務提供者及び当該特定電気通信に係る侵害関連通信の用に供される電気通信設備を用いて電気通信役務を提供した者（以下、これらを総称して「開示関係役務提供者」という。）が存在しており、この開示関係役務提供者が発信者の特定に資する情報（発信者情報）を保有している可能性が高い。つまり、特定電気通信を用いて行われた加害者不明の不法行為の場合には、加害者に関する情報を類型的に保有している者を通じれば、加害者に関する情報を取得できる場合がある反面、この者から情報を取得できなければ、加害者の絞り込みすらできないことになる。

(5) このような状況においては、被害者が開示関係役務提供者から発信者情報の開示を受けることの必要性は高いと考えられる。

他方、発信者情報は、発信者のプライバシー及び匿名表現の自由、場合によっては通信の秘密として保護されるべき情報であるから、正当な理由もないのに発信者の意に反して情報の開示がなされることがあってはならないことは当然である。

このような状況を踏まえ、第5条第1項及び第2項は、一定の

厳格な要件が満たされる場合には、開示関係役務提供者に課せられた守秘義務が解除され、その結果、自己の権利を侵害されたとする者が発信者情報の開示を請求することができる旨を法定するものである。これにより、開示を請求する者は、第5条第1項各号又は第2項各号の要件を満たす場合には、開示関係役務提供者に対し、裁判上又は裁判外において、発信者情報の開示を請求することができることとなる。そして、判決又は決定においてこの開示請求が認容された場合には、その確定判決又は確定した決定を債務名義として、強制執行を行うことも可能となる。

(6) 発信者情報の開示は、発信者のプライバシー及び表現の自由という重大な権利利益に関する問題であるうえ、その性質上、いったん開示されてしまうとその原状回復は不可能であることから、開示関係役務提供者が裁判外の請求を受けて開示を求められた場合に、みだりに開示がなされることを回避する必要がある。また、裁判上又は裁判外の別を問わず、発信者情報の開示について、実質的かつ積極的な利害を有しているのは発信者本人である。したがって、開示関係役務提供者が開示の是非を判断するに当たっては、当該発信者の意思が十分に反映されなければならないのであるが、匿名性を維持したままでの発信者自身の手続参加が認められない現行の手続法の枠組みの下にあっては、開示請求の相手方となる開示関係役務提供者の行為を通じて、発信者の利益擁護や手続保障を図ることが不可欠である。

　第6条第1項は、このような理由から、開示関係役務提供者に対し、第三者たる発信者のプライバシー、個人情報及び表現の自由にかかわる発信者情報を保有し、取り扱う者の責任として、開示の請求を受けたときは、原則として発信者に当該開示請求に関する意見（請求に応じるべきでない旨の意見である場合には、その理由を含む。）を聴かなければならない旨の義務を課すもので

ある。

　第6条第2項は、この意見の聴取（第8条に規定する発信者情報開示命令に係るものに限る。）において発信者が開示の請求に応じるべきでない旨の意見を述べた場合に、開示関係役務提供者が開示命令を受けたときは、当該開示関係役務提供者は当該発信者に対して遅滞なく開示命令を受けた旨を通知しなければならない旨の義務を課すものである。

　さらに、前述のとおり、発信者情報は高度のプライバシー性を有する情報であることから、第6条第3項においては第15条第1項の規定による提供命令に基づく発信者情報の提供を受けた開示関係役務提供者について、第7条においては第5条第1項又は第2項の規定による発信者情報の開示を受けた者について、それぞれ当該提供又は開示を受けた情報を不当に用いることのないように義務を課している。

　以上のとおり、開示関係役務提供者は、裁判外での開示請求については、開示に応じるか否かを慎重に検討することが要請されることとなる[1]。それにもかかわらず、裁判外での開示請求に応じなかったことにより生じた損害賠償の責任を一般原則に従って開示関係役務提供者に帰するのは酷であるといえる。そこで、第6条第4項は、開示関係役務提供者が開示請求に応じなかったことで、開示を請求した者に生じた損害については、仮に開示をしなかったという判断が誤っていたことが事後的に明らかとなった場合であっても、故意又は重過失による場合を除き、損害賠償の責任を負わない旨を規定し、開示関係役務提供者に慎重な検討を促すこととするものである。

1　なお、裁判例等を踏まえ、開示関係役務提供者において権利侵害の明白性等の開示要件を満たすと判断した場合には、当該開示関係役務提供者は裁判外での開示に応じることとなる。

第5条（発信者情報の開示請求）

（発信者情報の開示請求）
第五条　①特定電気通信による情報の流通によって自己の権利を侵害されたとする者は、②当該特定電気通信の用に供される特定電気通信設備を用いる特定電気通信役務提供者に対し、③当該特定電気通信役務提供者が保有する当該権利の侵害に係る発信者情報のうち、④特定発信者情報（発信者情報であって専ら侵害関連通信に係るものとして総務省令で定めるものをいう。以下この項及び第十五条第二項において同じ。）以外の⑤発信者情報については第一号及び第二号のいずれにも該当するとき、特定発信者情報については次の各号のいずれにも該当するときは、それぞれその⑥開示を請求することができる。

一　⑦当該開示の請求に係る侵害情報の流通によって当該開示の請求をする者の権利が侵害されたことが明らかであるとき。

二　⑧当該発信者情報が当該開示の請求をする者の損害賠償請求権の行使のために必要である場合その他当該発信者情報の開示を受けるべき正当な理由があるとき。

三　次のイからハまでのいずれかに該当するとき。
　イ　⑨当該特定電気通信役務提供者が当該権利の侵害に係る特定発信者情報以外の発信者情報を保有していないと認めるとき。
　ロ　⑩当該特定電気通信役務提供者が保有する当該権利の侵害に係る特定発信者情報以外の発信者情報が次に掲げ

る発信者情報以外の発信者情報であって総務省令で定めるもののみであると認めるとき。
　　　⑴　当該開示の請求に係る侵害情報の発信者の氏名及び住所
　　　⑵　当該権利の侵害に係る他の開示関係役務提供者を特定するために用いることができる発信者情報
　　ハ　⑪当該開示の請求をする者がこの項の規定により開示を受けた発信者情報（特定発信者情報を除く。）によっては当該開示の請求に係る侵害情報の発信者を特定することができないと認めるとき。
２　①特定電気通信による情報の流通によって自己の権利を侵害されたとする者は、次の各号のいずれにも該当するときは、②当該特定電気通信に係る侵害関連通信の用に供される電気通信設備を用いて電気通信役務を提供した者（当該特定電気通信に係る前項に規定する特定電気通信役務提供者である者を除く。以下この項において「関連電気通信役務提供者」という。）に対し、③当該関連電気通信役務提供者が保有する④当該侵害関連通信に係る発信者情報の開示を請求することができる。
　　一　⑤当該開示の請求に係る侵害情報の流通によって当該開示の請求をする者の権利が侵害されたことが明らかであるとき。
　　二　⑥当該発信者情報が当該開示の請求をする者の損害賠償請求権の行使のために必要である場合その他当該発信者情報の開示を受けるべき正当な理由があるとき。
３　前二項に規定する「侵害関連通信」とは、⑫侵害情報の発信者が当該侵害情報の送信に係る特定電気通信役務を利用し、又はその利用を終了するために行った当該特定電気通信

役務に係る③識別符号（特定電気通信役務提供者が特定電気通信役務の提供に際して当該特定電気通信役務の提供を受けることができる者を他の者と区別して識別するために用いる文字、番号、記号その他の符号をいう。）その他の符号の電気通信による送信であって、④当該侵害情報の発信者を特定するために必要な範囲内であるものとして総務省令で定めるものをいう。

[趣旨]

　本条は、発信者情報の開示請求について定めるものである。令和3年における法改正により、旧法第4条第1項で定められていた特定電気通信役務提供者への発信者情報の開示請求を改正し、「特定発信者情報以外の発信者情報」及び「特定発信者情報」の開示請求について定めるとともに（第1項）、「関連電気通信役務提供者」への開示請求（第2項）及び「侵害関連通信」（第3項）について定めるものである。

[解説]

1　発信者情報の開示請求権（第1項）

(1)　趣旨

　本項は、特定発信者情報以外の発信者情報の開示請求権[2]及び特定発信者情報の開示請求権[3]（以下、これらを総称して「発信者情報開示請求権」という。）について規定するものである。

2　令和3年における法改正前に規定されていた旧法第4条第1項の発信者情報の開示請求権である。
3　令和3年における法改正により定められた開示請求権である。

(2) 特定発信者情報以外の発信者情報の開示請求権

　本項は、特定発信者情報以外の発信者情報の開示請求権について定めるものである。発信者情報の開示をいかなる場合に認めるかという問題は、発信者の有するプライバシーや表現の自由等の権利利益と権利を侵害されたとする者の権利回復の利益をどのような形で調整するかという点をその本質とするものであるから、私人間の権利利益の調整を図る実体法上の請求権として規定されるべきものである。そこで、本項の定める特定発信者情報以外の発信者情報の開示請求権も、手続法上の権利ではなく、実体法上の請求権として規定されているものである。したがって、権利の侵害に係る発信者情報について開示を請求する者は、以下の要件を満たす場合に管轄を有する裁判所[4]に訴え出て訴訟を通じて権利の実現を図ることや、第4章に定める裁判手続（非訟手続）を利用して権利の実現を図ることも、裁判外において請求を行うことも可能である[5]。

　(ア)　開示の請求をする者の権利が侵害されたことが明らかであるとき

　(イ)　発信者情報が開示請求をする者の損害賠償請求権の行使のた

---

[4]　管轄がどのようになるかは、民事訴訟法第4条以下の裁判籍の規定に従って決められることになるが、本請求権は、一定の厳格な要件が満たされる場合に開示関係役務提供者に課せられた守秘義務を解除し、開示請求者の請求に応じて発信者情報の開示に応じるべき義務を発生させるものであるから、それ自体経済的利益を目的とするものではなく、これに基づく訴えは、財産権上の訴え（民事訴訟法5条1号）とはいえず、その他の特別裁判籍が認められる場合にも該当しないと考えられる（なお、契約に基づく帳簿閲覧請求を財産権上の請求権としたものとして大判大正10・11・2民録27輯1861頁〔27523335〕があるが、これを本請求権に基づく訴えに当てはめることができるかどうかについては慎重な検討が必要であろう）。したがって、一般的には被告の普通裁判籍の所在地を管轄する裁判所に管轄が認められることになると考えられる。

めに必要である場合その他当該発信者情報の開示を受けるべき正当な理由があるとき

(3) 特定発信者情報の開示請求権

　本項は、特定発信者情報以外の発信者情報の開示請求権に加えて、特定発信者情報の開示請求権についても定めるものである。

　例えば、ユーザーID等を入力することにより自らのアカウントにログインした状態で投稿を行うことができるサービスを提供する特定電気通信役務提供者の中には、権利侵害投稿を送信した侵害投稿通信に係る通信記録を保有していないが、当該サービスへのログイン時や当該サービスからのログアウト時の通信（以下「ログイン等通信」という。）を構成するアイ・ピー・アドレス等を保有している者がいる。このような場合において、ログイン等通信を構成するアイ・ピー・アドレス等の開示を求めることができないとすれば被害者救済に不十分な結果となることから、令和3年における法改正により特定発信者情報の開示請求権が追加された[6]。この請求権は、特定発信者情報以外の発信者情報の開示請求権と同様に、手続法上の権利ではなく、実体法上の請求権として規定されているものである。

5　ただし、プロバイダ等が任意に開示した場合、要件判断を誤ったときには、通信の秘密侵害罪を構成する場合があるほか、発信者からの責任追及を受ける場合もあることから、慎重な検討が必要となる。他方で、裁判例等も踏まえ、プロバイダ等が開示要件を満たすと判断した場合には、裁判外の開示に応じることとなる。

6　旧法下において、ログイン等通信に係るアイ・ピー・アドレス等が開示の対象となるか否かについては、裁判例上争いがあった。例えば、肯定例として、東京高判平成26・5・28判時2233号113頁〔28224426〕、東京高判平成30・6・13判時2418号3頁〔28274183〕。否定例として、東京高判平成26・9・9判タ1411号170頁〔28231929〕、東京高判平成29・1・26平成28年（ネ）4364号公刊物未登載〔28301722〕、知財高判平成30・4・25民集74巻4号1480頁〔28262181〕。

もっとも、ログイン等通信は、侵害投稿通信そのものではなく、それ自体は権利侵害性のない通信であり、侵害投稿通信と比べて発信者のプライバシー及び表現の自由、通信の秘密の保護を図る必要性が高いものであることから、ログイン等通信を構成する発信者情報について侵害投稿通信そのものを構成する発信者情報と同一の開示要件により開示を可能とするのは適当ではない。そこで、(2)の(ア)開示の請求をする者の権利が侵害されたことが明らかであるとき及び(イ)発信者情報が開示請求をする者の損害賠償請求権の行使のために必要である場合その他当該発信者情報の開示を受けるべき正当な理由があるときという開示要件に加えて、下記の補充的な要件を満たす場合にのみ、被害救済の必要性が発信者の権利保護の重要性を上回るものとして開示が認められるものである。

　(ウ)　次のイからハまでのいずれかに該当するとき
　イ　当該特定電気通信役務提供者が当該権利の侵害に係る特定発信者情報以外の発信者情報を保有していないと認めるとき
　ロ　当該特定電気通信役務提供者が保有する当該権利の侵害に係る特定発信者情報以外の発信者情報が次に掲げる発信者情報以外の発信者情報であって総務省令で定めるもののみであると認めるとき
　　(1)　当該開示の請求に係る侵害情報の発信者の氏名及び住所
　　(2)　当該権利の侵害に係る他の開示関係役務提供者を特定するために用いることができる発信者情報
　ハ　当該開示の請求をする者が第5条第1項の規定により開示を受けた発信者情報（特定発信者情報を除く。）によっては当該開示の請求に係る侵害情報の発信者を特定することができないと認めるとき

　以上の要件を満たす場合に、特定発信者情報について開示を請求する者は、管轄を有する裁判所に訴え出て、訴訟を通じて権利の実

現を図ることや、第4章に定める裁判手続（非訟手続）を利用して権利の実現を図ることも、裁判外において請求を行うことも可能である。

(4) 用語の説明

① 「特定電気通信による情報の流通によって自己の権利を侵害されたとする者」

ウェブホスティング等の形態による通信、典型的にはインターネット上のウェブページやSNS、電子掲示板上に自己の権利利益を侵害する情報が掲載されているとして、発信者情報の開示を請求する者のことをいう。自然人のみならず、法人及び民事訴訟法第29条により当事者能力が認められるいわゆる権利能力なき社団を含む。

次に「権利を侵害されたとする」とは、単に自らが被害を受けた旨を述べることで足り、その権利の侵害に関する客観的な根拠の存在等、述べていることの合理性の有無を問わない。その主張の合理性の有無は、本項第1号の要件の判断の際に検討されることになる。

② 「当該特定電気通信の用に供される特定電気通信設備を用いる特定電気通信役務提供者に対し」

本項に基づく開示請求の相手方となるのは、他人の権利を侵害したとされる情報が流通することとなった特定電気通信の用に供される特定電気通信設備を用いる特定電気通信役務提供者[7]である。

③ 「当該特定電気通信役務提供者が保有する」

本法律においては、開示の対象となる発信者情報について開示関係役務提供者が「保有」するものに限っている。「保有」とは、法

---

[7] 前述のとおり、経由プロバイダにつき、最高裁は「特定電気通信役務提供者」に該当すると判示した（31頁参照）。

律上又は事実上、あるものを自己の支配下に置いている状態を指す用語であり、情報等の無体物を事実上支配していることを示す際にも用いられる（例：行政機関の保有する情報の公開に関する法律（平成11年法律第42号）、個人情報の保護に関する法律（平成15年法律第57号）など）。

　ところで、「保有」の概念は一般的に以上のようなものであるにしても、本法律における「保有」が、具体的にどのような状態を指すものと解すべきかが問題となる。この点、本請求権が開示関係役務提供者が開示することのできる発信者情報について開示させる権利であることからすれば、「当該開示関係役務提供者が当該発信者情報について開示することのできる権限を有する」ことをいうと解することが適当である。したがって、開示を行うことのできる権限を有すると認められる場合であれば、第三者に委託して顧客管理を行わせているような場合や他人の管理するサーバ内にデータが存在している場合であっても「保有」する場合に含まれることになる。他方で、「権限を有する」とは、単に開示等が可能なだけでなく、その権限の行使が実行可能なものとして、開示関係役務提供者がデータの存在を把握していることも含むものであり、開示関係役務提供者の内部に存在する発信者情報であっても、抽出のために莫大なコストを要する場合や、体系的に保管されておらず、開示関係役務提供者としてはその存在が把握できないような場合には、「保有」するとはいえないこととなる[8]。

④　「特定発信者情報（発信者情報であって専ら侵害関連通信に係るものとして総務省令で定めるものをいう。以下この項及び第十五条第二項において同じ。）」

8　なお、個人情報の保護に関する法律第16条第4項においても、保有個人データとは、実際に情報について開示等の権限を有している個人データであると考えられているところである。

本項第1号から第3号までに掲げる要件を満たす場合に開示が認められる「特定発信者情報」に該当するためには、「専ら侵害関連通信に係る」ものであることが必要となる。このような限定を設けたのは、「侵害関連通信」は、第3項で規定されているようにそれ自体は権利侵害性のない通信であることから、これを構成する発信者情報（特定発信者情報）は一定の補充的な要件を満たす場合にのみ被害救済の必要性が発信者の権利保護の重要性を上回るものとして開示が認められるためである。このように限定することにより、「専ら侵害関連通信に係るもの」ではない発信者情報、具体的には、侵害投稿通信を構成する発信者情報（アイ・ピー・アドレス及びタイムスタンプ等）のほか、契約者情報又はサービスの登録情報として保有されている発信者の氏名及び住所等は、特定発信者情報には該当しないこととなる。これにより、特定発信者情報に該当しない発信者情報について開示関係役務提供者から開示を受けるためには、本項第1号及び第2号に掲げる要件又は第2項第1号及び第2号に掲げる要件に該当すれば足りることとなり、特定発信者情報については、本項第1号から第3号までに掲げる要件を満たす場合に開示されるという限定を設けることとされている。この「特定発信者情報」は、施行規則第3条（321頁参照）において具体的に定められている。

⑤ 「発信者情報」

第2条第6号で「氏名、住所その他の侵害情報の発信者の特定に資する情報であって総務省令で定めるもの」として定義付けられている情報である。

発信者の特定に資する情報とは、発信者を特定するために参考となる情報一般を意味し、このうち、開示請求をする者の損害賠償請求等を可能とするという観点から、その相手方を特定し、何らかの連絡を行うのに合理的に有用と認められる情報が、総務省令におい

て限定列挙されている。被害者の権利行使の観点からは、なるべく開示される情報の幅は広くすることが望ましいことになるが、他方において、発信者情報は個人のプライバシーに深くかかわる情報であって、場合によっては通信の秘密として保護される事項であることに鑑みると、被害者の権利行使にとって有益ではあるが、必ずしも不可欠とはいえないような情報や、高度のプライバシー性があり、開示をすることが相当とはいえない情報まで開示の対象とすることは許されない。加えて、今後予想される急速な技術の進歩やサービスの多様化により、開示関係役務提供者が保有している情報であって開示請求をする者の損害賠償請求等に有用と認められるものの範囲も変動することが予想され、その中には開示の対象とすることが相当であるものとそうでないものが出てくることになると考えられるが、それらを現時点において法律中に書き尽くすことは不可能であり、総務省令によって発信者情報の範囲を画することとしたものである。

　なお、特定発信者情報以外の発信者情報の開示請求権及び特定発信者情報の開示請求権は、先にも述べたとおり、現にプロバイダ等が保有している発信者情報について開示の対象とするものであって、プロバイダ等に対して発信者情報等の保存を義務付けるものではない。むしろ、情報の適正な管理の観点からは、発信者情報のような個人情報については、プロバイダ等にとって保存の必要がない場合には、速やかに削除すべきものと考えられる[9]。

　⑥　「開示を請求することができる」

　「開示」とは発信者情報の内容を知らせることを意味する。

　また、「請求」とは、開示を請求する者が、当該情報の発信者情報を開示されたい旨の要求を内容とする意思表示をすることをいう。

　⑦　「当該開示の請求に係る侵害情報の流通によって当該開示の

請求をする者の権利が侵害されたことが明らかであるとき」

　発信者情報開示請求権は、匿名で発信された情報の流通により被害を受けた者に対して被害回復のための手掛かりを与える権利であり、被害者救済の観点から大きな意義を有するものである。他方、このような権利を設けることにより、これまで繰り返し述べているとおり、発信者情報は発信者のプライバシー、表現の自由及び通信の秘密と深く結びついた情報であるにもかかわらず、要件如何によっては、本来開示すべきでない場合にまで、裁判外において開示関係役務提供者が開示してしまうことが懸念される。また、開示関係役務提供者が要件判断を誤って開示に応じてしまった場合には、原状回復を図ることは性質上不可能である。そこで、発信者の有するプライバシー及び表現の自由の利益と被害者の権利回復を図る必要性との調和を図るべく、その権利が侵害されたことが明らかであることを要件として定めることとした。

9　「電気通信事業における個人情報保護に関するガイドライン」（令和4年3月31日個人情報保護委員会・総務省告示第4号）では、通信の秘密に係るもの以外の個人データについては、「電気通信事業者は、個人データ（通信の秘密に係るものを除く。以下この条において同じ。）を取り扱うに当たっては、利用目的に必要な範囲内で保存期間を定め、当該保存期間経過後又は利用する必要がなくなった後は、当該個人データを遅滞なく消去するよう努めなければならない」（第11条第1項）と規定する一方、通信の秘密に係る個人情報については、「電気通信事業者は、利用者の同意がある場合その他の違法性阻却事由がある場合を除いては、通信の秘密に係る個人情報を保存してはならず、保存が許される場合であっても利用目的達成後においては、その個人情報を速やかに消去しなければならない」（同条第2項）と規定する。

　また、通信履歴の記録については、「電気通信事業者は、通信履歴（利用者が電気通信を利用した日時、当該電気通信の相手方その他の利用者の電気通信に係る情報であって当該電気通信の内容以外のものをいう。以下同じ。）については、課金、料金請求、苦情対応、不正利用の防止その他の業務の遂行上必要な場合に限り、記録することができる」（第38条第1項）と規定する。

「明らか」とは、権利の侵害がなされたことが明白であるという趣旨であり、不法行為等の成立を阻却する事由の存在をうかがわせるような事情が存在しないことまでを意味する。もっとも、発信者の主観など被害者が関知し得ない事情まで被害者に主張・立証責任を負わせるものではない[10]。したがって、発信者が合理的根拠を示して開示に反対しているような場合には、開示関係役務提供者において開示を請求した者の権利が違法に侵害されたことが明白であるとの確信を抱くことができる場合は多くはないであろうから、不当に開示の範囲が広がることはないものと考えられる[11]。なお、この点についての要件判断を誤って開示に応じた場合には、開示関係役務提供者は、場合によって民事上、刑事上あるいは行政上の責任を問われることになるので注意を要する。

さらに、発信者情報開示請求権に基づく訴訟や開示命令事件の手続において、開示関係役務提供者が不熱心な応訴態度を示した場合、そのこと自体により開示関係役務提供者が責任を問われる可能性があるが、開示関係役務提供者がこのように不熱心な応訴態度を示した場合には、裁判所においても、プライバシーや表現の自由と

---

[10] 具体的には、例えば、民事上の不法行為である名誉毀損の成立を阻却する事由について、「①行為が公共の利害に関する事実に係り②もっぱら公益を図る目的に出た場合には、③摘示された事実が真実であることが証明されたときは、右行為には違法性がなく、不法行為は成立しないものと解するのが相当であり、もし、④右事実が真実であることが証明されなくても、その行為者においてその事実を真実と信ずるについて相当の理由があるときには、右行為には故意もしくは過失がなく、結局、不法行為は成立しないものと解するのが相当である」(最一小判昭和41・6・23民集20巻5号1118頁〔27001181〕。なお、丸数字の表記は著者による。)とされている。この点について、被害者は、上記判例が指摘する事由のうち、①公共の利害に関する事実に係るものではないこと、②もっぱら公益を図る目的に出たものではないこと、③摘示された事実が真実ではないこと、のいずれかを主張・立証すればよく、④その行為者において摘示された事実を真実と信ずるについて相当の理由がないことの主張・立証までは要しないと解される。

いった価値の重要性に配慮した適切な訴訟指揮等を行うことが期待される。また、「明らか」という評価要件の充足性の判断については、裁判官が当事者の主張した事実を踏まえつつも、前記弁論に現れた事実及び証拠から経験則に基づき自由に判断することになるので、前記評価に足りる主張・立証がされない限り発信者情報が開示されることはなく、その意味では不当な結果は生じないことになると考えられる。

なお、本要件については、令和3年改正法の検討時に、円滑な被害者救済を図る観点から、より緩やかなものにすべきかどうかについて、「発信者情報開示の在り方に関する研究会」において議論がなされた。同研究会の「中間とりまとめ」においては、本要件を緩やかなものとすることで、「適法な匿名表現を行った者の発信者情報が開示されるおそれが高まれば、表現行為に対する萎縮効果を生じさせかねないことから、現在の要件を維持すべきとの指摘が多くの構成員からあったことも踏まえ、現在の要件を緩和することについては極めて慎重に検討する必要がある」とされ[12]、その後の「最終とりまとめ」においては、「非訟手続によるプロバイダへの開示命令の要件については、現行法と同様の要件を維持することが適当

11　このような要件としてしまうと、開示される場合が限定的になりすぎるとの批判も考えられないでもない。しかしながら、請求者が主張・立証責任を果たせば、権利侵害の事実は明らかになるのであり、開示される場合が不当に狭くなるということはない。また、このように重い立証責任を課すことは、迅速な救済の要請に反するという批判も考えられるが、本条の請求権が現に侵害行為が行われている場合に被害拡大を防止するために行使されることが予定されたものというよりは、過去に行われた権利侵害について、その被害回復のために行使されることが主に予定された権利であることを考えれば、相対的にみて客観的に緊急性が高いとまではいえず、かかる要件を設けることが不当に被害者の権利行使を制約することになるわけでもないと考えられる。

12　「発信者情報開示の在り方に関する研究会　中間とりまとめ」18頁

である」とされた。このような提言を受けて、令和3年改正法においても本要件は維持されることとなったものである[13]。

＜仮処分手続での権利行使について＞

　本請求権について、仮処分によってその実現を図るとの可能性も考えられるところではある。しかしながら、本請求権を被保全債権とする仮処分は、本案の請求が満足させられたのと同様の事実上の状態を仮に実現させる、いわゆる満足的仮処分であると解されるが、この権利の性質上、いったん発信者情報の開示がなされてしまうと事後的に「元に戻す」ことはできない権利であり、発信者に与える不利益が大きい。そこで、仮処分の審理であっても、アイ・ピー・アドレス等については、保全の必要性等の要件について慎重かつ厳格な判断を要するべきであり、また、個人を特定することができる氏名及び住所については、その秘匿の必要性は高いことから、その保全の必要性については極めて慎重かつ厳格に判断すべきである。さらに、アイ・ピー・アドレス及びタイムスタンプのみによって氏名及び住所が特定される場合も同様に秘匿の必要性が高いと考えられることから、極めて慎重かつ厳格に判断すべきである。仮に、発信者情報の開示を受ける前に同情報が消去されてしまうことを心配するのであれば、本請求権を本案として開示関係役務提供者が保有している発信者情報の消去を禁止する旨の仮処分決定を得ることが考えられる。

⑧　「当該発信者情報が当該開示の請求をする者の損害賠償請求権の行使のために必要である場合その他当該発信者情報の開示を受けるべき正当な理由があるとき」

　「発信者情報の開示を受けるべき正当な理由があるとき」とは、

---

[13] 「発信者情報開示の在り方に関する研究会　最終とりまとめ」28頁

特定発信者情報以外の発信者情報の開示請求権及び特定発信者情報の開示請求権の要件として、開示請求者が発信者情報を入手することの合理的な必要性が認められることを意味する。この必要性の判断には、開示請求を認めることにより制約される発信者の利益（プライバシー等）を考慮した「相当性」の判断をも含むものである。

例えば、不当な自力救済等を目的とする発信者情報開示請求権の濫用のおそれがある場合や、賠償金が支払済みであり、損害賠償請求権が消滅している場合、行為の違法性を除く不法行為の要件を明らかに欠いており、損害賠償請求を行うことが不可能と認められるような場合には、開示請求者に発信者情報の開示を受ける利益が認められず、発信者情報を入手する合理的な必要性を欠くことから、本条の開示請求権を行使することができない。

なお、本要件が単に「開示を受ける必要があるとき」ではなく、「当該発信者情報が当該開示の請求をする者の損害賠償請求権の行使のために必要である場合その他当該発信者情報の開示を受けるべき正当な理由があるとき」とされているのは、単に「開示を受ける必要があるとき」という規定であると、開示関係役務提供者がこの要件について、前記のような趣旨であることを理解しないまま安易に開示に応じてしまうことが考えられるので、それを防止する方策として、損害賠償請求権の行使目的等の開示を受けるべき正当な理由が存在していることが要件となっていることを法文上明確にするものである。もちろん、このような形で要件を明確化しなくても、損害賠償請求権行使等の正当な理由がない場合には必要性がないということになるが、前記のように明確化することにより、一層その点が明らかになり、不当な開示を防止することとしたものである[14]。

---

[14] 同様の要件を定めているものとしては、犯罪被害者等の権利利益の保護を図るための刑事手続に付随する措置に関する法律（平成12年法律第75号）第3条第1項がある。

正当な理由があるときの具体例としては、㋐謝罪広告等の名誉回復措置の請求、㋑一般民事上、著作権法上の差止請求、㋒発信者に対する削除要求等を行う場合が挙げられよう[15]。

⑨ 「当該特定電気通信役務提供者が当該権利の侵害に係る特定発信者情報以外の発信者情報を保有していないと認めるとき」（第3号イ）

開示請求を受けた特定電気通信役務提供者が特定発信者情報以外の発信者情報を保有していない場合に、特定発信者情報の開示を認めることによって、特定電気通信の流通による権利侵害の被害救済のための手段を確保するものである。

本要件に該当するものとして特定発信者情報が開示されるのは、開示請求を受けた特定電気通信役務提供者が特定発信者情報以外の発信者情報を保有していない場合、例えば、運営するSNS上において侵害情報を流通させたコンテンツプロバイダが、そのシステム上、権利侵害投稿に係るアクセスログである発信者情報（施行規則第2条第5号から第8号まで）を保存しておらず、これ以外の特定発信者情報以外の発信者情報（施行規則第2条第1号から第4号まで及び第14号）も保有していない場合である。

ここで、「保有していないとき」ではなく、「保有していないと認めるとき」とあるのは、確定的な事実として開示請求の相手方である特定電気通信役務提供者が特定発信者情報以外の発信者情報を保

---

[15] なお、本請求権とは全く次元を異にする問題であるが、プロバイダ等が発信者情報の開示請求を受けた場合、被害者が発信者の刑事責任を追及する意思を有している場合もあり得るが、被告訴人・被告発人の氏名・住所等が不明であっても告訴、告発は可能なことから、刑事責任の追及は、本条第1項第2号の「当該発信者情報が当該開示の請求をする者の損害賠償請求権の行使のために必要である場合その他当該発信者情報の開示を受けるべき正当な理由があるとき」には該当せず、場合によっては警察に相談等を行うよう助言することも考えられる。

有していないことまでを要する趣旨ではなく、文献等に記載された当該プロバイダ等における一般的な発信者情報の保有状況その他の事情を総合的に勘案して、特定発信者情報以外の発信者情報を保有していないと認められることで足りるとする趣旨である。

⑩ 「当該特定電気通信役務提供者が保有する当該権利の侵害に係る特定発信者情報以外の発信者情報が次に掲げる発信者情報以外の発信者情報であって総務省令で定めるもののみであると認めるとき」(第3号ロ)

　開示請求を受けた特定電気通信役務提供者が特定発信者情報以外の発信者情報を保有している場合であっても、当該保有している情報が(ｱ)当該開示の請求に係る侵害情報の発信者の氏名及び住所並びに(ｲ)当該権利の侵害に係る他の開示関係役務提供者を特定するために用いることができる発信者情報（侵害投稿通信を構成するアイ・ピー・アドレス等）以外のものである場合には、それらを用いることによっては発信者を特定できない結果に終わる可能性が一般的に高いものと考えられる（例えば、被害者が電子メールアドレスや電話番号の開示を受けて当該電子メールアドレスに宛ててメールを送信したり当該電話番号に電話をかけたりしても応答がない可能性が高い）。そこで、特定電気通信役務提供者が特定発信者情報以外の発信者情報を保有している場合であっても、その保有する情報如何によっては、開示請求をした者が特定発信者情報の開示を受けられるようにする必要があることから、本号ロを設けるものである。

　具体的にどのような情報が本号ロに該当する情報であるかは、施行規則第4条において規定される。なお、本号ロに該当する情報について総務省令に委任されたのは、発信者情報の具体的範囲自体が総務省令に委任されているほか、発信者を特定できない結果に終わる可能性が一般的に高いものと考えられる発信者情報の範囲も変化する可能性があることに配慮したものである。

ここで、「総務省令で定めるもののみであるとき」ではなく、「総務省令で定めるもののみであると認めるとき」とあるのは、確定的な事実として開示請求の相手方である特定電気通信役務提供者が保有している情報が総務省令で定めるもののみであることまでを要する趣旨ではなく、文献等に記載された当該プロバイダ等における一般的な発信者情報の保有状況その他の事情を総合的に勘案して、保有している発信者情報が総務省令で定めるもののみであると認められることで足りるとする趣旨である。

⑪ 「当該開示の請求をする者がこの項の規定により開示を受けた発信者情報（特定発信者情報を除く。）によっては当該開示の請求に係る侵害情報の発信者を特定することができないと認めるとき」（第3号ハ）

あらかじめ本項の規定による開示請求をして、発信者情報（特定発信者情報を除く。）の開示を受けた者が、当該開示を受けた発信者情報によっては侵害情報の発信者を特定することができないと認める場合には、特定発信者情報の開示を認めることにより、特定電気通信の流通による権利侵害の被害救済のための手段を確保するものである。

例えば、コンテンツプロバイダから権利侵害投稿に係る発信者情報（侵害投稿通信を構成するアイ・ピー・アドレス及びタイプスタンプ等）を裁判外で開示された者が、当該開示された権利侵害投稿に係る発信者情報を添えて経由プロバイダに対して発信者の氏名・住所等の開示を請求したものの、当該経由プロバイダから「特定できる発信者情報はない」旨の回答を受けた場合は、特定発信者情報以外の発信者情報を用いて発信者を特定することはできないことが判明したわけであるから、本要件に該当することとなり、コンテンツプロバイダに対して特定発信者情報の開示を請求することが可能となる。

なお、本号ハは、「この項の規定により開示を受けた発信者情報」の「発信者情報」から「特定発信者情報」を除いているため、一度、特定発信者情報の開示を受けた者は、本号ハに基づく再度の開示請求をすることはできない。また、「開示を受けた」とあるのは、実際に発信者情報（特定発信者情報を除く。）の開示を「受けた」ことを要する趣旨である。

さらに、「特定することができないとき」ではなく、「発信者を特定することができないと認めるとき」とあるのは、あらゆる手段を講じたにもかかわらず開示を受けた発信者情報（特定発信者情報を除く。）を用いることによっては発信者を特定することができなかったことまでを要する趣旨ではなく、コンテンツプロバイダから開示を受けた発信者情報（特定発信者情報を除く。）を添えて経由プロバイダに対して開示請求をしたものの「特定できる発信者情報はない」旨の回答を受けた等の事情を総合的に勘案して、発信者を特定することができないと認められることで足りるとする趣旨である。

2　関連電気通信役務提供者に対する開示請求（第2項）

(1)　趣旨

令和3年における法改正の前において、コンテンツプロバイダが保有するログイン等通信を構成するアイ・ピー・アドレス及びタイムスタンプ等が開示されたケースでは、これらを用いて経由プロバイダに対する開示請求訴訟を提起しても、「開示関係役務提供者」の該当性が認められるか否かについて、裁判例の判断は分かれていた。これは、「開示関係役務提供者」の該当性については、侵害情報を流通させた特定電気通信を媒介したかどうかに着目して判断されることによる。そこで、本条第1項で特定発信者情報の開示請求権を設けるとともに、電気通信設備を用いて侵害関連通信を媒介等

したものの、侵害情報を流通させた特定電気通信を媒介等したかどうかは不明である電気通信役務提供者に対する開示請求を可能にするため、侵害関連通信を媒介等した電気通信役務提供者に対して、所定の要件（権利侵害の明白性及び開示を受けるべき正当な理由があること）を満たす場合には、当該侵害関連通信に係る発信者情報の開示を請求することができることとしたものである。

(2) 用語の説明

① 「特定電気通信による情報の流通によって自己の権利を侵害されたとする者」

この要件は、本条第1項柱書に規定するものと同様の要件である。

② 「当該特定電気通信に係る侵害関連通信の用に供される電気通信設備を用いて電気通信役務を提供した者（当該特定電気通信に係る前項に規定する特定電気通信役務提供者である者を除く。以下この項において「関連電気通信役務提供者」という。）に対し」

本項に基づく開示請求の相手方となるのは、侵害情報を流通させた特定電気通信に係る侵害関連通信の用に供される電気通信設備を用いる電気通信役務提供者であって、本条第1項の特定電気通信役務提供者ではない者（関連電気通信役務提供者）である。具体的には、侵害関連通信を媒介した経由プロバイダがこれに該当する。

③ 「当該関連電気通信役務提供者が保有する」

「保有する」とは、本条第1項柱書に規定するものと同様の要件である。

④ 「当該侵害関連通信に係る発信者情報」

「当該侵害関連通信に係る発信者情報」とは、具体的には、特定発信者情報及び特定発信者情報（アイ・ピー・アドレス及びタイム

スタンプ等）を用いることにより特定される当該侵害関連通信に係る発信者情報（侵害情報の発信者の氏名及び住所等）である。

⑤ 「当該開示の請求に係る侵害情報の流通によって当該開示の請求をする者の権利が侵害されたことが明らかであるとき」

この要件は、本条第1項第1号に規定するものと同様の要件である。

⑥ 「当該発信者情報が当該開示の請求をする者の損害賠償請求権の行使のために必要である場合その他当該発信者情報の開示を受けるべき正当な理由があるとき」

この要件は、本条第1項第2号に規定するものと同様の要件である。

3 侵害関連通信（第3項）

(1) 趣旨

本条第1項及び第2項において用いられる「侵害関連通信」という用語について、侵害情報を送信した侵害投稿通信とは別の通信を意味するものとして定義するものである。

(2) 用語の説明等

① 「侵害情報の発信者が当該侵害情報の送信に係る特定電気通信役務を利用……するために行った」

発信者が侵害情報の送信に係る特定電気通信役務を利用するために行う識別符号その他の符号の電気通信による送信に該当するものとしては、㈎ログイン通信や㈏SMS通信等の認証通信のほか、㈐特定電気通信役務を初めて利用する際に行われるアカウント作成時の通信が該当する。また、ログイン状態を維持するためのアクセストークンを送信するための通信も含まれる。

なお、SMS認証通信について、典型的な活用例は、SNS等の利

用登録時に、登録者情報として入力された電話番号について、他人の電話番号を無断で入力したものではないことを確認するために用いられるケースが考えられるが、それ以外にも、例えば、SNS等の利用開始後に、ユーザーがアカウントの乗っ取り防止等を図る目的で任意で実施する場合等もあり、活用される場面がSNS等の利用開始時に限定されないことから、規定ぶりとして、「利用を開始……するために行った」ではなく「利用……するために行った」とするものである。

② 「侵害情報の発信者が当該侵害情報の送信に係る特定電気通信役務（の）……利用を終了するために行った」

発信者が侵害情報の送信に係る特定電気通信役務の利用を終了するために行った識別符号その他の符号の送信に該当するものとしては、一時的に特定電気通信役務の利用を終了する際に行われるログアウト通信のほか、特定電気通信役務の利用を将来にわたって終了する際に行われるアカウント削除時の通信が該当する。

③ 「識別符号（特定電気通信役務提供者が特定電気通信役務の提供に際して当該特定電気通信役務の提供を受けることができる者を他の者と区別して識別するために用いる文字、番号、記号その他の符号をいう。）その他の符号の電気通信による送信」

ここでいう「識別符号……の電気通信による送信」とは、一般に、SNS等のユーザーがSNS等において投稿をするためには、まず、当該SNS等における自らのアカウントに紐付けられたユーザーID及びパスワードを入力し、これを当該SNS等の認証サーバに送信することにより、当該アカウントにログインするというプロセスを経ることが必要になるところ、当該ユーザーID及びパスワードの送信行為を指すものである。

また、これ以外のログアウト、アカウント作成及びアカウント削除のために行うSNS等のサーバに対する通信は「その他の符号の

電気通信による送信」に該当するものである。

「識別符号……その他の符号」には、SNS等において利用者のアカウントごとに設定されるユーザーID・パスワードのほか、サービスを利用中である利用者を識別するためにアクセス先のウェブサイトやアプリケーションによって発行されるいわゆるセッションID、アクセストークン等も含まれる。

④ 「当該侵害情報の発信者を特定するために必要な範囲内であるものとして総務省令で定めるもの」

本要件は、それ自体では権利侵害性のない通信である侵害関連通信に係る特定発信者情報の開示について、被害者の権利回復の利益と発信者のプライバシー及び表現の自由、通信の秘密との均衡を図る観点から、開示することができる特定発信者情報の範囲について量的な制限を加えるため、総務省令で定める一定の範囲内の送信行為に係る特定発信者情報に限り開示を認めるものであり、「必要な範囲内」の具体的内容は施行規則第5条（327頁以下参照）で定められている。

⑤ 権利侵害投稿以外の投稿のみのために行われた特定電気通信が本項の「侵害関連通信」に該当しない理由

権利侵害投稿以外の投稿のみのために行われた特定電気通信（以下「非侵害投稿通信」という。）は、それ自体は権利侵害性のない通信であるだけではなく、権利侵害投稿を可能とするために事前に行うことが必要であるといったログイン等通信が有する権利侵害投稿との関連性が類型的に認められないものであることから、非侵害投稿通信に係る情報は「侵害関連通信に係る情報」に該当することはなく、本条第1項に規定する特定発信者情報又は本条第2項に規定する侵害関連通信に係る発信者情報として開示されることはない。

この点、本項の条文上も、侵害関連通信に該当する通信を「発信

者が当該侵害情報の送信に係る特定電気通信役務を利用するために行った当該特定電気通信役務に係る識別符号その他の符号の電気通信による送信（ログイン通信や認証通信等が該当）」及び「発信者が当該侵害情報の送信に係る特定電気通信役務の利用を終了するために行った当該特定電気通信役務に係る識別符号その他の符号の電気通信による送信（ログアウト通信等が該当）」と定めているところ、非侵害投稿通信は、特定電気通信役務を利用するために行われたログイン通信や認証通信等と異なり、それ自体が「特定電気通信役務の利用そのもの」に該当するものであり、これを「特定電気通信役務を利用するために行われたもの」と解釈する余地はないことから、本項の「侵害関連通信」には該当しないものである。

第3章　発信者情報の開示請求等（第5条－第7条）　117

（参考）

開示請求手続の流れの典型例

<侵害投稿通信に係る開示請求>

A 第5条第1項に基づく開示請求
【開示請求の相手方】
・コンテンツプロバイダ（特定電気通信役務提供者）
【開示請求の対象】
・特定発信者情報以外の発信者情報

B 開示の認容
【開示要件】
・権利侵害の明白性（同条第1項第1号）
・開示を受ける正当理由（同条第1項第2号）

C 開示
【開示される発信者情報】
・侵害投稿通信に係るアイ・ピー・アドレス及びタイムスタンプ等

D 第5条第1項に基づく開示請求
【開示請求の相手方】
・経由プロバイダ（特定電気通信役務提供者）
【開示請求の対象】
・特定発信者情報以外の発信者情報

E 開示の認容
【開示要件】
・権利侵害の明白性（同条第1項第1号）
・開示を受ける正当理由（同条第1項第2号）

F 開示
【開示される発信者情報】
・発信者の氏名及び住所等

<侵害関連通信に係る開示請求>

a 第5条第1項に基づく開示請求
【開示請求の相手方】
・コンテンツプロバイダ（特定電気通信役務提供者）
【開示請求の対象】
・特定発信者情報

b 開示の認容
【開示要件】
・権利侵害の明白性（同条第1項第1号）
・開示を受ける正当理由（同条第1項第2号）
・補充的な要件（同条第1項第3号）

c 開示
【開示される発信者情報】
・侵害関連通信に係るアイ・ピー・アドレス及びタイムスタンプ等

d 第5条第2項に基づく開示請求
【開示請求の相手方】
・経由プロバイダ（関連電気通信役務提供者）
【開示請求の対象】
・侵害関連通信に係る発信者情報

e 開示の認容
【開示要件】
・権利侵害の明白性（同条第2項第1号）
・開示を受ける正当理由（同条第2項第2号）

f 開示
【開示される発信者情報】
・発信者の氏名及び住所等

※　AとDの開示請求の方法が「開示命令の申立て」である場合に申立人が提供命令を活用したときは、AとDの事件の手続を併合して行うことが可能となる（非訟事件手続法第35条第1項）。aとdも同様。

第6条（開示関係役務提供者の義務等）

（開示関係役務提供者の義務等）
第六条　開示関係役務提供者は、①前条第一項又は第二項の規定による開示の請求を受けたときは、②当該開示の請求に係る侵害情報の発信者と連絡することができない場合その他特別の事情がある場合を除き、③当該開示の請求に応じるかどうかについて当該発信者の意見（当該開示の請求に応じるべきでない旨の意見である場合には、その理由を含む。）を聴かなければならない。

2　開示関係役務提供者は、①発信者情報開示命令を受けたときは、前項の規定による意見の聴取（当該発信者情報開示命令に係るものに限る。）において前条第一項又は第二項の規定による開示の請求に応じるべきでない旨の意見を述べた当該発信者情報開示命令に係る侵害情報の発信者に対し、②遅滞なくその旨を通知しなければならない。③ただし、当該発信者に対し通知することが困難であるときは、この限りでない。

3　①開示関係役務提供者は、第十五条第一項（第二号に係る部分に限る。）の規定による命令を受けた他の開示関係役務提供者から当該命令による発信者情報の提供を受けたときは、②当該発信者情報を、③その保有する発信者情報（当該提供に係る侵害情報に係るものに限る。）を特定する目的以外に使用してはならない。

4　開示関係役務提供者は、前条第一項又は第二項の規定によ

> る①開示の請求に応じないことにより当該開示の請求をした者に生じた損害については、②故意又は重大な過失がある場合でなければ、③賠償の責めに任じない。④ただし、当該開示関係役務提供者が当該開示の請求に係る侵害情報の発信者である場合は、この限りでない。

【趣旨】

　本条は、開示関係役務提供者（第5条第1項に規定する特定電気通信役務提供者及び同条第2項に規定する関連電気通信役務提供者）の発信者に対する意見聴取義務（第1項）、開示関係役務提供者の発信者に対する開示命令があった旨の通知義務（第2項）、開示関係役務提供者が提供命令に基づいて提供された発信者情報を目的外使用することの禁止（第3項）及び開示関係役務提供者が開示請求に応じないことによる損害賠償の責任を免責される旨（第4項）を定めるものである。

【解説】

1　発信者に対する意見聴取義務（第1項）
(1)　趣旨

　本項は、開示関係信役務提供者は、発信者のプライバシーや表現の自由を保護すべき義務を負い、第5条第1項又は第2項の開示請求に関する対応に当たっては、プライバシーや表現の自由等、発信者の権利利益が不当に侵害されることのないよう、原則として、開示の請求に応じるかどうか（開示の請求に応じるべきではない旨の意見である場合には、その理由を含む。）について発信者の意見を聴かなければならないことを規定するものである。

　開示関係役務提供者と発信者との間にあらかじめ有償の役務提供

契約が存在する場合は、開示関係役務提供者は民法上当然に善管注意義務を負っていると解され、その場合には本項の定める義務はこのような規定がなくとも負うべき当然の義務であり、本項はそのことを注意的に規定したにすぎないということになる。また、開示関係役務提供者と発信者との間に有償の契約関係がない場合であっても、開示関係役務提供者は、自己の管理するサーバ等の記録媒体等に発信者が情報を記録又は入力したことにより、権利の侵害を受けたとする者から、本請求を受けて発信者のプライバシーや表現の自由、場合によっては通信の秘密にかかわるような情報を開示するかどうかを判断する立場に立たされることになり、発信者との間に一定の社会生活上の関係を有することになるから、条理上、一定の注意義務（自己のものにするのと同一の注意義務）が生じ、その帰結として、開示請求があった場合には、発信者の意見を聴取すべき義務が生じることになると解される。

　本項は、以上のとおり、発信者情報開示請求を受けた開示関係役務提供者が契約上、あるいは条理上当然に負うべき義務について、それを明確化するために規定されたものである。

　本項の義務はあくまで民事上の義務であって、行政罰等によって担保されているものではないが、開示関係役務提供者が本項に定める手続を適切に行わず、そのために発信者に損害が生じた場合には、不法行為等の責任を追及されることとなる。

(2) 善管注意義務と発信者の意見聴取義務との関係

　善管注意義務は、発信者の正当な利益を尊重しなければならないという意味で、本項の定める発信者の意見を聴取すべき義務と一部重なる部分もあるが、意見聴取が不可能な場合や発信者から明確な意見が述べられなかったような場合においても、善管注意義務は尽くさなければならないという意味で、本項の定める義務とは別個の

義務も含んでいるものである。すなわち、善管注意義務を負う場合には、開示関係役務提供者としては発信者の権利侵害が起こらないようにあらゆる手段を尽くすことが求められているのであって、その内容の1つとして発信者の意見聴取も含まれるが、とるべき手段としてはそれに限られるわけではない。また逆に意見聴取ができないような場合であれば、他に適当な方法によって発信者の利益を確保することが可能であれば、それを尽くせば善管注意義務を果たしたことになる場合もあろう。

(3) 用語の説明

① 「前条第一項又は第二項の規定による開示の請求を受けたときは」

「前条第一項又は第二項の規定による開示の請求」とは、第5条第1項又は第2項に規定されている発信者情報開示請求を意味する。

② 「当該開示の請求に係る侵害情報の発信者と連絡することができない場合その他特別の事情がある場合を除き」

発信者と連絡をとることができない場合には、発信者の意見を聴取することが客観的に不能というべきであるから、このような場合には、意見聴取義務を課さないこととした。ここで、「できない」とは、客観的に不能な場合を意味し、合理的に期待される手段を尽くせば連絡をとることが可能であったような場合には「できない」には当たらない。意見聴取に一定の期間を要する場合であっても、開示が遅延したことによる損害については、本条第4項で免責されることに照らすならば、意見聴取をすべきということになる。なお、仮にいかなる手段を用いても意見聴取が不能というような場合であっても、開示関係役務提供者としては、発信者の権利を不当に害することのないよう、善良な管理者の注意義務をもって行動する

ことが期待されることはいうまでもない。

　また、「特別の事情がある場合」とは、例えば、発信者情報開示請求が被侵害利益を全く特定せずに行われた場合等、第5条第1項又は第2項の定める要件を満たさないことが一見して明白であるようなときも含むものである。このような場合には、当該開示請求に関する対応において、特に発信者の意見を確認する実質的な必要性がなく、こうした確認をせずとも発信者の権利利益を不当に侵害することにはならないと考えられるため、本項の義務の対象外とするのが相当であると解される。

③ 「当該開示の請求に応じるかどうかについて当該発信者の意見（当該開示の請求に応じるべきでない旨の意見である場合には、その理由を含む。）を聴かなければならない」

　開示関係役務提供者は、開示を求める者から開示請求を受けた場合には、発信者に対し、当該開示請求への対応如何及び発信者が開示の請求に応じるべきでない旨の意見である場合にはその理由も聴かなければならない[16]。これは、開示関係役務提供者は、開示請求への対応如何について発信者に意見を聴いた場合は、原則としてこれを踏まえ適切に対応しなければならないと解されるため、開示の請求に応じるかどうかについて発信者の意見を聴くとともに、発信者が開示の請求に応じるべきでない旨の意見である場合にはその理由も聴かなければならないとすることで、発信者から合理的な理由が示された場合には、開示関係役務提供者は、原則として、それを尊重して対応することが求められることを明らかにするものであ

---

[16] 旧法においては単に「開示するかどうかについて」としていたところ（旧法第4条第2項）、令和3年改正法により、それを「開示の請求に応じるかどうかについて」と明確化したうえで、新たに発信者が開示の請求に応じるべきでない旨の意見である場合にはその理由も聴かなければならない旨を規定したものである。

る。

　具体的には、発信者が開示に同意する旨の意見を述べた場合には、これに基づき開示請求に応じることとなる。反対に、開示に応じることを否とし、開示を求める者の開示請求に対し合理的根拠を示して異議が述べられたときは、原則としてその意見を尊重し、当該開示には応じられない旨の対応（裁判上の攻撃防御方法の提出等の具体的な行為も含む。）をすることが考えられる。ただし、発信者の意見が強行法規や公序良俗に反するものであるような場合にまで、当該発信者の意見に従った裁判上又は裁判外の行為を一律に強いるものではない。

　なお、本規定は、訴訟における攻撃防御方法の提出等の個別具体的な行為をするに際して逐一発信者の意見を聴かなければならないことまでを要求するものではなく、発信者の意向が十分に反映される範囲で、ある程度包括的に発信者の意見を聴くことも認められる。

　本項においては、単に「意見を聴かなければならない」と規定されているところではあるが、開示請求をした者が、氏名その他の請求者の特定に資する情報を発信者に示してほしくない旨を希望しているような場合には、氏名等の情報を発信者に示すべきではない。また、開示請求に際して示された事項については、当然発信者以外の者に漏らすことは許されない。

2　開示命令を受けた旨の発信者に対する通知義務（第2項）

(1)　趣旨

　本項は、開示関係役務提供者は、開示命令を受けたときは、原則として、意見聴取において開示の請求に応じるべきでない旨の意見を述べた発信者に、その旨を通知しなければならない旨を定めるも

のである。

　本条第1項の意見聴取に対して開示の請求に応じるべきでない旨の意見を述べた発信者は、その意見を元に開示関係役務提供者が裁判で争うことが想定されるという点で、当該裁判に事実上関与しているものといえる。そこで、そのような発信者に対しては開示命令があった旨を通知しなければならないとすることで、その手続保障を図るものである。

　これは、発信者が、意見聴取において開示の請求に応じるべきでない旨の意見を述べたことにより、事実上裁判に関与したことで、当該意見聴取をした開示関係役務提供者と発信者との間に、条理上、開示命令があったときはその旨の通知をすべき義務が生じることになると解されるところ、本項は、その条理上負うべき義務を明確化するものである。したがって、本項の義務はあくまで民事上の義務であって、行政罰等によって担保されているものではないが、開示関係役務提供者が本項に定める手続を適切に行わず、そのために発信者に損害が生じた場合には、不法行為等の責任を追及されることとなる。

(2) 用語の説明

① 「発信者情報開示命令を受けたとき」

　「発信者情報開示命令を受けたとき」とは、開示関係役務提供者が第8条に規定される発信者情報開示命令を受けたときを意味する。

　旧法下においては、開示関係役務提供者から発信者の氏名及び住所の開示を受けるためには、開示請求訴訟を提起することが一般的であったが、令和3年改正法によって開示命令の申立てをすることにより発信者の氏名及び住所の開示を請求することが可能となった。ここで、開示請求訴訟においては、公開対審の訴訟手続により

開示関係役務提供者が争い、その結果として開示判決がなされるが、非訟事件である開示命令事件については公開対審原則が妥当しないから、開示すべきでないとする意見を述べるという形で当該事件の裁判に事実上関与した発信者に対しては、追加的に手続保障を図ることが適当である。

　このような考慮から、第6条第1項に規定する意見聴取に対して発信者が開示の請求に応ずるべきでない旨の意見を述べた場合において裁判所が開示命令を発したときは、開示関係役務提供者は、原則として、当該発信者に対し、遅滞なく開示命令を受けた旨を通知しなければならないこととしたものである。

　② 「遅滞なくその旨を通知しなければならない」

　「遅滞なく」通知しなければならないと定めるのは、開示の請求に応じるべきでない旨の意見を述べて開示について争うことを明らかにしている発信者は、開示命令を受けた旨の通知を受けた後、例えば、自らの主張を補強するためさらなる証拠を収集するなど、後続の訴訟等に向けた準備をすることが考えられるため、そのような発信者の準備に資するようにする趣旨である。

　③ 「ただし、**当該発信者に対し通知することが困難であるとき**は、この限りでない」

　「当該発信者に対し通知することが困難であるとき」とは、発信者と連絡をとることができないなど、発信者に開示命令を受けた旨の通知をするのが客観的に不能である場合を意味する。例えば、発信者が連絡先を変更したにもかかわらず、開示関係役務提供者に対してその旨の連絡を行っていないために、当該開示関係役務提供者が連絡をとろうとしてもとることができない場合が考えられる。

3 提供命令により発信者情報の提供を受けた開示関係役務提供者の義務（第3項）

(1) 趣旨

　本項は、提供命令を受けた他の開示関係役務提供者から当該命令による発信者情報の提供を受けた開示関係役務提供者が負う、発信者情報の取扱いに係る義務を定めるものである。

　提供命令により開示関係役務提供者が提供を受けた発信者情報は、個人のプライバシー等として保護される事項であるという点において、開示請求権を行使した者に開示された発信者情報と異なるものではない。そこで、提供命令による発信者情報の提供を受けた開示関係役務提供者に対しても、当該情報を、提供命令がその制度趣旨として本来予定している、「その保有する発信者情報（当該提供に係る侵害情報に係るものに限る。）を特定する目的」以外の用途で使用してはならないとする義務を課すものである。

　本規定に違反して発信者に損害が生じた場合には、プライバシー侵害等の不法行為が成立することとなる。

(2) 用語の説明

① 「開示関係役務提供者は、第十五条第一項（第二号に係る部分に限る。）の規定による命令を受けた他の開示関係役務提供者から当該命令による発信者情報の提供を受けたとき」

　本項の義務が課せられる対象は、提供命令（第15条第1項（第2号に係る部分に限る。））を受けた他の開示関係役務提供者から当該命令により発信者情報の提供を受けた開示関係役務提供者である。

② 「当該発信者情報」

　ここでいう発信者情報とは、提供命令（第15条第1項（第2号に係る部分に限る。））を受けた他の開示関係役務提供者から、当該命

令により、開示関係役務提供者に対して提供された発信者情報をいう。

　ここで目的外使用を禁止されることとなるのは、提供を受けた情報に限られるものではなく、提供を受けた情報から推測可能な情報や、提供を受け特定をする中で知り得た情報等のうち、およそ発信者の特定に資する情報はすべて含む趣旨であり、具体的には、発信者の性別や年齢などが問題となると考えられる。

　③「その保有する発信者情報（当該提供に係る侵害情報に係るものに限る。）を特定する目的以外に使用してはならない」

　提供命令がその制度趣旨として本来予定している、「その保有する発信者情報（当該提供に係る侵害情報に係るものに限る。）を特定する目的」以外の用途で使用してはならないとする義務を課すものである。

　提供命令は、あくまで、発信者を特定できなくなることを防止するために設けられた制度であるから、提供命令により提供された発信者情報の用途としては、当該提供を受けた開示関係役務提供者が消去禁止命令や開示命令を受けた場合にこれらの命令に従って消去禁止措置又は開示をするべき発信者情報を特定するために用いること以外に考えられない。したがって、それ以外の目的で提供された発信者情報を用いる行為をしてはならない旨の規定を設けたものである。

4　開示請求に応じないことにより生じた損害についての開示関係役務提供者の免責（第4項）

(1)　趣旨

　本規定は、開示関係役務提供者が、第5条第1項又は第2項の開示請求に応じないことにより生じた損害については、自己が発信者である場合を除いては、原則として損害賠償の責任を負わない旨の

免責を定めるものである。

　発信者情報は、いったん開示されてしまうとその原状回復は不可能であることから、開示関係役務提供者が裁判外の請求を受けて即時の対応を求められた場合においては、短絡的な判断をすることのないよう、厳に本条第１項に規定する義務等を遵守し、発信者の利益擁護や手続保障に十分意を尽くすことが求められる。こうした法の要請に応える結果として、開示関係役務提供者が判断に慎重となり、開示に応じなかった行為については、仮にその判断が誤っていたことが事後的に明らかとなった場合であっても、それにより生じた損害賠償の責任を一般則に従ってこれらの者に帰することとするのは酷に失するというべきである。そこで、本項において、故意又は重過失がある場合にのみ責任を負うこととするものである。

　このように一定の政策目的を実現するために損害賠償責任の成立を重過失があった場合に限定している例としては、他に失火責任（失火責任法）、緊急事務管理者の責任（民法第698条）、国の違法行為に関する公務員個人の責任（国家賠償法第１条第２項）等が挙げられる。

　なお、開示請求を認容する確定判決又は確定した決定があった以降、これに従わず開示に応じない行為については、一律故意又は重過失が認められるため、本条による免責の対象とはなり得ない。

(2) 用語の説明

① 「開示の請求に応じないことにより当該開示の請求をした者に生じた損害」

　「開示の請求に応じないことにより生じた損害」とは、本来開示関係役務提供者が発信者情報を開示すべき場合であったにもかかわらず、開示を拒んだことにより、開示請求をした者に生じた損害のことであり、適時に開示を受けられなかったことによる損害を意味

する。具体的には、例えば以下のようなケースにおいてこうした損害が生じる可能性がある。

㋐ 開示関係役務提供者が裁判外での開示請求に応じなかったため、開示請求をした者が裁判上の開示請求を行い、これを認容する確定判決を得たが、それまでの間に発信者が行方不明又は無資力になっており、発信者に対する責任追及が無意味になった場合

㋑ 開示関係役務提供者が裁判外での開示請求に応じなかったため、開示請求をした者が裁判上の開示請求を行い、これを認容する確定判決を得たが、その間開示が遅れたことで、開示請求をした者の精神的苦痛が長引き、精神的損害が発生した場合

※なお、発信者情報の適切な保存を怠ったことにより生じた損害も問題となり得るが、開示関係役務提供者にはログ等の通信履歴の保存義務はなく、むしろ個人情報保護の観点から不要なログは遅滞なく削除する責務を負っており、この点については本法律によっても何ら扱いが変わるものではないので、損害の発生について過失が認められることは考えがたい。

なお、本規定は、不法行為法上の「損害」概念を変更するものではない。したがって、不法行為の場合、権利侵害と相当因果関係のある損害が本規定の対象となるものである。弁護士費用については、判例上一定の限度で「損害」に含まれると解されていることから、本規定の「損害」にも含まれることとなる。他方、印紙代等のいわゆる「訴訟費用」については、一般に訴訟物に関する主文とは別にその負担の裁判をすることとなっているため、本規定の「損害」には含まれない。この点については、「手続費用」も同様である。

② 「故意又は重大な過失がある場合」

「故意」とは、結果の発生を認識・認容している心理状態をいい、「重大な過失」とは、故意に近い注意欠如の状態をいう。本項

において、故意又は重過失は、開示を求める者が発信者情報開示請求権の要件（権利侵害の明白性、開示の必要性及び補充的な要件）を具備していることについて必要とされる[17]。

③ 「賠償の責めに任じない」

「賠償の責めに任じない」とは、債務不履行又は不法行為を原因とする民事上の損害賠償責任が生じないことをいう。

④ 「**ただし、当該開示関係役務提供者が当該開示の請求に係る侵害情報の発信者である場合は、この限りでない**」

当該開示関係役務提供者自身が、権利を侵害したとされる情報の発信者である場合には、自ら要件があると判断すれば、自己が発信者である旨を明らかにすればよく、開示しなかった場合に開示を請求した者に生じる損害について敢えて免責する政策的必要性に欠ける。したがって、本項ただし書においては、免責される場合から、当該開示関係役務提供者自身が発信者である場合を除外することとしたものである。

---

[17] この点について、最高裁は「開示関係役務提供者は、侵害情報の流通による開示請求者の権利侵害が明白であることなど当該開示請求が同条1項各号所定の要件のいずれにも該当することを認識し、又は上記要件のいずれにも該当することが一見明白であり、その旨認識することができなかったことにつき重大な過失がある場合にのみ、損害賠償責任を負うものと解するのが相当である」と判示している（最三小判平成22・4・13民集64巻3号758頁〔28160943〕）。

第3章　発信者情報の開示請求等（第5条-第7条）　131

第7条（発信者情報の開示を受けた者の義務）

> （発信者情報の開示を受けた者の義務）
> **第七条**　①第五条第一項又は第二項の規定により発信者情報の開示を受けた者は、②当該発信者情報をみだりに用いて、③不当に当該発信者情報に係る発信者の名誉又は生活の平穏を害する行為をしてはならない。

【趣旨】

　本条は、発信者情報の開示を受けた者が当該発信者情報を用いるに当たって負うべき義務を明らかにしたものである。

　この規定に違反しても、直ちに刑事罰等の対象になるというわけではないが、この規定に従わない情報の用い方をして、発信者に損害が発生した場合には、名誉権侵害等の不法行為を構成することになり、発信者から責任を追及されることとなる。犯罪被害者等の権利利益の保護を図るための刑事手続に付随する措置に関する法律（平成12年法律第75号）第3条第3項及び刑事確定訴訟記録法（昭和62年法律第64号）第6条と同趣旨の規定である。

【解説】

1　趣旨

　本条は、第5条第1項又は第2項に規定する発信者情報開示請求権の行使により発信者情報の開示を受けた者は、当該発信者情報について、法律上認められた被害回復の措置（発信者に対する損害賠

償請求権の行使等）をとる目的以外の目的で用いることにより、不当に発信者の名誉又は生活の平穏を害する行為をしてはならないという民事上の義務（濫用禁止義務）を定めたものである。

2 用語の説明

① 「第五条第一項又は第二項の規定により発信者情報の開示を受けた者」

本条の義務が課せられる対象は、第5条第1項又は第2項の規定に基づく発信者情報の開示を受けた者である。

② 「当該発信者情報」

ここで発信者情報というのは、現に開示された発信者情報を指すものであるが、ここで不当な用い方を禁止されることとなるのは、開示を受けた情報に限られるものではなく、開示を受けた情報から推測可能な情報や、開示手続の中で知り得た情報等のうち、およそ発信者の特定に資する情報はすべて含む趣旨であり、具体的には、発信者の性別や年齢などが問題となると考えられる。

③ 「不当に当該発信者情報に係る発信者の名誉又は生活の平穏を害する行為をしてはならない」

発信者情報開示請求は、あくまで、特定電気通信上で加害者不明の不法行為が行われた場合に、被害者に加害者を知るための手段を提供し、被害回復を可能にするための制度であるから、それ以外の目的で開示された情報を用いて発信者の名誉権等の権利利益を侵害した場合には、不当に発信者の名誉若しくは生活の平穏を害したということになると解される。具体的には、発信者の情報をウェブページ等に掲載したり、発信者に対していやがらせや脅迫等の行為に及んだ場合が考えられる。

「害する行為をしてはならない」とは、民事上の義務を定めた趣旨であるが、この規定に違反して発信者に損害が発生したときは、

名誉権侵害等の不法行為が成立することとなる。

第4章
発信者情報開示命令事件に関する裁判手続（第8条－第18条）

1　発信者情報開示命令事件に関する裁判手続の創設

　発信者情報の開示請求事案には、当事者対立性の高くない事案、開示要件の判断が困難な事案から困難でない事案まで、様々な事案があるところ、令和3年改正法による改正前は、当事者対立性の高低や開示要件判断の難易の程度にかかわらず、裁判により発信者の氏名、住所等の開示を請求するには、一律に訴訟手続を要するものとされていた。訴訟手続は、関係者の手続保障が手厚く図られるため、慎重な判断が必要な事案には適する一方、期日を開き、裁判官の面前での口頭による審問の機会の付与が必要となるなど、一般に当事者の時間・費用の負担は大きく、開示要件の判断が困難でない事案や当事者対立性の高くない事案などにおいては、迅速な被害者救済の妨げとなっている面があった。

　また、従来の発信者情報の開示請求の裁判は、
(ｱ)　まずは、「SNSの運営者等のコンテンツプロバイダ」に対する開示仮処分の申立てを行い、当該申立てが認容された場合、
(ｲ)　次に、「インターネット接続サービスを提供する事業者等である経由プロバイダ」に対する開示請求訴訟を提起するという、
少なくとも2段階の手続を経ることが通常必要となる。

　(ｱ)の裁判が終わらなければ(ｲ)の裁判に進めないことは、以下の課題を生じさせていた。

　・(ｱ)の裁判を行っている間に、経由プロバイダの保有する発信者

第4章　発信者情報開示命令事件に関する裁判手続（第8条－第18条）　135

情報が消去されるおそれがあり、消去された場合には、被害者の救済が困難となること。
・(ｱ)、(ｲ)の両裁判ともに、同一の書込み等について同一要件の該当性を審理するものであるにもかかわらず、2回の審理・判断を要し、迅速な被害者救済の妨げとなっていること。

　これらの課題を踏まえて、従来の訴訟手続に加えて、決定手続（非訟手続）により、裁判所が開示関係役務提供者に対してその保有する発信者情報の開示等を命ずることができるようにするため、令和3年改正法により、第4章（発信者情報開示命令事件に関する裁判手続）の各規定を設ける改正が行われたものである。

2　発信者情報開示命令事件への非訟事件手続法の適用

　開示命令事件は、非訟事件手続法第3条の「非訟事件」に該当し、非訟事件手続法が適用されるものである。また、本法律では、第4章において、当該事件を処理するための手続として、非訟事件手続法第2編の特則的規定や補足的規定を設ける一方で、同編の規定のうち不要なものは適用除外とする旨の規定（第17条）を設けている。

3　開示命令、提供命令及び消去禁止命令の法的性格及び関係について

(1)　3つの命令の法的性格

　第4章では、開示命令、提供命令及び消去禁止命令という3つの命令が定められている。
　開示命令、提供命令及び消去禁止命令は、いずれも裁判であり、その裁判の形式はいずれも「決定」である。
　開示命令は、第5条第1項又は第2項の規定による開示の請求について、その開示を開示関係役務提供者に命ずるものである。開示

命令の申立てについての決定は、その開示を命ずるか否かについて終局的判断をする裁判であるから、「終局決定」（非訟事件手続法第55条以下）に該当する。また、開示命令の申立ては、裁判所に対し、一定の内容の終局決定を求める行為といえるから、「非訟事件の申立て」（同法第43条以下）[1]に該当する。

　他方で、提供命令及び消去禁止命令は、開示命令の実効性を確保するための開示命令事件を本案とする保全処分である。すなわち、経由プロバイダにおけるアクセスログの保存期間が限られているため、開示要件の審理と切り離して、経由プロバイダの特定及び侵害情報に係る発信者情報の消去禁止を迅速に求めることができるようにするため、「開示命令の申立てに係る侵害情報の発信者を特定することができなくなることを防止するため必要があると認めるとき」（第15条第1項、第16条第1項）に発令されるものである。

　これらの命令の申立てについての決定は、開示命令事件について終局的判断をする裁判以外の裁判であるから、「終局決定以外の非訟事件に関する裁判」（非訟事件手続法第62条第1項）に該当すると解される。これらの命令の申立ては、裁判所に対し、一定の終局決定を求める行為ではないから、「非訟事件の申立て」（同法第43条以下）に該当するものではない。

---

[1] 非訟事件手続法において、「非訟事件の申立て」（同法第43条以下）とは、裁判所に対し一定の内容の終局決定を求める行為をいい、移送の申立て、忌避の申立て、証拠調べの申立てなど、手続上の裁判を求める申立ては、「非訟事件の申立て」には該当しない（金子修編著『一問一答　非訟事件手続法』商事法務（2012年）16頁）。

第4章　発信者情報開示命令事件に関する裁判手続（第8条－第18条）　137

3つの命令の法的性格

申立て	申立てについての裁判	裁判の種類
開示命令の申立て	開示命令 （開示命令の申立てを認容する決定）	「終局決定」 （本案についての決定）
	開示命令の申立てを却下する決定	
提供命令の申立て	提供命令 （提供命令の申立てを認容する決定）	「終局決定以外の裁判」 （保全処分についての決定）
	提供命令の申立てを却下する決定	
消去禁止命令の申立て	消去禁止命令 （消去禁止命令の申立てを認容する決定）	
	消去禁止命令の申立てを却下する決定	

(2) 3つの命令の関係

　提供命令及び消去禁止命令の申立ては、本案の開示命令事件が係属していることを要件とする（第15条第1項、第16条第1項）。したがって、少なくとも同時に開示命令事件の申立てをしなければ、これらの命令を申し立てることはできないし、これらの命令の申立てについての決定が出る前に、開示命令の申立てを却下する決定がされた場合（例えば、開示命令の申立てが不適法であるとき又は理由がないことが明らかなときは、裁判所は、申立書の写しの送付や当事者の陳述聴取を経ずに、直ちに申立てを却下することができる。第11条第1項ただし書、第3項ただし書。）は、これらの命令の申立ても当然に終了するという関係にある。

　また、提供命令及び消去禁止命令の効力の終期は、本案の開示命令事件が終了するまで（異議の訴えが提起された場合には、その訴訟が終了するまで）である（第15条第3項、第16条第1項）。すなわち、提供命令及び消去禁止命令の効力は、開示命令事件の終了等により、当然失効するという関係にある。

4　3つの命令事件の主な手続及び非訟事件手続法との関係

	非訟事件手続法	開示命令事件	提供命令・消去禁止命令事件
申立ての方式	書面による （非訟事件手続法第43条第1項）	○	× 書面による （開示命令事件手続規則第4条第1項）
申立書の写しの送付	定めなし	必要 （第11条第1項）	必要 （開示命令事件手続規則第4条第3項）
審理	職権探知主義 （非訟事件手続法第49条第1項）	○ 当事者の必要的陳述聴取 （第11条第3項）	○
決定の告知	当事者及び利害関係参加人並びにこれらの者以外の裁判を受ける者に対し、相当と認める方法で告知しなければならない。 （非訟事件手続法第56条第1項）	○	○ （非訟事件手続法第62条第1項において準用する同法第56条第1項）
決定の効力の発生時期	決定の告知時 （非訟事件手続法第56条第2項・第3項）	○	○ （非訟事件手続法第62条第1項において準用する同法第56条第2項・第3項）
決定の方式	裁判書の作成 （非訟事件手続法第57条第1項）	○	× （非訟事件手続法第62条第1項は同法第57条第1項の準用を除外）
決定の取消し又は変更	裁判所は、終局決定をした後、その決定を不当と認めるときは、職権で、これを取り消し、又は変更することができる（申立てによってのみ裁判をすべき場合において申立てを却下した決定及び即時抗告をすることができる決定を除く。）。 （非訟事件手続法第59条第1項）	○ 非訟事件手続法第59条第1項は適用読替え （第14条第6項）	○ （非訟事件手続法第62条第1項において準用する同法第59条第1項第2号に該当するため、職権による取消し等は不可）
申立ての取下げ	非訟事件の申立人は、終局決定が確定するまで、申立ての全部又は一部を取り下げることができる。この場合において、終局決定がされた後は、裁判所の許可を得なければならない。 （非訟事件手続法第63条第1項）	開示命令の申立ては、当該申立てについての決定が確定するまで、その全部又は一部を取り下げることができる。ただし、同決定等がされた後は、相手方の同意を得なければその効力を生じない。 （第13条第1項）	提供命令・消去禁止命令の申立ては、当該各命令があった後であっても、その全部又は一部を取り下げることができる。 （第15条第4項、第16条第2項）
不服申立て	終局決定により権利又は法律上保護される利益を害された者は、その決定に対し、即時抗告をすることができる。 （非訟事件手続法第66条第1項） 申立てを却下した終局決定に対しては、申立人に限り、即時抗告をすることができる。 （非訟事件手続法第66条第2項）	当事者は、開示命令の申立てについての決定（申立てを不適法として却下する決定を除く。）に対し、異議の訴えを提起することができる。 （第14条第1項）	相手方は、提供命令・消去禁止命令に対し、即時抗告をすることができる。 （非訟事件手続法第79条の「特別の定め」としての第15条第5項、第16条第3項）
不服申立て期間	2週間の不変期間 （非訟事件手続法第67条第1項本文）	1月の不変期間 （第14条第1項）	1週間の不変期間 （非訟事件手続法第81条本文）
執行停止効	終局決定に対する即時抗告は、特別の定めがある場合を除き、執行停止の効力を有しない。 （非訟事件手続法第72条第1項本文）	×	○ （非訟事件手続法第82条が準用する同法第72条第1項本文）

※　各欄中の「○」は「非訟事件手続法」の欄に記載の規律が適用されること、「×」は適用されないことをそれぞれ意味する。

第 4 章　発信者情報開示命令事件に関する裁判手続（第 8 条 – 第18条）

第 8 条（開示命令）

> （発信者情報開示命令）
> **第八条**　①裁判所は、特定電気通信による情報の流通によって自己の権利を侵害されたとする者の申立てにより、決定で、当該権利の侵害に係る開示関係役務提供者に対し、第五条第一項又は第二項の規定による請求に基づく発信者情報の開示を命ずることができる。

[趣旨]

本条は、裁判所が、権利侵害を受けたとする者の申立てにより、訴訟手続によるよりも簡易迅速な決定手続により、開示関係役務提供者に対し、第 5 条第 1 項又は第 2 項の規定による請求に基づく発信者情報の開示を命ずること（開示命令）ができる旨を規定するものである。

[解説]

1　開示命令の創設

発信者情報の開示請求事案には、開示要件の判断困難性や当事者対立性の高くない事案があることを踏まえ、このような事案に係る裁判の審理を簡易迅速に行うことができるようにするため、裁判所が、権利侵害を受けたとする者の申立てにより、決定手続（非訟手続）で、第 5 条第 1 項又は第 2 項の規定による請求に基づく発信者情報の開示について開示関係役務提供者に命ずることができる制度を創設したものである。

ただし、第5条第1項又は第2項に基づく開示請求権は実体法上の権利であり、その存否を終局的に確定するためには、当事者に訴訟手続で争う機会を保障する必要があるため、開示命令の申立てについての決定に不服がある当事者は、異議の訴えを提起できることとした（第14条第1項）。

2 決定の告知方法

開示命令の申立てについての決定の告知方法については、非訟事件手続法第56条第1項が適用され、本法律において特則を定めるものではない。すなわち、開示命令の申立てについての決定は、開示命令事件の裁判を受ける者である申立人及び相手方（当事者）に対し、相当と認める方法で告知しなければならない。

これは、開示命令の申立てについての決定も、その告知が異議の訴えの提起期間の始期となる（第14条第1項）ことから、決定書の送達により告知するのが相当であるとも考えられるが、一律に送達によるべきものとした場合には、告知に時間を要し、簡易迅速な処理の要請に反する場合もあると考えられる。そこで、非訟事件手続法の原則どおり、相当と認める方法によることとし、具体的事案に応じた裁判所の裁量に委ねたものである。

3 用語の説明

① 「裁判所は、……自己の権利を侵害されたとする者の申立てにより、決定で、当該権利の侵害に係る開示関係役務提供者に対し、第五条第一項又は第二項の規定による請求に基づく発信者情報の開示を命ずることができる」

裁判所が、第5条第1項又は第2項に基づく実体法上の開示請求権を前提として、裁判外の開示又は判決による開示に加えて、被害者の申立てにより、決定で、その開示を命ずることができる旨を定

めたものである。この決定について要する立証の程度は、証明である。

　なお、権利侵害を受けたとする者は、自らの選択により、開示命令の申立てをすることも、開示請求訴訟を提起することも可能である。もっとも、開示命令は、異議の訴えが提起されなかった場合等は既判力を付与されるものであるため（第14条第5項）、民事訴訟法第142条（重複する訴えの提起の禁止）の趣旨（裁判の矛盾の防止や、被告の二重応訴の防止等）からすると、開示命令事件は、同条の「裁判所に係属する事件」に当たるものと解される。したがって、同一の権利侵害投稿について、開示請求訴訟の提起と開示命令の申立てを同時に行うことはできない。具体的には、開示命令の申立てを行った者は、当該申立てに係る開示命令事件が裁判所に係属する間は、別途、同一の発信者情報開示請求権に基づく開示請求訴訟を提起することはできず、他方、開示請求訴訟の提起を行った者は、当該訴訟が裁判所に係属する間は、別途、同一の発信者情報開示請求権に基づく開示命令の申立てをすることはできないものと解される。他方で、発信者情報開示請求については仮処分手続が用いられることもあるが、仮処分の決定には既判力がないため、開示仮処分の申立事件は、民事訴訟法第142条の「裁判所に係属する事件」に当たらないと考えられる。

第9条（国際裁判管轄）

（日本の裁判所の管轄権）

第九条 裁判所は、発信者情報開示命令の申立てについて、次の各号のいずれかに該当するときは、①管轄権を有する。

一 人を相手方とする場合において、次のイからハまでのいずれかに該当するとき。

　イ　相手方の②住所又は居所が日本国内にあるとき。

　ロ　相手方の②住所及び②居所が日本国内にない場合又はその③住所及び居所が知れない場合において、当該相手方が申立て前に日本国内に②住所を有していたとき（日本国内に最後に②住所を有していた後に外国に②住所を有していたときを除く。）。

　ハ　大使、公使その他外国に在ってその国の裁判権からの免除を享有する日本人を相手方とするとき。

二 法人その他の社団又は財団を相手方とする場合において、次のイ又はロのいずれかに該当するとき。

　イ　相手方の④主たる事務所又は営業所が日本国内にあるとき。

　ロ　相手方の④主たる事務所又は営業所が日本国内にない場合において、次の(1)又は(2)のいずれかに該当するとき。

　　(1)　当該相手方の④事務所又は営業所が日本国内にある場合において、⑤申立てが当該事務所又は営業所における業務に関するものであるとき。

　　(2)　当該相手方の④事務所若しくは④営業所が日本国内

第4章　発信者情報開示命令事件に関する裁判手続（第8条－第18条）　143

　　　にない場合又はその⑥事務所若しくは営業所の所在地が知れない場合において、代表者その他の主たる業務担当者の⑦住所が日本国内にあるとき。
　三　前二号に掲げるもののほか、⑦日本において事業を行う者（日本において取引を継続してする外国会社（会社法（平成十七年法律第八十六号）第二条第二号に規定する外国会社をいう。）を含む。）を相手方とする場合において、⑧申立てが当該相手方の日本における業務に関するものであるとき。
2　前項の規定にかかわらず、当事者は、合意により、いずれの国の裁判所に発信者情報開示命令の申立てをすることができるかについて定めることができる。
3　前項の合意は、書面でしなければ、その効力を生じない。
4　第二項の合意がその内容を記録した電磁的記録（電子的方式、磁気的方式その他人の知覚によっては認識することができない方式で作られる記録であって、電子計算機による情報処理の用に供されるものをいう。）によってされたときは、その合意は、書面によってされたものとみなして、前項の規定を適用する。
5　外国の裁判所にのみ発信者情報開示命令の申立てをすることができる旨の第二項の合意は、その裁判所が法律上又は事実上裁判権を行うことができないときは、これを援用することができない。
6　裁判所は、発信者情報開示命令の申立てについて前各項の規定により日本の裁判所が管轄権を有することとなる場合①（日本の裁判所にのみ申立てをすることができる旨の第二項の合意に基づき申立てがされた場合を除く。）においても、②事案の性質、手続の追行による相手方の負担の程度、

証拠の所在地その他の事情を考慮して、日本の裁判所が審理及び裁判をすることが当事者間の衡平を害し、又は適正かつ迅速な審理の実現を妨げることとなる特別の事情があると認めるときは、当該申立ての全部又は一部を却下することができる。

7　日本の裁判所の管轄権は、発信者情報開示命令の申立てがあった時を標準として定める。

[趣旨]

本条は、開示命令事件の国際裁判管轄に関し、我が国の裁判所に国際裁判管轄が認められる場合（第1項）、合意により管轄権が認められる旨及びその方式（第2項から第5項まで）、我が国に管轄権が認められる場合であっても裁判所は申立てを却下することができる旨（第6項）及び管轄権の有無を判断する標準時（第7項）を規定するものである。

[解説]

1　開示命令事件について国際裁判管轄の規律が設けられた理由

本法律において国際裁判管轄に関する規律を設けない場合、非訟事件手続法が当該規律を設けていないことから、国際裁判管轄の有無は、国内土地管轄の規定を考慮するなど、個別具体的な事案に応じた裁判所による当事者間の衡平や適正・迅速な審理・裁判の実現といった条理に基づく判断に委ねられる[2]。

このような条理に基づく判断に委ねた場合には、個々の事案ごとの裁判所の判断となり、どのような場合に日本の裁判所の管轄権が認められるのか不明確となってしまい、当事者の予測可能性や法的

安定性を害するとともに、審理の結果国際裁判管轄がないとの結論に至った場合には、移送の規定がないために裁判所は申立てを却下せざるを得ず、手続経済にも反する結果となる。

特に、開示命令事件については、外国法人を相手方とするなど渉外的要素を含むことが多いこと（例えば、外国法人の提供するSNS等において名誉を毀損する投稿がなされた場合）から、国際裁判管轄の規律を設けることで、いかなる場合に日本の裁判所に開示命令事件の申立てができるのか（又は申し立てられるのか）をあらかじめ明確にする必要性がある。

また、民事訴訟法及び民事保全法の一部を改正する法律（平成23年法律第36号）により、財産権上の訴えについては国際裁判管轄の規律（民事訴訟法第1編第2章第1節）が設けられ、同法施行後約10年間の蓄積により、開示請求訴訟の国際裁判管轄は民事訴訟法に基づいて処理されるという実務が確立している[3]ことからすると、実務上の混乱を避けるべく、民事訴訟法と同程度の規律を設けることが適当である。

そこで、本条では、民事訴訟法における規律を参考に、開示命令

---

[2] 財産権上の訴え及び保全命令については、民事訴訟法及び民事保全法の一部を改正する法律（平成23年法律第36号）によって国際裁判管轄に関する明文規定が設けられたが、例えば、同法改正前の実務では「我が国の民訴法の規定する裁判籍のいずれかが我が国内にあるときは、原則として、我が国の裁判所に提起された訴訟事件につき、被告を我が国の裁判権に服させるのが相当であるが、我が国で裁判を行うことが当事者間の公平、裁判の適正・迅速を期するという理念に反する特段の事情があると認められる場合には、我が国の国際裁判管轄を否定すべきである」（最三小判平成9・11・11民集51巻10号4055頁〔28022344〕）等の裁判例が存在する。

[3] 開示仮処分等の仮処分は「保全命令の申立ては、日本の裁判所に本案の訴えを提起することができるとき、又は仮に差し押さえるべき物若しくは係争物が日本国内にあるときに限り、することができる」（民事保全法第11条）とされている。

事件について国際裁判管轄に関する規律を定めたものである。

2　相手方の住所等による管轄原因（第1項）

(1)　概要

　本項は、開示命令の申立てについて、一般的に我が国の裁判所に管轄権が認められる場合を定めるものであり、第1号において人を相手方とする場合の規律を、第2号において法人その他の社団又は財団を相手方とする場合の規律を、第3号において日本国内において事業を行う者を相手方とする場合の規律を、それぞれ定めるものである。

　提供命令及び消去禁止命令の申立てについて、国際裁判管轄の規律を明示的に規定していないのは、これらの申立てが開示命令の申立ての付随的事項であることから、その国際裁判管轄も開示命令事件に従うという関係にあるためである。すなわち、開示命令事件について、日本の裁判所の管轄権が認められる場合には、提供命令事件及び消去禁止命令事件の管轄権も認められることは明らかであることから、明示的には規定しないものである。

(2)　自然人を相手方とする場合（第1号）

　本号は、相手方が自然人である場合における管轄原因を定めるものである。

　まず、相手方の住所又は居所が日本国内にあるときに、日本の裁判所の管轄権を認めるものである（本号イ）。

　これは、相当な準備をして申立てをすることのできる申立人と、不意に申し立てられて対応を余儀なくされる相手方との間の衡平を図ったものであり、事件の種類に関係なく認められる国際裁判管轄を定める民事訴訟法第3条の2と同趣旨であり、原則的処理を規定するものである。

第 4 章　発信者情報開示命令事件に関する裁判手続（第 8 条 - 第18条）　147

　次に、日本国内に相手方の住所及び居所がない場合又は知れない場合には、申立て前に当該相手方が日本国内に住所を有していれば（日本国内に最後に住所を有していた後に外国に住所を有していたときを除く）、日本の裁判所の管轄権を認めるものである（本号ロ）。

　また、日本から外国に派遣される大使、公使等の外交官やその家族等は、原則として、派遣された国（接受国）の裁判権から免除されることから、これらの者への申立てを接受国の裁判所に対して行うことができない。このような、いずれの国においても国際裁判管轄が存しないとの結論は適当ではなく、いずれかの国において国際裁判管轄が認められるようにする必要があることから、開示命令事件の相手方が大使、公使その他外国に在ってその国の裁判権からの免除を享有する日本人であるときにおいて、その者に対する申立てについて、日本の裁判所の管轄権を認めるものである（本号ハ）。

(3)　法人その他の社団又は財団を相手方とする場合（第 2 号）

　本号は、相手方が法人その他の社団又は財団である場合における管轄原因を定めるものである。

　まず、相手方の主たる事務所又は営業所が日本国内にあるときに日本の裁判所の管轄権を認めるものである（本号イ）。

　これは、第 1 号と同様、相当な準備をして申立てをすることのできる申立人と、不意に申し立てられて対応を余儀なくされる相手方との間の衡平を図ったものであり、民事訴訟法第 3 条の 2 と同趣旨である。

　次に、相手方が日本国内に主たる事務所又は営業所を有しない場合（本号イに掲げる場合に該当しない場合）であっても、次に掲げるときには、日本の裁判所の管轄権を認めるものである（本号ロ）。

(ア) 相手方が日本国内に事務所又は営業所を有し、当該事務所又は営業所において開示命令の申立てに関する業務を行っているとき（本号ロ(1)）

(イ) 相手方の事務所若しくは営業所が日本国内にない場合又はその所在地が知れない場合において、相手方の代表者その他の主たる業務担当者の住所が日本国内にあるとき（本号ロ(2)）

① 開示命令の申立てに関する業務を行う事務所又は営業所を有する場合（ロ(1)）

　法人その他の社団又は財団が日本国内に事務所又は営業所を有し、当該事務所又は営業所において開示命令の申立てに関する業務を行っているときに、日本の裁判所の管轄権を認めるものであり、民事訴訟法第3条の3第4号を参考に同趣旨の規定を設けたものである。

　これは、開示命令の申立てに関する業務を行う事務所又は営業所が日本国内にある場合には、申立てに関する業務についてはその事務所等は住所に準ずるものとみることができるほか、当該申立てに関わる証拠の収集や事情を熟知した者の関与のしやすさといった観点からも、その事務所等が所在する国の裁判所に審理を委ねることが便宜であるとの考慮によるものである。

　ロ(1)に該当する場合としては、相手方である外国法人が日本国内に事務所又は営業所を有し、その事務所又は営業所において開示命令の申立ての理由となったSNSサービス等の管理業務に実際に携わっている場合などが想定される。

② 代表者その他の主たる業務担当者の住所がある場合（ロ(2)）

　法人その他の社団又は財団の事務所又は営業所が日本国内にない場合又はその所在地が知れない場合において、その代表者その他の主たる業務担当者の住所が日本国内にあるときは、日本の裁判所の管轄権を認めるものであり、民事訴訟法第3条の2第3項を参考に

第4章　発信者情報開示命令事件に関する裁判手続（第8条−第18条）　149

同趣旨の規定を設けたものである。

　これは、世界中のどこにも事務所又は営業所がない又は知れない法人その他の社団又は団体であっても、いずれかの国において申立てを可能とする地を保障する観点から、当該法人等であっても代表者その他の主たる担当者が必ず存在することに着目したものである。

　ロ(2)に該当する場合としては、例えば、相手方である外国法人に法人としての実体がなく、その事務所又は営業所も実体がない等の場合において、実質的に業務を行っている代表者その他の主たる業務担当者の住所が日本国内にある場合が想定される。

(4)　日本国内において事業を行う者を相手方とする場合（第3号）

　本号は、第1号及び第2号に掲げる場合に該当しないときであっても、相手方が日本において事業を行う者（事業の主体は、法人に限られるものではなく、自然人も含まれるものである）であり、開示命令の申立てが相手方の日本における業務に関する場合には、日本の裁判所の管轄権を認めるものであり、民事訴訟法第3条の3第5号を参考に同趣旨の規律を設けたものである。

　これは、日本において取引を継続してしようとする外国法人のうち日本国内に営業所を設けず、かつ、日本における代表者を定めていない場合には、第1号及び第2号により日本の裁判所に管轄権を認めることができないところ、日本において取引を継続してする外国法人の場合、日本における業務に関する申立てであれば、日本の裁判所に管轄権を認めるのが相当であることから、本号を設けたものである。また、このことは、日本において事業を行う個人や社団又は財団等についても同様であることから、これらの者も本号でいう「日本において事業を行う者」に該当する。

＜第2号ロ(1)と第3号との関係＞

第2号ロ(1)は開示命令の申立てに関する業務を行う事務所又は営業所を日本国内に有する法人その他の社団又は財団を対象とするものである。他方、第3号は、相手方が法人その他の社団又は財団のみならず自然人をも対象とする点で適用範囲が広く、また、日本国内において事務所又は営業所を有しない者をも対象としている点で差異がある。

(5) 用語の説明

① 「管轄権」

「管轄権」とは、例えば、民事訴訟法において土地管轄の観点から裁判所が有する権限を意味する場合等に用いられている（民事訴訟法第6条及び第6条の2）が、国際裁判管轄も、どのような場合に日本の裁判所が申立てについて審理判断を行う権限を有するのかという問題であり、広い意味での土地管轄の問題である。そこで、民事訴訟法では国際裁判管轄を意味するものとして、「管轄権」という用語が用いられている（民事訴訟法第3条の2等）[4]。本法律では、民事訴訟法との整合性を考慮し、国際裁判管轄を意味するものとして、「管轄権」という用語を用いるものであり、本条第6項及び第7項の「管轄権」も同様の意味である。

② 「住所又は居所」

「住所」とは、生活の本拠を意味するのに対し、「居所」とは、生活の本拠ではないものの多少の時間継続して居住する場所を意味する。「住所」及び「居所」の概念は国により異なるところ、相手方が住所等を有するかを判断する場合、相手方が所在する国の法令によるのか日本の法令によるのかが問題となるが、国際裁判管轄は法

---

[4] 佐藤達文＝小林康彦編著『一問一答　平成23年民事訴訟法等改正－国際裁判管轄法制の整備』商事法務（2012年）12頁

廷地法である日本法により定められるべき事項であることから、住所等の有無は日本の法令上の概念により判断すべきである。

③ 「住所及び居所が知れない場合」

「住所及び居所が知れない場合」とは、通常人の通常の注意で住所及び居所を探しても見つからない場合をいう。

④ 「主たる事務所又は営業所」

「事務所」とは、非営利法人がその業務を行う場所を意味するのに対し、「営業所」とは、営利法人がその業務を行う場所を意味する。

ここでいう「主たる事務所又は営業所」とは、実質的な活動の本拠といえるかにより、「主たる」ものか否かが判断されるものである。

⑤ 「申立てが当該事務所又は営業所における業務に関するものであるとき」

「事務所又は営業所における業務」とは、事務所又は営業所が実際に関与した業務であることを要するものである。これは、仮に、申立てに関する業務について、事務所又は営業所が何ら関与していない場合には、当該事務所又は営業所を業務の本拠地とみることはできないこと、証拠収集といった観点等からすると、かかる場合に管轄原因を認める理由がないことから、実際に関与した業務であることを要するとしたものである。

⑥ 「事務所若しくは営業所の所在地が知れない場合」

「事務所若しくは営業所の所在地が知れない場合」とは、通常人の通常の注意で事務所又は営業所を探しても見つからない場合をいう。第2号ロ(2)において、事務所又は営業所がないときのみならず、その所在地が「知れない場合」も対象としたのは、日本においては商業登記・法人登記制度が存在するため、法人の事務所又は営業所の有無を把握することは可能であるのに対し、外国においては

商業登記等の公示制度が存在するとは限らず、法人等の外国における事務所又は営業所の有無を把握することが困難な場合があることを考慮したものである。

⑦ **「日本において事業を行う者（日本において取引を継続してする外国会社（会社法（平成十七年法律第八十六号）第二条第二号に規定する外国会社をいう。）を含む。）」**

日本国内に営業所を有しないが、日本において事業を継続する者の典型例としては、日本において取引を継続してする外国会社が想定できることから、括弧書において当該外国会社を含むことを明示したものである。

⑧ **「申立てが当該相手方の日本における業務に関するものであるとき」**

「業務」とは、営業所等において事業に関して反復継続して行われる個々の行為を意味する（第2号ロ(1)の「業務」も同旨）。

「申立てが当該相手方の日本における業務に関するものであるとき」との要件に該当する場合として、典型的には、相手方である外国法人が、日本において事務所又は営業所を設置することなく、日本から利用可能な日本語によるSNS等を提供している場合などが想定される。かかる場合には、当該事業者は「日本において事業を行う者」に該当すると考えられる。

3 管轄権に関する合意（第2項から第5項まで）

(1) 管轄権に関する合意（第2項）

開示命令事件は、発信者特定後の損害賠償請求等という私的な利益を求めるための手段であり、それ自体に強度の公益の要請がある事件類型ではなく、両当事者の合意による裁判所の選択を許容する理由がある。

そこで、本項は、開示命令事件について、当事者意思を尊重し、

第4章　発信者情報開示命令事件に関する裁判手続（第8条－第18条）　153

当事者は、いずれの国の裁判所に申立てをすることができるかについて合意することができることを定めたものである。

(2) 管轄権の合意方式（第3項）

　第2項に定める国際裁判管轄の合意については、当事者に与える影響が大きく慎重にされる必要があること及び合意の成否や内容について紛争が生じる可能性を防止する必要があることから、その方式として、書面でしなければ、その効力を生じないとしたものである。

　ここで、民事訴訟法第3条の7第2項に相当する規定を設けながら、同項に規定する「一定の法律関係に基づく訴えに関し」との要件と同様の要件を設けていないのは、当該要件が不要との趣旨ではなく、本法律の想定する開示命令事件が「一定の法律関係に基づく」申立てであることが明らかであることから、設ける必要がないためである。

(3) 管轄権の合意が電磁的記録による場合（第4項）

　管轄権の合意が電磁的記録による場合も、書面における場合と同程度の慎重さ及び明確さを確保できると考えられ、その合意を有効なものと認めてよいといえることから、合意が電磁的記録によりなされた場合には、書面によってされたものとみなす旨を規定するものである。

(4) 専属的国際裁判管轄合意（第5項）

　第2項で想定される管轄の合意には、専属的合意（合意された国以外の国の法定管轄権を排除する合意）及び付加的合意（法定管轄権のない国に新たに管轄権を認める合意）がある。

　本項は、そのうち、専属的合意について、合意の対象となる国の

裁判所が法律上又は事実上裁判権を行うことができないときは、当事者は合意の効力を裁判所に援用できないものとしたものである。

これは、かかる場合にまで合意の対象となる国以外の他の国の裁判所の管轄権を否定することを許容すると、いずれの国の裁判所においても裁判を受けられなくなってしまうことを考慮したものである。

ここで、「裁判権」とは、裁判所が司法権の一作用として民事事件を処理する権能であるところ、「法律上裁判権を行うことができないとき」とは、例えば合意の対象となる国の法令によれば申立てについてその国の裁判所が管轄権を有しないとされる場合をいう。また、「事実上裁判権を行うことができないとき」とは、戦乱、天災その他の原因によりその国の司法制度が事実上機能していない場合などをいう。

4　特別の事情による申立ての却下（第6項）

(1)　本項の解説

第1項及び第2項の規定は、個別の具体的事情を考慮することなく、開示命令事件の国際裁判管轄を一般的に規律しているため、事案によっては日本の裁判所の管轄権を認めることが過剰管轄を招くおそれがあり、それが当事者間の衡平を害したり、適正・迅速な審理を妨げたりする結果となることもあり得る。

そこで、本項は、日本の裁判所が開示命令事件について管轄権を有することとなる場合においても、個別の具体的事案における諸事情を考慮して、日本の裁判所が審理及び裁判をすることが当事者間の衡平を害し、又は適正かつ迅速な審理の実現を妨げる特段の事情があると裁判所が認めるときは、その申立ての全部又は一部を却下することができることとしたものである。

ここで、申立ての却下とするのではなく、適切と考えられる外国

第4章　発信者情報開示命令事件に関する裁判手続（第8条－第18条）　155

の裁判所に移送することも考えられるが、国際裁判管轄との関係では移送の制度が一般に設けられていないことから、申立てを却下することができる旨を規定したものである。

(2) **用語の説明**

① 「（日本の裁判所にのみ申立てをすることができる旨の第二項の合意に基づき申立てがされた場合を除く。）」

　日本の裁判所を対象とする専属的な国際裁判管轄の合意に基づく申立てについて、本項の適用を除外するものである。これは、かかる合意が存在する場合には、当事者は日本の非訟手続を前提に、日本の裁判所でのみ紛争を解決することを意図したと考えられることから、このような場合にまで個別具体的事情によってその効力を事後的に否定することを認めると、国際裁判管轄の有無をめぐる紛争を防止しようとした当事者の意思に反するとの考慮によるものである。

② 「事案の性質、手続の追行による相手方の負担の程度、証拠の所在地その他の事情」

　「事案の性質」とは、当事者の実質的な住所地や被害発生地など個々の事案における客観的な事情を意味する。

　「手続の追行による相手方の負担の程度」とは、日本の裁判所で手続を追行することにより相手方に生じる負担や当事者の予測可能性等の当事者に関する事情を意味する。

　「証拠の所在地」とは、証人の所在地といった証拠に係る事情を意味する。

　「その他の事情」とは、例えば外国の裁判所で同種の裁判が行われていることなどである。

5 管轄の標準時(第7項)

　開示命令事件において管轄権の有無を判断する標準時に関する規律を設けない場合、申立て後の事情変更が管轄権の有無に影響を及ぼすおそれがあることから、当該規律を設けることで、手続の安定を図る必要がある。

　具体的には、手続要件である国際裁判管轄を欠く場合には申立て却下となるところ、開示命令事件の申立て後に管轄原因が消滅した場合に当該申立てを却下したのでは、それまでの審理が無駄になるおそれがあり、手続経済に反するため、申立て時に管轄権が存在すれば、その後に失われたとしても、申立てを適法とし、決定を可能にする必要がある。

　そこで、本項は、日本の裁判所の裁判権が申立ての時を標準として定まることを明らかにしたものである。

　なお、本項が国際裁判管轄の有無を判断する標準時を定めているにもかかわらず、第10条(国内裁判管轄)において標準時を定める規定を設けていないのは、非訟事件手続法第9条で非訟事件の申立てがあった時を標準時と定める規定が存在することから、当該規定を設ける必要がないためである。

第4章 発信者情報開示命令事件に関する裁判手続（第8条－第18条）

(参考)

国際裁判管轄①（第9条第1項・第2項）

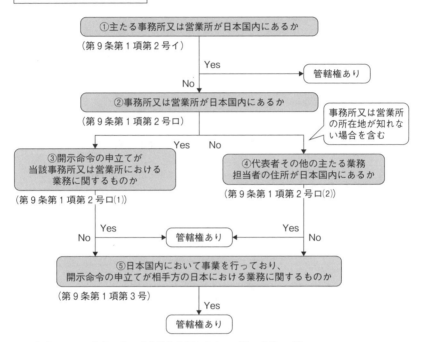

※ 上記のほか、合意に基づく管轄権も認められる（第9条第2項）。

158　第2　プロバイダ責任制限法の逐条解説

(参考)

国際裁判管轄②（第9条第1項・第2項）

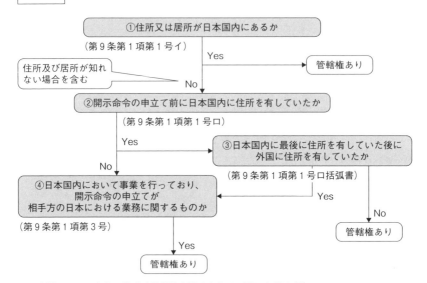

※　上記のほか、合意に基づく管轄権も認められる（第9条第2項）。
※　大使等外国に在ってその国の裁判権からの免除を享有する日本人を相手方とするときも、管轄権が認められる（第9条第1項第1号ハ）。

第10条（国内裁判管轄）

（管轄）
第十条 発信者情報開示命令の申立ては、次の各号に掲げる場合の区分に応じ、それぞれ当該各号に定める地を管轄する地方裁判所の管轄に属する。
一 人を相手方とする場合 相手方の①住所の所在地（相手方の①住所が日本国内にないとき又はその①住所が②知れないときはその③居所の所在地とし、その③居所が日本国内にないとき又はその③居所が②知れないときはその最後の①住所の所在地とする。）
二 大使、公使その他外国に在ってその国の裁判権からの免除を享有する日本人を相手方とする場合において、この項（前号に係る部分に限る。）の規定により管轄が定まらないとき ④最高裁判所規則で定める地
三 法人その他の社団又は財団を相手方とする場合 次のイ又はロに掲げる⑤事務所又は営業所の所在地（当該⑤事務所又は営業所が日本国内にないときは、代表者その他の主たる業務担当者の住所の所在地とする。）
　イ 相手方の⑥主たる事務所又は営業所
　ロ ⑦申立てが相手方の事務所又は営業所（イに掲げるものを除く。）における業務に関するものであるときは、当該⑤事務所又は営業所
2 前条の規定により日本の裁判所が管轄権を有することとなる発信者情報開示命令の申立てについて、①前項の規定又は他の法令の規定により管轄裁判所が定まらないときは、当該

申立ては、最高裁判所規則で定める地を管轄する地方裁判所の管轄に属する。
3　発信者情報開示命令の申立てについて、前二項の規定により次の各号に掲げる裁判所が管轄権を有することとなる場合には、それぞれ当該各号に定める裁判所にも、当該申立てをすることができる。
　一　東京高等裁判所、名古屋高等裁判所、仙台高等裁判所又は札幌高等裁判所の管轄区域内に所在する地方裁判所（東京地方裁判所を除く。）　東京地方裁判所
　二　大阪高等裁判所、広島高等裁判所、福岡高等裁判所又は高松高等裁判所の管轄区域内に所在する地方裁判所（大阪地方裁判所を除く。）　大阪地方裁判所
4　①前三項の規定にかかわらず、発信者情報開示命令の申立ては、当事者が合意で定める地方裁判所の管轄に属する。この場合においては、前条第三項及び第四項の規定を準用する。
5　①前各項の規定にかかわらず、特許権、実用新案権、回路配置利用権又はプログラムの著作物についての著作者の権利を侵害されたとする者による当該権利の侵害についての発信者情報開示命令の申立てについて、当該各項の規定により次の各号に掲げる裁判所が管轄権を有することとなる場合には、当該申立ては、それぞれ当該各号に定める裁判所の管轄に専属する。
　一　東京高等裁判所、名古屋高等裁判所、仙台高等裁判所又は札幌高等裁判所の管轄区域内に所在する地方裁判所　東京地方裁判所
　二　大阪高等裁判所、広島高等裁判所、福岡高等裁判所又は高松高等裁判所の管轄区域内に所在する地方裁判所　大阪

第4章　発信者情報開示命令事件に関する裁判手続（第8条－第18条）　161

地方裁判所
6　①前項第二号に定める裁判所がした発信者情報開示命令事件（同項に規定する権利の侵害に係るものに限る。）についての決定に対する即時抗告は、東京高等裁判所の管轄に専属する。
7　①前各項の規定にかかわらず、第十五条第一項（第一号に係る部分に限る。）の規定による命令により同号イに規定する他の開示関係役務提供者の氏名等情報の提供を受けた者の申立てに係る第一号に掲げる事件は、当該提供を受けた者の申立てに係る第二号に掲げる事件が係属するときは、当該事件が係属する裁判所の管轄に専属する。
一　②当該他の開示関係役務提供者を相手方とする当該提供に係る侵害情報についての発信者情報開示命令事件
二　③当該提供に係る侵害情報についての他の発信者情報開示命令事件

[趣旨]

　本条は、開示命令事件の国内裁判管轄に関し、相手方の所在地等の一般的な管轄原因に応じた原則的な管轄原因（第1項及び第2項）、競合管轄（第3項）、当事者意思を尊重した合意管轄（第4項）、特許権等に関する専属管轄（第5項及び第6項）及び提供命令を利用した場合における専属管轄（第7項）を定めるものである。

第10条の構造	
第1項及び第2項	原則的な管轄原因
第3項	競合管轄
第4項	合意管轄
第5項及び第6項	特許権等に関する専属管轄
第7項	提供命令を利用した場合における専属管轄

解説

1 開示命令事件について国内裁判管轄の規律が設けられた理由

　非訟事件手続法は、その第2章第1節（第5条から第10条まで）において、管轄の通則的規定を設けているが、これらの規定は、同法第3編から第5編まで及び他の法令において、個々の非訟事件ごとにその特質を踏まえ個別に管轄裁判所が定められることを前提とした規定であるところ[5]、本条において、開示命令事件の国内の土地管轄に関する管轄原因を定めたものである。

　なお、上記非訟事件手続法の規律（同法第5条から第10条まで）は、その一部が開示命令事件に適用されることとなる。

5　金子修編著『逐条解説　非訟事件手続法』商事法務（2015年）43頁以下

非訟事件手続法が定める管轄に関する規律の開示命令事件への適用関係

非訟事件手続法 (この表における「法」は同法を指す。)	開示命令事件への適用関係
法第5条(管轄が住所地により定まる場合の管轄裁判所)	第10条
法第6条(優先管轄等)	適用
法第7条(管轄裁判所の指定)	適用
法第8条(管轄裁判所の特例)	第10条第2項※
法第9条(管轄の標準時)	適用
法第10条(移送等に関する民事訴訟法の準用等)	適用

※ 本項は非訟事件手続法第8条と同趣旨の規定であるが、管轄規定の一覧性を高める観点から本法律に規定を設けた。

2 事物管轄の規律(第1項から第6項まで)

　非訟事件における管轄の規律を規定する非訟事件手続法では、事物管轄(主に第1審裁判所を地方裁判所と簡易裁判所のいずれにするかの定め)についても、同法第3編から第5編まで及び他の法令において、個々の非訟事件ごとにその特質を踏まえ個別に管轄裁判所が定められることを前提としている。そこで、事物管轄を明確にする観点から、本条では、開示命令の申立て先となる裁判所を地方裁判所とするものである。

　これは、開示命令事件が、表現の自由に関わるものであるほか、その内容が複雑であり、開示要件該当性の判断が必ずしも容易ではない場合も存在するなど一定の専門性を要することから、簡易裁判所で取り扱うことが適当ではないとの考慮に基づくものである。

3　相手方の所在地等に基づく原則的な管轄原因（第1項）

(1)　概要

　本項は、開示命令事件について、どの裁判所に国内裁判管轄が認められるかを定めるものである。具体的には、第1号は自然人を相手方とする場合の規律を、第2号は自然人のうち大使、公使等の日本人を相手方とする場合について第1号の特則としての規律を、第3号は法人その他の社団又は財団を相手方とする場合の規律を、それぞれ規定するものである。

　提供命令（第15条）及び消去禁止命令（第16条）は、開示命令の申立ての付随的事項であることから、これらの事件の管轄も開示命令事件に従うという関係にある。そこで、第15条第1項及び第16条第1項において、いずれも「本案の発信者情報開示命令事件が係属する裁判所は、……命ずることができる」と規定されており、これらの事件の国内土地管轄は開示命令事件が係属する裁判所に属することとなる。

(2)　自然人を相手方とする場合（第1号）

　本号は、まず、開示命令事件の相手方が自然人であるときにおいて、その住所の所在地を管轄する地方裁判所に国内裁判管轄を認めるものである（本号中の括弧書以外の部分）。

　これは、当事者間の衡平の要請から、相当な準備をして申立てをする申立人と不意を打たれる相手方との間の立場の差異を、相手方の住所の所在地を管轄する裁判所に申立てをさせることによって緩和しようとするものである。

　次に、相手方の住所が日本国内にない場合又は知れない場合は、居所を管轄原因とし、その居所が日本国内にない場合又は知れない場合には最後の住所の所在地を管轄する地方裁判所に国内裁判管轄

を認めるものである（本号中の括弧書部分）。

　これらは、自然人に関して、第1次的には住所の所在地、第2次的には居所、第3次的には最後の住所の所在地を基準として、管轄原因を定めたものである。

(3) 大使、公使等の外交官やその家族等を相手方とする場合（第2号）

　日本から外国に派遣される大使、公使等の外交官やその家族等を相手方とする場合、第9条第1項第1号ハにおいて日本の裁判所の管轄権を認めるが、外国で出生した外交官の家族など本法律の規定によっては国内裁判管轄が認められない場合がある。

　本号は、これらの者に対する申立ての方途を閉ざさないために、開示命令事件の相手方が大使、公使その他外国に在ってその国の裁判権からの免除を享有する日本人であるときにおいて、その者に対する申立てについて、最高裁判所規則で定める地を管轄する地方裁判所の国内裁判管轄権を認めるものである。

　なお、本号と第1号との関係は、第1号の規定によっても管轄裁判所が決定しない場合に本号が適用されるものである。本号に「この項（前号に係る部分に限る。）の規定により管轄が定まらないとき」とあるのは、この趣旨を明らかにしたものである。

(4) 法人その他の社団又は財団を相手方とする場合（第3号）

　本号は、開示命令事件の相手方が法人その他の社団又は財団である場合に、その主たる事務所又は営業所の所在地を管轄する地方裁判所に国内裁判管轄を認めるものである（本号イ）。

　また、日本国内に相手方の事務所又は営業所がある場合に、それが「主たる」事務所又は営業所ではなくても、開示命令の申立てがその事務所又は営業所における業務に関するものであるときは、当

該事務所又は営業所の所在地を管轄する地方裁判所にも開示命令の申立てができることとした（本号ロ）。

これは、申立てに関する業務の中心となっている事務所又は営業所は、当該業務に関しては住所に準ずるものとみることができるほか、当該申立てにかかわる証拠の収集や事情を熟知した者の関与のしやすさといった観点からも、その事務所又は営業所の所在する地を管轄する地方裁判所の管轄権を認めるのが便宜であるし、当事者間の衡平を害しないと考えられることによる。

本号ロの適用が想定される場合としては、例えば、日本の法律に基づいて設立されて海外展開をしている日本法人の事業実態として、主たる営業所は海外にあって国内の営業所は主たる営業所ではないと考えられる場合において、開示命令の申立てに関する業務を日本の営業所で行っているとき（企画・広報・営業などの事業の中核を海外において担い、国内ではインターネット上で提供するサービスの管理業務のみを行っているような場合）などである。

さらに、本号イ又はロに掲げる相手方の事務所又は営業所が日本国内にないとき[6]は、代表者その他の主たる業務担当者の住所地を管轄する地方裁判所の管轄に属することとなる（本号中の括弧書部分）。

(5) 用語の説明

① 「住所」

「住所」とは、生活の本拠を意味するものである。

② （住所又は居所が）「知れないとき」

通常人の注意で住所又は居所を探してもわからない場合をいう。

---

6 例えば、商業登記簿上の記載と実態とが異なり、その本店所在地上には建物が存せず、相手方の事務所又は営業所がないと考えられる場合が想定される。

第 4 章　発信者情報開示命令事件に関する裁判手続（第 8 条－第18条）　167

③　「居所」
「居所」とは、生活の本拠ではないものの多少の時間継続して居住する場所を意味するものである。

④　「最高裁判所規則で定める地」
「最高裁判所規則で定める地」とは、具体的には「東京都千代田区」（開示命令事件手続規則第 1 条）をいい、東京地方裁判所が管轄裁判所となる。

⑤　「事務所又は営業所」
「事務所」とは、非営利法人がその業務を行う場所を意味するのに対し、「営業所」とは、営利法人がその業務を行う場所を意味する。

⑥　「主たる事務所又は営業所」
「主たる事務所又は営業所」とは、実質的な活動の本拠といえるかにより判断されるものである。

⑦　「申立てが相手方の事務所又は営業所（イに掲げるものを除く。）における業務に関するものであるとき」
「事務所又は営業所における業務」とは、事務所又は営業所が実際に関与した業務であることを要するものである。これは、仮に、申立てに関する業務について、事務所又は営業所が何ら関与していない場合には、当該事務所又は営業所を業務の本拠地とみることはできないこと、証拠収集といった観点等からすると、かかる場合に管轄原因を認める理由がないことから、実際に関与した業務であることを要するとしたものである。

4　第 1 項又は他の法令の規定によっても国内裁判管轄が定まらない場合（第 2 項）

(1)　本項の解説
本項は、第 1 項の規定又は他の法令の規定によっても国内裁判管

轄が定まらない場合は、「最高裁判所規則で定める地」を管轄する地方裁判所が国内裁判管轄を有することとしたものである。

本項は事物管轄を定める点で非訟事件手続法の特則であるところ、非訟事件手続法第8条（管轄裁判所が定まらない場合における管轄裁判所の特例）に相当する規律を本条中において規定することで検索の利便性に配慮したものである。

また、国際裁判管轄の管轄原因として、第9条第1項第3号（日本において事業を行う者を相手方とする申立てについて、当該申立てがその者の日本における業務に関する場合）が定められているところ、この管轄原因に相当する国内土地管轄の管轄原因は設けられていない。このことから、国際裁判管轄において日本の裁判所の管轄権が認められるにもかかわらず、国内土地管轄がどの裁判所にも認められない場合が生じないようにする必要があったため、本項の規律を設けることとしたものである。

(2) 用語の説明

① 「前項の規定又は他の法令の規定により管轄裁判所が定まらないときは、当該申立ては、最高裁判所規則で定める地を管轄する地方裁判所の管轄に属する」

「前項の規定又は他の法令の規定により管轄裁判所が定まらないとき」とは、第1項の規定によっては管轄裁判所が定まらず、かつ、他の法令の規定によっても管轄裁判所が定まらないときを意味する。「最高裁判所規則で定める地」とは、具体的には「東京都千代田区」（開示命令事件手続規則第1条）をいい、これにより、本項の場合、東京地方裁判所が管轄裁判所となる。

また、「他の法令の規定」の他の法令とは、令和4年8月時点で具体的に想定されるものがあるものではないが、今後の法改正により、他の法令が生じ得ることを考慮して、当該文言を規定したもの

である。

5 競合管轄（第3項）

　本項は、国内土地管轄に関して、相手方の所在地を管轄する裁判所（第1項）のほか、東京地方裁判所又は大阪地方裁判所を管轄裁判所に加えるものである。例えば、千葉市に所在するプロバイダを相手方として開示命令の申立てを行う場合、千葉地方裁判所に加えて、東京地方裁判所も管轄裁判所となる。

　これは、開示命令事件について充実した審理を迅速に行うためには、裁判所に同種事件についての実務経験の蓄積があり、事件処理のための体制も整っていることが望ましいところ、令和3年改正法成立までの時点においては、多くの開示仮処分及び開示請求訴訟が東京地方裁判所又は大阪地方裁判所において処理されており、両地方裁判所が特段の知見を有していると考えられることから、競合管轄を認めるものである。

6 合意管轄（第4項）
(1) 管轄に関する合意（前段部分）

　非訟事件手続法においては、合意管轄の規定が設けられていない。その趣旨は、職権探知により実体的真実に合致した判断をすることの要請が高い非訟事件については、基本的に裁判所にとって最も適切な管轄裁判所を法律によって定めるべきであって、当事者の意向によって管轄裁判所が左右されるべきではないという発想に基づくものであるが、非訟事件においても相手方（対立する当事者）があって、紛争性が高い事件については合意管轄を認めるのが相当な場合があり得るとされている[7]。

---

[7] 金子修編著『一問一答　非訟事件手続法』商事法務（2012年）44頁

開示命令事件は、発信者特定後の損害賠償請求等という私的な請求権を実現するための手段であり、それ自体に強度の公益の要請がある事件類型ではないことから、両当事者の合意による裁判所の選択を許容する理由がある。

そこで、どの地方裁判所を選択するかについて当事者意思を尊重し、合意管轄の規律を規定したものである（本項前段部分）。

具体的には、民事訴訟法における規律と同様に、付加的合意（法定管轄のない裁判所を管轄裁判所として加える旨の合意）と専属的合意（特定の裁判所だけを管轄裁判所とする旨の合意）を認めるものである。

本項では、「当事者が合意で定める地方裁判所の管轄に属する」としており、当事者の選択により簡易裁判所を管轄裁判所とすることを許容していないが、これは、前述のとおり、開示命令事件の中には要件該当性の判断が必ずしも容易ではない場合も存在することから、簡易な手続により迅速に紛争を解決することをその手続の特色とする簡易裁判所（民事訴訟法第270条）で取り扱うことが適当ではないとの考慮に基づくものである。

(2) 管轄の合意方式（後段部分）

前述した国際裁判管轄における「管轄権の合意方式」（第9条第3項）と同様に、国内裁判管轄の合意は当事者に与える影響が大きく慎重にされる必要があること及び合意の成否や内容について紛争が生じる可能性を防止する必要があることから、第9条第3項を準用することで、管轄の合意の方式として書面でしなければ、その効力を生じないとしたものである（本項後段部分）。

また、前述した国際裁判管轄における「管轄の合意が電磁的記録による場合」（第9条第4項）と同様に、管轄権の合意が電磁的記録による場合も、書面における場合と同程度の慎重さ及び明確さを

第 4 章　発信者情報開示命令事件に関する裁判手続（第 8 条 – 第18条）　171

確保できると考えられ、その合意を有効なものと認めてよいといえる。そこで、本項後段は、第 9 条第 4 項を準用することにより、合意が電磁的記録によりなされた場合には、書面によってされたものとみなす旨を規定するものである。

　ここで、民事訴訟法第11条に相当する規定を設けながら、同条第 2 項における「一定の法律関係に基づく訴えに関し」との要件と同様の要件を設けていないのは、当該要件が不要との趣旨ではなく、本法律が想定する開示命令事件が「一定の法律関係に基づく」申立てであることが明らかであることから、設ける必要がないためである。

(3)　用語の説明

　①　「前三項の規定にかかわらず、発信者情報開示命令の申立ては、当事者が合意で定める地方裁判所の管轄に属する」

　「前三項の規定にかかわらず、……当事者が合意で定める地方裁判所の管轄に属する」とは、当事者が合意により任意の地方裁判所を選択することを許容したものである。ここで、「地方裁判所」とあるように、当事者の合意により、簡易裁判所を管轄裁判所とすることはできない。

　また、本項は「発信者情報開示命令の申立ては」としており、提供命令事件及び消去禁止命令事件について当事者の合意により管轄裁判所を定めることはできない。

7　特許権等の侵害を理由とする開示命令の申立ての専属管轄（第 5 項）

(1)　本項の解説

　本項は、特許権、実用新案権、回路配置利用権又はプログラムの著作権（以下「特許権等」という。）の侵害を理由とする開示命令

の申立てについて、東京地方裁判所又は大阪地方裁判所の専属管轄とするものである[8]。これにより、例えば、千葉市に所在するプロバイダを相手方として、プログラムの著作権の侵害を理由とする開示命令の申立てを行う場合、本項により東京地方裁判所のみが管轄裁判所となる。

民事訴訟法第6条第1項は、特許権等に関する訴えについて東京地方裁判所又は大阪地方裁判所の専属管轄を規定する。これは、特許権等に関する訴訟は専門技術的な要素が特に強く、その審理には、高度の自然科学の知識が必要となることが多いので、充実した審理を迅速に行うためには、同種事件についての蓄積があり、事件処理のための体制も整っている裁判所の専属管轄とすることが望ましいという趣旨で、特許権等に関する訴えの専属管轄を定めるものである[9]。

本項は、以下の点から、民事訴訟法第6条第1項と同様の規律を設けるものである。

(ア) 特許権等の侵害を理由とする開示命令の申立てについての決定を迅速に行うためには、特許権等の事件についての蓄積を有する裁判所において審理すべき点では異なるものではないこと

(イ) 専門技術的要素の強い特許権等に関する紛争に適切に対応する体制の整っている裁判所に専属管轄を認めている民事訴訟法

---

[8] 本項の適用が想定される場面としては、インターネット上で不特定多数の者が特許製品たるプログラム等をダウンロードすることによって入手できるようインターネットに接続されたサーバにアップロードする行為や、当該サーバへアクセスすることを可能にする行為は特許権侵害になり得るとされているところ（中山信弘＝小泉直樹編『新・注解特許法〈第2版〉上巻』青林書院（2017年）49頁）、これらの行為をした者を特定するために開示命令の申立てを行う場合が考えられる。

[9] 秋山幹男ほか『コンメンタール民事訴訟法Ⅰ〈第3版〉』日本評論社（2021年）236頁以下

第4章　発信者情報開示命令事件に関する裁判手続（第8条-第18条）　173

　　第6条第1項との整合性を確保する必要があること

(2)　用語の説明

①　「前各項の規定にかかわらず、……当該申立ては、それぞれ当該各号に定める裁判所の管轄に専属する」

　原則的な管轄原因を定める第1項及び第2項、競合管轄を定める第3項及び合意管轄を定める第4項の規律にかかわらず、特許権等の侵害を理由とする開示命令の申立ては、東京地方裁判所又は大阪地方裁判所の専属管轄とする旨を明らかにしたものである。

8　特許権等の侵害を理由とする開示命令事件についての決定に対する即時抗告の専属管轄（第6項）

(1)　本項の解説

　本項は、特許権等の侵害を理由とする開示命令事件について、大阪地方裁判所がした決定に対する即時抗告の管轄を、大阪高等裁判所ではなく、東京高等裁判所の専属管轄とするものである[10]。

　特許権等に関する訴えについての終局判決に対する控訴審が東京高等裁判所の専属管轄とされているところ（民事訴訟法第6条第3項）[11]、これは、特許権等に関する訴えに係る控訴審についても、専門技術的要素が存在し、専門の知識を有する人的体制を備えた裁判所の専属管轄とすることが望ましいとの考慮による[12]。

10　他方、東京地方裁判所がした決定に対する即時抗告の上級審は東京高等裁判所である。
11　訴えの付随事件に係る抗告（例えば、文書提出命令に対する即時抗告等）についても、実務上、民事訴訟法第6条第3項の規定を準用（又は類推適用）して東京高等裁判所に専属させる解釈が採られている（牧野利秋ほか編著『知的財産訴訟実務大系Ⅲ』青林書院（2014年）408頁以下）。また、高等裁判所における知的財産権関係の専門部は東京高等裁判所のみである。
12　前掲注9・240頁以下

このことは、特許権等の侵害を理由とする開示命令事件についての決定に対する即時抗告についても妥当するものである。例えば、手続上の救助の決定に対する即時抗告審においては、「救助を求める者が不当な目的で非訟事件の申立てその他の手続行為をしていることが明らかなとき」（非訟事件手続法第29条第1項）との消極要件の判断が必要となり得るが、こうした判断を専門的知識を有する裁判官が担当することで充実した審理を迅速に行うことが可能となる。

なお、特許権等の侵害を理由とする開示命令の申立てについての決定に対する異議の訴えは当該決定をした裁判所の管轄に専属するところ（第14条第2項）、異議の訴えにおける裁判所の判断に関しては民事訴訟法の規律が及ぶこととなる[13]。

(2) 用語の説明

① 「前項第二号に定める裁判所がした発信者情報開示命令事件（同項に規定する権利の侵害に係るものに限る。）についての決定に対する即時抗告」

「前項第二号に定める裁判所」とは、大阪地方裁判所を指すものである。

大阪地方裁判所のした「決定」とは、「決定に対する即時抗告」とあるように、異議の訴え（第14条第1項）の対象となる決定を含まず、不服申立て方法として即時抗告が認められている決定を指すものである。例えば、忌避の申立てを却下する決定や手続上の救助の決定などであり、それぞれに即時抗告権が認められている（非訟

---

[13] 特許権等の侵害を理由とする開示命令の申立てについての決定に対する異議の訴えは、専門的知識を有する人的体制を備えた裁判所で審理されるべき点で異なるところはないことから、「特許権等に関する訴え」（民事訴訟法第6条第3項）に該当するものと考えられる。

事件手続法第13条第9項、同法第29条第2項による民事訴訟法第86条の準用)。

　また、提供命令及び消去禁止命令については、それぞれに対する即時抗告権が認められており（第15条第5項、第16条第3項）、ここでいう「決定」には、提供命令事件及び消去禁止命令事件についての決定も含まれる。これは、付随的事件である提供命令事件及び消去禁止命令事件においても、本案である開示命令事件と同様に、専門的知識を有する人的体制を備えた裁判所の専属管轄に服することが望ましいことによる。また、これらの決定に対する抗告審においては、保全の必要性の判断において特許権侵害等が考慮され得るため、東京高等裁判所での審理が望ましいといえる。

9　提供命令を利用した場合における専属管轄（第7項）
(1)　本項の説明

　本項は、提供命令を利用して開示命令の申立ての相手方から他の開示関係役務提供者の氏名等情報の提供を受けた者が、さらに当該他の開示関係役務提供者に対して開示命令の申立てをしたときの専属管轄の規律を定めたものである。

　具体的には、申立人が、提供命令に基づく氏名等情報の提供により判明した他の開示関係役務提供者を相手方として開示命令の申立てを行う場合、当該他の開示関係役務提供者を相手方とする開示命令の申立ては、先行する開示命令事件が係属する裁判所の管轄に専属することを定めるものである。

　これは、開示命令の申立てを本案とする提供命令により他の開示関係役務提供者の氏名等情報が判明する場合、当該他の開示関係役務提供者を相手方とする開示命令事件も同一の裁判所において審理・判断をさせることが手続経済に資する[14]ことから、先行する開示命令事件が係属する裁判所の専属管轄としたものである。

なお、先行する開示命令の申立てが取り下げられるなど（第13条第1項）、先行する開示命令事件が係属する裁判所が存しない場合、「当該提供を受けた者の申立てに係る第二号に掲げる事件が係属するときは」との要件を充足しないため、本項の適用はない。

これは、先行する開示命令の申立ての相手方（コンテンツプロバイダ等）が開示命令の申立てについて裁判所の決定を得ることを希望せず当該開示命令の申立ての取下げに同意した場合や先行する開示命令事件が既に終結している場合にまで、先行する開示命令事件における相手方の管轄原因に着目して当該先行する事件の管轄裁判所での手続進行を強制する理由がないとの考慮によるものである。

また、本項は、コンテンツプロバイダと経由プロバイダを相手方として開示命令の申立てをする一般的なパターンだけではなく、MNO[15]がMVNO[16]に回線を提供しているパターン（以下「MVNOパターン」という。）のように、複数の経由プロバイダが特定電気通信役務の提供に関与している場合をも念頭に、管轄の定まり方を

---

[14] 仮に、コンテンツプロバイダ・経由プロバイダに対する開示命令事件の申立てが異なる地方裁判所において審理されるのであれば、同一の侵害情報の同一要件についての判断であるにもかかわらず、申立人が要件充足性について同趣旨の主張書面を異なる地方裁判所に対してそれぞれ提出し、また裁判所もそれぞれ決定をする必要があることから、手続経済の観点から適当ではない。

[15] MNOとは、電気通信役務としての移動通信サービス（以下「移動通信サービス」という。）を提供する電気通信事業を営む者であって、当該移動通信サービスに係る無線局を自ら開設（開設された無線局に係る免許人等の地位の承継を含む）又は運用している者をいう（総務省総合通信基盤局「MVNOに係る電気通信事業法及び電波法の適用関係に関するガイドライン」（令和3年12月最終改定、3頁））。

[16] MVNOとは、①MNOの提供する移動通信サービスを利用して、又はMNOと接続して、移動通信サービスを提供する電気通信事業者であって、②当該移動通信サービスに係る無線局を自ら開設しておらず、かつ、運用をしていない者をいう（前掲注15・4頁）。

規定したものである。MVNO パターンのように複数の経由プロバイダが関与している場合であっても、同一の侵害情報についての申立てであることには変わりはなく、同一の裁判所において審理・判断をさせることが手続経済に資すること等は同様であるからである。

なお、例えばMVNO パターンの場合、MVNO を相手方とする開示命令事件は、㋐MNO に対する開示命令事件の係属する裁判所があれば当該裁判所の管轄に専属し、㋑これがなければコンテンツプロバイダに対する開示命令事件の係属する裁判所に専属し、㋒さらに㋑がなければ本項以外の本条の規律に応じて管轄裁判所が定まることとなるが、本項は、このような関係をも規定したものである。

(2) 本項の適用が問題となる例

① 一般的なパターン

本項が想定する一般的なパターンは、例えば、提供命令（第15条第1項）により、当該提供命令の相手方である東京都に本店を有するコンテンツプロバイダAから他の開示関係役務提供者である大阪府に本店を有する経由プロバイダBの氏名等情報の提供を受けた申立人が、当該提供命令の申立ての理由となった侵害情報と同一の侵害情報についてプロバイダBを相手方として開示命令の申立てをする場合である。この場合、当該申立てに係る開示命令事件（本項第1号）は、プロバイダBの所在地にかかわらず、先行するプロバイダAに対する開示命令事件（本項第2号）が係属する東京地方裁判所の管轄に専属することとなる。これにより、裁判所の裁量により先行するプロバイダAに対する事件と後行するプロバイダBに対する事件とを併合のうえ、審理・決定することが可能となる（非訟事件手続法第35条第1項）。

② MVNOパターン等の複数の経由プロバイダが関与する場合

　①の一般的なパターンについては、提供命令に基づき申立人に対してその氏名等情報を提供された他の開示関係役務提供者であるBが発信者の氏名及び住所を保有している場合は、この発信者の氏名及び住所の開示を受けることにより発信者を特定することができるものであるが、他の開示関係役務提供者であるBが発信者の氏名及び住所を保有していない場合もある（典型例としてMVNOパターン）。

　具体的には、例えば、第15条第1項の規定による提供命令により、当該提供命令の相手方である東京都に本店を有するコンテンツプロバイダAから他の開示関係役務提供者である大阪府に本店を有するプロバイダBの氏名等情報の提供を受けた申立人が、当該プロバイダBを相手方として、発信者の氏名及び住所の開示を求める旨の開示命令の申立てをした結果、当該プロバイダBは当該申立てに係るアイ・ピー・アドレスをMVNOに貸し出したMNOであり、プロバイダAから提供を受けた発信者情報（アイ・ピー・アドレス等）により特定される発信者の氏名及び住所を保有していないことが判明する場合である[17]。

　この場合は、申立人がプロバイダB（MNO）に対する提供命令の申立てを行ってその発令を得ることにより、プロバイダBは、申立人に対して、他の開示関係役務提供者であるプロバイダC（MVNO）の氏名等情報を提供することになる（第15条第1項）。このような場合、プロバイダCの所在地にかかわらず、当該申立て

---

[17] 提供命令によりプロバイダAからプロバイダBに提供されたアイ・ピー・アドレスがMVNOに対して貸し出したものであった場合、プロバイダBは、申立人に対して、「プロバイダAから提供を受けた発信者情報により特定される発信者の氏名及び住所は保有していない」旨の答弁を行うことが想定され、これにより、申立人は、発信者の氏名及び住所を保有するMVNOが存在することを認識することとなることが想定される。

第 4 章　発信者情報開示命令事件に関する裁判手続（第 8 条－第18条）　179

に係る開示命令事件（第 1 号）は当該提供を行った上記プロバイダ B を相手方とする開示命令事件（第 2 号）が係属する裁判所の管轄に専属することとなる。これにより、裁判所の裁量により先行する事件と後行する事件とを併合のうえ、審理・決定することが可能となる（非訟事件手続法第35条第 1 項）。

　また、プロバイダ B （MNO）を相手方とする開示命令事件が取下げ等により終了している場合であっても、プロバイダ A （コンテンツプロバイダ）を相手方とする開示命令事件が係属している限り、当該事件が「当該提供に係る侵害情報についての他の発信者情報開示命令事件」（第 2 号）に該当するものとして、プロバイダ A を相手方とする開示命令事件が係属する裁判所に専属することとなる[18]。

(3)　用語の説明

①　「前各項の規定にかかわらず、……専属する」（柱書）

　「前各項の規定にかかわらず、……専属する」とあるように、第 1 項から第 5 項までの規定による管轄原因は認められず、本項に規定する管轄原因だけが認められるものである。

　なお、本項と第 5 項との関係についてであるが、第 5 項が想定する場合（特許権等の侵害を理由とする開示命令の申立て等）であっても、提供命令を利用した場合における第 1 号に規定する開示命令事件の管轄については本項の規定が適用されることから、第 5 項の規定を先に規定しているものである。

②　「当該他の開示関係役務提供者を相手方とする当該提供に係る侵害情報についての発信者情報開示命令事件」（第 1 号）

18　MVNO であるプロバイダ C により特定される他の開示関係役務提供者が存する場合も同様であり、このような場合に後続する開示命令事件は、先行する開示命令事件の係属する裁判所に専属することになる（本項）。

これは、一般的には、第15条第1項に規定する提供命令によりコンテンツプロバイダから申立人にその氏名等情報が提供された他の開示関係役務提供者（経由プロバイダ）を相手方として、当該申立人が申し立てた開示命令事件を意味するものである。

また、複数の経由プロバイダが特定電気通信役務の提供に関与している場合、例えばMVNOパターンにおいては、MNOに対する提供命令により当該MNOから申立人にその氏名等情報が提供された他の開示関係役務提供者（MVNO）を相手方として、当該申立人が申し立てた開示命令事件を意味するものである。

③ 「当該提供に係る侵害情報についての他の発信者情報開示命令事件」（第2号）

これは、典型的には、起点として想定されるコンテンツプロバイダを相手方とする開示命令事件を意味するものであるが、次のものも意味するものである。

(ア) MVNOパターンにおいて、第15条第1項の規定による提供命令により判明したMVNOにアイ・ピー・アドレスを貸し出したMNOを相手方とする開示命令事件

(イ) MVNOパターンにおいて、MVNOを相手方とする開示命令の申立てを行う場合に、当該MVNOにアイ・ピー・アドレスを貸し出したMNOを相手方とする開示命令事件が既に裁判所に係属していないときは、MNOの氏名等情報を申立人に提供したコンテンツプロバイダを相手方とする開示命令事件

(ウ) 提供命令を利用した場合において、通信経路が重畳構造であった場合（「コンテンツプロバイダAにより特定された他の開示関係役務提供者B→Bにより特定された他の開示関係役務提供者C→Cにより特定された他の開示関係役務提供者D……」といった形で発信者の氏名等を保有しない他の開示関係役務提供者が順次判明した場合）における当該順次判明した他の

第4章　発信者情報開示命令事件に関する裁判手続（第8条－第18条）

開示関係役務提供者を相手方とする開示命令事件

(参考)

原則的な国内土地管轄①（第10条第1項～第4項）

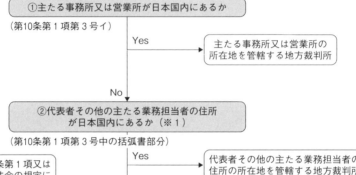

※1 申立てが国内にある事務所又は営業所における業務に関するものでないときであることが必要。事務所又は営業所が日本国内にある場合において、開示命令の申立てが当該事務所又は営業所における業務に関するものであるときは、当該事務所又は営業所の所在地を管轄する地方裁判所にも管轄が認められる（第10条第1項第3号ロ）。
※2 上記のほか、合意による管轄も認められる（第10条第4項）。

第4章　発信者情報開示命令事件に関する裁判手続（第8条－第18条）　183

(参考)

原則的な国内土地管轄②（第10条第1項～第4項）

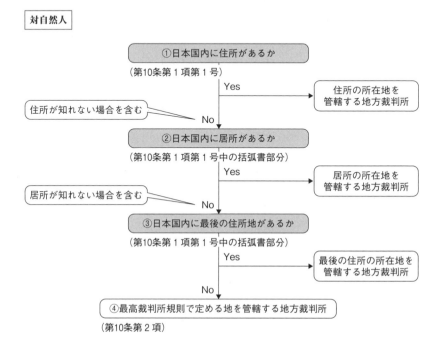

※1　上記のほか、合意による管轄も認められる（第10条第4項）。
※2　大使等外国に在ってその国の裁判権からの免除を享有する日本人を相手方とする場合、③でNoのとき、最高裁判所規則で定める地を管轄する地方裁判所の管轄に属する（第10条第1項第2号）。

第11条（発信者情報開示命令の申立書の写しの送付等）

（発信者情報開示命令の申立書の写しの送付等）
第十一条　裁判所は、発信者情報開示命令の申立てがあった場合には、当該申立てが不適法であるとき又は当該申立てに理由がないことが明らかなときを除き、当該発信者情報開示命令の申立書の写しを相手方に送付しなければならない。
2　非訟事件手続法（平成二十三年法律第五十一号）第四十三条第四項から第六項までの規定は、発信者情報開示命令の申立書の写しを送付することができない場合（当該申立書の写しの送付に必要な費用を予納しない場合を含む。）について準用する。
3　裁判所は、①発信者情報開示命令の申立てについての決定をする場合には、当事者の陳述を聴かなければならない。②ただし、不適法又は理由がないことが明らかであるとして当該申立てを却下する決定をするときは、この限りでない。

[趣旨]

本条は、開示命令事件の手続に関し、開示命令の申立書の写しの送付及び当事者の必要的陳述聴取について定めるものである。

[解説]

1　申立書の写しの送付（第1項）

申立書の写しの送付について、非訟事件手続法には規定がないと

第4章　発信者情報開示命令事件に関する裁判手続（第8条－第18条）　185

ころ、本項においては、開示命令の申立てがあったときは、裁判所は、申立てが不適法であるとき又は申立てに理由がないことが明らかなときを除き、申立書の写しを相手方に送付しなければならない旨を定めるものである。

　これは、開示命令事件の手続において、当事者に対する必要的陳述聴取（第3項）が定められていることから、相手方が自らの主張や資料を提出し、申立人の主張に対し反論をする機会を十分に保障するため、早期に事件の申立てがあったこと及び申立ての内容を知らせるべく、裁判所から送付することとしたものである。

　ここで、申立書の写しについて、送達ではなく、送付で足りるとしたのは、開示命令事件が迅速性の要求される手続であるところ、送達としたのでは送達に時間を要する結果として、手続の迅速性が阻害されてしまう場合がある（特に海外送達を実施する場合には国内における送達に比して時間を要してしまう）ことに配慮したものである。

2　申立書の写しを送付することができない場合（第2項）

　本項は、申立書の写しを送付することができない場合の申立書却下命令制度に関する規定を定めるものである。

　具体的には、申立書の写しを送付することができない場合（例えば、相手方の住所の表示が不正確である場合のほか、申立人が申立書の写しの送付に必要な費用を予納しない場合を含む）に、非訟事件手続法第43条第4項から第6項までの規定を準用し、裁判長は、相当の期間を定め、その期間内に不備を補正すべきことを命じなければならないこと、補正を命じられた申立人がその不備を補正しないとき（申立書の写しの送付に必要な費用を予納しない申立人に対して裁判長がした補正命令に申立人が従わない場合も含む）は、裁判長は、命令で、申立書を却下しなければならないこと及び当該申

立書却下命令に対しては即時抗告ができることとしたものである。

3　必要的陳述聴取（第3項）

(1)　趣旨

　本項は、裁判所が終局決定（開示命令の申立てについての決定）をする場合、裁判所は、原則として、当事者の陳述を聴かなければならない旨を定めるものである。これは、開示命令事件は、被害者の権利回復の利益と発信者のプライバシー及び表現の自由、通信の秘密の調整を図るという性質上、当事者双方に攻撃防御の機会を十分に保障する必要があることを考慮したものである。

(2)　用語の説明

①　「発信者情報開示命令の申立てについての決定をする場合には、当事者の陳述を聴かなければならない」

　「発信者情報開示命令の申立てについての決定をする場合には、当事者の陳述を聴かなければならない」（陳述の聴取）とは、言語的表現による認識、意見、意向等の表明を受ける事実の調査の方法を指すが、その方法に特に制限はなく、裁判官の審問の方法（非訟事件手続法第11条第1項第4号等、非訟事件の手続の期日において裁判官に直接口頭で認識等を述べるのを聴く手続）によるほか、書面照会（例えば、当事者に対して、裁判所が尋ねたい事項を書面に記載して提出することを求めたり、質問事項を記載して回答を求めるもの）等の方法によることも可能である[19]。

19　金子修編著『一問一答　非訟事件手続法』商事法務（2012年）17頁

② 「ただし、**不適法又は理由がないことが明らかである**として**当該申立てを却下する決定をするときは、この限りでない**」

「ただし、不適法又は理由がないことが明らかであるとして当該申立てを却下する決定をするときは、この限りでない」とは、開示命令の申立てが不適法又は理由がないことが明らかであるとして、当該申立てを却下する決定をする場合には、当事者の陳述聴取を行わずに、終局決定をすることができることを意味する。これらの場合には、当事者の陳述を聴いたとしても、結論に影響を及ぼすものではないことから、陳述聴取の例外を定めたものである。

なお、提供命令及び消去禁止命令の申立てについては、相手方の陳述の聴取が必要なものとはされていない（その理由については、第15条及び第16条の解説を参照のこと）。

第12条（発信者情報開示命令事件の記録の閲覧等）

（発信者情報開示命令事件の記録の閲覧等）
第十二条　当事者又は①利害関係を疎明した第三者は、裁判所書記官に対し、②発信者情報開示命令事件の記録の閲覧若しくは謄写、その正本、謄本若しくは抄本の交付又は発信者情報開示命令事件に関する事項の証明書の交付を請求することができる。
2　前項の規定は、②発信者情報開示命令事件の記録中の録音テープ又はビデオテープ（これらに準ずる方法により一定の事項を記録した物を含む。）については、適用しない。この場合において、当事者又は①利害関係を疎明した第三者は、裁判所書記官に対し、これらの物の複製を請求することができる。
3　前二項の規定による②発信者情報開示命令事件の記録の閲覧、謄写及び複製の請求は、当該記録の保存又は裁判所の執務に支障があるときは、することができない。

趣旨

　本条は、非訟事件手続法第32条の特則として、開示命令事件における事件記録の閲覧等を定めるものである。
　なお、本条は、「発信者情報開示命令事件の記録」とあるように、開示命令事件を対象としているが、同事件の付随的手続である提供命令事件及び消去禁止命令事件の閲覧等に関する規律について、開示命令事件と異なる取扱いとする必要はないことから、提供

命令事件及び消去禁止命令事件については本条が類推適用されることとなる。

解説

1 記録の閲覧請求等（第1項）

　非訟事件手続法は、当事者及び利害関係を疎明した第三者は、裁判所の許可を得たうえで、非訟事件の記録の閲覧等の請求ができる旨を定めている（同法第32条第1項）。これは、非訟事件の手続は、原則非公開の手続であり（同法第30条）、職権探知主義の下（同法第49条）、裁判所が公益的見地から後見的立場で実体的真実に合致した判断をするために資料が収集されるものであるから、収集された資料の中には、一般的に秘匿すべき情報が含まれることも多く、そのようにして収集された資料が広く一般に公開されたのでは、回復不可能な損害の発生、ひいては資料や情報の保持者が公開されることを嫌ってその提供を拒むことにより実体的真実に基づく審理判断が困難になるおそれなどの弊害が生じること等を考慮したものである[20]。

　もっとも、開示命令事件においては、当事者が自ら処分することができる発信者情報開示請求権という私的な実体法上の権利の存否及びその内容が問題となるものであり、その争訟性、私益性の高さ（他方で、公益性は低い）からすると、当事者及び利害関係を疎明した第三者が必要な手続を追行する機会を保障するためには、裁判所の許可を要せずに、裁判所の判断の基礎となる資料について閲覧等を請求することができるようにしておく必要性が高い。

　そこで、本項は、開示命令事件について、当事者及び利害関係を

---

[20] 金子修編著『逐条解説　非訟事件手続法』商事法務（2015年）119頁以下

疎明した第三者は、裁判所の許可を要せずに、事件記録の閲覧等を請求できるものとした。

2 録音テープ・ビデオテープの複製請求（第2項）

非訟事件手続法は、非訟事件の記録中の録音テープ又はビデオテープ（これらに準ずる方法により一定の事項を記録した物を含む。以下「録音テープ等」という。）については、裁判所の許可を得たうえで、当事者及び利害関係を疎明した第三者が複製を請求することができる旨を定めている（同法第32条第2項）。

開示命令事件の記録中の録音テープ等についても、当事者及び利害関係を疎明した第三者が必要な手続を追行する機会を保障するためには、裁判所の許可を要せずに、その複製を請求することができるようにしておく必要性が高い点では、第1項と同様である。

そこで、本項は、開示命令事件について、当事者及び利害関係を疎明した第三者は、裁判所の許可を要せずに、録音テープ等の複製を請求できるものとした。

3 記録の閲覧請求等が記録の保存又は裁判所の執務に支障がある場合における閲覧等の請求の制限（第3項）

本項は、開示命令事件の記録の閲覧、謄写及び複製請求が当該記録の保存又は裁判所の執務に支障がある場合には、その閲覧等の請求ができないとするものである。これは、かかる場合には、閲覧等ができないとすることが相当であるとの考慮に基づくものである。

4 不服申立て

裁判所書記官が第1項及び第2項に基づく開示命令事件の記録の閲覧等の請求を拒絶した場合には、当該処分に対する異議の申立てをすることができる（非訟事件手続法第39条第1項）。

5 用語の説明

① 「利害関係を疎明した第三者」（第1項及び第2項）

本条にいう「利害関係」とは、開示命令事件についての法律上の利害関係をいう。典型的には、発信者のほか、開示関係役務提供者から第6条第1項に基づく意見聴取を受けた者が、利害関係を有する第三者に該当する。これらの者は、開示命令が発令された場合には、開示を受けた者から損害賠償請求等を受けるなど、開示命令事件について法律上の利害関係を有すると考えられるからである。

② 「発信者情報開示命令事件の記録」（第1項から第3項まで）

「発信者情報開示命令事件の記録」とは、開示命令事件について裁判所が作成した書類（例えば、裁判書）、当事者その他の関係人から提出された書類で裁判所及び当事者の共通の資料として利用されるために申立てを受けた裁判所に保管されている書類（例えば、申立書）などを総称したものである。

第13条（開示命令の申立ての取下げ）

（発信者情報開示命令の申立ての取下げ）
第十三条　発信者情報開示命令の申立ては、当該申立てについての決定が確定するまで、その全部又は一部を取り下げることができる。ただし、当該申立ての取下げは、次に掲げる決定がされた後にあっては、相手方の同意を得なければ、その効力を生じない。
　一　①当該申立てについての決定
　二　②当該申立てに係る発信者情報開示命令事件を本案とする第十五条第一項の規定による命令
2　発信者情報開示命令の申立ての取下げがあった場合において、前項ただし書の規定により当該申立ての取下げについて相手方の同意を要するときは、裁判所は、相手方に対し、当該申立ての取下げがあったことを通知しなければならない。ただし、当該申立ての取下げが発信者情報開示命令事件の手続の期日において口頭でされた場合において、相手方がその期日に出頭したときは、この限りでない。
3　前項本文の規定による通知を受けた日から二週間以内に相手方が異議を述べないときは、当該通知に係る申立ての取下げに同意したものとみなす。同項ただし書の規定による場合において、当該申立ての取下げがあった日から二週間以内に相手方が異議を述べないときも、同様とする。

趣旨

　本条は、開示命令の申立ての取下げの効力発生の要件等について

第4章　発信者情報開示命令事件に関する裁判手続（第8条－第18条）　193

定めるものである。

　なお、提供命令の申立ての取下げについては第15条第4項、消去禁止命令の申立ての取下げについては第16条第2項に規定されている。

【解説】

1　開示命令の申立ての取下げ（第1項）
(1)　概要

　本項は、非訟事件手続法第63条第1項（非訟事件の申立ての取下げ）の特則として、開示命令の申立ては、終局決定（開示命令の申立てについての決定）が確定するまで取り下げることができることを原則としつつ、開示命令の申立ての取下げは、㈦当該申立てについての決定があった後（第1号）、又は、㈣当該申立てに係る開示命令事件を本案とする提供命令があった後（第2号）においては、相手方の同意を得なければその効力を生じないことを定めるものである。

　なお、申立ての取下げの方式及びその効果については、民事訴訟法における訴えの取下げと異なる扱いとする理由はないことから、非訟事件手続法第63条第2項により民事訴訟法第261条第3項及び第262条第1項の規定が準用される。これにより、開示命令事件の申立ての取下げは、開示命令事件の手続の期日においては口頭ですることができるが、それ以外の場合には書面でしなければならず、開示命令事件は、開示命令事件の取下げがあった部分については初めから係属していなかったものとみなされることとなる。

(2) 用語の説明

① 「当該申立てについての決定」（第1号）

本号は、開示命令の申立ての取下げは、当該申立てについての決定があった後は、相手方の同意がなければ、その効力を生じないことを定めるものである。ここでいう「決定」とは、終局決定を意味する。

終局決定がされた後における開示命令の申立ての取下げについて、非訟事件手続法第63条第1項に規定する裁判所の許可を不要とする理由は、開示命令事件は、当事者が自ら処分することができる権利に関するものであり、公益性は低いといえるからである。他方、開示命令の申立てについての決定は、異議の訴えが所定期間内に提起されなかったとき、又は却下されたときは、確定判決と同一の効力を有するものとされているところ（第14条第5項）、積極的に争って終局決定を受けた相手方の利益を保護し（仮に終局決定後に申立てを取り下げられた場合、開示命令の申立てに対し積極的に争ったことが徒労に帰すこととなる）、かつ、終局決定を受けた申立人が、再度、同一内容の開示命令を申し立てるために申立てを取り下げるといった濫用的な取下げをするのを防ぐためには、相手方の同意を要件とすることで十分といえる。そこで、裁判所の許可に代えて、相手方の同意を得ることを申立ての取下げの要件としたものである。

② 「当該申立てに係る発信者情報開示命令事件を本案とする第十五条第一項の規定による命令」（第2号）

本号は、開示命令の申立ての取下げは、当該申立てに係る開示命令事件を本案とする提供命令があった後においては、相手方の同意を得なければ、その効力を生じないことを定めるものである。

提供命令は本案である開示命令事件に付随するものであるとこ

ろ、提供命令を受けた相手方は、開示命令の申立てについての決定がされることを前提に、それに先行するものとして提供命令による提供義務を負うものであり、先延ばしにされた開示命令の申立てについての決定を得る利益があるといえる（仮に、開示命令の申立てが取り下げられた場合、提供命令を受けた相手方は、提供命令に応じたにもかかわらず、開示命令の申立てについては終局的な判断を受けることができず、再度開示命令の申立ての相手方となり得るという不安定な地位に置かれてしまうこととなる）。したがって、提供命令があった後は、当該提供命令を受けた相手方の、先延ばしにされた開示命令の申立てについての決定を得る利益を保護すべきであるといえる。そこで、開示命令事件を本案とする提供命令があった後における開示命令の申立ての取下げについては、相手方の同意を得ることを要件としたものである。

2　開示命令の申立ての取下げの通知（第2項）

　本項は、開示命令の申立ての取下げがあった場合において、その取下げに相手方の同意を要するときは、裁判所は、原則として、申立ての取下げがあったことを相手方に通知しなければならない旨を定めるものである。

　これは、相手方に取下げがあった事実を了知させ、同意するかどうかを検討する機会を与えるとともに、第3項に規定するみなし同意の効果が生じるための前提としての意味を有する。なお、迅速な処理が要請される開示命令事件の手続の特質に照らせば、民事訴訟法第261条第4項と異なり、申立ての取下げがあったことを相手方に知らせる方法を書面等の送達に限定する必要はないと考えられることから、相手方への「通知」をもって足りるものとしている。

　また、相手方が出頭している開示命令事件の手続の期日において、申立人が申立てを取り下げた場合には、相手方がその事実を直

ちに了知することから、本項に規定する裁判所による通知は要しないこととしている（本項ただし書）。

3　相手方による取下げに関する同意の擬制（第3項）

本項は、開示命令の申立ての取下げに相手方の同意が必要である場合において、相手方が一定の期間内に異議を述べないときの同意の擬制について定めるものである。すなわち、第2項本文の規定による裁判所からの通知を受けた日から2週間以内に相手方が異議を述べないとき（本項前段の場合）、又は申立ての取下げが開示命令事件の手続の期日において口頭でされた場合においてその日から2週間以内に相手方が異議を述べないとき（本項後段の場合）は、相手方が申立ての取下げに同意したものとみなすものである。

ここで、同意が擬制されるまでの期間を2週間としているのは、相手方が同意をしない旨の意思表示をするために必要な期間を確保しつつ、同意をするかしないかが明らかにならないために手続が不安定な状態に置かれることになる期間を限定する趣旨である。

第14条（異議の訴え）

（発信者情報開示命令の申立てについての決定に対する異議の訴え）
第十四条　発信者情報開示命令の申立てについての決定（当該申立てを不適法として却下する決定を除く。）に不服がある当事者は、当該決定の告知を受けた日から一月の不変期間内に、異議の訴えを提起することができる。
2　前項に規定する訴えは、同項に規定する決定をした裁判所の管轄に専属する。
3　第一項に規定する訴えについての判決においては、当該訴えを不適法として却下するときを除き、同項に規定する決定を①認可し、変更し、又は取り消す。
4　第一項に規定する決定を認可し、又は変更した判決で発信者情報の開示を命ずるものは、①強制執行に関しては、給付を命ずる判決と同一の効力を有する。
5　①第一項に規定する訴えが、同項に規定する期間内に提起されなかったとき、又は却下されたときは、②当該訴えに係る同項に規定する決定は、確定判決と同一の効力を有する。
6　裁判所が第一項に規定する決定をした場合における非訟事件手続法第五十九条第一項の規定の適用については、同項第二号中「即時抗告をする」とあるのは、「異議の訴えを提起する」とする。

趣旨

本条は、非訟事件である開示命令の申立てについての決定（当該

申立てを不適法として却下する決定を除く。以下同じ。）に対する不服申立て方法として、異議の訴えを規定するほか、当該訴えの手続に関する事項及び開示命令の申立てについての決定の効力を規定するものである。

[解説]

1　異議の訴えの創設（第1項）
(1)　異議の訴えを設けた理由

　非訟事件の終局決定に対する不服申立て方法として、即時抗告等が非訟事件手続法第2編第4章第1節に規定されている。本条は、その特則として、異議の訴えを設けたものである。

　これは、開示命令事件は、発信者情報開示請求権（第5条第1項及び第2項）という実体的な権利義務の内容にかかわるものであり、その権利義務の存否及びその内容を終局的に確定させるためには、最終的には訴訟手続により争う機会を保障しておく必要があることによる。

　なお、本項は、非訟事件手続法第2編第4章第1節（終局決定に対する不服申立て）の特則であることから、異議の訴えとは別に、開示命令の申立てについての決定に対して同法の規定による不服申立て（即時抗告等）をすることはできない。

(2)　異議の訴えの効果

　開示命令の申立てについての決定は、異議の訴えの提起期間満了前には確定せず、その確定は異議の訴えの提起により遮断される。

　異議の訴えが提起された場合、当該訴えは民事訴訟法の規律に従うこととなる（ただし、管轄の定めなどは本法律の規律に従う）。

(3) 異議の訴えの提起権者

異議の訴えを提起できる者は、開示命令事件における当事者（申立人及び相手方）である。

開示命令の申立てを受けたプロバイダ等が発信者から異議の訴えを提起してほしいとの連絡を受けた場合であっても、裁判所の開示の判断を受け入れるかどうかの判断は当事者であるプロバイダ等が行うものであり、当該発信者の意向に従う法律上の義務はない。なお、第6条第2項に規定する発信者への通知制度は、開示命令があったことを発信者に遅滞なく知らせることで、後続する損害賠償請求訴訟等への準備を前もって行うことを可能とすることを趣旨とするものであり、同項の規定の存在をもって発信者の意向に従って開示関係役務提供者が異議の訴えを提起する義務が生じるものではない。

(4) 異議の訴えの提起期間

開示命令の申立てについての決定に関する法律関係を早期に確定するために、終局決定の告知を受けた日から1月の提起期間（不変期間）を規定したものである。

不変期間とは、裁判所がその期間を伸縮できないものであるところ（民事訴訟法第96条第1項参照）、裁判に対する不服申立て期間は一般に不変期間とされているため（同法第285条、第313条、第332条、第342条第1項、第357条及び第393条等）、これに倣い、「不変期間」としたものである。

(5) 異議の訴えの対象となる裁判

本項に規定する異議の訴えの対象となる「決定」とは、終局決定のうち、開示命令の申立てについての裁判所の判断であり、民事訴

訟における「本案判決」に相当するものを意味する。

申立てを不適法とする却下決定は、民事訴訟における本案判決に相当せず、異議の訴えの対象となるものではないことから、本項括弧書においてその旨を明確にしている。なお、申立てを不適法とする却下決定であっても終局決定には該当するため、即時抗告の対象となる（非訟事件手続法第66条第1項及び第2項）。もっとも、申立てを不適法とする却下決定は実体判断を行うものではないことから既判力が生じないため、再度の開示命令の申立てを行うことも可能であり、異議の訴えの対象としないことが申立人に不利益を課すものではない。

また、非訟事件の手続では、民事訴訟手続とは異なり、棄却（請求の当否について判断するもの）と却下（訴訟要件を欠くと判断するもの）とを区別していないため、却下決定には実体判断を行うものとそうでないものとが含まれることとなる。この異議の訴えの対象となる却下決定と異議の訴えの対象とはならない却下決定（申立てを不適法として却下する決定）とは、実体判断を行ったか否かにより区別されることとなると考えられる。この実体判断を行ったか否かについては、裁判書の必要的記載事項である「理由の要旨」により判明するものである（非訟事件手続法第57条第2項第2号）。

＜申立書却下制度と異議の訴えの関係＞

非訟事件手続法第43条第4項から第6項までにおいて、申立書それ自体に不備がある場合（例えば、当事者が明確に記載されていないなど申立書の必要的記載事項に不備がある場合）や手数料不納付の場合について、裁判長による補正命令及びこれに申立人が応じない場合の申立書却下命令の制度が設けられており、申立書却下命令に対しては即時抗告をすることができる（同条第6項は同法第79条に規定する「特別の定め」である[21]）。

かかる申立書却下命令は、事件を終了させる点では終局決定と同様の効果を有するが、裁判所の決定ではなく裁判長の命令であり、「終局決定以外の非訟事件に関する裁判」（非訟事件手続法第62条第1項）に該当する。このため、申立書却下命令は異議の訴えの対象とはならない。

2 異議の訴えの管轄（第2項）

　本項は、異議の訴えの管轄については、原則として、民事訴訟法第1編第2章第2節（管轄）の規律が適用されるところ、その特則として、異議の訴えは開示命令の申立てについての決定を行った裁判所の管轄に専属することを定めるものである。

　これは、開示命令事件の審理及び決定を行った裁判所に異議の訴えを属させることが訴訟経済に沿うとの考慮に基づくものである。具体的には、民事訴訟法の規律によれば被告住所地を管轄する裁判所が管轄裁判所となるところ（同法第4条）、例えば、東京都に本店を有するコンテンツプロバイダAと大阪府に本店を有する経由プロバイダBを相手方とする開示命令事件の申立てを却下する東京地方裁判所の決定に対して申立人が異議の訴えを提起する場合、同法の規律に従うとすると東京地方裁判所と大阪地方裁判所とに別々に訴訟手続が係属することとなるが、同一の侵害情報をめぐる不服である以上、同一裁判所において審理・判断をさせることが訴訟経済に沿うと考えられるものである。

3 異議の訴えに係る判決の内容（第3項）

(1) 判決の内容

　本項は、異議の訴えについての判決においては、訴えを却下する

21　金子修編著『逐条解説　非訟事件手続法』商事法務（2015年）171頁参照

場合を除き、開示命令の申立てについての決定を認可し、変更し、又は取り消すものとする。

具体的には、提起期間の徒過などにより却下判決がなされる場合を除くと、開示命令の申立てについての決定を妥当と判断するのであれば当該決定を認可し（認可判決）、当該決定を全部不当と判断するのであれば当該決定を取り消し（取消判決）、一部不当と判断するのであれば妥当と判断する限りで変更する（変更判決）旨の判決を行うこととなる。

(2) 用語の説明

① 「認可し、変更し、又は取り消す」

「認可」とは、開示命令の申立てについての決定を妥当と判断した場合になされるものであり、「取り消す」とは、当該決定の全部を不当と判断した場合になされるものである。また、「変更」とは、当該決定の一部を不当と判断した場合になされるものであって、「取り消す」とは区別されるものである。

4　異議の訴えに係る判決の効力（第4項）

(1) 判決の効力

本項は、開示命令の申立てについての決定を認可し、又は変更した判決で発信者情報の開示を命ずるものについて、その実効性を確保する観点から、執行力（給付決定等によって命じられた給付義務を強制執行手続によって実現する効力）を付与するものである[22]。

これは、異議の訴えは形成の訴え[23]であり、執行力を観念することができないが、当該訴えは、開示命令の申立てについての決定を

---

[22] 開示命令の申立てを認容する決定を取り消す判決については、既判力のみが生じることとなる。

認可、変更（一部認可）する限りでは発信者情報開示請求権の存否及びその内容を確定することを目的としており、実質的には給付訴訟と同様の機能を有する。そこで、当該決定を認可し、又は変更する判決が確定したときは、「強制執行に関しては、給付を命ずる判決と同一の効力を有する」として、当該判決に執行力が認められる旨を明らかにしたものである。

認可判決又は変更判決が確定した場合には、開示命令ではなく当該判決自身が執行力を有することになることから、判決主文において、給付の内容を明確にすることが想定される。

なお、本項において仮執行宣言を付すことができる旨の規定を設けていないのは、発信者情報の開示が発信者のプライバシーや表現の自由、通信の秘密という重大な権利利益に関する問題であるうえ、その性質上、いったん開示されてしまうとその原状回復は困難であることから、仮執行宣言を付すことは妥当でないためである。

(2) **用語の説明**

① 「**強制執行に関しては、給付を命ずる判決と同一の効力を有する**」

異議の訴えにおける認可判決又は変更判決であって、発信者情報の開示を命じる判決について、執行力を付与したものである。

5 開示命令事件についての終局決定の効力（第5項）
(1) 終局決定の効力

終局決定の効力の発生等を定める非訟事件手続法第56条第2項は、「終局決定……は……告知することによってその効力を生ず

23　一般に、執行力が観念できる類型は給付の訴えであるところ、形成の訴えにおいては、請求認容判決の場合には形成力及び既判力が生じるのに対し、請求棄却判決の場合には既判力のみが生じる。

る」[24]と規定するが、その具体的効力についての規定を設けていない。

　本項では、非訟事件手続法第56条第2項の「効力」を具体化するものとして、異議の訴えが法定の期間内に提起されなかったとき、又は却下されたときは、開示命令の申立てについての決定は「確定判決と同一の効力」を有するものとする。

　これは、開示命令の申立てについての決定は、実体的な権利義務を基礎とする発信者情報開示請求権（第5条第1項及び第2項）の存否及びその内容を判断するものであることから、決定の効力が確定したときに「確定判決と同一の効力」を認める趣旨である。

(2) 開示命令の申立てについての決定の効力発生時期

　開示命令の申立てについての決定の効力は、当該決定を告知することによって生じる（非訟事件手続法第56条第2項及び第3項）。

　これは、異議の訴えの提起期間である1月が経過するまで決定の効力が生じないこととすると、当該訴えを提起しない場合にまで当該期間の経過を待つ必要が生じることとなり適当ではないことから、終局決定は告知することによってその効力が生じるとする非訟事件手続法の規律を維持したものである。

(3) 用語の説明

① 「第一項に規定する訴えが、同項に規定する期間内に提起されなかったとき、又は却下されたとき」

　「同項に規定する期間内に提起されなかったとき」とは、異議の訴えの提起期間である1月以内に異議の訴えが提起されなかったこ

---

[24] 「効力を生ずる」（非訟事件手続法第56条第2項）とは、その内容に応じた効力（形成力、執行力等）が発生することを意味する（前掲注21・215頁以下）。

とを意味する。

「却下されたとき」とは、異議の訴えが却下されたときを意味する。

② 「当該訴えに係る同項に規定する決定は、確定判決と同一の効力を有する」

「確定判決と同一の効力」とは、既判力（確定判決が当事者及び裁判所に対して有する、権利・法律関係の存否に関する判断を不可争とする効力）のほか、発信者情報の開示を命じるものであれば執行力を含むものである[25]。

ここで、第4項との比較において、本項に「給付を命ずる」との文言が定められていないのは、開示命令の申立てそれ自体が給付の申立てであり、「給付を命ずる」との文言を設けなくとも、同申立てを認容する決定は給付決定であることから執行力が認められる、との考慮に基づくものである。

6 終局決定後の取消し又は変更に関する規定（非訟事件手続法第59条第1項）の適用読替え（第6項）

本項は、発信者情報開示命令の申立てについて、裁判所は終局決定後に当該決定の取消し又は変更ができるとする非訟事件手続法の規定（同法第59条第1項）の適用に関し、「即時抗告をする」（同項第2号）とあるのを「異議の訴えを提起する」と読み替えるものである。これにより、裁判所は、異議の訴えを提起することができる

---

[25] 相手方が決定で定められた内容を任意に履行しない場合、申立人は、当該決定を債務名義とする強制執行手続により、開示等を求めることとなる（民事執行法第172条、第22条第7号）。開示命令の申立てについての決定に対する不服申立ては、異議の訴えによってのみすることができることから、「抗告によらなければ不服を申し立てることができない裁判」（民事執行法第22条第3号）には該当せず、「確定判決と同一の効力を有するもの（第三号に掲げる裁判を除く。）」（同条第7号）として債務名義に該当する。

決定である開示命令の申立てについての決定をした後に、これを職権で取り消し又は変更することができないこととなる。

かかる読替え規定を設けた理由は次のとおりである。

(ア) 開示命令の申立ては、当事者が自ら処分することができる発信者情報開示請求権という私的な実体法上の権利の存否及びその内容を問題とするものであり、公益性は低く、公益的性質を有する事項について裁判所が職権により終局決定を取り消し、又は変更すべき要請が低いこと

(イ) 申立てによってのみ終局決定がなされる類型であり、職権による変更等を認めたのでは職権による裁判を許容していない趣旨に反すること（第8条）

(ウ) 不服申立て方法として異議の訴えが認められており、職権による変更等を認めたのでは異議の訴えを通じて法律関係の安定を図る趣旨が損なわれること（第14条第1項）

＜提供命令事件及び消去禁止命令事件について非訟事件手続法第59条第1項の適用読替えをしていない理由＞

提供命令の申立て及び消去禁止命令の申立てを認容する決定は、非訟事件手続法第62条第1項が準用する同法第59条第1項第2号に該当するため、終局決定後の裁判所による取消し又は変更はできないことから、読み替える必要がないとの理由によるものである[26]。

---

26 提供命令及び消去禁止命令の申立てを認容する決定に対しては相手方が即時抗告をすることができる（第15条第5項及び第16条第3項）。なお、提供命令及び消去禁止命令は、申立てによってのみ裁判がなされることから、これら申立てを却下する決定は非訟事件手続法第62条第1項が準用する同法第59条第1項第1号に該当するものである。

7 開示命令の申立てについての決定と不服申立て方法

開示命令の申立てについての決定に対する不服申立て方法及び不服申立て権者は、次のとおりである。

	開示命令に関する決定	
	認容	却下 （不適法却下を除く）※
不服申立て方法	異議の訴え （第14条第1項）	異議の訴え （第14条第1項）
不服申立て権者	当事者	当事者

※　申立てを不適法として却下した場合には即時抗告の対象となる（非訟事件手続法第66条第1項及び第2項）。なお、実体判断を伴うものではないことから却下決定には既判力が生じず、再度申立てを行うことも可能である。

第15条（提供命令）

（提供命令）
第十五条　①本案の発信者情報開示命令事件が係属する裁判所は、②発信者情報開示命令の申立てに係る侵害情報の発信者を特定することができなくなることを防止するため必要があると認めるときは、当該発信者情報開示命令の申立てをした者（以下この項において「申立人」という。）の申立てにより、決定で、③当該発信者情報開示命令の申立ての相手方である開示関係役務提供者に対し、次に掲げる事項を命ずることができる。
一　当該申立人に対し、次のイ又はロに掲げる場合の区分に応じそれぞれ当該イ又はロに定める事項④（イに掲げる場合に該当すると認めるときは、イに定める事項）を⑤書面又は電磁的方法（電子情報処理組織を使用する方法その他の情報通信の技術を利用する方法であって総務省令で定めるものをいう。次号において同じ。）により提供すること。
　　イ　⑥当該開示関係役務提供者がその保有する発信者情報（当該発信者情報開示命令の申立てに係るものに限る。以下この項において同じ。）により当該侵害情報に係る⑦他の開示関係役務提供者（当該侵害情報の発信者であると認めるものを除く。ロにおいて同じ。）の氏名又は名称及び住所（以下この項及び第三項において「他の開示関係役務提供者の氏名等情報」という。）の特定をすることができる場合　当該他の開示関係役務提供者の氏

名等情報
　　ロ　<u>⑧当該開示関係役務提供者が当該侵害情報に係る他の開示関係役務提供者を特定するために用いることができる発信者情報として総務省令で定めるものを保有していない場合</u>又は<u>当該開示関係役務提供者がその保有する当該発信者情報によりイに規定する特定をすることができない場合</u>　その旨
　二　<u>⑨この項の規定による命令（以下この条において「提供命令」といい、前号に係る部分に限る。）により他の開示関係役務提供者の氏名等情報の提供を受けた当該申立人から、当該他の開示関係役務提供者を相手方として当該侵害情報についての発信者情報開示命令の申立てをした旨の書面又は電磁的方法による通知を受けたときは、当該他の開示関係役務提供者に対し、</u><u>⑩当該開示関係役務提供者が保有する発信者情報</u>を書面又は電磁的方法により提供すること。
２　前項（各号列記以外の部分に限る。）に規定する発信者情報開示命令の申立ての相手方が第五条第一項に規定する特定電気通信役務提供者であって、かつ、当該の申立てをした者が当該申立てにおいて特定発信者情報を含む発信者情報の開示を請求している場合における前項の規定の適用については、同項第一号イの規定中「に係るもの」とあるのは、<u>⑪次の表の上欄に掲げる場合の区分に応じ、それぞれ同表の下欄に掲げる字句とする。</u>

| 当該特定発信者情報の開示の請求について第五条第一項第三号に該当すると認められる場合 | に係る第五条第一項に規定する特定発信者情報 |

| 当該特定発信者情報の開示の請求について第五条第一項第三号に該当すると認められない場合 | に係る第五条第一項に規定する特定発信者情報以外の発信者情報 |

3　次の各号のいずれかに該当するときは、提供命令（<u>提供命令により二以上の他の開示関係役務提供者の氏名等情報の提供を受けた者が、当該他の開示関係役務提供者のうちの一部の者について第一項第二号に規定する通知をしないことにより第二号に該当することとなるときは、当該一部の者に係る部分に限る</u>①。）は、その効力を失う。
　一　<u>当該提供命令の本案である発信者情報開示命令事件（当該発信者情報開示命令事件についての前条第一項に規定する決定に対して同項に規定する訴えが提起されたときは、その訴訟）が終了したとき</u>②。
　二　<u>当該提供命令により他の開示関係役務提供者の氏名等情報の提供を受けた者が、当該提供を受けた日から二月以内に、当該提供命令を受けた開示関係役務提供者に対し、第一項第二号に規定する通知をしなかったとき</u>③。
4　提供命令の申立ては、当該提供命令があった後であっても、その全部又は一部を取り下げることができる。
5　提供命令を受けた開示関係役務提供者は、当該提供命令に対し、即時抗告をすることができる。

[趣旨]

　本条は、開示命令の実効性を確保するため、裁判所が、特殊保全処分（民事保全法の適用を受けない保全処分）として、申立てにより、開示関係役務提供者に対して、㋐当該開示関係役務提供者が保有する発信者情報により特定される他の開示関係役務提供者の氏名

第4章　発信者情報開示命令事件に関する裁判手続（第8条－第18条）　211

等情報を当該申立てをした者に提供すること、及び(イ)当該開示関係役務提供者が保有する特定の発信者情報を当該他の開示関係役務提供者に提供すること等を命ずることができる提供命令について定めるとともに、提供命令事件の手続について定めるものである。

[解説]

1　提供命令（第1項）
(1)　提供命令を設けた理由

　権利侵害を受けたとする者がアイ・ピー・アドレス及びタイムスタンプ等の開示を求めて開示関係役務提供者（コンテンツプロバイダ等）に対する開示命令の申立てをした場合、それだけでは、裁判所によって当該申立てが認容されるまでの間、当該申立てをした申立人は発信者の氏名及び住所等の情報を保有する他の開示関係役務提供者（経由プロバイダ等）の名称等を知ることができない。したがって、この間、申立人は当該他の開示関係役務提供者に対する消去禁止命令の申立てができないこととなるが、一般的な経由プロバイダにおけるアクセスログの保存期間は比較的短期間であることから[27]、申立人が経由プロバイダに対する消去禁止命令（第16条第1項）の申立てをすることができないでいるうちに経由プロバイダのアクセスログの保存期間が経過してしまい、侵害情報に係るアクセスログが消去されてしまう懸念がある。

---

[27]　「電気通信事業における個人情報保護に関するガイドライン（令和4年3月31日個人情報保護委員会・総務省告示第4号）の解説」（令和4年3月）5－1－1において、課金・料金請求・苦情対応など業務の遂行上必要な場合に限り通信履歴の記録ができる旨を定め、例えば、接続認証ログについては、一般に6か月程度の保存は認められるとする一方、記録目的に必要な範囲を超えてはならず、その記録目的を達成したときは速やかに当該ログを消去しなければならない旨を定めている。

そこで、このような懸念に対処するために、開示関係役務提供者（コンテンツプロバイダ等。以下「提供元プロバイダ」という。）に対する開示命令が発令される前の段階において、申立てを受けた裁判所の命令により、提供元プロバイダが保有するアイ・ピー・アドレス及びタイムスタンプ等を、当該申立てをした申立人には秘密にしたまま、他の開示関係役務提供者（経由プロバイダ等。以下「提供先プロバイダ」という。）に提供することができる制度を設けることで、提供先プロバイダにおいて、あらかじめ当該提供先プロバイダが保有する発信者情報（発信者の氏名及び住所等）を特定・保全しておくことができるようにしたものである。

(2) 提供命令の効果

提供命令が発令された場合、当該提供命令は、以下の(ｱ)及び(ｲ)の効果を持つものである。

(ｱ) 提供元プロバイダに対し、その保有する発信者情報（アイ・ピー・アドレス等を想定）を元に特定される提供先プロバイダの氏名等情報（氏名又は名称及び住所）を申立人に提供させること（命令内容(ｱ)）、又は提供元プロバイダが提供先プロバイダを特定するために用いることができる発信者情報を保有していない場合等においては、当該提供元プロバイダは、その旨（当該発信者情報を保有していない旨等）を申立人に提供すること（命令内容(ｲ)）

28　提供元プロバイダは、複数の侵害情報について提供命令の発令を受けた場合には、命令内容(ｱ)の履行に当たって、当該氏名等情報がいずれの侵害情報に係る開示関係役務提供者のものなのかを示したうえで提供することが必要となる。また、提供元プロバイダは、1つの侵害情報について、複数の関連電気通信役務提供者の氏名等情報を提供する場合には、当該氏名等情報が施行規則第5条各号のいずれに該当する通信に係る関連電気通信役務提供者なのかを示したうえで提供することが必要となる。

ここで、提供元プロバイダが命令内容㋐を履行することにより、申立人は、提供元プロバイダ（コンテンツプロバイダ等）に対する開示命令の発令を待たずに発信者の氏名等を保有する提供先プロバイダ（経由プロバイダ等）の氏名等情報を知ることができ、当該提供先プロバイダに対してその保有する発信者情報（発信者の氏名及び住所等）の開示命令（第8条第1項）及び消去禁止命令（第16条第1項）の申立てができることとなる[28]。

なお、後述のとおり、裁判所が提供命令を発令する前の段階で提供元プロバイダが提供先プロバイダの氏名等情報を特定することができることが判明している場合もあり得るところ、裁判所としては、このような場合にまで命令内容㋐と㋑の両方を命ずる必要はないことから、このような場合、裁判所は、命令内容㋐のみを命ずることができることとしている。

　㋑　㋐でその氏名等情報が申立人に提供された提供先プロバイダを相手方として開示命令の申立てをした旨を申立人が提供元プロバイダに通知した場合[29]に、提供元プロバイダが、その保有する発信者情報（アイ・ピー・アドレス及びタイムスタンプ等）を提供先プロバイダに提供すること[30]。

これにより、申立人は、提供元プロバイダ（コンテンツプロバイダ等）に対する開示命令が発令される前の段階で、提供先プロバイダ（経由プロバイダ等）に対する消去禁止命令の申立てをすること

---

[29] 申立人は、提供元プロバイダに対して複数の侵害情報について提供命令の申立てを行った場合、提供元プロバイダへの通知に当たって、当該通知がいずれの侵害情報に係るものなのかを示したうえで行うことが必要となる。また、申立人は、1つの侵害情報について複数の侵害関連通信に係る氏名等情報の提供を受けた場合には、提供元プロバイダへの通知にあたって、当該通知が施行規則第5条各号のいずれに該当する通信に係る関連電気通信役務提供者に対する申立てを行った旨の通知なのかを示したうえで行うことが必要となる。

が可能となり、提供先プロバイダにおいてその保有する発信者情報（発信者の氏名及び住所等）が消去されることを防ぐことができることとなる。

(3) 提供命令を発するための相手方からの陳述の聴取を必要的としていない理由

本項の規定により、裁判所は、相手方の陳述の聴取を経ないで提供命令を発することができることとしている。

ここで、提供命令について、民事保全手続より手続を緩和して、相手方からの陳述の聴取を必要的としていない理由は次のとおりである。

・提供命令は、開示命令事件の手続における付随的な手続であり、開示要件についての実質的な審理は開示命令事件の手続において行われること（開示命令を発するためには相手方からの陳述聴取が必要的である）、また、提供先プロバイダは、提供命令により提供を受けた発信者情報の目的外利用の禁止義務を課されていること（第6条第3項）からすると、提供命令を発するに当たって、相手方からの陳述聴取を必要的としなくても、相手方の手続保障、ひいては発信者の利益保護に欠けるとはいえない（厳格な開示要件を満たさなければ、アイ・ピー・アドレス、発信者の氏名及び住所等が申立人に直接開示される

---

30 提供元プロバイダは、提供先プロバイダに対して複数の侵害情報について開示命令の申立てが行われた場合には、提供先プロバイダへの発信者情報の提供に当たって、当該発信者情報がいずれの侵害情報に係るものなのかを示したうえで提供することが必要となる。また、提供元プロバイダは、1つの侵害情報について、提供先プロバイダに対して複数の侵害関連通信に係る開示命令の申立てが行われた場合には、提供先プロバイダへの発信者情報の提供に当たって、当該発信者情報が施行規則第5条各号のいずれに該当する通信に係る発信者情報なのかを示したうえで提供することが必要となる。

第4章 発信者情報開示命令事件に関する裁判手続（第8条－第18条） 215

ことはない）。
・相手方は即時抗告により不服を申し立てることができるため、手続保障としてはそれで足りるといえる。

(4) 提供命令の発令の条件として立担保を不要としている理由

　民事保全法第14条第1項は、「保全命令は、担保を立てさせて、若しくは相当と認める一定の期間内に担保を立てることを保全執行の実施の条件として、又は担保を立てさせないで発することができる」旨を規定しているのに対し、提供命令は、担保を立てさせないで発することができることとしている。

　これは、民事保全法が立担保を条件として保全命令を発することができるとした趣旨は、違法・不当な保全処分の執行（被保全権利や保全の必要性がなかったのに保全命令が発令・執行された場合や、執行手続に違法があった場合）によって債務者が被るであろう損害を担保するためであるところ、提供命令の場合は、相手方に特段大きい負担を課すものではなく、具体的かつ相当な程度の損害が生じることが観念されないためである。

(5) 用語の説明

＜柱書部分＞
　① 「本案の発信者情報開示命令事件が係属する裁判所」

　提供命令の申立ての要件として、開示命令の申立てがあったこと（本案である開示命令事件の係属）を要する旨を定めるとともに、提供命令の申立ては開示命令事件が係属する裁判所の管轄に属する旨を定めるものである。

　開示命令の申立てがあったことを提供命令の申立ての要件とした理由は、特殊保全処分においては、本案が係属する裁判所以外の裁判所が別個に不統一に保全措置を講ずることは望ましくないとこ

ろ、提供命令が開示命令に付随する手続として位置付けられるからである。また、運用面でも、開示命令の申立てがなければ、裁判所は、提供命令を発する「必要がある」か否かを判断できないし、開示命令を申し立てるつもりがないのに提供命令の申立てを濫発するという事態が生じることを防止する観点からも、開示命令の申立てがあったことを要件とすることが必要であったものである。

提供命令の申立てを開示命令事件が係属する裁判所の管轄に属するとした理由は、提供命令については特に迅速処理が要請されるところ、その要請を果たすためには、開示命令事件の係属している裁判所で扱うことが最も合理的であるからである。

② 「**発信者情報開示命令の申立てに係る侵害情報の発信者を特定することができなくなることを防止するため必要があると認めるとき**」

提供命令が速やかに発令されないと、発信者情報が消去されて、発信者を特定することができなくなるおそれがあることを意味するものであり、このことを主張・疎明することにより、裁判所は提供命令を発令することができるものである。

この要件を満たすことが想定される例としては、経由プロバイダにおけるアクセスログの保存期間が限られており、経由プロバイダに対する開示命令の決定を待っていたのでは発信者情報が消去され、発信者を特定することができなくなるおそれがある場合が挙げられる。

同要件については、提供命令が特殊保全処分であるという性質上、民事保全法第13条第2項に準じ、疎明があれば足りるものである。

なお、提供命令は、一般的に経由プロバイダはアクセスログを比較的短期間しか保存していないため、コンテンツプロバイダに対する開示命令が発令されるまでの間に、経由プロバイダが保有するア

クセスログ（アイ・ピー・アドレスやタイムスタンプ）が削除され、侵害情報の発信者を特定することができなくなることを防止する必要があるとして発令されるものであることから、本要件により、提供命令により提供元プロバイダから提供先プロバイダへと提供させることができる発信者情報は、提供先プロバイダにより媒介等された通信のアクセスログである発信者情報（施行規則第2条第5号から第13号まで）及び当該アクセスログを探索するに当たって参照し得る情報（施行規則第2条第14号）に限定されることとなる。

　また、複数の侵害情報について開示命令の申立てがなされ、それぞれにつき異なる開示関係役務提供者が提供先プロバイダとして特定された場合、提供先プロバイダごとに、それぞれ当該提供先プロバイダが媒介等した侵害情報に係る発信者情報のみが提供の対象となる。さらに、特定発信者情報が開示命令の申立ての対象となっている場合、1つの侵害情報に対して複数の関連電気通信役務提供者が存在する可能性があるところ、そのような場合には、関連電気通信役務提供者ごとに、それぞれ当該関連電気通信役務提供者が媒介等した侵害関連通信に係る発信者情報のみが提供の対象となる。

③　「当該発信者情報開示命令の申立ての相手方である開示関係役務提供者に対し」

　提供命令の発令に当たっては提供命令の申立ての相手方が開示関係役務提供者であることが必要となる。開示関係役務提供者該当性については、提供命令が特殊保全処分であるという性質上、民事保全法第13条第2項に準じ、疎明があれば足りるものである（当該要件は開示命令の申立てにおける要件でもあり、開示命令の申立てについての判断に当たっては証明を必要とする）。

＜申立人に対する他の開示関係役務提供者の氏名等情報等の提供

(第1号)＞

　提供命令の発令を受けて、提供元プロバイダから申立人に提供先プロバイダの氏名等情報等を提供する旨を定めている。

　④ 「(イに掲げる場合に該当すると認めるときは、イに定める事項)」(柱書)

　裁判所が提供命令を発令する前の段階で提供元プロバイダが提供先プロバイダの氏名等情報を特定することができることが判明している場合においては、(2)(ｱ)の命令内容㋐と㋑のうち、命令内容㋐(申立人に対して提供先プロバイダの氏名等情報を提供すること)のみを命ずることができることとしたものである。

　「裁判所が提供命令を発令する前の段階で提供元プロバイダが提供先プロバイダの氏名等情報を特定することができることが判明している場合」とは、具体的には、例えば、以下のような事例が想定される。

　㋐　コンテンツプロバイダに対する提供命令の発令により当該コンテンツプロバイダから経由プロバイダに対して発信者情報(アイ・ピー・アドレス及びタイムスタンプ等)の提供が行われた場合に、当該経由プロバイダが自社のサーバを確認したところ、当該アイ・ピー・アドレスに紐付く発信者の契約者情報を保有しているのは当該経由プロバイダが卸役務を提供しているMVNOであることが判明した事例

　この事例においては、当該経由プロバイダは、当該提供命令の申立人により申し立てられた当該経由プロバイダに対する開示命令の審理の中で、裁判所及び申立人に対し、「発信者の氏名及び住所は保有していないが、他の開示関係役務提供者を特定することができるアイ・ピー・アドレス等は保有している」旨の主張書面を送付することが想定され、申立人は、これを受けて、当該経由プロバイダに対する提供命令の申立てをすることとなると想定される。

第4章　発信者情報開示命令事件に関する裁判手続（第8条－第18条）　219

　(イ)　裁判所が、提供命令の審理において、その事案の事情に応じて、職権により、当該提供命令の申立ての相手方であるコンテンツプロバイダから陳述を聴取したところ（担当裁判官が事案の複雑さに鑑みてコンテンツプロバイダから陳述を聴取する必要があると考えた場合等）、当該コンテンツプロバイダが他の開示関係役務提供者を特定することができるアイ・ピー・アドレス等を保有している旨を陳述した事例

　(ウ)　提供命令の申立人から職権発動の促しを受けた裁判所が、職権により、当該提供命令の申立ての相手方であるコンテンツプロバイダから陳述を聴取したところ（申立人が提供命令の発令より前にコンテンツプロバイダがアイ・ピー・アドレスを保有しているかどうかをあらかじめ確認しておきたいと考えた場合等）、当該コンテンツプロバイダが他の開示関係役務提供者を特定することができるアイ・ピー・アドレス等を保有している旨を陳述した事例

　なお、「イに掲げる場合に該当すると認めるとき」という要件については、提供命令が特殊保全処分であるという性質上、民事保全法第13条第2項に準じ、疎明があれば足りるものである。

⑤　「書面又は電磁的方法（電子情報処理組織を使用する方法その他の情報通信の技術を利用する方法であって総務省令で定めるものをいう。次号において同じ。）により提供すること」（柱書）

　提供元プロバイダによる申立人への提供先プロバイダの氏名等情報等の提供及び提供元プロバイダによる提供先プロバイダへの発信者情報の提供については、例えば、電話により口頭で伝達することも考えられる。

　しかしながら、申立人は提供先プロバイダの氏名等情報の提供を受けて当該提供先プロバイダを相手方とする開示命令の申立てをす

ることとなる等、申立人への提供先プロバイダの氏名等情報等の提供及び提供先プロバイダへの発信者情報の提供は、後続する諸手続の契機となるものであるところ、当該後続する手続において、裁判所の担当官等がこうした提供行為が行われたことを申立人や提供先プロバイダ等に確認する等の必要が生じることも想定されることから、こうした提供行為が行われたことを証する書面又は電子的記録を残すことができる方法により提供が行われることを確保することとしたものである。

なお、ここでいう「電磁的方法」は、施行規則第6条に規定している。具体的には、電子メールの送信による方法（同条第1項第1号）、記録媒体の交付による方法（同項第2号）及びストレージ等を利用する方法（同項第3号）が「電磁的方法」として認められる。

⑥ **「当該開示関係役務提供者がその保有する発信者情報（当該発信者情報開示命令の申立てに係るものに限る。以下この項において同じ。）により当該侵害情報に係る他の開示関係役務提供者（当該侵害情報の発信者であると認めるものを除く。ロにおいて同じ。）の氏名又は名称及び住所（以下この項及び第三項において「他の開示関係役務提供者の氏名等情報」という。）の特定をすることができる場合　当該他の開示関係役務提供者の氏名等情報」**(イ)

提供命令の発令を受けて提供元プロバイダから申立人に提供される情報として、「他の開示関係役務提供者（提供先プロバイダ）の氏名等情報」を定めるものである。

ここでいう「発信者情報（当該発信者情報開示命令の申立てに係るものに限る。……）により……特定をすることができる場合」とは、主として、提供元プロバイダにおいて、アイ・ピー・アドレスを元にしてそれに紐付くプロバイダを特定するために一般的に用い

られる技術的な方法[31]を用いることにより提供先プロバイダを特定することができる場合を指す。

　また、「当該発信者情報（当該発信者情報開示命令の申立てに係るものに限る。）」とは、「当該発信者情報開示命令の申立てに係る全ての発信者情報」である必要はなく、「当該発信者情報開示命令の申立てに係る一部の発信者情報」を用いて他の開示関係役務提供者（提供先プロバイダ）を特定することもあり得る（例えば、ある提供元プロバイダにおいて「当該発信者情報開示命令の申立てに係る発信者情報」としてアイ・ピー・アドレスとタイムスタンプが該当する場合を想定すると、一般にアイ・ピー・アドレスのみを用いて提供先プロバイダを特定することが可能である一方で、タイムスタンプはこの特定作業において必ずしも用いる必要はないものと考えられる）。

⑦　「他の開示関係役務提供者（当該侵害情報の発信者であると認めるものを除く。……）」(イ)

　本号に基づき提供元プロバイダが申立人に対してその氏名等情報を提供することとなる他の開示関係役務提供者（提供先プロバイダ）からは、発信者であると認める開示関係役務提供者を除外している。

　この規定は、開示関係役務提供者には、いわゆるホスティング事業者（個人や企業等がウェブサイトを開設・運営できるようにするため、サーバを設置してサーバの容量貸し（ホスティングサービス）を行う事業者）も該当し得るところ[32]、このような開示関係役務提供者に該当するホスティング事業者が提供命令の名宛人になった場面を想定したものである。

31　例えば、その保有するアイ・ピー・アドレスについて、「WHOIS」を用いてネットワーク情報を検索して行うことなどが考えられる。また、法人の住所の確認については、登記情報等を確認することが考えられる。

具体的には、ホスティング事業者から借り受けたサーバ上に発信者が開設したウェブサイトにおいて、発信者自らが匿名で他人に対する論評等を含む記事や動画を掲載し、これを受けて当該他人が自らの権利を侵害されたとして当該ホスティング事業者に対する開示命令及び提供命令を申し立てるケースが想定される。

このようなケースでは、当該ホスティング事業者にとって、当該論評等を含む記事や動画を掲載したホスティング利用者が本号にいう「他の開示関係役務提供者」に該当することとなるため、当該ホスティング事業者としては、当該ホスティング利用者の氏名等情報を特定することとなるが、これをそのまま申立人に提供した場合、本来、第5条第1項各号又は第2項各号に掲げる開示要件を満たす場合にのみ開示されるべき発信者（ホスティング利用者）の氏名及び住所が、より緩やかな提供命令の要件しか満たしていないにもかかわらず「他の開示関係役務提供者の氏名等情報」として申立人に開示される結果となってしまう。

このような結果が生じるのを防ぐため、本号において、提供命令によりその氏名等情報が申立人に提供されることとなる他の開示関係役務提供者から、発信者であると認められる開示関係役務提供者（ホスティングサービスを用いて開設した自身のウェブサイト上で自ら特定電気通信を送信したホスティング利用者）を除外したものである[33]。

⑧ 「当該開示関係役務提供者が当該侵害情報に係る他の開示関

---

[32] ホスティングサービスの契約者（以下「ホスティング利用者」という。）がホスティング事業者から借り受けたサーバの容量を用いてウェブサイトを開設し、当該ウェブサイトを通じて特定電気通信が送信された場合、当該ホスティング事業者は、特定電気通信役務提供者に該当することとなる。さらに、当該ウェブサイトを通じて侵害情報が流通し、それにより権利侵害が生じた場合、当該ホスティング事業者は、開示請求の名宛人たる特定電気通信役務提供者、つまり、開示関係役務提供者に該当することとなる。

係役務提供者を特定するために用いることができる発信者情報として総務省令で定めるものを保有していない場合又は当該開示関係役務提供者がその保有する当該発信者情報によりイに規定する特定をすることができない場合　その旨」(ﾛ)

提供命令の発令に当たっては、相手方からの陳述聴取を必要的としていないことから、(ｱ)提供命令の発令を受けた提供元プロバイダが提供先プロバイダの氏名等情報を特定するために用いることができる発信者情報を保有していない場合や、(ｲ)提供命令の発令を受けた提供元プロバイダが提供先プロバイダの氏名等情報の特定をすることができない場合も想定される。(ｱ)又は(ｲ)の場合においては、当該提供元プロバイダは、その旨を申立人に通知すれば足りることとしている（以下、当該通知を「不特定等の通知」という。)。

(ｲ)の場合には、前述した、提供先プロバイダ（他の開示関係役務提供者）が発信者本人であると認められる場合（発信者本人がホスティングサービスにより借り受けたサーバ上に自らウェブサイトを開設し、当該ウェブサイト上で特定電気通信を送信し侵害情報を流通させた場合）も該当する。したがって、この場合においては、ホスティング事業者は、申立人に対し、他の開示関係役務提供者の氏名等情報の特定をすることができない旨の通知をすることとなる。

＜提供元プロバイダが保有する発信者情報の提供先プロバイダへの

33　なお、開示関係役務提供者であるホスティング利用者が「当該侵害情報の発信者である」と認められない場合、ホスティング事業者に対する提供命令が発令され、ホスティング事業者は、提供命令に基づきホスティング利用者の氏名等情報を申立人に提供することになる。このようなケースにおいて、ホスティング事業者は通信ログの管理をしておらず、ホスティング利用者に対して提供すべき発信者情報を保有していない場合も想定される。そのような場合には、本号の命令のみを内容とする提供命令が発令されることも想定される。

提供（第 2 号）＞

　提供命令の発令を受けて、提供元プロバイダから提供先プロバイダに発信者情報を提供する旨を定めるものである。

⑨　「この項の規定による命令（以下この条において「提供命令」といい、前号に係る部分に限る。）により他の開示関係役務提供者の氏名等情報の提供を受けた当該申立人から、当該他の開示関係役務提供者を相手方として当該侵害情報についての発信者情報開示命令の申立てをした旨の書面又は電磁的方法による通知を受けたとき」

　発信者情報は、発信者のプライバシー及び表現の自由、通信の秘密として保護されるべき情報であるから、申立人が他の開示関係役務提供者（提供先プロバイダ）に対して発信者情報の開示を求める意思表示を行っていない段階、つまり、提供先プロバイダに対する開示命令の申立てをしていない段階で、提供元プロバイダから提供先プロバイダに発信者情報が提供されてしまうのは適当ではない。

　そこで、本号により、第 1 号に基づき提供元プロバイダから提供先プロバイダの氏名等情報の提供を受けた申立人が、裁判所に当該提供先プロバイダに対する開示命令の申立てをしたうえで、当該申立てをした旨を提供元プロバイダに通知した時点で、提供元プロバイダは提供先プロバイダにその保有する発信者情報の提供をすることとしている。

⑩　「当該開示関係役務提供者が保有する発信者情報」

　提供命令の発令を受けて提供元プロバイダから提供先プロバイダに提供される情報として、「当該開示関係役務提供者が保有する発信者情報」を定めるものである。この「発信者情報」とは、第 1 号イに「発信者情報（当該発信者情報開示命令の申立てに係るものに限る。以下この項において同じ。）」とあることから、本案である開示命令の申立てにおいて開示を請求した発信者情報に限られる。

第4章　発信者情報開示命令事件に関する裁判手続（第8条－第18条）　225

　なお、提供命令は、一般的に経由プロバイダはアクセスログを比較的短期間しか保存していないため、コンテンツプロバイダに対する開示命令が発令されるまでの間に、経由プロバイダが保有するアクセスログ（アイ・ピー・アドレスやタイムスタンプ）が削除され、侵害情報の発信者を特定することができなくなることを防止する必要があるとして発令されるものであることから、「発信者情報開示命令の申立てに係る侵害情報の発信者を特定することができなくなることを防止するため必要があると認めるとき」の要件により、提供命令により提供元プロバイダから提供先プロバイダへと提供させることができる発信者情報は、提供先プロバイダにより媒介等された通信のアクセスログである発信者情報（施行規則第2条第5号から第13号まで）及び当該アクセスログを探索するに当たって参照し得る情報（施行規則第2条第14号）に限られることとなる。契約者情報又は登録者情報として保有される発信者情報（同条第1項から第4号まで）については、アクセスログである発信者情報と異なり、まずは保有するプロバイダに対してこれらの情報の消去禁止のみを命じ（消去禁止命令）、後続する開示命令の審理においてこれらの情報の開示の可否を判断すれば、権利救済の道を確保することができるものであるから、提供命令による提供の対象とはならない。

　提供命令は、侵害情報の発信者を特定することができなくなることを防止する必要があるとして発令されるものであることから、複数の侵害情報について開示命令の申立てがなされ、それぞれにつき異なる開示関係役務提供者が提供先プロバイダとして特定された場合、提供先プロバイダごとに、それぞれ当該提供先プロバイダが媒介等した侵害情報に係る発信者情報のみが提供の対象となる。また、特定発信者情報が開示命令の申立ての対象となっている場合、1つの侵害情報に対して複数の関連電気通信役務提供者が存在する

可能性がある。提供命令は、侵害情報の発信者を特定することができなくなることを防止する必要があるとして発令されるものであることから、開示命令の申立てに係る1つの侵害情報に対して複数の関連電気通信役務提供者が存在する場合には、関連電気通信役務提供者ごとにそれぞれ当該関連電気通信役務提供者が媒介した侵害関連通信に係る発信者情報のみが提供の対象となる。

また、本号の規定による発信者情報の提供についても、後続する手続において当該提供がされたことを確認する等の必要が生じることが想定されることから、当該提供が行われたことを証する書面又は電子的記録を残すことができる方法により当該提供が行われることを要することとしている。

2　特定発信者情報に係る提供命令（第2項）

(1)　本項の解説

提供命令により提供先プロバイダに提供される発信者情報が専ら侵害関連通信に係る発信者情報（特定発信者情報）である場合における補充的な要件を定めるものである。

具体的には、第1項の「開示命令の申立てに係る侵害情報の発信者を特定することができなくなることを防止するため必要があると認めるとき」との要件に加えて、特定発信者情報の開示に係る補充的な要件（第5条第1項第3号）に該当すると認められることを定める。

この要件を設けたことにより、開示命令の申立てにおいて特定発信者情報を含む発信者情報の開示を請求する場合は、当該開示の請求が当該補充的な要件を満たすと認められるときにのみ、特定発信者情報の提供を命ずる提供命令が発令されることとなるため、当該補充的な要件を満たす見込みがないのに提供命令が発令されて特定発信者情報が提供先プロバイダに提供される事態が生じることを防

ぐことができる。

提供命令が特殊保全処分であるという性質上、民事保全法第13条第2項に準じ、上記の補充的な要件に該当することについて疎明があれば足りる（ただし、補充的な要件は開示命令の申立てにおける要件でもあり、開示命令の申立てについての判断に当たっては証明を必要とする）。

(2) 用語の説明

① 「次の表の上欄に掲げる場合の区分に応じ、それぞれ同表の下欄に掲げる字句とする」

第1項の規定を読替え適用する形で、発信者情報の一類型である特定発信者情報に係る提供命令を裁判所が発することができる旨を規定するものである。

併せて、この読替規定において、当該開示命令の申立てにおいて特定発信者情報を含む発信者情報の開示を請求している場合であっても、当該開示の請求が第5条第1項第3号に該当すると認められないときは、裁判所は、提供元プロバイダに対し、特定発信者情報ではなく特定発信者情報以外の発信者情報を提供先プロバイダに提供することを命ずることができる旨を定めている。

3 提供命令の失効（第3項）

(1) 本項の解説

本項は、提供命令の効力の終了原因について定めるものである。

第1号（開示命令事件が終了したとき）は、提供命令の効力の終了原因として、本案である開示命令事件が終了したこと（異議の訴えが提起されたときは、その訴訟が終了したこと）を定めている。

これは、提供命令は、開示命令の申立てについての決定等がされるまでの暫定的な保全処分であるから、開示命令が発令された場合

は、提供命令の効力を維持する必要はないし、開示命令の申立てが却下された場合や開示命令の申立てが取り下げられた場合は、提供命令の効力を維持すべき理由はないからである。

　第2号は、提供命令（第1項第2号に規定する提供をすることを命ずる部分）の効力の終了原因として、提供先プロバイダの氏名等情報の提供を受けた申立人が、当該提供を受けた日から2月以内に、当該提供命令の相手方に対して、第1項第2号に規定する通知（提供先プロバイダに開示命令の申立てをした旨の通知）をしなかったことを定めるものである。

　これは、提供命令を受けた提供元プロバイダは、申立人から提供先プロバイダに対する開示命令の申立てをした旨の通知を受けたときという、停止条件付の発信者情報の提供義務を負う（第1項第2号）ところ、申立人が当該開示命令の申立てをしたかどうかわからないまま、引き続き提供命令に拘束されるとすれば、その相手方として不安定な地位に置かれ続けることとなる。そこで、提供先プロバイダの氏名等情報の提供を受けた日から2月の猶予期間を申立人に与えて、その期間内に申立人が当該提供先プロバイダに対する開示命令の申立てをした旨の通知をしないときは、提供命令は失効するとして、当該提供元プロバイダをその提供義務から解放するものである。

(2)　用語の説明

① 「提供命令により二以上の他の開示関係役務提供者の氏名等情報の提供を受けた者が、当該他の開示関係役務提供者のうちの一部の者について第一項第二号に規定する通知をしないことにより第二号に該当することとなるときは、当該一部の者に係る部分に限る」（柱書括弧書）

「当該一部の者に係る部分」とは、提供命令の名宛人である提供

元プロバイダから2以上の提供先プロバイダの氏名等情報の提供を受けた申立人が、これらの提供先プロバイダのうち一部の者について、当該一部の者を相手方として開示命令の申立てをした旨の通知をしないときの、当該一部の者に係る部分をいう。

　例えば、提供命令に基づき、提供命令の相手方であるコンテンツプロバイダから、経由プロバイダA及び経由プロバイダBの氏名等情報の提供を受けた申立人が、提供を受けた日から2月以内に、経由プロバイダAに対する開示命令の申立てをし、かつ、その旨をコンテンツプロバイダに通知（第1項第2号）したが、経由プロバイダBに対しては開示命令の申立てをしなかったというような場合は、提供命令のうち経由プロバイダBに係る部分について効力を失うこととなる。したがって、この場合、コンテンツプロバイダは、経由プロバイダBに対して発信者情報を提供する義務（第1項第2号）からは解放されることとなる（経由プロバイダAに対して発信者情報を提供する義務は引き続き負うこととなる）。

② 「当該提供命令の本案である発信者情報開示命令事件（当該発信者情報開示命令事件についての前条第一項に規定する決定に対して同項に規定する訴えが提起されたときは、その訴訟）が終了したとき」（第1号）

　「事件が終了」するのは、典型的には、開示命令の申立てについての決定（終局決定）が確定したときをいう。終局決定の確定とは、当該決定について通常の不服申立ての手段が尽きた状態をいい、具体的には、異議の訴えがその提起期間中に提起されなかったとき、又は却下されたときをいう（第14条第5項）。そのほか、申立ての取下げ（第13条第1項）や和解（非訟事件手続法第65条）があったとき等も含まれる。

　さらに、開示命令の申立てについての決定に対して異議の訴え（第14条第1項）が提起されたときは、当該決定の確定は遮断さ

れ、開示命令事件は異議の訴えに係る事件に移行するところ、異議の訴えについての判決がなされるまでは、実質的には本案が継続しているというべきであることから、異議の訴えが提起されたときはその訴訟が終了する（典型的には、異議の訴えについての判決（同条第3項）の確定）までを提供命令の効力の終期とするものである。

提供命令の効力の終期と対応する開示命令事件（訴訟）の主な終了原因

効力の終期	事件（訴訟）の主な終了原因
開示命令事件が終了するまで	・開示命令の申立てについての決定の確定 ・開示命令の申立ての取下げ（第13条） ・開示命令事件における和解（非訟事件手続法第65条）
異議の訴えが提起された場合には、その訴訟が終了するまで	・異議の訴えについての判決の確定 ・訴えの取下げ（民事訴訟法第261条） ・請求の放棄又は認諾（同法第266条） ・裁判上の和解（同法第265条）

③ 「当該提供命令により他の開示関係役務提供者の氏名等情報の提供を受けた者が、当該提供を受けた日から二月以内に、当該提供命令を受けた開示関係役務提供者に対し、第一項第二号に規定する通知をしなかったとき」（第2号）

「第一項第二号に規定する通知」とは、提供先プロバイダに対する開示命令の申立てをした旨の申立人から提供元プロバイダへの通知を意味するところ、同通知は、到達主義（民法97条第1項類推適用）により、その相手方に到達したときに「通知」があったものと解される。

4　申立ての取下げ（第4項）

本項は、提供命令の申立てについて、提供命令が発令された後で

も、裁判所の許可や相手方の同意を要せずに、取り下げることができる旨を定めるものである。

　提供命令は、開示命令の申立てについての決定等がされるまでの暫定的な処分である以上、提供命令が発令された後でも、事情変更により保全の必要性が失われるに至った場合（例えば、相手方が任意に発信者情報を開示した場合や、申立人において提供先プロバイダに対する開示命令の申立てをしないこととした場合等）には速やかに原状に戻すのが相当であると考えられるため、裁判所の許可や相手方の同意等の制限は不要としている。また、提供命令の確定後であっても、速やかに原状に戻すのが相当であると考えられる点は同様であることから、提供命令の確定後も、相手方の同意等を得ることなく取り下げることができることとしている。

5　提供命令に対する不服申立て（第5項）
(1)　概要

　保全処分である提供命令は、開示命令事件に付随する裁判であり、「終局決定以外の非訟事件に関する裁判」（非訟事件手続法第62条第1項）に該当する（提供命令が開示命令事件に付随する裁判であることについては、214頁を参照のこと）。そこで、本項は、同法第79条に規定する「特別の定め」として、提供命令を受けた開示関係役務提供者は、提供命令に対し、即時抗告をすることができる旨を定めたものである。

　これは、提供命令の名宛人となった提供元プロバイダは、その保有する侵害情報に係る発信者情報を元に特定される提供先プロバイダの氏名等情報を申立人に提供し、かつ、当該提供先プロバイダに対し、その保有する発信者情報を提供すること等を義務付けられるため、相手方の手続保障の観点から、提供命令に対しては、即時抗告をすることができることとしたものである。

(2) 即時抗告権者

提供命令に対して即時抗告を行うことができるのは、提供命令を受けた開示関係役務提供者[34]である。

他方で、提供命令の申立てが却下された場合における申立人は、当該却下決定に対して即時抗告を行うことができない。これは、提供命令の申立てについての決定には既判力が生じないことから、申立人は、再度提供命令の申立てをすることができることを考慮したものである。

(3) 即時抗告期間

提供命令の申立てについては、本案である開示命令の申立てに比して、より簡易迅速処理の要請が高いことから、提供命令に対する即時抗告の期間は、1週間の不変期間とされている（非訟事件手続法第81条）。

(4) 不服申立て方法のまとめ

提供命令の申立てについての決定に対する不服申立て方法及び不服申立て権者は、次のとおりである。

	提供命令に関する決定	
	認容	却下
不服申立て方法	即時抗告[※1] （第15条第5項）	なし[※2]
不服申立て権者	相手方	―

※1　非訟事件手続法第79条に規定する「特別の定め」として即時抗告を規

---

[34] 非訟事件手続法第82条は同法第66条第1項を準用しておらず、即時抗告の申立権者についての規律がないため、本項において、申立権者は提供命令を受けた開示関係役務提供者であることを定めたものである。

第4章　発信者情報開示命令事件に関する裁判手続（第8条－第18条）　233

　　定。
※2　却下決定は既判力を生じないため、申立人は再度提供命令の申立てを行うことができる（当該却下決定は付随的事項についての裁判であり、終局決定以外の裁判であるところ、当該決定に対する「特別の定め」（非訟事件手続法第79条）は設けていない）。

6　提供命令の申立てについての決定の告知方法

　提供命令は、その告知が即時抗告期間の始期となることから、決定書の送達により告知するのが相当とも考えられるが、一律に送達によることとした場合には、告知に時間を要し、簡易迅速な処理の要請に反する場合もあると考えられる。また、開示命令の申立てについての決定（終局決定）の告知も、決定書の送達によらないとしていることから、提供命令について決定書の送達によることとすることはバランスを失する。

　そこで、非訟事件手続法の原則どおり、提供命令の申立てについての決定の告知は相当と認める方法によることとし、具体的事案に応じた裁判所の裁量に委ねることとしている（非訟事件手続法第62条第1項による同法第56条第1項の準用）。

第16条（消去禁止命令）

（消去禁止命令）
第十六条　①本案の発信者情報開示命令事件が係属する裁判所は、②発信者情報開示命令の申立てに係る侵害情報の発信者を特定することができなくなることを防止するため必要があると認めるときは、当該発信者情報開示命令申立てをした者の申立てにより、決定で、当該発信者情報開示命令の申立ての相手方である開示関係役務提供者に対し、③当該発信者情報開示命令事件（当該発信者情報開示命令事件についての第十四条第一項に規定する決定に対して同項に規定する訴えが提起されたときは、その訴訟）が終了するまでの間、④当該開示関係役務提供者が保有する発信者情報（当該発信者情報開示命令の申立てに係るものに限る。）を消去してはならない旨を命ずることができる。
2　前項の規定による命令（以下この条において「消去禁止命令」という。）の申立ては、当該消去禁止命令があった後であっても、その全部又は一部を取り下げることができる。
3　消去禁止命令を受けた開示関係役務提供者は、当該消去禁止命令に対し、即時抗告をすることができる。

趣旨

　本条は、開示命令の実効性を確保するため、裁判所が、特殊保全処分（民事保全法の適用を受けない保全処分）として、申立てにより、開示関係役務提供者に対して、その保有する発信者情報の消去の禁止を命ずることができる（消去禁止命令）ことを定めるととも

第 4 章　発信者情報開示命令事件に関する裁判手続（第 8 条 - 第18条）　235

に、消去禁止命令の申立ての取下げ及び消去禁止命令に対する不服申立て方法について定めるものである。

解説

1　消去禁止命令（第 1 項）

(1)　消去禁止仮処分とは別に本法律において消去禁止命令を設けた理由

　本法律に基づく開示命令の申立てのほか、発信者情報開示請求権に基づく開示請求訴訟を提起することも想定されることから、民事保全法に基づく消去禁止仮処分を利用して、プロバイダ等に対し、発信者情報の消去禁止を求めることも可能である。

　そのうえで、通信の秘密である発信者情報は本来速やかに消去されるものであるため、それを禁止する手続についても高い迅速性が求められることからすると、民事保全手続は、発令するためには原則として口頭弁論又は債務者審尋期日を経なければならないとされているため（民事保全法第23条第 4 項）、アクセスログの消去禁止を図る手段として、別途、その審理において相手方からの陳述の聴取を必要的としていない等の点で消去禁止仮処分よりも簡易な手続による消去禁止命令を設けたものである。

(2)　消去禁止命令の効果

　消去禁止命令が発令された場合、当該命令は、当該命令を受けた開示関係役務提供者に対し、その保有する発信者情報（本案である開示命令の申立てにおいて開示を請求した発信者情報に限る）の消去を禁止する効果を持つものである。

(3) 消去禁止命令を発するための相手方からの陳述の聴取を必要的としていない理由

本項の規定により、裁判所は、相手方の陳述の聴取を経ないで消去禁止命令を発することができることとしている。

ここで、消去禁止命令について、民事保全手続より手続を緩和して、相手方からの陳述の聴取を必要的なものとしていない理由は次のとおりである。

・消去禁止命令は、開示命令事件の手続における付随的な手続であり、開示要件についての実質的な審理は開示命令事件手続において行われるため（開示命令を発するためには相手方からの陳述聴取が必要的である）、消去禁止命令を発するに当たって、相手方からの陳述聴取を必要的としなくても、相手方の手続保障に欠けるとはいえない。また、相手方は即時抗告により不服を申し立てることができるとするため、手続保障としてはそれで足るといえる。

なお、運用上は、裁判所の職権による事実の調査（非訟事件手続法第49条第1項）として、相手方が申立てに係る発信者情報を保有しているか否かを聴取してから消去禁止命令を発令することも可能である。

(4) 消去禁止命令の発令の条件として立担保を不要としている理由

民事保全法第14条第1項は、「保全命令は、担保を立てさせて、若しくは相当と認める一定の期間内に担保を立てることを保全執行の実施の条件として、又は担保を立てさせないで発することができる」旨を規定しているのに対し、消去禁止命令は、担保を立てさせないで発することができることとしている。

第 4 章　発信者情報開示命令事件に関する裁判手続（第 8 条 − 第18条）

　これは、民事保全法が立担保を条件として保全命令を発することができるとした趣旨は、違法・不当な保全処分の執行（被保全権利や保全の必要性がなかったのに保全命令が発令・執行された場合や、執行手続に違法があった場合）によって債務者が被るであろう損害を担保するためであるところ、消去禁止命令の場合は、発信者情報の消去禁止を命ずることにより、相手方は保有する情報を消去しないよう所要の措置を行うにすぎず、具体的かつ相当な程度の損害が生じることが観念されないためである。

(5) **用語の説明**

① 「**本案の発信者情報開示命令事件が係属する裁判所**」

　消去禁止命令の申立ての要件として、開示命令の申立てがあったこと（本案である開示命令事件の係属）を要する旨を定めるとともに、消去禁止命令の申立ては開示命令事件が係属する裁判所の管轄に属する旨を定めるものである。

　開示命令の申立てがあったことを消去禁止命令の申立ての要件とした理由は、特殊保全処分においては、本案が係属する裁判所以外の裁判所が別個に不統一に保全措置を講ずることは望ましくないところ、消去禁止命令が開示命令に付随する手続として位置付けられるからである。また、運用面でも、開示命令の申立てがなければ、裁判所は、消去禁止命令を発する「必要がある」か否かを判断できないし、開示命令を申し立てるつもりがないのに消去禁止命令の申立てを濫発するという事態が生じることを防止する観点からも、開示命令の申立てがあったことを要件とすることが必要であったものである。

　消去禁止命令の申立てを開示命令事件が係属する裁判所の管轄に属するとした理由は、消去禁止命令は暫定的な決定であることから、特に迅速処理が要請されるところ、その要請を果たすために

は、開示命令事件の係属している裁判所で扱うことが最も合理的であるからである。

② 「発信者情報開示命令の申立てに係る侵害情報の発信者を特定することができなくなることを防止するため必要があると認めるとき」

消去禁止命令が速やかに発令されないと、発信者情報が消去されて、発信者を特定することができなくなるおそれがあることを意味するものであり、このことを主張・疎明することにより、裁判所は消去禁止命令を発令することができるものである。

この要件を満たすことが想定される例としては、経由プロバイダにおけるアクセスログの保存期間が限られており、経由プロバイダに対する開示命令の決定を待っていたのでは発信者情報が消去され、発信者を特定することができなくなるおそれがある場合が挙げられる。

なお、同要件については、消去禁止命令が特殊保全処分であるという性質上、民事保全法第13条第2項に準じ、疎明があれば足りるものである。

③ 「当該発信者情報開示命令事件（当該発信者情報開示命令事件についての第十四条第一項に規定する決定に対して同項に規定する訴えが提起されたときは、その訴訟）が終了するまでの間」

消去禁止命令が発令された場合、発令を受けた相手方は、本案である開示命令の申立てについての決定の確定、申立ての取下げ等により開示命令事件が終了するまでの間（仮に異議の訴えがあった場合には当該訴えに対する判決の確定、訴えの取下げ等により訴訟が終了するまでの間）、当該開示命令の申立てに係る発信者情報を消去することが禁止される。

消去禁止命令の効力の終期と対応する開示命令事件（訴訟）の主な終了原因

効力の終期	事件（訴訟）の主な終了原因
開示命令事件が終了するまで	・開示命令の申立てについての決定の確定 ・開示命令の申立ての取下げ（本法律第13条） ・開示命令事件における和解（非訟事件手続法第65条）
異議の訴えが提起された場合には、その訴訟が終了するまで	・異議の訴えについての判決の確定 ・訴えの取下げ（民事訴訟法第261条） ・請求の放棄又は認諾（民事訴訟法第266条） ・裁判上の和解（民事訴訟法第265条）

④ 「当該開示関係役務提供者が保有する」

「当該開示関係役務提供者が保有する」とは、消去禁止命令が、開示命令が決定されるまでの間にプロバイダの保有する発信者情報が消去される事態を避けるための特殊保全処分であることからすれば、第5条第1項及び第2項と同様、「当該開示関係役務提供者が当該発信者情報について開示することのできる権限を有する」ことをいうと解することが適当である。

「保有する」とあるように、開示関係役務提供者が発信者情報を保有していることを消去禁止命令の発令要件とするものである。また、「当該開示関係役務提供者が」とあるように、消去禁止命令の申立ての相手方が開示関係役務提供者であることを要する。

これらの要件については、消去禁止命令が特殊保全処分であるという性質上、民事保全法第13条第2項に準じ、疎明があれば足りるものである（当該要件は開示命令の申立てにおける要件でもあり、開示命令の申立てについての判断に当たっては証明を必要とする）。

2　申立ての取下げ（第2項）

　本項は、消去禁止命令の申立てについて、消去禁止命令が発令された後でも、裁判所の許可や相手方の同意を要せずに、取り下げることができる旨を定めるものである。

　消去禁止命令は、開示命令の申立てについての決定等がされるまでの暫定的な処分である以上、消去禁止命令が発令された後でも、事情変更により保全の必要性が失われるに至った場合（例えば、相手方が任意に消去禁止措置をとった場合等）には速やかに原状に戻すのが相当であると考えられるため、裁判所の許可や相手方の同意等の制限は不要としている。また、消去禁止命令の確定後であっても、速やかに原状に戻すのが相当であると考えられる点は同様であることから、消去禁止命令の確定後でも、相手方の同意等を得ることなく取り下げることができることとしている。

3　消去禁止命令に対する不服申立て（第3項）

(1)　概要

　保全処分である消去禁止命令は、開示命令事件に付随する裁判であり、「終局決定以外の非訟事件に関する裁判」（非訟事件手続法第62条第1項）に該当する（消去禁止命令が開示命令事件に付随する裁判であることについては、236頁を参照のこと）。そこで、本項は、同法第79条に規定する「特別の定め」として、消去禁止命令を受けた開示関係役務提供者は、消去禁止命令に対し、即時抗告をすることができる旨を定めたものである。

　これは、消去禁止命令の相手方となった開示関係役務提供者は、発信者情報の消去禁止措置を講じること（サーバに記録されている情報について保管措置を講じること）を義務付けられるため、相手方の手続保障の観点から、消去禁止命令に対しては、即時抗告をす

第4章 発信者情報開示命令事件に関する裁判手続（第8条－第18条） 241

ることができることとしたものである。

(2) **即時抗告権者**

消去禁止命令に対して即時抗告を行うことができるのは、消去禁止命令を受けた開示関係役務提供者である。

他方で、消去禁止命令の申立てが却下された場合における申立人は、当該却下決定に対して即時抗告を行うことができない。これは、消去禁止命令の申立てについての決定には既判力が生じないことから、申立人は、再度消去禁止命令の申立てをすることができることを考慮したものである。

(3) **即時抗告期間**

消去禁止命令の申立てについては、本案である開示命令の申立てに比して、より簡易迅速処理の要請が高いことから、消去禁止命令に対する即時抗告の期間は、1週間の不変期間とされている（非訟事件手続法第81条）。

(4) **不服申立て方法等のまとめ**

消去禁止命令の申立てについての決定に対する不服申立て方法及び不服申立て権者は、次のとおりである。

	消去禁止に関する決定	
	認容	却下
不服申立て方法	即時抗告[※1] （16条第3項）	なし[※2]
不服申立て権者	相手方	―

※1 非訟事件手続法第79条に規定する「特別の定め」として即時抗告を規定。
※2 却下決定は既判力を生じないため、申立人は再度消去禁止命令の申立

てを行うことができる（当該却下決定は付随的事項についての裁判であり、終局決定以外の裁判であるところ、当該決定に対する「特別の定め」（非訟事件手続法第79条）は設けていない）。

4　消去禁止命令の申立てについての決定の告知方法

　消去禁止命令は、その告知が即時抗告期間の始期となることから、決定書の送達により告知するのが相当とも考えられるが、一律に送達によることとした場合には、告知に時間を要し、簡易迅速な処理の要請に反する場合もあると考えられる。また、開示命令の申立てについての決定（終局決定）の告知も、決定書の送達によらないものとしていることから、消去禁止命令について決定書の送達によることとすることはバランスを失する。

　そこで、非訟事件手続法の原則どおり、消去禁止命令の申立てについての決定の告知は相当と認める方法によることとし、具体的事案に応じた裁判所の裁量に委ねることとしている（非訟事件手続法第62条第1項による同法第56条第1項の準用）。

第17条（非訟事件手続法の適用除外）

（非訟事件手続法の適用除外）
第十七条 ①発信者情報開示命令事件に関する裁判手続については、非訟事件手続法第二十二条第一項ただし書、第二十七条及び第四十条の規定は、適用しない。

> 趣旨

　本条は、開示命令事件に関する裁判手続に非訟事件手続法第2編の規定が適用されることを前提に、当該手続に関し、手続代理人の資格に関する規定（非訟事件手続法第22条）のうち手続代理人の資格の特則（許可代理）に関する規定（同条第1項ただし書）、手続費用の国庫立替え（同法第27条）及び検察官の関与に関する規定（同法第40条）について、その適用をそれぞれ除外するものである（詳細な適用関係については、後掲の補論を参照のこと）。

> 解説

1　適用を除外される規定
(1)　手続代理人の資格の特則に関する規定（非訟事件手続法第22条第1項ただし書）

　非訟事件手続法第22条第1項ただし書は、「第一審裁判所においては、その許可を得て、弁護士でない者を手続代理人とすることができる」として、手続代理人の資格に関する特則（許可代理）を定める。これは、非訟事件の中には、紛争性がなく、その事案も比較的軽微なものもあることから、弁護士でない者が手続代理人として

手続行為をすることを認めても差支えがない場合があることを考慮したものである[35]。

本条では、以下の理由により、手続代理人の資格の特則に関する規定（非訟事件手続法第22条第1項ただし書）の適用を除外している。

　(ア)　開示命令事件に関する裁判手続で争われる事案は、開示の要否をめぐって紛争性のある場合も予想されること

　(イ)　開示命令、提供命令及び消去禁止命令が被害者の権利救済のための制度である一方で、発信者情報が発信者のプライバシー、表現の自由及び通信の秘密にかかわる情報であることから、当事者の利益保護を確実にし、手続進行の円滑化を図るとともに、事件屋の跋扈を防止するためには弁護士代理の原則を貫徹すべきであること

これにより、開示命令事件に関する裁判手続における手続代理人の資格については、非訟事件手続法第22条第1項本文の規定のとおり、法令により裁判上の行為をすることができる代理人及び弁護士に限定される。

(2) 手続費用の立替えに関する規定（非訟事件手続法第27条）

非訟事件手続法第27条は、「事実の調査、証拠調べ、呼出し、告知その他の非訟事件の手続に必要な行為に要する費用は、国庫において立て替えることができる」として、手続費用を国庫において立て替えることができる旨を定める。これは、民事訴訟費用等に関する法律（昭和46年法律第40号）第12条第1項は、同法第11条第1項が定める費用を要する行為について、原則として当事者等に手続費用の概算額を予納させるものとしているところ、非訟事件の後見的

---

[35]　金子修編著『逐条解説　非訟事件手続法』商事法務（2015年）86頁以下

又は公益的性質からすると、事案によっては当事者が予納しなければ当該手続を行わなくてもよいというわけにはいかず、一時的に国庫が費用を負担してでも、裁判所が当該非訟事件について判断するために必要と認める資料を迅速に得る必要がある場合も考えられることから、民事訴訟費用等に関する法律第12条第1項に規定する「別段の定め」として、国庫立替えを認めたものである[36]。

　もっとも、開示命令事件に関する裁判手続においては、当事者が処分することのできる発信者情報開示請求権という私的な実体法上の権利の存否及びその内容が問題となっており、その争訟性、私益性の高さ（他方で、公益性は低いものといえる）からすると、利害の対立する当事者に費用を負担させるのが合理的である。

　そこで、本条では、手続費用の国庫立替えに関する規定（非訟事件手続法第27条）の適用を除外したものである。

(3) 検察官の関与に関する規定（非訟事件手続法第40条）

　非訟事件手続法第40条は、「検察官は、非訟事件について意見を述べ、その手続の期日に立ち会うことができる」等として、非訟事件の手続への検察官の関与について定める。これは、非訟事件が一般的には公益性を有する事件であることに鑑み、公益の代表者である検察官（検察庁法（昭和22年法律第61号）第4条参照）が、非訟事件の手続に関与できるようにしたものである[37]。

　もっとも、開示命令事件に関する裁判手続は、発信者特定後に想定される民事上の争いである損害賠償請求訴訟等の前段階の手続であり、その性質上、検察官が公益の代表者として意見を述べる等して関与する場面を想定することができないことから、本条では、検

---

[36] 前掲注35・100頁
[37] 前掲注35・158頁

察官の関与に関する規定（非訟事件手続法第40条）の適用を除外したものである。

2 用語の説明

① 「発信者情報開示命令事件に関する」

「発信者情報開示命令事件に関する」とは、開示命令事件に加えて、開示命令事件に付随する手続である提供命令事件及び消去禁止命令事件をも含む趣旨である。

○非訟事件手続法（平成23年法律第51号）

（手続代理人の資格）
第二十二条 法令により裁判上の行為をすることができる代理人のほか、弁護士でなければ手続代理人となることができない。ただし、第一審裁判所においては、その許可を得て、弁護士でない者を手続代理人とすることができる。
2 前項ただし書の許可は、いつでも取り消すことができる。

（手続費用の立替え）
第二十七条 事実の調査、証拠調べ、呼出し、告知その他の非訟事件の手続に必要な行為に要する費用は、国庫において立て替えることができる。

（検察官の関与）
第四十条 検察官は、非訟事件について意見を述べ、その手続の期日に立ち会うことができる。
2 裁判所は、検察官に対し、非訟事件が係属したこと及びその手続の期日を通知するものとする。

第4章　発信者情報開示命令事件に関する裁判手続（第8条－第18条）　247

第18条（最高裁判所規則）

（最高裁判所規則）
第十八条　この法律に定めるもののほか、①発信者情報開示命令事件に関する②裁判手続に関し必要な事項は、最高裁判所規則で定める。

[趣旨]

本条は、開示命令事件に関する裁判手続の細目について最高裁判所規則で定める旨を規定するものである。

[解説]

1　概要

本条では、当事者等の権利義務に影響を及ぼす事項や手続の大綱に関する事項については法律で定め、手続の細目的事項については委任に基づき最高裁判所規則で定めることとしている。

開示命令事件に関する最高裁判所規則として、開示命令事件手続規則が策定され、管轄裁判所が定まらない場合の裁判籍所在地の指定（開示命令事件手続規則第1条）、提供命令に基づき他の開示関係役務提供者の氏名等情報の提供を受けた場合の申立書の記載事項（同規則第2条）、発信者情報開示命令の申立書の写しの提出（同規則第3条）、提供命令及び消去禁止命令の申立ての方式、申立書の記載事項等（同規則第4条）、提出書類の直送（同規則第5条）、発信者情報開示命令の申立ての変更の取扱い（同規則第6条）、非訟事件手続規則の適用除外（同規則第7条）、申立ての取下げがあっ

た場合の取扱い（同規則第8条）について定められている。

2 用語の説明

① 「発信者情報開示命令事件に関する」

「発信者情報開示命令事件に関する」とは、第17条と同様に、開示命令事件に加えて、開示命令事件に付随する事項である提供命令事件及び消去禁止命令事件をも含む趣旨である。

② 「裁判手続に関し必要な事項は、最高裁判所規則で定める」

「裁判手続に関し必要な事項は、最高裁判所規則で定める」とは、発信者情報開示命令事件に関する裁判手続に関し必要な事項は、最高裁判所が定めることができることとしたものである。

令和3年改正法附則

第1条（施行期日）

（施行期日）
第一条　この法律は、公布の日から起算して一年六月を超えない範囲内において政令で定める日から施行する。

趣旨

本条は、令和3年改正法の施行期日を規定するものである。

解説

　令和3年改正法の施行に必要な総務省令及び最高裁判所規則並びに新設する開示命令事件に関する裁判手続において用いられる各種文書の様式等の検討・制定作業等が相当量発生することに加え、影響を受ける者の範囲が事業者等多岐にわたるため相当の準備期間・周知期間を必要とすることから、「公布の日から起算して一年六月を超えない範囲内において政令で定める日」から施行することとしたものである。

第2条（経過措置）

（発信者の意見の聴取に関する経過措置）
第二条 この法律の施行の日前にしたこの法律による改正前の特定電気通信役務提供者の損害賠償責任の制限及び発信者情報の開示に関する法律第四条第二項の規定による意見の聴取は、この法律による改正後の特定電気通信役務提供者の損害賠償責任の制限及び発信者情報の開示に関する法律（次条において「新法」という。）第六条第一項の規定によりされた意見の聴取とみなす。

[趣旨]

本条は、令和3年改正法の施行に伴う経過措置について定めるものである。

[解説]

旧法下は、開示関係役務提供者が発信者情報の開示請求を受けた場合に発信者から意見聴取をしなければならないとされていた（旧法第4条第2項）。令和3年改正法による改正により、発信者からの聴取事項として、「開示するかどうか（改正後は「開示の請求に応じるかどうか」（第6条第1項））」に加えて「開示に応じるべきでない場合には、その理由」が追加されたため、令和3年改正法の施行日前に開示請求が行われた場合であって、施行日時点において開示の判断がなされていないときの適用関係を明確化したものである。

ここで、令和3年改正法の施行日時点で開示に関する判断がなさ

れていない場合において、令和3年改正法施行前に既に旧法に基づく発信者の意見聴取を完了している場合にまで再度意見聴取を要することとすることは、開示関係役務提供者に追加的な負担を強いることとなるため、施行日前に発信者の意見聴取を完了している場合は、第6条第1項の規定による発信者の意見聴取がされたものとみなすこととしている。

　なお、「令和3年改正法施行前に既に旧法に基づく発信者の意見聴取を完了している場合」に該当するためには、開示関係役務提供者において、令和3年改正法の施行日時点で単に発信者に対して意見聴取のための照会文書等を送付済であるのみでは足りず、当該意見聴取に対する当該発信者からの回答が到達済であることを要する。したがって、発信者に対して意見聴取のための照会文書等を送付済であるが、まだ当該発信者からの回答が到達していない時点で令和3年改正法が施行された場合は、開示関係役務提供者は、改めて第6条第1項の規定による発信者の意見聴取をしなければならないこととなる。

第3条（検討）

(検討)
第三条 政府は、この法律の施行後五年を経過した場合において、新法の施行の状況について検討を加え、その結果に基づいて必要な措置を講ずるものとする。

[趣旨]

本条は、令和3年改正法の施行後の本法律に関する検討について規定するものである。

[解説]

本法律が適切に運用され、発信者情報の開示請求についてその事案の実情に即した迅速かつ適正な解決に資するものとなっているか、一定期間経過後に見直す旨を規定するものである。

令和3年改正法の施行後、新設された開示命令事件に関する裁判手続の利用が普及し、個人や代理人弁護士、プロバイダ等といった関係者において令和3年改正法が規定する諸制度に対する理解が進み、その利用実績が十分に蓄積されるまでに5年前後を要すると予想されることから、「5年を経過した場合において」と規定している。

(補論) プロバイダ責任制限法と非訟事件手続法の規定の適用関係について

(1) 開示命令事件における非訟事件手続法の適用関係

　非訟事件手続法第3条は、「非訟事件の手続については、次編から第五編まで及び他の法令に定めるもののほか、この編（筆者注：第2編）の定めるところによる」旨を規定している。

　この規定は、同法第3編（民事非訟事件）、第4編（公示催告事件）及び第5編（過料事件）並びに非訟事件の手続について定める他の法令が、同法第2編の規定に対する特則的規定又は補足的規定になること、すなわち、非訟事件の手続は、第2編の規定を基本にしつつ、事件類型ごとに個別にその特則的規定や補足的規定を設け、第2編とそのような個別の規定が一体となって当該事件類型の手続を構成することを前提とするものである。

　開示命令事件は、「非訟事件」（非訟事件手続法第3条）に該当するところ、これを処理するための手続として、同法第2編が適用されることを前提に、本法律第8条から第18条までにおいて、その特則的規定や補足的規定を定めるものである。

　ここで、開示命令事件に関する裁判手続について、非訟事件手続法第2編の規定が適用されるものと、本法律において特則的規定や補足的規定を定めるものは、具体的には、後掲(3)の適用関係表に記載のとおり整理される。

(2) 提供命令事件及び消去禁止命令事件における非訟事件手続法の適用関係

　非訟事件手続法において「非訟事件」とは、主として非訟事件の申立てがあり、又は職権で手続が開始された非訟事件について用いられており、「非訟事件の申立て」（同法第2編第3章第1節）とは、裁判所に対して一定の内容の終局決定を求める行為をいう[1]。提供命令事件及び消去禁止命令事件は、開示命令事件の手続における付随的な手続であり、その申立ては、終局決定を求めるものではないから、上記「非訟事件の申立て」ではなく、同法第2編第3章第1節の規定は、直接適用されない[2]。これらの命令は、「終局決定以外の非訟事件に関する裁判」（同法62条）にあたる[3]。

　終局決定に関する規律以外については、同法において、非訟事件の手続に関する規律は、付随事件について別個の規律に服させる必要がないと考えられている[4]。そこで、これらの規律については、特別の定めがない限り、提供命令事件及び消去禁止命令事件についても適用されるものと整理している。

---

[1] 金子修編著『一問一答　非訟事件手続法』商事法務（2012年）16頁

[2] ただし、非訟事件手続法第44条については類推適用されると解される。

[3] したがって、例えば、非訟事件手続法の終局決定に関する規定は、同法第62条第1項に規定する限りで、また、終局決定に関する不服申立ての規定は、同法第82条に規定される限りで準用されるものであり、直接適用されない。

[4] 例えば、「非訟事件の手続は、公開しない」（非訟事件手続法第30条）、「非訟事件の手続の期日においては、裁判長が手続を指揮する」（同法第45条第1項）などは、手続に関する一般的規律であり、終局決定以外の事件にも適用される。

(補論) プロバイダ責任制限法と非訟事件手続法の規定の適用関係について　255

(3) 本法律と非訟事件手続法との適用関係

※　各欄中の「〇」は「非訟事件手続法第2編の規定」の欄に記載の規律が適用されること、「×」は適用されないこと、「△」は準用又は類推適用されることを、それぞれ意味する。

非訟事件手続法	非訟事件手続法第2編の規定	プロバイダ責任制限法（以下、「法」は新法を指す。）	
		開示命令事件	提供命令事件及び消去禁止命令事件
第4条	裁判所は、非訟事件の手続が公正かつ迅速に行われるように努め、当事者は、信義に従い誠実に非訟事件の手続を追行しなければならない。	〇	〇
国際裁判管轄	定めなし。	法9条に規定あり。	開示命令事件の国際裁判管轄に従う。
第5条	非訟事件は、管轄が人の住所地により定まる場合において、日本国内に住所がないとき又は住所が知れないときはその居所地を管轄する裁判所の管轄に属し、日本国内に居所がないとき又は居所が知れないときはその最後の住所地を管轄する裁判所の管轄に属する。	法10条に規定あり。	開示命令事件の裁判管轄に従う（法15条1項、16条1項）。
	2　非訟事件は、管轄が法人その他の社団又は財団（外国の社団又は財団を除く。）の住所地により定まる場合において、日本国内に住所がないとき、又は住所が知れないときは、代表者その他の主たる業務担当者の住所地を管轄する裁判所の管轄に属する。		
	3　非訟事件は、管轄が外国の社団又は財団の住所地により定まる場合においては、日本における主たる事務所又は営業所の所在地を管轄する裁判所の管轄に属し、日本国内に事務所又は営業所がないときは日本における代表者その他の主たる業務担当者の住所地を管轄する裁判所の管轄に属する。		
第6条	この法律の他の規定又は他の法令の規定により二以上の裁判所が管轄権を有するときは、非訟事件は、先に申立てを受け、又は職権で手続を開始した裁判所が管轄する。ただし、その裁判所は、非訟事件の手続が遅滞することを避けるため必要があると認めるときその	〇	開示命令事件の裁判管轄に従う（法15条1項、16条1項）。

	他相当と認めるときは、申立てにより又は職権で、非訟事件の全部又は一部を他の管轄裁判所に移送することができる。		
第7条	管轄裁判所が法律上又は事実上裁判権を行うことができないときは、その裁判所の直近上級の裁判所は、申立てにより又は職権で、管轄裁判所を定める。	○	開示命令事件の裁判管轄に従う（法15条1項、16条1項）。
	2　裁判所の管轄区域が明確でないため管轄裁判所が定まらないときは、関係のある裁判所に共通する直近上級の裁判所は、申立てにより又は職権で、管轄裁判所を定める。		
	3　前二項の規定により管轄裁判所を定める裁判に対しては、不服を申し立てることができない。		
	4　第一項又は第二項の申立てを却下する裁判に対しては、即時抗告をすることができる。		
第8条	この法律の他の規定又は他の法令の規定により非訟事件の管轄が定まらないときは、その非訟事件は、裁判を求める事項に係る財産の所在地又は最高裁判所規則で定める地を管轄する裁判所の管轄に属する。	法10条2項に規定あり。	開示命令事件の裁判管轄に従う（法15条1項、16条1項）。
合意管轄	定めなし。	法10条4項に規定あり。	開示命令事件の裁判管轄に従う（法15条1項、16条1項）。
第9条	裁判所の管轄は、非訟事件の申立てがあった時又は裁判所が職権で非訟事件の手続を開始した時を標準として定める。	○	× ただし、「又は裁判所が職権で非訟事件の手続を開始した時」は○であるが、申立てにより手続が開始されるため、適用される場面がない。
第10条	民事訴訟法（平成八年法律第百九号）第十六条（第二項ただし書を除く。）、第十八条、第二十一条及び第二十二条の規定は、非訟事件の移送等について準用する。 2　非訟事件の移送の裁判に対する即時抗告は、執行停止の効力を有する。	○ ただし、民事訴訟法16条2項と18条の準用部分は、簡易裁判所の管轄に関する規定のため、適	開示命令事件の裁判管轄に従う（法15条1項、16条1項）。

(補論) プロバイダ責任制限法と非訟事件手続法の規定の適用関係について 257

		用される場面がない。	
第11条	裁判官は、次に掲げる場合には、その職務の執行から除斥される。ただし、第六号に掲げる場合にあっては、他の裁判所の嘱託により受託裁判官としてその職務を行うことを妨げない。	○	○
	一 裁判官又はその配偶者若しくは配偶者であった者が、事件の当事者若しくはその他の裁判を受ける者となるべき者（終局決定（申立てを却下する終局決定を除く。）がされた場合において、その裁判を受ける者となる者をいう。以下同じ。）であるとき、又は事件についてこれらの者と共同権利者、共同義務者若しくは償還義務者の関係にあるとき。		
	二 裁判官が当事者又はその他の裁判を受ける者となるべき者の四親等内の血族、三親等内の姻族若しくは同居の親族であるとき、又はあったとき。		
	三 裁判官が当事者又はその他の裁判を受ける者となるべき者の後見人、後見監督人、保佐人、保佐監督人、補助人又は補助監督人であるとき。		
	四 裁判官が事件について証人若しくは鑑定人となったとき、又は審問を受けることとなったとき。		
	五 裁判官が事件について当事者若しくはその他の裁判を受ける者となるべき者の代理人若しくは補佐人であるとき、又はあったとき		
	六 裁判官が事件について仲裁判断に関与し、又は不服を申し立てられた前審の裁判に関与したとき。		
	2 前項に規定する除斥の原因があるときは、裁判所は、申立てにより又は職権で、除斥の裁判をする。		
第12条	裁判官について裁判の公正を妨げる事情があるときは、当事者は、その裁判官を忌避することができる。	○	○
	2 当事者は、裁判官の面前において事件について陳述をしたときは、その裁判官を忌避することができない。ただし、忌避の原因があることを知らなかったとき、又は忌		

	避の原因がその後に生じたときは、この限りでない。		
第13条	合議体の構成員である裁判官及び地方裁判所の一人の裁判官の除斥又は忌避についてはその裁判官の所属する裁判所が、簡易裁判所の裁判官の除斥又は忌避についてはその裁判所の所在地を管轄する地方裁判所が、裁判をする。	○	○
	2　地方裁判所における前項の裁判は、合議体でする。		
	3　裁判官は、その除斥又は忌避についての裁判に関与することができない。		
	4　除斥又は忌避の申立てがあったときは、その申立てについての裁判が確定するまで非訟事件の手続を停止しなければならない。ただし、急速を要する行為については、この限りでない。		
	5　次に掲げる事由があるとして忌避の申立てを却下する裁判をするときは、第三項の規定は、適用しない。		
	一　非訟事件の手続を遅滞させる目的のみでされたことが明らかなとき。		
	二　前条第二項の規定に違反するとき。		
	三　最高裁判所規則で定める手続に違反するとき。		
	6　前項の裁判は、第一項及び第二項の規定にかかわらず、忌避された受命裁判官等（受命裁判官、受託裁判官又は非訟事件を取り扱う地方裁判所の一人の裁判官若しくは簡易裁判所の裁判官をいう。次条第三項ただし書において同じ。）がすることができる。		
	7　第五項の裁判をした場合には、第四項本文の規定にかかわらず、非訟事件の手続は停止しない。		
	8　除斥又は忌避を理由があるとする裁判に対しては、不服を申し立てることができない。		
	9　除斥又は忌避の申立てを却下する裁判に対しては、即時抗告をすることができる。		
第14条	裁判所書記官の除斥及び忌避については、第十一条、第十二条並びに前条第三項、第五項、第八項及び第九項の規定を準用する。	○	△ 類推適用

（補論）　プロバイダ責任制限法と非訟事件手続法の規定の適用関係について　259

	2　裁判所書記官について除斥又は忌避の申立てがあったときは、その裁判所書記官は、その申立てについての裁判が確定するまでその申立てがあった非訟事件に関与することができない。ただし、前項において準用する前条第五項各号に掲げる事由があるとして忌避の申立てを却下する裁判があったときは、この限りでない。		
	3　裁判所書記官の除斥又は忌避についての裁判は、裁判所書記官の所属する裁判所がする。ただし、前項ただし書の裁判は、受命裁判官等（受命裁判官又は受託裁判官にあっては、当該裁判官の手続に立ち会う裁判所書記官が忌避の申立てを受けたときに限る。）がすることができる。		
第15条	非訟事件の手続における専門委員の除斥及び忌避については、第十一条、第十二条、第十三条第八項及び第九項並びに前条第二項及び第三項の規定を準用する。この場合において、同条第二項ただし書中「前項において準用する前条第五項各号」とあるのは、「第十三条第五項各号」と読み替えるものとする。	○	○
第16条	当事者能力、非訟事件の手続における手続上の行為（以下「手続行為」という。）をすることができる能力（以下この項及び第七十四条第一項において「手続行為能力」という。）、手続行為能力を欠く者の法定代理及び手続行為をするのに必要な授権については、民事訴訟法第二十八条、第二十九条、第三十一条、第三十三条並びに第三十四条第一項及び第二項の規定を準用する。	○	○
	2　被保佐人、被補助人（手続行為をすることにつきその補助人の同意を得ることを要するものに限る。次項において同じ。）又は後見人その他の法定代理人が他の者がした非訟事件の申立て又は抗告について手続行為をするには、保佐人若しくは保佐監督人、補助人若しくは補助監督人又は後見監督人の同意その他の授権を要しない。職権により手続が開始された場合についても、同様とする。		△ 類推適用
	3　被保佐人、被補助人又は後見人その他の法定代理人が次に掲げる手続行為をするには、特別の授権がなければならない。 一　非訟事件の申立ての取下げ又は和解		

	二　終局決定に対する抗告若しくは異議又は第七十七条第二項の申立ての取下げ		
第17条	裁判長は、未成年者又は成年被後見人について、法定代理人がない場合又は法定代理人が代理権を行うことができない場合において、非訟事件の手続が遅滞することにより損害が生ずるおそれがあるときは、利害関係人の申立てにより又は職権で、特別代理人を選任することができる。	○	○
	2　特別代理人の選任の裁判は、疎明に基づいてする。		
	3　裁判所は、いつでも特別代理人を改任することができる。		
	4　特別代理人が手続行為をするには、後見人と同一の授権がなければならない。		
	5　第一項の申立てを却下する裁判に対しては、即時抗告をすることができる。		
第18条	法定代理権の消滅は、本人又は代理人から裁判所に通知しなければ、その効力を生じない。	○	○
第19条	法人の代表者及び法人でない社団又は財団で当事者能力を有するものの代表者又は管理人については、この法律中法定代理及び法定代理人に関する規定を準用する。	○	○
第20条	当事者となる資格を有する者は、当事者として非訟事件の手続に参加することができる。	○	○
	2　前項の規定による参加（次項において「当事者参加」という。）の申出は、参加の趣旨及び理由を記載した書面でしなければならない。		
	3　当事者参加の申出を却下する裁判に対しては、即時抗告をすることができる。		
第21条	裁判を受ける者となるべき者は、非訟事件の手続に参加することができる。	○	○
	2　裁判を受ける者となるべき者以外の者であって、裁判の結果により直接の影響を受けるもの又は当事者となる資格を有するものは、裁判所の許可を得て、非訟事件の手続に参加することができる。		
	3　前条第二項の規定は、第一項の規定による参加の申出及び前項の規定による参加の許可の申立てについて準用する。		

	4　第一項の規定による参加の申出を却下する裁判に対しては、即時抗告をすることができる。		
	5　第一項又は第二項の規定により非訟事件の手続に参加した者（以下「利害関係参加人」という。）は、当事者がすることができる手続行為（非訟事件の申立ての取下げ及び変更並びに裁判に対する不服申立て及び裁判所書記官の処分に対する異議の取下げを除く。）をすることができる。ただし、裁判に対する不服申立て及び裁判所書記官の処分に対する異議の申立てについては、利害関係参加人が不服申立て又は異議の申立てに関するこの法律の他の規定又は他の法令の規定によりすることができる場合に限る。		
第22条	法令により裁判上の行為をすることができる代理人のほか、弁護士でなければ手続代理人となることができない。	○	○
	ただし、第一審裁判所においては、その許可を得て、弁護士でない者を手続代理人とすることができる。	× 法17条により適用除外	× 法17条により適用除外
	2　前項ただし書の許可は、いつでも取り消すことができる。	第1項ただし書が適用除外されるため、適用される場面がない。	第1項ただし書が適用除外されるため、適用される場面がない。
第23条	手続代理人は、委任を受けた事件について、参加、強制執行及び保全処分に関する行為をし、かつ、弁済を受領することができる。	○	○
	2　手続代理人は、次に掲げる事項については、特別の委任を受けなければならない。		
	一　非訟事件の申立ての取下げ又は和解		△ 類推適用
	二　終局決定に対する抗告若しくは異議又は第七十七条第二項の申立て		
	三　前号の抗告、異議又は申立ての取下げ		
	四　代理人の選任		○
	3　手続代理人の代理権は、制限することができない。ただし、弁護士でない手続代理人については、この限りでない。		
	4　前三項の規定は、法令により裁判上の行為をすることができる代理人の権限を妨げない。		

第24条	第十八条並びに民事訴訟法第三十四条（第三項を除く。）及び第五十六条から第五十八条まで（同条第三項を除く。）の規定は、手続代理人及びその代理権について準用する。	○	○
第25条	非訟事件の手続における補佐人については、民事訴訟法第六十条の規定を準用する。	○	○
第26条	非訟事件の手続の費用（以下「手続費用」という。）は、特別の定めがある場合を除き、各自の負担とする。	○	○
	2　裁判所は、事情により、この法律の他の規定（次項を除く。）又は他の法令の規定によれば当事者、利害関係参加人その他の関係人がそれぞれ負担すべき手続費用の全部又は一部を、その負担すべき者以外の者であって次に掲げるものに負担させることができる。		
	一　当事者又は利害関係参加人		
	二　前号に掲げる者以外の裁判を受ける者となるべき者		
	三　前号に掲げる者に準ずる者であって、その裁判により直接に利益を受けるもの		
	3　前二項又は他の法令の規定によれば法務大臣又は検察官が負担すべき手続費用は、国庫の負担とする。		
第27条	事実の調査、証拠調べ、呼出し、告知その他の非訟事件の手続に必要な行為に要する費用は、国庫において立て替えることができる。	× 法17条により適用除外	× 法17条により適用除外
第28条	民事訴訟法第六十七条から第七十四条までの規定（裁判所書記官の処分に対する異議の申立てについての決定に対する即時抗告に関する部分を除く。）は、手続費用の負担について準用する。この場合において、同法第七十三条第一項中「補助参加の申出の取下げ又は補助参加についての異議の取下げ」とあるのは「非訟事件手続法（平成二十三年法律第五十一号）第二十条第一項若しくは第二十一条第一項の規定による参加の申出の取下げ又は同条第二項の規定による参加の許可の申立ての取下げ」と、同条第二項中「第六十一条から第六十六条まで及び」とあるのは「非訟事件手続法第二十八条第一項において準用する」と読み替えるものとする。	○	○
	2　前項において準用する民事訴訟法第六十		

(補論) プロバイダ責任制限法と非訟事件手続法の規定の適用関係について　263

	九条第三項の規定による即時抗告並びに同法第七十一条第四項（前項において準用する同法第七十二条後段において準用する場合を含む。）、第七十三条第二項及び第七十四条第二項の異議の申立てについての裁判に対する即時抗告は、執行停止の効力を有する。		
第29条	非訟事件の手続の準備及び追行に必要な費用を支払う資力がない者又はその支払により生活に著しい支障を生ずる者に対しては、裁判所は、申立てにより、手続上の救助の裁判をすることができる。ただし、救助を求める者が不当な目的で非訟事件の申立てその他の手続行為をしていることが明らかなときは、この限りでない。	○	○
	2　民事訴訟法第八十二条第二項及び第八十三条から第八十六条まで（同法第八十三条第一項第三号を除く。）の規定は、手続上の救助について準用する。この場合において、同法第八十四条中「第八十二条第一項本文」とあるのは、「非訟事件手続法第二十九条第一項本文」と読み替えるものとする。		
第30条	非訟事件の手続は、公開しない。ただし、裁判所は、相当と認める者の傍聴を許すことができる。	○	○
第31条	裁判所書記官は、非訟事件の手続の期日について、調書を作成しなければならない。ただし、証拠調べの期日以外の期日については、裁判長においてその必要がないと認めるときは、その経過の要領を記録上明らかにすることをもって、これに代えることができる。	○	○
第32条	当事者又は利害関係を疎明した第三者は、裁判所の許可を得て、裁判所書記官に対し、非訟事件の記録の閲覧若しくは謄写、その正本、謄本若しくは抄本の交付又は非訟事件に関する事項の証明書の交付（第百十二条において「記録の閲覧等」という。）を請求することができる。	法12条に規定あり。	法12条の類推適用
	2　前項の規定は、非訟事件の記録中の録音テープ又はビデオテープ（これらに準ずる方法により一定の事項を記録した物を含む。）に関しては、適用しない。この場合において、当事者又は利害関係を疎明した第三者は、裁判所の許可を得て、裁判所書		

		記官に対し、これらの物の複製を請求することができる。	
	3	裁判所は、当事者から前二項の規定による許可の申立てがあった場合においては、当事者又は第三者に著しい損害を及ぼすおそれがあると認めるときを除き、これを許可しなければならない。	
	4	裁判所は、利害関係を疎明した第三者から第一項又は第二項の規定による許可の申立があった場合において、相当と認めるときは、これを許可することができる。	
	5	裁判書の正本、謄本若しくは抄本又は非訟事件に関する事項の証明書については、当事者は、第一項の規定にかかわらず、裁判所の許可を得ないで、裁判所書記官に対し、その交付を請求することができる。裁判を受ける者が当該裁判があった後に請求する場合も、同様とする。	
	6	非訟事件の記録の閲覧、謄写及び複製の請求は、非訟事件の記録の保存又は裁判所の執務に支障があるときは、することができない。	
	7	第三項の申立てを却下した裁判に対しては、即時抗告をすることができる。	
	8	前項の規定による即時抗告が非訟事件の手続を不当に遅滞させることを目的としてされたものであると認められるときは、原裁判所は、その即時抗告を却下しなければならない。	
	9	前項の規定による裁判に対しては、即時抗告をすることができる。	
第33条		裁判所は、的確かつ円滑な審理の実現のため、又は和解を試みるに当たり、必要があると認めるときは、当事者の意見を聴いて、専門的な知見に基づく意見を聴くために専門委員を非訟事件の手続に関与させることができる。この場合において、専門委員の意見は、裁判長が書面により又は当事者が立ち会うことができる非訟事件の手続の期日において口頭で述べさせなければならない。	○	○
	2	裁判所は、当事者の意見を聴いて、前項の規定による専門委員を関与させる裁判を取り消すことができる。	
	3	裁判所は、必要があると認めるときは、	

(補論) プロバイダ責任制限法と非訟事件手続法の規定の適用関係について　265

	専門委員を非訟事件の手続の期日に立ち会わせることができる。この場合において、裁判長は、専門委員が当事者、証人、鑑定人その他非訟事件の手続の期日に出頭した者に対し直接に問いを発することを許すことができる。		
	4　裁判所は、専門委員が遠隔の地に居住しているときその他相当と認めるときは、当事者の意見を聴いて、最高裁判所規則で定めるところにより、裁判所及び当事者双方が専門委員との間で音声の送受信により同時に通話をすることができる方法によって、専門委員に第一項の意見を述べさせることができる。この場合において、裁判長は、専門委員が当事者、証人、鑑定人その他非訟事件の手続の期日に出頭した者に対し直接に問いを発することを許すことができる。		
	5　民事訴訟法第九十二条の五の規定は、第一項の規定により非訟事件の手続に関与させる専門委員の指定及び任免等について準用する。この場合において、同条第二項中「第九十二条の二」とあるのは、「非訟事件手続法第三十三条第一項」と読み替えるものとする。		
	6　受命裁判官又は受託裁判官が第一項の手続を行う場合には、同項から第四項までの規定及び前項において準用する民事訴訟法第九十二条の五第二項の規定による裁判所及び裁判長の職務は、その裁判官が行う。ただし、証拠調べの期日における手続を行う場合には、専門委員を手続に関与させる裁判、その裁判の取消し及び専門委員の指定は、非訟事件が係属している裁判所がする。		
第34条	非訟事件の手続の期日は、職権で、裁判長が指定する。	○	○
	2　非訟事件の手続の期日は、やむを得ない場合に限り、日曜日その他の一般の休日に指定することができる。		
	3　非訟事件の手続の期日の変更は、顕著な事由がある場合に限り、することができる。		
	4　民事訴訟法第九十四条から第九十七条までの規定は、非訟事件の手続の期日及び期		

	間について準用する。		
第35条	裁判所は、非訟事件の手続を併合し、又は分離することができる。	○	○
	2　裁判所は、前項の規定による裁判を取り消すことができる。		
	3　裁判所は、当事者を異にする非訟事件について手続の併合を命じた場合において、その前に尋問をした証人について、尋問の機会がなかった当事者が尋問の申出をしたときは、その尋問をしなければならない。		△ 類推適用
第36条	当事者が死亡、資格の喪失その他の事由によって非訟事件の手続を続行することができない場合には、法令により手続を続行する資格のある者は、その手続を受け継がなければならない。	○	○
	2　法令により手続を続行する資格のある者が前項の規定による受継の申立てをした場合において、その申立てを却下する裁判がされたときは、当該裁判に対し、即時抗告をすることができる。		
	3　第一項の場合には、裁判所は、他の当事者の申立てにより又は職権で、法令により手続を続行する資格のある者に非訟事件の手続を受け継がせることができる。		
第37条	非訟事件の申立人が死亡、資格の喪失その他の事由によってその手続を続行することができない場合において、法令により手続を続行する資格のある者がないときは、当該非訟事件の申立てをすることができる者は、その手続を受け継ぐことができる。	○	△ 類推適用
	2　前項の規定による受継の申立ては、同項の事由が生じた日から一月以内にしなければならない。		
第38条	送達及び非訟事件の手続の中止については、民事訴訟法第一編第五章第四節及び第百三十条から第百三十二条まで（同条第一項を除く。）の規定を準用する。この場合において、同法第百十三条中「その訴訟の目的である請求又は防御の方法」とあるのは、「裁判を求める事項」と読み替えるものとする。	○	○
第39条	裁判所書記官の処分に対する異議の申立てについては、その裁判所書記官の所属する裁判所が裁判をする。	○	○

(補論) プロバイダ責任制限法と非訟事件手続法の規定の適用関係について　267

	2　前項の裁判に対しては、即時抗告をすることができる。		
第40条	検察官は、非訟事件について意見を述べ、その手続の期日に立ち会うことができる。	× 法17条により適用除外	× 法17条により適用除外
	2　裁判所は、検察官に対し、非訟事件が係属したこと及びその手続の期日を通知するものとする。		
第41条	裁判所その他の官庁、検察官又は吏員は、その職務上検察官の申立てにより非訟事件の裁判をすべき場合が生じたことを知ったときは、管轄裁判所に対応する検察庁の検察官にその旨を通知しなければならない。	○	×
第42条	非訟事件の手続における申立てその他の申述（次項において「申立て等」という。）については、民事訴訟法第百三十二条の十第一項から第五項までの規定（支払督促に関する部分を除く。）を準用する。	○	○
	2　前項において準用する民事訴訟法第百三十二条の十第一項本文の規定によりされた申立て等に係るこの法律その他の法令の規定による非訟事件の記録の閲覧若しくは謄写又はその正本、謄本若しくは抄本の交付は、同条第五項の書面をもってするものとする。当該申立て等に係る書類の送達又は送付も、同様とする。		
第43条	非訟事件の申立ては、申立書（以下この条及び第五十七条第一項において「非訟事件の申立書」という。）を裁判所に提出してしなければならない。	○ なお、申立書の写しを送付することができない場合について、非訟事件手続法第43条第4項から第6項までが準用（法11条2項）	×
	2　非訟事件の申立書には、次に掲げる事項を記載しなければならない。		
	一　当事者及び法定代理人		
	二　申立ての趣旨及び原因		
	3　申立人は、二以上の事項について裁判を求める場合において、これらの事項についての非訟事件の手続が同種であり、これらの事項が同一の事実上及び法律上の原因に基づくときは、一の申立てにより求めることができる。		
	4　非訟事件の申立書が第二項の規定に違反する場合には、裁判長は、相当の期間を定め、その期間内に不備を補正すべきことを命じなければならない。民事訴訟費用等に		

	関する法律（昭和四十六年法律第四十号）の規定に従い非訟事件の申立ての手数料を納付しない場合も、同様とする。		
	5　前項の場合において、申立人が不備を補正しないときは、裁判長は、命令で、非訟事件の申立書を却下しなければならない。		
	6　前項の命令に対しては、即時抗告をすることができる。		
申立書の送付等の特則	定めなし。	法11条1項に規定あり。	定めなし。
第44条	申立人は、申立ての基礎に変更がない限り、申立ての趣旨又は原因を変更することができる。	○	△ 類推適用
	2　申立ての趣旨又は原因の変更は、非訟事件の手続の期日においてする場合を除き、書面でしなければならない。		
	3　裁判所は、申立ての趣旨又は原因の変更が不適法であるときは、その変更を許さない旨の裁判をしなければならない。		
	4　申立ての趣旨又は原因の変更により非訟事件の手続が著しく遅滞することとなるときは、裁判所は、その変更を許さない旨の裁判をすることができる。		
第45条	非訟事件の手続の期日においては、裁判長が手続を指揮する。	○	○
	2　裁判長は、発言を許し、又はその命令に従わない者の発言を禁止することができる。		
	3　当事者が非訟事件の手続の期日における裁判長の指揮に関する命令に対し異議を述べたときは、裁判所は、その異議について裁判をする。		
陳述の聴取	定めなし。	法11条3項に規定あり。	定めなし。
第46条	裁判所は、受命裁判官に非訟事件の手続の期日における手続を行わせることができる。ただし、事実の調査及び証拠調べについては、第五十一条第三項の規定又は第五十三条第一項において準用する民事訴訟法第二編第四章第一節から第六節までの規定により受命裁判官が事実の調査又は証拠調べをすることができる場合に限る。	○	○

（補論） プロバイダ責任制限法と非訟事件手続法の規定の適用関係について　269

	2　前項の場合においては、裁判所及び裁判長の職務は、その裁判官が行う。		
第47条	裁判所は、当事者が遠隔の地に居住しているときその他相当と認めるときは、当事者の意見を聴いて、最高裁判所規則で定めるところにより、裁判所及び当事者双方が音声の送受信により同時に通話をすることができる方法によって、非訟事件の手続の期日における手続（証拠調べを除く。）を行うことができる。	○	○
	2　非訟事件の手続の期日に出頭しないで前項の手続に関与した者は、その期日に出頭したものとみなす。		
第48条	非訟事件の手続の期日における通訳人の立会い等については民事訴訟法第百五十四条の規定を、非訟事件の手続関係を明瞭にするために必要な陳述をすることができない当事者、利害関係参加人、代理人及び補佐人に対する措置については同法第百五十五条の規定を準用する。	○	○
第49条	裁判所は、職権で事実の調査をし、かつ、申立てにより又は職権で、必要と認める証拠調べをしなければならない。	○	○
	2　当事者は、適切かつ迅速な審理及び裁判の実現のため、事実の調査及び証拠調べに協力するものとする。		
第50条	疎明は、即時に取り調べることができる資料によってしなければならない。	○	○
第51条	裁判所は、他の地方裁判所又は簡易裁判所に事実の調査を嘱託することができる。	○	○
	2　前項の規定による嘱託により職務を行う受託裁判官は、他の地方裁判所又は簡易裁判所において事実の調査をすることを相当と認めるときは、更に事実の調査の嘱託をすることができる。		
	3　裁判所は、相当と認めるときは、受命裁判官に事実の調査をさせることができる。		
	4　前三項の規定により受託裁判官又は受命裁判官が事実の調査をする場合には、裁判所及び裁判長の職務は、その裁判官が行う。		
第52条	裁判所は、事実の調査をした場合において、その結果が当事者による非訟事件の手続の追	○	○

	行に重要な変更を生じ得るものと認めるときは、これを当事者及び利害関係参加人に通知しなければならない。		
第53条	非訟事件の手続における証拠調べについては、民事訴訟法第二編第四章第一節から第六節までの規定（同法第百七十九条、第百八十二条、第百八十七条から第百八十九条まで、第二百七条第二項、第二百八条、第二百二十四条（同法第二百二十九条第二項及び第二百三十二条第一項において準用する場合を含む。）及び第二百二十九条第四項の規定を除く。）を準用する。	○	○
	2　前項において準用する民事訴訟法の規定による即時抗告は、執行停止の効力を有する。		
	3　当事者が次の各号のいずれかに該当するときは、裁判所は、二十万円以下の過料に処する。		
	一　第一項において準用する民事訴訟法第二百二十三条第一項（同法第二百三十一条において準用する場合を含む。）の規定による提出の命令に従わないとき、又は正当な理由なく第一項において準用する同法第二百三十二条第一項において準用する同法第二百二十三条第一項の規定による提示の命令に従わないとき。		
	二　書証を妨げる目的で第一項において準用する民事訴訟法第二百二十条（同法第二百三十一条において準用する場合を含む。）の規定により提出の義務がある文書（同法第二百三十一条に規定する文書に準ずる物件を含む。）を滅失させ、その他これを使用することができないようにしたとき、又は検証を妨げる目的で検証の目的を滅失させ、その他これを使用することができないようにしたとき。		
	4　当事者が次の各号のいずれかに該当するときは、裁判所は、十万円以下の過料に処する。		
	一　正当な理由なく第一項において準用する民事訴訟法第二百二十九条第二項（同法第二百三十一条において準用する場合を含む。）において準用する同法第二百二十三条第一項の規定による提出の命令に従わないとき。		

（補論） プロバイダ責任制限法と非訟事件手続法の規定の適用関係について　271

	二　対照の用に供することを妨げる目的で対照の用に供すべき筆跡又は印影を備える文書その他の物件を滅失させ、その他これを使用することができないようにしたとき。			
	三　第一項において準用する民事訴訟法第二百二十九条第三項（同法第二百三十一条において準用する場合を含む。）の規定による決定に正当な理由なく従わないとき、又は当該決定に係る対照の用に供すべき文字を書体を変えて筆記したとき。			
	5　裁判所は、当事者本人を尋問する場合には、その当事者に対し、非訟事件の手続の期日に出頭することを命ずることができる。			
	6　民事訴訟法第百九十二条から第百九十四条までの規定は前項の規定により出頭を命じられた当事者が正当な理由なく出頭しない場合について、同法第二百九条第一項及び第二項の規定は出頭した当事者が正当な理由なく宣誓又は陳述を拒んだ場合について準用する。			
	7　この条に規定するもののほか、証拠調べにおける過料についての裁判に関しては、第五編の規定（第百十九条の規定並びに第百二十条及び第百二十二条の規定中検察官に関する部分を除く。）を準用する。			
第54条	裁判所は、非訟事件の手続においては、決定で、裁判をする。	○	○	
第55条	裁判所は、非訟事件が裁判をするのに熟したときは、終局決定をする。	○	△	非訟事件手続法第62条第1項において準用
	2　裁判所は、非訟事件の一部が裁判をするのに熟したときは、その一部について終局決定をすることができる。手続の併合を命じた数個の非訟事件中その一が裁判をするのに熟したときも、同様とする。			
第56条	終局決定は、当事者及び利害関係参加人並びにこれらの者以外の裁判を受ける者に対し、相当と認める方法で告知しなければならない。	○	△	非訟事件手続法第62条第1項において準用
	2　終局決定（申立てを却下する決定を除く。）は、裁判を受ける者（裁判を受ける者が数人あるときは、そのうちの一人）に告知することによってその効力を生ずる。	○		

	3　申立てを却下する終局決定は、申立人に告知することによってその効力を生ずる。		
	4　終局決定は、即時抗告の期間の満了前には確定しないものとする。	×	
	5　終局決定の確定は、前項の期間内にした即時抗告の提起により、遮断される。		
裁判の具体的効力の定め	定めなし。	法14条5項に規定あり。	定めなし。
第57条	終局決定は、裁判書を作成してしなければならない。ただし、即時抗告をすることができない決定については、非訟事件の申立書又は調書に主文を記載することをもって、裁判書の作成に代えることができる。	○	×
	2　終局決定の裁判書には、次に掲げる事項を記載しなければならない。 一　主文 二　理由の要旨 三　当事者及び法定代理人 四　裁判所		△ 非訟事件手続法第62条第1項において準用
第58条	終局決定に計算違い、誤記その他これらに類する明白な誤りがあるときは、裁判所は、申立てにより又は職権で、いつでも更正決定をすることができる。	○	△ 非訟事件手続法第62条第1項において準用
	2　更正決定は、裁判書を作成してしなければならない。		
	3　更正決定に対しては、更正後の終局決定が原決定であるとした場合に即時抗告をすることができる者に限り、即時抗告をすることができる。		
	4　第一項の申立てを不適法として却下する裁判に対しては、即時抗告をすることができる。		
	5　終局決定に対し適法な即時抗告があったときは、前二項の即時抗告は、することができない。		
第59条	裁判所は、終局決定をした後、その決定を不当と認めるときは、次に掲げる決定を除き、職権で、これを取り消し、又は変更することができる。 一　申立てによってのみ裁判をすべき場合に	○ ただし、法14条6項において適用読替え。	△ 非訟事件手続法第62条第1項において準用

(補論) プロバイダ責任制限法と非訟事件手続法の規定の適用関係について　273

	おいて申立てを却下した決定		
	二　即時抗告をすることができる決定		
	2　終局決定が確定した日から五年を経過したときは、裁判所は、前項の規定による取消し又は変更をすることができない。ただし、事情の変更によりその決定を不当と認めるに至ったときは、この限りでない。	○	
	3　裁判所は、第一項の規定により終局決定の取消し又は変更をする場合には、その決定における当事者及びその他の裁判を受ける者の陳述を聴かなければならない。		×
	4　第一項の規定による取消し又は変更の終局決定に対しては、取消し後又は変更後の決定が原決定であるとした場合に即時抗告をすることができる者に限り、即時抗告をすることができる。		△ 非訟事件手続法第62条第1項において準用
第60条	民事訴訟法第二百四十七条、第二百五十六条第一項及び第二百五十八条（第二項後段を除く。）の規定は、終局決定について準用する。この場合において、同法第二百五十六条第一項中「言渡し後」とあるのは、「終局決定が告知を受ける者に最初に告知された日から」と読み替えるものとする。	○	△ 非訟事件手続法第62条第1項において準用
第61条	裁判所は、終局決定の前提となる法律関係の争いその他中間の争いについて、裁判をするのに熟したときは、中間決定をすることができる。	○	×
	2　中間決定は、裁判書を作成してしなければならない。		
第62条	終局決定以外の非訟事件に関する裁判については、特別の定めがある場合を除き、第五十五条から第六十条まで（第五十七条第一項及び第五十九条第三項を除く。）の規定を準用する。	○	○
	2　非訟事件の手続の指揮に関する裁判は、いつでも取り消すことができる。		
	3　終局決定以外の非訟事件に関する裁判は、判事補が単独ですることができる。		
第63条	非訟事件の申立人は、終局決定が確定するまで、申立ての全部又は一部を取り下げることができる。この場合において、終局決定がされた後は、裁判所の許可を得なければならない。	法13条1項に規定あり。	法15条4項、16条2項に規定あり。

条番号	条文		
	2　民事訴訟法第二百六十一条第三項及び第二百六十二条第一項の規定は、前項の規定による申立ての取下げについて準用する。この場合において、同法第二百六十一条第三項ただし書中「口頭弁論、弁論準備手続又は和解の期日（以下この章において「口頭弁論等の期日」という。）」とあるのは、「非訟事件の手続の期日」と読み替えるものとする。	○	△ 類推適用
第64条	非訟事件の申立人が、連続して2回、呼出しを受けた非訟事件の手続の期日に出頭せず、又は呼出しを受けた非訟事件の手続の期日において陳述をしないで退席をしたときは、裁判所は、申立ての取下げがあったものとみなすことができる。	○	△ 類推適用
第65条	非訟事件における和解については、民事訴訟法第八十九条、第二百六十四条及び第二百六十五条の規定を準用する。この場合において、同法第二百六十四条及び第二百六十五条第三項中「口頭弁論等」とあるのは、「非訟事件の手続」と読み替えるものとする。	○	△ 類推適用
	2　和解を調書に記載したときは、その記載は、確定した終局決定と同一の効力を有する。		
異議の訴え	定めなし。	法14条に規定あり。	定めなし。不服申立て方法は即時抗告（法15条5項、16条3項に規定あり。）
第66条	終局決定により権利又は法律上保護される利益を害された者は、その決定に対し、即時抗告をすることができる。	×	×
	2　申立てを却下した終局決定に対しては、申立人に限り、即時抗告をすることができる。		
	3　手続費用の負担の裁判に対しては、独立して即時抗告をすることができない。		△ 非訟事件手続法第82条において準用
第67条	終局決定に対する即時抗告は、二週間の不変期間内にしなければならない。ただし、その期間前に提起した即時抗告の効力を妨げない。	×	×
	2　即時抗告の期間は、即時抗告をする者が		△

	裁判の告知を受ける者である場合にあっては、裁判の告知を受けた日から進行する。		非訟事件手続法第82条において準用
	3　前項の期間は、即時抗告をする者が裁判の告知を受ける者でない場合にあっては、申立人（職権で開始した事件においては、裁判を受ける者）が裁判の告知を受けた日（二以上あるときは、当該日のうち最も遅い日）から進行する。		
第68条	即時抗告は、抗告状を原裁判所に提出してしなければならない。	×	△ 非訟事件手続法第82条において準用
	2　抗告状には、次に掲げる事項を記載しなければならない。		
	一　当事者及び法定代理人		
	二　原決定の表示及びその決定に対して即時抗告をする旨		
	3　即時抗告が不適法でその不備を補正することができないことが明らかであるときは、原裁判所は、これを却下しなければならない。		
	4　前項の規定による終局決定に対しては、即時抗告をすることができる。		
	5　前項の即時抗告は、一週間の不変期間内にしなければならない。ただし、その期間前に提起した即時抗告の効力を妨げない。		
	6　第四十三条第四項から第六項までの規定は、抗告状が第二項の規定に違反する場合及び民事訴訟費用等に関する法律の規定に従い即時抗告の提起の手数料を納付しない場合について準用する。		
第69条	終局決定に対する即時抗告があったときは、抗告裁判所は、原審における当事者及び利害関係参加人（抗告人を除く。）に対し、抗告状の写しを送付しなければならない。ただし、その即時抗告が不適法であるとき、又は即時抗告に理由がないことが明らかなときは、この限りでない。	×	×
	2　裁判長は、前項の規定により抗告状の写しを送付するための費用の予納を相当の期間を定めて抗告人に命じた場合において、その予納がないときは、命令で、抗告状を却下しなければならない。		
	3　前項の命令に対しては、即時抗告をすることができる。		

276　第2　プロバイダ責任制限法の逐条解説

第70条	抗告裁判所は、原審における当事者及びその他の裁判を受ける者（抗告人を除く。）の陳述を聴かなければ、原裁判所の終局決定を取り消すことができない。	×	×
第71条	原裁判所は、終局決定に対する即時抗告を理由があると認めるときは、その決定を更正しなければならない。	×	△ 非訟事件手続法第82条において準用
第72条	終局決定に対する即時抗告は、特別の定めがある場合を除き、執行停止の効力を有しない。ただし、抗告裁判所又は原裁判所は、申立てにより、担保を立てさせて、又は立てさせないで、即時抗告について裁判があるまで、原裁判の執行の停止その他必要な処分を命ずることができる。	×	△ 非訟事件手続法第82条において準用
	2　前項ただし書の規定により担保を立てる場合において、供託をするには、担保を立てるべきことを命じた裁判所の所在地を管轄する地方裁判所の管轄区域内の供託所にしなければならない。		
	3　民事訴訟法第七十六条、第七十七条、第七十九条及び第八十条の規定は、前項の担保について準用する。		
第73条	終局決定に対する即時抗告及びその抗告審に関する手続については、特別の定めがある場合を除き、前章の規定（第五十七条第一項ただし書及び第六十四条の規定を除く。）を準用する。この場合において、第五十九条第一項第二号中「即時抗告」とあるのは、「第一審裁判所の終局決定であるとした場合に即時抗告」と読み替えるものとする。	×	△ 非訟事件手続法第82条において準用
	2　民事訴訟法第二百八十三条、第二百八十四条、第二百九十二条、第二百九十八条第一項、第二百九十九条第一項、第三百二条、第三百三条及び第三百五条から第三百九条までの規定は、終局決定に対する即時抗告及びその抗告審に関する手続について準用する。この場合において、同法第二百九十二条第二項中「第二百六十一条第三項、第二百六十二条第一項及び第二百六十三条」とあるのは「非訟事件手続法第六十三条第二項及び第六十四条」と、同法第三百三条第五項中「第百八十九条」とあるのは「非訟事件手続法第百二十一条」と読み替えるものとする。		

(補論) プロバイダ責任制限法と非訟事件手続法の規定の適用関係について　277

第74条	抗告裁判所の終局決定（その決定が第一審裁判所の決定であるとした場合に即時抗告をすることができるものに限る。）に対しては、次に掲げる事由を理由とするときに限り、更に即時抗告をすることができる。ただし、第五号に掲げる事由については、手続行為能力、法定代理権又は手続行為をするのに必要な権限を有するに至った本人、法定代理人又は手続代理人による追認があったときは、この限りでない。	×	△ 非訟事件手続法第82条において準用
	一　終局決定に憲法の解釈の誤りがあることその他憲法の違反があること。		
	二　法律に従って裁判所を構成しなかったこと。		
	三　法律により終局決定に関与することができない裁判官が終局決定に関与したこと。		
	四　専属管轄に関する規定に違反したこと。		
	五　法定代理権、手続代理人の代理権又は代理人が手続行為をするのに必要な授権を欠いたこと。		
	六　終局決定にこの法律又は他の法令で記載すべきものと定められた理由若しくはその要旨を付せず、又は理由若しくはその要旨に食い違いがあること。		
	七　終局決定に影響を及ぼすことが明らかな法令の違反があること。		
	2　前項の即時抗告（以下この条及び第七十七条第一項において「再抗告」という。）が係属する抗告裁判所は、抗告状又は抗告理由書に記載された再抗告の理由についてのみ調査をする。		
	3　民事訴訟法第三百十四条第二項、第三百十五条、第三百十六条（第一項第一号を除く。）、第三百二十一条第一項、第三百二十二条、第三百二十四条、第三百二十五条第一項前段、第三項後段及び第四項並びに第三百二十六条の規定は、再抗告及びその抗告審に関する手続について準用する。この場合において、同法第三百十四条第二項中「前条において準用する第二百八十八条及び第二百八十九条第二項」とあるのは「非訟事件手続法第六十八条第六項」と、同法第三百十六条第二項中「対しては」とあるのは「対しては、一週間の不変期間内に」		

	と、同法第三百二十二条中「前二条」とあるのは「非訟事件手続法第七十四条第二項の規定及び同条第三項において準用する第三百二十一条第一項」と、同法第三百二十五条第一項前段中「第三百十二条第一項又は第二項」とあるのは「非訟事件手続法第七十四条第一項」と、同条第三項後段中「この場合」とあるのは「差戻し又は移送を受けた裁判所が裁判をする場合」と、同条第四項中「前項」とあるのは「差戻し又は移送を受けた裁判所」と読み替えるものとする。		
第75条	地方裁判所及び簡易裁判所の終局決定で不服を申し立てることができないもの並びに高等裁判所の終局決定に対しては、その決定に憲法の解釈の誤りがあることその他憲法の違反があることを理由とするときに、最高裁判所に特に抗告をすることができる。	×	△ 非訟事件手続法第82条において準用。ただし、簡易裁判所に関する部分は適用される場面がない。
	2　前項の抗告（以下この項及び次条において「特別抗告」という。）が係属する抗告裁判所は、抗告状又は抗告理由書に記載された特別抗告の理由についてのみ調査をする。		
第76条	前款の規定（第六十六条、第六十七条第一項、第六十九条第三項、第七十一条及び第七十四条の規定を除く。）は、特別抗告及びその抗告審に関する手続について準用する。	×	△ 非訟事件手続法第82条において準用。ただし、簡易裁判所に関する部分は適用される場面がない。
	2　民事訴訟法第三百十四条第二項、第三百十五条、第三百十六条（第一項第一号を除く。）、第三百二十一条第一項、第三百二十二条、第三百二十五条第一項前段、第二項、第三項後段及び第四項、第三百二十六条並びに第三百三十六条第二項の規定は、特別抗告及びその抗告審に関する手続について準用する。この場合において、同法第三百十四条第二項中「前条において準用する第二百八十八条及び第二百八十九条第二項」とあるのは「非訟事件手続法第七十六条第一項において準用する同法第六十八条第六項」と、同法第三百十六条第二項中「対しては」とあるのは「対しては、一週間の不変期間内に」と、同法第三百二十二条中「前二条」とあるのは「非訟事件手続法第七十五条第二項の規定及び同法第七十六条第二項において準用する第三百二十一条第一項」と、同法第三百二十五条第一項		

（補論）　プロバイダ責任制限法と非訟事件手続法の規定の適用関係について　279

	前段及び第二項中「第三百十二条第一項又は第二項」とあるのは「非訟事件手続法第七十五条第一項」と、同条第三項後段中「この場合」とあるのは「差戻し又は移送を受けた裁判所が裁判をする場合」と、同条第四項中「前項」とあるのは「差戻し又は移送を受けた裁判所」と読み替えるものとする。		
第77条	高等裁判所の終局決定（再抗告及び次項の申立てについての決定を除く。）に対しては、第七十五条第一項の規定による場合のほか、その高等裁判所が次項の規定により許可したときに限り、最高裁判所に特に抗告をすることができる。ただし、その決定が地方裁判所の決定であるとした場合に即時抗告をすることができるものであるときに限る。	×	△ 非訟事件手続法第82条において準用
	2　前項の高等裁判所は、同項の終局決定について、最高裁判所の判例（これがない場合にあっては、大審院又は上告裁判所若しくは抗告裁判所である高等裁判所の判例）と相反する判断がある場合その他の法令の解釈に関する重要な事項を含むと認められる場合には、申立てにより、抗告を許可しなければならない。		
	3　前項の申立てにおいては、第七十五条第一項に規定する事由を理由とすることはできない。		
	4　第二項の規定による許可があった場合には、第一項の抗告（以下この条及び次条第一項において「許可抗告」という。）があったものとみなす。		
	5　許可抗告が係属する抗告裁判所は、第二項の規定による許可の申立書又は同項の申立てに係る理由書に記載された許可抗告の理由についてのみ調査をする。		
	6　許可抗告が係属する抗告裁判所は、終局決定に影響を及ぼすことが明らかな法令の違反があるときは、原決定を破棄することができる。		
第78条	第一款の規定（第六十六条、第六十七条第一項、第六十八条第四項及び第五項、第六十九条第三項、第七十一条並びに第七十四条の規定を除く。）は、許可抗告及びその抗告審に関する手続について準用する。この場合において、これらの規定中「抗告状」とあるのは	×	△ 非訟事件手続法第82条において準用

	「第七十七条第二項の規定による許可の申立書」と、第六十七条第二項及び第三項、第六十八条第一項、第二項第二号及び第三項、第六十九条第一項並びに第七十二条第一項本文中「即時抗告」とあり、及び第六十八条第六項中「即時抗告の提起」とあるのは「第七十七条第二項の申立て」と、第七十二条第一項ただし書並びに第七十三条第一項前段及び第二項中「即時抗告」とあるのは「許可抗告」と読み替えるものとする。		
	2　民事訴訟法第三百十五条及び第三百三十六条第二項の規定は前条第二項の申立てについて、同法第三百十八条第三項の規定は前条第二項の規定による許可をする場合について、同法第三百十八条第四項後段、第三百二十一条第一項、第三百二十二条、第三百二十五条第一項前段、第二項、第三項後段及び第四項並びに第三百二十六条の規定は前条第二項の規定による許可があった場合について準用する。この場合において、同法第三百十八条第四項後段中「第三百二十条」とあるのは「非訟事件手続法第七十七条第五項」と、同法第三百二十二条中「前二条」とあるのは「非訟事件手続法第七十七条第五項の規定及同法第七十八条第二項において準用する第三百二十一条第一項」と、同法第三百二十五条第一項前段及び第二項中「第三百十二条第一項又は第二項」とあるのは「非訟事件手続法第七十七条第二項」と、同条第三項後段中「この場合」とあるのは「差戻し又は移送を受けた裁判所が裁判をする場合」と、同条第四項中「前項」とあるのは「差戻し又は移送を受けた裁判所」と読み替えるものとする。		
第79条	終局決定以外の裁判に対しては、特別の定めがある場合に限り、即時抗告をすることができる。	×	○ 提供命令の申立て、消去禁止命令の申立てに対する裁判について、「特別の定め」として法14条5項、法15条3項に規定あり。
第80条	受命裁判官又は受託裁判官の裁判に対して不	×	○

	服がある当事者は、非訟事件が係属している裁判所に異議の申立てをすることができる。ただし、その裁判が非訟事件が係属している裁判所の裁判であるとした場合に即時抗告をすることができるものであるときに限る。		
	2　前項の異議の申立てについての裁判に対しては、即時抗告をすることができる。		
	3　最高裁判所又は高等裁判所に非訟事件が係属している場合における第一項の規定の適用については、同項ただし書中「非訟事件が係属している裁判所」とあるのは、「地方裁判所」とする。		
第81条	終局決定以外の裁判に対する即時抗告は、一週間の不変期間内にしなければならない。ただし、その期間前に提起した即時抗告の効力を妨げない。	×	○
第82条	前節の規定（第六十六条第一項及び第二項、第六十七条第一項並びに第六十九条及び第七十条（これらの規定を第七十六条第一項及び第七十八条第一項において準用する場合を含む。）の規定を除く。）は、裁判所、裁判官又は裁判長がした終局決定以外の裁判に対する不服申立てについて準用する。	×	○
第83条	確定した終局決定その他の裁判（事件を完結するものに限る。第五項において同じ。）に対しては、再審の申立てをすることができる。	○	×
	2　再審の手続には、その性質に反しない限り、各審級における非訟事件の手続に関する規定を準用する。		
	3　民事訴訟法第四編の規定（同法第三百四十一条及び第三百四十九条の規定を除く。）は、第一項の再審の申立て及びこれに関する手続について準用する。この場合において、同法第三百四十八条第一項中「不服申立ての限度で、本案の審理及び裁判をする」とあるのは、「本案の審理及び裁判をする」と読み替えるものとする。		
	4　前項において準用する民事訴訟法第三百四十六条第一項の再審開始の決定に対する即時抗告は、執行停止の効力を有する。		
	5　第三項において準用する民事訴訟法第三百四十八条第二項の規定により終局決定その他の裁判に対する再審の申立てを棄却す		

	る決定に対しては、当該終局決定その他の裁判に対し即時抗告をすることができる者に限り、即時抗告をすることができる。		
第84条	裁判所は、前条第一項の再審の申立てがあった場合において、不服の理由として主張した事情が法律上理由があるとみえ、事実上の点につき疎明があり、かつ、執行により償うことができない損害が生ずるおそれがあることにつき疎明があったときは、申立てにより、担保を立てさせて、若しくは立てさせないで強制執行の一時の停止を命じ、又は担保を立てさせて既にした執行処分の取消しを命ずることができる。	○	×
	2　前項の規定による申立てについての裁判に対しては、不服を申し立てることができない。		
	3　第七十二条第二項及び第三項の規定は、第一項の規定により担保を立てる場合における供託及び担保について準用する。		

※　（異議の訴えの対象とはならない）開示命令の申立てを不適法として却下する旨の決定に対する不服申立ては、非訟事件手続法第66条から第78条までの規定が適用されるものである。

（参考）　渉外的法律関係における本法律の適用及び裁判管轄

(1)　総論

　本法律は、私人間の権利義務関係を調整する法規であるから、プロバイダ等の所在地が海外であったり、発信者の住所地が海外であったりする等の渉外的要素を含む事案（渉外的法律関係）において、本法律の適用があるか否かや、我が国の裁判所に管轄権が認められるか否かは、準拠法及び国際裁判管轄の規律に従って決せられるべき問題である[1]。

　この点、我が国の場合、①準拠法の決定については、主として法の適用に関する通則法（平成18年法律第78号。以下「通則法」という。）第4条以下がこれを規定している。

　他方、②国際裁判管轄については、民事訴訟法（平成8年法律第109号。以下「民訴法」という。）第3条の2以下がこれを規定している[2]ため、これらの規定に従って解決されることとなる。そこでは、事件の性質に関係なく、㈠人に対する訴えであれば、その住所が日本国内にあるとき、住所が日本国内にない場合又は住所が知れない場合にはその居所が日本国内にあるとき、居所が日本国内にない場合又は居所が知れない場合には最後の住所が日本国内にあると

---

[1]　発信者情報開示命令事件に関する裁判手続については第10条において国際裁判管轄の規律が設けられている。当該規律の解説は第10条の該当箇所に譲ることとし、ここでは同事件に関する裁判手続を除いた国際裁判管轄について言及するものとする。

[2]　民事訴訟法及び民事保全法の一部を改正する法律（平成23年法律第36号）により、従来、判例及び条理により判断されていた国際裁判管轄につき、民訴法に明記された（平成24年4月1日施行）。

きは、我が国の裁判所に管轄権が認められ（同法第3条の2第1項）、(イ)法人その他の社団又は財団に対する訴えであれば、その主たる事務所又は営業所が日本国内にあるとき、事務所若しくは営業所がない場合又はその所在地が知れない場合には代表者その他の主たる業務担当者の住所が日本国内にあるときは、我が国の裁判所に管轄権が認められる（同条第3項）こととされる。

したがって、プロバイダ等を被告として提訴する場合、被告の住所地等との関係では、プロバイダ等が個人の場合には、日本国内に住所、居所又は最後の住所が存在するとき、プロバイダ等が法人の場合には、日本国内に主たる事務所若しくは営業所又は代表者その他の主たる業務担当者の住所が存在するときに、我が国の裁判所に管轄権が認められることとなる。

(2) **プロバイダ等が情報を放置した場合の責任の制限**（第3条第1項関係）

被害者が違法な情報を放置したプロバイダ等を提訴する場合、一般的には、不法行為責任の問題となると考えられる。そこで、不法行為に関する訴えの準拠法及び国際裁判管轄について検討する。

① 準拠法

不法行為によって生ずる債権の成立及び効力については、原則として結果発生地の法を準拠法とし（通則法第17条）、名誉又は信用を毀損する不法行為によって生じる債権の成立及び効力については、被害者の常居所地法を準拠法とする（同法第19条）。また、これらの規定により外国法が準拠法となる場合には、準拠法である外国法と日本法を累積的に適用し、いずれの法律によっても不法行為が成立する場合にのみ不法行為の成立が認められる（同法第22条）。

この点、第3条第1項は、不法行為責任の成立を同項所定の場合

に制限するものである。そこで、不法行為に基づく損害賠償請求について、日本法の適用が認められるときには、原則として、同項の適用があるものと考えられる。

② **国際裁判管轄**

不法行為に関する訴えの国際裁判管轄については、(1)②の民訴法第3条の2の規定が適用されるほか、同法第3条の3第8号の規定も適用される。同規定によれば、不法行為があった地が日本国内にあるときは、我が国の裁判所に管轄権が認められる。不法行為地とは、不法行為の客観的要件の発生した地を指し、加害行為が行われた地（加害行為地）、結果が発生した地（結果発生地）のいずれもが不法行為地であり、これらが異なるときは、いずれも不法行為地となる。

したがって、不法行為地との関係では、プロバイダ等が作為義務を怠った国が加害行為地であるから、当該違法な情報を削除する操作を日本国内から行い得たときには我が国の裁判所に管轄権が認められると解されるが、通常は当該加害行為地とプロバイダ等の住所地等とが一致する場合が多いと考えられる。他方、違法な情報が放置されたことによる被害が生じた国が結果発生地となるから、違法な情報が放置されたことによる被害が日本国内で生じたと認められる場合には、我が国の裁判所に管轄権が認められることとなる。

(3) **プロバイダ等が情報を削除した場合の責任の制限**（第3条第2項関係）

発信者が自己の情報を削除したプロバイダ等を提訴する場合、当該プロバイダ等と契約関係にある場合には、通常、契約責任の問題となり、当該プロバイダ等と契約関係がない場合には、不法行為責任の問題となると考えられる。そこで、それぞれの場合の準拠法及び国際裁判管轄について検討する。

A 契約責任が問題となる場合

① 準拠法

契約の準拠法については、当事者が当該契約の当時に選択した地の法が準拠法となり（当事者自治の原則。通則法第7条）、当事者が準拠法を選択していない場合には、原則として最密接関係地法が準拠法となる（同法第8条）。

したがって、契約上の責任追及をする場合については、プロバイダ等との契約で日本法を準拠法とする旨合意されている場合、又は契約に規定がなく、最密接関係地が日本と認められる場合に、日本法の適用があると考えられる。ただし、当該契約がいわゆる「消費者契約」（消費者（個人（事業として又は事業のために契約の当事者となる場合におけるものを除く。））と事業者（法人その他の社団又は財団及び事業として又は事業のために契約の当事者となる場合における個人）との間で締結される契約）に該当する場合には、消費者がその常居所地法中の特定の強行規定を適用すべき旨の意思を事業者に対し表示したときは、当該強行規定も適用される（同法第11条第1項）。また、消費者及び事業者との間で準拠法を選択しなかったときは、準拠法は消費者の常居所地法となる（同条第2項）。

② 国際裁判管轄

ア 契約上の債務の不履行による損害賠償の請求を目的とする訴えについては、(1)②の民訴法第3条の2の規定が適用されるほか、同法第3条の3第1号の規定も適用される。同規定によれば、(ア)契約において定められた当該債務の履行地が日本国内にあるとき、又は(イ)契約において選択された地の法によれば当該債務の履行地が日本国内にあるときは、我が国の裁判所に管轄権が認められる。また、プロバイダ等との契約が消費者契約に該当する場合

には、消費者から事業者に対する訴えは、訴えの提起の時又は消費者契約の締結の時における消費者の住所が日本国内にあるときは、我が国の裁判所に管轄権が認められる（同法第3条の4第1項）。

したがって、発信者が自己の情報を削除したプロバイダ等を提訴する場合、プロバイダ等と発信者との契約において当該債務の履行地が日本国内にあると合意された場合、契約において選択された地の法によれば当該債務の履行地が日本国内にある場合、又はプロバイダ等と発信者との契約が消費者契約に該当し、消費者である発信者が事業者に対して訴えを提起する場合で、訴えの提起時若しくは契約締結時における発信者の住所が日本国内にあるときは、我が国の裁判所に管轄権が認められることとなる。

イ　また、プロバイダ等との間で、日本の裁判所において訴えを提起することができる旨書面で合意した場合は、当該合意が有効である以上、我が国の裁判所に管轄権が認められる（同法第3条の7第1項及び第2項）。ただし、当該合意が将来において生ずる消費者契約に関する紛争を対象とするものである場合は、効力が制限されるため、注意を要する（同条第5項）。

B　不法行為責任が問題となる場合

① 準拠法

第3条第2項は、不法行為に基づく損害賠償請求についても、一定の場合に免責を認めるものである。そこで、不法行為に基づく損害賠償請求について、(2)①の考え方に従って通則法により日本法の適用が認められるときには、原則として、同項の適用があるものと考えられる。

② 国際裁判管轄

発信者が自己の情報を削除したプロバイダ等を提訴する場合、民

訴法第3条の2の規定が適用されるほか、プロバイダ等が削除行為を行った国が加害行為地であるから、当該情報を削除する操作を日本国内から行ったときには我が国の裁判所に管轄権が認められると解されるところ、通常は当該加害行為地とプロバイダ等の住所地等とが一致する場合が多いと考えられる。他方、当該情報が削除されたことによる被害が生じた国が結果発生地となるから、当該情報が削除されたことによる被害が日本国内で生じたと認められる場合は、我が国の裁判所に管轄権が認められる。

(4) **発信者情報開示請求権**（第5条関係）

① 準拠法

発信者情報開示請求権は、情報の流通による権利侵害の発生を原因として一定の者の間に法律上当然に発生することが認められる性質の債権であると考えられ[3]、(2)①の考え方に従って日本法の適用が認められるときには、発信者情報開示請求権に関する第5条第1項の適用があるものと解される。

② 国際裁判管轄

発信者情報開示請求に関する訴えは、我が国の民訴法上は財産権上の訴えにも不法行為に関する訴えにも該当しないものと解されるため、(1)②の民訴法第3条の2の規定のほかに、訴えの種類・性質等に照らして直ちに管轄原因が付加されることはない。しかしながら、(ア)プロバイダ等が日本国内に事務所又は営業所を置いており、発信者情報開示請求に係る業務がその事務所又は営業所における業

---

[3] 令和3年改正法により創設された特定発信者情報開示請求権も、同様の性質の債権であると考えられる。

[4] なお、民訴法第3条の3第4号及び第5号については、発信者情報開示請求に関する事例のみならず、送信防止措置に関する事例においても、その要件を満たすのであれば、適用されるものと解される。

務に該当する場合、(ｲ)プロバイダ等が日本国内において継続的な事業を行っている場合には、我が国の裁判所に管轄権が認められる（同法第3条の3第4号及び第5号）[4]。

第3 プロバイダ責任制限法施行規則の逐条解説

本　則

第1条（用語）

> （用語）
> **第一条**　この省令において使用する用語は、特定電気通信役務提供者の損害賠償責任の制限及び発信者情報の開示に関する法律（以下「法」という。）において使用する用語の例による。

【趣旨】

本条は、本施行規則において使用する用語は本法律において使用する用語の例による旨を定めるものである。

【解説】

本条により、本施行規則において用いられる「特定電気通信」、「発信者」及び「発信者情報」等の用語は、本法律において定義された語義と同一の語義を意味するものであることを明確化している。

第 2 条（発信者情報）

（発信者情報）
第二条 法第二条第六号の総務省令で定める侵害情報の発信者の特定に資する情報は、次に掲げるものとする。
一 ①発信者②その他侵害情報の送信又は侵害関連通信に係る者の氏名又は名称
二 発信者その他侵害情報の送信又は侵害関連通信に係る者の①住所
三 発信者①その他侵害情報の送信又は侵害関連通信に係る者の②電話番号
四 発信者①その他侵害情報の送信又は侵害関連通信に係る者の②電子メールアドレス（③電子メール（特定電子メールの送信の適正化等に関する法律（平成十四年法律第二十六号）第二条第一号に規定する電子メールをいい、特定電子メールの送信の適正化等に関する法律第二条第一号の通信方式を定める省令（平成二十一年総務省令第八十五号）第一号に規定する通信方式を用いるものに限る。第六条第一項第一号において同じ。）の利用者を識別するための文字、番号、記号その他の符号をいう。）
五 ①侵害情報の送信に係るアイ・ピー・アドレス（②電気通信事業法（昭和五十九年法律第八十六号）第百六十四条第二項第三号に規定するアイ・ピー・アドレスをいう。以下この条において同じ。）及び当該アイ・ピー・アドレスと組み合わされたポート番号（③インターネットに接続された電気通信設備（同法第二条第二号に規定する電気通信

設備をいう。以下この条において同じ。）において通信に使用されるプログラムを識別するために割り当てられる番号をいう。第九号において同じ。）

六　侵害情報の送信に係る移動端末設備（電気通信事業法第十二条の二第四項第二号ロに規定する移動端末設備をいう。以下この条において同じ。）からのインターネット接続サービス利用者識別符号（①移動端末設備からのインターネット接続サービス（②利用者の電気通信設備と接続される一端が無線により構成される端末系伝送路設備（端末設備（同法第五十二条第一項に規定する端末設備をいう。）又は自営電気通信設備（同法第七十条第一項に規定する自営電気通信設備をいう。）と接続される伝送路設備をいう。）のうち、その一端がブラウザを搭載した移動端末設備と接続されるもの及び③当該ブラウザを用いてインターネットへの接続を可能とする電気通信役務（同法第二条第三号に規定する電気通信役務をいう。）をいう。次号において同じ。）の④利用者をインターネットにおいて識別するために、⑤当該サービスを提供する電気通信事業者（同条第五号に規定する電気通信事業者をいう。次号において同じ。）により割り当てられる文字、番号、記号その他の符号であって、⑥電気通信（同条第一号に規定する電気通信をいう。第五条において同じ。）により送信されるものをいう。以下この条において同じ。）

七　侵害情報の送信に係る①SIM識別番号（②移動端末設備からのインターネット接続サービスを提供する電気通信事業者との間で当該サービスの提供を内容とする契約を締結している者を特定するための情報を記録した電磁的記録媒体（電子的方式、磁気的方式その他人の知覚によっては認

識することができない方式で作られる記録であって、電子計算機による情報処理の用に供されるものに係る記録媒体をいう。）（移動端末設備に取り付けられ、又は組み込まれて用いられるものに限る。）を識別するために割り当てられる番号をいう。以下この条において同じ。）

八　①第五号のアイ・ピー・アドレスを割り当てられた電気通信設備、②第六号の移動端末設備からのインターネット接続サービス利用者識別符号に係る移動端末設備又は③前号のSIM識別番号に係る移動端末設備から開示関係役務提供者の用いる特定電気通信設備に侵害情報が送信された年月日及び時刻

九　①専ら侵害関連通信に係るアイ・ピー・アドレス及び当該アイ・ピー・アドレスと組み合わされたポート番号

十　専ら侵害関連通信に係る移動端末設備からのインターネット接続サービス利用者識別符号

十一　専ら侵害関連通信に係るSIM識別番号

十二　専ら侵害関連通信に係るSMS電話番号（①特定電子メールの送信の適正化等に関する法律第二条第一号に規定する電子メールのうち、特定電子メールの送信の適正化等に関する法律第二条第一号の通信方式を定める省令第二号に規定する通信方式を用いるものの②利用者を識別するための番号その他の符号として用いられたものをいう。次号において同じ。）

十三　①第九号の専ら侵害関連通信に係るアイ・ピー・アドレスを割り当てられた電気通信設備、②第十号の専ら侵害関連通信に係る移動端末設備からのインターネット接続サービス利用者識別符号に係る移動端末設備、③第十一号の専ら侵害関連通信に係るSIM識別番号に係る移動端末

296　第3　プロバイダ責任制限法施行規則の逐条解説

設備又は㋑前号の専ら侵害関連通信に係るSMS電話番号に係る移動端末設備から開示関係役務提供者の用いる電気通信設備に侵害関連通信が行われた年月日及び時刻
十四　発信者その他侵害情報の送信又は侵害関連通信に係る者についての利用管理符号（㋐開示関係役務提供者と当該開示関係役務提供者と電気通信設備の接続、共用又は卸電気通信役務（電気通信事業法第二十九条第一項第十号に規定する卸電気通信役務をいう。）の提供に関する協定又は契約を締結している他の開示関係役務提供者との間で、㋑インターネット接続サービスの利用者又は当該利用者が使用する電気通信回線を識別するために用いられる文字、番号、記号その他の符号をいう。）

[趣旨]

　本条は、本法律第2条第6号の規定に基づき、開示の対象となる「氏名、住所その他の侵害情報の発信者の特定に資する情報であって総務省令で定めるもの」（発信者情報）を規定するものである。
　まず、第1号から第8号まで及び第14号において「特定発信者情報以外の発信者情報」（本法律第5条第1項柱書）を限定列挙しており、具体的には、発信者その他侵害情報の送信又は侵害関連通信に係る者の氏名又は名称（第1号）、発信者その他侵害情報の送信又は侵害関連通信に係る者の住所（第2号）、発信者その他侵害情報の送信又は侵害関連通信に係る者の電話番号（第3号）、発信者その他侵害情報の送信又は侵害関連通信に係る者の電子メールアドレス（第4号）、侵害情報の送信に係るアイ・ピー・アドレス及び当該アイ・ピー・アドレスと組み合わされたポート番号（第5号）、侵害情報の送信に係る移動端末設備からのインターネット接続サービス利用者識別符号（第6号）、侵害情報の送信に係るSIM

識別番号（第7号）、第5号から第7号までに係る開示関係役務提供者の用いる特定電気通信設備に侵害情報が送信された年月日及び時刻（いわゆるタイムスタンプ）（第8号）並びに発信者その他侵害情報の送信又は侵害関連通信に係る者についての利用管理符号（第14号）が定められている。

　さらに、第9号から第13号までにおいて「特定発信者情報」（法第5条第1項柱書）を限定列挙しており、具体的には、専ら侵害関連通信に係るアイ・ピー・アドレス及び当該アイ・ピー・アドレスと組み合わされたポート番号（第9号）、専ら侵害関連通信に係る移動端末設備からのインターネット接続サービス利用者識別符号（第10号）、専ら侵害関連通信に係るSIM識別番号（第11号）、専ら侵害関連通信に係るSMS電話番号（第12号）及び第9号から第12号までに係る開示関係役務提供者の用いる電気通信設備に侵害関連通信が送信された年月日及び時刻（いわゆるタイムスタンプ）（第13号）が定められている。

　発信者情報のうち発信者の氏名又は名称、住所、電話番号及び電子メールアドレスは、発信者を直接特定する情報である。他方、それ以外の情報は、発信者を特定するための手掛かりとなる情報である。

　開示関係役務提供者が、発信者の氏名又は名称及び住所を保有している場合には、それが開示されれば請求者の目的が十分達成されると考えられるものであり、発信者を特定するための手掛かりとなる情報を併せて開示することは、被害者に開示を受けるべき正当な理由がある例外的なときを除き、一般的には必要性が認められないものと考えられる。

　なお、本条は、本法律及び次条と同様に、これらの発信者情報の送信や保存を開示関係役務提供者に義務付けるものではない。

[解説]

1 発信者その他侵害情報の送信又は侵害関連通信に係る者の氏名又は名称（第1号）

本号は、開示の対象となる発信者情報として、「発信者その他侵害情報の送信又は侵害関連通信に係る者の氏名又は名称」を定めるものである。

〔用語の説明〕

① 「発信者」

「発信者」は、本法律第2条第4号で定義されている。すなわち、特定電気通信役務提供者の用いる特定電気通信設備の記録媒体（当該記録媒体に記録された情報が不特定の者に送信されるものに限る。）に情報を記録し、又は当該特定電気通信設備の送信装置（当該送信装置に入力された情報が不特定の者に送信されるものに限る。）に情報を入力した者をいう。

② 「その他侵害情報の送信又は侵害関連通信に係る者」

「侵害情報の送信又は侵害関連通信に係る」は、第1号から第4号まで及び第14号において用いられている。「その他侵害情報の送信又は侵害関連通信に係る者」としては、発信者が自己の所属する企業、大学の通信端末を用いて侵害情報を発信し、又は侵害関連通信を行った場合における当該企業、大学や、発信者が自宅の通信端末を用いて侵害情報を発信し、又は侵害関連通信を行った場合における当該通信端末の通信契約を締結した当該発信者の家族等が想定される。

2 発信者その他侵害情報の送信又は侵害関連通信に係る者の住所(第2号)

本号は、開示の対象となる発信者情報として、「発信者その他侵害情報の送信又は侵害関連通信に係る者の住所」を定めるものである。

〔用語の説明〕

① 「住所」

「住所」とは、一般に、各人の生活の本拠のことをいう。

なお、本法律又は本施行規則は、「住所」が、真に発信者やその他侵害情報の送信又は侵害関連通信に係る者の生活の本拠であるか等、本施行規則に掲げる情報の真偽の確認を開示関係役務提供者に義務付けるものではない。

3 発信者その他侵害情報の送信又は侵害関連通信に係る者の電話番号(第3号)

本号は、開示の対象となる発信者情報として、「発信者その他侵害情報の送信又は侵害関連通信に係る者の電話番号」を定めるものである。

〔用語の説明〕

① 「その他侵害情報の送信又は侵害関連通信に係る者」

用語の趣旨については第1号の解説を参照。

なお、旧省令においては「発信者の電話番号」(旧省令第3号)と規定していたところであるが、「その他侵害情報の送信又は侵害関連通信に係る者の電話番号」についても、当該電話番号に連絡する等により発信者の特定に資すると考えられるため、本号による開

示の対象としている。

　② 「電話番号」

　本号における電話番号は、開示関係役務提供者が契約者情報又は登録者情報として保有する電話番号を開示対象として定めるものである。

　プロバイダ等がアカウント認証時の認証コードの送信等をショートメッセージサービス1（以下「SMS」という。）によって行う場合に、契約者情報又は登録者情報として登録された電話番号をSMS通信におけるメールアドレスとして用いることがある。このように、契約者情報としてプロバイダが保有している電話番号がアカウント認証時にSMS通信におけるメールアドレスとして用いられた場合、SMS通信に係る通信記録に含まれる電話番号については「専ら侵害関連通信に係るSMS電話番号」（第12号）として開示の対象となり、契約者情報又は登録者情報として保有している電話番号については本号の電話番号として開示の対象となる。

4　発信者その他侵害情報の送信又は侵害関連通信に係る者の電子メールアドレス（第4号）

　本号は、開示の対象となる発信者情報として、「発信者その他侵害情報の送信又は侵害関連通信に係る者の電子メールアドレス」を定めるものである。

〔用語の説明〕

　① 「その他侵害情報の送信又は侵害関連通信に係る者」
　用語の趣旨については第1号の解説を参照。

1　ショートメッセージサービスとは、携帯電話同士で短い文字メッセージを電話番号により送受信するものである。

なお、旧省令においては「発信者の電子メールアドレス」(旧省令第4号)と規定していたところであるが、「その他侵害情報の送信又は侵害関連通信に係る者の電子メールアドレス」についても、当該電子メールアドレスに連絡する等により発信者の特定に資すると考えられるため、本号による開示の対象としている。

② 「電子メールアドレス」

本号では、発信者その他侵害情報の送信又は侵害関連通信に係る者の電子メールアドレスを開示の対象としている。

③ 「電子メール(特定電子メールの送信の適正化等に関する法律(平成十四年法律第二十六号)第二条第一号に規定する電子メールをいい、特定電子メールの送信の適正化等に関する法律第二条第一号の通信方式を定める省令(平成二十一年総務省令第八十五号)第一号に規定する通信方法を用いるものに限る。第六条第一項第一号において同じ。)の利用者を識別するための文字、番号、記号その他の符号をいう」

「電子メール」は、第4号、第12号及び第6条において用いられている。特定電子メールの送信の適正化等に関する法律(平成14年法律第26号。以下「特定電子メール法」という。)における「電子メール」の定義を引用する形で、「電子メールアドレス」を規定している。

具体的には、本号においては、電子メールアドレスを、「特定電子メールの送信の適正化等に関する法律第二条第一号の通信方式を定める省令(平成21年総務省令第85号。以下「特定電子メール法通信方式省令」という。)第1号に規定するシンプルメールトランスファープロトコル[2]を用いる電子メールの利用者を識別するための

---

[2] シンプルメールトランスファープロトコル(Simple Mail Transfer Protocol: SMTP)とは、インターネットにおける電子メールで用いられる通信方式であり、事実上の標準となっているものである。

符号」として規定している。これにより、「SMS（特定電子メール法通信方式省令第2号に規定する通信方式）において電子メールアドレスとして用いられる電話番号」は、本号には該当しないこととなり、第12号の「専ら侵害関連通信に係るSMS電話番号」に該当するものとして開示対象となる。

また、「識別する」とは、第4号から第7号まで、第12号及び第14号において用いられている。いずれも、あるものとそれ以外のものとを見分けることを意味し、機械によるものであると人によるものであるとを問わない。

5　侵害情報の送信に係るアイ・ピー・アドレス及び当該アイ・ピー・アドレスと組み合わされたポート番号（第5号）

本号は、開示の対象となる発信者情報として、「侵害情報の送信に係るアイ・ピー・アドレス[3]」及び「当該アイ・ピー・アドレスと組み合わされたポート番号」を定めるものである。

不特定の者が利用できるSNSや電子掲示板の場合、その運営者や管理者は、発信者の氏名、住所等を保有していないが、アイ・ピー・アドレスであれば記録していることがある。アイ・ピー・アドレスは、インターネットで通信を行う場合に必要不可欠なものであり、情報の送信に用いられた電気通信設備を正確に識別することができること、それにより発信者の特定が可能な場合があること、それ自体が秘匿性の高い情報とまではいえないこと等から、開示の対象とされたものである。

3　Internet Protocol Addressの略であり、電気通信事業法第164条第2項第3号において定義されている。これまで広く用いられていたのは、IPv4のアドレスであるが、割当て可能なアドレスが枯渇したため、現在は、IPv6のアドレスも用いられるようになっている。

アイ・ピー・アドレスには、それ自体の開示を受けることにより発信者を特定することができるものと、そのアイ・ピー・アドレス等を用いて、さらに他の開示関係役務提供者に開示請求することにより、発信者を特定することができるものとがある[4]。すなわち、発信者がネットワーク情報[5]にアイ・ピー・アドレスの割当てを受けた者として情報を登録している場合等には、当該情報により、被害者自身でアイ・ピー・アドレスから発信者を特定することができる。それに対して、発信者が、ネットワーク情報に自己の情報を登録していない場合等には、発信者による投稿等が行われたSNSの運営者等から開示を受けたアイ・ピー・アドレス等を手掛かりに、発信者がSNSに情報を記録等する通信を媒介した経由プロバイダ等に対して、さらに発信者情報の開示を請求することにより発信者を特定することとなる[6]。

また、経由プロバイダが発信者を特定するために、アイ・ピー・アドレスのほかに、タイムスタンプが不要な場合と必要な場合がある。すなわち、経由プロバイダが、その利用者に、あるアイ・ピー・アドレスを固定的に割り当てている場合（そのようにして割り当てられたアイ・ピー・アドレスを「固定アイ・ピー・アドレス」という。）には、経由プロバイダは、タイムスタンプを確認することなく、当該固定アイ・ピー・アドレスの割り当てられた契約

---

[4] いずれであっても、アイ・ピー・アドレスの開示を受けたとしても、結果として発信者を特定できない場合もある。

[5] 我が国に割り当てられたアイ・ピー・アドレスであれば、（一社）日本ネットワークインフォメーションセンター（JPNIC）への申請手続等によりJPNICデータベースに登録され、公開・開示される情報を指す。

[6] その場合には、通常、①まず、SNSの運営者等から侵害情報の送信に係るアイ・ピー・アドレス等の開示を受けたうえで、②当該アイ・ピー・アドレスを契約者に割り当てたプロバイダをJPNICデータベース等で確認し、③当該プロバイダから発信者の氏名や住所等の開示を受けることで、発信者を特定することとなる。

者を特定することが可能である。それに対して、経由プロバイダが、インターネットへの接続の都度、利用者にアイ・ピー・アドレスを割り当てている場合（通常、接続の都度異なるアイ・ピー・アドレスが割り当てられる。そのようにして割り当てられたアイ・ピー・アドレスを「動的アイ・ピー・アドレス」という。）等では、経由プロバイダは、当該動的アイ・ピー・アドレスの割り当てられた契約者を特定するために、アイ・ピー・アドレスとタイムスタンプを併せて確認することが必要となる。

　さらに、経由プロバイダが発信者を特定するために、アイ・ピー・アドレスに加えてポート番号が必要な場合もある。経由プロバイダが、複数の利用者に同一のアイ・ピー・アドレスを共有させるためにポート番号を用いて個々の利用者を識別する仕組みをとっている場合には、特定の通信を行った契約者を特定するために、アイ・ピー・アドレスとポート番号を併せて確認することが必要となる。

〔用語の説明〕

　① 「侵害情報の送信に係るアイ・ピー・アドレス」

　「侵害情報」は、本法律第2条第5号で規定されている。すなわち、特定電気通信による情報の流通によって自己の権利を侵害されたとする者が当該権利を侵害したとする情報をいう。

　「侵害情報の送信に係る」とは、第5号から第7号までにおいて用いられている。「侵害情報の送信に係る」情報に該当するには、いずれも各号に掲げる情報が、単に侵害情報と何らかの関係があることのみならず、侵害投稿通信を構成していることを意味するものである。

　なお、本号に関しては、規定上の文言を従前の「侵害情報に係るアイ・ピー・アドレス」（旧省令第5号）から変更している。

これは、令和3年改正法により「侵害関連通信」（本法律第5条第3項。侵害情報の発信者が侵害投稿通信に係る特定電気通信役務を利用し、又はその利用を終了するために行った当該特定電気通信役務に係る識別符号その他の符号の電気通信による送信であって、当該侵害情報の発信者を特定するために必要な範囲内であるものとして総務省令で定めるもの）及び「特定発信者情報」（本法律第5条第1項。発信者情報であって専ら侵害関連通信に係るものとして総務省令で定めるもの）との概念が新たに定められ、本施行規則において特定発信者情報に該当する情報として「専ら侵害関連通信に係るアイ・ピー・アドレス及び当該アイ・ピー・アドレスと組み合わされたポート番号」（第9号）を定めたことに伴い、同号で規定するアイ・ピー・アドレスと本号で規定するアイ・ピー・アドレスとの性質上の違いを明確化するために、旧省令第5号の「侵害情報に係る」との文言から変更したものである。

　「アイ・ピー・アドレス」には、特定電気通信設備に対して侵害情報を送信した電気通信設備に割り当てられたアイ・ピー・アドレス（いわゆる「接続元アイ・ピー・アドレス」）及び侵害情報の送信の相手方となった特定電気通信設備に割り当てられたアイ・ピー・アドレス（いわゆる「接続先アイ・ピー・アドレス」）のいずれもが含まれ、本号に規定する発信者情報に該当するものとして開示の対象となる。発信者の特定に当たっては、通常、接続元アイ・ピー・アドレスが用いられるが、経由プロバイダが発信者を特定するために、接続元アイ・ピー・アドレスに加えて接続先アイ・ピー・アドレスが必要な場合もある。現在でも、経由プロバイダが、複数の利用者に同一のアイ・ピー・アドレスを共有させるために接続先アイ・ピー・アドレスを用いて個々の利用者を識別する場合があるが、こうした場合には特定の通信を行った契約者を特定するために、接続元アイ・ピー・アドレスと接続先アイ・ピー・アド

レスを併せて確認することとなる。

② 「電気通信事業法（昭和五十九年法律第八十六号）第百六十四条第二項第三号に規定するアイ・ピー・アドレス」

電気通信事業法第164条第2項第3号において、アイ・ピー・アドレスは、「インターネットにおいて電気通信事業者が受信の場所にある電気通信設備を識別するために使用する番号、記号その他の符号のうち、当該電気通信設備に固有のものとして総務省令で定めるものをいう」と定義されている。これを受けた電気通信事業法施行規則（昭和60年郵政省令第25号）第59条の2第3項では、アイ・ピー・アドレスに該当する電気通信番号として、「数字及びドットの記号の組合せであつて、三十二ビットの値を表すもの」又は「数字（数字に代わつて用いられる文字を含む。）及びコロンの記号の組合せであつて、百二十八ビットの値を表すもの」の2つを定めている。

③ 「インターネットに接続された電気通信設備」

「接続された」とは、何かにつなげられたことを意味し、「インターネットに接続された電気通信設備」とは、インターネットにつなげられ通信を行うことが可能な電気通信設備をいう。具体的には、インターネットに接続されたコンピュータ（パソコンや携帯電話端末等も含まれる。）が該当する。

6　侵害情報の送信に係る移動端末設備からのインターネット接続サービス利用者識別符号（第6号）

本号は、開示の対象となる発信者情報として、「侵害情報の送信に係る移動端末設備からのインターネット接続サービス利用者識別符号」を定めるものである。

移動端末設備からのインターネット接続サービス利用者識別符号は、携帯電話事業者がその利用者に割り当てているものであり、利

用者による電子掲示板への書込みやインターネット上の有料情報サービスの利用等の際に送信されることがあり、これにより、電子掲示板の管理者等は移動端末設備からのインターネット接続サービスの利用者から個人情報を直接取得したり、ID・パスワードを入力させたりすること等なく、その利用者を識別することが可能となっている。

　移動端末設備からのインターネット接続サービス利用者識別符号は、通常、発信者による書込み等が行われた電子掲示板の管理者等から開示を受けた当該情報等を手掛かりに、書込み等を行った通信を媒介した携帯電話事業者に対して、さらに発信者情報の開示を請求することにより発信者を特定することができるものである。

　また、携帯電話事業者によっては、移動端末設備からのインターネット接続サービス利用者識別符号があれば、タイムスタンプを確認することなく、発信者を特定することが可能な場合がある。

〔用語の説明〕

①　「**移動端末設備からのインターネット接続サービス**」

　「移動端末設備からのインターネット接続サービス」とは、ブラウザを搭載した移動端末設備（携帯電話端末やタブレット端末等）と無線により接続されるいわゆる基地局と、ブラウザを搭載した移動端末設備のブラウザを用いてインターネットへの接続を可能とする電気通信役務である。

　なお、旧省令においては、「携帯電話端末等（携帯電話端末又はPHS端末）からのインターネット接続サービス」（旧省令第 6 号）と規定していたところであるが、近年では、携帯電話事業者が提供するインターネット接続サービスの回線容量の増大等に伴い、携帯電話端末等のみならず、タブレット端末等から当該サービスを利用するケースも一般化しているところである。ここで、タブレット端

末等から行われたSNS等への投稿等と携帯電話端末等から行われた投稿等を比較した場合に、前者よりも後者の方がより正確に発信者を特定することができる等の特段の事情もないことから、本号においては、「携帯電話端末等」ではなく「移動端末設備からのインターネット接続サービス」と定義することにより、タブレット端末等からのインターネット接続サービスの利用に係る利用者識別符号（本号）及びSIM識別番号（第7号）についても、その開示を請求することができることとしている。

② 「利用者の電気通信設備と接続される一端が無線により構成される端末系伝送路設備……のうち、その一端がブラウザを搭載した移動端末設備と接続されるもの」

「移動端末設備からのインターネット接続サービス」におけるブラウザを搭載した移動端末設備と無線により接続されるいわゆる基地局のことである。

③ 「当該ブラウザ」

「移動端末設備からのインターネット接続サービス」におけるブラウザ（インターネット上のウェブページを閲覧等するためのソフトウェアをいう。）を搭載した移動端末設備のブラウザのことである。

④ 「利用者をインターネットにおいて識別するために」

移動端末設備からのインターネット接続サービス利用者識別符号は、移動端末設備からのインターネット接続サービスの利用者をインターネットにおいて識別するためのものである。

なお、移動端末設備の製造番号[7]は移動端末設備自体を識別するための番号であることから、MACアドレス[8]はネットワーク機器自体を識別するための番号であることから、いずれも「利用者をインターネットにおいて識別するため」のものではなく、本号に該当しない。

⑤　「当該サービスを提供する電気通信事業者……により割り当てられる文字、番号、記号その他の符号」

　移動端末設備からのインターネット接続サービス利用者識別符号は、携帯電話事業者により割り当てられる文字、番号、記号その他の符号である。

　携帯電話事業者以外の者が割り当てた符号等は、移動端末設備からのインターネット接続サービスを利用した発信者を正確に特定し得るものではなく、本号にも含まれない。例えば、クレジットカード会社が割り当てるクレジットカード番号や、製造メーカーが割り当てる携帯電話端末の製造番号や MAC アドレス等は、「当該サービスを提供する電気通信事業者により割り当てられる」ものではなく、本号に該当しない。

⑥　「電気通信……により送信されるもの」

　移動端末設備からのインターネット接続サービス利用者識別符号は、電気通信により送信されるものである。

　電気通信により送信されない情報については、本号には含まれない。例えば、携帯電話事業者がその内部において利用者を管理するために割り当てる符号等は、「電気通信により送信されるもの」ではなく、本号に該当しない。

7　侵害情報の送信に係る SIM 識別番号（第7号）

　本号は、開示の対象となる発信者情報として、「侵害情報の送信に係る SIM 識別番号」を定めるものである。

　SIM 識別番号は、SIM カード[9]又は移動端末設備に組み込まれた

7　IMEI（International Mobile Equipment Identity）や、MEID（Mobile Equipment Identifier）をいう。
8　Media Access Control Address の略。物理アドレスともいう。
9　Subscriber Identity Module Card の略。

チップ型のSIM（以下「SIMカード等」という。）を識別するための番号[10]であり、一部の携帯電話事業者のものについては、利用者による電子掲示板への書込み等の際に、移動端末設備からのインターネット接続サービスにより送信することが可能であることから、インターネットにおいて利用者の識別に用いられることがある。

　SIMカード識別番号のうち、携帯電話端末等からのインターネット接続サービスにより送信されたものは、発信者による書込み等が行われた電子掲示板の管理者等から開示を受けた当該情報等を手掛かりに、書込み等を行った通信を媒介した携帯電話事業者やPHS事業者に対して、さらに発信者情報の開示を請求することにより発信者を特定することができるものである。

　また、MVNOが発信者を特定するために、SIM識別番号のほかに、タイムスタンプが不要な場合と必要な場合がある。すなわち、MNOから開示を受けたSIM識別番号が識別するSIMカード等やそのようなSIMカード等が取り付けられ、又は組み込まれた移動端末設備が他人に譲渡されたことがない場合には、携帯電話事業者は、タイムスタンプを確認することなく、当該SIM識別番号と紐づく契約者を特定することが可能である。それに対して、MNO等から開示を受けたSIM識別番号が識別するSIMカード等やそのようなSIMカード等が取り付けられ、又は組み込まれた移動端末設備が他人に譲渡されたことがある場合等には、当該SIM識別番号と紐づく契約者が譲渡等の前後により異なるため、MVNO等は、当該SIM識別番号と紐づく契約者を特定するために、SIM識別番号とタイムスタンプを併せて確認することが必要となる。

---

[10] ICCID（Integrated Circuit Card Identifer）のことである。

〔用語の説明〕

① 「SIM 識別番号」

SIM カード等には、それぞれ固有の番号が割り当てられており、その番号が電磁的に記録されている。そのような番号を「SIM 識別番号」という。

「侵害情報の送信に係る」ものとする限定を付していることから、プロバイダ等が、開示請求の対象となった SIM 識別番号に係る移動端末設備から当該開示請求に係る侵害情報の送信が行われたことについて、当該 SIM 識別番号と当該送信に係るアイ・ピー・アドレス及びタイムスタンプ等とを紐付けること等により確認できた場合に、当該 SIM 識別番号が開示されることとなる。

② 「移動端末設備からのインターネット接続サービスを提供する電気通信事業者との間で当該サービスの提供を内容とする契約を締結している者を特定するための情報を記録した電磁的記録媒体（電子的方式、磁気的方式その他人の知覚によっては認識することができない方式で作られる記録であって、電子計算機による情報処理の用に供されるものに係る記録媒体をいう。）（移動端末設備に取り付けられ、又は組み込まれて用いられるものに限る。）」

「移動端末設備からのインターネット接続サービス」は、第6号で規定されている。すなわち、移動端末設備（携帯電話端末やタブレット端末等）と無線により接続されるいわゆる基地局と、ブラウザを搭載した移動端末設備のブラウザを用いてインターネットへの接続を可能とする電気通信役務である。

「移動端末設備からのインターネット接続サービスを提供する電気通信事業者との間で当該サービスの提供を内容とする契約を締結している者を特定するための情報を記録した電磁的記録媒体（電子

的方式、磁気的方式その他人の知覚によっては認識することができない方式で作られる記録であって、電子計算機による情報処理の用に供されるものに係る記録媒体をいう。)（移動端末設備に取り付けられ、又は組み込まれて用いられるものに限る。)」とは、いわゆるSIMカード及び携帯電話端末に組み込まれたチップ型のSIMのことである[11]。これらには、携帯電話端末からのインターネット接続サービスの契約者を特定するための情報（IMSI[12]）が電磁的に記録されている。

なお、旧省令においては「携帯電話端末等に取り付けて用いるものに限る」（第6号）との限定を付していたが、近年、物理的に取り付けられたSIMカードではなく、あらかじめ移動端末設備に組み込まれたチップ型のSIMを用いる形態（いわゆるeSIM[13]）の移動端末設備が増加しつつあることを踏まえ、本号においては「取り付けられ、又は組み込まれて用いられるもの」と改めている。

以上により、本号にいう「電磁的記録媒体」とは、SIMカードを用いる形態の移動端末設備においては当該移動端末設備に取り付けて用いられるSIMカードが、eSIMを用いる形態の移動端末設備においては当該移動端末設備に組み込まれたチップ型のSIM

---

[11] W-CDMAに利用するものをUSIM又はUIMといい、CDMA2000に利用するものをRUIMというが、特にそれらを区別することなくSIMカードとして、それらをいずれも含むものである。

[12] International Mobile Subscriber Identityの略。IMSIは、携帯電話事業者のデータベースにおいて契約者情報と紐付けられているため、契約者を特定することが可能となっている。なお、本号はSIM識別番号を開示の対象として定めており、IMSI自体はこれに該当しない。

[13] Embedded SIMの略。携帯電話端末に組み込まれたチップ型のSIMの中に保存されているIMSIをネットワーク経由で書き換える仕組みであり、1つのSIMの中に複数のIMSIを保存することも可能である。eSIMを用いる形態の携帯電話端末は、SIMカードを物理的に取り替えることなく、ソフトウェアの制御により、場所や用途に応じて異なる事業者が提供する携帯電話回線を使い分けるといった、より利便性が高い使い方が可能となる。

が、それぞれ該当することとなる。

8　侵害情報が送信された年月日及び時刻（第8号）

　本号は、開示の対象となる発信者情報として、いわゆるタイムスタンプを定めるものである。

　前述のとおり、アイ・ピー・アドレスには、動的アイ・ピー・アドレスの場合等、それだけでは発信者を特定することができず、タイムスタンプと併せてさらに経由プロバイダ等に開示請求を行うことで、発信者の特定に資するものがある。このため、発信者情報として、第5号のアイ・ピー・アドレスを割り当てられた電気通信設備から「開示関係役務提供者の用いる特定電気通信設備に侵害情報が送信された年月日及び時刻」を規定しているものである。

　また、SIM識別番号については、SIMカード等や、SIMカード等が取り付けられ、又は組み込まれた移動端末設備が他人に譲渡されたことがある場合等には、それだけでは発信者を特定することができず、タイムスタンプと併せてさらに携帯電話事業者に開示請求を行うことで、発信者の特定に資するものがある。このため、発信者情報として、前号のSIM識別番号に係る移動端末設備から「開示関係役務提供者の用いる特定電気通信設備に侵害情報が送信された年月日及び時刻」を規定しているものである。

　さらに、第6号の移動端末設備からのインターネット接続サービス利用者識別符号についても、発信者情報として、「開示関係役務提供者の用いる特定電気通信設備に侵害情報が送信された年月日及び時刻」を規定しているものである。

〔用語の説明〕

　① 「第五号のアイ・ピー・アドレスを割り当てられた電気通信設備」

第5号に規定するアイ・ピー・アドレスを割り当てられた電気通信設備であり、それから開示関係役務提供者の用いる特定電気通信設備に侵害情報が送信された年月日及び時刻を規定している。

② 「第六号の移動端末設備からのインターネット接続サービス利用者識別符号に係る移動端末設備」

第5号に規定する移動端末設備からのインターネット接続サービス利用者識別符号に係る移動端末設備であり、それから開示関係役務提供者の用いる特定電気通信設備に侵害情報が送信された年月日及び時刻を規定している。

③ 「前号のSIM識別番号に係る移動端末設備」

第7号に規定するSIM識別番号に係る移動端末設備であり、それから開示関係役務提供者の用いる特定電気通信設備に侵害情報が送信された年月日及び時刻を規定している。

9 専ら侵害関連通信に係るアイ・ピー・アドレス及び当該アイ・ピー・アドレスと組み合わされたポート番号（第9号）

本号は、開示の対象となる発信者情報として、「専ら侵害関連通信に係るアイ・ピー・アドレス」及び「当該アイ・ピー・アドレスと組み合わされたポート番号」を定めるものである。

〔用語の説明〕

① 「専ら侵害関連通信に係るアイ・ピー・アドレス」

「専ら侵害関連通信に係る」は、第9号から第12号までにおいて用いられている。いずれも各号に掲げる情報が、侵害関連通信を構成する情報であり、専ら侵害関連通信に係るもの以外の発信者情報（契約者情報又は登録者情報として保有される発信者情報（第2条第1号から第4号まで、及び第14号に掲げる情報）及び侵害投稿通

信のアクセスログである発信者情報（第2条第5号から第8号までに掲げる情報））に該当しないものであることを意味するものである。

「アイ・ピー・アドレス」には、侵害関連通信を行った電気通信設備に割り当てられたアイ・ピー・アドレス（いわゆる「接続元アイ・ピー・アドレス」）及び侵害関連通信の相手方となった電気通信設備に割り当てられたアイ・ピー・アドレス（いわゆる「接続先アイ・ピー・アドレス」）のいずれもが含まれ、本号に規定する発信者情報に該当するものとして開示の対象となる。

10　専ら侵害関連通信に係る移動端末設備からのインターネット接続サービス利用者識別符号（第10号）

本号は、開示の対象となる特定発信者情報として、「専ら侵害関連通信に係る移動端末設備からのインターネット接続サービス利用者識別符号」を定めるものである。

11　専ら侵害関連通信に係るSIM識別番号（11号）

本号は、開示の対象となる特定発信者情報として、「専ら侵害関連通信に係るSIM識別番号」を定めるものである。

12　専ら侵害関連通信に係るSMS電話番号（第12号）

本号は、開示の対象となる特定発信者情報として、「専ら侵害関連通信に係るSMS電話番号」を定めるものである。

「専ら侵害関連通信に係るSMS電話番号」は、SMS認証のためのSMS通信に用いられた電話番号を指している。すなわち、SMS認証に当たっては、一般的に、㋐ユーザーからSNSの運営者等に対してアカウント認証のリクエストの通信が行われた後、㋑SNSの運営者等からユーザーに対してSMSによる認証コード又は認証

用のURLの送信等が行われ、㈦ユーザーが当該認証コードをSNS等におけるログイン画面に入力し、又は当該認証用のURLにアクセスすること等により認証を行う方法が用いられているところ、SNSの運営者等からユーザーに対する認証コード又は認証用のURLの送信の際にメールアドレスとして用いられた電話番号が「専ら侵害関連通信に係るSMS電話番号」に該当する。

　上記のようなSMS認証の仕組みにおいて、ユーザーからSNSの運営者等に対する通信であって侵害関連通信に該当するものを媒介した経由プロバイダと、SNSの運営者等からユーザーに対するSMSによる認証コード又は認証用URLの送信を媒介した経由プロバイダとが一致する場合には、当該経由プロバイダにおいて本号に掲げる情報を発信者の特定に用いることが可能であると考えられ、発信者の特定に資するものであるといえることから、発信者情報として規定しているものである。

　なお、プロバイダ等がアカウント認証時の認証コードの送信又は認証用URLの送信等をSMSによって行う場合に、契約者情報又は登録者情報として登録された電話番号を用いたときの本号及び第3号の適用関係については第3号の解説を参照。

〔用語の説明〕

① 「特定電子メールの送信の適正化等に関する法律第二条第一号に規定する電子メールのうち、特定電子メールの送信の適正化等に関する法律第二条第一号の通信方式を定める省令第二号に規定する通信方式を用いるもの」

　特定電子メール法第2条第1号に規定する電子メールのうち、特定電子メール法通信方式省令第2条第2号に規定する通信方式（SMS）を用いるものを意味する。

② 「利用者を識別するための番号その他の符号として用いられ

たもの」

　特定発信者情報とは、発信者情報であって専ら侵害関連通信に係るものとして総務省令で定めるものをいい（第5条第1項柱書）、それ以外の発信者情報（契約者情報又は登録者情報として保有される発信者情報及び侵害投稿通信に係る発信者情報）には該当しないものであり、かつ、現に行われた侵害関連通信に用いられた情報である必要があるため、「利用者を識別するための符号として用いられた」とされている。

13　侵害関連通信が行われた年月日及び時刻（第13号）

　本号は、開示の対象となる特定発信者情報として、いわゆるタイムスタンプを定めるものである。

　第8号と同様に、動的アイ・ピー・アドレスの場合等、それだけでは発信者を特定することができず、タイムスタンプと併せてさらに経由プロバイダ等に開示請求を行うことで発信者の特定に資するものがあることから、特定発信者情報として、第9号のアイ・ピー・アドレスを割り当てられた電気通信設備から「開示関係役務提供者の用いる電気通信設備に侵害関連通信が行われた年月日及び時刻」を規定しているものである。

　また、SIM識別番号についても、第8号と同様に、SIMカード等や、SIMカード等が取り付けられ又は組み込まれた移動端末設備が他人に譲渡されたことがある場合等には、それだけでは発信者を特定することができず、タイムスタンプと併せてさらに携帯電話事業者に開示請求を行うことで、発信者の特定に資するものがあることから、特定発信者情報として、SIM識別番号に係る移動端末設備から「開示関係役務提供者の用いる電気通信設備に侵害関連通信が行われた年月日及び時刻」を規定しているものである。

　さらに、移動端末設備からのインターネット接続サービス利用者

識別符号及びSMS電話番号についても、特定発信者情報として、「開示関係役務提供者の用いる電気通信設備に侵害関連通信が行われた年月日及び時刻」を規定しているものである。

〔用語の説明〕

① 「第九号の専ら侵害関連通信に係るアイ・ピー・アドレスを割り当てられた電気通信設備」

第9号に規定するアイ・ピー・アドレスを割り当てられた電気通信設備であり、それから開示関係役務提供者の用いる電気通信設備に侵害関連通信が行われた年月日及び時刻を規定している。

② 「第十号の専ら侵害関連通信に係る移動端末設備からのインターネット接続サービス利用者識別符号に係る移動端末設備」

第10号に規定する移動端末設備からのインターネット接続サービス利用者識別符号に係る移動端末設備であり、それから開示関係役務提供者の用いる電気通信設備に侵害関連通信が送信された年月日及び時刻を規定している。

③ 「第十一号の専ら侵害関連通信に係るSIM識別番号に係る移動端末設備」

第11号に規定するSIM識別番号に係る移動端末設備であり、それから開示関係役務提供者の用いる電気通信設備に侵害関連通信が送信された年月日及び時刻を規定している。

④ 「前号の専ら侵害関連通信に係るSMS電話番号に係る移動端末設備」

第12号に規定するSMS電話番号に係る移動端末設備であり、それから開示関係役務提供者の用いる電気通信設備に侵害関連通信が送信された年月日及び時刻を規定している。

14 発信者その他侵害情報の送信又は侵害関連通信に係る者についての利用管理符号(第14号)

本号は、開示の対象となる発信者情報として、経由プロバイダ間で契約者の特定に用いられる符号(利用管理符号)を定めるものである。

MVNOが利用者と通信役務の提供に係る契約を締結しており、MNOがMVNOに対して卸役務の提供を行っているような場合など、複数の経由プロバイダが通信に関与している場合がある。このような場合、開示請求者は、MNO等からMVNO等の名称の開示を受けた後に、MVNO等に対して発信者の氏名、住所等の開示請求を行うことが想定されるが、MNO等との間で契約者の識別に用いられる情報がMVNO等における発信者の特定に資することがあることから、そのような情報を発信者情報として規定するものである。

〔用語の説明〕

① 「開示関係役務提供者と当該開示関係役務提供者と電気通信設備の接続、共用又は卸電気通信役務(電気通信事業法第二十九条第一項第十号に規定する卸電気通信役務をいう。)の提供に関する協定又は契約を締結している他の開示関係役務提供者」

「電気通信設備の接続」とは、電気通信設備相互間を電気的に接続することをいう。

「電気通信設備の共用」とは、アンテナやトランスポンダ(電波中継機)等の電気通信設備を共同使用又は共有により使用することをいう。

「卸電気通信役務」とは、電気通信事業法第29条第1項第10号に

規定する卸電気通信役務であり、「電気通信事業者の電気通信事業の用に供する電気通信役務」を指す。

② 「インターネット接続サービスの利用者又は当該利用者が使用する電気通信回線を識別するために用いられる文字、番号、記号その他の符号」

「インターネット接続サービス」は、インターネットへの接続を可能とする電気通信役務を意味する。

プロバイダにおいて、ICCID や CUI[14]、回線番号等の顧客管理番号を用いて顧客情報の管理を行う場合があり、これらの情報を自社内での顧客情報の管理だけでなく、卸役務等の提供先であるプロバイダとの間で利用者を特定するための情報として用いられることがある。このように、ICCID や CUI、回線番号等の顧客管理番号等の情報が卸役務の提供に係る契約又は接続若しくは共用に係る協定を締結する他のプロバイダとの間で、インターネット接続サービスの利用者又は当該利用者が使用する電気通信回線を特定するために用いられる場合には、本号に掲げる情報に該当することとなる。

---

14 Chargeable User Identity の略。有料ユーザー識別のための ID として利用されるもの。

第3条（特定発信者情報）

> （特定発信者情報）
> **第三条** 法第五条第一項（各号列記以外の部分に限る。）の総務省令で定める発信者情報は、①前条第九号から第十三号までに掲げる情報とする。

【趣旨】

　本条は、本法律第5条第1項の規定に基づき、同項第1号及び第2号に掲げる要件に加えて第3号に掲げる補充的な要件を満たす場合に、特定電気通信役務提供者に対して開示を請求することができる「発信者情報であって専ら侵害関連通信に係るものとして総務省令で定めるもの」（特定発信者情報）を規定するものである。

　具体的には、専ら侵害関連通信に係るアイ・ピー・アドレス及び当該アイ・ピー・アドレスと組み合わされたポート番号（第2条第9号）、専ら侵害関連通信に係る移動端末設備からのインターネット接続サービス利用者識別符号（同条第10号）、専ら侵害関連通信に係るSIM識別番号（同条第11号）、専ら侵害関連通信に係るSMS電話番号（同条第12号）並びに第9号から第12号までに係る開示関係役務提供者の用いる電気通信設備に侵害関連通信が行われた年月日及び時刻（いわゆるタイムスタンプ）（同条第13号）を特定発信者情報として限定列挙している。

　なお、本条は、本法律及び第2条と同様に、これらの特定発信者情報の送信や保存を開示関係役務提供者に義務付けるものではない。

322　第 3　プロバイダ責任制限法施行規則の逐条解説

|解説|

〔用語の説明〕

①　「**前条第九号から第十三号までに掲げる情報**」

　本法律第 5 条第 1 項第 1 号から第 3 号までに掲げる要件を満たす場合には、特定発信者情報として、専ら侵害関連通信に係るアイ・ピー・アドレス及び当該アイ・ピー・アドレスと組み合わされたポート番号（第 2 条第 9 号）、専ら侵害関連通信に係る移動端末設備からのインターネット接続サービス利用者識別符号（同条第10号）、専ら侵害関連通信に係る SIM 識別番号（同条第11号）、専ら侵害関連通信に係る SMS 電話番号（同条第12号）並びに第 9 号から第12号までに係る開示関係役務提供者の用いる電気通信設備に侵害関連通信が行われた年月日及び時刻（いわゆるタイムスタンプ）（同条第13号）の開示を請求することができることとしている。

(参考)

発信者情報の種類（施行規則第2条・第3条）

※下線が改正に伴い追加されたもの

発信者情報（法第2条第6号・施行規則第2条）

A 特定発信者情報以外の発信者情報（法第5条第1項柱書）

(1) 発信者その他侵害情報の送信又は侵害関連通信に係る者の氏名又は名称
(2) 発信者その他侵害情報の送信又は侵害関連通信に係る者の住所
(3) 発信者その他侵害情報の送信又は侵害関連通信に係る者の電話番号
(4) 発信者その他侵害情報の送信又は侵害関連通信に係る者のSMTPメールアドレス
(5) 侵害情報の送信に係るIPアドレス及び組み合わされたポート番号
(6) 侵害情報の送信に係る移動端末設備からのインターネット接続サービス利用者識別符号
(7) 侵害情報の送信に係るSIM識別番号
(8) (5)～(7)に対応するタイムスタンプ

B 特定発信者情報（＝専ら侵害関連通信に係る発信者情報）（法第5条第1項柱書）

(9) 専ら侵害関連通信に係るIPアドレス及び組み合わされたポート番号
(10) 専ら侵害関連通信に係る移動端末設備からのインターネット接続サービス利用者識別符号
(11) 専ら侵害関連通信に係るSIM識別番号
(12) 専ら侵害関連通信に係るSMS電話番号
(13) (9)～(12)に対応するタイムスタンプ

(14) 発信者その他侵害情報の送信又は侵害関連通信に係る者についての利用管理符号

324　第3　プロバイダ責任制限法施行規則の逐条解説

第4条（法第五条第一項第三号ロの総務省令で定める特定発信者情報以外の発信者情報）

（法第五条第一項第三号ロの総務省令で定める特定発信者情報以外の発信者情報）
第四条　法第五条第一項第三号ロの総務省令で定める特定発信者情報以外の発信者情報は、①特定電気通信役務提供者が第二条第二号に掲げる情報を保有していない場合における同条第一号に掲げる情報、特定電気通信役務提供者が同号に掲げる情報を保有していない場合における同条第二号に掲げる情報、②同条第三号に掲げる情報、同条第四号に掲げる情報又は同条第八号に掲げる情報とする。

[趣旨]

　本条は、本法律第5条第1項第3号ロにおいて、開示請求の相手方である特定電気通信役務提供者が特定発信者情報以外の発信者情報を保有している場合であっても、当該特定発信者情報以外の発信者情報が同号ロの総務省令で定めるもののみであるときは特定発信者情報の開示を請求できることとされているところ、その特定発信者情報以外の発信者情報を定めるものである。

[解説]

　下表のとおり、開示請求の相手方である特定電気通信役務提供者が保有している特定発信者情報以外の発信者情報が、「発信者その他侵害情報の送信又は侵害関連通信に係る者の住所（第2条第2

第4条（法第五条第一項第三号ロの総務省令で定める特定発信者情報以外の発信者情報）

号）」を保有していない場合における「発信者その他侵害情報の送信又は侵害関連通信に係る者の氏名又は名称（同条第1号）」、「発信者その他侵害情報の送信又は侵害関連通信に係る者の氏名又は名称」を保有していない場合における「発信者その他侵害情報の送信又は侵害関連通信に係る者の住所」、「発信者その他侵害情報の送信又は侵害関連通信に係る者の電話番号（同条第3号）」、「発信者その他侵害情報の送信又は侵害関連通信に係る者の電子メールアドレス（同条第4号）」又は「侵害情報が送信された年月日及び時刻（いわゆるタイムスタンプ）（同条第8号）」のみであるときは、特定発信者情報の開示を請求できることとしている。

施行規則 第2条の号番号	法5条1項の特定電気通信役務提供者が 保有していても同項3号ロの要件を満たす 特定発信者情報以外の発信者情報
第1号	発信者その他侵害情報の送信又は侵害関連通信に係る者の氏名又は名称 ※施行規則第2条第2号の情報（住所）を保有している場合は含まない。
第2号	発信者その他侵害情報の送信又は侵害関連通信に係る者の住所 ※施行規則第2条第1号の情報（氏名又は名称）を保有している場合は含まない。
第3号	発信者その他侵害情報の送信又は侵害関連通信に係る者の電話番号
第4号	発信者その他侵害情報の送信又は侵害関連通信に係る者の電子メールアドレス
第8号	第5号のアイ・ピー・アドレスを割り当てられた電気通信設備、第6号の移動端末設備からのインターネット接続サービス利用者識別符号に係る移動端末設備又は前号のSIM識別番号に係る移動端末設備から開示関係役務提供者の用いる特定電気通信設備に侵害情報が送信された年月日及び時刻

〔用語の説明〕

① 「特定電気通信役務提供者が第二条第二号に掲げる情報を保有していない場合における同条第一号に掲げる情報、特定電気通信役務提供者が同号に掲げる情報を保有していない場合における同条第二号に掲げる情報」

開示請求の相手方である特定電気通信役務提供者が「発信者その他侵害情報の送信又は侵害関連通信に係る者の氏名又は名称（同条第1号）」又は「発信者その他侵害情報の送信又は侵害関連通信に係る者の住所（第2条第2号）」のうちいずれか一方のみを保有している場合に、特定発信者情報の開示を請求できることとしている。

② 「同条第三号に掲げる情報、同条第四号に掲げる情報又は同条第八号に掲げる情報」

開示請求の相手方である特定電気通信役務提供者が「発信者その他侵害情報の送信又は侵害関連通信に係る者の電話番号」、「発信者その他侵害情報の送信又は侵害関連通信に係る者の電子メールアドレス」又は「侵害情報が送信された年月日及び時刻（いわゆるタイムスタンプ）」を保有している場合にも、特定発信者情報の開示を請求できることとしている。

第5条（侵害関連通信）

（侵害関連通信）
第五条 法第五条第三項の総務省令で定める識別符号その他の符号の電気通信による送信は、①次に掲げる識別符号その他の符号の電気通信による送信であって、それぞれ同項に規定する侵害情報の送信と相当の関連性を有するものとする。
一 ①②侵害情報の発信者が当該侵害情報の送信に係る特定電気通信役務の利用に先立って当該特定電気通信役務の利用に係る契約（③特定電気通信を行うことの許諾をその内容に含むものに限る。）②を申し込むために④当該契約の相手方である特定電気通信役務提供者によってあらかじめ定められた当該契約の申込みのための手順に従って行った、又は⑤当該発信者が当該契約をしようとする者であることの確認を受けるために⑥当該特定電気通信役務提供者によってあらかじめ定められた当該確認のための手順に従って①行った識別符号その他の符号の電気通信による送信（⑦当該侵害情報の送信より前に行ったものに限る。）
二 ①侵害情報の発信者が前号の契約に係る特定電気通信役務を利用し得る状態にするために②当該契約の相手方である特定電気通信役務提供者によってあらかじめ定められた当該特定電気通信役務を利用し得る状態にするための手順に従って行った、又は③当該発信者が当該契約をした者であることの確認を受けるために④当該特定電気通信役務提供者によってあらかじめ定められた当該確認のための手順に従って行った識別符号その他の符号の電気通信による送

信
三 ①侵害情報の発信者が前号の特定電気通信役務を利用し得る状態を終了するために②当該特定電気通信役務を提供する特定電気通信役務提供者によってあらかじめ定められた当該特定電気通信役務を利用し得る状態を終了するための手順に従って行った識別符号その他の符号の電気通信による送信
四 ①第一号の契約をした侵害情報の発信者が当該契約を終了させるために②当該契約の相手方である特定電気通信役務提供者によってあらかじめ定められた当該契約を終了させるための手順に従って行った識別符号その他の符号の電気通信による送信（③当該侵害情報の送信より後に行ったものに限る。）

趣旨

本条は、本法律第5条第3項の規定に基づき、「侵害情報の発信者が当該侵害情報の送信に係る特定電気通信役務を利用し、又はその利用を終了するために行った当該特定電気通信役務に係る識別符号その他の符号の電気通信による送信であって、当該侵害情報の発信者を特定するために必要な範囲内であるものとして総務省令で定めるもの」（侵害関連通信）を規定するものである。

具体的には、(ア)特定電気通信役務提供者による特定電気通信役務（SNS等）の利用に先だって当該特定電気通信役務の利用に係る契約を申し込むために行ったアカウント作成通信又は発信者が当該契約をしようとする者であることの確認を受けるために行った認証通信（以下「アカウント作成等通信」という。）（第1号）、(イ)(ア)の申込みにより特定電気通信役務の利用に係る契約を締結し当該役務の利用の許諾を受けた者が当該特定電気通信役務を利用し得る状態に

するためのログイン通信又は特定電気通信役務を利用しようとする者が上記の契約を締結した者であることの確認を受けるために行った認証通信（以下「ログイン等通信」という。）（第2号）、(ウ)(ア)の特定電気通信役務を利用し得る状態となっていた者が当該特定電気通信役務を利用し得る状態を終了するために行ったログアウト通信、(エ)(ア)の契約をした者が当該契約を終了させるために行ったアカウント削除通信（第4号）、という4つの類型を限定列挙したうえで、それぞれについて侵害情報の送信と相当の関連性を有するものを侵害関連通信として規定している。

[解説]

1 侵害関連通信の共通事項（柱書）

　侵害関連通信について、本条各号に掲げる識別符号その他の符号の電気通信による送信のうち、それぞれ侵害情報の送信と相当の関連性を有するものと定めている。

〔用語の説明〕

① 「次に掲げる識別符号その他の符号の電気通信による送信であって、それぞれ同項に規定する侵害情報の送信と相当の関連性を有するもの」

　「識別符号その他の符号」とは、柱書及び第1号から第4号までにおいて用いられる。SNS等において利用者のアカウントごとに設定されるユーザーID・パスワードのほか、サービスを利用中である利用者を識別するためにアクセス先のウェブサイトやアプリケーションによって発行されるいわゆるセッションID、アクセストークン等も含まれる。

　「それぞれ同項に規定する侵害情報の送信と相当の関連性を有す

るもの」とは、本法律第5条第3項が侵害関連通信を「当該侵害情報の発信者を特定するために必要な範囲内であるものとして総務省令で定めるもの」とし、被害者の権利回復の利益と発信者のプライバシー及び表現の自由、通信の秘密との均衡を図る観点から、開示することができる特定発信者情報の範囲について量的な制限を加えたことを踏まえて、本条各号に掲げる識別符号その他の符号の電気通信による送信それぞれについて、侵害関連通信に該当するものを発信者を特定するために必要最小限度の範囲に限定するために、侵害情報の送信と相当の関連性を有することを侵害関連通信の要件とするものである。

このため、「侵害情報の送信と相当の関連性を有するもの」に該当する通信は、原則として、本条各号に掲げる通信ごとにそれぞれ1つとなることが想定される。具体的にどのような通信が「侵害情報の送信と相当の関連性を有するもの」に該当するかは、例えば、特定電気通信役務提供者における通信記録の保存状況や他の通信との比較における相対的な時間的近接性[16]等を考慮して判断される。すなわち、特定電気通信役務提供者が発信者情報開示請求を受けたときにその記録を保有している通信のうち、本条各号に該当する通信それぞれについて侵害情報の送信と最も時間的に近接する通信が「侵害情報の送信と相当の関連性を有するもの」に該当すると考えられる。もっとも、侵害情報の送信と最も時間的に近接する通信から発信者を特定することが困難であることが明らかであり、侵害関連通信の範囲を当該通信のみに限定することは、特定発信者情報の開示請求権を創設した趣旨に照らし適切ではないと考えられる場合

---

[16] 他の通信との比較において相対的に侵害情報の送信に近接しているかどうかが考慮されるため、当該通信と侵害情報の送信との時間的な間隔が一定期間以上のものであることだけをもって一律に「相当の関連性」が否定されるものではない。

がある[17]。そこで、そのような場合には、例外的に、侵害情報の送信と最も時間的に近接して行われた通信以外の通信も「侵害情報の送信と相当の関連性を有するもの」に該当する通信になり得る。

2　アカウント作成等通信（第1号）

本号は、利用者がSNS等のアカウントを作成時や会員登録時に、当該SNS等の利用に係る契約を申込むために送信するアカウント作成等の通信を、侵害関連通信として定めるものである。

〔用語の説明〕

① 「侵害情報の発信者が……行った識別符号その他の符号の電気通信による送信」

「侵害情報の発信者が……行った識別符号その他の符号の電気通信による送信」は、第1号から第4号において用いられている。

発信者とログイン時等の通信を行った者とが、同一の者である場合に限り開示できることとするものである。同一のアカウントのログイン時等の通信と権利侵害投稿通信は基本的に同一の者から行われたものととらえることができると考えられることから、当該アカウントが複数の者に共有されている場合やアカウントの乗っ取りが発生した場合などの例外的な場合を除き、侵害情報の送信が行われ

---

[17] このような場合に該当すると考えられるものとして、侵害情報の送信と最も時間的に近接する通信が経由プロバイダのみを経由して接続した通信ではないことにより、発信者その他侵害情報の送信又は侵害関連通信に係る者の契約者情報を保有する経由プロバイダを特定することができない場合が考えられる。具体的には、侵害情報の送信と最も時間的に近接する通信が「ボットによるアクセス」である場合やソーシャルログインの場合などがあるとの指摘があり、東京地判令和3・6・24令和2年（ワ）31118号公刊物未登載〔29065123〕の事例等が参考になる。例外的に侵害情報の送信と最も時間的に近接して行われた通信以外の通信が対象となり得る場面については、今後の技術の進歩や事例の蓄積等により変わり得るものと考えられる。

たアカウントと同一のアカウントへのログイン時等の通信は、当該要件に該当するものと考えられる。

　SNS等のアカウントを用いて他のサービス等にログインすること（いわゆるソーシャルログイン）ができるようにSNS等の運営者が他社に認証機能を提供している場合がある。また、SNS等の運営者が他社の認証機能の提供を受け、他社のサービスのアカウントを用いてSNS等にソーシャルログインができる場合もある。このようなソーシャルログインに関しても、ユーザーと侵害情報の流通に係る特定電気通信役務を提供する特定電気通信役務提供者との間の通信であるといえ、「侵害情報の発信者が……行った識別符号その他の符号の電気通信による送信」に該当するものについては、本号又は次号に規定する通信に該当し得る[18]。

② 「侵害情報の発信者が当該侵害情報の送信に係る特定電気通信役務の利用に先立って当該特定電気通信役務の利用に係る契約……を申し込む」

　SNS等において投稿等を行うためには、投稿等に先立ってアカウントの作成や会員登録が必要となることが一般的である。そのようなアカウントの作成や会員登録を行うためには、まず、ユーザーID・パスワード等の所定の事項をフォームに入力・送信したうえで、当該SNS等を利用することについて運営者との間で当該SNS等の利用に係る契約を締結することが必要となるのが一般的であるところ、「当該特定電気通信役務の利用に係る契約……を申し込む」とは、そのような契約の申込みを行うことである。

---

[18] ソーシャルログインが行われる場合、認証機能を提供する事業者と侵害情報に係る特定電気通信役務を提供する事業者との間でアクセストークンの提供等の通信が行われることが一般的であるところ、特定電気通信役務提供者と認証機能の提供者との間の通信であるといえ、「侵害情報の発信者が……行った識別符号その他の符号の電気通信による送信」に該当しないものについては、侵害関連通信に該当しないこととなる。

③ 「特定電気通信を行うことの許諾をその内容に含むものに限る」

　特定電気通信役務のうち、他者が送信した投稿等を閲覧等するのみではなく、投稿等を行うことができることを契約内容とするものに限ることを規定している。

　投稿等を行うためには当該契約に付随する別途の合意を行う必要がある場合等には、閲覧等のみを内容とする契約を申し込むための通信ではなく、当該投稿等を行うことを内容とする別途の合意の申し込みのための通信が本号の侵害関連通信に該当することになる。

④ 「当該契約の相手方である特定電気通信役務提供者によってあらかじめ定められた当該契約の申込みのための手順に従って行った」

　SNS等において投稿を行うことができるアカウントを作成したり、会員登録を行ったりするためには、ユーザーID・パスワード等の所定の事項をフォームに入力・送信することにより当該SNS等の利用に係る契約の申込みをする、といったアカウント作成や会員登録のための手順が定められているのが一般的であるところ、その手順に従って行った識別符号その他の符号の送信が該当することとしている。したがって、問合せフォームを通じて行ったアカウントの作成方法についての問合せ等、当該手順に基づかずに別途行った通信は、本号に規定するアカウント作成等通信には該当しない。

⑤ 「当該発信者が当該契約をしようとする者であることの確認を受ける」

　SNS等の利用に係る契約を締結するに当たって登録しようとする電話番号が他人の電話番号ではないことの確認のためにSMS認証を受けること等により、アカウントを作成すること等によりSNS等を利用しようとする者がSNS等の利用に係る契約をしようとする者かどうかについての確認を受けることである。

⑥ 「当該特定電気通信役務提供者によってあらかじめ定められた当該確認のための手順に従って」

SNS等の利用に係る契約をしようとする者かどうかの確認に関しては、SNS等の登録者情報として登録しようとする電話番号が他人の電話番号ではないことを確認するために認証コードを送信してSMS認証をする、といった手順が定められているのが一般的であるところ、その手順に従って行った識別符号その他の符号の送信が該当することとしている。問合せフォームを通じて行った認証方法についての問合せ等、当該手順に基づかずに別途行った通信については、本号に規定する侵害関連通信である認証通信には該当しない。

⑦ 「当該侵害情報の送信より前に行ったものに限る」

侵害関連通信とは「侵害情報の送信に係る特定電気通信役務を利用し、又はその利用を終了するために行った」通信であるところ（本法律第5条第3項）、侵害情報の送信より後に行われたアカウント作成等通信は侵害関連通信への該当性が一般に認められないことから、アカウント作成等通信の要件として、侵害情報の送信より前に行われたものであることを定めている。

3 ログイン等通信（第2号）

本号は、侵害関連通信として、利用者がSNS等を利用し得る状態にするためにアカウントにログインする際に送信するログイン通信及び当該利用がSNS等の利用に係る契約を締結した者であることについての確認を受けるために送信する認証通信を定めるものである。また、ログイン状態を継続するためのアクセストークンを送信するための通信も含まれる。これらの通信については、侵害情報の送信との先後を問わず、本号に掲げる通信に該当することとなる。

〔用語の説明〕

① 「侵害情報の発信者が前号の契約に係る特定電気通信役務を利用し得る状態にする」

　SNS 等を利用するために、ユーザー ID・パスワードを入力する等してアカウントにログインすること又はセッション ID 等を用いてログイン済のセッションを再開することである。

　SNS 等のアカウントを用いて他のサービス等にログインすること（いわゆるソーシャルログイン）ができるように SNS 等の運営者が他社に認証機能を提供しており、他のサービスへのログインにあたり当該認証機能を提供した際の通信記録を SNS 等の運営者が保有している場合がある。SNS 等の運営者に対する発信者情報開示請求においては、他のサービスへのログインにあたり当該認証機能を提供した時の通信については、他のサービスへのログインのための通信であり、「前号の契約に係る特定電気通信役務を利用し得る状態にする」ための通信ではないことから、本号の通信には該当しないこととなる。

② 「当該契約の相手方である特定電気通信役務提供者によってあらかじめ定められた当該特定電気通信役務を利用し得る状態にするための手順に従って行った」

　SNS 等を利用するためには、ユーザー ID・パスワードを入力する等してアカウントにログインする又はセッション ID を用いてログイン済のセッションを再開する、といった手順が定められているのが一般的であるところ、その手順に従って行った識別符号その他の符号の送信が該当することとしている。したがって、問合せフォームを通じて行った SNS 等の利用方法についての問合せ等、当該手順に基づかずに別途行った通信については、本号に規定する侵害関連通信であるログイン通信には該当しない。

③ 「当該発信者が当該契約をした者であることの確認を受ける」

SNS等の利用に係る契約を締結するに当たって登録した電話番号が他人の電話番号ではないことの確認のためにSMS認証を受けること等により、当該アカウントによりSNS等を利用しようとする者がSNS等の利用に係る契約をした者かどうかについての確認を受けることである。

④ 「当該特定電気通信役務提供者によってあらかじめ定められた当該確認のための手順に従って行った」

SNS等の利用に係る契約をした者かどうかの確認に関しては、SNS等の登録者情報として登録された電話番号が他人の電話番号ではないことを確認するために認証コードを送信してSMS認証をする、といった手順が定められているのが一般的であるところ、その手順に従って行った識別符号その他の符号の送信が該当することとしている。問合せフォームを通じて行った認証方法についての問合せ等、当該手順に基づかずに別途行った通信については、本号に規定する侵害関連通信である認証通信には該当しない。

4　ログアウト通信（第3号）

本号は、侵害関連通信として、利用者がSNS等を利用し得る状態を終了するためにアカウントからログアウトしようとする際に送信する通信（ログアウト通信）を定めるものである。ログアウト通信については、侵害情報の送信との先後を問わず、本号に掲げる通信に該当することとなる。

〔用語の説明〕

① 「侵害情報の発信者が前号の特定電気通信役務を利用し得る状態を終了する」

「利用し得る状態を終了する」とは、SNS等のアカウントにログ

インすることにより当該SNS等を利用し得る状態になるところ、そのような状態を終了するためにアカウントからログアウト等することである。

② 「当該特定電気通信役務を提供する特定電気通信役務提供者によってあらかじめ定められた当該特定電気通信役務を利用し得る状態を終了するための手順に従って行った」

SNS等を利用し得る状態を終了するためには、ログアウトボタンを押下してログアウトする、といった手順が定められているのが一般的であるところ、その手順に従って行った識別符号その他の符号の送信が該当することとしている。問合せフォームを通じて行ったログアウト方法についての問合せ等、当該手順に基づかずに別途行った通信については、本号に規定する侵害関連通信であるログアウト通信には該当しない。

5 アカウント削除通信（第4号）

本号は、侵害関連通信として、利用者がSNS等のアカウントを削除する際に送信する通信（アカウント削除通信）を定めるものである。

〔用語の説明〕

① 「第一号の契約をした侵害情報の発信者が当該契約を終了させる」

「当該契約を終了させる」とは、SNS等の利用を将来にわたって終了するために、当該SNS等の運営者に当該SNS等の利用に係る契約の解約の申込みをすることである。

② 「当該契約の相手方である特定電気通信役務提供者によってあらかじめ定められた当該契約を終了させるための手順に従って行った」

SNS等において投稿等を行うことができるアカウントを削除するためには、SNS等のウェブサイト又はアプリケーションにおいて設けられているアカウント削除ボタンを押下することにより当該SNS等の利用に係る契約を終了させる、といった手順が定められているのが一般的であるところ、その手順に従って行った識別符号その他の送信が該当することとしている。問合せフォームを通じて行ったアカウントの削除方法についての問合せ等、当該手順に基づかずに別途行った通信については、本号に規定する侵害関連通信であるアカウント削除通信には該当しない。

③ 「当該侵害情報の送信より後に行ったものに限る。」

侵害関連通信とは「侵害情報の送信に係る特定電気通信役務を利用し、又はその利用を終了するために行った」通信であるため（本法律第5条第3項）、侵害情報の送信より前に行われたアカウント削除通信は侵害関連通信への該当性が一般に認められないことから、アカウント削除通信に該当するための要件として、侵害情報の送信より後に行われたものであることを定めている。

第6条（提供の方法）

（提供の方法）
第六条 法第十五条第一項第一号の総務省令で定める電磁的方法は、次に掲げる方法とする。
一 ①電子メールを送信する方法
二 ②磁気ディスク、シー・ディー・ロムその他の記録媒体を交付する方法
三 ③法第十五条第一項（各号列記以外の部分に限る。）の開示関係役務提供者が自ら設置した電子計算機に備えられたファイルに記録された同項に定める事項を、電気通信回線を通じて申立人のみの閲覧に供し、及び当該事項を当該ファイルに記録する旨若しくは記録した旨を当該申立人に通知し、又は当該申立人が当該事項を閲覧していたことを確認する方法であって、④当該申立人がファイルへの記録を出力することによる書面を作成することができるもの
2 法第十五条第一項第二号が適用される場合における前項第三号の規定の適用については、同号中「法第十五条第一項（各号列記以外の部分に限る。）の開示関係役務提供者が自ら設置した」とあるのは「法第十五条第一項（各号列記以外の部分に限る。）の開示関係役務提供者又は同項第二号の他の開示関係役務提供者が自ら設置した」と、「申立人のみ」とあるのは「同号の他の開示関係役務提供者のみ」と、「当該申立人」とあるのは「当該他の開示関係役務提供者」とする。

340 第3 プロバイダ責任制限法施行規則の逐条解説

> [趣旨]

本条は、本法律第15条第1項第1号の規定に基づく提供命令があった場合における情報の提供又は通知の方法のうち、電磁的方法を定めるものである。

> [解説]

電磁的方法として、①電子メールを送信する方法（第1号）、②磁気ディスク、シー・ディー・ロムその他の記録媒体を交付する方法（第2号）、③開示関係役務提供者が自ら設置した電子計算機に備えられたファイルに記録しそれを電気通信回線を通じて申立人のみの閲覧に供し、及び当該事項を当該ファイルに記録する旨若しくは記録した旨を当該申立人に通知し、又は当該申立人が当該事項を閲覧していたことを確認する方法を定めている。

提供命令があった場合において電磁的方法による情報の提供又は通知が行われることが想定される場面は、以下のとおり。

・提供命令を受けた開示関係役務提供者からその申立人に対する本法律第15条第1項第1号イ又はロに規定する情報の提供（本法律第15条第1項第1号）

・提供命令の申立人が提供命令によりその氏名等情報の提供を受けた他の開示関係役務提供者を相手方として開示命令の申立てをした旨の当該提供命令を受けた開示関係役務提供者に対する通知（本法律第15条第1項第2号）

・提供命令を受けた開示関係役務提供者から当該提供命令に係る他の開示関係役務提供者に対する当該開示関係役務提供者が保有する発信者情報の提供（本法律第15条第1項第2号）

これらの場面において、提供命令を受けた開示関係役務提供者又は申立人は、書面又は電磁的方法によるか、電磁的方法による場合には本条第1項各号に掲げるいずれの方法によるかを選択すること

1 開示関係役務提供者と申立人との間の情報の提供又は通知（第1項）

〔用語の説明〕

① 「電子メールを送信する方法」

「電子メール」は、第2条第4号において用いられている。具体的には、特定電子メール法通信方式省令第1号に規定するシンプルメールトランスファープロトコルを用いる電子メールを意味するものである。

② 「磁気ディスク、シー・ディー・ロムその他の記録媒体を交付する方法」

磁気ディスク、シー・ディー・ロム等の記録媒体に本法律第15条第1項に定める事項を記録したうえで、当該記録媒体を提供先の申立人に対して交付する方法を定めたものである。

記録媒体の交付の方法について特段の制限はなく、郵送等による交付を行うことが考えられる。

③ 「法第十五条第一項（各号列記以外の部分に限る。）の開示関係役務提供者が自ら設置した電子計算機に備えられたファイルに記録された同項に定める事項を、電気通信回線を通じて申立人のみの閲覧に供し、及び当該事項を当該ファイルに記録する旨若しくは記録した旨を当該申立人に通知し、又は当該申立人が当該事項を閲覧していたことを確認する方法」

自ら設置したサーバに提供命令に基づき提供すべき事項を記録したうえで、当該事項を申立人のみの閲覧に供させる方法を規定している。

自ら設置した電子計算機に備えられたファイルに記録する場合に

限られることから、第三者が設置した電子計算機に備えられたファイルに記録する方法は、本号に定める方法に該当しないこととなる。また、本号に定める方法に該当するためには、提供命令を受けた開示関係役務提供者及び申立人以外の者が当該事項を閲覧することができないことが必要となる。

本法律15条第1項に定める事項を記録しただけでは、相手方がそのことを速やかに認識できない場合もあることから、所定の事項をサーバに記録する場合又は記録した場合には、その旨を提供先に対して通知し、又は当該事項を閲覧したことを確認することができる方法によらなければならない。

④ 「当該申立人がファイルへの記録を出力することによる書面を作成することができるもの」

申立人がファイルをダウンロードし印刷することなどにより、本法律第15条第1項に定められた事項を書面にすることができることを意味する。

申立人における非訟事件の対応及び記録の管理に資するようにするため、記録を出力することにより書面を作成することができるものに限ることとしている。

2　開示関係役務提供者間の情報の提供（第2項）

本条第2項においては、提供命令の名宛人となった開示関係役務提供者が本法律第15条第1項第2号の命令により発信者情報を他の開示関係役務提供者に提供する場合の、前項第3号に定める方法について、必要な読替えを行っている。

本法律第15条第1項第2号の命令による発信者情報の提供を行う場合、提供元のプロバイダが設置した電子計算機だけでなく、提供先のプロバイダが設置した電子計算機を用いる場合であっても、本号に定める方法として認められることとしている。

本項が適用される場合、提供元プロバイダ及び提供先プロバイダ以外の者がファイルに記録された事項を閲覧することができないことが必要となる。

第7条（法第十五条第一項第一号ロの総務省令で定める発信者情報）

（法第十五条第一項第一号ロの総務省令で定める発信者情報）

第七条 法第十五条第一項第一号ロの総務省令で定める発信者情報は、次の各号に掲げる場合の区分に応じ、それぞれ当該各号に定める情報とする。

一 法第十五条第一項（各号列記以外の部分に限る。）に規定する発信者情報開示命令の申立ての相手方が法第五条第一項に規定する特定電気通信役務提供者であって、かつ、当該申立てをした者が当該申立てにおいて特定発信者情報を含む発信者情報の開示を請求している場合　次のイ又はロに掲げる場合の区分に応じ、それぞれイ又はロに定める情報

　イ ①法第十五条第二項に規定する特定発信者情報の開示の請求について法第五条第一項第三号に該当すると認められる場合　第二条第九号から第十二号までに掲げる情報

　ロ ②法第十五条第二項に規定する特定発信者情報の開示の請求について法第五条第一項第三号に該当すると認められない場合　第二条第五号から第七号までに掲げる情報

二 ①法第十五条第一項（各号列記以外の部分に限る。）に規定する発信者情報開示命令の申立ての相手方が法第五条第一項に規定する特定電気通信役務提供者である場合（前号

第7条（法第十五条第一項第一号ロの総務省令で定める発信者情報）　345

> に該当する場合を除く。）　第二条第五号から第七号まで及び第十四号に掲げる情報
> 三　①法第十五条第一項（各号列記以外の部分に限る。）に規定する発信者情報開示命令の申立ての相手方が法第五条第二項に規定する関連電気通信役務提供者である場合　第二条第九号から第十二号まで及び第十四号に掲げる情報

趣旨

　本法律第15条第1項第1号ロにおいて、提供命令の発令を受けた開示関係役務提供者（提供元プロバイダ）が本法律第15条第1項第1号イに規定する他の開示関係役務提供者（提供先プロバイダ）を特定するために用いることができる発信者情報として総務省令で定めるもの（以下「提供先特定用発信者情報」という。）を保有していない場合又は提供元プロバイダがその保有する提供先特定用発信者情報により提供先プロバイダを特定することができない場合は、当該提供元プロバイダはその旨を申立人に通知すること（以下、提供先特定用発信者情報を保有していない場合の通知を「不保有の通知」という。）を要する（他方で、この場合、他の開示関係役務提供者を特定し、その氏名等情報を申立人に提供することは要しない。）と規定されている。本条は、本法律第15条第1項第1号ロの規定に基づき、提供先特定用発信者情報を定めるものである。

解説

　本条で定める提供先特定用発信者情報は、下表のとおりである。

号番号	該当する場合	不保有の通知をすることを要する提供先特定用発信者情報
第1号イ	本法律第15条第2項の規定により同条第1項の規	・専ら侵害関連通信に係るアイ・ピー・アドレス及び当該アイ・

	定を読み替えて適用する場合であって、同条第2項に規定する特定発信者情報の開示の請求について本法律第5条第1項第3号に該当すると認められる場合	ピー・アドレスと組み合わされたポート番号（第2条第9号） ・専ら侵害関連通信に係る移動端末設備からのインターネット接続サービス利用者識別符号（第2条第10号） ・専ら侵害関連通信に係るSIM識別番号（第2条第11号） ・専ら侵害関連通信に係るSMS電話番号（第2条第12号）
第1号ロ	本法律第15条第2項の規定により同条第1項の規定を読み替えて適用する場合であって、同項に規定する特定発信者情報の開示の請求について本法律第5条第1項第3号に該当すると認められない場合	・侵害情報の送信に係るアイ・ピー・アドレス及び当該アイ・ピー・アドレスと組み合わされたポート番号（第2条第5号） ・侵害情報の送信に係る移動端末設備からのインターネット接続サービス利用者識別符号（第2条第6号） ・侵害情報の送信に係る移動端末設備からのSIM識別番号（第2条第7号）
第2号	本法律第15条第1項（各号列記以外の部分に限る。）に規定する発信者情報開示命令の申立ての相手方が本法律第5条第1項に規定する特定電気通信役務提供者であって、かつ、当該申立てをした者が当該申立てにおいて特定発信者情報を含む発信者情報の開示を請求していない場合	・侵害情報の送信に係るアイ・ピー・アドレス及び当該アイ・ピー・アドレスと組み合わされたポート番号（第2条第5号） ・侵害情報の送信に係る移動端末設備からのインターネット接続サービス利用者識別符号（第2条第6号） ・侵害情報の送信に係る移動端末設備からのSIM識別番号（第2条第7号） ・侵害情報の発信者その他侵害情報の送信又は侵害関連通信に係る者

第7条（法第十五条第一項第一号ロの総務省令で定める発信者情報）　347

		についての利用管理符号（第2条第14号）
第3号	本法律第15条第1項（各号列記以外の部分に限る。）に規定する発信者情報開示命令の申立ての相手方が本法律第5条第2項に規定する関連電気通信役務提供者である場合	・専ら侵害関連通信に係るアイ・ピー・アドレス及び当該アイ・ピー・アドレスと組み合わされたポート番号（第2条第9号） ・専ら侵害関連通信に係る移動端末設備からのインターネット接続サービス利用者識別符号（第2条第10号） ・専ら侵害関連通信に係るSIM識別番号（第2条第11号） ・専ら侵害関連通信に係るSMS電話番号（第2条第12号） ・侵害情報の発信者その他侵害情報の送信又は侵害関連通信に係る者についての利用管理符号（第2条第14号）

1　法第15条第1項（各号列記以外の部分に限る。）に規定する開示命令の申立ての相手方が法第5条第1項に規定する特定電気通信役務提供者であって、かつ、当該申立てをした者が当該申立てにおいて特定発信者情報を含む発信者情報の開示を請求している場合（第1号）

　本法律第15条第2項においては、開示命令の申立ての相手方が同条第1項に規定する特定電気通信役務提供者であり、かつ、当該開示命令の申立てにおいて特定発信者情報を含む開示の請求をしている場合は、同条第1項を読み替えて適用することとされているところ、本号は、当該読替え適用がされる場合の提供先特定用発信者情報を規定するものである。なお、本号における特定電気通信役務提

供者としては、コンテンツプロバイダが想定される。

〔用語の説明〕

① 「法第十五条第二項に規定する特定発信者情報の開示の請求について法第五条第一項第三号に該当すると認められる場合」㈤

本号柱書に規定する場合に該当することを前提として、さらに、本法律第15条第2項の表中の上段の右欄に規定する場合に該当する場合、すなわち、特定電気通信役務提供者（コンテンツプロバイダ）に対して、特定発信者情報を含む発信者情報の開示命令の申立てをしており、かつ、本法律第5条第1項第3号の補充的な要件を満たす場合のことである。この場合において、提供命令を受けた当該特定電気通信役務提供者がその申立人に対して不保有の通知をすることを要する提供先特定用発信者情報として、第2条第9号から第12号までに掲げる特定発信者情報を定めている。

② 「法第十五条第二項に規定する特定発信者情報の開示の請求について法第五条第一項第三号に該当すると認められない場合」㈹

本号柱書に規定する場合に該当することを前提として、さらに、本法律第15条第2項の表中の上段の左欄に規定する場合に該当する場合、すなわち、特定電気通信役務提供者（コンテンツプロバイダ）に対して、特定発信者情報を含む発信者情報の開示の申立てをしており、かつ、本法律第5条第1項第3号の補充的な要件を満たさない場合のことである。この場合において、提供命令を受けた当該特定電気通信役務提供者がその申立人に対して不保有の通知をすることを要する提供先特定用発信者情報として、第2条第5号から第7号までに掲げる特定発信者情報以外の発信者情報を定めている。

2 法第15条第1項（各号列記以外の部分に限る。）に規定する開示命令の申立ての相手方が法第5条第1項に規定する特定電気通信役務提供者である場合（前号に該当する場合を除く。）（第2号）

本号は、本法律第15条第1項（各号列記以外の部分に限る。）に規定する開示命令の申立ての相手方が本法律第5条第1項に規定する特定電気通信役務提供者であって、かつ、当該申立てをした者が当該申立てにおいて特定発信者情報以外の発信者情報のみの開示を請求している場合のことである。この場合において、提供命令を受けた当該特定電気通信役務提供者がその申立人に対して不保有の通知をすることを要する提供先特定用発信者情報として、第2条第5号から第7号まで及び第14号に掲げる特定発信者情報以外の発信者情報を定めている。なお、本号における特定電気通信役務提供者としては、コンテンツプロバイダ及び権利侵害投稿を媒介した経由プロバイダが想定される。

〔用語の説明〕

① 「法第十五条第一項（各号列記以外の部分に限る。）に規定する発信者情報開示命令の申立ての相手方が法第五条第一項に規定する特定電気通信役務提供者である場合（前号に該当する場合を除く。）」

「法第十五条第一項（各号列記以外の部分に限る。）に規定する発信者情報開示命令の申立ての相手方が法第五条第一項に規定する特定電気通信役務提供者である場合」とは、開示命令の申立ての相手方について、本法律第5条第1項に規定する特定電気通信役務提供者であることを要するものであり、本条第1号と同じ要件である。他方で、「（前号に該当する場合を除く。）」としていることにより、

本号が適用されるのは、当該開示命令の申立てにおいて特定発信者情報を含む開示の請求をしていない場合となるため、本法律第15条第2項の規定による同条第1項の規定の読替え適用はなされず、本法律第15条第1項がそのまま適用されることとなる。

この場合においては、特定発信者情報以外の発信者情報のみが開示請求の対象となっていることから、提供命令を受けた当該特定電気通信役務提供者がその申立人に対して不保有の通知をすることを要する提供先特定用発信者情報として、第2条第5号から第7号までに掲げる特定発信者情報以外の発信者情報を定めている。

また、経由プロバイダが卸役務等を提供しており、当該卸先等が契約者の氏名等の情報を保有している場合などには、卸元等の経由プロバイダと卸先等の経由プロバイダとの間で利用管理符号を用いて利用者を特定する場合があることから、発信者その他侵害情報の送信又は侵害関連通信に係る者の利用管理符号（第2条第14号）についても、提供命令を受けた当該特定電気通信役務提供者がその申立人に対して不保有の通知をすることを要する提供先特定用発信者情報として定めている。

3 法第15条第1項（各号列記以外の部分に限る。）に規定する開示命令の申立ての相手方が法第5条第2項に規定する関連電気通信役務提供者である場合（第3号）

本号は、本法律第15条第1項（各号列記以外の部分に限る。）に規定する開示命令の申立ての相手方が本法律第5条第2項に規定する関連電気通信役務提供者である場合に、提供命令を受けた当該関連電気通信役務提供者がその申立人に対して不保有の通知をすることを要する提供先特定用発信者情報として、第2条第9号から第12号まで及び第14号に掲げる特定発信者情報を定めている。

第7条（法第十五条第一項第一号ロの総務省令で定める発信者情報）

〔用語の説明〕

① 「法第十五条第一項（各号列記以外の部分に限る。）に規定する発信者情報開示命令の申立ての相手方が法第五条第二項に規定する関連電気通信役務提供者である場合」

　開示命令の申立ての相手方について、本法律第5条第2項に規定する関連電気通信役務提供者であることを要するものである。

　前述のとおり、本法律第15条第2項において、開示命令の申立ての相手方が本法律第5条第1項に規定する特定電気通信役務提供者であり、かつ、当該開示命令の申立てにおいて特定発信者情報を含む開示の請求をしている場合は、同条第1項を読み替えて適用することとされているところ、本号に規定する場合に該当する場合は「開示命令の申立ての相手方が法第五条第二項に規定する関連電気通信役務提供者である場合」であることから、当該読替え適用はなされず、本法律第15条第1項がそのまま適用されることとなる。

　この場合において、関連電気通信役務提供者に対して開示を請求することができるのは「侵害関連通信に係る発信者情報」（本法律第5条第2項柱書）であるから、提供命令を受けた当該関連電気通信役務提供者がその申立人に対して不保有の通知をすることを要する提供先特定用発信者情報としては、「専ら侵害関連通信に係る発信者情報」である第2条第5号から第7号までに掲げる特定発信者情報を定めている。

　また、関連電気通信役務提供者が卸役務等を提供しており、当該卸先等が契約者の氏名等の情報を保有している場合などには、卸元等の関連電気通信役務提供者と卸先等の関連電気通信役務提供者との間で利用管理符号を用いて利用者を特定する場合があることから、発信者その他侵害情報の送信又は侵害関連通信に係る者の利用管理符号（第2条第14号）についても、提供命令を受けた関連電気

通信役務提供者がその申立人に対して不保有の通知をすることを要する提供先特定用発信者情報として定めている。

第7条（法第十五条第一項第一号ロの総務省令で定める発信者情報） 353

(参考)

施行規則第7条各号の適用関係

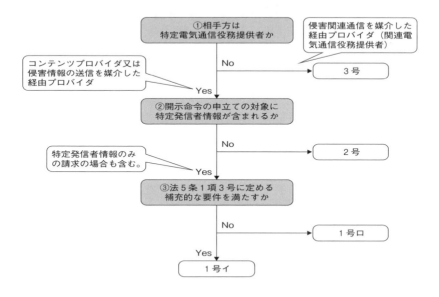

附　則

> 第一条　この省令は、特定電気通信役務提供者の損害賠償責任の制限及び発信者情報の開示に関する法律の一部を改正する法律（令和三年法律第二十七号）の施行の日から施行する。
> 第二条　特定電気通信役務提供者の損害賠償責任の制限及び発信者情報の開示に関する法律第四条第一項の発信者情報を定める省令（平成十四年総務省令第五十七号）は、廃止する。

【趣旨】

本条は、本施行規則の施行期日及び旧省令の廃止について規定するものである。

【解説】

1　施行期日（第1条）

本施行規則は、令和3年改正法の施行に伴い、その改正内容を踏まえて法の細則を定めるものであるから、令和3年改正法の施行の日（令和4年10月1日）を施行期日としている。

2　旧省令の廃止（第2条）

令和3年改正法により、旧省令の全7号から全7条へと省令の規定数も大幅に増加したこと、及び旧省令は発信者情報を規定することに特化した省令であったが、令和3年改正法によって侵害関連通

信及び特定発信者情報に係る省令事項並びに提供命令に係る省令事項が加わり、内容面も大きく変更されたことを勘案して、旧省令を廃止したうえで、本施行規則を制定したものである。

第4 ガイドライン

1 プロバイダ責任制限法名誉毀損・プライバシー関係ガイドライン

初　版：平成14年5月
第2版：平成16年10月
第3版：平成23年9月
（補訂：平成26年12月）
第4版：平成30年3月
第5版：令和4年1月
第6版：令和4年6月
プロバイダ責任制限法ガイドライン等検討協議会

I　ガイドラインの目的及び範囲

I－1　ガイドラインの目的

　このガイドラインは、特定電気通信役務提供者の損害賠償責任の制限及び発信者情報の開示に関する法律（平成13年法律第137号。以下「プロバイダ責任制限法」又は単に「法」という。）3条等[1]を踏まえ、特定電気通信による情報の流通により名誉を毀損され、又はプライバシーを侵害された者又はその代理人（以下「申立者等」という。）からの送信防止措置の要請を受けた場合に特定電気通信役務提供者（以下「プロバイダ等」という。）のとるべき行動基準を明確化することにより、申立者、発信者及びプロバイダ等それぞれの関係者の利益を尊重しつつ、プロバイダ等による迅速かつ

---

[1] 同条のほか、同条の特例である法3条の2（令和3年法律第27号による改正法施行後は法4条）及び私事性的画像記録の提供等による被害の防止に関する法律（平成26年法律第126号。以下「私事性的画像記録等被害防止法」という。）4条を含む。

適切な対応を促進し、もってインターネットの円滑かつ健全な利用を促進することを目的とする。

Ⅰ-2　ガイドラインの判断基準の位置付け

　このガイドラインは、申立者等からの送信防止措置の要請に対して、プロバイダ等のとるべき行動基準を明らかにすることを通して、プロバイダ等による迅速かつ適切な対応を可能とするための実務上の指針とするものである。

　したがって、このガイドラインにおいては、権利侵害情報に対するプロバイダ等の対応が適切であるかの基準を、「プロバイダ等が送信防止措置を講じた、又は講じなかった場合に、プロバイダ責任制限法3条により損害賠償責任が制限される場合に該当するか否か」という点に見出すこととし、次の観点で整理を行う。

①　送信防止措置を講じなかったとしても、申立者に対する損害賠償責任を負わないケースにはどのようなものがあるか。（法3条1項）

②　申立者等からの要請に応じて送信防止措置を講じた場合に発信者に対する損害賠償責任を負わないケースにはどのようなものがあるか。（法3条2項）

　プロバイダ責任制限法により、プロバイダ等の損害賠償責任が制限されるかどうかは、最終的には裁判所によって決定されるものであり、ある情報が名誉毀損又はプライバシー侵害に該当し、これによって、プロバイダ等が何らかの作為・不作為の責任を負うか否かについては、情報の内容、情報が掲載された場所の特性、情報に対する発信者、申立者等又はプロバイダ等の対応の仕方によって異なり、また名誉毀損及びプライバシー侵害の判断基準は社会環境の変化によっても変化するものであることを考慮する必要がある。した

がって、このガイドラインに従って対応しなければ、常に損害賠償責任が生じるとは限らない。他方、このガイドラインに従って対応したとしても、プロバイダ等が当然に損害賠償責任を免れるようなものではない。

このガイドラインは、各プロバイダ等がこれを参考として、名誉毀損及びプライバシー侵害[2]に該当する情報に自律的に対応する独自の判断基準を整備することを可能にするための一助として活用されることを念頭に作成されたものである。

また、このガイドラインは、社会環境の変容に伴って起こる名誉やプライバシーに関する意識の変化、情報技術の発展及び実務の運用状況に応じて、策定後においても不断の見直しをすべきである。

Ⅰ－3　ガイドラインの適用対象外となるもの

このガイドラインは、プロバイダ責任制限法で規定されていない事項については原則として取り扱っていない。ただし、プロバイダ責任制限法で規定されていない事項についても、プロバイダ等が送信防止措置を講じるよう要請を受けることがあり、このような場合において、ア）送信防止措置を講じても発信者との関係でプロバイダ等が免責されるのはどのような場合か、イ）送信防止措置を講じなかったとしても申立者との関係でプロバイダ等が免責されるのはどのような場合かの2つを判断するには、発信された情報の違法性についてプロバイダ等が判断しなければならないため、その判断の一助となる考え方及びその背景となる判例をⅡ章で紹介している。

なお、プロバイダ責任制限法で規定されていない事項とは、次の

---

[2] 名誉毀損及びプライバシー侵害は、インターネット上の誹謗中傷に伴い生じる典型的な違法類型であるが、他にも侮辱、信用毀損、パブリシティ権の侵害その他関連する違法類型があり、それぞれに違法となる場合の要件が異なっていることに注意が必要である。

ようなものである。
　①　特定電気通信以外の通信（電子メールにおける名誉毀損、プライバシー侵害、誹謗中傷など）
　　（注）このガイドラインでは、特定電気通信（インターネットでのウェブページ、電子掲示板等のように不特定の者に対して情報を送信する形態で行われる電気通信。法2条1号）において名誉毀損及びプライバシー侵害に該当する情報が発信された場合のみを扱う。
　②　刑事上違法な情報に関する刑事責任の存否
　　（注）プロバイダ責任制限法は、特定の者の権利を侵害する情報に関する民事上の損害賠償責任（不法行為責任、債務不履行責任）に関して、申立者、発信者のそれぞれに対して免責される場合を定めたものである。このため、刑事上違法な情報[3]に関する刑事責任の存否については、このガイドラインに基づいて判断することはできないが、一般に民事責任を免れる場合に刑事責任を問われることはないといえる。
　③　有害な情報（違法情報ではないが、受信者の特性によっては問題となりうる情報。例えば、青少年の健全な育成に悪影響を及ぼす暴力的表現、性的表現など）

Ⅰ-4　ガイドラインの対象者

[3]　刑事上も違法な情報としては、名誉毀損、信用毀損、侮辱などのように特定の者の権利が侵害されている場合のほか、わいせつ画像、他人のIDやパスワード（不正アクセス禁止法）、児童ポルノ（児童買春等処罰法）、風説の流布（金融商品取引法）などのように特定の者の権利が侵害されているとは限らないものもある。ただし、わいせつ画像、児童ポルノでは、刑事上、わいせつ図画陳列罪、児童ポルノ陳列罪への該当性が問題となる一方、民事上も名誉毀損、プライバシー侵害等に該当する可能性もあり、この場合の対応については、このガイドラインが適用される。

このガイドラインは、プロバイダ等、すなわちプロバイダ責任制限法に規定する特定電気通信役務提供者にむけて作成されたものである。

プロバイダ責任制限法に規定する特定電気通信役務提供者（法2条3号）とは、営利・非営利にかかわらずウェブホスティング等を行う者や第三者が自由に書込み可能な電子掲示板を運営している者である。したがって、電気通信事業法（昭和59年法律第86号）に規定する電気通信事業者だけでなく、大学、地方公共団体、電子掲示板を管理する個人等も含まれる。したがって、本協議会を構成する団体に属さないプロバイダ等であっても、プロバイダ責任制限法に対応する自主ルールを定めるにあたり、このガイドラインを参考にしていただきたい。

Ⅰ-5 プロバイダ責任制限法の考え方
(1) 申立者に対する損害賠償責任の制限

プロバイダ等が送信防止措置の申立てを受ける情報としては、個人の場合には名誉毀損、プライバシー侵害、侮辱、肖像権侵害等、法人の場合には信用毀損、業務妨害に相当する情報等が考えられる。

このような情報について削除等の送信防止措置を講じるよう申立てを受けた場合には、プロバイダ等の責任が問われる可能性がある。多くの裁判例において、一定の条件のもとで、プロバイダ等に当該情報の送信防止措置を講じる条理上の義務が認められている。

① 常時監視義務がないこと

ウェブページ又は電子掲示板等に掲載された情報の流通によって他人の権利が侵害されている場合に、そもそも当該情報が流通していること自体をプロバイダ等が知らなかったときは（知らなかったことの理由を問わず）、プロバイダ等が送信防止措置を講

じなかったとしても、申立者との関係で当該情報を放置したことによる損害賠償責任を負わない（法3条1項2号）。

　言い換えれば、プロバイダ等は、自己の管理下にあるサーバに格納された情報が他人の権利を侵害していないかどうかを監視する義務はない。このような義務があるとすると、サーバ内で頻繁に更新されていく情報を常にモニタリングしなければならないことになって負担が大きいばかりでなく、不作為責任を問われることをおそれてサーバにアップロードされる情報をプロバイダ等が常時チェックして、必要以上に情報を削除してしまうなどのおそれがあり、「表現の自由」に対する萎縮効果をもたらす可能性があるからである[4・5]。

　なお、いったん送信防止措置を講じるなどした後に、同じ発信者がファイル名を変更するなどして再び他人の権利を侵害する情報を発信した場合でも、プロバイダ等に、新たな違法行為が行われることまでを監視する義務はない。

② 申立者等からの送信防止措置の要請を受けた場合の責任の制限

　申立者等からの送信防止措置の要請を契機として、ウェブページ又は電子掲示板等に掲載された情報の流通をプロバイダ等が知ったときは、プロバイダ等が送信防止措置を講じなかったとしても、これによって「他人の権利が侵害されていることを知ることができたと認めるに足りる相当の理由」（法3条1項2号）が

---

[4] プロバイダ等に対しサーバにアップロードされる情報を監視し、取捨選択する義務を課すことは、電気通信事業法3条により禁止される検閲に該当し、憲法21条2項に定められた検閲禁止の精神に反するとする考え方もある。

[5] 大村真一・大須賀寛之・田中普「特定電気通信役務提供者の損害賠償責任の制限及び発信者情報の開示に関する法律の概要」NBL No.730（2002.2.1）30頁など。

なければ、プロバイダ等は、申立者との関係で当該情報を放置したことによる損害賠償責任を負わない。

　ここにいう「相当の理由」があるといえるのはどのような場合かについては、Ⅱ章を参照されたい。

③　技術的可能性による責任の制限

　プロバイダ責任制限法によれば、プロバイダ等が法3条1項1号又は2号のいずれかに該当したとしても、送信防止措置を講じることが技術的に不可能な場合には、そもそもプロバイダ等に送信防止措置を講ずることが期待できず、そのため、申立者に対する当該情報を放置したことによる損害賠償責任を負わないこととなる。

(2)　発信者に対する損害賠償責任の制限

　プロバイダ等にとっては、送信防止措置の要請を受けた情報が他人の権利を侵害する情報であるかどうかを判断することは困難である場合が多い。ある表現が名誉毀損又はプライバシー侵害等に該当するか正当な批判になるかの判断は難しく、同じ表現であっても、表現が真実かどうか、表現行為の目的といったプロバイダ等の知り得ない事情によって、名誉毀損に該当することもあれば、該当しないこともある。このように極めて難しい判断が必要であるにもかかわらず、他人の権利を侵害するものではない情報を誤って削除してしまったときは、発信者から損害賠償を請求される可能性がある。このために、プロバイダ等が発信者から損害賠償責任を問われることをおそれて送信防止措置の要請を必要以上に放置すれば、申立者にとって被害の拡大につながるおそれがある。

　そこで、プロバイダ責任制限法は、発信者からの損害賠償請求に対しては、次に掲げる要件（①又は②と③）を充足する場合に

は[6]、プロバイダ等は発信者に対する損害賠償責任を負わないことを定めている。

① 不当な権利侵害が行われたと信じるに足りる相当の理由があった場合（法3条2項1号）

どのような場合に「相当の理由」があるかについては、Ⅱ章を参照されたい。

② 申立者から一定の要件を満たす申出があった場合であって、発信者に送信防止措置に同意するかどうかの照会手続を行い、発信者が当該照会を受けた日から7日以内に当該送信防止措置に同意しない旨の申出（以下「反論」という。）がなかったとき（法3条2項2号）

申立者から送信防止措置を講じるよう求める一定の要件を満たす申出があったときに、発信者に照会を行う。

③ 必要な限度における送信防止措置

名誉毀損又はプライバシー侵害等の書込みについて、送信防止措置を講じるときは、違法情報の送信を遮断するために必要最小限度の措置を講ずるものであることが要件となっている。

何が必要最小限度の送信防止措置といえるかについては、プロバイダ等が侵害情報等の内容及び緊急性その他の事由を勘案して適切に判断していくべき問題である。

---

[6] プロバイダ責任制限法3条2項1号は、米国CDA（Communication Decency Act）やDMCA（Digital Millennium Copyright Act）等に認められる「グッド・サマリタン（善きサマリア人）の法理」に近い規定である。善意から他人を救済しようとした者の不法行為責任を免じ、又は軽減する考え方である。また、プロバイダ責任制限法3条2項2号は違法性判断をプロバイダ等がすることなく、一定の条件（侵害情報を発信者に送り、送信防止措置を講じることに同意するか否かを照会し、7日以内に発信者から反論がないこと）を充足する場合には、送信防止措置を講じることができるとする規定である。

一応の判断基準を示すとすれば、違法な書込みを削除したり、公衆からの閲覧を停止したりすることによって送信を防止することができる場合には、当該書込みのみを対象とする削除行為等は、必要最小限度の措置といえると考えられる。しかし、プロバイダ等の管理するサーバ内に存在するファイルに違法情報以外の情報（無関係な情報や違法情報と関係はあるが違法とはいえない情報）が含まれている場合（例えば、複数の人が書込みをしている一種の電子掲示板の場合）などであって、当該ファイル単位でしか削除行為等ができないため、違法情報の送信を防止するには、他の無関係の情報等も共に削除せざるを得ないときがあるが、このような場合には、どのようなものであれば当該ファイルを削除することが送信防止措置として認められる最小限度の措置ということができるかを一律に定めることは困難であり、個別具体的な判断を要するものと考えられる。

(3)　プロバイダ責任制限法を踏まえた対応

　違法情報であるかどうかの判断にあたり、送信防止措置を講じるときには、発信者との関係で損害賠償責任を負わない場合かどうかをプロバイダ責任制限法3条2項に基づいて判断することが必要であり、送信防止措置を講じないこととするときには、申立者に対する損害賠償責任を負わない場合かどうかをプロバイダ責任制限法3条1項に基づいて判断することとなる。

II　送信防止措置の判断基準

II－1　総論

(1)　本章の構成

　インターネット上の情報流通においては、名誉毀損、プライバシー侵害等に該当するとして削除等の送信防止措置が要請されるこ

とが多い。

　このガイドラインでは、このような要請を受けたプロバイダ等が送信防止措置を講じた場合において、発信者に対する損害賠償責任を負わないと考えられるときを、「個人に対するプライバシー侵害、名誉毀損」及び「法人に対する名誉又は信用の毀損」の２つに大別して例示的に列挙している（ただし、必要に応じて削除すべきでない場合についても例示している。）。

(2)　**法務省人権擁護機関からの削除依頼への対応**

　「重大な人権侵害事案[7]」で名誉毀損、プライバシー侵害等に該当する場合には、法務省人権擁護機関[8]においては、被害者からの申告等を端緒としてインターネット上の該当する情報の削除依頼[9]をプロバイダ等に行っている。この削除依頼に基づき、プロバイダ等が送信防止措置を講じた場合には、「他人の権利が不当に侵害されていると信じるに足りる相当の理由がある」場合（法３条２項１

---

[7] 人権侵犯事件調査処理規程（平成16年法務省訓令第２号）22条に基づき、「特別事件」（各法務局・地方法務局において、人権擁護局長及び監督法務局長へ救済手続の開始・調査遂行・終了を報告又は承認等を要するものとされている事件をいう。）に該当する。

[8] 各法務局・地方法務局長を指す。ただし、事案の緊急性・重大性に鑑み、法務省人権擁護局長が削除依頼を行うこともありうる。

[9] ここでいう削除依頼は、人権侵犯事件調査処理規程上は、14条〔人権侵害の事実が認められる場合の措置〕１項１号に規定する「人権侵犯による被害の救済又は予防について、実効的な対応をすることができる者に対し、必要な措置を執ることを要請すること（要請）。」に該当する。これに対し、同規程13条〔援助等の措置〕１号に規定する「被害者等に対し、関係行政機関又は関係のある公私の団体の紹介、法律扶助に関するあっせん、法律上の助言その他相当と認める援助を行うこと（援助）。」で足りると認められる場合には、被害者本人が法務省人権擁護機関からの援助を踏まえてプロバイダ等に直接発信情報の削除依頼を行うことになるため、Ⅱ章の一般判断基準に基づき、送信防止措置の要否又は可否を判断するものとなる。

号）に該当し、プロバイダ責任制限法の規定に基づき、プロバイダ等が削除による発信者からの損害賠償責任を負わない場合が多いと考えられる。

　特に、犯罪の被疑者が人権侵害の被害者となったケースでは、被疑者として拘束されているゆえに自身では被害の回復予防を図ることが困難と認められる場合があり、そのような場合には、プロバイダ責任制限法3条2項2号に基づく発信者への照会手続を利用することができない。そのような場合にも、このガイドラインに基づく迅速な対応をとることにより、違法な情報流通による被害の拡大を未然に防ぐことが可能である。

　したがって、プロバイダ等は、法務省人権擁護機関よりこのガイドラインに定める手続により侵害情報等の必要な事項を特定のうえ送信防止措置の依頼を受けた場合には、「他人の権利が不当に侵害されていると信じるに足りる相当の理由」を否定する特段の理由がなければ、当該依頼に基づきプロバイダ等が当該情報の不特定者に対する送信を防止するために最小限度の措置を講じたときは、裁判所によってもプロバイダ等が発信者に対する損害賠償責任を免れるものと判断されると期待される。ただし、法務省人権擁護機関からの依頼に応じたことによって、発信者に対する損害賠償責任を負わないことが必ずしも保証されるわけではないことにも留意しておきたい（例えば、不祥事を告発する写真の削除依頼など、公権力の濫用が疑われるケースなど。）。

　さらに、法務省人権擁護機関からの削除依頼を踏まえても、なお、プロバイダ等において、「他人の権利が不当に侵害されていると信じるに足りる相当の理由」がないと判断し、その判断が正しい場合には、プロバイダ等が送信防止措置を講じなくとも被害者に対する損害賠償責任を負うことはない。ただし、法務省人権擁護機関からの削除依頼は、人権侵害に関する専門的知見を有する者が多段

階にわたり慎重な検討を加えた結果として行われるものであり、そのような専門的判断と相反する判断を下すに際しては、相当慎重な検討が必要であることに留意し、弁護士等法律の専門家に相談することを推奨したい。

　なお、法務省人権擁護機関による情報の削除依頼としては、このガイドラインの対象となる名誉毀損及びプライバシー侵害以外の場合もありうるが、名誉毀損及びプライバシー侵害が明白とはいえないような表現については、このガイドラインの対象外としている。

(3) プロバイダ等の行動指針としての判断基準

　プロバイダ等としては、基本的にはこのガイドラインに沿った対応が期待されるものであり、現段階において一定の行動指針となるものと考えられる。なお、全体的に、関連する判例及び学説の動向も記載しているが、これらの動向については今後変化がありうるので、あくまで参考に留められたい。

　削除等の申立てがあったにもかかわらず、以下に例示する情報について送信防止措置を講じることなく、放置した場合には、申立者との関係において、プロバイダ責任制限法3条1項2号に定める「他人の権利が侵害されていることを知ることができたと認めるに足りる相当の理由」がある場合に該当する場合があるものと考えられる。

　なお、プロバイダ責任制限法3条1項2号は、送信防止措置を講じなかった場合において申立者に対する責任が制限されるときを定めたものであるのに対し、同条2項1号は、送信防止措置を講じた場合において発信者に対する責任が制限されるときを定めたものであるから、両方に「相当の理由」という用語が用いられていても、相互に関連性はなく、それぞれ別個に判断する必要がある。

Ⅱ-2 個人の権利を侵害する情報の送信防止措置（プライバシー侵害の観点から）

Ⅱ-2-1 プライバシーとして保護される情報

　プライバシー侵害について、不法行為の成立を認めたリーディングケースとなっている東京地裁昭和39年9月28日判決（「宴のあと」事件（判例要旨P 002））は、個人に関する情報がプライバシーとして保護されるためには、「①私生活上の事実または私生活上の事実らしく受け取られるおそれのある情報であること、②一般人の感受性を基準にして当該私人の立場に立った場合に、他者に開示されることを欲しないであろうと認められる情報であること、③一般の人に未だ知られていない情報であることが必要である」と解している。この3要件は、その後のプライバシー侵害に関する裁判例の多くで引用され、定着している。

　①の「私生活上の事実らしく受け取られるおそれのある情報」は、「宴のあと」事件がモデル小説が問題となったものであったため、フィクションであっても通常の読者から見て事実と受け取られるおそれがあれば対象となるという意味で言及されているものである。通常人が見ればまず事実とは受け取らない（作り話だと思う）場合は除くというレベルで理解すれば足りる。

　②の要件は、現在では、後述するように氏名及び住所についても自己が欲しない他者にはみだりにこれを開示されたくないと考えるのは自然なこととして法的保護対象と解されており、個人情報保護法の制定も相まって、プライバシーの保護対象がより広く認められるようになっている。

　③の要件についても、ある媒体で報じられた情報であっても、新たな媒体への掲載は、それによって新たに知る者がある（媒体ごとに閲読・視聴者が異なる）として公知性が否定されることが多い。電話帳や官報等の公的資料に掲載された情報を引用・転載する場合

でも、掲載する媒体や掲載の事情によりプライバシー保護の対象となることがある。

ただし、公人及び準公人（特に専門職）についての業務に関する事実については、私生活上の事実ではないとしてプライバシー保護の対象外とされることがある。

Ⅱ-2-2　違法性阻却事由

プライバシーの保護対象となる私生活上の事実であっても、公人及び準公人（特に選挙によって選出される公職にある者やその候補者、専門職等）については、その適否、資質の判断材料として提供された場合において、表現の内容及び方法がその目的に照らし不当でないときには、違法性がないとされる。また、犯罪事実の報道については、公共の利害に関する事実又は社会の正当な関心事とされ、表現の内容及び方法が不当なものでなければ、違法でないとされる（Ⅱ-2-6にて詳述）。

著名人については、その私生活の一部も社会の正当な関心事とされ得ること及びそのような職業を選びまた著名となる過程で一定の限度でプライバシーを放棄していると解されることから、当該著名となった分野に関連する情報については、その公開が違法でないとされることがある。

Ⅱ-2-3　氏名・連絡先等の情報への対応
(1)　氏名・連絡先等の情報の特徴

氏名、住所、電話番号等の連絡先情報は、個人を識別する基本情報であり、情報の性質上は秘匿性の強い情報ではないと解されがちであるが、これが一般に開示されることにより、とりわけインターネット上開示されるときには、見知らぬ第三者からのアクセスを容易にし、私生活上の平穏を害されるおそれがあるため、現在では、

一般私人にとって公開されたくない情報となっている[10]。

(2) 一般私人の場合

一般私人の氏名、連絡先等の情報への送信防止措置の要請を受けたときは、次のような対応を行うことが考えられる。

> ① 氏名及び勤務先・自宅の住所・電話番号が掲載された場合は、当該情報を利用して私生活の平穏を害する嫌がらせが行われるおそれが高いため、プロバイダ等が削除可能な場合は、原則として[11]削除することができる（なお、電話番号として記載されたものが誤っていて他人の電話番号が記載されている場合は、迷惑行為であることから、削除要請があれば、原則として削除する。）。
> ② 氏名及び勤務先・自宅の住所・電話番号が名簿等の集合した形態で記載している場合も、原則として削除することができる。
> ③ ネット上でハンドルネームのみで行動している場合（氏名又は連絡先を公表していない場合）において、氏名を開示する情報が記載されたときも、原則として削除することができる。
> ④ 公表されていない電子メールアドレスを開示する情報が記載された場合も、原則として削除することができる。

---

[10] 住民基本台帳のデータの流出について損害賠償請求を認容した大阪高裁平成13年12月25日判決（判例要旨P027）、インターネット接続サービスの顧客情報の流出に関して損害賠償請求を認容した大阪地裁平成18年5月19日（判例要旨P038）及び大手通信教育事業者からの未成年者の個人情報流出に関する保護者からの損害賠償請求に関して精神的損害の有無及び程度について十分に審理がなされていないとして原判決につき破棄差戻しをした最高裁平成29年10月23日判決（判例要旨P060）参照。

[11] 原則に対する例外としては、掲載された住所、電話番号等が実際に存在しないもので、私生活の平穏を害する嫌がらせが現実に行われる可能性がない場合など緊急性が高くない場合には、発信者に削除要請を伝え、発信者による自主的削除を促すことも考えられる。

(3) 公人等[12]の場合

　公人等の氏名、連絡先等の情報への送信防止措置の要請を受けたときも、原則として一般私人の場合と同じであるが、公人等の特殊性を考慮し、次のような対応を行うことが考えられる。

> 　公人等の職務、役職等及びこれらに関係する住所、電話番号等広く知られているものについては、削除の必要性がない場合が多いが、公人であっても、職務、役職等と関係のない情報で広く知られる必要性のないもの（例えば、自宅の住所及び電話番号[13]）については、原則として一般私人の情報と同様に取り扱うことが望ましい[14]。

---

[12] 「公人」とは、国会議員、地方自治体の長、議員その他要職につく公務員などをいう。また、「公人」に準じる公的性格を持つ存在として、会社代表者、著名人もある。これらの者は、その職務との関係上一定限度で私生活の平穏を害されることを受忍することを求められる場合があり、一般私人とは異なる配慮が必要である。なお、このガイドラインにおいては、上記の「公人」のほかに、公人ではないが会社代表者等の公的立場にあり、社会的影響力を持つ私人を「準公人」、単なる著名人、有名人を「著名人」、さらにそれ以外の一般私人を「私人」として分類することとする。

[13] 公人及び準公人については、自宅公開についての裁判例が見当たらない。自宅の住所及び電話番号がみだりに公開されると嫌がらせがなされるなど、家族を含め私生活の平穏を乱すおそれがあるため、一般私人と同等の取扱いをすることとした。ただし、例えば会社経営者については、法人の商業登記簿謄本（法務局で誰でもとれる）に代表取締役の自宅の住所が必須の記載事項とされていることとの関係で、会社の代表取締役の自宅については原則として削除しないとの取扱いも考えられる。
　一方、著名人の自宅公開等については、正当性が認められる場合はあまりないと考えられる。

[14] 公人等の広く知られている連絡先等であっても、その私生活の平穏を害する嫌がらせ等が現実に発生しているなど緊急性が高い場合には、プロバイダ等において削除可能であれば、削除することもできると考えられる。

(4) 裁判例
(4)-1 概観

氏名及び連絡先がセットで開示された場合については、既に最高裁判決が出され、下級審裁判例上もプライバシーの保護対象となることが認められており、これを明確に否定したものは見あたらない。公開が不法行為となり損害賠償義務が生じるかについては最終的には違法性阻却事由もあわせて考慮することになるが、次の最高裁判決の基準を考慮すると、一般人について氏名及び連絡先の公表を正当化することは困難と考えるべきである。

* 最高裁第二小法廷平成15年9月12日判決（判例要旨P030）は、「学籍番号、氏名、住所及び電話番号は（略）個人識別等を行うための単純な情報であって、その限りにおいては、秘匿されるべき必要性が必ずしも高いものではない。」としつつ、「しかし、このような個人情報についても、本人が、自己が欲しない他者にはみだりにこれを開示されたくないと考えることは自然なことであり、そのことへの期待は保護されるべきものであるから、本件個人情報は、上告人らのプライバシーに係る情報として法的保護の対象となるというべきである。」としている。しかも、この判決は、上記の判示に引き続いて、大学が事前承諾をとることが容易であったのにそれを怠り無断で警察に情報を開示したことは、「上告人らが任意に提供したプライバシーに係る情報の適切な管理についての合理的な期待を裏切るものであり、上告人らのプライバシーを侵害するものとして不法行為を構成する」とし、「原判決の説示する本件個人情報の秘匿性の程度、開示による具体的な不利益の不存在、開示の目的の正当性と必要性などの事情は、上記結論を左右するに足りない。」としている。この判決からは、開示の目的の正当性・必要性が相当程度あっても、一般私人の氏名及び連絡先等の個人情報の開示については正当化されないことになる。ただし、この判決では、5名中2名の裁判官が講演会の警備の必要性が高く開示目的が正当であったことを理由に不法行為とならないという反対意見を述べている（3対2の多数決である。）。

(4)-2　一般私人

　一般私人の氏名、連絡先等の情報については、上記最高裁判決のほかに、下級審の裁判例として、以下のものがある。

① 氏名と自宅の住所・電話番号について電話帳に掲載を拒否したのに誤って掲載された事例（東京地裁平成10年1月21日判決（判例要旨P016））

② マンション購入者の氏名と本人が秘匿の意思を示していた勤務先の名称及び電話番号を当該マンション管理会社となる予定の会社に提供した事例（東京地裁平成2年8月29日判決（判例要旨P009））

③ 電話帳（タウンページ）に掲載されていた氏名、職業、（勤務先の）住所・電話番号を（ハンドルネームと関連づけて）電子掲示板で開示した事例（神戸地裁平成11年6月23日判決（判例要旨P018））

④ 講演会参加者の氏名、学籍番号、住所及び電話番号を主催者である大学が警察に提供した事例（東京地裁平成13年4月11日判決（判例要旨P022））、その控訴審（東京高裁平成14年1月16日判決（判例要旨P028））、別原告による訴訟の上記最高裁判決の差戻し審（東京高裁平成16年3月23日判決（判例要旨P032））

＊上記の裁判例は見知らぬ者から連絡を受けて私生活上の平穏を乱される危険を実質的な根拠としている。

＊電話帳に掲載されている勤務先の住所・電話番号でも別の媒体に掲載する場合には公知のものではない（一般人にまだ知られていない）として、プライバシーの保護対象とされたこと（判例要旨P018）に注意すべきである（京都地裁平成29年4月25日判決（判例要旨P058））。

　氏名及び勤務先・自宅が名簿の形態で集合的に公開された場合に

については、個別情報の注目度が小さくなる（ただし、集積していることで利用しやすいとしてサイト自体の注目度が上がることも考えられる。）とはいえるが、名簿の形態であることで不法行為の成立の有無を左右する事情とはいえないと考えられる。

> ＊電話帳への掲載についても不法行為の成立を認めた裁判例（東京地裁平成10年1月21日判決（判例要旨P016））がある。

犯罪関係者については、犯罪の被疑者・被告人、申立者及びこれらの者の親族の勤務先・自宅の住所の公開が正当化されるのはそれが犯罪の実行場所である場合等に限られ、電話番号について公開を正当化できる場合はほとんど考えられないので、公人等である場合を除き、一般私人として扱うべきである。

> ＊犯罪関係者については、「一般に犯罪事実の報道が公共の利害に関するものとされる理由は、犯罪行為ないしその容疑があったことを一般公衆に覚知させて、社会的見地からの警告、予防、抑制的効果を果たさせるにあると考えられるから、犯罪事実に関連する事項であっても無制限に摘示・報道することが許容されるものではなく、摘示が許容される事実の範囲は犯罪事実及びこれと密接に関連する事項に限られるべきである。したがって、犯罪事実に関連して被疑者の家族に関する事実を摘示・報道することが許容されるのも、当該事実が犯罪事実自体を特定するために必要である場合又は犯罪行為の動機・原因を解明するために特に必要である場合など、犯罪事実及びこれと密接に関連する場合に限られるものと解するのが相当」（東京地裁平成7年4月14日判決（判例要旨P011）、その控訴審の東京高裁平成7年10月17日判決（判例要旨P013））とされ、被疑者の妻の勤務先の名称を公開することは違法とされた。

ハンドルネームのみで行動していることは氏名を秘匿する意思の表れであること、ハンドルネームでの行動が通常である電子掲示板等では匿名性が保たれることがルールとなっていること、ハンドル

ネームで行動する者の実名を暴く行為は通常その者がネット上で反感を買うか好奇の対象とされているときに行われることを考慮すると、従来の下級審裁判例の流れに徴すれば、ハンドルネームのみで行動している場合における氏名は、通常人の感受性を基準として公開を欲しない情報と扱われる可能性は必ずしも少なくないように思われる(神戸地裁平成11年6月23日判決(判例要旨P018)、東京地裁平成13年8月27日判決(判例要旨P024))。

電子メールアドレスについても、誹謗中傷の電子メールや迷惑メールが集中する可能性が少なくないことから私生活上の平穏を害されると判断され得る(東京地裁平成19年2月8日(判例要旨P041))。

(4)-3 著名人の場合

＊著名人の自宅ないし実家(親族の住居)の住所・電話番号については、出版の差止めを認めた判決が相次いでおり(神戸地裁尼崎支部平成9年2月12日決定(判例要旨P014)、東京地裁平成9年6月23日判決(判例要旨P015)、東京地裁平成10年11月30日判決(判例要旨P017))、これらの判決では公表の目的等との利益衡量は示しているものの、著名人の自宅公開について正当性が認められる場合はあまりないと考えられる。

Ⅱ-2-4 氏名・連絡先以外の情報への対応

(1) 氏名・連絡先以外の情報の特徴

氏名・連絡先以外の情報への送信防止措置の要請がある場合の多くは、要請の対象となる情報は、いわゆるセンシティブな情報(通常よりも取扱いに注意すべき情報。身体情報、信用情報その他通常人が秘匿したい性質の情報(個人情報の保護に関する法律(平成15年法律第57号。以下「個人情報保護法」という。)2条3項に定義

される要配慮個人情報を含むが、これに限らない。）であると考えられる。

　このような場合には、プライバシーとして保護すべき要請は強くなるが、他方において、このような情報が開示される場合には、対象となる者に対する評価、批評の目的によるときが少なからずあり、その対象となる者が公人等の場合には、そのような批評を保護すべき要請も出てくることになる。

(2)　一般私人の場合

　一般私人の氏名・連絡先以外の情報への送信防止措置の要請を受けたときは、一般私人については、センシティブな情報の公表を正当化する理由は考え難いので、原則として削除することが望ましい。もちろん、一般私人についても、センシティブな情報以外の個人情報があり、事柄によってはプライバシーの保護対象とならないとの判断がなされる場合もある[15]が、そのような判断を入れるとプロバイダ等の判断がさらに複雑になること、一般私人については個人情報の一般への公表を正当化することのできるケースは極めて稀と考えられることから、一般私人については、本人が送信防止措置を求める個人情報（別段の定義がない限り、個人情報保護法2条1項に定義する意味で用いる。）は、原則として削除することとした。

> 　特定の個人について氏名及び連絡先以外の個人情報（例えば、学歴、病歴、成績、資産、思想信条、前科前歴、社会的身

---

[15]　インターネット上で特定地点の画像を見ることのできるサービス「ストリートビュー」の画像の一部に、自宅住居のベランダに干してあった洗濯物が写っていたことにつき、洗濯物を盗撮されたことにより精神的苦痛を受けたとして、不法行為に基づく損害賠償を求めた事例について、請求棄却とした福岡地裁平成23年3月16日判決（判例要旨P049）・福岡高裁平成24年7月13日判決（判例要旨P051）参照。

分等）が記載されている場合には、一般私人については、本人から削除要請があれば、発信者に対して削除要請を伝え、発信者が自主的に削除しない場合で、プロバイダ等が削除可能なときは、原則として削除する。

犯罪関係者に関する情報のうち、「犯罪事実に関連しない事実」（例えば、犯罪関係者の家族に関する情報等）については、本人又はその関係者から削除要請があれば、発信者に削除要請を伝え、発信者が自主的に削除しない場合で、プロバイダ等が削除可能なときは、原則として削除する[16]。

なお、氏名・連絡先以外の情報の場合には、プライバシーの観点のほかに名誉毀損の観点からも問題となる場合が多いので、このガイドラインの名誉毀損の項目も必ず参照する必要がある。

(3) 公人等の場合

公人等の氏名・連絡先以外の情報への送信防止措置の要請を受けたときは、次のような対応を行うことが考えられる。

公人等については、「職業上の事実」といえる場合など削除しないでよい場合がある。

公人等の「私生活上の事実」については、本人又はその関係者から削除要請があれば、発信者に削除要請を伝え、発信者が自主的に削除しない場合には、削除要請をした者に経過を伝えて自主的な解決を促す。ただし、その記載の態様が品位を欠き目に余るときなど、プロバイダ等において削除可能な場合もあ

---

[16] 犯罪事実に関係しない事実については、被疑者の家族に関する事実に限らず、被疑者本人に関する事実であっても、「犯罪事実に関連する事項であっても無制限に摘示・報道することが許容されるものではなく、摘示が許容される事実の範囲は、犯罪事実及びこれと密接に関連する事実に限られるべきである」とした前掲東京地裁平成7年4月14日判決（判例要旨P011）等から公表の正当性が認められないので、犯罪事実以外の個人情報と同じ取扱いとなる。

> る[17]。
>   なお、氏名・連絡先以外の情報の場合には、プライバシーの観点のほかに名誉毀損の観点からも問題となる場合が多いので、このガイドラインの名誉毀損の項目も必ず参照する必要がある。

(4) 裁判例

(4)-1 概観

＊いわゆるセンシティブな情報については、前科に関する最高裁第三小法廷平成6年2月8日判決（判例要旨P010）がリーディングケースとなると考えられる。この判決では、プライバシーという概念を避けつつ前科等に関わる事実を公表されないことにつき法的保護に値する利益があるとし、「もっとも、ある者の前科等にかかわる事実は、他面、それが刑事事件ないし刑事裁判という社会一般の関心あるいは批判の対象となるべき事項にかかわるものであるから、事件それ自体を公表することに歴史的又は社会的意義が認められるような場合には、事件の当事者についても、その実名を明らかにすることが許されないとはいえない。」とした上で（この部分は、前科が純粋に私生活上の事実でないことを前提にするので、他

17　個人情報のうちいわゆるセンシティブな情報の公表については、公人及び準公人については、その目的と必要性によって正当化される場合がある。
　公人については、裁判例上、その者が公職にあることの適否の判断材料として公表された場合には、ほぼ正当化され（最高裁第三小法廷平成6年2月8日判決（判例要旨P010）参照）、準公人については、公表の目的と必要性を考慮して「受忍しなければならない場合もある」と判断されることもある（東京地裁平成2年5月22日（判例要旨P008）参照）。また、表現行為が社会の正当な関心事についてなされ、かつ、その表現内容及び表現方法が不当なものでないことを満たすときは、その表現行為は違法性を欠くとして準公人の私生活上の情報の公表を正当化する裁判例もある。これらの裁判例に加えて、判断に難しい要素が入る場合におけるプロバイダ等の責任は、判断が比較的明白な場合に限定することが適当であることから、目的、必要性と表現方法から違法なことが明らかな場合は削除し、よくわからない場合は自主的解決に任せるという対応を推奨することとした。

の事項には当てはまらないとする余地もある。)、「その者の社会的活動の性質あるいはこれを通じて社会に及ぼす影響力の程度などのいかんによっては、その社会的活動に対する批判あるいは評価の一資料として、右の前科等にかかわる事実が公表されることを受忍しなければならない場合もあるといわなければならない。」「その者が選挙によって選出される公職にある者あるいはその候補者など、社会一般の正当な関心の対象となる公的立場にある人物である場合には、その者が公職にあることの適否などの判断の一資料として右の前科等にかかわる事実が公表されたときは、これを違法というべきものではない。」とし、「ある者の前科等にかかわる事実が実名を使用して著作物で公表された場合に、以上の諸点を判断するためには、その著作物の目的、性格等に照らし、実名を使用することの意義及び必要性を併せ考えることを必要とするというべきである。」「要するに、前科等にかかわる事実については、これを公表されない利益が法的保護に値する場合があると同時に、その公表が許されるべき場合もあるのであって、ある者の前科等にかかわる事実を実名を使用して著作物で公表したことが不法行為を構成するか否かは、その者のその後の生活状況のみならず、事件それ自体の歴史的又は社会的な意義、その当事者の重要性、その者の社会的活動及びその影響力について、その著作物の目的、性質に照らした実名使用の意義及び必要性も併せて判断すべきもので、その結果、前科等にかかわる事実を公表されない法的利益が優越するとされる場合には、公表によって被った精神的苦痛の賠償を求めることができるものといわなければならない。」と判示した。

(4)-2　一般私人の場合

　一般私人について、センシティブな情報の公表を正当化できるとされるケースはレアケースと考えられる。もっとも、どのような情報がセンシティブな情報に該当するかは一義的に判断できず、プロバイダ等にとっても一般私人の情報をセンシティブな情報とそれ以外の個人情報に分けて判断することは困難であろう。

　＊例えば、モデル小説についての判決（東京地裁平成7年5月19日判

決（判例要旨P012））では、「原告らがプライバシー侵害を主張している事項のうち、原告らの学歴、原告らの結婚の経緯・原告が妻の氏を称する婚姻をした事実、乙山医院開業の経緯・財産関係、原告花子の両親の出自・経歴・結婚の経緯等の事実は、一般人の感覚を基準にする限り、他人に知られたくない事柄であるとは認められないからプライバシーの侵害にはあたらないものというべきである」としている。しかし、この判決は小説全体が作者の芸術的想像力の生み出した創作であって虚構であると受け取らせるに至っていることから名誉毀損やプライバシー侵害の問題は生じないとするものであって上記の判示は傍論部分といえること、犯罪の被疑者の妻として報じられるという場合については勤務先、年齢、出身地、出身大学、職歴、容姿等も一般人の感受性を基準としても公開を欲せず苦痛を覚えるものとしていること（東京地裁平成7年4月14日判決（判例要旨P011））などから見ても、東京地裁平成7年5月19日判決（判例要旨P012）の判示するプライバシーの保護対象の範囲は通常人の感覚よりは狭すぎるものと思われ、これに依拠することはリスクがある。

(4)-3　公人等の場合

* 前掲最高裁第三小法廷平成6年2月8日判決（判例要旨P010）は、事案としては一般人のケースであるが、公人の場合に言及している。
* また、名誉毀損に関する刑事事件の判決ではあるが、最高裁第一小法廷昭和56年4月16日判決（判例要旨P005）は、異性関係の醜聞に属する「私生活上の行状」について、「私人の私生活上の行状であっても、そのたずさわる社会的活動の性質及びこれを通じて社会に及ぼす影響力の程度などのいかんによっては、その社会的活動に対する批判ないし評価の一資料として刑法230条の2第1項にいう『公共の利害に関する事実』に当たる場合があると解すべきである。」と判示している。この判決は、準公人について、その社会的影響力によっては異性関係の醜聞を含む私生活上の行状を公表することを正当化しうるとするものである。
* 準公人のプライバシーと表現の自由の調整については、大手消費者

金融会長の入院報道に関する東京地裁平成2年5月22日判決（判例要旨P008）と、財団法人の常勤理事について仮名でその収入のほかに家計支出の詳細を報じたことについての東京高裁平成13年7月18日判決（判例要旨P023）が、それぞれ各種の考慮事項を挙げて比較衡量を論じており、準公人についてのその他情報の記載の判断の1つの典型パターンとなっている。

＊医師の診察時のセクハラ行為について提訴し、記者会見をしたこと及びその記事について、提訴者の敗訴（医師の勝訴）後に名誉毀損及びプライバシー侵害として損害賠償請求した事例で、東京高裁平成18年8月31日判決（判例要旨P040）は、専門職にある者の職業上の行為が問題とされているのであるから個人の私的領域に属することがらではなくプライバシーの保護対象とならないとしている。

＊テレビ番組にレギュラー出演していた著名弁護士がキャバクラに通っていることの報道が問題となった事例で、東京地裁平成16年2月19日判決（判例要旨P031）は、法律専門家として社会的な活動に携わる者としての資質に疑問を呈する一要素になり得るから、社会の正当な関心事に係るものであり、表現の内容及び方法が目的に照らし不当なものでないときは、その行為に違法性はなく、不法行為は成立しないとした。

＊準公人の判断に際し、元公人、将来の公人については慎重に行うべきである。

リクルート社の元代表取締役で刑事事件の被告人であった者の夫婦間の紛争（裁判）の内容等の報道が問題となった事例で、東京地裁平成13年10月5日判決（判例要旨P026）は、当時リクルート社を退社し経済人としての活動や公の活動を行っておらず、社会に対する影響力はなかったこと、刑事事件の被告人ではあったが報道内容が刑事事件とは関係がないことから公人扱いはしなかった。

政治家の家族の離婚報道が問題となった事例で、東京高裁平成16年3月31日決定（判例要旨P033）は、著名政治家の家族であっても本人が政治家志望を表明している等の事情がない現時点では一私人に過ぎないとして公人扱いはしなかった。

＊著名人については、概ね著名分野の事実以外の私生活については、その公表がプライバシー侵害として不法行為とされることが多い。

プロサッカー選手に対するプライバシー侵害について不法行為の成

立を認めた東京地裁平成12年2月29日判決（判例要旨P019）とその控訴審判決である東京高裁平成12年12月25日判決（判例要旨P021）、著名劇画作家の夫婦関係等についてプライバシー侵害の不法行為の成立を認めた東京地裁昭和49年7月15日判決（判例要旨P004）を参照されたい。

＊芸能人がテレビで公言した事実については、著名人とは別の観点の問題、すなわちプライバシー権の放棄の問題が生じうる。

テレビ番組及び書籍でAVを好み自ら借りに行くこともあるがそのことを恥ずかしいとは思っていないと公言していたお笑い芸人が写真週刊誌にAV購入を記事にされた事案で、東京地裁平成18年3月31日判決（判例要旨P036）は、自ら公表した個人情報についてはその秘匿性を放棄していると解すべきであり法的保護に値しないとしつつ、自ら公表した事実はAV好きでしばしば購入するという範囲であり具体的にどのような種類のAVに興味を示し購入したかという点は秘匿性の程度が高く公知の事実ではないとして、具体的なAVの種類を示した購入を報じた部分についてはプライバシーの権利の侵害を認めた。

Ⅱ－2－5　写真・肖像等への対応

(1) 写真・肖像等[18]の特徴

写真は、被写体本人が公然見せている容姿や行動をそのまま撮影した場合であっても一瞬を固定することから現実と異なる印象を与える場合もあり、またそうでなくても見る者に強い印象を与えるため、被写体側では掲載について不快感や困惑を覚えることがしばしばある。顔写真については襲撃や誘拐等の犯罪に利用されるおそれもあり、一定の行動・状態を撮影した写真はその内容によりプライ

---

[18] 写真・肖像等の掲載については、人格権としての肖像権ないしプライバシー権の観点からの問題とともに、著名人特に芸能人の写真・肖像の場合には財産権の1つとしてのパブリシティ権の観点からの問題がある。後者はその性質上むしろ著作権の問題に近接するが、同一の写真についてプライバシー権侵害とともにパブリシティ権侵害を認めた裁判例も出てきており、写真・肖像等の問題としてここでも触れておく。

バシーを侵害しあるいは名誉を毀損する可能性があり、かつ、写真の掲載によってその程度が高くなることがしばしばある。

他方において、報道や特定の人物やその行動に対する批評においてはその写真を掲載する必要性ないし有用性が相当程度あり、その調整が必要となる。

(2) 私事性的画像記録の提供等による被害の防止に関する法律及び性をめぐる個人の尊厳が重んぜられる社会の形成に資するために性行為映像制作物への出演に係る被害の防止を図り及び出演者の救済に資するための出演契約等に関する特則等に関する法律

　ア）概要

「私事性的画像記録の提供等による被害の防止に関する法律（平成26年法律第126号。以下「私事性的画像記録等被害防止法」という。）及び「性をめぐる個人の尊厳が重んぜられる社会の形成に資するために性行為映像制作物への出演に係る被害の防止を図り及び出演者の救済に資するための出演契約等に関する特則等に関する法律」（以下「性行為映像制作物出演被害防止・救済法」という。）では、プロバイダ責任制限法の特例として、プロバイダ等が、私事性的画像記録又は性行為映像制作物に係る情報の流通によって自己の権利（私事性的画像記録の場合は、自己の名誉又は私生活の平穏に限る。）が侵害されたとする被害者（私事性的画像記録の被害者死亡の場合には遺族[19]が申出できるが、性行為映像制作物の場合は出演者に限る。）から送信防止措置を講ずるよう申出を受けた場合には、プロバイダ責任制限法3条2項2号の「七日」を「二日」に短縮している（私事性的画像記録等被害防止法4条、性行為映像制作物出演被害防止・救済法16条）。

19　遺族とは、被害者の配偶者、直系の親族又は兄弟姉妹を指す。

イ）用語の説明
○私事性的画像記録等被害防止法

> （特定電気通信役務提供者の損害賠償責任の制限及び発信者情報の開示に関する法律の特例）
> 第四条　特定電気通信役務提供者の損害賠償責任の制限及び発信者情報の開示に関する法律第三条第二項及び第三条の二第一号の場合のほか、特定電気通信役務提供者（同法第二条第三号に規定する特定電気通信役務提供者をいう。以下この条において同じ。）は、特定電気通信（同条第一号に規定する特定電気通信をいう。以下この条において同じ。）による情報の送信を防止する措置を講じた場合において、当該措置により送信を防止された情報の発信者（同条第四号に規定する発信者をいう。以下この条において同じ。）に生じた損害については、当該措置が当該情報の不特定の者に対する送信を防止するために必要な限度において行われたものである場合であって、次の各号のいずれにも該当するときは、賠償の責めに任じない。
> 一　特定電気通信による情報であって私事性的画像記録に係るものの流通によって自己の名誉又は私生活の平穏（以下この号において「名誉等」という。）を侵害されたとする者（撮影対象者（当該撮影対象者が死亡している場合にあっては、その配偶者、直系の親族又は兄弟姉妹）に限る。）から、当該名誉等を侵害したとする情報（以下この号及び次号において「私事性的画像侵害情報」という。）、名誉等が侵害された旨、名誉等が侵害されたとする理由及び当該私事性的画像侵害情報が私事性的画像記録に係るものである旨（次号において「私事性的画像侵害情報等」という。）を示して当該特定電気通信役務提供者に対し私事性的画像侵害情報の送信を防止する措置（以下「私事性的画像侵害情報送信防止措置」という。）を講ずるよう申出があったとき。
> 二　当該特定電気通信役務提供者が、当該私事性的画像侵害

情報の発信者に対し当該私事性的画像侵害情報等を示して当該私事性的画像侵害情報送信防止措置を講ずることに同意するかどうかを照会したとき。
三　当該発信者が当該照会を受けた日から二日を経過しても当該発信者から当該私事性的画像侵害情報送信防止措置を講ずることに同意しない旨の申出がなかったとき。

私事性的画像記録等被害防止法4条の「私事性的画像記録」とは、次の各号のいずれかに掲げる人の姿態が撮影された画像に係る電磁的記録（電子的方式、磁気的方式その他人の知覚によっては認識することができない方式で作られる記録であって、電子計算機による情報処理の用に供されるものをいう。）その他の記録とされている（私事性的画像記録等被害防止法2条）。

①　性交又は性交類似行為に係る人の姿態
②　他人が人の性器等（性器、肛門又は乳首）を触る行為又は人が他人の性器等を触る行為に係る人の姿態であって性欲を興奮させ又は刺激するもの
③　衣服の全部又は一部を着けない人の姿態であって、殊更に人の性的な部位（性器等若しくはその周辺部、臀部又は胸部をいう。）が露出され又は強調されているものであり、かつ、性欲を興奮させ又は刺激するもの

ただし、「私事性的画像記録」には、撮影の対象とされた者（以下「撮影対象者」という。）において、撮影をした者、撮影対象者及び撮影対象者から提供を受けた者以外の者が閲覧することを認識した上で、任意に撮影を承諾し又は撮影をしたものは除かれる[20]。

---

[20] 撮影の対象とされた者が第三者に見られることを認識した上で撮影を許可した画像（アダルトビデオ、グラビア写真等）を除く趣旨で設けられた規定である。なお、任意に撮影を承諾した場合であっても、アダルトビデオなど性行為映像制作物の出演者からの申出に該当し、出演契約が取消し又は解除されたことが確認できる場合、送信防止措置等の対応が必要となる。

また、同条にいう「私事性的画像侵害情報」とは、撮影対象者等が自己の名誉等を侵害した私事性的画像記録であると主張する情報のことであり、実際に私事性的画像記録であるか否かを問わない。

〇性行為映像制作物出演被害防止・救済法

> 第三章　特定電気通信役務提供者の損害賠償責任の制限及び発信者情報の開示に関する法律の特例
> 第十六条　特定電気通信役務提供者の損害賠償責任の制限及び発信者情報の開示に関する法律第三条第二項及び第四条（第一号に係る部分に限る。）並びに私事性的画像記録の提供等による被害の防止に関する法律第四条の場合のほか、特定電気通信役務提供者（特定電気通信役務提供者の損害賠償責任の制限及び発信者情報の開示に関する法律第二条第三号の特定電気通信役務提供者をいう。第一号及び第二号において同じ。）は、特定電気通信（同法第二条第一号の特定電気通信をいう。第一号において同じ。）による情報の送信を防止する措置を講じた場合において、当該措置により送信を防止された情報の発信者（同法第二条第四号の発信者をいう。第二号及び第三号において同じ。）に生じた損害については、当該措置が当該情報の不特定の者に対する送信を防止するために必要な限度において行われたものである場合であって、次の各号のいずれにも該当するときは、賠償の責めに任じない。
> 一　特定電気通信による情報であって性行為映像制作物に係るものの流通によって自己の権利を侵害されたとする者（当該性行為映像制作物の出演者に限る。）から、当該権利を侵害したとする情報（以下この号及び次号において「性行為映像制作物侵害情報」という。）、当該権利が侵害された旨、当該権利が侵害されたとする理由及び当該性行為映像制作物侵害情報が性行為映像制作物に係るものである旨（同号において「性行為映像制作物侵害情報等」という。）を示して当該特定電気通信役務提供者に対し性行為映像制

作物侵害情報の送信を防止する措置（同号及び第三号において「性行為映像制作物侵害情報送信防止措置」という。）を講ずるよう申出があったとき。
二　当該特定電気通信役務提供者が、当該性行為映像制作物侵害情報の発信者に対し当該性行為映像制作物侵害情報等を示して当該性行為映像制作物侵害情報送信防止措置を講ずることに同意するかどうかを照会したとき。
三　当該発信者が当該照会を受けた日から二日を経過しても当該発信者から当該性行為映像制作物侵害情報送信防止措置を講ずることに同意しない旨の申出がなかったとき。

　性行為映像制作物出演被害防止・救済法16条の「性行為映像制作物」とは、「性行為に係る人の姿態を撮影した映像並びにこれに関連する映像及び音声によって構成され、社会通念上一体の内容を有するものとして制作された電磁的記録（電子的方式、磁気的方式その他人の知覚によっては認識することができない方式で作られる記録であって、電子計算機による情報処理の用に供されるものをいう。以下同じ。）又はこれに係る記録媒体であって、その全体として専ら性欲を興奮させ又は刺激するものをいう」とされる（性行為映像制作物出演被害防止・救済法2条2項）。

　また、性行為とは、「性交若しく類似行為又は他人が人の露出された器等（性器又は肛門をいう。以下この項において同じ。）を触る行為若しくは人が自己若しくは他人の露出された性器等を触る行為をいう」とされている（同条1項）。

　上記のとおり、「性行為映像制作物」に該当するには、「性行為に係る人の姿態」であることが必要となることから、私事性的画像記録等被害防止法4条の「私事性的画像記録」と異なり、「衣服の全部又は一部を着けない人の姿態であって、殊更に人の性的な部位（性器等若しくはその周辺部、臀（でん）部又は胸部をいう。）が露出され又は強調されているものであり、かつ、性欲を興奮させ又は

刺激するもの」であっても「性行為映像制作物」には該当しないこととなる。

なお、性行為映像制作物出演被害防止・救済法16条にいう「性行為映像制作物侵害情報」とは、性行為映像制作物の出演者が自己の権利を侵害した性行為映像制作物であると主張する情報のことであり、実際に出演者の権利が侵害されているか否かを問わない。

(3) 一般私人の場合

一般私人の写真・肖像等への送信防止措置の要請を受けたときは、次のような対応を行うことが考えられる。

> 被写体本人が識別可能な顔写真等の場合には、写真の内容、掲載の状況から見て、本人の同意を得て撮影されたものではないことが明白な写真については、原則として削除することができる。ただし、次のア）、イ）の場合など、送信防止措置を講じず放置することが直ちにプライバシーや肖像権の侵害には該当しないと考えられる場合もありうる。
> 　ア）行楽地等の雰囲気を表現するために、群像として撮影された写真の一部に写っているにすぎず、特定の本人を大写しにしたものでないこと。
> 　イ）犯罪報道における被疑者の写真など、実名及び顔写真を掲載することが公共の利害に関し、公益を図る目的で掲載されていること。
> 撮影それ自体について同意が得られていると思われる写真であっても、客観的に見て、通常の羞恥心を有する個人が公表されることに不快感又は精神的苦痛を感じると思われる写真[21]（入院・治療中の姿等）については、削除できる場合が多い。
> また、明らかに未成年の子どもと認められる顔写真については、合理的に親権者が同意するものと判断できる場合を除き、

---

[21] 私事性的画像記録等被害防止法2条1項の「私事性的画像記録」は、原則これに該当すると考えられる。

原則として削除することができる[22]。

(4) 公人等の場合

公人等の写真・肖像等への送信防止措置の要請を受けたときは、次のような対応を行うことが考えられる。

> 被写体本人が識別可能な顔写真等の場合には、写真の内容、掲載の状況から見て、本人の同意を得て撮影されたものではないことが明白な写真については、次の場合を除き、削除することができる[23]。
> ⅰ）掲載されている記事内容が公人の職務に関する事柄など社会の正当な関心事ということができる場合であって、顔写真掲載の手段方法が相当であるとき。
> ⅱ）著名人（俳優、歌手、プロスポーツ選手等）の顔写真等については、当該著名人のパブリシティによる顧客吸引力を不当に利用しようとしたものでなく、顔写真等を掲載した記事内容が社会の正当な関心事ということのできる場合であって、顔写真等掲載の手段方法が相当であるとき。

---

[22] 未成年者も成人と同じようにみだりに容ぼう・姿態を撮影されず、公表されない権利を有するが、撮影について当該未成年者が同意している場合でも、未成年者とりわけ年少者について、写真をウェブページ等に掲載することにより危害（誘拐等の危険を含む。）が生じるか否かを適切に判断することは期待できない。また、年少者においては、現実に危害を及ぼされた場合には、自己の力で安全に解決することが難しい。したがって、子どもの保護の観点から、未成年者にとって不利益となる行為については、保護者の同意が必要であることを踏まえ、保護者であれば一般に写真の掲載に同意又は追認を与えないと考えられる写真については、未成年者のプライバシーを保護し、誘拐等のリスクから保護するために必要であるときは、プロバイダ等による自主的な送信防止措置も可能であるとした。

[23] 私事性的画像記録等被害防止法2条1項の「私事性的画像記録」は、原則削除することができると考えられる。

(5) 裁判例
(5)-1 概観

　本人の同意なしに個人の容ぼう・姿態を撮影し、公表することは、憲法13条の趣旨に反し、伝統的には「肖像権」の侵害と呼ばれ、不法行為が成立し、損害賠償責任が生じる。

　最高裁は、和歌山カレー事件の被疑者・被告人の在廷中の写真・イラストの写真週刊誌掲載について、「肖像権」という言葉は使用せずに、「人は、みだりに自己の容ぼう等を撮影されないということについて法律上保護されるべき人格的利益を有する」、「人は、自己の容ぼう等を撮影された写真をみだりに公表されない人格的利益も有すると解するのが相当」「人は、自己の容ぼう等を描写したイラスト画についても、これをみだりに公表されない人格的利益を有すると解するのが相当である」と認めている（最高裁第一小法廷平成17年11月10日判決（判例要旨P035））。

　なお、撮影時に同意をした写真等の掲載については、その同意の範囲が問題となり、撮影時に被写体本人が予想できなかったような掲載形態の場合や、予定されていた時期及び媒体を異にする掲載の場合には同意が及ばないと解されることがある。

　　＊最高裁第一小法廷平成17年11月10日判決（判例要旨P035）は、まず写真の撮影について「人は、みだりに自己の容ぼう等を撮影されないということについて法律上保護されるべき人格的利益を有する。」とした上で、「もっとも、人の容ぼう等の撮影が正当な取材行為等として許されるべき場合もあるのであって、ある者の容ぼう等をその承諾なく撮影することが不法行為法上違法となるかどうかは、被撮影者の社会的地位、撮影された被撮影者の活動内容、撮影の場所、撮影の目的、撮影の態様、撮影の必要性等を総合考慮して、被撮影者の上記人格的利益の侵害が社会生活上受忍の限度を超えるものといえるかどうかを判断して決すべきである。」とした。続いて、公表については、「人は、自己の容ぼう等を撮影された写真をみだりに公表されない人格的利益も有すると解するのが相当で

あり、人の容ぼう等の撮影が違法と評価される場合には、その容ぼう等が撮影された写真を公表する行為は、被撮影者の上記人格的利益を侵害するものとして違法性を有するものと解すべきである。」とした。このケースでは撮影が違法と評価されたために公表も違法と結論したもので、撮影が適法な場合に公表が違法となる要件についてはこの事件では判断されていないというべきである。最後に、最高裁は、イラスト画（似顔絵）の公表について「人は、自己の容ぼう等を描写したイラスト画についても、これをみだりに公表されない人格的利益を有すると解するのが相当である」とした上で、写真と異なりイラスト画は作者の主観や技術が反映され、見る者もそれを前提として受けとめるとして、通常の法廷での動静を描写したものは社会的に是認された行為であるが、手錠・腰縄のイラスト画の公表は侮辱的であり名誉感情を害するから違法とした。

＊刑事事件であるが、警察官による被疑者の撮影に関し、「承諾なしにみだりにその容ぼう・姿態を撮影されない自由」に言及した最高裁判例があり、上記最高裁第一小法廷平成17年11月10日判決（判例要旨P 035）以前は肖像権についての判決とされてきた。すなわち、「何人も、その承諾なしに、みだりにその容ぼう・姿態を撮影されない自由を有するものというべきである。これを肖像権と称するかどうか別として、少なくとも、警察官が正当な理由もないのに個人の容ぼう等を撮影することは憲法13条の趣旨に反し、許されないものといわねばならない。…警察官が犯罪捜査の必要上写真を撮影する際、その対象の中に犯人のみならず第三者である個人の容ぼう等が含まれても、これが許容される場合がありうる」（最高裁大法廷昭和44年12月24日判決（判例要旨P 003））。この判決は、上記最高裁第一小法廷平成17年11月10日判決（判例要旨P 035）においても、みだりに撮影されない人格的利益の先例として引用されている。

＊防犯ビデオの画像を掲載するとともにその被写体を名指しした記事について、東京地裁平成18年3月31日判決（判例要旨P 036）は、掲載されている写真自体からは人物の同一性が明らかでない場合でも説明文と合わせ読むことで読者が当該個人であると考えるような場合には、当該個人が被写体である人物本人であったか否かにかかわらず、撮影により直接肖像権が侵害された場合と同様にその人格的利益を侵害するというべきであるとし、「肖像権に近接した人格

的利益」の侵害を認めた。

(5)－2　一般私人の場合

一般私人については、同意を得ずに顔写真等を撮影・掲載することが正当化される余地は、犯罪報道の場合を除けば、かなり狭いと考えられる。

同意を得て撮影した写真の掲載については、プロのカメラマンが撮影したものである以上、写真誌に掲載されることは被写体にとっても予想できることで、拒絶の違法性がないとする裁判例（東京地裁昭和31年8月8日判決（判例要旨P001））もあるが、一般には、撮影自体に同意をしていた写真であっても掲載に違法性が認められる場合があり、また、その同意の範囲の判断については相当程度慎重な判断を要する。

* 東京の最先端のファッションを紹介する目的のサイトが公道を歩いていた一般私人の全身を無断で撮影し、容ぼうを含む全身像を大写しでサイトに掲載した事案において、東京地裁平成17年9月27日判決（判例要旨P034）は、「何人も、個人の私生活上の自由として、みだりに自己の容ぼうや姿態を撮影されたり、撮影された肖像写真を公表されないという人格的利益を有しており、これは肖像権として法的に保護される」とした上で、写真の撮影及びサイトへの掲載が公共の利益に関する事項と密接な関係があり、専ら公益を図る目的で行われ、写真撮影及びサイトへの掲載方法がその目的に照らし相当なものであれば違法性を阻却されるとし、ファッションの紹介という目的上無断撮影は相当ではなく全身を大写しにする必要もなく、サイトへの掲載にあたり被写体が特定できるような形で掲載したことは相当性を欠くと判断した。
* 雑誌に掲載されたアナウンサーの学生時代の水着写真の再掲載について、東京地裁平成13年9月5日判決（判例要旨P025）は、撮影時に掲載の承諾があっても掲載の目的、態様、時期が異なる別メディアへの再掲載には改めて同意が必要であるとした。
* テレビの生中継中に通りがかったゴミ収集車の運転手にインタ

ビューして全国放映し、自分がゴミ収集車の運転手をしていることを知人にも秘匿していた運転手が損害賠償請求をした事案で、東京地裁平成21年4月14日判決（判例要旨P045）は、一部の職業に対する偏見や無理解がなくなっておらずときに差別的な発言や子どものいじめの引き金になったりする社会の実情からゴミ収集車の運転手をしていることは原告にとってプライバシーに該当するとし、原告が途中で「これテレビ出るんですか？」と2度にわたり聞き返し、アナウンサーが「ああ、あの、映さないように、ええ、配慮します」と答えたことから原告が自分の容ぼう等がそのままテレビで放送されることを容認していたものではなく承諾は認められないとして肖像権侵害を認めた。

(5)-3　公人等の場合

　肖像権は、名誉毀損の判断と類似した基準のもとに判断されることが多く、公共の利害に関する事実であり、公益を図る目的で掲載され、かつ、公表された内容が相当であれば、掲載について違法性が否定され、損害賠償責任を負わないとすることが多い。ただし、名誉毀損の観点から違法性阻却事由の有無を判断する場合と異なり、真実性だけでは免責されないのが一般的といえる。

　＊摘示された事実の真実性がある場合において、「公共の利害に関する事実であり、公益を図る目的で掲載されたこと」により違法性の阻却が認められた裁判例として、週刊サンケイ事件（東京地裁昭和62年2月27日判決（判例要旨P006））がある。すなわち、週刊サンケイ誌において、私大教授（原告）が外国で連日現地女性と性行為に及び、そのうえ売春の上前をはねたかのような記事を掲載し、原告の顔写真や全裸で下着を着けようとしている写真、ベッドで複数の女性と戯れている写真などを掲載したことについて、記事本文を補強し明確化するものであるが、記事は公共の利害に関わるものであり、専ら公益を図る目的で掲載がなされ、その摘示された事実は主要部分について真実と認められる、写真掲載の目的、必要性及び手段方法等からみて不法行為成立要件としての違法性を欠くとして、公人を対象とする名誉毀損における違法性阻却事由を適用した

ケースがある。
* 大手消費者金融会社の会長の車椅子姿を掲載した事件では、特に入院加療中の姿態が無断で撮影された点を重視し、他方病状の報道に写真が必要とはいえないとして病院内での車椅子に座った写真の撮影・掲載を違法な肖像権侵害・プライバシー侵害と判断している（東京地裁平成2年5月22日判決（判例要旨P008））。

(5)-4　俳優、プロスポーツ選手などの有名人の場合

公人に準じる存在で、プライバシーの権利の一部を放棄したといえるとする考え方もあり、顔写真なども社会の関心事となることが前提となっていることから、顔写真等の掲載など、肖像が無断で使用されても、一般私人と異なり違法性阻却事由に該当することがある。ただし、有名人の顧客吸引力を利用しているといえる場合には、パブリシティ権が認められ、損害賠償が認められることがありうることに留意する必要がある。

なお、芸能人の場合であっても、一般に羞恥心を伴う態様の写真については、いったん撮影・掲載に同意していたとしても、その同意の範囲については慎重に判断する必要がある。

* アイドルタレントのデビュー前の写真や私生活上の写真の掲載について、東京高裁平成18年4月26日判決（判例要旨P037）は、社会の正当な関心事の考え方によって芸能人の私生活についてまでプライバシーが制限されるということは到底認められないとしてプライバシー侵害を認めた上で、芸能人がその固有の名声、社会的評価、知名度等を表現する機能がある肖像等が具有する顧客吸引力にかかる経済的価値を独占的に享受できる地位をパブリシティ権とし、「他の者が、当該芸能人に無断で、その顧客吸引力を表す肖像等を商業的な方法で利用する場合」には、パブリシティ権侵害の不法行為が成立するとした。
* 芸能人の写真を、その曲に合わせたダンスをするダイエット法を提唱する記事に用いた事案で、知財高裁平成21年8月27日判決（判例要旨P046）は、著名人は一般人より社会の正当な関心事の対象と

なりやすいため、正当な報道、評論、社会事象の紹介等のためにその氏名・肖像が利用される必要もあり、また、自らの氏名・肖像を第三者が宣伝するなどして著名の程度が増幅して社会的地位を確立するという過程からして、著名人がその氏名・肖像を排他的に支配される権利も制限されるとし、「著名人の氏名・肖像の使用が違法性を有するか否かは、著名人が自らの氏名・肖像を排他的に支配する権利と、表現の自由の保障ないしその社会的に著名な存在に至る過程で許容することが予定されていた負担との利益較量の問題として相関関係的にとらえる必要があるのであって、その氏名・肖像を使用する目的、方法、態様、肖像写真についてはその入手方法、著名人の属性、その著名性の程度、当該著名人の自らの氏名・肖像に対する使用・管理の態様等を総合的に観察して判断されるべきもの」として、本件での写真の使用は記事に関心を持ってもらい、あるいはその振り付けの記憶喚起のためで社会的に顕著な存在になる過程で許容することが予定されていた負担を超えたものとはいえないとしてパブリシティ権侵害を否定した。

＊引退したAV女優が、現役当時に週刊誌の掲載のために撮影した写真、ビデオの販売促進のために撮影した下着姿で股を開いた写真、ビデオのキャプチャー画像をゴシップ記事と合わせて掲載された事案で、東京地裁平成18年5月23日判決（判例要旨P039）は、週刊誌掲載のために撮影された写真は再掲載を予測できないとはいえず承諾が及び、ビデオのキャプチャー画像はビデオの紹介のために使用されることは出演者は承諾しているというべきであるが、ビデオの販売促進のために撮影した写真やビデオのキャプチャー画像の使用に同意があるのは、通常人が羞恥を覚える写真の内容も合わせ考えればその範囲にとどまり、引退後にビデオの宣伝という範囲を超えて週刊誌に掲載されることには同意が及ばないとして肖像権侵害を認めた。

＊ウェブサイトのニュース欄に、20年以上前に撮影された故人の手錠姿の写真が掲載されたことにつき、故人の妻が敬愛追慕の情を侵害されたと主張して損害賠償請求した事案では、「死者の容ぼう等が撮影された写真を公表する行為が遺族の死者に対する敬愛追慕の情を受忍限度を超えて侵害するものであるか否かについては、当該公表行為の行われた時期（死亡後の期間）、死者と遺族との関係等の

ほか、当該公表行為の目的、態様、必要性や、当該写真の撮影の場所、目的、態様、撮影時の被撮影者の社会的地位、撮影された活動内容等を総合考慮して判断すべきである」とした上で、本件事案の下では、故人の手錠姿の写真の公表は、妻の故人に対する敬愛追慕の情を受忍し難い程度に侵害するものと認められる、と判断している（東京地裁平成23年6月15日判決（判例要旨P050））。

＊防犯監視システム機器の開発及び販売を行っている業者が、コンビニエンスストア内における亡Aの万引き行為を放映した番組の映像及びナレーションのうち、亡Aが映っている部分を編集し、これに自社の監視カメラの性能等に関するナレーションを付け加えたDVDを作成して展示会において放映し、DVDを配布するなどしたことが、亡Aの肖像権及びプライバシーを侵害したなどとして損害賠償請求された事案では、亡Aの肖像に係る人格的利益及びプライバシーを侵害したと認められている（東京地裁平成22年9月27日判決（判例要旨P047））。

Ⅱ-2-6 犯罪事実への対応

(1) 犯罪事実の特徴（一般私人）

犯罪が実名で報道されている場合には、当該報道に書込み等で言及することは権利侵害ではないが、犯罪後長期間を経過し、犯人に対する刑の執行も終わったときは、犯罪事実を蒸し返すことは、権利侵害となりうる。どのような場合に（どの程度の期間の経過で）違法となるのかについて一般的な基準を示すことは難しい[24・25]。

(2) 少年等による犯罪事実

---

[24] 報道機関の中には、匿名化するタイミングをガイドライン化しているところがある。「NHKの『外部提供用データベース人格権等保護規程』－その意義と検討の経緯－」（コピライト2009年8月号19頁）参照。

[25] 検索結果に過去の犯罪事実が表示されることがプライバシー侵害となることがある。本文(4)-2参照。

> 少年による犯罪については、更生の観点から少年法61条[26]で犯人が特定できるような報道が禁じられている。実名による犯罪報道等は、原則として削除することが許される。

(3) 公人等による犯罪事実

> 現在公職にあり、又は公職の候補者であるような場合には、犯罪事実の公表が許容される範囲は広い。

(4) 裁判例
(4)−1 概観

　犯罪が行われたことは、それ自体が社会の正当な関心事であるから、犯行の直後に実名報道が行われることは、少年犯罪の場合を除き、原則として許容されている。そのような報道に言及することは、違法ではない。ただし、犯罪後長期間を経過し、犯人に対する刑の執行も終わったときは、犯罪事実を蒸し返すことは、権利侵害となりうる。具体的にどのような場合に（どの程度の期間の経過によって）違法な蒸し返しとなるのかは、犯罪の性質や軽重、犯人の特質によって異なるものであり、その判断は容易ではない。

　少年犯罪については、限定的な事例に限って実名報道が許されるとするもの（実名報道は原則として違法）と、公表されない法的利益と公表する理由を比較考量して前者が後者に優越する場合にのみ不法行為が成立するとするもの（実名報道が違法となるかどうかは

---

[26] 少年法61条では、「家庭裁判所の審判に付された少年又は少年のとき犯した罪により公訴を提起された者については、氏名、年齢、職業、住居、容ぼう等によりその者が当該事件の本人であることを推知することができるような記事又は写真を新聞紙その他の出版物に掲載してはならない。」と規定している。

ケースバイケース）がある。最高裁判決は、後者である。

(4)－2　一般私人の場合

　12年前の傷害の前科をノンフィクション作品として取り上げたことが権利侵害にあたるとした事件がある。この事件の高裁判決は、犯行後相当の年月が経過し、犯人に対する刑の執行も終わったときは、その前科に関する情報は、原則として、未公開の情報と同様、正当な社会的関心の対象外のものとして取り扱われるべきであり、実名による犯罪事実の指摘・公表は、特段の事由がない限りプライバシーの侵害として許されないとする（東京高裁平成元年9月5日「逆転」事件控訴審判決（判例要旨P007））。

　上記「逆転」事件の最高裁判決は、前科を実名で公表することが不法行為を構成するか否かは、その者のその後の生活状況のみならず、事件それ自体の歴史的又は社会的な意義、その当事者の重要性、その者の社会的活動及びその影響力について、その著作物の目的、性格等に照らした実名使用の意義及び必要性をも併せて判断すべきものであるとする（最高裁第三小法廷平成6年2月8日「逆転」事件上告審判決（判例要旨P010））。

　破廉恥な犯罪の被疑者として逮捕された被疑者の配偶者として、その勤務先、年齢、出身地、経歴等を週刊誌に書かれたことが違法なプライバシー侵害にあたるとされた事案がある。判決は、「犯罪事実に関連して被疑者の家族に関する事実を摘示・報道することが許容されるのも、当該事実が犯罪事実自体を特定するために必要である場合又は犯罪行為の動機・原因を解明するために特に必要である場合など、犯罪事実及びこれと密接に関連する場合に限られる」として、そのような特別な事情のない週刊誌の記事を違法とした（東京地判平成7年4月14日（判例要旨P011））。

　自己の氏名・居住する県の名称で検索すると児童買春の罪で逮捕

された事実が検索結果として表示されるため、その検索結果の削除を求めた仮処分について、最高裁は、削除請求を認めなかった原審を支持した。最高裁は、検索結果の表示は検索事業者による表現行為としての側面を有すること及び検索サービスが現代社会における情報流通の基盤として大きな役割を果たしていることを認めつつ、削除が認められるのは、検索結果として表示された事実の性質、内容、伝達範囲、表示対象者の社会的影響力その他の事実を考慮して、検索結果を公表されない法的利益が検索結果を提供することによる理由に優越することが明らかな場合に限ると判断した（最高裁第三小法廷平成29年1月31日決定（判例要旨P057））。

なお、本事件の原審である東京高裁平成28年7月12日決定（判例要旨P055）は、EUのデータ保護法制において議論される「忘れられる権利」について、「『忘れられる権利』は、そもそも我が国において法律上の明文の根拠がなく、その要件及び効果が明らかではない」とする。しかし、その趣旨は、プライバシー侵害を理由とする検索結果に対する削除請求が認められないという趣旨ではなく、「原審の当事者が主張する『忘れられる権利』」の「実体は、人格権の一内容としての名誉権ないしプライバシー権に基づく差止請求権と異ならない」ため、プライバシー侵害に基づいて検索結果の削除を求め得る場合もありうるという趣旨であることに注意を要する。

(4)-3 少年の場合

犯行時少年であった者の犯行態様、経歴等を記載した記事を実名によく似た仮名を使って週刊誌に掲載したことが不法行為にあたるかが争われた事案がある。この事件の高裁判決は、本件報道を少年法61条に違反する実名推知報道であるとした上で、不法行為責任を肯定した。判決は、保護されるべき少年の権利ないし法的利益よりも明らかに社会的利益を擁護する要請が強く優先されるべきである

などの特段の事情が存する場合に限って違法性が阻却されるとした（名古屋高裁平成12年6月29日「長良川リンチ殺人」事件控訴審判決（判例要旨P020））。

　上記「長良川リンチ殺人事件」の最高裁判決は、本件報道が少年法61条に違反する実名推知報道にはあたらないとした上で、原審判決を破棄し、差し戻した。プライバシーの侵害については、その事実を公表されない法的利益とこれを公表する理由とを比較衡量し、前者が後者に優越する場合に不法行為が成立するのであるから、本件記事が週刊誌に掲載された当時の少年の年齢や社会的地位、当該犯罪行為の内容、これらが公表されることによって少年のプライバシーに属する情報が伝達される範囲と少年が被る具体的被害の程度等、その事実を公表されない法的利益とこれを公表する理由に関する諸事情を個別具体的に審理し、これらを比較衡量して判断すべきであるとする（最高裁第二小法廷平成15年3月14日「長良川リンチ殺人」事件上告審判決（判例要旨P029））。

⑷－4　公人等の場合

　都議会議員が都立病院の臨床検査室に管理者の許可なく立ち入り、病院内の飲酒に関する調査を行ったことについて、同病院の院長がその議員を建造物侵入で刑事告発した上で、その事実を病院のウェブサイトで公表した事件について、議員による損害賠償請求を否定した事案がある。判決は、本件告発は現職の都議会議員による犯罪行為に係るものであり、都民の知る権利の重要性に鑑みれば、広く都民に対してその情報を提供すべき性質のものであったと解されるとした（東京地裁平成20年6月11日判決（判例要旨P042））。

　産婦人科医が女性宅に侵入した事件について、当該医師が、検索サービス事業者に対して、当該事件の報道等の検索結果の非表示を求めた仮処分申立が却下された事案がある。決定は、本件事件から

未だ1年半しか経過しておらず、本件事件の地域社会に対する影響や患者の関心が失われるとは考えられないとした（東京地裁平成20年11月14日決定（判例要旨P044））。

　公立中学校の教師が青少年保護育成条例違反で逮捕されたことの実名報道について不法行為の成立を否定した事案がある。判決は、実名で報道されることにより控訴人が被る不利益は大きく、実名を公表されない法的利益も十分に考慮する必要があるが、青少年を教育指導すべき立場にある中学校教員が女子中学生とみだらな行為をしたという本件被疑事実の内容からすれば、被疑者の特定は被疑事実の内容と並んで公共の重大な関心事であると考えられるから、実名報道をする必要性は高いとした（福岡高裁那覇支部平成20年10月28日判決（判例要旨P043））。

Ⅱ-3　個人の権利を侵害する情報の送信防止措置（名誉毀損の観点から）

Ⅱ-3-1　名誉毀損の成否

(1)　社会的評価の低下

　名誉とは、人の品性、徳行、名声、信用等の人格的価値について社会から受ける客観的な社会的評価のことであり、この社会的評価を低下させる行為は名誉毀損として、民法709条に基づき不法行為が成立し、損害賠償の対象となる（最高裁第三小法廷平成9年5月27日判決・民集51巻5号2024頁）[27]。

　インターネット上の表現行為による名誉毀損については、他人の社会的評価を低下させるようなメッセージが電子掲示板等にアップロードされて送信可能な状態になり、一般ユーザがこれを閲読し得る状態になった時点において、伝播可能となり、その他人の社会的評価は低下することとなるから、その人が当該メッセージの掲載を知ったかどうかにかかわらず、名誉毀損が成立すると考えられる。

　そして、ある表現が人の社会的評価を低下させるものであるかどうかは、当該記事についての一般読者の普通の注意と読み方とを基準として判断すべきものとされており（最高裁第二小法廷昭和31年7月20日判決・民集10巻8号1059頁）、これはインターネット上のウェブサイトにおいても同様とされている（最高裁第二小法廷平成

---

[27]　最近の下級審の裁判例では、社会的評価の低下を伴わない名誉感情の侵害について、「侮辱」に該当するとして不法行為の成立を認める例（東京地裁平成2年7月16日・判例時報1380号116頁など）や、死者に対する名誉毀損が、死者に対する遺族の敬愛追慕の情として一種の人格的利益として不法行為の成立を認める例（大阪地裁平成元年12月27日・判例時報1341号53頁など）もあるが、このガイドライン作成の段階では「侮辱」に該当するか、敬愛追慕の情としての人格的利益を侵害したと言えるか等の一般的判断基準を提示することが難しく、社会的評価の低下が認められる名誉毀損の典型例のみを取り扱うこととした。

24年3月23日判決（判例要旨D030））。

＊裁判例の中には、名誉毀損の不法行為を構成するほどに原告の社会的評価を低下させるものと認めることはできないとして、名誉毀損の成立を否定した裁判例として、衆議院議員で政党幹部であった政治家について名誉毀損性を否定した東京地裁平成14年6月17日判決（判例要旨D012）や元総理大臣経験者である衆議院議員について名誉毀損性を否定した東京地裁平成16年7月26日判決（判例要旨2（筆者注：原文ママ））がある。また、原告の社会的評価を低下させるものの事実の公共性、目的の公益性及び真実性が認められるとして、衆議院議員で内閣官庁長官であった政治家について名誉毀損性を否定した東京地裁平成24年6月12日判決（判例要旨D031）がある。

＊オークションサイト内で出品者が落札者に対して「悪い落札者です」などと書込みをした事案について、「『悪い落札者です』との評価は、上記3段階の評価のうちの1つを記載したものにほかならず、また、『二度と取引したくないです。』との評価コメントも被控訴人が控訴人との本件サイトのオークション取引を通じて形成した感想、心情を吐露したものにすぎず、表現方法も、オークションの落札者を評価するコメントとして、直ちに相当性を欠くということはできない」ため、社会的評価を低下させるものではないとし、名誉毀損性を否定した裁判例がある（名古屋地裁平成23年3月11日判決（判例要旨D027））。

＊他人になりすましてインターネット上の電子掲示板に第三者を罵倒するような投稿を行ったことについて、「第三者に対し、原告が他者を根拠なく侮辱や罵倒して本件掲示板の場を乱す人間であるかのような誤解を与えるものである」として、社会的評価の低下を認め、名誉毀損性を肯定した大阪地裁平成29年8月30日判決（判例要旨D042）、大学教授が講義時に「阪神タイガースが優勝すれば無条件で単位を与える。」と発言した旨の虚偽の投稿について、「大学教授として正しい成績評価をしていないと受け取った者が一定数いる」と解し、社会的評価を低下させるものとして、名誉毀損性を肯定した大阪地裁平成28年11月30日判決（判例要旨D041）がある。

＊名誉毀損の成否は、摘示された内容が社会的評価を低下させるかどうかによるところ、リンク先の記事が摘示内容に含まれるかどうか

について、リンク先の記事自体は摘示内容には含まれないとした裁判例（東京地裁平成22年6月30日判決（判例要旨D024））もある一方、「本件投稿にはハイパーリンクが設定されていて、リンク先の具体的で詳細な記事の内容を見ることができる仕組みになっているのであるから、本件投稿を見る者がハイパーリンクをクリックして本件リンク先記事を読むに至るであろうことは容易に想像でき…被告は、意図的に本件リンク先記事に移行できるようにハイパーリンクを設定表示しているのであるから、本件リンク先記事を本件投稿に取り込んでいると認めることができる」として、名誉毀損の成否はリンク先の記事の内容も加えて検討すべきとした裁判例（東京地裁平成28年7月21日判決（判例要旨D040））もあり、事案によって判断が分かれている。また、転載行為について、「リツイートも、ツイートをそのまま自身のツイッターに掲載する点で、自身の発言と同様に扱われるもの」として、名誉毀損性を肯定した裁判例もある（東京地裁平成26年12月24日判決（判例要旨D038））。

(2) 対象となる個人が特定されること

特定人の氏名をそのまま表記していないが、他の事情を総合すれば、誰を示しているか推知されるような場合には、その者に対する名誉毀損が成立するとされている。通称名で名誉を毀損する発言がなされた場合にも名誉毀損による不法行為が成立するとした東京地裁平成15年6月25日判決（判例要旨D014）など、多数の下級審判決がある。

「○○出身の人はみなずる賢い」というような対象が漠然としている場合には、その集団の属する人に対する名誉毀損は成立しない。フランス語を批判する発言について、フランス語を母国語としたり、フランス語を研究したりする者などの名誉毀損性を否定した東京地裁平成19年12月14日判決（判例要旨D018）がある。ただし、法人については、後述する。

Ⅱ-3-2　名誉毀損による不法行為の免責事由
(1) 名誉毀損による不法行為の免責事由の要件

> 　特定個人の社会的評価を低下させる情報がウェブページ等に掲載された場合には、当該情報を削除できる場合があるが、以下の3つの要件を満たす可能性がある場合には削除を行わない。
> 　ア）当該情報が公共の利害に関する事実であること。
> 　　　（例）特定の犯罪行為や携わる社会生活上の地位に基づく行為と関連した情報が掲載されている場合
> 　イ）当該情報の掲載が、個人攻撃の目的などではなく公益を図る目的に出たものであること。
> 　　　特定個人に関する論評について、論評の域を越えて人身攻撃に及ぶような侮辱的な表現が用いられている場合には、この要件に該当しないことになる。
> 　ウ）当該情報が真実であるか、又は発信者が真実と信じるに足りる相当の理由があること
> 　　　当該情報が虚偽であることが明白であり、発信者においても真実であると信じるに足りる相当の理由があるとはいえないような場合には、この要件を満たさないことになる。
> 　名誉毀損という観点からは、違法性阻却事由に該当するケースが多く、その要件となる公共性・公益性・真実性（又は相当性）についてプロバイダ等が判断することは難しいため、プロバイダ等が「不当な権利侵害」であると信じることのできる理由に乏しい場合が多いと考えられる。
> 　なお、名誉毀損等の観点から違法情報であるか否かの判断がつかない場合であっても、プライバシーその他の観点から権利を侵害しているといえる場合もあるので、他の観点からも検討する必要がある。

(2) 裁判例

(2)−1　概観

　名誉毀損については、①公共の利害に関する事実に係り、②専ら公益を図る目的に出た場合において、③摘示された事実が真実であると証明された場合には違法性がなく、仮に摘示された事実が真実でなくても行為者において真実と信ずるについて相当の理由がある場合には、故意もしくは過失がなく、結局、不法行為は成立しないとされている（最高裁第一小法廷昭和41年6月23日判決・民集20巻5号1118頁）。

　すなわち、社会的評価の低下が生じていても、上記の①ないし③の要件があれば不法行為が成立しないとするのが判例・通説の見解である（これを、「真実性・相当性の法理」と呼んでいる。）。

　名誉毀損に基づく不法行為を請求原因とする民事訴訟においては、上記の①ないし③の要件は、被告側が立証する責任（立証責任）を負っているが、プロバイダ責任制限法に基づく送信防止措置についてプロバイダ等が判断する際には、プロバイダ等の側において、社会的評価の低下（名誉毀損性）があることと、上記の①ないし③の要件を併せて判断することになる。

　この3つの要件のうち、「公共の利害に関する事実」とは、民主主義社会の構成員として通常関心を持つであろう事柄を意味するとして、「社会の正当な関心事」（竹田稔『プライバシー侵害と民事責任〔増補改訂版〕』（判例時報社、1998年）298頁）と言い換えることもできる。

(2)−2　公共の利害に関する事実（基準のア関連）

　「公共の利害に関する事実」に該当するかどうかは、摘示された事実自体の内容・性質に照らして客観的に判断されるべきであるとされている。

＊公訴提起前の犯罪行為については、原則として、公共の利害に関する事実に該当するとされている。裁判例としては、国鉄の労働組合が鉄道信号ケーブル切断等のゲリラ事件に関与したことが明らかになった等の記事を掲載したことが公共の利害に関する事実とされた東京地裁昭和62年10月26日判決（判例要旨D002）がある。
＊純粋な私人の私生活上の行状については、原則として、公共の利害に関する事実には該当しないが、「私人の私生活上の行状であっても、そのたずさわる社会的活動の性質及びこれを通じて社会に及ぼす影響力の程度などのいかんによっては、その社会的活動に対する批判ないし評価の一資料として、刑法二三〇条ノ二第一項にいう『公共ノ利害ニ関スル事実』にあたる場合がある」とされており（刑事事件における判断であるが、最高裁第一小法廷昭和56年4月16日判決・刑集35巻3号84頁、民事事件においても同様に解されている〔例えば、東京地裁平成21年8月28日判決・判例タイムズ1316号202頁〕）、公的人物については、その社会的活動に関する範囲で「公共の利害に関する事実」に該当するとされている。
＊裁判例として、豊田商事の会長刺殺事件との関係で愛人を報じた写真週刊誌の記事について、公共の利害に関する事実ではないと判断した東京地裁昭和63年2月15日判決（判例要旨D003）、ロス疑惑事件との関係で報じられた記事について、私生活上の行状であるとして公共の利害に関する事実ではないと判断された東京地裁平成2年12月20日判決（判例要旨D004）、元アイドルグループのメンバーで芸能人が交際していた男性に慰謝料を請求したことを報じた記事について、男女間の交際関係やその解消後の行動という私生活上の行状との性質を有するとして公共の利害に関する事実ではないと判断した東京地裁平成21年8月28日判決（判例要旨D022）などがある。

(2)-3　公益を図る目的について（基準のイ関連）

「公益を図る目的」については、「記事が公益目的に基づき執筆、掲載されたものと認められるか否かは、記事の内容・文脈等外形に現れているところだけによって判断すべきことではなく、外形に現れていない実質的関係をも含めて、全体的に評価し判定すべき

事柄である」とされている。

　すなわち、「公益を図る目的」については、「記事が公益目的に基づき執筆、掲載されたものと認められるか否かは、記事の内容・文脈等外形に現れているところだけによって判断すべきことではなく、その表現方法、根拠となる資料の有無、これを取り扱うについての執筆態度等を総合し、それが公益目的に基づくというにふさわしい真摯なものであったかどうかの点や、更には記事の内容・文脈等はどうあれ、その裏に隠された動機として、例えば私怨を晴らすためとか私利私欲を追求するためとかの、公益性否定につながる目的が存しなかったかどうか等の、外形に現れていない実質的関係をも含めて、全体的に評価し判定すべき事柄である」とされている（ただし、刑事事件についての判断である。東京地裁昭和58年6月10日判決・判例時報1084号37頁。）。

　インターネット上の表現行為については、その表現内容等から、比較的容易に「公益を図る目的」の有無が判断できる場合も考えられるが、それ以外の要素も考慮して判断するとされていることから、プロバイダ等では判断できない場合もあると考えられる。

(2)-4　真実性、相当性について（基準のウ関連）

　真実性や相当性については、プロバイダ等の立場では判断できない場合も多いと考えられるが、当該情報が虚偽であることが明白であるとか、発信者にウェブページ等に掲載した事実が真実であると信じるに足りる相当の理由があるとはいえないことが明らかな場合であれば、対応をとることが可能と考えられる。

　この点については、「個人利用者がインターネット上に掲載したものであるからといって、おしなべて、閲覧者において信頼性の低い情報として受け取るとは限らないのであって、相当の理由の存否

を判断するに際し、これを一律に、個人が他の表現手段を利用した場合と区別して考えるべき根拠はない。そして、インターネット上に載せた情報は、不特定多数のインターネット利用者が瞬時に閲覧可能であり、これによる名誉毀損の被害は時として深刻なものとなり得ること、一度損なわれた名誉の回復は容易ではなく、インターネット上での反論によって十分にその回復が図られる保証があるわけでもないことなどを考慮すると、インターネットの個人利用者による表現行為の場合においても、他の場合と同様に、行為者が摘示した事実を真実であると誤信したことについて、確実な資料、根拠に照らして相当の理由があると認められるときに限り、名誉毀損罪は成立しないものと解するのが相当であって、より緩やかな要件で同罪の成立を否定すべきものとは解されない」とされている（ただし、刑事事件についての判断である。最高裁第一小法廷平成22年3月15日決定（判例要旨D023）。）。

なお、相当性は発信者を基準としてその成否を判断すべきものであるが、通信社からの配信に基づき新聞社が記事を掲載した事例において、通信社に相当性が認められることを前提として、一定の要件の下で「当該通信社と当該新聞社とが、記事の取材、作成、配信及び掲載という一連の過程において、報道主体としての一体性を有すると評価できるとき」には、当該新聞社についても相当性が認められるとしたものがある（最高裁第一小法廷平成23年4月28日判決（判例要旨D028））。

Ⅱ-3-3 公正な論評等
(1) 公正な論評への対応

> 事実摘示による名誉毀損の場合のほか、特定個人に関する論

> 評について、その域を越えて人身攻撃に及ぶような侮辱的な表現が用いられている場合にも、当該情報を削除することができる。

　ある事実を基礎としての意見ないし論評の表明がされた場合にあっては、①その行為が公共の利害に関する事実に係り、かつ、②その目的が専ら公益を図ることにあった場合に、③意見ないし論評の前提としている事実が重要な部分について真実であることの証明があったとき、又は事実が真実であると信じるについて相当の理由があるときには、人身攻撃に及ぶなど意見ないし論評としての域を逸脱したものでない限り、当該論評の行為は違法性を欠くとされている（最高裁第二小法廷昭和62年4月24日判決・民集41巻3号490頁、最高裁第一小法廷平成元年12月21日判決・民集43巻12号2252頁、最高裁第三小法廷平成9年9月9日判決・民集51巻8号3804頁）。

　事実を摘示して行う名誉毀損とは免責要件が異なるため、問題となっている表現行為が事実の摘示か意見ないし論評かの区別が問題となるが、「名誉毀損の成否が問題となっている部分について、そこに用いられている語のみを通常の意味に従って理解した場合には、証拠等をもってその存否を決することが可能な他人に関する特定の事項を主張しているものと直ちに解せないときにも、当該部分の前後の文脈や、記事の公表当時に一般の読者が有していた知識ないし経験等を考慮し、右部分が、修辞上の誇張ないし強調を行うか、比喩的表現方法を用いるか、又は第三者からの伝聞内容の紹介や推論の形式を採用するなどによりつつ、間接的ないしえん曲に前記事項を主張するものと理解されるならば、同部分は、事実を摘示するものと見るのが相当である。また、右のような間接的な言及は欠けるにせよ、当該部分の前後の文脈等の事情を総合的に考慮する

と、当該部分の叙述の前提として前記事項を黙示的に主張するものと理解されるならば、同部分は、やはり、事実を摘示するものと見るのが相当である」（最高裁第三小法廷平成9年9月9日判決・民集51巻8号3804頁）とされる。

* 「名誉毀損の成否が問題となっている部分において表現に推論の形式が採られている場合であっても、当該記事についての一般の読者の普通の注意と読み方とを基準に、当該部分の前後の文脈や記事の公表当時に右読者が有していた知識ないし経験等も考慮すると、証拠等をもってその存否を決することが可能な他人に関する特定の事項を右推論の結果として主張するものと理解されるときには、同部分は、事実を摘示するものと見るのが相当である」（最高裁第二小法廷平成10年1月30日判決（判例要旨D008））とされている。
* 裁判例として、辞書の例文の誤り等を指摘する書籍につき、辞典を編纂した英語学者と英文校閲者が無能であるとか、多数の箇所にわたり極端な揶揄、愚弄、嘲笑、蔑視的な表現にわたっているなどとして全体として論評としての域を逸脱すると判断した東京地裁平成8年2月28日判決（判例要旨D005）、「バカ市長」との見出しを付けた週刊誌の記事について、市長としての資質に欠ける旨の論評の範囲を超えて、控訴人という人物そのものが、おろかな愚人であり、その矯正が不可能である旨を表現したもので意見ないし論評としての域を逸脱したものであると判断した大阪高裁平成19年12月26日判決（判例要旨D019）、「ある意見ないし論評が、その域を逸脱するものであるか否かについては、表現自体の相当性のほか、当該意見ないし論評の必要性の有無を総合して判断すべきである。上記必要性の有無については、相手方による過去の言動等、当該意見ないし論評が表明されるに至った経緯を考慮して判断すべきである」として、ある宗教団体の機関紙が元顧問弁護士を批判した記事を掲載したことにつき意見ないし論評としての域を逸脱するものとはいえないと判断した東京地裁平成21年1月28日判決（判例要旨D021）などがある。

(2) **論争がある場合の裁判例**

電子掲示板における論争のような場合については、対抗言論という観点から、名誉毀損の成立を限定しようとする見解がある（高橋和之「パソコン通信と名誉毀損」ジュリスト1120号83頁以下、同「インターネット上の名誉毀損と表現の自由」高橋和之・松井茂記編『インターネットと法〔第4版〕』（有斐閣、2010年）53頁以下）。

この見解によった場合には、被害者の反論が十分な効果を挙げているとみられるようなときは、社会的評価が低下する危険性が認められず、名誉ないし名誉感情毀損は成立しないと解するのが相当と考えられる。

- ＊パソコン通信サービス上の発言について、被害者が必要かつ十分な反論をしており、その社会的評価を低下させていないとして請求を棄却した東京地裁平成13年8月27日判決（判例要旨D010）がある。
- ＊論争の中で行われた表現行為であっても、「自己の意見を強調し、反対意見を論駁するについて、必要でもなく、相応しい表現でもない、品性に欠ける言葉を用いて…罵る内容」について名誉毀損や侮辱が認められた裁判例もある（東京高裁平成13年9月5日判決・判時1786号80頁）。

なお、最近の裁判例では、インターネット上の電子掲示板やホームページに一方的に書き込まれるケースについて対抗言論の法理を適用することには慎重な判断が続いていることに注意が必要である。

- ＊東京高裁平成14年12月25日判決（判例要旨D013）は、「言論に対しては言論をもって対処することにより解決を図ることが望ましいことはいうまでもないが、それは、対等に言論が交わせる者同士であるという前提があって初めていえることであり、このような言論による対処では解決を期待することができない場合がある」とし、「本件掲示板を利用したことは全くなく、本件掲示板において自己に対する批判を誘発する言動をしたものではない。また、本件スレッドにおける被控訴人らに対する発言は匿名の者による誹謗中傷というべきもので、複数と思われる者から極めて多数回にわたり繰

り返しされているものであり、本件掲示板内でこれに対する有効な反論をすることには限界がある」として、対抗言論の法理の適用を否定している。
＊東京地裁平成15年7月17日判決（判例要旨D015）は、各スレッドにおける発言は、そのほとんどが原告らを社会的に陥れるような内容であって、不特定多数の利用者が原告らを一方的に攻撃する状況にあったと認められるからそもそも原告らと対等に議論を交わす前提自体が欠けているなどとして対抗言論の法理の適用を否定している。
＊東京地裁平成19年5月31日判決（判例要旨D017）は、被害者が、加害者によるホームページの記載内容に対する「反論をインターネット上の自らのホームページ等に記載したとしても、本件ホームページを閲覧した者が、必ずしも…反論を掲載したホームページを閲覧するとは限らないのであり、インターネット上で反論を行い得ることをもって、名誉毀損の不法行為の成立に影響を与えるものとはいえ」ないとして対抗言論の法理の適用を否定している。
＊東京地裁平成24年11月22日判決（判例要旨D035）は、インターネット上の電子掲示板に同趣旨の書込みが多数なされたケースについて、「本件各記事と同趣旨の投稿が多数あることからすれば、それぞれに反論することは不可能ないし著しく困難というべきである」として、対抗言論の法理の適用を否定している。

(3) **メディアの性格をめぐる裁判例**

メディアの性格が名誉毀損の成否に影響を与えるかどうかについて、メディアの性格による影響を限定的に解釈した判例がある。すなわち、「当該新聞の編集方針、その主な読者の構成及びこれらに基づく当該新聞の性質についての社会の一般的な評価は、右不法行為責任の成否を左右するものではない」として、スポーツ新聞だからといって、「当該新聞が報道媒体としての性格を有している以上は、その読者も当該新聞に掲載される記事がおしなべて根も葉もないものと認識しているものではなく、当該記事に幾分かの真実も含

まれているものと考えるのが通常であろうから、その掲載記事により記事の対象とされた者の社会的評価が低下させられる危険性が生ずることを否定することはできない」と判断している（最高裁第三小法廷平成9年5月27日判決（判例要旨D007））。この判例からすると、仮に噂話レベルのことと断って行っている表現行為（例えば、B級ネタを集めたサイトや電子掲示板での表現行為）であっても名誉毀損とされる可能性があることになる。

以上のⅡ－3－1ないしⅡ－3－3以外の場合には、名誉毀損という観点からは、違法性阻却事由に該当するケースが多く、その要件となる公共性・公益性・真実性（又は相当性）についてプロバイダ等が判断することは難しいため、プロバイダ等が「不当な権利侵害」であると信じることのできる理由に乏しい場合が多いと考えられる。

なお、名誉毀損等の観点から違法情報であるか否かの判断がつかない場合であっても、プライバシーその他の観点から権利を侵害しているといえる場合もあるので、他の観点からも検討する必要がある。

Ⅱ－4　企業その他法人等の権利を侵害する情報の送信防止措置
(1)　企業その他法人等の権利を侵害する情報

> 特定の政党、企業その他の法人、地方公共団体の名誉又は信用を毀損する表現行為が行われた場合には、そこで摘示された事実の真偽については、プロバイダ等において判断ができない場合が多いことから、一般的には、プロバイダ責任制限法3条2項2号の照会手続等を経て対応するのが妥当である。
> 　ただし、プロバイダ責任制限法3条に定める免責事由に該当しないとしても、正当防衛や緊急避難などに該当する可能性のある場合もあるので、その点の検討も必要になる場合がある。

企業その他法人等については、プライバシー侵害は成立しないため、名誉毀損等の観点から検討した。

個人に限らず、特定の政党、会社その他の法人（最高裁第一小法廷昭和39年1月28日判決・民集18巻1号136頁）及び権利能力なき社団であっても、それに対する一定の社会的評価が存する以上、その評価は名誉として法的保護の対象となる。

なお、法人に対する名誉毀損の攻撃が同時に代表者に対する名誉毀損を構成すると判断するためには、加害行為が何人に対して向けられているかを検討し、その加害行為が実質的には代表者に対しても向けられているとの事実認定が必要であるとされている（最高裁第三小法廷昭和38年4月16日判決（判例要旨D001））。

(2) 地方公共団体

地方公共団体についても、一定の地域内における行政を行うことを目的として活動する公法人であり、また、国内に多数存在し、行政目的のためになされる活動等は種々異なり、これを含めた評価の対象となり得るものであるから、それ自体一定の社会的評価を有しているし、取引主体ともなって社会的活動を行うについては、その社会的評価が基礎になっていることは私法人の場合と同様であるから、名誉として法的保護の対象となるとされている（大分地裁平成14年11月19日判決・判タ1139号166頁）。

ただし、地方公共団体に対する名誉毀損の成立範囲は限定される傾向にあり、最近の裁判例においても、地方公共団体に対する名誉毀損の成否については、住民自治を考慮して、「本件記事掲載の目的、動機、経緯、影響、表現等を考慮したうえ、それが社会通念上町政批判として許容される範囲を逸脱する場合に限り」名誉毀損が認められるとしたものがある（高知地裁平成24年7月31日判決（判

例要旨D033))。

(3) 企業その他法人等の権利を侵害する情報への対応

　経済的取引における信用は、刑法上は信用毀損罪（刑法233条）によって保護されるが、信用は社会が経済的な観点から人に対して与える評価であるから、民事法上は名誉の一形態であるということができる。

　企業その他の法人等の名誉又は信用を毀損する表現行為が行われた場合には、①企業その他の団体は、ほとんどの場合に公的存在とみられること、②表現行為が公共の利害に関する事実に係り、専らかどうかは別としても（他の動機が含まれる場合もある）、それなりに公益を図る目的でなされたと評価できること、③表現が企業その他の団体の社会的評価を低下させても、そこで摘示された事実の真偽については、プロバイダ等において判断ができない場合が多いことから、プロバイダ等において権利侵害の「不当性」について信じるに足りる理由が整わないことがほとんどだと考えられる。

　このため、一般的には、プロバイダ責任制限法3条2項2号の照会手続等を経て対応するのが妥当であると考えられる。

　ただし、例外的に、企業の営業秘密（顧客管理システムのセキュリティ・ホールなど）がウェブページ等に掲載され、当該企業やその顧客に、経済的に多大な損失を被らせる現実の切迫した危険がある場合などに削除が認められる場合（金融商品取引法に定める風説の流布等に該当する場合がその一例）もあり、プロバイダ責任制限法3条に定める免責事由に該当しないとしても、正当防衛や緊急避難などに該当する可能性のある場合もあるので、その点の検討も必要である。

Ⅲ　送信防止措置を講じるための対応手順

Ⅲ－1　申立ての受付

　プロバイダ等は、送信防止措置の申立てを受ける場合には、自己の会員・契約者以外の者から受ける場合が多いと考えられる。したがって、送信防止措置を講ずることの申出又は発信者情報の開示に関する請求を受けることがあることを想定して、苦情・相談窓口を設置し、自己の契約者以外の者からの申出に対しても迅速に対応できる態勢を整えることが望ましい。

　プロバイダ責任制限法3条2項2号による発信者への照会手続を開始するためには、次の条件を全て満たす形式で侵害情報の送信防止措置の申出を受け付ける必要がある。

① 　送信防止措置を要請する者が特定電気通信による情報の流通によって自己の権利を侵害されたとする者であること
② 　特定電気通信による情報の流通によって自己の権利を侵害されたとする情報であること
③ 　侵害されたとする権利が特定されていること
④ 　権利が侵害されたとする理由が述べられていること
⑤ 　送信防止措置を希望することの意思表示があること

　プロバイダ等が上記の侵害情報等を書面により申立者等から受け付けることは、プロバイダ等が下記Ⅲ－2の自主的送信防止措置の要否を判断する場面でも有益と考えられる。

　なお、申立者との関係では、上記の5つの項目が全て充足されなくとも損害賠償責任を免れない場合があることに注意が必要である。例えば、①の条件が充足されておらず、第三者（法務省人権擁護機関を含む）からの申立てであったり、⑤の条件が充足されておらず、送信防止措置を希望するかどうかが明らかでない場合であったりしても、当該警告によって発信された情報が特定され、それが

名誉毀損やプライバシー侵害など不法行為の要件を満たすときなど、プロバイダ責任制限法3条1項2号に定める「他人の権利が侵害されていることを知ることができたと認めるに足りる相当の理由があるとき」に該当する場合もある。

Ⅲ－2　プロバイダ等による自主的送信防止措置の要否

　プロバイダ等の管理下にあるサーバに格納されたウェブページ上に、送信防止措置の要請や違法情報が掲載されている旨の苦情を申立者等又は第三者から受けた場合には、当該情報が他人の権利を侵害しているか否かをプロバイダ等なりに判断することとなる。当該情報が他人の権利を侵害していることが、Ⅱ章の判断基準に従い明らかである場合には、申立者との関係では、「他人の権利が侵害されていることを知ることができたと認めるに足りる相当の理由があるとき」（法3条1項2号）に該当することになるため、損害賠償責任を負わないようにするには、自主的に送信防止措置を講じることとなる。発信者との関係では、「他人の権利が不当に侵害されていると信じるに足りる相当の理由があったとき」（法3条2項1号）に該当することとなるため、送信防止措置を講じても発信者からの損害賠償請求に応じるリスクはないといってよい場合である。

　しかしながら、Ⅱ章の判断基準に照らしても、送信防止措置を講じても差し支えないかどうかの判断がつかない場合も多い。このような場合は、プロバイダ責任制限法3条2項2号に基づき、照会手続をとることができる。また、同号の規定にかかわらず、プロバイダ等が自主的送信防止措置を許されると判断した場合であっても、措置の緊急性まではないと考えられる場合には、まず照会手続により発信者による対応等当事者間での問題解決を促すことが望ましいとも考えられる。

Ⅲ-3　照会手続の手順

　プロバイダ等において送信防止措置を講じても差し支えない場合であるか否かの判断がつかない場合、すなわちプロバイダ責任制限法3条2項1号に定める「他人の権利が不当に侵害されたと信じるに足りる相当の理由」の存否が明らかでない場合は、同項2号に定める手続を利用することができる[28]。

① 　申立者の確認

　照会手続においては、送信防止措置を要請する者が特定電気通信による情報の流通によって自己の権利を侵害されたとする者[29]又はその代理人（弁護士など）であることを確認しなければならない。したがって、例えば、次の手順で本人確認をするなど、プロバイダ等の責任において妥当と考えられる本人確認手段を採用する必要がある。

　　ア）署名又は記名押印した申立書に公的証明書の写し又は原本（例えば、運転免許証やパスポートの写し、登記事項証明書の原本）等本人性を証明できる資料が添付されていることを確認する。申立者が法人の場合は、申込書に当該法人の代表者（代表者から権限を付与されている者を含む。以下同

---

[28] 私事性的画像記録又は性行為映像制作物に係る申出の場合には、私事性的画像記録等被害防止法4条又は性行為映像制作物出演被害防止・救済法16条に定める手続を利用することとなる。なお、私事性的画像記録の撮影者対象者本人（被害者死亡の場合は脚注29参照）からの申出がある場合、又は性行為映像制作物の出演者本人から申出があり、出演契約の取消し、解除若しくは出演契約の締結なく制作公表された性行為映像制作物であることが確認できる場合は、いずれも原則プロバイダ責任制限法3条2項1号に該当して、削除することができるものと考えられる。

[29] 私事性的画像記録等被害防止法4条1号により、私事性的画像記録の撮影対象者が死亡している場合にあっては、その配偶者、直系の親族又は兄弟姉妹からの送信防止措置の申立ても可能であることに留意する必要がある。性行為映像制作物については、性行為映像制作物出演被害防止・救済法16条に基づき、当該性行為映像制作物の出演者からの申立てに限られる。

じ。）の署名又は記名があることを確認する。
　イ）代理人がある場合　ア）のほかに代理人への委任状を添付してもらう[30]。法定代理人（本人の親等）の場合は、法定代理関係を証する書面（住民票等）を添付する。
② 侵害情報等の特定
　照会手続を開始するには、申立者本人又はその代理人から侵害情報等の通知を受けることが必要である[31・32]。プロバイダ等は、これらの侵害情報等を発信者に伝えて、送信防止措置を講じるか否かを照会する必要があるため、発信者が送信防止措置を講じることに同意するか否かを判断するに足りる侵害情報等が特定できない場合には、プロバイダ等は、申立者等に不明確な点などについて書式を修正して再提出してもらうなどの方法で確認する必要がある。不明確な点などについて質しても侵害情報等が十分

---

[30] 弁護士が代理人である場合は、通常委任状を相手方に提示する慣行はないことから、委任状の添付は不要である。なお、代理人（弁護士を含む。）が請求する場合であっても、権利を侵害された者本人の公的証明書の写し又は原本（例えば、運転免許証やパスポートの写し、登記事項証明書の原本）等本人性を証明できる資料は必要である。ただし、申立者の代理人が弁護士である場合、当該代理人が、権利を侵害された者が本人であることを確認していることをプロバイダ等に表明する場合は、本人性を証明する資料の添付を省略することができる。代理人の弁護士は、本人性を証明する資料の添付を省略した場合であっても、プロバイダ等から正確な処理を行う必要があるなどの理由で本人性を証明する資料の提出を求められたときには、かかる求めに応じて本人性を証明する資料を提出するものとする。

[31] 私事性的画像記録等被害防止法4条の手続を利用する場合には、自己の名誉等を侵害されたとする者から、①申立者が撮影対象者であること、②名誉等を侵害したとする情報（私事性的画像侵害情報）、③名誉等が侵害されたこと、④名誉等が侵害されたとする理由、⑤私事性的画像侵害情報が私事性的画像記録に係るものであることを示して送信防止措置を講ずるよう申出がなされる必要がある。なお、撮影対象者が死亡している場合には、その配偶者、直系の親族又は兄弟姉妹から、自己の名誉等を侵害されたとして、同条に基づき、送信防止措置を講ずる旨の申出が可能となるところ、①の代わり

に特定されない場合、申立者等の主張におよそ理由が認められない場合、そもそも当該侵害情報が自己の管理下にない場合等には、プロバイダ等は、照会手続を開始することができないことを遅滞なく申立者等に知らせることが望ましい。

　また、以下の情報は、発信者にそのまま伝えられるべきものである。

　　ア）特定電気通信による情報の流通によって自己の権利を侵害されたとする情報
　　イ）侵害されたとする権利
　　ウ）権利が侵害されたとする理由
　　エ）送信防止措置を希望することの意思表示

　なお、発信者に送信防止措置を講じるよう要請した者の氏名等を開示してよいかどうかについては、申立者が発信者との関係で

に、①' 死亡者が私事性的画像侵害情報の撮影対象者であること、撮影対象者の死亡及び申立者が撮影対象者の配偶者、直系の親族又は兄弟姉妹であることを示す必要がある。性行為映像制作物出演被害防止・救済法16条の手続を利用する場合には、自己の権利を侵害されたとする者から、①申立者が性行為映像制作物の出演者であること、②権利を侵害したとする情報（性行為映像制作物侵害情報）、③権利が侵害されたこと、④権利が侵害されたとする理由、⑤性行為映像制作物侵害情報が性行為映像制作物に係るものであることを示して送信防止措置を講ずるよう申出がなされる必要がある。

32　私事性的画像記録等被害防止法4条の手続を利用する場合には、プロバイダ等は、自己の名誉等を侵害されたとする者が私事性的画像侵害情報の撮影対象者であることを画像の対照等により確認する必要がある。なお、撮影対象者が死亡している場合には、死亡者が私事性的画像侵害情報の撮影対象者であることのほか、撮影対象者の死亡及び申立者が撮影対象者の配偶者、直系の親族又は兄弟姉妹であることを証明する公的文書（除籍謄本等）の提出を受け、撮影対象者の死亡の事実や申立者と撮影対象者との続柄を確認する必要がある。性行為映像制作物出演被害防止・救済法16条の手続を利用する場合には、プロバイダ等は、自己の権利を侵害されたとする者が性行為映像制作物の出演者であることを画像の対照等（出演契約がある場合はその契約書等を含む。）により確認する必要がある。

氏名等を伏せることに合理的な理由がある場合（写真の掲載など送信者が申立者の氏名を知らない場合など）もあることから、原則として非開示とすべきである。ただし、申立者から開示することに同意があったときは、この限りではない（別添書式）。また、照会手続に関連して送信防止措置を講じるよう申し出ることができるのは申立者本人又はその代理人だけであるから、名誉毀損、プライバシー侵害等の権利侵害においては、照会手続が行われたことをもって申立者名は自然に発信者に推測できるものであるが、それはやむを得ない。

③　照会可能な場合

プロバイダ等は、発信者に対し、送信防止措置を講じるよう要請があったこと及び申立者等から提供された侵害情報等を通知し、送信防止措置を講じることに同意するか否かを照会することができる。この場合に、申立者の氏名等を開示して差し支えないかどうかは、前記②を参照すること。

この場合において、当該通知が発信者に到達した後、7日[33]以内にプロバイダ等に対し所定の方法で反論をしない限り、プロバイダ責任制限法3条2項2号の趣旨に従い、削除等の送信防止措置が講じられることを書き添えておくことが、発信者に事態を認識してもらうために望ましい。（参照：書式②-1・②-2）

④　照会ができない場合

プロバイダ等が侵害情報等の通報を受けた場合に、発信者に対し、送信防止措置を講じるよう要請があったこと及び申立者等から提供された侵害情報等を通知し、送信防止措置を講じることに同意するか否かを照会することは、法令上の義務ではない。し

---

[33] 私事性的画像記録等被害防止法4条の要件をみたす場合には、「七日」以内ではなく、「二日」以内にプロバイダ等に対し所定の方法で反論をしない限り、削除等の送信防止措置が行われ得る。

がって、発信者と連絡することができない場合には、照会手続を進める必要はない。

　この場合に、照会手続を経由せずに即時に送信防止措置を講じても差し支えない場合（法3条2項1号）に該当していれば、プロバイダ等の判断で送信防止措置を講じることができる。他方、即時に送信防止措置を講じて差し支えないかどうかの判断ができないときには、申立者に対する損害賠償責任を免れないおそれが高い場合（法3条1項2号にいう「他人の権利が侵害されたことを知ることができたと認められる相当の理由」がある場合）に該当するかどうかの判断も困難であるのが一般的と思われるので、発信者からの訴訟リスクを考慮して静観するか、申立者からの訴訟リスクを考慮して送信防止措置を講じるかいずれかの対応となる。

　後者の場合には、契約約款又は利用規約にプロバイダ等の裁量で削除等の措置がとられることが明示されていれば、たとえプロバイダ責任制限法3条2項1号に該当するか判然としない場合であったとしても、当該契約約款又は利用規約が合理的であると認められる範囲であれば、当該規定に基づく送信防止措置を講じることは可能であろう（ただし、消費者契約法との関係で片面的な免責条項は無効とされるおそれがあるので、規定の仕方に注意を要する。）。

⑤　照会手続

　上記の手順により申立者の本人確認（代理人による場合は、委任関係の確認を含む。）ができ、侵害情報等が特定され、照会可能となった場合には、発信者への照会手続は、申立者等からの送信防止措置の要請を受けた後、遅滞なく行うことが望ましいといえる。ただし、プロバイダ等による自主的送信防止措置の要否に関する判断に手間取ったり、そもそも送信防止措置を講じるべく

照会手続を行う理由がないと判断したり、送信防止措置以外の対応（当事者間解決の促進等）を図ったりすることなどによって、申立者等からの要請を受けた後も相当期間を経過しても照会手続を開始できない場合もありうる。プロバイダ責任制限法においては、送信防止措置の要請を受けた後で照会手続を開始する義務があることを定めたものではないから、やむを得ない理由があるときは、プロバイダ責任制限法3条1項各号に該当する場合を除き[34]、プロバイダ等は申立者に対して照会手続遅延の責任を負わないと考えられる。

照会手続は、参考書式により行い、当該照会が発信者に到達した日の翌日から起算して7日以内[35]（例えば、3月1日に発送した場合には、同一市町村内であれば2日に到着するとして、3月9日まで）に発信者からの反論があるかどうかを確認する（参照：参考書式　回答書）。なお、当該書面（照会書）が発信者に到達した日を確認するには、郵便を用いる場合には、簡易書留等の確認手段を用いることが確実である。

⑥　照会に対し発信者から送信防止措置を講ずることに同意しない旨の回答があったとき

発信者から「送信防止措置を講ずることに同意しない旨の申出」があり、その理由として発信者から合理的な反論がなされた場合に、その反論などを踏まえ、「他人の権利が侵害されていることを知ることができたと認めるに足りる相当の理由」がないと

---

[34] プロバイダ責任制限法3条1項各号に該当しても、それだけで直ちにプロバイダ等に送信防止措置を講じる作為義務違反による損害賠償責任が生じるわけではなく、発信者に対し遅滞なく警告を発し、申立者との相談に応じるなど適切な対応を行うことにより損害賠償義務違反を免れるケースもある。

[35] 私事性的画像記録等被害防止法4条の要件をみたす場合には、「七日」以内ではなく、「二日」以内にプロバイダ等に対し所定の方法で反論をしない限り、削除等の送信防止措置が行われ得る。

判断されれば、プロバイダ等としては、送信防止措置の要請を受けた情報に対して送信防止措置を講じなかったとしても、損害賠償責任を免れるものと考えられる。

　他方で、発信者から「送信防止措置を講ずることに同意しない旨の申出」があったものの、その理由の記載がない場合に、プロバイダ等が送信防止措置を講じることができるかどうかは、照会手続を経由しない場合と同様と考えられる。

　また、照会手続を経て反論があった場合でも、当該反論が不合理であるなど（例えば、虚偽であることを自認している場合など）「他人の権利が侵害されていることを知ることができたと認めるに足りる相当の理由があるとき」（法3条1項2号）又は「他人の権利が不当に侵害されていると信じるに足りる相当の理由があったとき」（法3条2項1号）に該当することをプロバイダ等が確認できれば、削除することが安全[36]である。

⑦　照会に対し発信者から送信防止措置を講じることに同意しない旨の回答がなかったとき

　プロバイダ責任制限法3条2項に該当する場合であり、発信者に対する作為責任を負うことなく、送信防止措置を講じることができる。また、申立者との関係では、送信防止措置を講じることにより不作為責任をも同時に免れることになる。

Ⅲ－4　法務省人権擁護機関からの削除依頼への対応

(1)　受付

　法務省人権擁護機関からの削除依頼に対応し、「他人の権利が不

---

[36] ここにいう安全とは、プロバイダ等が送信防止措置の要請を受けた情報の削除により、申立者に対して当該情報の流通に関する不作為責任を免れるほか、発信者に対しても情報の削除による作為責任を免れる可能性が高いことを意味している。

当に侵害されていると信じるに足りる相当の理由（法3条2項1号）」があることを確認するためには、次の条件を全て満たす形式で侵害情報の送信防止措置の依頼を受け付ける必要がある。原則として、申出は書面で行われる必要があるが、緊急性が高い場合には、FAXで受信した後に該当する法務省人権擁護機関に削除依頼があったことの確認の電話を行い、確認できた場合には、事後的に書面を受領する方法がある（参照：書式①-2）。

① 法務省人権擁護機関からの依頼であること
② 侵害情報等の特定
③ 侵害されたとする権利の特定及び権利侵害の理由が明白であること

(2) 送信防止措置の要否の検討

法務省人権擁護機関からの削除依頼に応じることのできない理由（下記参照）がないかどうかを確認し、そのような理由がなければ送信防止措置を講じることができるが、下記事由のいずれかに該当する場合には、弁護士などの専門家に相談のうえ対応方法を決定することが望ましい。

＜削除依頼に応じることのできない理由＞

① 法務省人権擁護機関からの依頼であることが確認できないとき
② 法務省人権擁護機関から示された場所に侵害情報がないとき
③ 侵害されたとする権利が特定されていないとき
④ Ⅱ章の判断基準に照らして、他人の権利を侵害したとする情報の違法性が明白でない場合（公権力の濫用について合理的に疑いをさしはさむ余地のあるときを含む。）
⑤ 侵害情報を削除することにより他の無関係の情報を大量に削除してしまうこととなる場合など「必要な限度」を超える措置

となってしまうとき

(3) 送信防止措置を講じないこととした場合

　前記(2)に掲げる事由に一つでも該当する場合で、法務省人権擁護機関からの削除依頼に応じることのできない理由があると認めるときは、法務省人権擁護機関に追加で説明を求めることができる。また、法務省人権擁護機関からの削除依頼がこのガイドラインの基準を満たしていない場合には、任意ではあるが、その理由を記載して法務省人権擁護機関に通知することが望ましい。

Ⅲ-5　送信防止措置以外の対応

　プロバイダ等は、申立者等から申告があった情報について自ら送信防止措置を講じる必要まではないと判断した場合であっても、照会手続をとるなどして、発信者と申立者等との直接交渉による紛争解決を促すなど、当事者間による自主的問題解決を促進する措置を講じることが望ましい。

　また、ウェブページ内の電子掲示板への書込みについて当該ウェブページをホスティングするプロバイダ等に最初に被害申告があったケースのように、特定電気通信役務提供者が重畳的に存在する場合（プロバイダ等とウェブページ開設者・電子掲示板管理者）には、申告を受けたプロバイダ等は、より当該情報への管理可能性の高い特定電気通信役務提供者（ウェブページ開設者・電子掲示板管理者）に対してまず対応を求めるように申立者等に要請するという対応もありうる。

　ただし、申立者等に現実に被害が発生しており、被害の拡大を防止するために即時に対応する必要がある場合など緊急性がある場合は、この限りではない。

Ⅳ　参考書式及び裁判例要旨

Ⅳ−1　参考書式

書式①−1　侵害情報の通知書兼送信防止措置依頼書（名誉毀損・プライバシー）

書式①−2　法務省人権擁護機関からの侵害情報の通知書兼送信防止措置依頼書（名誉毀損・プライバシー）

書式①−3　私事性的画像侵害情報の通知書兼送信防止措置依頼書

書式①−4　性行為映像制作物侵害情報の通知書兼送信防止措置依頼書（性行為映像制作物への出演に係る被害の防止を図り及び出演者の救済に資するための出演契約等に関する特則等に関する法律の施行後に用いる書式）

書式②−1　侵害情報の通知書兼送信防止措置に関する照会書（名誉毀損・プライバシー）

書式②−2　私事性的画像侵害情報の通知書兼送信防止措置に関する照会書

書式②−3　性行為映像制作物侵害情報の通知書兼送信防止措置に関する照会書（①−4に同じ）

参考書式　回答書（名誉毀損・プライバシー）

書式①－1　侵害情報の通知書兼送信防止措置依頼書（名誉毀損・プライバシー）

　　　　　　　　　　　　　　　　　　　　　　　　　　年　　月　　日

至　［特定電気通信役務提供者の名称］御中

　　　　　　　　　　　　　　　［権利を侵害されたと主張する者］
　　　　　　　　　　　　　　　　住所
　　　　　　　　　　　　　　　　氏名　（記名）　　　　　　　印
　　　　　　　　　　　　　　　　連絡先（電話番号）
　　　　　　　　　　　　　　　　　　　（e-mail アドレス）

　　　　　　　　侵害情報の通知書　兼　送信防止措置依頼書

　あなたが管理する特定電気通信設備に掲載されている下記の情報の流通により私の権利が侵害されたので、あなたに対し当該情報の送信を防止する措置を講じるよう依頼します。

記

掲載されている場所	URL： その他情報の特定に必要な情報：（電子掲示板の名称、電子掲示板内の書込み場所、日付、ファイル名等）
掲載されている情報	例）私の実名、自宅の電話番号及びメールアドレスを掲載した上で、「私と割りきったおつきあいをしませんか」という、あたかも私が不倫相手を募集しているかのように装った書込みがされた。
侵害情報等	侵害されたとする権利	例）プライバシーの侵害、名誉毀損
	権利が侵害されたとする理由（被害の状況など）	例）ネット上では、ハンドル名を用い、実名及び連絡先は非公開としているところ、私の意に反して公表され、交際の申込みやいやがらせ、からかいの迷惑電話や迷惑メールを約○○件も受け、精神的苦痛を被った。

上記太枠内に記載された内容は、事実に相違なく、あなたから発信者にそのまま通知されることになることに同意いたします。

	発信者へ氏名を開示して差し支えない場合は、左欄に○を記入してください。○印のない場合、氏名開示には同意していないものとします。

書式①-2　法務省人権擁護機関からの侵害情報の通知書兼送信防止措置依頼書（名誉毀損・プライバシー）

年　　月　　日

至　［特定電気通信役務提供者の名称］御中

［法務省人権擁護機関］
　　　○○（地方）法務局長　　　　　印

連絡先（住所）
　　　（電話番号）
　　　（e-mail アドレス）
　　　（取扱者）

侵害情報の通知書　兼　送信防止措置依頼書

　あなたが管理する特定電気通信設備に掲載されている下記の情報の流通により人権を侵害していると認められ、加えて被害者自らが被害の回復予防を図ることが諸般の事情を総合考慮して困難と認められますので、当該情報の送信を防止する措置を講じるよう依頼します。

記

掲載されている場所		URL： その他情報の特定に必要な情報：（電子掲示板の名称、電子掲示板内の書込み場所、日付、ファイル名等）
掲載されている情報		例）○○氏の氏名・住所
侵害情報等	侵害されたとする権利	例）プライバシーの侵害
	権利が侵害されたとする理由（被害の状況など）	例）一般私人である被害者の意に反して、同人の氏名及び住所が掲載され、当該住所にあてて、被害者を中傷する手紙等が多数送付されている。

上記太枠内に記載された内容は、事実に相違なく、あなたから発信者にそのまま通知されることになることに同意いたします。その際、依頼機関の名称等を含めて通知されることにも併せて同意いたします。

書式①-3　私事性的画像侵害情報の通知書兼送信防止措置依頼書

　　　　　　　　　　　　　　　　　　　　　　　　　　　年　　月　　日
至　［特定電気通信役務提供者の名称］御中

　　　　　　　　　　　　　　［私事性的画像記録に係る情報の流通によって自己
　　　　　　　　　　　　　　の名誉又は私生活の平穏を侵害されたとする者］＊
　　　　　　　　　　　　　　住所
　　　　　　　　　　　　　　氏名　（記名）　　　　　　　　　　印
　　　　　　　　　　　　　　連絡先（電話番号）
　　　　　　　　　　　　　　　　　（e-mail アドレス）
　　　　　　　　　　　　　　□撮影対象者以外の場合にチェック

　　　　　　私事性的画像侵害情報の通知書　兼　送信防止措置依頼書

　あなたが管理する特定電気通信設備に掲載されている下記の情報の流通により私の名誉又は私生活の平穏（以下「名誉等」といいます。）が侵害されたので、あなたに対し当該情報の送信を防止する措置を講じるよう依頼します。

　　　　　　　　　　　　　　　　　記

掲載されている場所	URL： その他情報の特定に必要な情報：（電子掲示板の名称、電子掲示板内の書込み場所、日付、ファイル名等）
掲載されている情報 （この情報は、私事性的画像記録です。）	
名誉等が侵害されたとする理由（被害の状況など）	

上記太枠内に記載された内容は、事実に相違なく、あなたから発信者にそのまま通知されることになることに同意いたします。

	発信者へ氏名を開示して差し支えない場合は、左欄に○を記入してください。○印のない場合、氏名開示には同意していないものとします。

＊私事性的画像侵害情報の撮影対象者であることを確認できる文書等を添付して下さい。また、撮影対象者が死亡している場合にあっては、その配偶者、直系の親族又は兄弟姉妹も送信防止措置を講じるよう申し出ることができます。撮影対象者以外の場合には、□内に✓としたうえで、死亡者が私事性的画像記録の撮影対象者であることを確認できる文書等のほか、撮影対象者の死亡の事実及び申出者と撮影対象者との続柄を確認できる公的文書（除籍謄本等）を添付してください。

書式①-4　性行為映像制作物侵害情報の通知書兼送信防止措置依頼書

年　月　日

至　［特定電気通信役務提供者の名称］御中

［性行為映像制作物に係るものの流通によって自己の権利を侵害されたとする者（当該性行為映像制作物の出演者に限る。）］＊

　　　　住所
　　　　氏名　（記名）　　　　　　　　　印
　　　　連絡先（電話番号）
　　　　　　　（e-mail アドレス）

性行為映像制作物侵害情報の通知書　兼　送信防止措置依頼書

　あなたが管理する特定電気通信設備に掲載されている下記の情報の流通により私の権利が侵害されたので、あなたに対し当該情報の送信を防止する措置を講じるよう依頼します。

記

掲載されている場所	URL： その他情報の特定に必要な情報：（電子掲示板の名称、電子掲示板内の書込み場所、日付、ファイル名等）
掲載されている情報 （この情報は、性行為映像制作物です。）	
権利が侵害されたとする理由（被害の状況、出演契約の取消し・解除に関する事実など）	

上記太枠内に記載された内容は、事実に相違なく、あなたから発信者にそのまま通知されることになることに同意いたします。

	発信者へ氏名を開示して差し支えない場合は、左欄に○を記入してください。○印のない場合、氏名開示には同意していないものとします。

＊性行為映像制作物の出演者であることを確認できる文書等を添付して下さい。出演契約がある場合は、その日付も確認させていただきます。

書式②-1　侵害情報の通知書兼送信防止措置に関する照会書（名誉毀損・プライバシー）

年　月　日

至〔　　　発信者　　　〕御中

〔特定電気通信役務提供者〕
住所
社名
氏名
連絡先

侵害情報の通知書　兼　送信防止措置に関する照会書

　あなたが発信した下記の情報の流通により権利が侵害されたとの侵害情報ならびに送信防止措置を講じるよう申出を受けましたので、特定電気通信役務提供者の損害賠償責任の制限及び発信者情報の開示に関する法律（平成13年法律第137号）第3条第2項第2号に基づき、送信防止措置を講じることに同意されるかを照会します。

　本書が到達した日より7日を経過してもあなたから送信防止措置を講じることに同意しない旨の申出がない場合、当社はただちに送信防止措置として下記情報を削除する場合があることを申し添えます。<u>また、別途当社契約約款に基づく措置をとらせていただく場合もございますのでご了承ください。</u>*

　なお、あなたが自主的に下記の情報を削除するなど送信防止措置を講じていただくことは差し支えありません。

記

掲載されている場所	URL：
掲載されている情報	
侵害情報等	侵害されたとする権利	
	権利が侵害されたとする理由	

＊発信者とプロバイダ等（特定電気通信役務提供者）との間に契約約款などがある場合に付加できる。

書式②-2　私事性的画像侵害情報の通知書兼送信防止措置に関する照会書

　　　　　　　　　　　　　　　　　　　　　　　　　　　年　　月　　日

至［　　　　発信者　　　］御中

　　　　　　　　　　　　　　　　［特定電気通信役務提供者］
　　　　　　　　　　　　　　　　　　住所
　　　　　　　　　　　　　　　　　　社名
　　　　　　　　　　　　　　　　　　氏名
　　　　　　　　　　　　　　　　　　連絡先

　　　　　　私事性的画像侵害情報の通知書　兼　送信防止措置に関する照会書

　あなたが発信した下記の記録の流通により自己の名誉又は私生活の平穏が侵害されたとの情報ならびに送信防止措置を講じるよう申出を受けましたので、私事性的画像記録の提供等による被害の防止に関する法律（平成26年法律第126号）第4条に基づき、送信防止措置を講じることに同意されるかを照会します。

　本書が到達した日より2日を経過してもあなたから送信防止措置を講じることに同意しない旨の申出がない場合、当社はただちに送信防止措置として、下記記録を削除する場合があることを申し添えます。また、別途当社契約約款に基づく措置をとらせていただく場合もございますのでご了承ください＊。

　なお、あなたが自主的に下記の記録を削除するなど送信防止措置を講じていただくことは差し支えありません。

　　　　　　　　　　　　　　　　　　記

掲載されている場所	URL：
掲載されている記録	
権利が侵害されたとする理由	

＊発信者とプロバイダ等（特定電気通信役務提供者）との間に契約約款などがある場合に付加できる。

書式②-3　性行為映像制作物侵害情報の通知書兼送信防止措置に関する照会書

年　　月　　日

至 [　　　発信者　　　] 御中

　　　　　　　　　　　　　　　[特定電気通信役務提供者]
　　　　　　　　　　　　　　　住所
　　　　　　　　　　　　　　　社名
　　　　　　　　　　　　　　　氏名
　　　　　　　　　　　　　　　連絡先

　　　　性行為映像制作物侵害情報の通知書　兼　送信防止措置に関する照会書

　あなたが発信した下記の記録の流通により自己の権利が侵害されたとの情報ならびに送信防止措置を講じるよう申出を受けましたので、性をめぐる個人の尊厳が重んぜられる社会の形成に資するために性行為映像制作物への出演に係る被害の防止を図り及び出演者の救済に資するための出演契約等に関する特則等に関する法律第16条に基づき、送信防止措置を講じることに同意されるかを照会します。

　本書が到達した日より2日を経過してもあなたから送信防止措置を講じることに同意しない旨の申出がない場合、当社はただちに送信防止措置として、下記記録を削除する場合があることを申し添えます。<u>また、別途当社契約約款に基づく措置をとらせていただく場合もございますのでご了承ください</u>*。

　なお、あなたが自主的に下記の記録を削除するなど送信防止措置を講じていただくことは差し支えありません。

記

掲載されている場所	URL：
掲載されている記録	
権利が侵害されたとする理由	

＊発信者とプロバイダ等（特定電気通信役務提供者）との間に契約約款などがある場合に付加できる。

438　第4　ガイドライン

参考書式　回答書（名誉毀損・プライバシー）

　　　　　　　　　　　　　　　　　　　　　　　　　年　月　日
至　［特定電気通信役務提供者の名称］御中
　　　　　　　　　　　　　　［発信者］
　　　　　　　　　　　　　　　　　　住所
　　　　　　　　　　　　　　　　　　氏名
　　　　　　　　　　　　　　　　　　連絡先

回　答　書

　あなたから照会のあった次の侵害情報の取扱いについて、下記のとおり回答します。

［侵害情報の表示］

掲載されている場所	URL：
掲載されている情報	
侵害情報等	侵害されたとする権利	
	権利が侵害されたとする理由	

記

［回答内容］（いずれかに○※）
（　）送信防止措置を講じることに同意しません。
（　）送信防止措置を講じることに同意します。
（　）送信防止措置を講じることに同意し、問題の情報については、削除しました。

［回答の理由］

※　○印のない場合、同意がなかったものとして取り扱います。

　　　　　　　　　　　　　　　　　　　　　　　　　　　　　　以上

Ⅳ-2 法務省人権擁護機関の削除依頼に至るプロセス

　法務省の人権擁護機関における削除依頼は、各法務局・地方法務局（具体的には、「法務省人権擁護機関のリスト」を参照。）の局長名で行われるが、削除依頼の決定は、下記に示すように、各法務局・地方法務局及び法務省人権擁護局の二重のスクリーニングを経て行われる[※]。

(1) 救済手続の開始

　各法務局・地方法務局において、被害者からの被害申告又は各種情報を端緒に、救済手続を開始。

(2) 各法務局・地方法務局における救済方法の検討、法務省人権擁護局に対する報告

　救済手続を開始した各法務局・地方法務局において、次に該当するのかについて検討。

① 人権擁護上看過できない事案であるか

② 被害者自らが被害の回復予防を図ることが諸般の事情を総合考慮して困難と認められる事案か

　上記①及び②に該当し、削除依頼を行うことが相当と判断する事案について、法務省人権擁護局に必ず報告。

(3) 法務省人権擁護局による検討・承認の取り付け

　上記(2)の報告を受けた法務省人権擁護局は、削除依頼を行うことが相当な事案であるかを検討し、各法務局・地方法務局が行った、削除依頼を行うことが相当との判断の是非について、承認を与える。

(4) 上記(3)の承認を受けた事案について、各法務局・地方法務局において削除依頼を実施

(※) 事案の緊急性・重大性に鑑み、法務省人権擁護局が直接救済手続を行い、人権擁護局長名で削除依頼を行うこともありうる。

Ⅳ−3　法務省人権擁護機関のリスト（削除依頼関係）

（令和3年6月現在）

	削除依頼の取扱者	所在地	電話番号
札幌法務局	人権擁護部第二課長	札幌市北区北8条西2-1-1 札幌第1合同庁舎	(011)709-2311
函館地方法務局	人権擁護課長	函館市新川町25-18 函館地方合同庁舎	(0138)24-2132
旭川地方法務局	人権擁護課長	旭川市宮前1条3-3-15 旭川合同庁舎	(0166)38-1169
釧路地方法務局	人権擁護課長	釧路市幸町10-3 釧路地方合同庁舎	(0154)31-5014
仙台法務局	人権擁護部第二課長	仙台市青葉区春日町7-25 仙台第3法務総合庁舎	(022)225-5768
福島地方法務局	人権擁護課長	福島市本内字南長割1-3 福島地方法務局分室内	(024)534-2021
山形地方法務局	人権擁護課長	山形市緑町1-5-48 山形地方合同庁舎	(023)625-1363
盛岡地方法務局	人権擁護課長	盛岡市盛岡駅西通1-9-15 盛岡第2合同庁舎	(019)624-9859
秋田地方法務局	人権擁護課長	秋田市山王7-1-3 秋田合同庁舎	(018)862-6533
青森地方法務局	人権擁護課長	青森市長島1-3-5 青森第2合同庁舎	(017)776-9025
東京法務局	人権擁護部第二課長	新宿区四谷1-6-1	03-5363-3067
横浜地方法務局	人権擁護課長	横浜市中区北仲通5-57 横浜第2合同庁舎	(045)641-7926
さいたま地方法務局	人権擁護課長	さいたま市中央区下落合5-12-1 さいたま第2法務総合庁舎	(048)859-3507
千葉地方法務局	人権擁護課長	千葉市中央区中央港1-11-3 千葉地方合同庁舎	(043)302-1320
水戸地方法務局	人権擁護課長	水戸市北見町1-1	(029)227-9920
宇都宮地方法務局	人権擁護課長	宇都宮市小幡2-1-11 宇都宮法務合同庁舎	(028)623-0926
前橋地方法務局	人権擁護課長	前橋市大手町2-3-1 前橋地方合同庁舎	(027)221-4466
静岡地方法務局	人権擁護課長	静岡市葵区追手町9-50 静岡地方合同庁舎	(054)254-3555
甲府地方法務局	人権擁護課長	甲府市丸の内1-1-18 甲府合同庁舎	(055)252-7239
長野地方法務局	人権擁護課長	長野市大字長野旭町1108 長野第二合同庁舎	(026)235-6634
新潟地方法務局	人権擁護課長	新潟市中央区西大畑町5191 新潟地方法務総合庁舎	(025)222-1564
名古屋法務局	人権擁護部第二課長	名古屋市中区三の丸2-2-1 名古屋合同庁舎第1号館	(052)952-8111
津地方法務局	人権擁護課長	津市丸之内26-8 津合同庁舎	(059)228-4711
岐阜地方法務局	人権擁護課長	岐阜市金竜町5-13 岐阜合同庁舎	(058)245-3181
福井地方法務局	人権擁護課長	福井市春山1-1-54 福井春山合同庁舎	(0776)22-5141

金沢地方法務局	人権擁護課長	金沢市新神田4-3-10 金沢新神田合同庁舎	(076)292-7808
富山地方法務局	人権擁護課長	富山市牛島新町11-7 富山合同庁舎	(076)441-0866
大阪法務局	人権擁護部第二課長	大阪市中央区谷町2-1-17 大阪第2法務合同庁舎	(06)6942-9496
京都地方法務局	人権擁護課長	京都市上京区荒神口通河原町東入上生洲町197	(075)231-2001
神戸地方法務局	人権擁護課長	神戸市中央区波止場町1-1 神戸第2地方合同庁舎	(078)393-0600
奈良地方法務局	人権擁護課長	奈良市高畑町552番地 奈良第二地方合同庁舎	(0742)23-5457
大津地方法務局	人権擁護課長	大津市京町3-1-1 大津びわ湖合同庁舎	(077)522-4673
和歌山地方法務局	人権擁護課長	和歌山市二番丁3 和歌山地方合同庁舎	(073)422-5131
広島法務局	人権擁護部第二課長	広島市中区上八丁堀6-30 広島合同庁舎3号館	(082)228-5792
山口地方法務局	人権擁護課長	山口市中河原町6-16 山口地方合同庁舎2号館	(083)922-2299
岡山地方法務局	人権擁護課長	岡山市北区南方1-3-58	(086)224-5761
鳥取地方法務局	人権擁護課長	鳥取市東町2-302 鳥取第2地方合同庁舎	(0857)22-2475
松江地方法務局	人権擁護課長	松江市東朝日町192-3	(0852)32-4260
高松法務局	人権擁護部第二課長	高松市サンポート3-33 高松サンポート合同庁舎南館	(087)821-7850
徳島地方法務局	人権擁護課長	徳島市徳島町城内6-6 徳島地方合同庁舎	(088)622-4171
高知地方法務局	人権擁護課長	高知市栄田町2-2-10 高知よさこい咲都合同庁舎	(088)822-3331
松山地方法務局	人権擁護課長	松山市宮田町188-6 松山地方合同庁舎	(089)932-0888
福岡法務局	人権擁護部第二課長	福岡市中央区舞鶴3-5-25 福岡第1法務総合庁舎	(092)739-4151
佐賀地方法務局	人権擁護課長	佐賀市城内2-10-20 佐賀合同庁舎	(0952)26-2148
長崎地方法務局	人権擁護課長	長崎市万才町8-16 長崎法務合同庁舎	(095)826-8127
大分地方法務局	人権擁護課長	大分市荷揚町7-5 大分法務総合庁舎	(097)532-3161
熊本地方法務局	人権擁護課長	熊本市中央区大江3-1-53 熊本第2合同庁舎	(096)364-2145
鹿児島地方法務局	人権擁護課長	鹿児島市鴨池新町1-2	(099)259-0684
宮崎地方法務局	人権擁護課長	宮崎市別府町1-1 宮崎法務総合庁舎	(0985)22-5124
那覇地方法務局	人権擁護課長	那覇市樋川1-15-15 那覇第1地方合同庁舎	(098)854-1215

Ⅳ-4 裁判例要旨について

　この判例要旨は、このガイドラインの利用者の参考としていただくため、本文において言及された裁判例その他関係する裁判例の要旨を簡潔にまとめたものである。

(1)　判例要旨には、プライバシー編及び名誉毀損編との2種類を用意した。

(2)　判決文からの引用箇所は、可能な限り「　」で括った。上訴された事案では、控訴人・被控訴人、上告人・被上告人のいずれが被侵害者側・メディア等であるのか、判決文からの引用そのままでは分かりにくい場合もあるため、必要に応じて［　］内に引用者注を記している。
　　例）「控訴人ら［メディア］は、プライバシー権を侵害するものでない旨主張する。」

(3)　判例要旨の各項目の説明
　個票を次のような形式で作成し、判決（決定）日の古いものから時系列に並べた。
　検索の便宜を図るため、以下の項目の①⑤⑥⑦②③④⑨を抽出した目次を用意した。

番　　　号	①	事件名	②				
キーワード	③						
被 侵 害 者	④						
裁　判　所	⑤		日付	⑥		種別	⑦
審級関係等	⑧						
Ｇ　Ｌ　頁	⑨						
判　例　集	⑩						

〔事案〕⑪　　〔主文〕⑫　　〔要旨〕⑬

1 プロバイダ責任制限法名誉毀損・プライバシー関係ガイドライン

① 番号　　　　プライバシー編はPで始める3桁の番号（Pnnn）、名誉毀損編はDで始める3桁の番号（Dnnn）を判決（決定）日の順番に機械的に採番して記載した。

② 事件名　　　著名事件については、判例集等に掲載されている名称を記載した。

③ キーワード　メディアの種類（週刊誌、ウェブサイト等）、権利侵害の有無について争われた情報の種類（氏名、住所、写真、醜聞、犯罪事実等）、主な争点（公共の利害に関する事実、真実性、相当性、対抗言論等）等を判決文から抽出して記載した。

④ 被侵害者　　被侵害者の属性（一般私人、公人等の別）によって結論が左右されることも多いため、判決文から抽出して記載した。

⑤ 裁判所　　　判決（決定）をした裁判所名

⑥ 日付　　　　判決（決定）日

⑦ 種別　　　　判決又は決定の区別

⑧ 審級関係等　収録した裁判例に相互に審級関係がある場合は該当する①の番号。
　　　　　　　他に裁判例の理解を深めることにつながる情報を記載した。

⑨ ＧＬ頁　　　ガイドライン本文の頁番号（空欄の場合は本文での引用なし）
　　　　　　　※筆者注：本書の頁数とは異なります。

⑩ 判例集　　　代表的な判例集の略称、巻号及び頁数
　　　　　　　例）民集：最高裁民事判例集、下民集：下級裁判所民事裁判例集

		刑集：最高裁刑事判例集、判時：判例時報、判タ：判例タイムズ　など
⑪	事案	このガイドラインと関係のある当事者の主張（被侵害者側の請求）の内容
⑫	主文	⑪で述べた事案に関する判決又は決定の主文。多数の争点を含む裁判例であっても、プライバシー又は名誉毀損に関する請求に限定して記述した。被侵害者側からの請求の一部（例えば、損害賠償請求のみ）について、認容され、その余の請求が棄却されている場合には、原則として一部認容の対象を記載（例えば、損害賠償認容）することとしている。
⑬	要旨	それぞれ、プライバシー侵害、名誉毀損の観点での損害賠償、謝罪広告等の請求について、権利侵害に対する救済を求めた当事者からの請求内容に対する裁判所の判断を記載し、その理由を簡潔に紹介している。

プロバイダ責任制限法　名誉毀損・プライバシー関係ガイドライン
裁判例要旨（名誉毀損編）目次

番号	判決	キーワード	被侵害者	GL頁
D001	最高裁（小3）S38.04.16判決	学会誌、企業その他法人等の権利を侵害する情報への対応（法人と代表者個人との関係）	書籍出版社及びその代表者	33
D002	東京地裁S62.10.26判決	全国紙、公共の利害に関する事実、公益を図る目的、真実性、相当性、公訴提起前の犯罪行為	労働組合	28
D003	東京地裁S63.02.15判決	写真週刊誌、公共の利害に関する事実、公益を図る目的	貴金属装飾品販売会社の元支店長	29
D004	東京地裁H02.12.20判決	スポーツ新聞、公共の利害に関する事実、私生活上の行状の摘示、真実性	犯罪容疑者	29
D005	東京地裁H08.02.28判決	ムック誌、意見・論評	書籍出版社	31
D006	東京地裁H09.05.26判決（「現代思想フォーラム」事件（第一審））	パソコン通信、社会的評価の低下、フォーラム管理者（システムオペレーター）の責任	一般私人	－
D007	最高裁（小3）H09.05.27判決（ロス疑惑スポーツニッポン新聞事件）	スポーツ新聞、意見・論評、メディアの性格、編集方針	犯罪容疑者	32
D008	最高裁（小2）H10.01.30判決（ロス疑惑朝日新聞社事件）	全国紙、意見・論評	犯罪容疑者	31
D009	東京地裁H11.09.24判決（都立大学事件）	大学管理下のシステム内のホームページ、社会的評価の低下、ネットワーク管理者の削除義務	一般私人	－
D010	東京地裁H13.08.27判決（「本と雑誌フォーラム」事件）	パソコン通信、対抗言論の法理、フォーラム管理者の責任、発信者情報開示	一般私人	31
D011	東京高裁H13.09.05判決（「現代思想フォーラム」事件（控訴審））	パソコン通信、社会的評価の低下、フォーラム管理者（システムオペレーター）の責任	一般私人	－
D012	東京地裁H14.06.17判決	週刊誌、社会的評価の低下、対象となる個人の特定	国会議員	26
D013	東京高裁H14.12.25判決（2ちゃんねる動物病院事件）	社会的評価の低下、電子掲示板、対抗言論の法理、掲示板管理者の責任	動物病院運営会社等	31
D014	東京地裁H15.06.25判決（2ちゃんねるプロ麻雀士事件）	電子掲示板、名誉感情の侵害、社会的評価の低下、対象となる個人の特定（通称名の使用）、掲示板管理者の責任	プロ麻雀士	27

裁判例要旨（名誉毀損編）（2018年3月30日）に収録済42件（D001～D042）に5件の新たな裁判例を追加し、裁判例要旨（プライバシー編）（2018年3月30日）に収録済60件（P001～P060）に4件の新たな裁判例を追加しました。（2020年5月）

D015	東京地裁H15.07.17判決	電子掲示板、対抗言論の法理、掲示板管理者の責任	化粧品製造販売会社等	31
D016	東京地裁H16.07.26判決	写真週刊誌、社会的評価の低下（一般の読者の普通の注意と読み方）	国会議員、元総理大臣	26
D017	東京地裁H19.05.31判決	個人ホームページ、対抗言論の法理	賃貸事業用建物の建築・管理会社	32
D018	東京地裁H19.12.14判決	都知事の口頭発言、名誉感情の侵害、社会的評価の低下、対象となる個人の特定、意見・論評	フランス語教員等	27
D019	大阪高裁H19.12.26判決	週刊誌、意見・論評	市長	31
D020	東京地裁H20.10.01判決	電子掲示板、対抗言論の法理、掲示板管理者の責任	学校法人	—
D021	東京地裁H21.01.28判決	宗教団体の機関紙、意見・論評	宗教団体の元顧問弁護士	31
D022	東京地裁H21.08.28判決	週刊誌、社会的評価の低下、公共の利害に関する事実、私生活上の行状の摘示	芸能人	29
D023	最高裁（小1）H22.03.15判決（ラーメンフランチャイズ事件）	個人ホームページ、虚偽事実、インターネット上の名誉毀損罪の免責要件、刑事事件	ラーメンフランチャイズ運営会社	30
D024	東京地裁H22.06.30判決	ブログ、社会的評価の低下、リンク掲載、発信者情報開示	保育園運営者	27
D025	東京地裁H22.11.22判決	紙面文書、公益を図る目的	テナント会理事	—
D026	東京地裁H22.12.14判決	ランキング記事（雑誌）、社会的評価の低下、公共の利害に関する事実、公益を図る目的、真実性、相当性	家電販売会社	—
D027	名古屋地裁H23.03.11判決	オークションサイト、評価コメント、社会的評価の低下	一般私人	26
D028	最高裁（小1）H23.04.28判決	地方新聞、真実性、相当性、通信社配信記事	地方新聞社	30
D029	東京地裁H23.07.19判決	企業ホームページ、社会的評価の低下	企業	—
D030	最高裁（小2）H24.03.23判決	フリージャーナリストのホームページ、社会的評価の低下	新聞社	26
D031	東京地裁H24.06.12判決	週刊誌、社会的評価の低下、真実性	内閣官房長官	26
D032	東京地裁H24.07.04判決	企業ホームページ、IR情報、社会的評価の低下、公共の利害に関する事実、公益を図る目的	上場企業の元社長	—
D033	高知地裁H24.07.31判決	私的な広報誌	地方公共団体（町）	33

裁判例要旨（名誉毀損編）（2018年3月30日）に収録済42件（D001～D042）に5件の新たな裁判例を追加し、裁判例要旨（プライバシー編）（2018年3月30日）に収録済60件（P001～P060）に4件の新たな裁判例を追加しました。（2020年5月）

1 プロバイダ責任制限法名誉毀損・プライバシー関係ガイドライン

D034	東京地裁 H24.09.13判決	企業ホームページ、訴訟提起の事実、IR情報、公共の利害に関する事実、公益を図る目的	原告会社の元従業員等	-
D035	東京地裁 H24.11.22判決	電子掲示板、犯罪関与、対抗言論の法理、同趣旨の他の投稿、発信者情報開示	国立大学の助教	32
D036	東京高裁 H25.09.06判決	電子掲示板、社会的評価の低下、記事転載、発信者情報開示	会社株主	-
D037	東京地裁 H26.08.07判決	日刊紙、社会的評価の低下、公共の利害に関する事実、公益を図る目的、真実性・相当性、犯罪行為に関する事実	声優	-
D038	東京地裁 H26.12.24判決	SNS、リツイート、社会的評価の低下	不起訴処分を受けた被疑者	27
D039	東京地裁 H27.08.20判決	ランキング記事(ウェブ)、社会的評価の低下、発信者情報開示	住宅リフォーム会社	-
D040	東京地裁 H28.07.21判決	電子掲示板、社会的評価の低下、リンク掲載	ウェブサービス会社	27
D041	大阪地裁 H28.11.30判決	SNS、拡散、社会的評価の低下	大学教授	27
D042	大阪地裁 H29.08.30判決	電子掲示板、アイデンティティ権、社会的評価の低下、なりすまし	一般私人	26
D043	東京地裁 H29.09.27判決	電子掲示板、なりすまし、社会的評価の低下、発信者情報開示	声優・俳優	-
D044	大阪地裁 H29.11.16判決（保守速報事件（第一審））	まとめブログ(まとめサイト)、ヘイトスピーチ	フリーライター	-
D045	大阪高裁 H30.06.28判決（保守速報事件（控訴審））	まとめブログ(まとめサイト)、ヘイトスピーチ、表現行為の一体性、新たな文書の配布	フリーライター	-
D046	東京高裁 H30.03.07判決	SNS、国会議員による投稿、ヘイトスピーチ、意見・論評	政治活動家	-
D047	大阪地裁 H30.09.20判決	SNS、知事による投稿、意見・論評、社会的評価の低下、公共の利害に関する事実、公益を図る目的、真実性、相当性	府知事	-

裁判例要旨（名誉毀損編）（2018年3月30日）に収録済42件（D001～D042）に5件の新たな裁判例を追加し、裁判例要旨（プライバシー編）（2018年3月30日）に収録済60件（P001～P060）に4件の新たな裁判例を追加しました。（2020年5月）

448　第4　ガイドライン

プロバイダ責任制限法　名誉毀損・プライバシー関係ガイドライン
裁判例要旨（プライバシー編）目次

番号	判決	キーワード	被侵害者	GL頁
P001	東京地裁S31.08.08判決 （香水風呂事件）	写真雑誌、肖像権、入浴客、報道	一般私人	21
P002	東京地裁S39.09.28判決 （「宴のあと」事件）	モデル小説、プライバシー総論、私生活上の事実	元都知事選候補者	9
P003	最高裁（大）S44.12.24判決 （京都府学連事件）	犯罪捜査、肖像権、第三者の顔写真、刑事事件	一般私人	20
P004	東京地裁S49.07.15判決	週刊誌、肖像権、家庭の機微、実名報道、公の正当な関心	著名人、劇画作家	16
P005	最高裁（小1）S56.04.16判決 （月刊ペン事件（上告審））	月刊誌、醜聞、実名報道、刑事事件	宗教団体会長、元国会議員	16
P006	東京地裁S62.02.27判決	週刊誌、肖像権、公共の利害に関する事実	私立歯科大学教授	21
P007	東京高裁H01.09.05判決 （「逆転」事件控訴審）	ノンフィクション、実名、犯罪事実、時間の経過	一般私人	24
P008	東京地裁H02.05.22判決	写真週刊誌、肖像権、入院中の写真、車椅子姿	大手消費者金融会長	14 16 21
P009	東京地裁H02.08.29判決	無断開示、氏名、勤務先名称、電話番号、マンション	一般私人	12
P010	最高裁（小3）H06.02.08判決 （「逆転」事件上告審）	ノンフィクション、実名、犯罪事実	一般私人	14 15 24
P011	東京地裁H07.04.14判決	週刊誌、広告、犯罪事実、家族の勤務先、家族の学歴、家族の職歴	新聞記者の妻	12 14 15 24
P012	東京地裁H07.05.19判決 （「名もなき道を」事件）	モデル小説、学歴、結婚の経緯、色覚異常、家族関係	一般私人	15
P013	東京高裁H07.10.17判決	週刊誌、広告、犯罪事実、家族の勤務先、家族の学歴、家族の職歴	新聞記者の妻	12
P014	神戸地裁尼崎支部H09.02.12決定 （「タカラヅカおっかけマップ」事件）	書籍、私生活の平穏、氏名、連絡先、自宅住所、電話番号	芸能人、有名スター、タレント	13
P015	東京地裁H09.06.23判決 （「ジャニーズ・ゴールド・マップ事件）	書籍、私生活の平穏、氏名、連絡先、自宅住所、電話番号	芸能人	13

裁判例要旨（名誉毀損編）（2018年3月30日）に収録済42件（D001～D042）に5件の新たな裁判例を追加し、裁判例要旨（プライバシー編）（2018年3月30日）に収録済60件（P001～P060）に4件の新たな裁判例を追加しました。（2020年5月）

1　プロバイダ責任制限法名誉毀損・プライバシー関係ガイドライン　449

P016	東京地裁H10.01.21判決（電話帳不掲載希望者事件）	電話帳、不掲載希望、私生活の平穏、電話番号、住所	一般私人	11 12
P017	東京地裁H10.11.30判決（「ジャニーズおっかけマップ・スペシャル」事件）	書籍、私生活の平穏、氏名、連絡先、自宅住所、電話番号	芸能人	13
P018	神戸地裁H11.06.23判決	パソコン通信、ハンドルネーム、職業、住所、電話番号	眼科医	12 13
P019	東京地裁H12.02.29判決（プロサッカー選手伝記事件（第一審））	伝記、実名、出生時の状況、身体的特徴、家族構成、学業成績、詩	著名プロサッカー選手	16
P020	名古屋高裁H12.06.29判決（長良川リンチ殺人事件（控訴審））	週刊誌、犯罪事実、実名類似のカナ、経歴、少年法、実名推知報道	少年	25
P021	東京高裁H12.12.25判決（プロサッカー選手伝記事件（控訴審））	伝記、実名、出生時の状況、身体的特徴、家族構成、学業成績、詩	著名プロサッカー選手	16
P022	東京地裁H13.04.11判決（早稲田大学江沢民主席講演会名簿提出事件）	無断開示、学籍番号、氏名、住所、電話番号、名簿、警視庁	講演会参加申込者、一般私人	12
P023	東京高裁H13.07.18判決	週刊誌、教育費、住宅ローン、カードローン、生命保険料	財団法人常勤理事	16
P024	東京地裁H13.08.27判決（「本と雑誌フォーラム」事件）	パソコン通信、ハンドルネーム、論争	一般私人	13
P025	東京地裁H13.09.05判決	週刊誌、水着写真、肖像権	アナウンサー	21
P026	東京地裁H13.10.05判決	週刊誌、私生活上のトラブル、社会的影響力	元著名企業代表者	16
P027	大阪高裁H13.12.25判決（宇治市住民基本台帳データ流出事件）	情報流出、自治体、住民基本台帳データ、不正コピー、名簿販売業者	一般私人	10
P028	東京高裁H14.01.16判決（早稲田大学江沢民主席講演会名簿提出事件）	無断開示、学籍番号、氏名、住所、電話番号、名簿、警視庁	講演会参加申込者、一般私人	12
P029	最高裁（小2）H15.03.14判決（長良川リンチ殺人事件上告審）	週刊誌、犯罪事実、実名類似のカナ、経歴、少年法、実名推知報道	少年	25
P030	最高裁（小2）H15.09.12判決（早稲田大学江沢民主席講演会名簿提出事件）	無断開示、学籍番号、氏名、住所、電話番号、名簿、警視庁	講演会参加申込者、一般私人	11
P031	東京地裁H16.02.19判決	月刊誌、キャバクラ、社会の正当な関心事	弁護士、司法委員、調停委員、テレビ出演	16

裁判例要旨（名誉毀損編）（2018年3月30日）に収録済42件（D001～D042）に5件の新たな裁判例を追加し、裁判例要旨（プライバシー編）（2018年3月30日）に収録済60件（P001～P060）に4件の新たな裁判例を追加しました。（2020年5月）

450   第4　ガイドライン

P032	東京高裁H16.03.23判決（早稲田大学江沢民主席講演会名簿提出事件）	無断開示、学籍番号、氏名、住所、電話番号、名簿、警視庁	講演会参加申込者、一般私人	12
P033	東京高裁H16.03.31決定	週刊誌、離婚	著名政治家の長女	16
P034	東京地裁H17.09.27判決	一般財団法人運営のウェブサイト、肖像権、ファッション、銀座	一般私人	21
P035	最高裁（小1）H17.11.10判決	写真週刊誌、肖像権、隠し撮り、法廷イラスト、手錠、腰縄	著名刑事事件被告人	20
P036	東京地裁H18.03.31判決	写真週刊誌、肖像権、アダルトビデオ購入の事実、防犯ビデオ画像	お笑い芸人	16 20
P037	東京高裁H18.04.26判決	パブリシティ権、私服、制服、実家	アイドルタレント、著名な芸能人	22
P038	大阪地裁H18.05.19判決（ヤフーBB個人情報流出事件）	情報流出、顧客情報、氏名、住所、インターネット接続サービス	一般私人	10
P039	東京地裁H18.05.23判決	週刊誌、肖像権、下着姿、写真、ゴシップ、羞恥心、アダルトビデオ	引退したAV女優	22
P040	東京高裁H18.08.31判決	週刊誌、診療中のセクハラ、高度の専門的職業	医師、医科大学教授	16
P041	東京地裁H19.02.08判決（TBC顧客情報流出事件）	情報流出、氏名、住所、職業、電話番号、メールアドレス、年齢、性別、エステサロン	一般私人	13
P042	東京地裁H20.06.11判決	東京都の公式ホームページ、建造物侵入により刑事告発した事実、都立病院	東京都都議会議員	25
P043	福岡高裁那覇支部H20.10.28判決	テレビ報道、青少年保護育成条例違反、実名報道	公立中学校教師	25
P044	東京地裁H20.11.14決定	検索結果、犯罪事実、実名、女性宅への侵入、仮処分	産婦人科医	25
P045	東京地裁H21.04.14判決	全国放送、肖像権、ゴミ収集車	一般私人	21
P046	知財高裁H21.08.27判決	週刊誌、パブリシティ権、雑誌、肖像	著名女性デュオ、著名人	22
P047	東京地裁H22.09.27判決（監視カメラ事件）	無断開示、コンビニ、監視カメラ、テレビ、ウェブサイト	著名刑事被告人（故人）	23
P048	さいたま地裁H23.01.26判決	判例雑誌、実名	一般私人	—
P049	福岡地裁H23.03.16判決（ストリートビュー物干し事件（第一審））	ストリートビュー、洗濯物	一般私人	13
P050	東京地裁H23.06.15判決	ポータルサイトのニュース欄、敬愛追慕の情、手錠姿	著名刑事事件被告人（故人）	22

　裁判例要旨（名誉毀損編）（2018年3月30日）に収録済42件（D001～D042）に5件の新たな裁判例を追加し、裁判例要旨（プライバシー編）（2018年3月30日）に収録済60件（P001～P060）に4件の新たな裁判例を追加しました。（2020年5月）

1 プロバイダ責任制限法名誉毀損・プライバシー関係ガイドライン 451

P051	福岡高裁H24.07.13判決（ストリートビュー物干し事件（控訴審））	ストリートビュー、洗濯物	一般私人	13
P052	京都地裁H26.08.07判決	検索結果、スニペット、逮捕事実、盗撮	一般私人	－
P053	さいたま地裁H27.06.25決定（検索結果（忘れられる権利）事件（第一審））	検索結果、児童買春、逮捕事実、更生を妨げられない利益	一般私人	－
P054	さいたま地裁H27.12.22決定（検索結果（忘れられる権利）事件（異議審））	検索結果、児童買春、逮捕事実、更生を妨げられない利益	一般私人	－
P055	東京高裁H28.07.12決定（検索結果（忘れられる権利）事件（抗告審））	検索結果、児童買春、逮捕事実、人格権	一般私人	24
P056	札幌高裁H28.10.21決定	検索結果、逮捕事実、詐欺	一般私人	－
P057	最高裁（小3）H29.01.31決定（検索結果（忘れられる権利）事件最高裁決定）	検索結果、児童買春、逮捕事実、更生を妨げられない利益	一般私人	24
P058	京都地裁H29.04.25判決（住所でポン事件）	ウェブサイト（電話帳データ掲載）、氏名、住所、電話番号	一般私人	12
P059	大阪地裁H29.08.30判決	SNS上の掲示板、なりすまし、アイデンティティ権、肖像権	一般私人	－
P060	最高裁（小3）H29.10.23判決（大手教育業者個人情報流出事件）	情報流出、氏名、性別、生年月日、郵便番号、住所、電話番号、通信教育、名簿業者、精神的損害	一般私人、未成年者、保護者	10
P061	徳島地裁H29.01.13決定	検索結果、逮捕事実、人格権、社会生活の平穏、更生を妨げられない利益、実名使用の意義・必要性	会社経営者	－
P062	高松高裁H29.07.21決定	検索結果、逮捕事実、人格権、職業関連犯罪、リンク先サイト、民事上の責任追及の余地	会社経営者	－
P063	横浜地裁H29.09.01判決	検索結果、逮捕事実、人格権、歯科医師としての資質に関する事実	歯科医師	－
P064	東京地裁H30.04.26判決	動画共有サイト、電話の通話内容	一般人	－

裁判例要旨（名誉毀損編）（2018年3月30日）に収録済42件（D001～D042）に5件の新たな裁判例を追加し、裁判例要旨（プライバシー編）（2018年3月30日）に収録済60件（P001～P060）に4件の新たな裁判例を追加しました。（2020年5月）

裁判例要旨
－ 名誉毀損編 －

番　　　　号	D 001	事件名				
キ ー ワ ー ド	学会誌、企業その他法人等の権利を侵害する情報への対応（法人と代表者個人との関係）					
被 侵 害 者	書籍出版社及びその代表者					
裁　判　所	最高裁（小3）	日付	S 38.04.16	種別	判決
審級関係等						
Ｇ　Ｌ　頁	33頁					
判　例　集	民集17巻3号476頁					

〔事案〕
　甲学会誌において掲載の承諾を得ている外国人学者の講演内容を、乙学会誌が、本人の承諾を得ずに通訳から講演訳文原稿を入手した上で甲誌に先がけて掲載発表したことにつき、甲誌編集者らが乙誌を「盗載」「犯罪的不徳行為」等の言辞を用いて批判したことが名誉毀損になるとして、損害賠償等を請求した事案
〔主文〕
　損害賠償を認容した原判決に対する上告棄却
〔要旨〕
　「外形上直接には法人に対して向けられた名誉毀損の行為が実際には同時に右法人の代表者の名誉を毀損する効果を伴う場合もありうることは、所論のとおりであるが、そのように、法人に対する名誉毀損の攻撃が同時に代表者に対する名誉毀損を構成するとの評価をなすためには、その加害行為が実質的には代表者に対しても向けられているとの事実認定を前提としなければならない。加害行為が法人に対してのみ向けられているに過ぎない場合には、いかに代表者の勢力が強くその法人に対する支配力が大であっても、代表者に対する名誉侵害を云々することはできない。所論「法人と代表者との社会的評価の密接な関連性」は、加害行為が何人に対して向けられているかの事実判断に際して考慮すべきものであり、また、考慮せられれば足りるのである。本件について見るに、上告人Aの主張は、同人が上告会社の社長であることは医事関係方面では公知の事実であるから、上告会社に対する誹謗は、そのまま直ちに、同人の名誉を毀損するというにあり、加害行為がA個人にも向けられていたとの主張はないのであるから、原審が論旨指摘のような判示をして同上告人の請求を排斥したことは正当であり、所論の違法ありと言えない。」

1 プロバイダ責任制限法名誉毀損・プライバシー関係ガイドライン 453

番　　　号	D002	事件名				
キーワード	全国紙、公共の利害に関する事実、公益を図る目的、真実性、相当性、公訴提起前の犯罪行為					
被 侵 害 者	労働組合					
裁　判　所	東京地裁	日付	S62.10.26	種別	判決
審級関係等						
G　L　頁	28頁					
判　例　集	判時1254号82頁、判タ658号138頁					

〔事案〕
　新聞夕刊に、国鉄の労働組合が鉄道信号ケーブル切断等のゲリラ事件に関与したことが明らかになった等の記事を掲載したとして、名誉毀損を理由とする不法行為に基づき、謝罪広告と損害賠償を求めた事案
〔主文〕
　棄却
〔要旨〕
　「本件第一記事は「千葉動労など捜索」「成田空港反対　あすの集会に先制」といった見出しを掲げ、前段部分において、原告の本、支部や成田空港周辺の反対派団結小屋など一五カ所に対して、威力業務妨害、放火、凶器準備集合などの嫌疑で、千葉県警察による家宅捜索が行われたことを報じるとともに、後段部分において「今回の捜索で信号ケーブル切断事件など一連のゲリラ事件に国鉄千葉動労が関与していたことがはつきりしたわけで、職場規律の確立を進めている国鉄に大きなショックを与えている」と記述しており、その記載自体から、労働組合である原告が信号ケーブル切断事件など一連のゲリラ事件に関与していたような印象を読者に与える余地があることは明らかで、このことにより、一応、原告の社会的評価は毀損されたというべきである。」「新聞記事が、他人の名誉を毀損する場合であつても、右記事を掲載することが、公共の利害に関する事実に係り、専ら公益を図る目的に出たときは、摘示された事実の真実性が証明される限り、右行為は、違法性を欠くものとなり、不法行為は成立せず、また、右事実の真実性が証明されなくても、当該報道を行つた者において右事実を真実と信じ、真実と信じたことについて相当の理由があると認められるときは、右行為は、故意もしくは過失を欠くものとして、不法行為は成立しないものと解すべきである。」「これを本件第一記事について検討するに、国鉄の信号ケーブル切断事件等のゲリラ事件は、国民に対し、一時的にせよ重要な交通機関を利用できないなどの実害を及ぼし、少なからぬ不便と脅威を与えるものであり、しかも、このゲリラ事件に関し、当時の国鉄職員の労働組合の本、支部が捜索されたとの事実は、公共の利益の観点から放置できない事柄であるから、このようなことを報道した本件第一記事が、公共の利害に関する事実にかかわるものであることは、明らかである。また、〈証拠〉に、本件第一記事の内容を参酌すれば、右記事の掲載は、公的存在である原告に対する本件捜索の事実を国民に知らしめ、「国民の知る権利」に応えようとする公益を図る目的でなされたものと認められる。」「本件第一記事のうち、前段部分については、いわゆる真実性の証明があつたから違法性がなく、また、後段部分については、被告担当者において、これを真実と信じたものであり、かつ、真実と信じたことについては相当の理由があつたといえるから、故意又は過失がないことに帰する。よつて、結局、被告の不法行為は成立しないものというべきである。」

番　　　号	D003	事件名			
キーワード	写真週刊誌、公共の利害に関する事実、公益を図る目的				
被 侵 害 者	貴金属装飾品販売会社の元支店長				
裁 判 所	東京地裁	日付	S63.02.15	種別	判決
審級関係等					
G　L　頁	29頁				
判　例　集	判時1264号51頁、判夕671号163頁				

〔事案〕
　豊田商事永野会長刺殺事件直後に発行されたある写真週刊誌に「惨殺された豊田商事永野会長に二人の「妻」と子が‥」との見出しで原告に関する記事を掲載したため、豊田商事グループの貴金属装飾品販売会社の支店長であった原告が、名誉毀損を理由とする不法行為に基づき、謝罪広告と損害賠償を求めた事案

〔主文〕
　謝罪広告、損害賠償認容

〔要旨〕
　「本件記事は、「原告のイニシャルや経歴などによって記事の対象が原告であることを明確に特定するとともに、原告が訴外豊田商事の会長であった訴外永野の愛人であり、同社の経営に深く関与していた「東京の女」であると断定している。」、「右のような記事内容が原告に対する社会的評価を甚だしく低下させるものであることは明らかであって、本件記事の掲載によって原告はその名誉を著しく毀損されたものというべきである。」、「一般に、名誉毀損に関しては、その行為が公共の利害にかかわるものであり、専ら公益を図る目的から行われたものである場合において、摘示された事実が真実であることが証明されたときには、その行為は、違法性を欠くものとして、不法行為にならないものというべきである。また、もし、右事実が真実であることが証明されなくとも、その行為者においてその事実を真実であると信ずるについて相当な理由があるときには、右行為には故意又は過失がなく、結局、不法行為は成立しないものと解するのが相当である。」、「被告らは、抗弁1（事実の公共性及び目的の公益性）において、本件記事は、訴外豊田商事及び同グループの反社会的商法の虚偽の実態を国民に対して明らかにし、未曽有の被害者を生み出した悪徳商法の根絶に向けての国民的批判を加えるため、訴外豊田商事の会長として同グループの総帥であり象徴的存在であった訴外永野の人物像及び行状を解明するという目的から、同人の乱脈な女性関係を記述したものであって、フライデー誌における訴外豊田商事の反社会的商法に対する批判的連載の一環として執筆、掲載されたものである旨、及び、そのことを根拠として、本件記事は公共の利害に関する事項を対象とするものであり、公益目的をもって執筆、掲載されたものであると主張する。」、「しかしながら、訴外永野の愛人が誰であるか、また、どういう女性であるかというような事柄は、訴外豊田商事及び同グループの反社会的商法の実態とは何ら関係のない問題であり、そのような事柄を指摘することが訴外豊田商事及び同グループの悪徳商法の根絶につながるとは到底考えられないし、また、そうした目的のために訴外永野の人物像及び行状を解明するという観点からしても、右問題に関連する範囲において同人自身の人物像及び行状を指摘すれば足りるのであり、その愛人と目される女性について顔写真入りでしかも対象を明確に特定し得るような記述によって摘示することがその解明にとって必要性のあることであるとは到底認められない」、「以上のとおり、本件記事内容は、豊田商事問題それ自体とは何ら関連のない事柄であって、その対象とされた事実自体は、豊田商事問題との関連における公共の利害とは何ら関係のない事実であり、また、被告が主張するように訴外豊田商事及び同グループの反社会的商法の実態を解明しその悪徳商法を根絶するという公益目的に出たものと認めることはできないというべきである。したがって、本件記事に関しては、そもそも、事実の公共性及び目的の公益性自体を認めることができないのであって、名誉毀損による不法行為の成立を妨げるに足りる要件の存在を認めることはできないというべきである。」

1　プロバイダ責任制限法名誉毀損・プライバシー関係ガイドライン　455

番　　　号	D004	事件名				
キーワード	スポーツ新聞、公共の利害に関する事実、私生活上の行状の摘示、真実性					
被侵害者	犯罪容疑者					
裁　判　所	東京地裁	日付	H02.12.20	種別	判決	
審級関係等						
Ｇ　Ｌ　頁	29頁					
判　例　集	判タ750号208頁					

〔事案〕
　あるスポーツ紙が、「緊急連載、ロス疑惑、本件突入」「欧州逃避行中に、車であわや、私たちは殺されかけた」との見出しの記事を掲載したことから、原告が、名誉毀損を理由とする不法行為に基づき、謝罪広告と損害賠償を求めた事案
〔主文〕
　損害賠償認容
〔要旨〕
　「公共の利害に関する事実とは、摘示された事実自体の内容、性質に照らし、客観的にみて、当該事実を摘示することが公共の利益に沿うと認められることをいうものであるところ、摘示された事実が既に公訴が提起された犯罪容疑に関するものである場合には、未だ確定していないものであっても、裁判の公開等の要請に鑑み、公共の利害に関する事実に該当すると解される。しかし、摘示された事実が、公訴を提起されるなどして犯罪容疑を受けている者についてであっても、その私生活上の行状に関するものである場合には、右の摘示が公共の利益に沿うか否かの判断は慎重を要するというべきである。そして、プライバシーの保護の要請等に鑑みると、犯罪容疑者であっても、その私生活上の行状の摘示は、原則として公共の利益に沿うものではないところであるから、公共の利益に沿うことを理由に摘示が許されるのは、一般的には犯罪容疑者の私生活上の行状のうち、犯罪事実に密接に関連する事実に限るものと解するのが相当である（但し、犯罪容疑者の社会的地位、そのたずさわる社会的活動の性質及びこれを通じて社会に及ぼす影響力の程度などに鑑み、その私生活上の行状を公衆に知らせ、その批判にさらすことが公共の利益増進に役立つと認められる場合には、犯罪容疑者の私生活上の行状のうち、犯罪事実に密接に関連しないものといえども、公共の利害に関する事実であると認められることもあると解される。）。」、「これを本件についてみるに、前記認定のとおり、原告は、「ロス疑惑」のため、昭和五九年ころからマスコミにより大きく取り上げられるようになり、原告の一挙手一投足が社会の関心を集めていたが、それは「ロス疑惑」がマスコミに大々的に取り上げられたことによるものであって、「ロス疑惑」を離れれば、原告は単なる一介の私人に過ぎず、「ロス疑惑」の事件の性質を考慮に入れても、前述のように、およそ一般的に原告の私生活上の行状を公衆に知らせ、その批判にさらすことによって公共の利益増進に役立つことがあるとまではいえないというべきである。そして、本件記事の掲載当時、原告は、一美殺人未遂事件につき、東京地方裁判所において有罪判決を受けて控訴中であり、また、本件記事掲載の前日である昭和六三年一〇月二〇日には一美を殺害した容疑により逮捕されていることは前記認定のとおりである。しかし、本件記事は、原告の「ロス疑惑」に関する報道ではなく、「ロス疑惑」後の原告のイギリス滞在中の出来事を扱っているに過ぎず、しかも、その内容からみて、読者に対し、原告がイギリス滞在中に良枝や義母らを殺そうとしたのではないかとの印象をもたせようとしたものではあるものの、未だ発覚していない原告の犯罪容疑に関する事実を告発するというものでもない。したがって、本件記事の内容にかかる事実が、原告が犯したとされる前記殺人未遂事件及び殺人既遂事件と密接に関連するものとは到底認め難い一被告は、原告がいわゆる社会的知名度があり、実刑判決を受けて逮捕されている以上、本件程度の記事の報道は許されるとも主張するが、以上の説示のとおり、被告の右主張は失当というべきである。）。そうすると、本件記事が公共の利害に関する事実であるということには多大の疑問があるといわざるを得ない。」、「イギリス滞在中に原告と行動をともにした義母が本件記事の内容にかかる事実を話したというだけでは、直ちにそれを信用すべき根拠があるとはいえない。その他、（見出しを含む）本件記事の内容が真実であることを認めるに足りる証拠はない。したがって、本

件記事の内容が真実であるとの証明はない。」、「そして、前記認定の原告と中野との従前の関係、中野が義母から本件記事の内容にかかる事実を取材した後、本件記事を掲載するまで、六か月余りの余裕があること、中野は原告と音信が途絶えていたにせよ、拘置所にいる原告宛に手紙を出すことは可能であったのに、それもしていないこと、その他、本件記事の内容にかかる事実につき何らの裏付け取材も行っていないことを考えると、中野が義母の話を真実であると信じたことにつき相当の理由があったとは到底いい難く、ひいては、被告において、（見出しを含む）本件記事の内容を真実であると信じたことに相当の理由があるとはいえない。」、「以上によれば、被告による名誉毀損につき違法性阻却事由があるとは認められない。そして被告は、新聞の編集、発行にあたり他人の名誉を不法に毀損することのないように注意を払うべき義務を負っているところ、あえて本件記事を掲載したのであるから、本件記事の掲載は原告の名誉を毀損するものとして不法行為責任を免れない。」

番　　　号	D005	事件名	研究社英和辞典名誉毀損事件		
キーワード	ムック誌、意見・論評				
被侵害者	書籍出版社				
裁　判　所	東京地裁	日付	H08.02.28	種別	判決
審級関係等					
G　L　頁	31頁				
判　例　集	判時1570号3頁				

〔事案〕
　定評のある英和辞典について、例文の誤り等を指摘する書籍の出版により名誉が毀損されたとして、名誉毀損を理由とする不法行為が成立するとして、書籍出版社である原告が、損害賠償及び謝罪広告を請求した事案

〔主文〕
　損害賠償認容

〔要旨〕
　「名誉の保護と表現の自由の保護との調整を図る見地からすれば、事実とそれを前提とする論評ないし意見（以下、第六別紙記載の表現行為をも含め、単に「論評」という。）とからなる表現行為により、その対象とされた者の社会的評価を低下させることがあっても、その表現行為が公共の利害に関する事項又は一般公衆の関心事に係り、その目的が専ら公益を図るものである場合には、当該前提事実につき主要な部分において真実であることの証明があるか、表現行為者において真実と信ずるにつき相当な理由があり、かつ、当該論評が人身攻撃に及ぶなど論評としての域を逸脱したものでなく、表現行為者が当該論評を主観的に正当と信じて行ったものである限り、論評が客観的に正当であるか否かにかかわらず、当該表現行為は、名誉毀損の不法行為を構成しないものというべきである。」、「これに対し、論評は、表現行為者がその客観性正当性を証明することが必ずしも容易でなく、裁判所がこれを証拠によって決するよりは、当事者間の言論の応酬を踏まえて読者の判断にゆだねることとし、的外れな論評もその前提事実とは別にそれ自体として不法行為を構成することはないものと解するのが、表現の自由の保障に資するゆえんである。しかも、論評は、その前提事実からみて論評としては客観的に正当といえない場合には、前提事実から論評内容を合理的に推論できないためにかえって受け手が論評内容に疑問を持ち、人の名誉の侵害の程度が軽微にとどまることがあることも否定し難い。」、「もっとも、論評が、人身攻撃に及ぶなど論評としての域を逸脱し、又は表現行為者が主観的に正当と信じて行ったものでない場合には、保護に値しないといわざるを得ないのであって、論評としての域を逸脱するか否かを判断するに当たっては、表現方法が執拗であるか、その内容がいたずらに極端な揶揄、愚弄、嘲笑、蔑視的な表現にわたっているかなど表現行為者側の事情のほか、当該論評対象の性格や置かれた立場など被論評者側の事情も考慮することを要するものというべきである。」、「本書は、いわば国民的辞典といっても過言ではない本件両辞典につき、その内容の過誤、不適切等を批判するものであり、近時において国民の英語学習に対する関心が極めて高いことが公知の事実であることも併せ考えると、その内容は公共の利害に関する事項又は一般公衆の関心事に係るものであることは明らかである。」、「被告らの本書発行の目的は、専ら公益を図るものであったと認めて妨げはない。」、「ある論評が人身攻撃に及ぶなど論評としての域を逸脱したものではなく、表現行為者が当該論評を主観的に正当と信じて行ったものである限り、公正な論評として不法行為を構成しない」、「《証拠略》によれば、本件において、被告副島が本書の論評を主観的に正当と信じて行っていることは明らかであり、他の被告らも、被告副島が昭和五九年ころに被告会社からその著作を出版して以来、その出版物が読者から好意的に受け入れられてきた実績があること、被告副島が外国の銀行に勤務しその後予備校の英語講師を勤めてきた経歴を有し、英語国民と流暢に英語で会話するなどの実力を持つことなどから、本書の論評を主観的に正当であると信じていたことが認められる。」、「そこで、本書の論評が人身攻撃に及ぶなど論評としての域を逸脱するものであるか否かについて検討するに…」、「本書は、本件両辞典が間違いだらけで使い物にならないこと、原告及び本件両辞典を編纂した英語学者と英文校閲者が無能であること、本件両辞典は絶版にすべきことなどにつ

いて、多数の箇所にわたり、表現を変えて執拗に記載するものであり、その個々の内容もいたずらに極端な揶揄、愚弄、嘲笑、蔑視的な表現にわたっている。」」、「しかし、英和辞典に限らず、およそ辞書は、当該分野の権威者が多数の執筆者を擁し長年の歳月と多大な費用をかけて編纂するのが通例であり、その内容の正確性については一般の書物とは比較にならないほど大きな信頼を得ていることは前示のとおりである。そして、《証拠略》によれば、本書が論評の対象とする本件両辞典は、英語学において顕著な業績を残している学者が編者となり、大学教授や高校の教諭など多数の執筆者、校閲者が関与し、何万語もの見出し語とそれに対する語義、用法指示、例文などを英米の辞書や文献等を参照しながら選別、記述したものであって、製作には初版で八年程度、改訂時にも六年程度の歳月を要している学術的労作であることが認められるから、このような対象を批判するに当たっては、その表現方法や表現内容についても、それなりの節度を要求してしかるべきである。以上のような諸事情を総合考慮すると、編集方針等を批判する部分における本書の論評は、前提として指摘する事実の一部に真実であると認められるものはあっても、全体として、論評としての域を逸脱するものであるといわざるを得ず、前提事実を離れて論評自体としても適法であるとは認められない。」

1 プロバイダ責任制限法名誉毀損・プライバシー関係ガイドライン

番　　　号	D006	事件名	「現代思想フォーラム」事件（第一審）
キーワード	パソコン通信、社会的評価の低下、フォーラム管理者（システムオペレーター）の責任			
被 侵 害 者	一般私人			
裁　判　所	東京地裁	日付	H09.05.26	種別	判決
審級関係等	D042の原審			
Ｇ　Ｌ　頁	－			
判　例　集	判時1610号22頁、判タ947号125頁			

〔事案〕
　パソコン通信を利用した電子会議（フォーラム）に書き込まれた内容が名誉毀損に当たるとして、書き込みをした者、フォーラムの管理・運営者（システムオペレーター）及びパソコン通信の主宰者に対し、不法行為に基づく損害賠償を請求するなどした事案
〔主文〕
　損害賠償認容
〔要旨〕
〔社会的評価の低下〕
　「被告丙川が、本件フォーラムの電子会議室に本件各発言を書き込んだことは当事者間に争いがないところ、これらの発言がいずれも原告に向けられていることは、その内容に照らし明らかである。そして、これらの発言は、いずれも激烈であり、また、原告を必要以上に揶揄したり、極めて侮蔑的ともいうべき表現が繰り返し用いられるなど、その表現内容は、いずれも原告に対する個人攻撃的な色彩が強く、原告の社会的名誉を低下させるに十分なものというべきである。」、「被告丙川は、原告が本件フォーラムの運営協力者として公的な立場にあり、本件各発言はこうした公的な立場にある人間に対する正当な批判である、あるいは、「フェミニズム」「フェミニスト」に対する思想的な批判を目的としたものである旨主張するが、本件各発言は、明らかに個人を誹謗中傷する内容であることは明らかであり、被告丙川の本件各発言の意図ないし目的が所論のとおりであるとしても、これが原告に対する正当な批判あるいは思想的な批判ないし論争として是認し得る範囲を逸脱するものといわざるを得ない。」

〔フォーラム管理者（シスオペ）の責任〕
　「①シスオペは、被告ニフティとの間で締結されたフォーラム運営契約により、同被告から、特定のフォーラムの運営・管理を委託され、その対価として報酬を受領している者であるところ、他人を誹謗中傷するような内容の発言が書き込まれた場合の対処も、フォーラムの運営・管理の一部にほかならないというべきこと、②シスオペにおいては、当該フォーラムに他人の名誉を毀損するような内容の発言が書き込まれた場合には、これを削除するなどして、その有線送信を停止する措置をとることができ、これらの措置をとれば、それ以後は、当該発言自体が他の会員の目に触れることはなくなること、③その反面、当該発言によって名誉を毀損された者には、右のような内容の発言が多数の会員によって読まれてしまう事態を避けるため、自ら行い得る具体的な手段は何ら与えられていないこと、④フォーラムの運営・管理に関して、シスオペの拠り所となるものとしては、会員規約（本件当時のものは〈証拠略〉）及び運営マニュアル〈証拠略〉があるが、会員規約には、他人を誹謗中傷し、あるいはそのおそれがある発言が書き込まれた場合には、右発言が削除されることがある旨の規定があり、運営マニュアルにも、右のような発言が書き込まれた場合の対処に関する記載があること。
　そして、これらの事情に照らすと、フォーラムに他人の名誉を毀損するような発言が書き込まれた場合、当該フォーラムのシスオペにおいて積極的な作為をしなければ、右発言が向けられている者に対し、何ら法的責任を負うことはないと解するのは相当でなく、シスオペが、右（一）にいう条理に照らし、一定の法律上の作為義務を負うべき場面もあるというべきである。」、「一方、…①フォーラムや電子会議室においては、そこに書き込まれる発言の内容をシスオペが事前にチェックすることはできないこと…、②本件各発言がされた当時、

ニフティサーブにおいては、被告乙山を含むシスオペの多くが、シスオペとしての業務を専門に行っているわけではなく、他に本業を有し、空いている時間をシスオペとしての活動にあてている者であったこと、③シスオペが行うべき業務の内容は、フォーラムの運営・管理全般に及ぶうえ、一つのフォーラム全体に一日あたり書き込まれる発言は膨大な数にのぼることが認められ、この事実からすると、シスオペにおいて、自己の運営・管理するフォーラムに書き込まれた個々の発言の内容を、これらが書き込まれる都度全てチェックし、その問題点をもれなく検討することも、通常の場合は極めて困難であると解されること…に照らすと、シスオペに対し、条理に基づいて、その運営・管理するフォーラムに書き込まれる発言の内容を常時監視し、積極的に右のような発言がないかを探知したり、全ての発言の問題性を検討したりというような重い作為義務を負わせるのは、相当でない。」、「以上のような事情を勘案すると、少なくともシスオペにおいて、その運営・管理するフォーラムに、他人の名誉を毀損する発言が書き込まれていることを具体的に知ったと認められる場合には、当該シスオペには、その地位と権限に照らし、その者の名誉が不当に害されることがないよう必要な措置をとるべき条理上の作為義務があったと解するべきである。」、「そして、作為義務違反が認められれば、少なくとも同被告に過失があったことが事実上推認されるものというべきところ、本件全証拠によっても、右推認を妨げるべき事情は認められないというべきであるから、右各発言に関しては、被告乙山にも原告に対する不法行為が成立するものというべきである。」

1　プロバイダ責任制限法名誉毀損・プライバシー関係ガイドライン　461

番　　　号	D007	事件名	ロス疑惑スポーツニッポン新聞事件			
キーワード	スポーツ新聞、意見・論評、メディアの性格、編集方針					
被侵害者	犯罪容疑者					
裁　判　所	最高裁（小3）	日付	H09.05.27	種別	判決	
審級関係等						
ＧＬ頁	32頁					
判　例　集	民集51巻5号2009頁、判時1604号67頁、判タ942号109頁					

〔事案〕
　ある夕刊タブロイド紙が、アメリカ合衆国の捜査当局が右殺人被疑事件について原告（上告人）を起訴する方針を固めたことなどとする記事を掲載し、原告が名誉毀損を理由とした不法行為として損害賠償を請求した事案
〔主文〕
　請求を棄却した原判決を破棄、差戻し
〔要旨〕
　「新聞記事による名誉毀損にあっては、他人の社会的評価を低下させる内容の記事を掲載した新聞が発行され、当該記事の対象とされた者がその記事内容に従って評価を受ける危険性が生ずることによって、不法行為が成立するのであって、当該新聞の編集方針、その主な読者の構成及びこれらに基づく当該新聞の性質についての社会の一般的な評価は、右不法行為責任の成否を左右するものではないというべきである。けだし、ある記事の意味内容が他人の社会的評価を低下させるものであるかどうかは、当該記事についての一般の読者の普通の注意と読み方とを基準として判断すべきものであり（最高裁昭和二九年（オ）第六三四号同三一年七月二〇日第二小法廷判決・民集一〇巻八号一〇五九頁参照）、たとい、当該新聞が主に興味本位の内容の記事を掲載することを編集の方針とし、読者層もその編集方針に対応するものであったとしても、当該新聞が報道媒体としての性格を有している以上は、その読者も当該新聞に掲載される記事がおしなべて根も葉もないものと認識しているものではなく、当該記事に幾分かの真実も含まれているものと考えるのが通常であろうから、その掲載記事により記事の対象とされた者の社会的評価が低下させられる危険性が生ずることを否定することはできないからである。」、「そうすると、右とは異なり、本件記事が上告人の社会的評価を低下させる内容のものであることを認めながら、その掲載された新聞の編集方針等を考慮して、名誉毀損の成立を否定した原審の前記判断には、法令の解釈適用を誤った違法があり、右違法は原判決の結論に影響を及ぼすことが明らかである。この点をいう論旨は理由があり、その余の論旨について判断するまでもなく、原判決は破棄を免れない。そして、原審において更に審理を尽くさせる必要があるから、本件を原審に差し戻すのが相当である。」

番　　　号	D008	事件名	ロス疑惑朝日新聞社事件		
キーワード	全国紙、意見・論評				
被 侵 害 者	犯罪容疑者				
裁　判　所	最高裁（小２）	日付	H10.01.30	種別	判決
審級関係等					
Ｇ　Ｌ　頁	31頁				
判　例　集	判時1631号68頁、判タ967号120頁				

〔事案〕
　新聞に「何を語る　推理小説137冊」との見出しのほか、「甲野、ロスのすし屋に"蔵書"」「『異常な読み方』ジャンル選ばず手当たり次第に」等の小見出しを付した八段抜きの記事が掲載されたことにつき、原告（上告人）が名誉毀損を理由として損害賠償を請求した事案
〔主文〕
　請求を棄却した原判決を破棄、差戻し
〔要旨〕
　「新聞記事中の名誉毀損の成否が問題となっている部分において表現に推論の形式が採られている場合であっても、当該記事についての一般の読者の普通の注意と読み方とを基準に、当該部分の前後の文脈や記事の公表当時に右読者が有していた知識ないし経験等も考慮すると、証拠等をもってその存否を決することが可能な他人に関する特定の事項を右推論の結果として主張するものと理解されるときには、同部分は、事実を摘示するものと見るのが相当である。本件記事は、上告人が前記殺人被告事件を犯したとしてその動機を推論するものであるか、右推論の結果として本件記事に記載されているところは、犯罪事実そのものと共に、証拠等をもってその存否を決することができるものであり、右は、事実の摘示に当たるというべきである。立証活動ないし認定の難易は、右判断を左右するものではない。」、「ある者が犯罪を犯したとの印象を与える新聞記事を掲載したことが不法行為を構成しないとするためには、その者が真実犯罪を犯したことが証明されるか、又は右を真実と信ずるについて相当の理由があったことが認められなければならない。そして、ある者に対して犯罪の嫌疑がかけられていてもその者が実際に犯罪を犯したとは限らないことはもちろんであるから、ある者についての犯罪の嫌疑が新聞等により繰り返し報道されて社会的に広く知れ渡っていたとしても、それによって、その者が真実その犯罪を犯したことが証明されたことにならないのはもとより、右を真実と信ずるについて相当の理由があったとすることもできない。このことは、他人が犯罪を犯したとの事実を基礎に意見ないし評論を公表した場合において、意見等の前提とされている事実に関しても、異なるところはない。」

1 プロバイダ責任制限法名誉毀損・プライバシー関係ガイドライン 463

番　　　号	D009	事件名	都立大学事件
キーワード	大学管理下のシステム内のホームページ、社会的評価の低下、ネットワーク管理者の削除義務			
被侵害者	一般私人			
裁　判　所	東京地裁	日付	H11.09.24	種別	判決
審級関係等				
Ｇ　Ｌ　頁	−			
判　例　集	判時1707号139頁、判タ1054号228頁			

〔事案〕
　対立する学生グループの一方が他方の学生（原告）らが傷害事件を起こし刑事事件になったという印象を与える文書を大学管理下にあるコンピュータシステム内に開設したホームページに掲載したことが原告らの名誉を毀損するとして、文書の掲載者である学生及び大学設置主体である東京都に対し、不法行為に基づく損害賠償等を請求した事案
〔主文〕
　損害賠償認容（学生に対する損害賠償請求を認容し、その余の請求は棄却）
〔要旨〕
　〔社会的評価の低下〕
「本件文書は、原告らの実名を挙げた上で、原告らグループが中央新歓グループの学生に暴力を振るい傷害を負わせたため、中央新歓グループの学生が原告らを交番に連れて行き、原告らを含む八名の学生が交番に収容された旨の記載があり、本件文書を閲覧した者に対し、原告らが傷害事件という犯罪行為をおかしたという印象を与えるものであるから、本件文書の記載内容が真実であるかどうかにかかわらず、本件文書の掲載によって原告らの社会的評価は低下したものというべきである。
　被告らは、原告らは三月一〇日にも同様な混乱を引き起こしてすでに都立大学内における原告らの名誉は低下していたから、本件文書の掲載により原告らの社会的評価が低下することはないと主張するが、名誉毀損文書の掲載ごとに原告らの都立大学内における社会的評価も一応低下するものというべきであるし、本件文書が都立大学外者からもインターネットの検索サイトを経由して簡単にアクセスすることが可能なものであることは前説示のとおりであって、被告ら主張の事情の有無にかかわらず本件文書は学外の者との関係において原告らの社会的評価を低下させるものであることは明らかであるから、被告らの右主張は採用することができない。」

　〔ネットワーク管理者の削除義務〕
「名誉毀損行為は、犯罪行為であり、私法上も違法な行為ではあるが、基本的には被害者と加害者の両名のみが利害関係を有する当事者であり、当事者以外の一般人の利益を侵害するおそれも少なく、管理者においては当該文書が名誉毀損に当たるかどうかの判断も困難なことが多いものである。このような点を考慮すると、加害者でも被害者でもないネットワーク管理者に対して、名誉毀損行為の被害者に被害が発生することを防止すべき私法上の義務を負わせることは、原則として適当ではないものというべきである。管理者においては、品位のない名誉毀損文書が発信されることによるネットワーク全体の信用の低下を防止すべき義務をネットワーク内部の構成員に負うことはあっても、被害者を保護すべき私法秩序上の職責までは有しないとみるのが社会通念上相当である（なお、管理者が名誉毀損文書を削除するに当たり被害者の利益にも配慮した上で削除の決断がされることが通常であろうが、このような削除権の行使は、いわば被害者に対する道義上の義務の履行にすぎず、これを怠ると損害賠償義務を負うべき私法秩序上の義務の履行とはいえないと解される。）。
　そうであるとすれば、ネットワークの管理者が名誉毀損文書が発信されていることを現実に発生した事実であると認識している場合においても、右発信を妨げるべき義務を被害者に対する関係においても負うのは、名誉毀損文書に該当すること、加害行為の態様が甚だしく悪質であること及び被害の程度も甚大であることなどが一見して明白であるような極めて例外的な場合に限られるものというべきである。」、「本件加害行為は、本件文書が名誉毀損に当たるかどうかも、加害行為の態様の悪質性も、被害の甚大性も、いずれもおよそ一見して明白であるとはいえないというべきであるから、都立大担当職員が本件ホームページに本件文書が掲載されたことを知った時点において、被害者である原告らに対してこれを削除するための措置をとるべき私法上の義務を負うものとはいえないというべきである。」

464　第4　ガイドライン

番　　号	D010	事件名	「本と雑誌フォーラム」事件		
キーワード	パソコン通信、対抗言論の法理、フォーラム管理者の責任、発信者情報開示				
被侵害者	一般私人				
裁判所	東京地裁	日付	H13.08.27	種別	判決
審級関係等					
G L 頁	31頁				
判例集	判時1778号90頁、判タ1086号181頁				

〔事案〕
　パソコン通信サービス上の発言により名誉毀損及び侮辱の被害を受けたとして、原告が債務不履行ないし不法行為に基づき損害賠償と発信者情報の開示を請求した事案
（プライバシーの観点では、裁判例要旨－プライバシー編－P024）

〔主文〕
　棄却

〔要旨〕
　「フォーラムやパティオに書き込まれた発言が人の名誉ないし名誉感情を毀損するか否かを判断するに当たっては、問題の発言がされた前後の文脈等に照らして、発言内容が不特定多数の第三者に理解可能か否か、当該発言内容が真実と受け取られるおそれがあるか否かを判断の基礎とする必要がある。」、「加えて、言論による侵害に対しては、言論で対抗するというのが表現の自由（憲法二一条一項）の基本原理であるから、被害者が、加害者に対し、十分な反論を行い、それが功を奏した場合は、被害者の社会的評価は低下していないと評価することが可能であるから、このような場合にも、一部の表現を殊更取り出して表現者に対し不法行為責任を認めることは、表現の自由を萎縮させるおそれがあり、相当とはいえない。」、「これを本件各発言がされたパソコン通信についてみるに、フォーラム、パティオへの参加を許された会員であれば、自由に発言することが可能であるから、被害者が、加害者に対し、必要かつ十分な反論をすることが容易な媒体であると認められる。したがって、被害者の反論が十分な効果を挙げているとみられるような場合には、社会的評価が低下する危険性が認められず、名誉ないし名誉感情毀損は成立しないと解するのが相当である。」、「また、被害者が、加害者に対し、相当性を欠く発言をし、それに誘発される形で、加害者が、被害者に対し、問題となる発言をしたような場合には、その発言が、対抗言論として許された範囲内のものと認められる限り、違法性を欠くこともあるというべきである。」、「以上のようなパソコン通信上の表現行為の特性に照らすとパソコン通信上の発言が人の名誉ないし名誉感情を毀損するか否かを判断するに当たっては、発言内容の具体的吟味とともに、当該発言された経緯、前後の文脈、被害者の反論をも併せ考慮した上で、パソコン通信に参加している一般の読者を基準として、当該発言が、人の社会的評価を低下させる危険性を有するか否か、対抗言論として違法性が阻却されるか否かを検討すべきである。」、（本件発言一について）「《証拠略》によれば、原告は、本件発言一の後に、本件フォーラムで、「もう一つ、ここに許されざる形の妄想です。」、「これは神名さん、貴方ご自身の妄想です」「徹底的に相手を貶めたい心象を一応、公式の場で披露する、貴方の精神の脱ぎっぷりには脱帽します。ここまで書けば、反感を買うなんてもんではなく、言った当人の精神構造が異常だと確信させてしまうものだからです」、「神名さんの底知れぬ悪意に反吐が出ます」と発言しており（別表一符号五）、これらの発言内容は、本件発言一に対抗する言論として必要かつ十分なものであり、本件発言一の直後に行われているから、本件発言一により原告の社会的評価が低下する危険性は消滅したと認めるのが相当である。」、（本件発言二について）「原告の前記bの発言が、神名について、「ネット犯罪者予備軍」であるというように過激な指摘をしているのに対し、本件発言二は、妄想電波混じりの虚偽の発言であると反論するにとどまっているから原告の発言に対抗する正当な言論の行使として許された表現行為の範囲内であると解するのが相当であり、違法法（筆者注：原文ママ）が阻却されていると認めるのが相当である。」、（本件発言三について）「本件発言三は、「他人の肩書きをあげつらっておいて、自分は何者なのか一切話せない人のことは信用しても無駄だけど。悔しかったら言えるもんならちゃんと言ってご覧なさい。『神名さん＝帰国子女でよく日本語を知らない主婦』に一票」との原告の発言（別表一符号一七）に対するコメントであり、原告の前記挑発的な発言に対する反論としては相当な言論行使の範囲内であると認められるから、違法性が阻却されている表現行為の範囲内であると認められる。」、（本件発言四について）原告の「発言内容は過激かつ神名に対する著しい侮辱表現であると認められる。本件発言四は、この原告発言に対する対抗言論として発言されているものと推認することができるから、原告発言が著しい侮辱発言である以上、ある程度、神名の原告に対する表現が過激になっても許されると解するから、本件発言四の内容は、許容された範囲内の表現であるから違法性が阻却されていると解するのが相当である。」

1 プロバイダ責任制限法名誉毀損・プライバシー関係ガイドライン

番　　　　号	D011	事件名	「現代思想フォーラム」事件（控訴審）		
キーワード	パソコン通信、社会的評価の低下、フォーラム管理者（システムオペレーター）の責任				
被 侵 害 者	一般私人				
裁　判　所	東京高裁	日付	H13.09.05	種別	判決
審級関係等	D006の控訴審				
Ｇ　Ｌ　頁	−				
判　例　集	判時1786号80頁、判タ1088号94頁				

〔事案〕
　パソコン通信を利用した電子会議（フォーラム）に書き込まれた内容が名誉毀損に当たるとして、書き込みをした者、フォーラムの管理・運営者（システムオペレーター）及びパソコン通信の主宰者に対し、不法行為に基づく損害賠償を請求するなどした事案
〔主文〕
　損害賠償認容（フォーラム管理者及びパソコン通信主宰者については、損害賠償を認容した原判決を取り消し、請求を棄却）
〔要旨〕
　〔社会的評価の低下〕
　「本件各発言のうち、「経済的理由で嬰児殺しをやり」…、「あの女はアメリカの出入国法にも違反した疑いが濃厚。これは完全な犯罪者」…、「あの女は二度の胎児殺し」…、「COOKIEのやらかした優生保護法違反による二度の胎児殺しとアメリカの移民帰化法違反による不法滞在……COOKIEは犯罪者。COOKIEの嬰児殺し。胎児殺しを二度もやった……」…、「COOKIEのような嬰児殺し」…、「嬰児殺害と米国不法滞在を奨励したCOOKIEこと（被控訴人名）……嬰児殺しを奨励し」…、「嬰児殺害と米国不法滞在を提唱するエセ・フェミニズム女COOKIE」…、「あれは二度も中絶している」…、「無資格で入国する不法滞在者と同じこと。……（被控訴人名）がアメリカでやらかしたことをおまえはやっている」…の部分及び同旨の発言内容部分は、被控訴人が嬰児殺し及び不法滞在の犯罪を犯したとする内容の発言で、被控訴人の社会的評価を低下させる内容であり、名誉毀損に当たる。」、「控訴人甲野は、これらの発言が言論の場においては許容されるかのように主張する。しかしながら、対立する意見の容易に予想されるフェミニズムという思想を扱うフォーラムにおいても、おのずから、議論の節度は必要である。上記の各発言は、控訴人甲野の議論の中では、その主張を裏付ける意味をおよそ有せず、また、被控訴人の主張を反駁するためにされているとも解せられず、被控訴人の公表した事実が犯罪に当たることを言葉汚く罵っているに過ぎないのであり、言論の名においてこのような発言が許容されることはない。フォーラムにおいては、批判や非難の対象となった者が反論することは容易であるが、言葉汚く罵られることに対しては、反論する価値も認め難く、反論が可能であるからといって、罵倒することが言論として許容されることになるものでもない。」

　〔フォーラム管理者（シスオペ）の責任〕
　「控訴人乙山は、削除を相当とすると判断される発言についても、従前のように直ちに削除することはせず、議論の積み重ねにより発言の質を高めるとの考えに従って本件フォーラムを運営してきており、このこと自体は、思想について議論することを目的とする本件フォーラムの性質を考慮すると、運営方法として不当なものとすることはできない。」、「控訴人乙山は、会員からの指摘又は自らの判断によれば、削除を相当とする本件発言について、遅滞なく控訴人甲野に注意を喚起した他、被控訴人から削除等の措置を求められた際には、対象を明示すべきこと、対象が明示され、控訴人ニフティも削除を相当と判断した際は削除すること、削除が被控訴人の要望による旨を明示することを告げて削除の措置を講じる手順について了解を求め、被控訴人が受け入れず、削除するには至らなかったものの、その後、被控訴人訴訟代理人から削除要求がされて削除し、訴訟の提起を受け、新たに明示された発言についても削除の措置を講じており、この間の経過を考慮すると、控訴人乙山の削除に至るまでの行動について、権限の行使が許容限度を超えて遅滞したと認めることはできない。」、「控

人甲野の本件発言中、名誉毀損及び侮辱の不法行為となるものは、議論の内容とはおよそ関わりがなく、これに対して反論するなどして対抗することを相当とするような内容のものではない。控訴人乙山は、シスオペとして、その運営方法についての前記考えに従い、このような発言についても、発言者に疑問を呈した他、会員による非難に晒し、会員相互の働きかけに期待し、これにより、議論のルールに外れる不規則発言を封じることをも期待したことが窺われ、このような運営方法についても不相当とすべき理由は見あたらない。殊に、控訴人甲野の発言中には、思想を扱うフォーラムにおいて、異見を排除したり、同控訴人についての個人的な情報を信義に悖る方法で得たりした被控訴人に対する非難が含まれており、被控訴人において弁明を要する事柄にも関係しており、一方的に控訴人甲野のみを責めることのできない事情が認められる。これらをも考慮すると、控訴人甲野の不法行為となる本件発言が議論の内容と関わりがなく、反論すべき内容を含まないからといって、控訴人乙山が削除義務に違反したと認めることもできない。」

1 プロバイダ責任制限法名誉毀損・プライバシー関係ガイドライン

番　　　号	D012	事件名				
キーワード	週刊誌、社会的評価の低下、対象となる個人の特定					
被 侵 害 者	国会議員					
裁 判 所	東京地裁	日付	H14.06.17	種別	判決	
審級関係等						
G　L　頁	26頁					
判 例 集	判タ1120号187頁					

〔事案〕
　衆議院議員であり民主党の幹事長であった原告菅直人氏らが、週刊誌の記載により名誉を毀損されたとして、不法行為に基づき謝罪広告と損害賠償を請求した事案
〔主文〕
　棄却
〔要旨〕
　「本件記事には「今回、あれだけ渋った巨泉氏がなぜ最終的にクビを縦に振ったのか？ 実は、当落のいずれに転んでも生活を保証するという提案が菅さんから示されたためなんですよ」との記載があり、本件記事を読んだ一般読者は、原告菅が同大橋に対して、民主党の立候補を要請するに際し、生活保証の提案をしたことを認識するといえる。しかし、証拠（甲1）によれば、本件記事の主眼は、原告大橋にあって、原告菅については同大橋に関わる範囲で論じられているに過ぎないことが認められ、一般読者の読み方からは、本件記事において原告菅の主張するような、「原告菅が市民を馴した」という事実までを摘示したものであると認めることは困難である。」、「上記アの摘示事実により、原告菅の社会的評価が低下したかを判断するに、①原告大橋が、結局民主党の公認を得て立候補したこと、②原告菅は民主党の幹事長であり、本件院選の同党の指導者として、適当な人材を自党から立候補させることはいわば責務であるところ、同人から、原告大橋に対し、立候補に当たり、何らかの働きかけがなされることは、推測に難くないこと、③民主党の幹事長である原告菅が、同党から立候補するか否か躊躇している同大橋に対し、生活保証をするといって立候補を促すことは、それが真実か否かはさておき、そのこと自体、原告菅の社会的評価を低下させるものとはいい難く、一般の読者もそのように受けとるのが通常であること、④原告菅は現職の衆議院議員であり、民主党の幹事長としてその行動が厳しい監視と批判にさらされることは避け難い地位にある者であって、特に本件のようないわば選挙戦術に関わる事項については、憶測も含めた多数の情報が飛び交うことは容易に予測されるのであって、一般の読者もこのような原告菅の立場を知悉していること等の事実からすれば、前記アの摘示事実によっては、未だ原告菅の社会的評価が低下したと認めるに足りないと解するのが相当である。」

番　　　号	D013	事件名	2ちゃんねる動物病院事件		
キーワード	社会的評価の低下、電子掲示板、対抗言論の法理、掲示板管理者の責任				
被 侵 害 者	動物病院運営会社等				
裁　判　所	東京高裁	日付	H14.12.25	種別	判決
審級関係等					
Ｇ　Ｌ　頁	31頁				
判　例　集	判時1816号52頁				

〔事案〕
　インターネット上の電子掲示板において、原告（被控訴人）らの名誉を毀損する発言が書き込まれたにもかかわらず、被告（控訴人）がそれらの発言を削除するなどの義務を怠り、原告らの名誉が毀損されるのを放置したことにより原告らが損害を被ったなどとして、原告らが被告に対し、名誉毀損による不法行為に基づき、損害賠償金を求めるとともに、民法723条又は人格権としての名誉権に基づき、本件掲示板上の原告らの名誉を毀損する発言の削除を求めた事案

〔主文〕
　控訴棄却（原審は認容）

〔要旨〕
　「ある発言の意味内容が他人の社会的評価を低下させるものであるかどうかは、一般人の普通の注意と読み方とを基準として判断すべきものであり（新聞記事についての最高裁判所昭和31年7月20日第二小法廷判決・民集10巻8号1059頁参照）、インターネットの電子掲示板における匿名の発言であっても、《省略》と題して不正を告発する体裁を有している場での発言である以上、その読者において発言がすべて根拠のないものと認識するものではなく、幾分かの真実も含まれているものと考えるのが通常であろう。したがって、その発言によりその対象とされた者の社会的評価が低下させられる危険が生ずるというべきである」、「控訴人は、電子掲示板における論争には「対抗言論」による対処を原則とすべきであり、本件においても、被控訴人らを擁護する趣旨の発言がされ、十分な反論がされているから、被控訴人らの社会的評価は低下していないことになると主張する。言論に対しては言論をもって対処することにより解決を図ることが望ましいことはいうまでもないが、それは、対等に言論が交わせる者同士であるという前提があって初めていえることであり、このような言論による対処では解決を期待することができない場合があることも否定できない。そして、電子掲示板のようなメディアは、それが適切に利用される限り、言論を闘わせるには極めて有用な手段であるが、本件においては、本件掲示板に本件各発言をした者は、匿名という隠れみのに隠れ、自己の発言については何ら責任を負わないことを前提に発言しているのであるから、対等に責任をもって言論を交わすという立場に立っていないのであって、このような者に対して言論をもって対抗せよということはできない。そればかりでなく、被控訴人らは、本件掲示板を利用したことは全くなく、本件掲示板において自己に対する批判を誘発する言動をしたものではない。また、本件スレッドにおける被控訴人らに対する発言は匿名の者による誹謗中傷というべきもので、複数と思われる者から極めて多数回にわたり繰り返されているものであり、本件掲示板内でこれに対する有効な反論をすることには限界がある上、平成13年5月31日に被控訴人らを擁護する趣旨の発言（本件1のスレッドの番号857）がされたが、これによって議論が深まるということはなく、この発言をした者が被控訴人Bであるとして揶揄するような発言（発言1−882）もされ、その後も被控訴人らに対する誹謗中傷というべき発言が執拗に書き込まれていったのである。このような状況においては、名誉毀損の被害を受けた被控訴人らに対して本件掲示板における言論による対処のみを要求することは相当ではなく、対抗言論の理論によれば名誉毀損が成立しないとの控訴人の主張は採用することができない。」

1 プロバイダ責任制限法名誉毀損・プライバシー関係ガイドライン　469

番　　号	D014	事件名	２ちゃんねるプロ麻雀士事件		
キーワード	電子掲示板、名誉感情の侵害、社会的評価の低下、対象となる個人の特定（通称名の使用）、掲示板管理者の責任				
被侵害者	プロ麻雀士				
裁　判　所	東京地裁	日付	H15.06.25	種別	判決
審級関係等					
G　L　頁	27頁				
判　例　集	判時1869号54頁				

〔事案〕
　日本プロ麻雀連盟に所属するプロの麻雀士である原告が、インターネット上の電子掲示板において、通称名で名誉を毀損する発言等が書き込まれたのに、原告の名誉が毀損されるのを放置したことにより損害を被ったなどとして、不法行為に基づき、損害賠償、上記掲示板上の発言の削除及び発信者情報の開示を求めた事案
〔主文〕
　損害賠償、発言削除を認容
〔要旨〕
　「名誉とは、人がその品性、徳行、名声、信用等の人格的価値について社会から受ける客観的評価をいい、ある発言の意味内容が他人の社会的評価を低下させるものであるかどうかは、一般人の普通の注意と読み方とを基準として判断すべきである」、「本件各発言はいずれも麻雀掲示板内の「はなこ整形」と題するスレッドに書き込まれたものであること、原告はプロの麻雀士であり、「はなこ」の通称名を使用することもあること、本件発言一には「はなこ」との原告の通称名が記載され、本件発言四〇には原告の氏名が記載されていることに照らすと、本件スレッドは主として原告のことを話題として取り上げる目的で開設されたものであり、本件各発言はいずれも原告に向けられたものであると認められる。このことは、原告のほかに「はなこ」という通称名を有する者がいたとしても左右されるものではない。」、「本件発言一のうち「はなこちゃん、整形しすぎ。面影は唇のホクロのみ。目の下の大きい泣きボクロも取っちゃったね。歌舞伎町の雀荘にいた時の方がセメントクイーンらしかったよ。別人だね。皆驚いただろうな！親泣かなかった？」との発言は、原告が整形をして別人のようになり、知人が驚き親が泣くほど容ぼうが変わったとの事実を侮辱的表現を用いて摘示するものと認められる。これを読む者は、原告の容ぼうが生来のものではなく、別人に見え親が泣くほどまでに整形をしたことによるものであるとの印象を受けるということができる。また、本件発言四四のうち「肌汚れの過ぎ&しわばっかで萎えた。」との発言は、原告の肌が非常に汚くしわだらけであるとの事実を摘示するものである。これらの発言は、原告が未婚の二〇代の女性であることをも勘案すると、原告がその容ぼう、容姿等について社会から受ける評価を低下させるものであるということができる。本件発言四〇のうち「整形雀士」との発言も、本件発言一の後に書き込まれたものであり、本件発言一と併せ読めば、同様に、原告の社会的評価を低下させるものであるということができる。また、本件スレッドには、「こいつを介しての穴兄弟は２ちゃんねらーにも何人かいるはず」（本件発言八）、「穴兄弟たくさんいるよ。」（本件発言一〇）との発言があり、これらは、原告と性関係のある男性が多数存在し、本件掲示板の利用者の中にも原告と性関係のある男性が存在するとの事実を摘示するものであると認められる（なお、上記「２ちゃんねらー」とは、「２ちゃんねる」〔本件掲示板〕の利用者又は閲覧者といった意味内容であると容易に推測することができる。）。そして、上記各発言が原告の社会的評価を低下させるものであることは明らかである。」、「本件発言一のうち「賞金の一二〇万もまた整形費？」との発言、本件発言四四のうち「年いくつ誤魔化してんの？」との発言は、いずれも侮辱的な表現を用いて原告をやゆするものであり、本件発言一や本件発言四四の他の文言等と併せ読めば、？が付されていることを考慮しても、社会通念上許される限度を超えて原告の名誉感情を侵害するものとして、侮辱に当たる。」、「以上のように、本件各発言は、原告の名誉を毀損し、又は原告の名誉感情を侵害するものところ、本件各発言は、その内容に照らし、公共の利害に関する事実に係るものとも、公益を図る目的のものともいえないことが明らかである。したがって、本件発

信者が本件各発言を本件掲示板に書き込み何人も閲覧し得る状態に置いたことは、原告に対する不法行為になるというべきである。」、「被告は、「原告は、テレビ、雑誌、ゲームソフトなどに出演し、芸能活動で報酬を得ている者であって、ホームページに水着姿を掲載するなどしており、麻雀の実力だけで活動していた者ではない。したがって、原告が芸能活動に伴い、容姿等について、一般消費者から評価されるのは当然である。」などと主張する。しかし、《証拠略》によれば、原告は、その水着姿をホームページに掲載したことはなく、プロの麻雀士としての活動の一環として、テレビ出演、ホームページや雑誌への写真やプロフィールの掲載等の活動を行っていたにすぎないものと認められるし、仮に芸能活動をしていたとしても、原告の容ぼう・異性関係等についてまで、侮辱的表現を用いて事実を摘示したり評価したりすることが許されるものということはできない。」

1 プロバイダ責任制限法名誉毀損・プライバシー関係ガイドライン 471

番　　　号	D015	事件名				
キーワード	電子掲示板、対抗言論の法理、掲示板管理者の責任					
被 侵 害 者	化粧品製造販売会社等					
裁　判　所	東京地裁	日付	H15.7.17	種別	判決	
審級関係等						
G　L　頁	31頁					
判　例　集	判時1869号47頁					

〔事案〕
　インターネット上の電子掲示板において、化粧品製造販売会社及びその代表者を誹謗中傷し、同会社の品位を貶める内容の発言が書き込まれたにもかかわらず、被告がそれらの発言の送信防止措置を講じる義務を怠り、原告の名誉が毀損されるのを放置したことにより原告が損害を被ったなどとして、原告が、名誉毀損による不法行為として、損害賠償及び民法723条又は人格権に基づき上記掲示板上の原告の名誉を毀損する発言等の削除を求めた事案

〔主文〕
　損害賠償認容

〔要旨〕
　「本件ホームページに書き込まれた発言によって名誉や信用を毀損されたと主張する者は本件ホームページ上で反論することも不可能ではないけれども、他方、《証拠略》によれば、「私がDHCを辞めた訳」、「DHCの苦情！パート二」及び「DHCの秘密」と各題するスレッドにおける発言は、そのほとんどが原告らを社会的に陥れるような内容であって、不特定多数の利用者が原告らを一方的に攻撃する状況にあったと認められるから、そもそも原告らと対等に議論を交わす前提自体が欠けており、原告らによる反論がその社会的評価の低下を防止するような作用を働かせる状況にあったとは認め難く、原告らに法的救済を拒絶してまで本件ホームページ上における反論を求めることに妥当性はないというべきである。」

番　　　号	D016	事件名			
キーワード	写真週刊誌、社会的評価の低下（一般の読者の普通の注意と読み方）				
被 侵 害 者	国会議員、元総理大臣				
裁　判　所	東京地裁	日付	H16.07.26	種別	判決
審級関係等					
Ｇ　Ｌ　頁	26頁				
判　例　集	判例集未登載				

〔事案〕
　内閣総理大臣も務めた経験がある衆議院議員が、写真週刊誌に、「騒然『5人の大物女優と不倫』証言だけではない　B"ドロ沼"離婚訴訟と大物政治家」と題する記事を掲載されたことに対し、名誉毀損による不法行為に基づき、損害賠償と謝罪広告を請求した事案

〔主文〕
　棄却

〔要旨〕
　「本件各記載の本件雑誌への掲載が原告の社会的評価を低下させ、名誉毀損となるものであるかどうかは、本件各記載についての一般の読者の普通の注意と読み方を基準として判断すべきである。」、「本件記事の本文部分は、さきに認定したとおり、本件雑誌14頁、15頁に見開きで記載されており、本件記事を興味を持って読む読者は、ほとんどの場合、本件各記載だけを読むということはなく、本件記事全体を読むものと考えられるので、本件各記載だけの与える印象で名誉毀損の有無を判断することは相当でなく、本件記事全体の構成や内容を検討した上で、本件各記載が読者にどのような印象を与えるかを判断すべきである。」、「見出し部分、リード部分、写真等の読者の目を引きやすい部分を合わせてみても、夫人側で不倫の疑いがあるとして名前を挙げたとして写真の掲載された5人の女優と同様に、夫人がBとの離婚訴訟で問題となっている借金に関連して原告の名前を挙げたという事実以上の印象を読者に与えるものと認めることはできず、読者が本件記事の本文部分（本件各記載を含む）を読むに当たって、夫人の借金と原告又は原告の選挙資金との関連性を強く示唆するようなものではないと認められる。」「本件記事全体を見ても、本件記事の本文部分（本件各記載を含む）が、夫人が借金に際して原告の名前を挙げたという事実以上の印象を読者に与えるものと認めることはできず、原告本人の否定にもかかわらず、原告への政治資金の融資が夫人の借金の理由のひとつであった可能性が高いという印象や夫人の債権者への説明内容が真実であるという印象を読者に与えるものとは認められない。」、「以上によれば、本件各記載は、少なくとも名誉毀損の不法行為を構成するほどに原告の社会的評価を低下させるものと認めることはできないので、原告の請求は、その余の点について判断するまでもなく、いずれも理由がない。」

1 プロバイダ責任制限法名誉毀損・プライバシー関係ガイドライン

番　　号	D017	事件名			
キーワード	個人ホームページ、対抗言論の法理				
被侵害者	賃貸事業用建物の建築・管理会社				
裁　判　所	東京地裁	日付	H19.05.31	種別	判決
審級関係等					
Ｇ　Ｌ　頁	32頁				
判　例　集	判例集未登載				

〔事案〕
　原告が違法行為を画策しているなどと記載したホームページを開設し、賃貸事業用建物の建築及び管理を目的とする株式会社である原告の名誉を毀損したとして、原告が名誉毀損を理由とする不法行為として損害賠償を求めるとともに、人格権に基づき、ホームページから該当箇所の削除を求めた事案

〔主文〕
　認容

〔要旨〕
　「被告は、インターネットにおける表現行為については、名誉毀損的な内容を含むものであっても、対抗言論によって被害を回復するのが原則であると主張する。しかしながら、原告が、本件ホームページの記載内容に対する反論をインターネット上の自らのホームページ等に記載したとしても、本件ホームページを閲覧した者が、必ずしも、原告の反論を掲載したホームページを閲覧するとは限らないのであり、インターネット上で反論を行い得ることをもって、名誉毀損の不法行為の成立に影響を与えるものとはいえず、上記被告の主張は採用することができない。」

番　　　号	D018	事件名			
キーワード	都知事の口頭発言、名誉感情の侵害、社会的評価の低下、対象となる個人の特定、意見・論評				
被 侵 害 者	フランス語教員等				
裁　判　所	東京地裁	日付	H19.12.14	種別	判決
審級関係等					
G　L　頁	27頁				
判　例　集	判タ1318号188頁				

〔事案〕
　石原東京都知事が、「フランス語を昔やりましたが、数勘定できない言葉ですからね。これはやっぱり国際語として失格していくのは、むべなるかなという気がする」などどと発言したことに対して、フランス語を母語とし、フランス語学校を経営したり、研究したりする者らが原告として、国家賠償法1条1項に基づき、損害賠償、謝罪広告の掲載及び謝罪文の交付を求めた事案

〔主文〕
　棄却

〔要旨〕
　「フランス語を昔やりましたが、数勘定できない言葉ですからね。これはやっぱり国際語として失格していくのは、むべなるかなという気がする」との発言部分について、「ある発言が人の社会的評価（品性、徳行、名声、信用等の人格的価値について社会から受ける客観的評価）を低下させるか否かを判断するに当たっては、これを聴く一般人の普通の注意と聴き方を基準として判断するのが相当である。」、「本件第1発言前半部分は、フランス語に関するものであって、特定の個人に対するものではない上、これが真実でないことは明らかであるといえる。したがって、このような発言がされたからといって、原告らを含む特定人の社会的評価を低下させることにはならない。」、「このような事実の摘示は、それがフランス語に対する否定的印象を一般人に与えるもので、しかも真実ではないことにかんがみれば、フランス語に何らかの形で携わる者に対して、不快感を与えることは容易に想像することができ、本件第1発言前半部分は多分に配慮を欠いた発言であったということができる。しかし、不快感を与え、配慮を欠いたと発言であるというだけでは、直ちに原告らを含むフランス語に携わる特定人の名誉感情を侵害するものとはいえない。」「そういうものにしがみついている手合いが結局反対のための反対をして。」「笑止千万な。」との発言部分について、「一般人の普通の注意と聴き方を基準とすれば、「反対のための反対をしていた」との文言は、その反対自体を消極的又は否定的に評価する意味で用いられているが、その内容は具体性を欠く上、対立する意見を表明する者同士が相手方を否定的表現を用いて批判することは通常見られるところであり、上記文言は、そのような批判の範囲を逸脱するものとまではいえない。本件第1発言後半部分の上記文言の前後における「しがみつく手合い」や「笑止千万」は、上記文言による否定的評価をより強める役割を果たしているといえるが、これを含めて本件第1発言後半部分が原告36及び52の社会的評価を低下させるものとはいえない。」、この発言は「消極的又は否定的意味の強い表現を用いており、都立大学のフランス語教員が不快感や怒りを覚える表現であって、そのような表現を用いることが必ずしも適切であったとはいえない。しかし、上記のとおり、本件第1発言後半部分は、発言の対象者についての具体的な特定がなくその内容も具体性を欠き、批判の範囲を逸脱した表現とまではいえないものであり、また、対立する意見を表明する者が相手方を批判すれば、批判された者が不快感や怒りを覚えるのは通常であり、そのことをもって直ちに法的保護に値する名誉感情の侵害があったとすることはできない。」

1 プロバイダ責任制限法名誉毀損・プライバシー関係ガイドライン 475

番　　　号	D019	事件名				
キーワード	週刊誌、意見・論評					
被 侵 害 者	市長					
裁　判　所	大阪高裁	日付	H19.12.26	種別	判決	
審級関係等						
G L 頁	31頁					
判　例　集	判時2004号83頁					

〔事案〕
　週刊誌が、「「飲酒事故」報告義務は憲法違反と言った「彦根のバカ市長」」との見出しを付けた記事を掲載したことにつき、原告（控訴人）が、名誉毀損による不法行為を理由として、謝罪広告及び損害賠償を請求した事案

〔主文〕
　損害賠償認容

〔要旨〕
　「本件記事の表現は、一般の読者の普通の注意と読み方とを基準とすれば、控訴人が、「市長としての資質や能力に欠ける愚かな人物」という否定的な印象を与えるものであるから、彦根市長であり、弁護士である控訴人が社会から受ける客観的評価を低下させるものであり、名誉毀損表現に当たる。」、「本件表現は、控訴人が、市長の定例記者会見において、市の職員に対し飲酒運転等の交通法規違反について市への報告義務を課すのは憲法三八条に反するなどと発言した事実を前提として、その発言（控訴人発言）が市が打ち出した飲酒運転に対する厳罰化の方針と矛盾しており、公職である市長たる者の発言として常軌に外れるのみならず、憲法解釈としても的外れなものであるとの見解を表明したもので、証拠等による証明になじまない、意見ないし論評の表明に当たるというべきである。」、「意見ないし論評を表明する自由は民主主義社会に不可欠な表現の自由を構成するものであるから、その表明による名誉毀損が、上記のように、公共の利害に関する事実に係り、かつ、その目的が専ら公益を図ることにあった場合に、意見ないし論評の前提となる事実が重要な事実について真実であることの証明があったときには、その内容の正当性や合理性を特に問うことなく、人身攻撃に及ぶなど、意見ないし論評としての域を逸脱したものでない限り、上記行為が違法性を欠く」、「ことに、本件のように批判・論評の対象とされる者が、政治家であり、かつ地方公共団体の首長という地域住民の投票により選任される者である場合には、その者が公人として行った発言、行動に対する批判は、民主政治の過程を正当に機能させるため必要不可欠な行為であるから、その前提となる事実が重要な部分において真実である限り、原則として自由というべきであり、その表現自体が激しく攻撃的になることがあるとしても、対象とされた者は原則としてこれを甘受すべきであって、その論評ないし意見の表明は、意見ないし論評としての域を逸脱しない限り、不法行為を構成しないというべきである。」、「本件記事は、控訴人発言を、独自の憲法解釈に固執し、世論を無視し又はこれに配慮せずに、市長としての職員の飲酒運転に対する監督責任を果たそうとしていない姿勢の表れと評価した上で、控訴人を、上記イの市職員に対する懲戒や監督に関する市長としての責務や市の規則の憲法適合性に係わる事項について市長として持つべき資質を欠くものとして厳しく批判する意図を含むものであったということができる。」、「しかしながら、本件記事における具体的な表現方法につき検討するに、上記(1)イで検討したとおり、本件記事中には、控訴人を指して「彦根のバカ市長」と記載し、控訴人発言につき、「そのバカさ加減に呆れ返ってしまった。」とか、「妄言を繰り返す。」とか、「「バカにつける薬」は、未だ、発見されていない。」とする本件表現が存在する。本件表現方法は、飲酒事故報告を報告義務の対象から除外した点につき、その処置につき厳しく非難するとともに、そのことから控訴人において彦根市長としての資質に欠ける旨、厳しく非難、論評する趣旨であるものの、このようなバカという言葉が使用されている前後の文脈等を考え合わせれば、その表現内容は、控訴人の彦根市長としての資質に欠ける旨の論評の範囲を超えて、控訴人という人物そのものが、おろかな愚人であり、その矯正が不可能である旨、皮肉を交えて、表現しているのであり、いわば、控訴人の全人格自体を否定し、或いは控訴人を愚人としていわゆるバカ扱いにした記載となっているのであり、意見ないし論評としての域を逸脱したものであって、違法な記載であるといわなければならない。」

番　　　号	D020	事件名	
キーワード	電子掲示板、対抗言論の法理、掲示板管理者の責任		
被侵害者	学校法人		
裁　判　所	東京地裁	日付	H20.10.01	種別	判決
審級関係等			
ＧＬ頁	−		
判　例　集	判時2034号60頁、判タ1288号134頁		

〔事案〕
　ホームページ上の電子掲示板における発言が原告の名誉を毀損するとして、主位的に、被告が、本件各投稿のすべてを自ら投稿したこと、仮に一部の投稿を被告自身がしていないとしても、予備的に、本件掲示板の管理者である被告が、本件掲示板に自動的に公開された本件投稿の削除義務を怠り、又は内容を確認した上で本件投稿を公開したとして、名誉毀損等を理由とする不法行為として損害賠償を求めた事案

〔主文〕
　認容

〔要旨〕
　「被告は、原告は言論による対抗で名誉回復を図ることが可能であったことを理由として、本件投稿⑦、⑧、⑩ないし⑮の違法性は、対抗言論の法理により阻却されるべきである旨主張する。なるほど、言論による侵害に対しては、言論で対抗することが、表現の自由の基本原理であり、名誉を毀損された被害者が、加害者に対し、十分に反論をすることにより名誉回復を図ることが可能な議論の場が存在し、かつ、その反論が効を奏した場合には、被害者の社会的評価が低下したとはいえない。また、相対する当事者間において、被害者が、加害者の名誉毀損発言を誘発するような発言をし、加害者がそれに対抗して被害者の名誉を毀損する発言をした場合も、被害者の発言内容、加害者による発言がされるに至った経緯及び加害者の発言内容等を勘案して、加害者の発言が、対抗言論として許される範囲内のものである限り、違法性が阻却されるものと解される。そして、インターネットの利用者は、相互に情報の送受信が可能で、言論の応酬をすることができる手段を有しているから、インターネットを利用して対抗する能力及び意思がある者にとっては、インターネット上で名誉毀損表現に反論することも可能である。しかしながら、インターネット上の掲示板における投稿は、相対する当事者間の論争と異なり、当事者間の言論と言論との間に時間的な隔たりが介在する余地があるところ、閲覧する目的、頻度及び回数は、掲示板の閲覧者毎に様々であるから、閲覧者が一方の言論に対する他方の反論（対抗言論）を確認するとは限らない。被告の上記主張に従うと、閲覧者が、一方当事者の言論（名誉毀損表現）のみで論争の当否を判断することを是認する結果となり、実際に、他方当事者が言論による対抗をしたとしても、名誉回復を図ることができない。しかも、本件においては、原告は、本件投稿⑦、⑧、⑩ないし⑮に対し、実際に反論をしていないのであるから、本件掲示板上で原告の名誉回復が図られていない。さらに、本件投稿⑦、⑧、⑩ないし⑮が摘示する、前記5(2)イ(ｱ)の(a)及び(b)の事実に対し、上記事実が存在しないこと又は虚偽であることを言論で反論することは必ずしも容易ではなく、本件において、原告に、本件掲示板上での反論を要求することも相当とはいえない。したがって、被告の上記主張は採用できない。」

番　　号	D021	事件名		
キーワード	宗教団体の機関紙、意見・論評			
被侵害者	宗教団体の元顧問弁護士			
裁　判　所	東京地裁	日付	H21.01.28	種別	判決
審級関係等				
G　L　頁	31頁			
判　例　集	判時2036号48頁、判タ1303号221頁			

〔事案〕

　宗教団体の機関誌に、同宗教団体の元顧問弁護士について、「こんな悪い奴はいない！甲野太郎の「嘘」と「闇」」と題する連載記事などを掲載したことにつき、原告が名誉毀損による不法行為を理由として損害賠償と謝罪広告を請求した事案

〔主文〕

　棄却

〔要旨〕

　「本件記載⑤ないし⑦が表明する意見ないし論評が前提とする事実の重要な部分は、真実と認められるところ、以下、上記意見ないし論評が、その域を逸脱するものであるか否かについて検討する。ある意見ないし論評が、その域を逸脱するものであるか否かについては、表現自体の相当性のほか、当該意見ないし論評の必要性の有無を総合して判断すべきである。そして、上記必要性の有無については、相手方による過去の言動等、当該意見ないし論評が表明されるに至った経緯を考慮して判断すべきである。」、「本件記載⑤ないし⑦が表明する意見ないし論評には、原告について、「鬼畜も同然の所行」、「卑しいペテン師」（以上、本件記載⑤）、「呆れた"泥棒猫"」、「正信会を食い尽くす寄生虫」、「裏の"どぶネズミ"の闇生活者」（以上、本件記載⑥）、「人間失格の最低の卑劣野郎」（本件記載⑦）と表するなど、その見出しと相まって、原告に対することさらに下品で侮辱的な言辞によるものを含むものであり、表現自体は相当なものとはいい難い。」、「原告の被告学会に対する批判的言論の経緯を考慮すれば、被告らが、原告が被告学会の謀略であると喧伝する事実について真相を究明することが、原告の喧伝に対抗するために必要であり、また、原告の行動特性等を明らかにすることが、原告の実態や、内部告発者としての不適格性を明らかにするために有効かつ適切であるとの観点から、本件記載⑤ないし⑦を記述した旨主張することは、首肯し得るものであり、意見ないし論評の必要性を肯定することができる。」、「以上を総合すれば、本件記載⑤ないし⑦が表明する意見ないし論評は、その表現自体に行き過ぎた、穏当を欠くものを含むとの評価を免れないが、その前提とする事実の重要な部分は真実である上、原告による前記のような過去の言動等、本件記載⑤ないし⑦に至った経緯に照らし、意見ないし論評の必要性が肯定されるから、当該意見ないし論評としての域を逸脱するものとはいえない。」

番　　　号	D022	事件名			
キーワード	週刊誌、社会的評価の低下、公共の利害に関する事実、私生活上の行状の摘示				
被 侵 害 者	芸能人				
裁　判　所	東京地裁	日付	H21.08.28	種別	判決
審級関係等					
G　L　頁	29頁				
判　例　集	判タ1316号202頁				

〔事案〕
　ある週刊誌において、「元アルファ甲野夏子が元カレにせびる『法外な慰謝料』」との見出しの記事が掲載されたことから、元アイドルグループのメンバーで芸能人である原告が、名誉毀損を理由とする不法行為に基づき、謝罪広告と損害賠償を求めた事案
〔主文〕
　損害賠償認容
〔要旨〕
　「本件記事は、一般読者に対し、原告らが、乙山に2000万円ないし3000万円もの多額な慰謝料の支払を求め、その支払を受けてもこれに飽き足らず、再度慰謝料の支払を求め、しかも、その額の大きさや上記理屈の通らない、あるいは奇妙との論評もあって、反道徳的行動に出た非常識な人物であるとの印象を与えるものといえ、原告らの社会的評価を低下させるものと認められる。」、「民事上の不法行為である名誉毀損については、その行為が公共の利害に関する事実に係り、その目的が専ら公益を図るものである場合には、摘示された事実がその重要な部分において真実であることの証明があれば、同行為には違法性がなく、真実であることの証明がなくても、行為者がそれを真実と信ずるについて相当の理由があるときは、同行為には故意又は過失がなく、不法行為は成立しないと解するのが相当である。また、特定の事実を基礎とする意見ないし論評の表明による名誉毀損について、その行為が公共の利害に関する事実に係り、その目的が専ら公益を図ることにあって、表明に係る内容が人身攻撃に及ぶなど意見ないし論評としての域を逸脱したものでない場合に、上記意見ないし論評の前提としている事実が重要な部分について真実であることの証明があったときには、上記行為は違法性を欠くものというべきであり、また、行為者において上記意見等の前提としている事実の重要な部分を真実と信ずるにつき相当の理由があるときは、その故意又は過失は否定されると解するのが相当である」、「私人の私生活上の行状であっても、そのたずさわる社会的活動の性質及びこれを通じて社会に及ぼす影響力の程度などのいかんによっては、その社会的活動に対する批判ないし評価の一資料として、公共の利害に関する事実にあたる場合があると解するのが相当である」、「本件記事は、原告らが、原告夏子とかつて交際関係にあった乙山に対し、慰謝料を請求し、二、三千万円の支払を受けたのに、さらに誠意が感じられないとして慰謝料を請求しているとの事実を報じたものであるところ、この事実は、男女間の交際関係やその解消後の行動という私生活上の行状との性質を有するものであって、原告夏子の芸能活動やこれに関係する生活関係に関する記事とはいえない。また、前提事実(1)のとおり、原告夏子が、アイドルグループ「アルファ」の元メンバーであり、同グループ脱退後も芸能活動に従事しているにしても、公職ないしそれに準ずる公的地位にあるものではなく、また芸能活動自体は、一般人の個人的趣味に働き掛けて、これを通じて公共性を持つものであるから、必ずしも私的生活関係を明らかにする必要があるとの特段の事情は認められない。したがって、原告夏子のこのような社会的立場を考慮すると、原告らが非常識な人物で反道徳的行動に出たとの事実を報じることが、公共の利害に関する事実に係るものとは認められない。なお、被告は、本件記事が原告らの社会的評価を低下させるのであれば、それは犯罪行為を報じたものであり、公共性が認められると主張する。しかしながら、そもそも、本件記事は、慰謝料を「せびる」というにとどまり、恐喝や強要といった態様を摘示したものではなく、上記金銭の請求及び授受を犯罪行為として報じたものとまではいえないから、上記被告の主張は採用できない。したがって、その余の点を検討するまでもなく、違法性ないし責任阻却をいう被告の主張は理由がないこととなる」

1 プロバイダ責任制限法名誉毀損・プライバシー関係ガイドライン

番　　号	D023	事件名	ラーメンフランチャイズ事件		
キーワード	虚偽事実、個人ホームページ、インターネット上の名誉毀損罪の免責要件、刑事事件				
被侵害者	ラーメンフランチャイズ運営会社				
裁　判　所	最高裁（小1）	日付	H22.03.15	種別	判決
審級関係等					
Ｇ　Ｌ　頁	30頁				
判　例　集	刑集64巻2号1頁、判時2075号160頁、判タ1321号93頁				

〔事案〕
　パーソナルコンピュータを使用し、インターネットを介して、プロバイダから提供されたサーバのディスクスペースを用いて開設した「丙観察会　逝き逝きて丙」と題するホームページ内のトップページにおいて、「インチキFC甲粉砕！」、「貴方が『甲』で食事をすると、飲食代の4〜5％がカルト集団の収入になります。」などと、同社がカルト集団である旨の虚偽の内容を記載した文章を掲載したとして、名誉毀損罪に当たるとして起訴された事案（刑事事件）

〔主文〕
　有罪判決の原審を支持し、上告棄却

〔要旨〕
　「所論は、被告人は、一市民として、インターネットの個人利用者に対して要求される水準を満たす調査を行った上で、本件表現行為を行っており、インターネットの発達に伴って表現行為を取り巻く環境が変化していることを考慮すれば、被告人が摘示した事実を真実と信じたことについては相当の理由があると解すべきであって、被告人には名誉毀損罪は成立しないと主張する。しかしながら、個人利用者がインターネット上に掲載したものであるからといって、おしなべて、閲覧者において信頼性の低い情報として受け取るとは限らないのであって、相当の理由の存否を判断するに際し、これを一律に、個人が他の表現手段を利用した場合と区別して考えるべき根拠はない。そして、インターネット上に載せた情報は、不特定多数のインターネット利用者が瞬時に閲覧可能であり、これによる名誉毀損の被害は時として深刻なものとなり得ること、一度損なわれた名誉の回復は容易ではなく、インターネット上での反論によって十分にその回復が図られる保証があるわけでもないことなどを考慮すると、インターネットの個人利用者による表現行為の場合においても、他の場合と同様に、行為者が摘示した事実を真実であると誤信したことについて、確実な資料、根拠に照らして相当の理由があると認められるときに限り、名誉毀損罪は成立しないものと解するのが相当であって、より緩やかな要件で同罪の成立を否定すべきものとは解されない」、「これを本件についてみると、原判決の認定によれば、被告人は、商業登記簿謄本、市販の雑誌記事、インターネット上の書き込み、加盟店の店長であった者から受信したメール等の資料に基づいて、摘示した事実を真実であると誤信して本件表現行為を行ったものであるが、このような資料の中には一方的立場から作成されたにすぎないものもあること、フランチャイズシステムについて記載された資料に対する被告人の理解が不正確であったこと、被告人が乙株式会社の関係者に事実関係を確認することも一切なかったことなどの事情が認められるというのである。以上の事実関係の下においては、被告人が摘示した事実を真実であると誤信したことについて、確実な資料、根拠に照らして相当の理由があるとはいえないから、これと同旨の原判断は正当である。」

番　　　号	D024	事件名	
キーワード	ブログ、社会的評価の低下、リンク掲載、発信者情報開示		
被 侵 害 者	保育園運営者		
裁 判 所	東京地裁	日付	H22.06.30	種別	判決
審級関係等			
Ｇ　Ｌ　頁	27頁		
判 例 集	判例集未登載		

〔事案〕
　被告がサーバコンピューターを管理しブログのサービスを提供するウェブサイトにおいて、匿名人物が原告らの運営する「a保育園」に関する記事を掲載したことについて、上記記事は原告らの名誉を毀損するものであると主張して、発信者情報の開示を請求した事案
〔主文〕
　発信者情報開示認容（要旨記載の「本件記事3」については請求を棄却し、その余の本件記事1及び本件記事2については請求を認容）
〔要旨〕
　「本件記事3は、「また、a保育園側が問題にしている2008年10月27日付〈『責任転嫁』から『謀略』へ（食中毒騒動退園事件）〉」と記載し、本件記事2へのリンクをはったものであり、それ自体は、「a保育園が平成18年11月に食中毒を発生させた」という事実を摘示するものではない。したがって、本件記事3は原告らの社会的評価を低下させるものとはいえない。
　原告らは、本件記事3で本件記事2へのリンクをはった点をとらえ、これは一般読者に本件記事2の存在を知らしめ、その閲覧を教唆したものであり、原告らの社会的評価を低下させるものであると主張するようである。しかし、本件記事2へのリンクをはったことのみをもって、直ちに原告らの社会的評価を低下させるとはいえない。」（なお、リンク先である「本件記事2」については、「a保育園が平成18年11月に食中毒を発生させた」という事実を摘示するものであり、一般読者に対し、あたかも保育園が食中毒を発生させたとの印象を抱かせるものとして、原告らの社会的評価の低下が認定されている。）

番　　　号	D025	事件名	
キーワード	紙面文書、公益を図る目的		
被 侵 害 者	テナント会理事		
裁 判 所	東京地裁	日付	H22.11.22	種別	判決
審 級 関 係 等			
Ｇ　Ｌ　頁	−		
判　例　集	判例集未登載		

〔事案〕
　原告らが、被告らが「テナント会理事会の背任を告発します」と題する文書を作成・配布した行為によって名誉が毀損されたと主張して、不法行為に基づく損害賠償及び謝罪文の交付を請求した事案

〔主文〕
　損害賠償認容

〔要旨〕
　「目的の公共性があるというためには、表現行為が公共の利益を図ることを主たる目的としなければならない。公益性の有無の判断は、名誉毀損事実自体の内容、性質、表現方法、根拠となる資料の有無、事実調査の程度等を総合して、それらが公益に基づくというにふさわしい真摯なものであったかどうかに加え、隠された動機として、私怨を晴らすためであるとか、私利私欲を追及するためであるとかの公益性否定につながる目的が存しなかった等の外形に現れていない実質関係も含めて、全体的に評価して行うべきである。」

第4　ガイドライン

番　　　号	D026	事件名	
キーワード	ランキング記事（雑誌）、社会的評価の低下、公共の利害に関する事実、公益を図る目的真実性、相当性		
被 侵 害 者	家電販売会社		
裁　判　所	東京地裁	日付	H22.12.14	種別	判決
審級関係等			
Ｇ　Ｌ　頁	－		
判　例　集	判時2119号67頁		

〔事案〕
　家電量販事業を行う原告が、被告の発行する雑誌に掲載されたランキング表を含む記事によって名誉を毀損されたと主張して、被告に対し、不法行為に基づき、損害賠償及び謝罪文の掲載を請求した事案
〔主文〕
　棄却
〔要旨〕
〔社会的評価の低下〕
　「本件記事１ランキング表は、アフターサービスに対する満足度について、消費者にアンケート調査をした結果、家電量販店部門において、原告が最も低い評価を受けたとの事実を摘示するものと解するのが相当であり、一般の読者は、原告の行うアフターサービスが、他の家電量販店と比較して、消費者から最も低い評価を受けているとの印象を抱くものということができるから、原告の社会的評価を低下させるものといえる。」

〔公共の利害に関する事実、公益を図る目的〕
　「本件記事…は、被告が毎年行っている企業のアフターサービスに対する消費者の満足度についての調査の結果を特集した記事の一部であり、家電量販店業界におけるアフターサービス満足度ランキングを紹介するとともに、同業界の企業のアフターサービスの実情について報道する記事である。そして、これらは家電量販店を利用する消費者にとっては有意義な情報であり、社会的に関心をもたれる事実であるといえるから、本件記事…は、公共の利害に関する事実に当たり、被告は、専ら公益を図る目的でこれらの記事を掲載したものと認められる。」

〔真実性・相当性〕
　「平成20年の本件調査は、ｃコンサルティングのインターネット調査システムを使用して、被告及びｃコンサルティングが保有する調査モニターから18万8155人を無作為に抽出した上で、電子メールと調査モニターマイページ上で調査を告知したところ、そのうち１万8748人から回答を得て行われたものである。なお、本件調査においては、組織票、不正回答を防ぐために、メールアドレスでのチェックが行われた。」、「平成20年度の本件調査においては、ある企業のアフターサービスを過去３年以内に受けたことがあると回答した回答者に対し、その企業のアフターサービスについて、「満足」「まあ満足」「どちらでもない」「やや不満」「不満」「利用していない」の６段階から評価を選択させるとともに、アフターサービスに関するコメントを自由に記載させることとした。
　そして、各企業のアフターサービスについて、「満足」「まあ満足」「どちらでもない」「やや不満」「不満」という選択肢を選んだ各回答者数に応じて順に100、50、０、－50、－100を掛けた数値を合計し、その企業のアフターサービス経験者数（無回答者は除く。）で割るという手法により算出された数値を満足度指数とした。なお、回答者が30人未満であった企業はアフターサービス満足度ランキングから除外されている。」、「そして、平成20年の本件調査においては、原告のアフターサービスを受けたことがあると回答した者が1204人、原告の満足度指数が7.3と算出されたところ、家電量販店16社のうち、原告の満足度指数が最も低かった。」、「以上によれば、平成20年の本件調査の家電量販店部門における満足度指数のランキングにおいて、原告が最下位であったことは真実であると認められる。

この点について、原告は…本件調査は、不適切な調査方法により行われたものであるから、そのような調査方法による調査結果は真実ではない旨主張する。
　しかしながら、平成20年の本件調査は、上記(2)のとおりの調査方法で行われたところ、その調査に当たっては、調査モニターから無作為に抽出された者に対して調査が告知された、組織票や不正回答を防ぐために、メールアドレスによるチェックが行われ、回答者が30人未満であった企業は、アフターサービス満足度ランキングから除外されるなどの方法がとられていることからすれば、調査結果の合理性を担保するための一定の配慮がされていたものと認められ、本件調査の調査方法について、恣意的な調査結果が生じうるような事情を見出すことはできない。本件調査において、他の調査方法を採用すれば調査結果の信用性がより高まったとの立論が可能であるとしても、それをもって、平成20年の本件調査の調査結果の信用性そのものを否定することはできない。したがって、原告の上記主張には理由がない。」

第4　ガイドライン

番　　号	D027	事件名			
キーワード	オークションサイト、評価コメント、社会的評価の低下				
被侵害者	一般私人				
裁判所	名古屋地裁	日付	H23.03.11	種別	判決
審級関係等					
G　L　頁	26頁				
判　例　集	判例集未登載				

〔事案〕
　インターネット上のオークションサイトにおいて株主優待券を落札した原告（控訴人）が、出品者である被告（被控訴人）に対して、被告が、本件サイトに原告の名誉を毀損する内容の書き込みを行い、これによって原告を公然と侮辱したとして、不法行為に基づく損害賠償を請求した事案

〔主文〕
　不法行為による損害賠償を棄却した原判決（名古屋簡裁）に対する控訴棄却

〔要旨〕
　「本件サイトにおいては、オークション取引が成立し、目的物の授受、代金支払等の取引が全て終了した段階で、出品者（売主）及び落札者（買主）が、それぞれ相手方を「良い」、「普通」、「悪い」の3段階で評価し、あわせて評価コメントを記載するシステムとなっており、これらの評価及び評価コメントは、全てハンドルネーム（別名）をもって行われるものであることが認められる。そして、本件コメント等のうち、「悪い落札者です」との評価は、上記3段階の評価のうちの1つを記載したものにほかならず、また、「二度と取引したくないです。」との評価コメントも、被控訴人が控訴人との本件サイトのオークション取引を通じて形成した感想、心情を吐露したものにすぎず、表現方法も、オークションの落札者（控訴人）を評価するコメントとして、直ちに相当性を欠くということはできない。
　以上からすると、本件コメント等は、控訴人の一般社会における評価を低下させるものとは認められないし、本件サイト内において出品者や落札者を評価する際に用いる表現として、違法ということはできない。」

番　　　号	D028	事件名				
キーワード	地方新聞、真実性、相当性、通信社配信記事					
被 侵 害 者	地方新聞社					
裁 判 所	最高裁（小1）	日付	H23.04.28	種別	判決	
審級関係等						
Ｇ　Ｌ　頁	30頁					
判 例 集	民集65巻3号1499頁、判時2115号50頁、判タ1347号89頁					

〔事案〕
　原告（上告人）が、地方新聞社である被告（被上告人）らの発行する各新聞に掲載された通信社からの配信に基づく記事によって名誉を毀損されたと主張して、不法行為に基づく損害賠償を請求した事案

〔主文〕
　棄却

〔要旨〕
　「新聞社が通信社を利用して国内及び国外の幅広いニュースを読者に提供する報道システムは、新聞社の報道内容を充実させ、ひいては国民の知る権利に奉仕するという重要な社会的意義を有し、現代における報道システムの一態様として、広く社会的に認知されているということができる。そして、上記の通信社を利用した報道システムの下では、通常は、新聞社が通信社から配信された記事の内容について裏付け取材を行うことは予定されておらず、これを行うことは現実には困難である。それにもかかわらず、記事を作成した通信社が当該記事に摘示された事実を真実と信ずるについて相当の理由があるため不法行為責任を負わない場合であっても、当該通信社から当該記事の配信を受け、これをそのまま自己の発行する新聞に掲載した新聞社のみが不法行為責任を負うこととなるとしたならば、上記システムの下における報道が萎縮し、結果的に国民の知る権利が損なわれるおそれのあることを否定することができない。
　そうすると、新聞社が、通信社からの配信に基づき、自己の発行する新聞に記事を掲載した場合において、少なくとも、当該通信社と当該新聞社とが、記事の取材、作成、配信及び掲載という一連の過程において、報道主体としての一体性を有すると評価することができるときは、当該新聞社は、当該通信社を取材機関として利用し、取材を代行させたものとして、当該通信社の取材を当該新聞社の取材と同視することが相当であって、当該通信社が当該配信記事に摘示された事実を真実と信ずるについて相当の理由があるのであれば、当該新聞社が当該配信記事に摘示された事実の真実性に疑いを抱くべき事実があるにもかかわらずこれを漫然と掲載したなど特段の事情のない限り、当該新聞社が自己の発行する新聞に掲載した記事に摘示された事実を真実と信ずるについても相当の理由があるというべきである。そして、通信社と新聞社とが報道主体としての一体性を有すると評価すべきか否かは、通信社と新聞社との関係、通信社から新聞社への記事配信の仕組み、新聞社による記事の内容の実質的変更の可否等の事情を総合考慮して判断するのが相当である。以上の理は、新聞社が掲載した記事に、これが通信社からの配信に基づく記事である旨の表示がない場合であっても異なるものではない。」

番　　　号	D029	事件名			
キーワード	企業ホームページ、社会的評価の低下				
被 侵 害 者	企業				
裁　判　所	東京地裁	日付	H23.07.19	種別	判決
審級関係等					
G　L　頁	－				
判　例　集	判タ1370号192頁				

〔事案〕
　原告らが、被告会社の開いた記者会見及び記者会見と同内容の記載がされた「元社長A氏の辞任の経緯と当社の見解」を同社のホームページで発表した行為は、原告らの名誉を毀損する違法なものであるなどとして、不法行為に基づく損害賠償などを請求した事案

〔主文〕
　棄却

〔要旨〕
　「本件表現4は、被告富士通が開いた本件記者会見における発言及び同内容のホームページ上の表現であるところ、当時、Aが、被告富士通に対し、本件辞任取消通知を送付したことがマスコミによって報道されており、その報道においては、Aが辞任した真の理由につき、Aが、反社会的勢力とつながりのある原告らと交際していたために、被告らから辞任を迫られたことによるとされていたこと…、被告富士通は、平成22年3月9日、株式会社東京証券取引所から、Aの辞任を巡る情報開示が適切でなかったとして厳重注意を受けたこと、同月23日に行われた株式会社東京証券取引所の定例会見においても同社の代表執行役Hから被告富士通は事情をさらに説明すべきであるという発言がされていたこと、新聞紙上にも、被告富士通はAの辞任理由をきちんと説明すべきであるとの内容の社説が掲載されていたこと…が認められる。」、「そうすると、本件表現4がされた当時、Aの辞任理由を巡っては、Aによる本件辞任取消通知等を契機として、多数のマスコミ報道がされ、被告富士通に対しては、企業としての説明責任を果たすことを求める要請が高まっていたのであり、本件表現4は、このような状況の中で、被告富士通がその釈明の必要に迫られて行ったものであることが認められる。
　そして、被告富士通は、本件記者会見の際、出席者に対して、報道に当たっては特定の企業や個人に風評被害を及ぼすことがないよう、協力を求める旨の書面を配布しており…、被告らは、本件表現4によって原告らの社会的評価を低下させることのないよう、慎重かつ相応の配慮をしていたということができる。
　また、本件表現4の内容は、基本的には、原告らについて反社会的勢力との関係が疑われる情報や資料があり、被告富士通としては、Aがそれらの者と親密な関係を継続することは望ましくないと考えたという被告富士通の考え方を表明する趣旨のものに止まるのであって、原告らについて実際に反社会的勢力との関係があるということを積極的かつ具体的に述べる内容のものではない。」、「したがって、本件表現4は…被告会社が企業としての説明責任を求められていた状況の下で、表現の内容及び方法については、原告らの社会的評価を低下させることのないよう慎重かつ相応の配慮がされた上で行われたものであり、相当と認められる限度を超えないものというべきであるから、原告らの名誉を不当に毀損する違法な行為であるとは認められない。」

1 プロバイダ責任制限法名誉毀損・プライバシー関係ガイドライン　487

番　　　号	D030	事件名					
キーワード	フリージャーナリストのホームページ、社会的評価の低下							
被侵害者	新聞社							
裁　判　所	最高裁（小2）	日付	H24.03.23	種別	判決		
審級関係等								
Ｇ　Ｌ　頁	26頁							
判　例　集	判時2147号61頁、判タ1369号121頁							

〔事案〕
　日刊新聞を発行する会社（原告・上告人）及びその従業員3名（原告・上告人）が、フリーのジャーナリストである被告（被上告人）に対し、被告がインターネット上に自ら開設した誰でも閲覧可能なウェブサイトに掲載した記事により名誉を毀損されたと主張して、不法行為に基づく損害賠償を請求した事案

〔主文〕
　請求を棄却した原判決を破棄、差戻し

〔要旨〕
　「ある記事の意味内容が他人の社会的評価を低下させるものであるかどうかは、一般の読者の普通の注意と読み方を基準として判断すべきものである（最高裁昭和29年（オ）第634号同31年7月20日第二小法廷判決・民集10巻8号1059頁参照）。
　前記事実関係によれば、本件記事は、インターネット上のウェブサイトに掲載されたものであるが、それ自体として、一般の閲覧者がおよそ信用性を有しないと認識し、評価するようなものであるとはいえず、本件記載部分は、第1文と第2文があいまって、上告人会社の業務の一環として本件販売店を訪問した上告人乙川らが、本件販売店の所長が所持していた折込チラシを同人の了解なくして持ち去った旨の事実を摘示するものと理解されるのが通常であるから、本件記事は、上告人らの社会的評価を低下させることが明らかである。」

番　　　号	D031	事件名			
キーワード	週刊誌、社会的評価の低下、真実性				
被 侵 害 者	内閣官房長官				
裁　判　所	東京地裁	日付	H24.06.12	種別	判決
審級関係等					
Ｇ　Ｌ　頁	26頁				
判　例　集	判時2165号99頁				

〔事案〕
　原告が、被告らに対し、被告らのそれぞれ発行する週刊誌の記事により名誉を毀損されたとして、不法行為に基づく損害賠償及び謝罪広告の掲載を請求した事案
〔主文〕
　棄却
〔要旨〕
　「本件ａ誌記事…は、「Ｘ官房長官　Ｅ似ｃ社記者にセクハラ暴言！」という見出しの下、平成22年12月28日に総理大臣官邸で行われた内閣記者会との懇親会の席の出来事として、「Ｘ氏の周りにはＣ首相を上回る数の政治部記者が集まり、彼の実力者ぶりを見せ付けました。上機嫌だったＸ氏は、そのうち一人の女性記者をつかまえて、繰り返しセクハラ発言を始めたのです」、「被害に遭ったのはｃ新聞政治部で、官房長官番を務めるＤさんだった」、「Ｄさんは官邸記者クラブでも有名なアラフォー美人記者です。肉感的なキャリアウーマン風で女優のＥに似たタイプ。Ｘ官房長官のお気に入りの女性記者の一人です」、「Ｘ氏はＤさんを隣の席に座らせて、お酒を注がせたりしていた」、「ＸさんはＤさんの肩に手を回して記念撮影もしていましたが、そのままＤさんの胸に手が触れかねない勢いでした」、「そしてＸ氏は都内高級住宅街に住むＤさんに、『あんた、いいところに住んでるんだってな』と探りを入れながら、下ネタを口にし始めたという。『六十五歳はぜんぜん（アソコが）立たないからダメなんだよ』」、「その後もＸさんはＤさんに向かって何度も『立つ』とか『立たない』というセクハラ話を繰り返していて、周りにいた記者はドン引きでした」などと記載するものである。」
　このような記事の内容を前提に、週刊ａ等の週刊誌の一般読者の普通の注意と読み方を基準として考えると、本件ａ誌記事は、「総理大臣官邸で開催された公的な懇親会の席上、内閣官房長官である原告が、内閣官房長官番を務める女性記者に向かって、自身の男性機能についてあからさまな表現で発言するというセクシュアル・ハラスメントを行った」という事実を摘示するものと認められ、これが原告の社会的評価を低下させるものであることは明らかである。」
　「本件ｂ誌記事…は、「『赤い官房長官』の正気と品性が疑われる桃色言行録」という見出しの下、平成22年12月28日に総理大臣官邸内のホールで開催された忘年会の出来事として、「『女性はいないか』…《省略》…この宴の最中に出たのが、Ｘ氏の『女性は～』発言だった。俄かに桃色の様相を帯び始めた赤い官房長官。ピンクの妖気を放ち出した彼は、傍に女性を求めたのである」、「呼び寄せられたのは『大手紙の官房長官番で40代前半の女性記者。派手さを嫌うのかパンツルックが多く、清楚な黒髪の和風美人です』」、「Ｘさんは彼女の身体に触れつつ、何やら囁き始めた」、「Ｘ氏の口から発せられた言葉は、出席者たちにはこう聞こえたという。『俺も歳だけど、まだタツかな』」、「"タツ"？まさか漢字表記した場合、"勃つ"となる"タツ"のことか。正気なのかと品性を問わざるを得ない言行で、一瞬、耳を疑う者もいた。しかし、出席者にはＸ氏の言葉が続けて漏れ聞こえてきた。『おー、タツ、タツ。俺もまだ大丈夫だ』」、「明らかにセクハラ。記者の間でも、普通の企業なら完全にアウトだと話題になった」、「女性記者は長官番である以上、彼を"告発"しにくい。Ｘさんはそれを見越しているんでしょう」などと記載するものである。」
　このような記事の内容を前提に、週刊ｂ等の週刊誌の一般読者の普通の注意と読み方を基準として考えると、本件ｂ誌記事は、「総理大臣官邸で開催された公的な懇親会の席上、内閣官房長官である原告が、内閣官房長官番を務める女性記者に向かって、自身の男性機能についてあからさまな表現で発言するというセクシュアル・ハラスメントを行った」という事実を摘示するものと認められ、これが原告の社会的評価を低下させるものであることは明らかである。」（なお、結論としては、事実の公共性及び目的の公益性が認められるとともに、摘示事実の重要な部分について真実性の証明があったとして請求棄却された。）

1　プロバイダ責任制限法名誉毀損・プライバシー関係ガイドライン　489

番　　　号	D032	事件名				
キーワード	企業ホームページ、IR情報、社会的評価の低下、公共の利害に関する事実、公益を図る目的					
被侵害者	上場企業の元社長					
裁　判　所	東京地裁		日付	H24.07.04	種別	判決
審級関係等						
G　L　頁	-					
判　例　集	判タ1388号207頁					

〔事案〕
　被告会社の代表取締役であった原告が、被告会社に対し、証券取引所の適時開示制度に基づいて被告のホームページ上に公表された原告の代表取締役の解任等を通知する「代表取締役の異動に関するお知らせ」と題する文書によって名誉が毀損されたと主張して、不法行為に基づき、損害賠償及び謝罪広告の掲載を請求するなどした事案

〔主文〕
　棄却

〔要旨〕
〔社会的評価の低下〕
　「本件記載は…被告において、①長期にわたる国内業績低迷から脱却するために原告を代表取締役社長兼CEOに選任したこと、②平成23年2月期の業績が、平成22年2月期の業績以上に悪化することが予想されており、「非常に厳しい状況」に陥っていたこと、③被告の国内業績低迷の歯止め、国内ウィッグ事業の立て直しをするためには乙川に経営を委ねる必要があると判断し、原告に代表取締役社長兼CEOの辞任を求めたが、原告の同意が得られなかったこと、④取締役会において原告を解任し、乙川が代表取締役社長兼会長に選任されたことがそれぞれ摘示されている。」、「確かに、上記①ないし④の各事実を個別に検討すると、そのいずれにおいても原告が被告の事業再建に失敗したことを直接的に示す表現はない。
　しかしながら、上記①ないし④の各事実を連続してみると、ホームページの一般の閲覧者に対し、被告が、原告を代表取締役社長兼CEOに選任して被告の事業再建を委ねたものの（上記①の事実）、平成23年2月期の業績が平成22年2月期の業績以上に悪化することが予想されたため（上記②の事実）、乙川に経営を委ねる必要があると判断し、原告に辞任を求めたが、これに同意しなかったことから（上記③の事実）、被告の取締役会において原告を解任した（上記④の事実）として、原告が被告の事業再建を委ねられたにもかかわらず、被告の業績を悪化させてしまったことがその解任の理由であったという印象を抱かせるから、原告の経営能力及び経営実績に係る社会的評価を低下させる事実を含む内容であると認められる。」

〔公共の利害に関する事実、公益を図る目的〕
　「被告は…東京証券取引所第一部に上場している株式会社であるところ…同取引所においては、上場会社に対し、代表取締役の異動を行うことを決定した場合には、直ちに異動の理由、新・旧代表取締役等の氏名・役職名、新任代表取締役等の生年月日、略歴、所有株式数、就任予定日、その他投資者が会社情報を適切に理解・判断するために必要な事項についての情報を開示することを義務づけていること…、被告の本件通知は、この適時開示義務に基づいて公表された内容を被告のホームページ上で公表したものであり…被告の代表取締役社長兼CEOの異動とその理由が記載されており、これらは、被告の投資者に対し、投資判断の材料として開示されるべき情報であることが認められるから、被告が本件通知を公表した行為は、公共の利害に関する事実に係り、かつ、専ら公益を図る目的により行われたものであることは明らかである。」

番　　　号	D033	事件名				
キーワード	私的な広報誌					
被侵害者	地方公共団体（町）					
裁　判　所	高知地裁	日付	H24.07.31	種別	判決	
審級関係等						
Ｇ　　Ｌ　　頁	33頁					
判　例　集	判タ1385号181頁					

〔事案〕
　普通地方公共団体（町）である原告が、町議会議員が私的に発行する広報誌に町政執行を批判した記事が掲載されたことについて、本件記事は原告が実施した入札手続に不正行為があったことを摘示するものであり、これによって原告の名誉や信用が著しく毀損されたなどと主張して、町会議員であった被告らに対し、不法行為に基づく損害賠償及び謝罪文の掲載を請求した事案

〔主文〕
　棄却

〔要旨〕
　「地方自治は住民の意思に基づいて行われるものであるから（住民自治）、原告執行部が、その行政執行について、町民を代表する町議会議員である被告らの監視のもと、相応の批判を受けることは当然である。そうすると、その批判が原告の名誉等を毀損するものか否かについては、本件記事掲載の目的、動機、経緯、影響、表現等を考慮したうえ、それが社会通念上町政批判として許容される範囲を逸脱する場合に限り、名誉等の毀損が認められ、そうでなければ、原告執行部は被告らの批判を甘受し、行政執行に活用するなどの責任を負うべきであるということができる。」、「被告らは、原告が多額の費用をかけてケーブルテレビ事業を推進することに批判的であり、これに反対の立場をとっていたが、被告Ｙ１が、大型公共事業にかかる本件入札について、原告の職員が探していた業者が落札した業者と一致すると認識したことから、町議会議員として、そこに不正行為があった可能性があることを町民に報告する目的で、かねてから継続的に発行していた本件広報紙に本件記事を掲載した。このような事実によれば、被告らが本件記事を掲載したことについて、その目的や動機に不当な点はうかがわれない。
　被告らは、原告執行部が、何度も機会があったにもかかわらず、本件入札について、原告の職員が探していた業者と落札した業者が一致するという町議会での被告Ｙ１の指摘を明確に否定しなかったことから、事実は被告Ｙ１の認識のとおりであったと判断して本件記事を掲載したのであり、そこに至る経緯を、ただちに不当なものと認めることはできない。
　本件広報紙の発行部数は、１回約2000部であり、人口約１万3500人の原告において少なくはないが、本件記事の掲載後、原告の実施する入札手続に支障が生じたことはないし…本件記事が町民の間で問題になった形跡もうかがわれないから、本件記事は、町政や町民に対し、ほとんど影響を及ぼさなかったというべきである。
　また、本件記事の表現は、原告の行政執行に対する被告らの考えや解釈を断定的に押し付けるものではなく、あくまで読み手の判断に委ねる形になっており、ただちに不当なものとはいえない。」、「このような事情によれば、本件記事は、社会通念上町政批判として許容される範囲を逸脱するものではないことが明らかであるから、住民自治の理念に照らして、原告執行部は被告らの批判を甘受するなどの責任を負うべきである。そうすると、被告らが本件記事を掲載したことは、原告の名誉等を毀損するものとはいえず、不法行為には当たらない。」

1 プロバイダ責任制限法名誉毀損・プライバシー関係ガイドライン

番　　　号	D034	事件名				
キーワード	企業ホームページ、訴訟提起の事実、IR情報、公共の利害に関する事実、公益を図る目的					
被 侵 害 者	原告会社の元従業員等					
裁　判　所	東京地裁	日付	H24.09.13	種別	判決	
審級関係等						
G　L　頁	－					
判　例　集	判例集未登載					

〔事案〕
　被告らが、原告がその運営するウェブサイト上にIR情報として被告らに対する訴訟提起に関する文書を掲載したことは名誉毀損に当たるとして、反訴として、不法行為に基づく損害賠償を請求するなどした事案

〔主文〕
　棄却

〔要旨〕
　「本件お知らせ文書1及び2は、「当社の主張（概要）」として訴訟における一方当事者の主張内容であることを明記して公表されたものであり、断定的な事実として公表されたものではないから、直ちに被告らの社会的評価を低下させるものということはできない。
　また、仮に、本件お知らせ文書1及び2が被告らの社会的評価を低下させるものであったとしても、原告は、IR情報として公表したものであり、公共の利害に関する情報を、専ら公益を図る目的で公表したものと認めるのが相当であり、また、訴訟における主張内容を記載したものとして真実性を有するものである。
　したがって、本件お知らせ文書1及び2の公表が不法行為に該当するということはできない。」

番　　　号	D035	事件名	
キーワード	電子掲示板、犯罪関与、対抗言論の法理、同趣旨の他の投稿、発信者情報開示		
被 侵 害 者	国立大学の助教		
裁 判 所	東京地裁	日付	H24.11.22	種別	判決
審級関係等			
G　L	32頁		
判 例 集	判例集未登載		

〔事案〕
　原告が、あたかも原告が強姦事件に関与したかのように指摘する記事がインターネット上の掲示板サイトに投稿され、これによって名誉権を侵害されたなどとして、経由プロバイダである被告に対し、発信者情報の開示を請求した事案

〔主文〕
　発信者情報開示認容

〔要旨〕
　「被告は、本件各記事が書き込まれた掲示板においては、対抗言論が可能であるとして、権利侵害の明白性の要件を充足しないとも主張する。しかしながら、本件各記事のように、一方的に原告が犯罪に関与したかのような事実を摘示する投稿に対して、反論が可能であるからといって権利侵害の明白性の要件を満たさないとは言い難い。そして、前記前提となる事実(4)のとおり、本件各記事と同趣旨の投稿が多数あることからすれば、それぞれに反論することは不可能ないし著しく困難というべきである。この点についての被告の主張も採用できない。」

1 プロバイダ責任制限法名誉毀損・プライバシー関係ガイドライン

番　　　号	D036	事件名				
キーワード	電子掲示板、社会的評価の低下、記事転載、発信者情報開示					
被侵害者	会社株主					
裁　判　所	東京高裁	日付	H25.09.06	種別	判決	
審級関係等						
Ｇ　Ｌ　頁	-					
判　例　集	判例集未登載					

〔事案〕
　原告（控訴人）が、インターネット接続業者である被告（被控訴人）に対し、同人の提供するインターネット接続サービスを利用して行われたインターネット上の掲示板にされた転載記事を含む匿名の書込みにより、名誉を毀損されたとして、発信者情報の開示を請求した事案

〔主文〕
　請求を棄却した原判決を取り消し、発信者情報開示一部認容

〔要旨〕
　「本件情報…は、先にインターネット上のｆサイト掲示板に掲載されていた記事を転載したものであるか、又は雑誌「ｇ」の12月号に掲載されていたものであることが認められる…。しかし、本件情報…をウェブサイト「ｂ」で見た者の多くがこれと前後してｆサイト掲示板の転載元の記事や雑誌「ｇ」の12月号の記事を読んだとは考えられず、ウェブサイト「ｂ」に本件情報…を投稿した行為は、新たに、より広範に情報を社会に広め、控訴人の社会的評価をより低下させたものと認められる。」

番　　　号	D037	事件名	
キーワード	日刊紙、社会的評価の低下、公共の利害に関する事実、公益を図る目的、真実性・相当性、犯罪行為に関する事実		
被 侵 害 者	声優		
裁　判　所	東京地裁	日付	H26.08.07	種別	判決
審級関係等			
G　　L　　頁	－		
判　例　集	判例集未登載		

〔事案〕
　原告が、被告の発行する日刊紙に掲載された記事によりその名誉を毀損されて精神的苦痛を被ったと主張して、不法行為に基づき、同日刊紙への謝罪文の掲載及び損害賠償を請求した事案

〔主文〕
　棄却

〔要旨〕
　〔社会的評価の低下〕
　「新聞記事の意味内容が人の社会的評価を低下させるものであるかどうかは、当該記事についての一般の読者の普通の注意と読み方とを基準として判断すべきである。」「本件記事は、「"里子"を殴って虐待した」、「○○声優の異常心理」、「すべては自分のキャリアアップのため」との見出しを掲げ、本文において、冒頭で、「Bちゃん（当時3）が階段の下で倒れて死亡していた事件で、里親で声優のX容疑者（43）が傷害致死で捕まった。」として、原告の逮捕の事実と被疑事実の罪名は記載されているものの、本件被疑事実の具体的な内容やそれと原告との結びつきは記載されず、そのすぐ後に続いて、「それよりもよくわからないのが、里子をもらいながら虐待した"理由"だ。」として、原告が里子を虐待した理由や動機を解明することが本件記事の主題であることを明らかにし、原告の家族構成、里子を引き取った経緯、原告の職歴・学歴等の経歴を紹介し、原告の性格を意欲的で活発なものと評した上で、「おそらく完璧主義者で、自分が一生懸命やれば成果が出ると信じていたのかもしれません。」、「里子の態度や能力に不満がたまっていたのだと思います。」などの精神科医の発言を引用しながら、原告の当時の心理状態を推測し、原告が里子を引き取りながらこれを虐待するに至った動機について、「子供に期待しすぎた"親"の悲劇だとすれば、"身近"な話かもしれないし、里子をうまく育て、自分のキャリアアップのために"利用"しようとしたのだとすれば、鬼である。」との推測と評価を述べて締め括るという構成になっている。
　以上のような本件記事の全体的な構成、特に、本件記事の冒頭において、原告が逮捕された事実と被疑事実の罪名を記載しているにすぎず、それに続く本件記事の大部分は、原告が犯人であるとした場合の虐待の理由や動機を推測することに費やされていること、本件被疑事実の具体的な内容やそれと原告との結びつきなどには一切触れられておらず、被告において原告が逮捕されたという事実以外の独自の根拠に基づいて原告を犯人と断定したものと読める記載はないことからすると、一般の読者の普通の注意と読み方によれば、本件記事は、本件被疑事実により原告が逮捕されたことを契機として、原告の里子に対する虐待が事実であると仮定した場合のその理由や動機を推測することを主題とするものであって、原告の本件被疑事実への関わりについては、原告が本件被疑事実により逮捕されたということ以上に、原告がその犯人であるとの事実までも摘示するものではないと認めるのが相当である。」、「以上によれば、本件記事は、原告について、本件被疑事実により逮捕されたとの事実を摘示するものであり、一般の読者に対し、その旨の印象を与えるものであるから、この点において、原告の社会的評価を低下させるものというべきであり…原告の主張は理由がある。」

　〔公共の利害に関する事実、公益を図る目的、真実性・相当性〕
　「本件記事は、原告が本件被疑事実により逮捕されたとの事実を摘示するものであるところ、当該事実は、犯罪行為に関する事実であるから、公共の利害に関する事実に係り、被告が本件記事を掲載した目的は、専ら公益を図ることにあったものと認められる。
　そして…原告が本件被疑事実により逮捕されたことは真実であるから、被告が本件記事を掲載した行為は、名誉毀損の違法性を欠くものというべきである。」

1 プロバイダ責任制限法名誉毀損・プライバシー関係ガイドライン　495

番　　　号	D038	事件名	
キーワード	SNS、リツイート、社会的評価の低下		
被 侵 害 者	不起訴処分を受けた被疑者		
裁　判　所	東京地裁	日付	H26.12.24	種別	判決
審級関係等			
G　L　頁	27頁		
判　例　集	判例集未登載		

〔事案〕
　原告（反訴被告）らが、ソーシャルネットワーキングサービス上で被告（反訴原告）らの名誉を毀損したなどとして、反訴として、原告らに対し、不法行為に基づき、損害賠償を請求した事案

〔主文〕
　損害賠償認容（リツイート部分）

〔要旨〕
　「原告らは、平成23年12月3日から平成24年3月23日までの間、ツイッター上に、被告Y1について「体調不良で寝ていた女を強姦して逃走し」、「大阪の強姦謝罪男」といった、強姦犯人であることを指摘するツイートやリツイートを掲載したことが認められるところ、これが被告Y1に対する社会的評価を低下させることは明らかである上…裁判所提出書面の場合と異なり、そのような事実を摘示することに合理的な理由はない。」

番　　号	D039	事件名				
キーワード	ランキング記事（ウェブ）、社会的評価の低下、発信者情報開示					
被侵害者	住宅リフォーム会社					
裁　判　所	東京地裁	日付	H27.08.20	種別	判決	
審級関係等						
Ｇ　Ｌ　頁	－					
判　例　集	判例集未登載					

〔事案〕
　ウェブサイトに掲載されたランキング記事によって人格権が侵害されたとする原告が、プロバイダである被告に対し、発信者情報の開示を請求した事案
〔主文〕
　発信者情報開示認容
〔要旨〕
　「本件ランキング記事の内容は…一般の読者の普通の注意と読み方を基準とすれば、本件ランキング記事は、外壁塗装リフォームに定評のある28の業者について利用者にアンケートを実施し、これを点数化した結果、「X社」について、品質サービス及びアフターサービスの項目について最低点である1点が付けられ、合計点として28業者中の最低点である9点が付けられたという事実を摘示するものであると認められる。そして、こうした事実の摘示は、「X社」が、外壁塗装リフォームの利用者から品質サービス及びアフターサービスについて厳しい評価を受けており、さらに、上記28業者の中でそのサービスの内容について最も低く評価されているとの印象を読者に与えるものといえる。そして、本件ランキング記事の「X社」の記載には原告のウェブサイトへのハイパーリンクが設定されていること…、「X社」は原告の商号の要部であることからすれば、一般の読者が「X社」が原告であると同定することは容易である。
　よって、本件ランキング記事は、リフォーム業者である原告の社会的評価を低下させるものというべきであり、原告の名誉権を侵害するものと認められる。」

1 プロバイダ責任制限法名誉毀損・プライバシー関係ガイドライン　497

番　　　号	D040	事件名	
キーワード	電子掲示板、社会的評価の低下、リンク掲載		
被 侵 害 者	ウェブサービス会社		
裁　判　所	東京地裁	日付	H28.07.21	種別	判決
審級関係等			
G　L　頁	27頁		
判　例　集	判例集未登載		

〔事案〕
　原告が、被告がハイパーリンクを設定した記事を電子掲示板に投稿したことにより社会的評価・信用等を低下させられたと主張して、不法行為に基づく損害賠償を請求した事案
〔主文〕
　損害賠償認容
〔要旨〕
　「本件投稿の「http://《省略》」との部分にはハイパーリンクが設定されており、この部分をクリックすると…本件リンク先記事…を見ることができることが認められる。
　被告は、本件リンク先記事は他人が書いたものであると主張しており、本件リンク先記事の内容について被告が名誉毀損の責任を負うものではないと主張するものと解される。
　もっとも、本件投稿にはハイパーリンクが設定されていて、リンク先の具体的で詳細な記事の内容を見ることができる仕組みになっているのであるから、本件投稿を見る者がハイパーリンクをクリックして本件リンク先記事を読むに至るであろうことは容易に想像できる。そして、被告は、意図的に本件リンク先記事に移行できるようにハイパーリンクを設定表示しているのであるから、本件リンク先記事を本件投稿に取り込んでいると認めることができる。
　したがって、本件投稿による名誉毀損の成否については、本件投稿自体に加えて本件リンク先記事の内容も加えて検討すべきである。」、「本件投稿が「○○サイトは、…悪徳業者が運営してるようです。」としていること、本件リンク先記事が「同じ住所で多数の悪徳商法の会社がヒットします。」「物件も犯罪者組織に利用されているみたいですね。」「株式会社を名乗るが登記はありませんね。」などとしていることが認められる。
　悪徳とは、道義に背いた不正な行為をいい、悪徳商法とは悪質な者が不当な利益を得るような、社会通念上問題のある商売方法をいうところ…本件リンク先記事を含む本件投稿により、本件サイトを運営する原告が、登記のない架空の会社で犯罪にも関与している、悪徳商法を行っている会社や悪徳業者であるという事実の摘示がされているといえる。」、「この点、被告は、原告の活動のあり方、経営者の事業に関して、様々な疑問が存在することから、被告の書き込みは、原告の信用や社会的評価を低下させるものではないと主張する。
　確かに…原告については、会社の存在、活動のあり方などについて疑問が呈されていること、これらの記事が相当数閲覧されていることが認められる。
　かかる事実によれば、本件投稿がなくても原告の信用や社会的評価がある程度低下していたことは認められるものの、本件投稿により低下する余地がないほどに低下していたとまでは認められない。」、「よって、本件投稿により、原告の社会的評価が低下させられたものといえ、本件投稿は名誉毀損行為に当たる。」

番　　　号	D041	事件名	
キーワード	SNS、拡散、社会的評価の低下		
被 侵 害 者	大学教授		
裁 判 所	大阪地裁	日付	H28.11.30	種別	判決
審級関係等			
Ｇ　Ｌ　頁	27頁		
判　例　集	判例集未登載		

〔事案〕
　大学教授である原告が、講義時に「阪神タイガースが優勝すれば無条件で単位を与える。」という発言をしていないのに、大学生である被告により、原告が本件発言をした旨をインターネット上に投稿され、それが広く取り上げられたために精神的苦痛を被ったと主張して、不法行為に基づく損害賠償を請求した事案

〔主文〕
　損害賠償認容

〔要旨〕
　「本件投稿により、原告が実際に本件講義で本件発言をし、大学教授として正しい成績評価をしていないと受け取った者が一定数はいるものと解される。したがって、被告が本件投稿をした行為は、原告の社会的評価を低下させ、名誉を毀損する不法行為に当たるものといえる。」

番　　　号	D042	事件名	
キーワード	電子掲示板、アイデンティティ権、社会的評価の低下、なりすまし		
被 侵 害 者	一般私人		
裁　判　所	大阪地裁	日付	H29.08.30	種別	判決
審級関係等			
Ｇ　Ｌ　頁	26頁		
判　例　集	判例集未登載		

〔事案〕
　原告が、被告が原告になりすましてインターネット上の掲示板に第三者を罵倒するような投稿等を行ったことにより、原告の名誉権、プライバシー権、肖像権及びアイデンティティ権を侵害されたなどとして、不法行為に基づき、損害賠償を請求した事案
（肖像権・なりすましの観点では、裁判例要旨－プライバシー編－P059）
〔主文〕
　損害賠償認容
〔要旨〕
　〔名誉毀損〕
　「被告は、原告が本件サイトにおいて使用していた「C」というアカウント名と同一のアカウント名を本件アカウントで設定し、原告の顔写真を使用して本件投稿を行ったことが認められる。
　これらによれば、一般の閲覧者の普通の注意と読み方を基準にすれば、本件投稿は、原告によって行われたと誤認されるものであると認めるのが相当である。」、「被告は、平成27年5月18日、他の利用者に対し、「ザコなんですか。」（同日午前11時26分）、「ザコを片っ端からアク禁した」（同日午前11時55分）、「みんなキチガイなんだから仲良くしましょう」（同日午後3時10分）、「キチ集団w」（同日午後3時13分）などと投稿したこと、アカウント名「F」の利用者に対し、「Fおばあちゃんは得に念入りにアク禁しました」（同日午前11時55分）、「妄想おばあちゃん全開ですよ〜」、「カスにはカスアバお似合いです〜」（同日午前12時6分）、「Fおばあちゃんの性格の醜さが伺えるぞ」（同日午前12時57分）、「お前の性格の醜さは、みなが知った事だろう」（同日午後3時8分）、「妄想ババアは2ちゃん坊を巻き込んでやるなよ」（同日午後3時21分）などと投稿したことが認められる。
　これらの投稿は、いずれも他者を侮辱や罵倒する内容であると認められ、前記(1)のとおり、原告による投稿であると誤認されるものであることと併せ考えれば、第三者に対し、原告が他者を根拠なく侮辱や罵倒して本件掲示板の場を乱す人間であるかのような誤解を与えるものであるといえるから、原告の社会的評価を低下させ、その名誉権を侵害しているというべきである。」

番　　　号	D043	事件名				
キーワード	電子掲示板、なりすまし、社会的評価の低下、発信者情報開示					
被 侵 害 者	芸能人					
裁 判 所	東京地裁	日付	H29.09.27	種別	判決	
審級関係等						
G　L　頁	－					
判　例　集	判例集未搭載					

〔事案〕
　声優・俳優業を営む原告が、原告の顔写真を使用して電子掲示板に他人を誹謗中傷する投稿記事を掲載した行為が原告の名誉を毀損するとして発信者情報の開示を請求した事案
〔主文〕
　発信者情報開示認容
〔要旨〕
　「本件記事1・第1及び本件記事1・第2では、IDに原告の氏名をローマ字表記したCが用いられていて、プロフィール画像として原告の写真が表示されていること《証拠略》からして、これらの記事を閲覧した一般の閲覧者は、これらの記事を原告が投稿をしたものと理解する可能性が高い。」、「本件記事1・第1の「バカすぎるんで自分では選ばないことだな」との表現は他人を侮辱する表現であるといえるし、本件記事1・第2の「お前の顔&髪型で帽子なんか被っても無駄だから」との表現は他人を侮辱する趣旨を含み、質問に対して攻撃的な回答をする旨の表現であるといえる。そうすると、本件記事1・第1及び本件記事1・第2の記事を投稿することによって、原告が掲示板で侮辱的表現を含んだ攻撃的な投稿をするような人物であるとの事実を摘示したと評価でき、これにより、原告がそのような言動をする人物であるとして、その社会的評価が低下した可能性が高いというべきである。」、「被告は、IDに「busaiku」（ぶさいく）、「wakigaa」（わきが）と表記されているから他人による冒用であることが明らかである旨主張するが、自虐的なIDを用いる者がないとはいえないこと、IDに原告の写真が表示されることに照らすと、一般の閲覧者をして、原告による投稿であると認識する可能性が高いというべきである。
　なお、本件記事1・第1及び本件記事1・第2について、ID及び写真が表示される状況を利用していること並びに同ID及び写真は本件記事1・第1及び本件記事1・第2の投稿に先立って投稿されたことがうかがわれる。しかし、投稿記事にリンクが貼られている際にリンク先の記載内容をも考慮して権利侵害の有無を検討するのが相当であるのと同様に、ID及び写真が表示される状況を利用していることを考慮して権利侵害の有無を検討するのが相当である。したがって、ID及び写真の投稿が本件記事1・第1及び本件記事1・第2の投稿に先立ってされたとしても、本件記事1・第1及び本件記事1・第2によって、原告が掲示板で侮辱的表現を含んだ攻撃的な投稿をするような人物であるとの事実を摘示され、名誉毀損による権利侵害があるという結論を左右しないというべきである。」、「以上から、本件記事1・第1及び本件記事1・第2により、原告について、権利が侵害されたことが明らかであるときに該当するというべきである。」

1 プロバイダ責任制限法名誉毀損・プライバシー関係ガイドライン

番　　　号	D044	事件名	保守速報事件（第一審）			
キ ー ワ ー ド	まとめブログ（まとめサイト）、ヘイトスピーチ					
被 侵 害 者	フリーライター					
裁　判　所	大阪地裁	日付	H29.11.16	種別	判決	
審 級 関 係 等	D045の原審					
Ｇ　Ｌ　頁	-					
判　例　集	判時2372号59頁					

〔事案〕
　在日朝鮮人フリーライターの原告が、インターネット上に原告に関する投稿の内容をまとめたブログ記事を掲載した被告の行為は名誉毀損に当たり、精神的苦痛を被ったとして慰謝料等の支払を求めた事案

〔主文〕
　損害賠償請求一部認容

〔要旨〕
　「前提事実(2)ウ及び《証拠略》によれば、被告は、本件各ブログ記事の相当数の表題について、原告関連投稿及び原告ツイートの一部を引用した上、原告関連投稿及び原告ツイートにはない「トンスル」等の原告に対する人種差別に当たる用語や、「←え？祖国に留学って？？翻訳記者なのに朝鮮語出来ない！？」（ブログ記事㉔）など原告を揶揄する趣旨の文言を追加して作成したことが認められる。
　また、被告は、表題に続くレス又は返答ツイートにおいて、Ｄのスレッド又は原告のツイッターに掲載されていたものを単純に引用しただけではなく、引用するレス又は返答ツイートの数を少なくすることにより全体の情報量を減らした上、レス又は返答ツイートの順番を並べ替え、その表記文字を拡大したり色付けしたりするなどの加工を行って強調したことが認められる。
　以上のような被告による表題の作成、情報量の圧縮、レス又は返答ツイートの並べ替え、表記文字の強調といった行為により、本件各ブログ記事は、引用元の投稿を閲覧する場合と比較すると、記載内容を容易に、かつ効果的に把握することができるようになったというべきである。
　また、前提事実(2)アのとおり、本件各ブログ記事は、インターネットという不特定多数の者が瞬時に閲覧可能な媒体に掲載されたことに加えて、《証拠略》によれば、ブログ記事㉑及び㉖については掲載から約1週間で約400〜600のコメントが寄せられており、Ｃには相当数の読者がいると認められることなどに鑑みると、本件各ブログ記事の内容は、Ｄのスレッド又は原告のツイッターの読者以外にも広く知られたものになったといえる。」
　「これらの事情を総合考慮すると、本件各ブログ記事の掲載行為は、引用元のＤのスレッド等とは異なる、新たな意味合いを有するに至ったというべきである。
　そうすると、被告がブログ記事⑩、⑯、⑰、㉕、㉙、㉛、㉟、㊲、㊴、㊶及び㊺を掲載した行為は、原告の社会的評価を新たに低下させたものと認められ、また、原告は本件各ブログ記事を閲覧しているから《証拠略》、被告による本件各ブログ記事の掲載行為により新たに侮辱、人種差別及び女性差別を受けたと認めるのが相当である。」

番　　　号	D045	事件名	保守速報事件（控訴審）		
キーワード	まとめブログ（まとめサイト）、ヘイトスピーチ、表現行為の一体性、新たな文書の配布				
被侵害者	フリーライター				
裁判所	大阪高裁	日付	H30.06.28	種別	判決
審級関係等	D044の控訴審				
ＧＬ頁	－				
判例集	判例集未登載				

〔事案〕
　在日朝鮮人フリーライターの原告（被控訴人）が、インターネット上に原告に関する投稿の内容をまとめたブログ記事を掲載した被告（控訴人）の行為は名誉毀損に当たり、精神的苦痛を被ったとして慰謝料等の支払を求めた事案

〔主文〕
　控訴と附帯控訴をいずれも棄却（原審は損害賠償請求一部認容）

〔要旨〕
　「控訴人は、本件各ブログ記事は複数の第三者による複数のレスで構成されており、各ブログ記事単位で集合体として一体をなしているわけではないから、各レスの表現が名誉毀損に当たるとしても、ブログ記事全体が名誉毀損に当たるわけではない旨主張し…、侮辱、人種差別及び女性差別についても同様に主張する…。
　しかし、本件各ブログ記事は、控訴人がその相当数の表題を作成し、その表題の下に、Ｄのスレッド又は被控訴人のＩに掲載されていたレス又は返答ツイートからごく一部を選択した上で、順番を並べ替え、表記文字を拡大・色付けするなどの加工をして編集・掲載したものである…。すなわち、本件各ブログ記事は、控訴人が一定の意図に基づき新たに作成した一本一本の記事（文書）であり、引用元のＤのスレッド等からは独立した別個の表現行為である。
　したがって、本件各ブログ記事は、各ブログ記事ごとに一体のものとして評価されるべきである。各ブログ記事の各レスにつき、名誉棄損や侮辱等に当たるかを判断するからといって、それは、各レスを個別にみるものではなく、当該レスを含むブログ記事が名誉棄損や侮辱等に当たるかを判断するものである。」
　「控訴人は、保守速報はＤの情報のまとめサイトであり、本件各ブログ記事はＤの記載内容以上の情報を伝えるものではないなどとして、本件各ブログ記事の掲載行為が新たな意味合いを有するものではない旨主張する…。
　しかし、アのとおり、本件各ブログ記事は、控訴人が一定の意図に基づき新たに作成した記事（文書）であり、引用元のＤのスレッド等からは独立した別個の表現行為である。その素材はＤにあるとしても、情報の質、性格は変わっている。本件各ブログ記事は、引用元の投稿を閲覧する場合より記載内容を容易かつ効果的に把握することができるようになっている…上、甲２と甲33の各枝番の書証を対比すれば明らかなように、読者に与える心理的な印象もより強烈かつ扇情的なものになっているというべきである。そして、Ｄの読者とは異なる新たな読者を獲得していることも否定し得ない。
　このように、本件各ブログ記事の掲載行為は、新たな文書の「配布」であり、新たな意味合いを有する。
　よって、控訴人の上記主張は採用することができない。」
　「控訴人は、被控訴人の社会的評価の低下や名誉感情の侵害は、Ｄにおいて元のレスを閲読し得る状態になった時点で発生しており、控訴人の各記事は、被控訴人の社会的評価を新たに低下させるなどすることはないと主張する…。
　しかし、保守速報には相当数の読者がいると認められる…上、保守速報とＤとではその読者層も異なっている《証拠略》から、本件各ブログ記事の掲載は、新たにより広範に社会に情報を広めたものといえる。したがって、控訴人が各ブログ記事を掲載した行為は、その内容によっては、被控訴人の社会的評価をより低下させたものと認められる。
　控訴人は、Ｄを我が国最大のインターネット掲示板と主張する。

1　プロバイダ責任制限法名誉毀損・プライバシー関係ガイドライン　503

　そうであるとしても、Ｄは、極めて多数のカテゴリー及びジャンルに区分された掲示板サイトであり、書き込みや閲覧は、各ジャンルに属する話題ごとにさらに細かく分けられたスレッドにおいて行われている《証拠略》。あるスレッドの読者が当然に別のスレッドの読者でもあるなどという関係にはない。すなわち、Ｄ全体の読者と本件各ブログ記事で引用されたレスが書き込まれていたスレッド（本件スレッド）の読者とは同一なわけではない。そうすると、本件スレッドの読者が保守速報の読者に比較して格段に多いなどと即断することはできない。
　よって、控訴人の上記主張はいずれの意味でも採用することができない。」

番　　号	D046	事件名			
キーワード	SNS、国会議員による投稿、ヘイトスピーチ、意見・論評				
被侵害者	政治活動家				
裁　判　所	東京高裁	日付	H30.03.07	種別	判決
審級関係等					
G L 頁	－				
判　例　集	裁判所ウェブサイト				

〔事案〕
　政治活動家である原告（控訴人）が、参議院議員である被告（被控訴人）のツイッターへの投稿記事によって名誉を毀損されたとして、不法行為に基づき損害賠償を求めた事案
〔主文〕
　損害賠償請求棄却
〔要旨〕
　「控訴人は、被控訴人は、控訴人の存在そのものを否定し、差別に寄生して生活しているなどという、およそ個人に対して許されない表現をしたのであるから、意見ないし論評の域をはるかに超え、違法であると主張する。」
　「控訴人は、平成18年12月の在特会設立当初から平成26年頃までの間、その会長を務め《証拠略》、行動保守の代表も務めていること《証拠略》、控訴人は、「A」の筆名で「大嫌韓時代」や「在特会とは『在日特権を許さない市民の会』の略称です！」等の著作活動を行っているところ《証拠略》、控訴人の収入の大部分が同著作物に係る印税によることを自認していること、行動保守は、平成28年4月17日午後0時30分から岡山市内で本件デモを行うことを企画し、一般に参加を呼びかけたこと《証拠略》、控訴人は、同月8日、被控訴人が本件デモをヘイトデモだと言っている等の被控訴人を批判する内容のツイートをしたこと《証拠略》、被控訴人は、同月10日、本件デモに関する第三者のツイート上の発言《証拠略》を踏まえて、本件ツイートをしたこと《証拠略》、本件ツイートのうち、本件発言1は、大要「控訴人の存在がヘイトスピーチ＝差別煽動そのものです。」との記載であり、本件発言2は、本件発言1に続けて、「差別に寄生して生活を営んでいるのですから論外です。」との記載であること、本件ツイートに対して、「リツイート」及び「いいね」等の具体的な反響があったほか《証拠略》、その性質上、不特定多数人による閲読がされたことがうかがわれること、同年5月24日、差別的言動解消法が国会で成立し、同年6月3日、公布され、同日施行されたこと《証拠略》、同法は、その前文において、「我が国においては、近年、本邦の域外にある国又は地域の出身であることを理由として、適法に居住するその出身者又はその子孫を、我が国の地域社会から排除することを煽動する不当な差別的言動が行われ、その出身者又はその子孫が多大な苦痛を強いられるとともに、当該地域社会に深刻な亀裂を生じさせている。もとより、このような不当な差別的言動はあってはならず、こうした事態をこのまま看過することは、国際社会において我が国の占める地位に照らしても、ふさわしいものではない。ここに、このような不当な差別的言動は許されないことを宣言するとともに、更なる人権教育と人権啓発などを通じて、その理解と協力を得つつ、不当な差別的言動の解消に向けた取組を推進すべく、この法律を制定する。」と述べるとともに、第3条において、「国民は、本邦外出身者に対する不当な差別的言動の解消の必要性に対する理解を深めるとともに、本邦外出身者に対する不当な差別的言動のない社会の実現に寄与するよう努めなければならない。」と定めていること《証拠略》、被控訴人は、参議院法務委員会理事として同法の成立に関与するとともに、平成29年4月20日開催の参議院法務委員会の質疑において、本件デモの実施状況に触れ、本件デモにおいて、拉致問題の解決というテーマを掲げつつも実際にはひどいヘイトスピーチを繰り返したことを指摘し、これを批判したこと《証拠略》等の事実が認められる。
　以上について、前記認定に係る本件ツイートが投稿された経緯に加えて、控訴人と被控訴人の関係を考慮し、一般の閲読者において従来の控訴人及び被控訴人のツイートの内容等を閲読し得たことを踏まえ、一般の閲読者の普通の注意と読み方を基準にすると、本件発言1及び本件発言2の記載は、控訴人がこれまで在特会や行動保守の活動を通じて在日朝鮮人及

び在日韓国人に対するヘイトスピーチや差別を扇動する言動を繰り返しており、同ヘイトスピーチや差別的扇動の中心的ないし象徴的存在であり、同ヘイトスピーチや差別的扇動による収入に依拠して生活を営んでいるものであるとの事実を摘示しているものと解することができる。
　そして、被控訴人は、本件ツイートによって、控訴人による同ヘイトスピーチや差別的扇動が到底許されないものであるという批判的意見ないし論評を表明したものと認められる。」
　「そうすると、本件発言1及び本件発言2は、その発言内容から控訴人の社会的評価を客観的に低下させるものと一応いうことができるものの、前記認定事実によると、本件発言1について、その発言が前提とする事実の重要な部分について真実であると認められる。また、本件発言2についても、控訴人がその生活を営むに際しての収入源及び収入金額について詳らかでない点はあるものの、控訴人において、その収入の大部分が「大嫌韓時代」などの著作物の印税によることを自認しているところ、同著作物は控訴人の言論活動において中核を占めるものであって、ヘイトスピーチや差別的扇動と関係がないとはいえないから、結局のところ、その発言が前提とする事実の重要な部分について真実であると認められる（また、仮に、そうでないとしても、被控訴人において真実であると信ずるにつき相当な理由があると認められる。)。
　そして、被控訴人の国会議員としての立場や言論内容、これまでの控訴人と被控訴人の関係等を踏まえると、本件発言1及び本件発言2は、専ら人身攻撃に及ぶことを目的としてされたとは認められず、意見ないし論評の域を超えるものとはいえない。
　以上のとおり、本件発言1及び本件発言2は、いずれも違法とは認められない。」

番　　　号	D047	事件名	
キーワード	SNS、知事による投稿、意見・論評、社会的評価の低下、公共の利害に関する事実、公益を図る目的、真実性、相当性		
被侵害者	府知事		
裁　判　所	大阪地裁	日付	H30.09.20	種別	判決
審級関係等			
G　L　頁	－		
判　例　集	判タ1457号163頁		

〔事案〕
　大阪府知事である原告が、新潟県知事であった被告のツイッターへの投稿記事によって名誉を毀損されたとして、不法行為に基づき損害賠償を求めた事案
〔主文〕
　損害賠償請求一部認容
〔要旨〕
　〔社会的評価の低下〕
　「前記争いのない事実等によれば、被告は、平成29年10月29日午後4時48分頃、ツイッター上に、『因みにこの『高校』は大阪府立高校であり、その責任者はBさんの好きなAのXさんであり、異論を出したものを叩きつぶし党への恭順を誓わせてその従順さに満足するという眼前の光景と随分似ていて、それが伝染している様にも見えるのですが、その辺全部スルー若しくはOKというのが興味深いです』と記載した記事の本件投稿をしたことが認められる」、「そうすると、本件投稿部分は、これを見た一般の閲覧者の普通の注意と読み方とを基準にすれば、原告が党内においては独裁者であるかのごとく振る舞っているとの印象を抱かせるものであるから、原告の社会的評価を低下させることは明らかである。」
　〔公共の利害に関する事実・公益を図る目的〕
　「本件投稿は、大阪府立高校の問題とAで起こった問題があったところ、大阪府の代表が大阪府知事である原告であり、Aの代表も原告であったことから、被告は、両問題の最終的な責任者がいずれも原告であると考え、両問題を関連付けて本件投稿を行ったものであると推認される。また、原告も、公共の利害に関する事実及び公益目的について争っていないものと認められる」、「そうすると、本件投稿は、公人たる原告の所属する党での振る舞いについて論評するものであるから、公共の利害に関する事実に係り、かつ、その目的が専ら公益を図ることにあったことが認められる。」
　〔真実性・相当性〕
　「被告は、本件投稿部分が前提としている事実は、CがD議員をツイッター上で複数回にわたって罵倒するという事態に対し、原告は、代表者としてその事態を知って止め得る立場であったにもかかわらず、Cに公衆の面前で罵倒を行うべきではない旨申し入れたり、党に対する不当な介入であり、そのような罵倒には一切左右されない旨公表してD議員の名誉を守ったりすることなく看過したというものである旨主張するため、当該事実の重要な部分が真実であるか否か又は真実であると信ずる相当の理由があるか否かを検討する。」、「前記争いのない事実等及び前記認定事実によれば、原告が、現職の大阪府知事であり、Aの代表であること…、本件投稿よりも前に、CがD議員をツイッター上で罵倒し、両者間で言い争いになっていたこと、Cは、Aの創設者であるが、2年以上前に政界を引退し、本件投稿当時はAに所属しておらず、Aの法律顧問という立場であったこと…、本件投稿後の平成29年10月30日にD議員がAに離党届を提出したこと…、それに対してAの幹事長が離党を慰留したこと…、原告がCに公衆の面前で罵倒を行うべきではない旨申し入れたり、そのような罵倒には一切左右されない旨公表してD議員の名誉を守ったりしなかったこと…がそれぞれ認められる。」、「しかしながら、何もしないということと、看過・容認しているということとは、事実としては異なるものである。所属議員がそのツイッター上での発言に対して第三者から罵倒される事態が生じたとしても、それは私人間の問題であり、議員が所属する党の代表者において、罵倒した第三者に対して罵倒すべきでない旨申し入れたり、党に対する不当な介入であり、そのような罵倒には一切左右されない旨公表して所属議員の名誉を守ったりする

1 プロバイダ責任制限法名誉毀損・プライバシー関係ガイドライン

などして、私人間の問題に対して何らかの行動を取ることが求められるわけではないから、その代表者が何らかの行動を取らなかったとしても、その代表者が事態を看過・容認していたと評価されるものではない。」、「そうすると、Aに所属するD議員のツイッター上での発言に対してCが罵倒したとしても、それは私人間の問題であって原告に何らかの行動を取ることが求められるわけではなく、原告がCに公衆の面前で罵倒を行うべきではない旨申し入れたり、党に対する不当な介入であり、そのような罵倒には一切左右されない旨公表してD議員の名誉を守ったりしなかったとしても、原告が看過・容認していたとの事実が真実であったとは認められない。本件投稿後の事情ではあるが、離党届を提出したD議員に対してAの幹事長が慰留していること…も、原告がCの行為を看過・容認していたわけではないことを一定程度裏付けるものといえる。」、「また、通常の注意を払えば、D議員のツイッター上での発言に対してCから罵倒されるという私人間の問題に対し、原告がCに対して罵倒すべきでない旨申し入れたり、党に対する不当な介入であり、そのような罵倒には一切左右されない旨公表してD議員の名誉を守ったりするなどしなかったからといって、直ちに原告がその問題を看過・容認していることにはならないことは理解し得るものである。ましてや、本件投稿当時、新潟県知事であった被告が、党の所属議員と第三者との間の私人間の問題に代表者が何らかの行動を取らなかった場合、代表者が看過・容認しているとの評価を受けると信じる相当な理由があったと認めるに足りる証拠はない。そうすると、原告が看過・容認していたとの事実が真実であると信ずる相当な理由があったとは認められない。」

裁判例要旨

－ プライバシー編 －

番　　　号	P 001	事件名	香水風呂事件			
キーワード	写真雑誌、肖像権、入浴客、報道					
被 侵 害 者	一般私人					
裁 判 所	東京地裁	日付	S 31.08.08	種別	判決	
審級関係等						
G　L　頁	21頁					
判 例 集	下民集7巻8号2125頁、判時92号16頁					

〔事案〕
　サービスガールのいる「香水風呂」の入浴客をこれから報道写真の撮影が行われる旨アナウンスした上で撮影し、この写真を写真雑誌に「ボンヤリ順番を待つ肥った人の表情、真中にいる半裸のサービスガールが一寸エロティックでおもしろい」というキャプション付きで掲載されたことに対し、被撮影者がカメラマンと雑誌発行人、温泉会社に損害賠償請求した事案

〔主文〕
　棄却

〔要旨〕
　「原告等［被掲載者］が撮影されることを欲せず、これを拒否し、或いは避けようとすれば、十分その機会があったであろうこと、また右撮影の状況よりして、右撮影が報道のためであり、写真が或いは公表されるであろうことは認識し得たであろうことを認めることができる。」「原告等は自己の姿態が撮影された時には公表されることもあるであろうことを黙認したものであり、且つ公表された雑誌の性質及びその方法が特に不穏当であることも認められないので、右撮影公表を以て被告等［雑誌発行人、温泉会社］の不法行為であるとする原告等の主張は理由がない。」

1 プロバイダ責任制限法名誉毀損・プライバシー関係ガイドライン

番　　　号	P002	事件名	「宴のあと」事件		
キーワード	モデル小説、プライバシー総論、私生活上の事実				
被 侵 害 者	元都知事選候補者				
裁 判 所	東京地裁	日付	S 39.09.28	種別	判決
審級関係等					
G　L　頁	9頁				
判　例　集	判時385号12頁				

〔事案〕
　モデル小説において元都知事選候補者と料亭経営者の男女関係を寝室をのぞき見したかのように描写したことがプライバシー侵害に当たるとして、元都知事選候補者が損害賠償等を請求した事案
〔主文〕
　損害賠償請求認容
〔要旨〕
　「プライバシーの侵害に対し法的な救済が与えられるためには、公開された内容が（イ）私生活上の事実または私生活上の事実らしく受け取られるおそれのあることがらであること、（ロ）一般人の感受性を基準にして当該私人の立場に立つた場合公開を欲しないであろうと認められることがらであること、換言すれば一般人の感覚を基準として公開されることによつて心理的な負担、不安を覚えるであろうと認められることがらであること、（ハ）一般の人々に未だ知られていないことがらであることを必要とし、このような公開によつて当該私人が実際に不快、不安の念を覚えたことを必要とするが、公開されたところが当該私人の名誉、信用というような他の法益を侵害するものであることを要しないのは言うまでもない。」

510　第4　ガイドライン

番　　　号	P003	事件名	京都府学連事件		
キーワード	犯罪捜査、肖像権、第三者の顔写真、刑事事件				
被 侵 害 者	一般私人				
裁　判　所	最高裁（大）	日付	S44.12.24	種別	判決
審級関係等					
G L 頁	20頁				
判　例　集	刑集23巻12号1625頁				

〔事案〕
　公安条例違反の刑事事件において警察官の写真撮影が問題とされた事案
〔主文〕
　上告棄却
〔要旨〕
　「憲法一三条は、「すべて国民は、個人として尊重される。生命、自由及び幸福追求に対する国民の権利については、公共の福祉に反しない限り、立法その他の国政の上で、最大の尊重を必要とする。」と規定しているのであつて、これは、国民の私生活上の自由が、警察権等の国家権力の行使に対しても保護されるべきことを規定しているものということができる。そして、個人の私生活上の自由の一つとして、何人も、その承諾なしに、みだりにその容ぼう・姿態（以下「容ぼう等」という。）を撮影されない自由を有するものというべきである。これを肖像権と称するかどうかは別として、少なくとも、警察官が、正当な理由もないのに、個人の容ぼう等を撮影することは、憲法一三条の趣旨に反し、許されないものといわなければならない。しかしながら、個人の有する右自由も、国家権力の行使から無制限に保護されるわけでなく、公共の福祉のため必要のある場合には相当の制限を受けることは同条の規定に照らして明らかである。そして、犯罪を捜査することは、公共の福祉のため警察に与えられた国家作用の一つであり、警察にはこれを遂行すべき責務があるのであるから（警察法二条一項参照）、警察官が犯罪捜査の必要上写真を撮影する際、その対象の中に犯人のみならず第三者である個人の容ぼう等が含まれても、これが許容される場合がありうるものといわなければならない。」

1 プロバイダ責任制限法名誉毀損・プライバシー関係ガイドライン 511

番　　　号	P004	事件名			
キーワード	週刊誌、肖像権、家庭の機微、実名報道、公の正当な関心				
被 侵 害 者	著名人、劇画作家				
裁　判　所	東京地裁	日付	S 49.07.15	種別	判決
審級関係等					
G　L　頁	16頁				
判　例　集	判時777号60頁				

〔事案〕
　著名劇画作家の夫婦関係等の家庭問題を週刊誌が報じたことについて、当該作家がプライバシー侵害として損害賠償を請求した事案

〔主文〕
　認容

〔要旨〕
　「いかなる著名人といえども他から容喙を受けることのない私生活の平穏を享受する利益を有していることは前示したところであり、原告〔被報道者〕も右の例外とはいい得ない。もっとも著名人については事項の如何によってプライバシーの権利を放棄したと考えられる場合があり、またその社会的地位に照らし、私生活の一部が公の正当な関心の対象となる場合も考えられ、右のような場合にはプライバシーの権利の侵害を主張し得ないものと解すべきであるが、本件記事の内容をなす特定の夫婦間の問題、子供の教育方針等についての具体的な問題は元来、当該家庭の機微に属し、他人がみだりに容喙することは差控えなければならない性質のものであり、とくに本件記事のごとき体裁、内容をもって理非をあげつらうかのごときことが容認される余地は全くないといわざるを得ず、本件が右の各場合に該当するものでないことは前示したところから明白なところと考える。」

番　　　号	P 005	事件名	月刊ペン事件（上告審）		
キーワード	月刊誌、醜聞、実名報道、刑事事件				
被 侵 害 者	宗教団体会長、元国会議員				
裁　判　所	最高裁（小1）	日付	S 56.04.16	種別	判決
審級関係等					
G　L　頁	16頁				
判　例　集	判時1000号25頁				

〔事案〕
　雑誌に宗教団体会長の私生活上の不倫の事実を掲載したことが名誉毀損罪に当たるとして起訴され有罪となった刑事事件

〔主文〕
　破棄差戻し

〔要旨〕
　違法阻却事由：「被告人（雑誌編集長）がA誌上に摘示した事実の中に、私人の私生活上の行状、とりわけ一般的には公表をはばかるような異性関係の醜聞に属するものが含まれていることは、一、二審判決の指摘するとおりである。しかしながら、私人の私生活上の行状であっても、そのたずさわる社会的活動の性質及びこれを通じて社会に及ぼす影響力の程度などのいかんによっては、その社会的活動に対する批判ないし評価の一資料として、刑法二三〇条ノ二第一項にいう「公共ノ利害ニ関スル事実」にあたる場合があると解すべきである。」
　「被告人が執筆・掲載した前記の記事は、多数の信徒を擁するわが国有数の宗教団体であるBの教義ないしあり方を批判しその誤りを指摘するにあたり、その例証として、同会のC会長（当時）の女性関係が乱脈をきわめており、同会長と関係のあつた女性二名が同会長によつて国会に送り込まれていることなどの事実を摘示したものであることが、右記事を含む被告人のA誌上の論説全体の記載に照らして明白であるところ、記録によれば、同会長は、同会において、その教義を身をもつて実践すべき信仰上のほぼ絶対的な指導者であつて、公私を問わずその言動が信徒の精神生活等に重大な影響を与える立場にあつたばかりでなく、右宗教上の地位を背景とした直接・間接の政治的活動等を通じ、社会一般に対しても少なからぬ影響を及ぼしていたこと、同会長の醜聞の相手方とされる女性二名も、同会婦人部の幹部で元国会議員という有力な会員であつたことなどの事実が明らかである。このような本件の事実関係を前提として検討すると、被告人によつて摘示されたC会長らの前記のような行状は、刑法二三〇条ノ二第一項にいう「公共ノ利害ニ関スル事実」にあたると解するのが相当であつて、これを一宗教団体内部における単なる私的な出来事であるということはできない。」

1 プロバイダ責任制限法名誉毀損・プライバシー関係ガイドライン 513

番　　　号	P006	事件名				
キーワード	週刊誌、肖像権、公共の利害に関する事実					
被 侵 害 者	私立歯科大学教授					
裁　判　所	東京地裁	日付	S62.02.27	種別	判決	
審級関係等						
Ｇ　Ｌ　頁	21頁					
判　例　集	判時1242号76頁					

〔事案〕
　私立歯科大学教授が、日本のスナックで働かせるフィリピン女性を選ぶ目的でフィリピンに赴き、連日多数の女性と性行為にふけり、2名の女性を観光ビザで入国させてスナックで働かせることに関与したとの記事に合わせて、顔写真及び全裸で下着を着けようとしている写真、ベッドで複数の女性と戯れている写真等を週刊誌に掲載されたことについて（名誉毀損及び）肖像権侵害として損害賠償及び謝罪広告を請求した事案
〔主文〕
　棄却
〔要旨〕
　違法阻却事由：「かかる人格的利益の侵害があっても、右侵害行為が本件のように週刊誌による公表によってなされた場合には、憲法二一条一項の保障する表現の自由に基づく報道の自由との関係から、これが公共の利害に関する事実と密接不可分の関係にあり、その公表が右事実と一体となり専ら公益を図るために右事実をより正確に補充するためになされたもので、しかもその目的達成につき必要限度のものであるとすれば、右侵害行為は不法行為における成立要件としての違法性を欠くものに解するのが相当である。」
　本件では、記事が公共の利害に関するもので、専ら公益を図る目的によるもので、かつ摘示された事実の主要部分で真実であると認められ、記事は本文に報道の重点があり写真は記事本文の内容を補強するためのもので、一般読者にとっては大学教授がこのようなことをするとはにわかに信じられず原告（被掲載者）も否認していたことから記事がねつ造でないことを示すために写真を掲載する必要があり、これらの写真が原告のフィリピンでの行動を端的に物語るものであり記事掲載の目的をより有効に達せられ、ぼかしや黒丸で原告の顔がはっきり見えるのを避け性器を露出させないよう工夫するなど目的達成のため必要限度の配慮がなされているから違法性を欠くとした。

番　　　号	P007	事件名	「逆転」事件（控訴審）		
キーワード	ノンフィクション、実名、犯罪事実、時間の経過				
被侵害者	一般私人				
裁　判　所	東京高裁	日付	H01.09.05	種別	判決
審級関係等	P010の控訴審				
G　L　頁	24頁				
判　例　集	判時1323号37頁、判タ715号184頁				

〔事案〕
　ノンフィクション作品「逆転」において実名を使用して12年前の前科を公表したことがプライバシーの侵害に当たるとして、慰謝料を請求した事案
〔主文〕
　認容
〔要旨〕
　「一般的には、犯罪及び刑事裁判はこれを公開して社会的評価に委ねることに公共的な意義が認められ、後者は制度上も公開が保障されている事柄である。しかし、このようにいったん公表された犯罪及び刑事裁判に関する事実も、その後常にプライバシーとしての保護の対象外に置かれ、これを公然と指摘して論議の対象とすることが許されるとは限らず、事柄の性質によっては、時間の経過等によって、その秘匿が法的保護の対象となりうるものと解される。すなわち、本件におけるような犯罪ないし前科の報道と時間の経過等との関係について検討するに、犯罪ないし刑事裁判に対する社会的関心は、時の経過と犯罪者に対し処罰が行われることとによって次第に希薄になるものと考えられるところ、一般的には、このように事実上社会の関心が失われることが常にプライバシー保護の要件としての未公開性の復活や公開することの公共的意義の喪失を意味するとは必ずしもいえないとしても、前科については、それが人格の尊厳の基本に関わる情報であり、他方、犯罪によって喚起された社会的関心はこれに対する刑罰の確定と執行によって大幅に鎮静するのが通常であることからいって、犯罪者が刑の執行を受けることにより罪責を償ったのちは、その社会復帰、更生のために前科の秘匿について特に保護が与えられるべきであり、犯罪に対する社会の関心がある程度希薄になってきていると見られるような状況のもとでは、それは単に刑事政策上の要請であるにとどまらず、犯罪者自身にとってその享受を権利として求めることのできる固有の法益としてプライバシーの一部を構成するものと考えられる…。このような前科に関する情報の性質からすると、犯罪の具体的な性質内容等にもよるが、一般に、犯行当時新聞等で報道された犯罪に係る前科であっても、犯行後相当の年月が経過し、犯人に対する刑の執行も終わったときは、その前科に関する情報は、原則として、未公開の情報と同様に、かつ、正当な社会的関心の対象外のものとして取り扱われるべきであり、実名をもってその者が犯罪を犯したことを改めて指摘、公表することは、特段の事由がない限りプライバシーの不当な侵害として許されないものというべきである。」

1　プロバイダ責任制限法名誉毀損・プライバシー関係ガイドライン　515

番　　　号	P008	事件名				
キーワード	写真週刊誌、肖像権、入院中の写真、車椅子姿					
被 侵 害 者	大手消費者金融会長					
裁　判　所	東京地裁	日付	H02.05.22	種別	判決	
審級関係等						
Ｇ　Ｌ　頁	14、16、21頁					
判　例　集	判時1357号93頁					

〔事案〕
　大手消費者金融会長が写真週刊誌に入院の事実を報じられるとともに入院中の病院の廊下で車椅子に座った姿の写真を掲載されたことを肖像権及びプライバシー侵害として謝罪広告及び損害賠償を請求した事案

〔主文〕
　入院の事実報道のプライバシー侵害は棄却
　写真掲載の肖像権侵害・プライバシー侵害は認容

〔要旨〕
　①　入院の事実報道とプライバシー侵害：
　「Ａ〔被報道者〕は、肺結核でそれまでかなりの高熱を発していたのであるが、このような状態を秘匿し、静かに静養したいと考えるのは通常人の常識に照らして自然なことであり、本件記事で触れられた事項はプライバシー権の保護の対象たり得るものである。」「しかしながら、名誉毀損に関して説示したのと同様に、ここでも、言論の自由の重要性とを比較考量しなければならない。Ａは、自らの意思で企業の経営という社会的活動を行い、人々の生活に広く影響しているのであるから、Ａの健康状態も正当な公共の関心事というべきである。したがって、プライバシー権との関係でも、自由な言論を保障すべきである。」「プライバシーの侵害が違法となるかどうかは、当該事項の秘匿を期待する度合いがどの程度か、その公表による権利侵害の程度がどの位か、自ら人目を引くようなことを行うなどプライバシー権の放棄を窺わせるような事情がないかどうか、当該事項がその者の社会的活動に関係する度合いがどの程度か等を考慮し、プライバシー保護の必要性と言論の自由保護の必要性とを比較衡量して、その侵害が社会生活上受忍すべき限度を超えるかどうかを判断してこれを決すべきである。」
　Ａの健康状態については自由な報道の対象とすべき必要が相当高い反面、秘匿の必要性が非常に高いとはいえないから、違法にプライバシー権を侵害したとはいえないとした。

　②　写真掲載の肖像権・プライバシー侵害：
　「写真の撮影・頒布は、撮影された者の姿態を直截に伝え、読者に極めて強い印象を与えるものであるから、これを望まない者に対し、単に記事にされるよりも強度の苦痛を与えるものである。しかし他面、写真が正確な報道のために必要な場合も多い、そこで、写真の撮影・頒布が違法となるかどうかは、それによる肖像権・プライバシーの侵害の程度がどの位か、撮影対象事項とその者の社会的活動との関係がどの程度か、その写真撮影の場所・態様がどのようなものであるか、その写真が当該表現行為に必要不可欠なものかどうか等を併せ考慮し、肖像権及びプライバシー保護の必要性と表現の自由保護の必要性とを比較衡量して、その侵害が社会生活上受忍の限度を超えるものかどうかを判断してこれを決すべきである。」「病院の中は、患者が医師に身体を預け、秘密ないしプライバシーの細部まで晒して、その診療を受ける場所である。」「病院の中における患者の生活自体は、それが診療に関係がないと認められる特段の事情がない限り、他から侵害されてはならないものというべきである。そして、患者の肖像権についても同様というべきである。これを要するに、一般に、病院内は、完全な私生活が保障されてしかるべき私宅と同様に考えるべきである。」「報道する側からいえば…事実を丹念に摘示していけばＡの健康状態について真実がどうであるかを報道することは可能であり、本件であえてＡの写真を撮影し掲載しなければならない必要性までは認めがたいというべきである。」そして、写真撮影・掲載は違法な肖像権及びプライバシー侵害に当たるとした。

番　　号	P009	事件名				
キーワード	無断開示、氏名、勤務先名称、電話番号、マンション					
被侵害者	一般私人					
裁　判　所	東京地裁	日付	H02.08.29	種別	判決	
審級関係等						
Ｇ　Ｌ　頁	12頁					
判　例　集	判時1382号92頁					

〔事案〕
　マンションの販売業者が、購入申込書に記載された購入者の勤務先及び電話番号を、マンションの管理会社となる予定の会社に開示したことについて損害賠償を請求した事案

〔主文〕
　棄却

〔要旨〕
　①　プライバシーの保護対象：
　　勤務先の名称及び電話番号は、必ずしも私生活に限られた事実とは言いがたい面があることは否定できないが、仕事と無関係の第三者に職業及び勤務先を知られたくないと欲することは決して不合理なことではないし勤務先に第三者から予期せぬ電話等を受けたくないと欲することも同様に保護されるべき利益であるから、秘匿の意思を示している原告（情報被漏洩者）については、プライバシーに属する。

　②　違法阻却事由：
　　管理会社予定者は管理組合総会の通知及び管理上の連絡事項の伝達のため購入者の連絡先を把握する必要があり提供の目的は正当でかつ提供の必要があり、原告も含めた購入者は当該会社が管理会社となることに同意していたことから提供に異議がないと信じたことが相当である。

1 プロバイダ責任制限法名誉毀損・プライバシー関係ガイドライン 517

番　　　号	P010	事件名	「逆転」事件（上告審）		
キーワード	ノンフィクション、実名、犯罪事実				
被 侵 害 者	一般私人				
裁　判　所	最高裁（小3）	日付	H06.02.08	種別	判決
審級関係等	P007の上告審				
Ｇ　Ｌ　頁	14、15、24頁				
判　例　集	民集48巻2号149頁				

〔事案〕
　ノンフィクション作品「逆転」において実名を使用して12年前の前科を公表したことがプライバシー侵害に当たるとして、慰謝料を請求した事案
〔主文〕
　認容
〔要旨〕
　「前科等にかかわる事実については、これを公表されない利益が法的保護に値する場合があると同時に、その公表が許されるべき場合もあるのであって、ある者の前科等にかかわる事実を実名を使用して著作物で公表したことが不法行為を構成するか否かは、その者のその後の生活状況のみならず、事件それ自体の歴史的又は社会的な意義、その当事者の重要性、その者の社会的活動及びその影響力について、その著作物の目的、性格等に照らした実名使用の意義及び必要性をも併せて判断すべきもので、その結果、前科等にかかわる事実を公表されない法的利益が優越するとされる場合には、その公表によって被った精神的苦痛の賠償を求めることができるものといわなければならない。」

番　　　号	P011	事件名				
キーワード	週刊誌、広告、犯罪事実、家族の勤務先、家族の学歴、家族の職歴					
被 侵 害 者	新聞記者の妻					
裁　判　所	東京地裁	日付	H07.04.14	種別	判決
審 級 関 係 等	P013の原審					
G　L　頁	12、14、15、24頁					
判　例　集	判時1547号88頁					

〔事案〕
　破廉恥な犯罪の被疑者として逮捕された新聞記者についての週刊誌記事においてその妻の勤務先、学歴、職歴等を報道し、当該記事を新聞等で広告したことがプライバシーの侵害に当たるとして、当該妻が損害賠償を請求した事案

〔主文〕
　認容

〔要旨〕
　違法阻却事由：「一般に、犯罪事実の報道が公共の利害に関するものとされる理由は、犯罪行為ないしその容疑があったことを一般公衆に覚知させて、社会的見地からの警告、予防、抑制的効果を果たさせるにあると考えられるから、犯罪事実に関する事項であっても無制限に摘示・報道することが許容されるものではなく、摘示が許容される事実の範囲は、犯罪事実及びこれと密接に関連する事実に限られるべきである。したがって、犯罪事実に関連して被疑者の家族に関する事実を摘示・報道することが許容されるのも、当該事実が犯罪事実自体を特定するために必要である場合又は犯罪行為の動機・原因を解明するために特に必要である場合など、犯罪事実及びこれと密接に関連する場合に限られるものと解するのが相当であり、犯罪事実に関する社会公共の関心と本来犯罪行為と直接関係がない被疑者の家族のプライバシーの調整は、右の限度において図られるのが相当である。」

1　プロバイダ責任制限法名誉毀損・プライバシー関係ガイドライン　519

番　　　号	P012	事件名	「名もなき道を」事件			
キーワード	モデル小説、学歴、結婚の経緯、色覚異常、家族関係					
被侵害者	一般私人					
裁判所	東京地裁	日付	H07.05.19	種別	判決	
審級関係等	（高裁で和解）					
Ｇ　Ｌ　頁	15頁					
判例集	判時1550号49頁					

〔事案〕
　モデル小説の登場人物である原告らが学歴、結婚の経緯、医院開業の経緯、財産関係、兄の色覚異常、兄の死因、両親の結婚の経緯、家族関係等について記載されたことについて、プライバシー侵害として出版中止、謝罪広告、損害賠償を請求した事案

〔主文〕
　棄却

〔要旨〕
　「実在の人物を素材としており、登場人物が誰を素材として描かれたものであるかが一応特定しうるような小説であっても、実在人物の行動や性格が作者の内面における芸術的創造過程においてデフォルム（変容）されそれが芸術的に表現された結果、一般読者をして作中人物が実在人物とは全く異なる人格であると認識させるに至っている場合はもとより、右の程度に至っていなくても、実在人物の行動や性格が小説の主題に沿って取捨選択ないし変容されて、事実とは意味や価値を異にするものとして作品中に表現され、あるいは実在しない想像上の人物が設定されてその人物との絡みの中で主題が展開されるなど、一般読者をして小説全体が作者の芸術的想像力の生み出した創作であって虚構（フィクション）であると受け取らせるに至っているような場合には、当該小説は、実在人物に対する名誉毀損あるいはプライバシー侵害の問題は生じないと解するのが相当である。」
　「原告ら（小説のモデルとされた者）がプライバシー侵害を主張している事項のうち、原告らの学歴、原告らの結婚の経緯・原告らが妻の氏を称する婚姻をした事実、乙山医院開業の経緯・財産関係、原告花子の両親の出自・経歴・結婚の経緯等の事実は、一般人の感覚を基準にする限り、他人に知られたくない事柄であるとは認められないから、プライバシーの範囲にはあたらないものというべきである。」

番　　　号	P 013	事件名				
キーワード	週刊誌、広告、犯罪事実、家族の勤務先、家族の学歴、家族の職歴					
被 侵 害 者	新聞記者の妻					
裁　判　所	東京高裁	日付	H07.10.17	種別	判決
審級関係等	P011の控訴審					
Ｇ　Ｌ　頁	12頁					
判　例　集	判例集未登載					

〔事案〕
　破廉恥な犯罪の被疑者として逮捕された新聞記者についての週刊誌記事において、その妻の勤務先、学歴、職歴等を報道し、当該記事を新聞等で広告したことがプライバシーの侵害に当たるとして、当該妻が損害賠償を請求した事案

〔主文〕
　認容

〔要旨〕
　違法阻却事由：「ところで、プライバシーの私法的保護と表現の自由の保障との調整の見地からするとプライバシーを侵害する行為であっても、それが公共の利害に関する事実に係り、その目的が専ら公益を図るものである場合には、当該事実が真実であることの証明がされたときは、その行為に違法性がなく、また真実の証明がなくとも、行為者がそれを真実であると誤信したことについて相当の理由があるときは、右行為には故意又は過失がなく、結局、不法行為は成立しないものと解するのが相当である。」「また、公訴提起前（捜査中）の犯罪行為に関する事実の報道は、一般に公共の利害に関するものとされるが（刑法二三〇条の二第二項参照）、その趣旨は、その報道が捜査機関に犯罪の端緒を与えあるいは捜査機関に協力するとともに、これを一般公衆に覚知させて世論の監視下に置き、世論の協力と鞭撻に資するなどという公共の利益に適うものであることによると考えられ、この趣旨とプライバシーの保護の必要とを合わせ考えると、公共の利害に関する事実であるとされるのは、公訴提起前の犯罪事実それ自体及びこれに密接に関連する事実に限られるものと解するのが相当である。そうすると、公訴提起前の犯罪事実に関連する被疑者の家族に関する事実についても、それが公共の利害に関するものであるとされるのは、当該事実が犯罪行為を特定するために必要である場合又は犯罪行為の動機、原因を解明するために特に必要である場合など、犯罪事実それ自体及びこれと密接に関連する場合に限られるものといわなければならない。」

1 プロバイダ責任制限法名誉毀損・プライバシー関係ガイドライン 521

番　　　号	P014	事件名	「タカラヅカおっかけマップ」事件		
キーワード	書籍、私生活の平穏、氏名、連絡先、自宅住所、電話番号				
被 侵 害 者	芸能人、有名スター、タレント				
裁 判 所	神戸地裁尼崎支部	日付	H09.02.12	種別	決定
審級関係等					
G　L　頁	13頁				
判　例　集	判時1604号127頁				

〔事案〕
　芸能人らの自宅の地図や写真を掲載した出版物について、当該芸能人らがプライバシー侵害として出版差止めの仮処分を申し立てた事案
〔主文〕
　認容
〔要旨〕
　「有名スターないしタレントといえども、平穏に私的生活を送る上でみだりに個人としての住居情報を他人によって公表されない利益を有し、この利益はプライバシーの権利の一環として法的保護が与えられるべき」

第4 ガイドライン

番　　　号	P015	事件名	「ジャニーズ・ゴールドマップ」事件		
キーワード	書籍、私生活の平穏、氏名、連絡先、自宅住所、電話番号				
被 侵 害 者	芸能人				
裁　判　所	東京地裁	日付	H09.06.23	種別	判決
審級関係等					
G　L　頁	13頁				
判　例　集	判時1618号97頁、判タ962号201頁				

〔事案〕
　芸能人らの自宅の地図や写真を掲載した出版物よりもさらに詳細な丸秘データが掲載されると広告された出版企画について、当該芸能人らがプライバシー侵害として出版等の差止めを請求した事案
〔主文〕
　認容
〔要旨〕
　おっかけマップ（差止対象出版物とは別の書籍）が出版された後、実家について家の前に多くのファンが集まり近所から苦情が出る、写真を撮られる、郵便物を持ち去られる、自宅についてもファンが押しかける、郵便物や洗濯物が盗まれる等の被害が急増しており、「右2で認定したような私生活上の不利益を受けることを避ける権利が認められなければ、私生活の平穏が著しく害されることは明らかで、人は、このような不利益が発生するような態様で自宅や実家の所在地、電話番号を公表されない人格的権利を有し、そのような利益は、私法上保護されるものというべきである。」

1 プロバイダ責任制限法名誉毀損・プライバシー関係ガイドライン 523

番　　　　号	P016	事件名	電話帳不掲載希望者事件			
キ　ー　ワ　ー　ド	電話帳、不掲載希望、私生活の平穏、電話番号、住所					
被　侵　害　者	一般私人					
裁　判　所	東京地裁	日付	H10.01.21	種別	判決	
審　級　関　係　等						
Ｇ　Ｌ　頁	11、12頁					
判　例　集	判時1646号102頁					

〔事案〕
　NTTが、自己の氏名、住所及び電話番号の電話帳への不掲載を求めた者についても電話帳に掲載して配布したことについて、被掲載者が損害賠償等を請求した事案
〔主文〕
　損害賠償請求認容
〔要旨〕
　個人の氏名、電話番号及び住所といった情報は、その私生活の本拠である住居に関するものであること、現代社会においては、このような情報が当該個人の了解する範囲外の者の目にさらされることによって私生活上の平穏が害されるおそれが増大していることなどから、私生活上の事柄であり、原告（電話帳被掲載者）が嫌がらせ電話などで悩んだ経験を有していること、掲載を拒否していること、電話帳の掲載件数が対象件数の半数にも満たないことからから（筆者注：原文ママ）一般人の感受性を基準として原告の立場に立った場合公開を欲しない事柄であることなどから、法的に保護された利益としてのプライバシーに属する。

番　　　号	P017	事件名	「ジャニーズおっかけマップスペシャル」事件				
キーワード	書籍、私生活の平穏、氏名、連絡先、自宅住所、電話番号						
被 侵 害 者	芸能人						
裁　判　所	東京地裁			日付	H10.11.30	種別	判決
審級関係等							
Ｇ　Ｌ　頁	13頁						
判　例　集	判時1686号68頁、判タ995号290頁						

〔事案〕
　芸能人らの自宅の地図や写真を掲載した特定の出版物について、プライバシー侵害のおそれを理由に出版の差止めを請求するとともに、将来にわたり自宅又は実家の所在地を住居表示、地図等によって特定して掲載した出版物一切の出版・販売の差止めを請求した事案

〔主文〕
　認容

〔要旨〕
　「芸能人であるが故に、その職業柄、一般の人より彼らのプライバシーの範囲が狭く解される場合があるとしても、普段から喧噪状態の中に身を置くことが多い芸能人において、その自宅等の住居情報が一般に知られることを欲するはずはないのであるから、一般に芸能人がその公表を推定的にも承諾しているとはいえるはずもないし、また、芸能人であるからといってその私生活上の事実が全て公的なものになるということもできない。芸能人にとっても自宅等の住居が極めて私事性の高い空間であることは一般の人の場合と変わりがないのであって、芸能人の場合であってもやはり自宅等の住居の所在地についての情報がみだりに公表されない利益については、法的保護の対象となるものと解すべきである。」

1　プロバイダ責任制限法名誉毀損・プライバシー関係ガイドライン

番　　　号	P018	事件名	
キーワード	パソコン通信、ハンドルネーム、職業、住所、電話番号			
被 侵 害 者	眼科医			
裁　判　所	神戸地裁	日付	H11.06.23	種別	判決
審級関係等				
G　L　頁	12、13頁			
判　例　集	判時1700号99頁			

〔事案〕
　パソコン通信において、氏名やハンドルネームを用いて行動していた原告について、原告が眼科医であること、診療所の住所及び電話番号を掲示板に記載したことについて、原告が損害賠償を請求した事案

〔主文〕
　認容

〔要旨〕
　氏名、職業、診療所の住所及び電話番号は業務内容からして当然に対外的に周知されることを予定されているが職業別電話帳に掲載されていても業務と関連づけて限定的に利用されることが期待できる。「右のように個人の情報を一定の目的のために公開した者において、それが右目的外に悪用されないために右個人情報を右公開目的と関係のない範囲まで知られたくないと欲することは決して不合理なことではなく、それもやはり保護されるべき利益であるというべきである。そしてこのように自己に関する情報をコントロールすることは、プライバシーの権利の基本的属性として、これに含まれるものと解される。」ネット上の掲示板での公開は、職業別電話帳に掲載される場合とは比較にならないほど大きな悪戯電話や嫌がらせ被害発生の危険性をもたらすおそれがあることから、職業別電話帳に掲載されている職業、診療所の住所及び電話番号もプライバシーの保護対象となる。

番　　　号	P019	事件名	プロサッカー選手伝記事件（第一審）		
キーワード	伝記、実名、出生時の状況、身体的特徴、家族構成、学業成績、詩				
被 侵 害 者	著名プロサッカー選手				
裁　判　所	東京地裁	日付	H12.02.29	種別	判決
審級関係等	P021の原審				
Ｇ　Ｌ　頁	16頁				
判　例　集	判時1715号76頁				

〔事案〕
　著名プロサッカー選手が、幼い頃からの半生についての出版物の出版についてプライバシー侵害として出版の差止め及び損害賠償を請求した事案
〔主文〕
　認容
〔要旨〕
　「本件書籍の記述及び掲載された写真等のうち、原告［被報道者］がプロサッカー選手になった以降の原告に関するもの、並びに、プロサッカー選手になる以前の事項であっても、ジュニアユース等の日本代表選手として活躍した様子や、中学校及び高等学校のサッカー部での活動状況に関するものは、その少なくとも一部はこれまでに新聞、雑誌等で報道された事項であると解されるし、また、プロサッカー選手であるという原告の立場を勘案すれば、これらの事項は一般人の感性を基準として公開を欲しない事柄であるとまではいえないから、本件書籍中の右の記述は、プライバシー権を侵害するものでないということができる。これに対し、原告の出生時の状況、身体的特徴、家族構成、性格、学業成績、教諭の評価等、サッカー競技に直接関係しない記述は、原告に関する私生活上の事実であり、一般人の感性を基準として公開を欲しない事柄であって、かつ、これが一般の人々に未だ知られていないものであるということができる。そして、これが公表されたことによって原告は重大な不快感をおぼえていると認められる。さらに、幼少時代に出席した結婚披露宴でのものなど、サッカーという競技に直接関係しない写真や、本件詩についても、右と同様に解することができる。したがって、本件書籍にこれらを掲載した行為は、原告のプライバシー権を侵害するものというべきである。」

1 プロバイダ責任制限法名誉毀損・プライバシー関係ガイドライン

番　　号	P020	事件名	長良川リンチ殺人報道事件（控訴審）
キーワード	週刊誌、犯罪事実、実名類似の仮名、経歴、少年法、実名推知報道			
被侵害者	少年			
裁判所	名古屋高裁	日付	H12.06.29	種別	判決
審級関係等	P029の控訴審			
GL頁	25頁			
判例集	判時1736号35頁、判タ1060号197頁			

〔事案〕
　少年事件について、実名類似の仮名を使用して犯行態様や少年の経歴を記載した週刊誌の記事が、名誉毀損・プライバシー侵害にあたるかが争われた事件

〔主文〕
　損害賠償請求認容

〔要旨〕
　「少年法61条は、憲法で保障される少年の成長発達過程において健全に成長するための権利の保護とともに、少年の名誉権、プライバシーの権利を保護することを目的とするものであるから、同条に違反して実名等の推知報道をする者は、当該少年に対する人権侵害行為として、民法709条に基づき本人に対し不法行為責任を負うものといわなければならない。
　そして、少年法61条に違反する実名等の推知報道については、報道の内容が真実で、それが公共の利益に関する事項に係り、かつ、専ら公益を図る目的に出た場合においても、成人の犯罪事実報道の場合と異なり、違法性を阻却されることにはならないが、ただ、右のとおり保護されるべき少年の権利ないし法的利益よりも、明らかに社会的利益を擁護する要請が強く優先されるべきであるなどの特段の事情が存する場合に限って違法性が阻却され、免責されるものと解するのが相当である。
　そこで、本件において、右特段の事情が存するかどうかについて見てみるに、本件全証拠を検討してみても、本件記事2により前記認定の大阪事件、長良川事件当時満18歳の少年であった一審原告が同事件の犯人（加害者）本人と推知されない権利ないし法的利益よりも、明らかに社会的利益の擁護が強く優先される特段の事情を認めるに足りる証拠は存しない。
　そうすると、一審被告が、本件記事2で、一審原告の仮名「○○○○」を用いて、詳細な経歴等を含む大阪事件、長良川事件に関する記事を掲載したことは、少年法61条に違反し、人権侵害行為として、不法行為責任を免れないものというべきである。」

番　　　号	P021	事件名	プロサッカー選手伝記事件（控訴審）		
キーワード	伝記、実名、出生時の状況、身体的特徴、家族構成、学業成績、詩				
被 侵 害 者	著名プロサッカー選手				
裁　判　所	東京高裁	日付	H12.12.25	種別	判決
審級関係等	P019の控訴審				
G　L　頁	16頁				
判　例　集	判時1743号130頁				

〔事案〕
　著名プロサッカー選手が、幼い頃からの半生についての出版物の出版についてプライバシー侵害として出版の差止め及び損害賠償を請求した事案
〔主文〕
　認容
〔要旨〕
　「確かに、表現の自由は民主主義社会において極めて重要な意義を持ち、民主政治の基盤を成すものであるが、その保護の観点から、どの程度、範囲において個人にプライバシー権の制約を受忍させることを正当化することができるかを考えた場合に、被控訴人［被報道者］のようにプロサッカー選手として公衆の関心の対象となっている個人に関する情報を公表する行為と、国会議員等の公職者やこれらの候補者に関する情報のように、国民の政治的意思決定の前提となる情報を公開する行為とを同列に論ずることはできない。」「控訴人らは、原判決がサッカー競技と直接関係がないとした事実も、プロサッカー選手Aの重要な構成要素である同人の身体能力、精神力、技術力、判断力そしてサッカーに対する姿勢、信念等に関連する事項であるから、プライバシー権を侵害するものではない旨主張する。しかし、プロサッカー選手としての個人が同時に私生活を営む一私人でもある以上、選手としての身体能力、精神力、技術力、判断力等の要素は、同人のすべての身体的、人格的な側面と関連するから、このような事項を公表してもプライバシー権の侵害は成立しないものとすれば、事実上プロサッカー選手には保護されるべきプライバシー権がないというに等しいこととなるが、そのような広範なプライバシー権の制約を受忍させるべき合理的な根拠は見いだせない。」

1 プロバイダ責任制限法名誉毀損・プライバシー関係ガイドライン 529

番　　　号	P022	事件名	早稲田大学江沢民講演会名簿提出事件		
キーワード	無断開示、学籍番号、氏名、住所、電話番号、名簿、警視庁				
被 侵 害 者	講演会参加申込者、一般私人				
裁　判　所	東京地裁	日付	H13.04.11	種別	判決
審級関係等	P028の原審（P030、P32とは別事件）				
Ｇ　Ｌ　頁	12頁				
判　例　集	判時1752号3頁、判タ1067号150頁				

〔事案〕
　私立大学が中国主席の講演会参加申込者の学籍番号、氏名、住所及び電話番号を記載した名簿を、警備のために必要とする警視庁の要請に応じて提出したことがプライバシーを侵害したものであるとして、講演会参加申込者が損害賠償を請求した事案

〔主文〕
　棄却

〔要旨〕
　学籍番号、氏名、住所及び電話番号の記載された名簿を提出して他者に開示することはプライバシー侵害に該当するが、他人に知られたくないと感ずる度合いの低い情報であり、不利益が抽象的なものにとどまり、開示の目的が中国主席の警備に万全を期し安全を確保することにあり社会通念上正当なものであることは多言を要せず、参加者の事前把握は警備上有用であり必要なものであり、提出先も警備等にかかわる関係機関に限定されていることから違法性が阻却され、不法行為とならない。

番　　　号	P 023	事件名				
キーワード	週刊誌、教育費、住宅ローン、カードローン、生命保険料					
被 侵 害 者	財団法人常勤理事					
裁　判　所	東京高裁		日付	H 13.07.18	種別	判決
審級関係等	P 028の原審（P 030とは別事件）					
G　L　頁	16頁					
判　例　集	判時1751号75頁					

〔事案〕
　内部紛争中の財団法人の常勤理事が、週刊誌で家計における教育費、住宅ローン、カードローンの返済、生命保険料の金額等を書かれたことについてプライバシー侵害として損害賠償請求をした事案
（原審は請求認容）

〔主文〕
　棄却

〔要旨〕
　違法阻却事由：「マスメディアが表現の自由の一内容として報道の自由を保障されていることを考えるならば、マスメディアによる報道が少しでも私人のプライバシーを侵害すれば、当然これが違法であってその私人に対する不法行為となるとすることは相当ではない。このような場合には、当該報道の目的、態様その他の諸要素と当該プライバシー侵害の内容、程度その他の諸要素とを比較考量して、当該事案においてはいずれの権利を優先させるべきかを決するほかはない。」「この比較衡量において重要な考慮要素となり得るのは、報道については、当該報道の意図・目的（公益を図る目的か、興味本位の私事暴露が目的かなど）、これとの関係で私生活上の事実や個人的情報を公表することの意義ないし必要性（これをしなければ公益目的を達成することができないかなど）、情報入手手段の適法性・相当性（例えば盗聴などの違法な手段によって入手したものかなど）、記事内容の正確性（事実に反する記述を含んでいるかなど）、当該私人の特定方法（実名・仮名・匿名の別など）、表現の相当性（暴露的・侮蔑的表現か、謙抑的表現かなど）等であり、プライバシー侵害については、公表される私生活上の事実や個人情報の種類・内容（どの程度に知られたくない事実・情報なのか、既にある程度知られている事実・情報なのかなど）、当該私人の社会的地位・影響力（いわゆる公人・私人の別、有名人か無名人かなど）、その公表によって実際に受けた不利益の態様・程度（どの範囲の者に知られたか、どの程度の精神的苦痛を被ったかなど）等である。」
　本件記事は公益を図る目的に出たものでないとはいえ、違法な手段で入手した個人情報を記載するものではなく、被控訴人（被報道者）の私生活上の事実や個人的情報に不必要に踏み込んでいるが、記載する個人情報の取捨選択の点で一定の配慮がなされており、記事内容の正確性や表現方法の相当性の点でも特段の問題がない、そして被控訴人は、そのプライバシーがある程度さらけ出されることを甘受しなければならないほどの公的地位にあるとまではいえないが、本件記事によって最高度のプライバシーに属する個人的情報を公表されたとまではいえず、仮名が用いられたことによって、精神的苦痛が実名報道がなされた場合に比べてはるかに少なかったという事情から不法行為不成立とした。しかし、「仮に本件記事において、仮名ではなく被控訴人の実名が用いられていたとすれば、比較衡量の結果、違法性の有無について上記とは異なる結論に達するであろう。」としている。

1 プロバイダ責任制限法名誉毀損・プライバシー関係ガイドライン

番　　号	P024	事件名	「本と雑誌フォーラム」事件			
キーワード	パソコン通信、ハンドルネーム、論争					
被 侵 害 者	一般私人					
裁 判 所	東京地裁	日付	H13.08.27	種別	判決	
審級関係等						
G　L　頁	13頁					
判　例　集	判時1778号90頁					

〔事案〕
　パソコン通信のフォーラムで論争の相手方が原告の本名の一部をハンドルネームとして用いたことがプライバシー侵害であるとしてパソコン通信サービス事業者に損害賠償、相手方の氏名・住所の開示を請求した事案
　（名誉毀損の観点では、裁判例要旨－名誉毀損編－D010）
〔主文〕
　棄却
〔要旨〕
　一般の読者はハンドルネームを実在する特定の人物の名前を指しているとは考えないだろうこと、ハンドルネームが原告（ハンドルネーム被冒用者）の本名と完全には一致しないこと、原告がフォーラムの読者の一部に本名でメールを送るなどしており匿名が維持されることを必要不可欠の条件として希望していたか疑問があること、当該ハンドルネームから第三者が原告を指していると認識することが困難であることから、プライバシー侵害とは認められないとした。

番　　　号	P 025	事件名				
キーワード	週刊誌、水着写真、肖像権					
被侵害者	アナウンサー					
裁　判　所	東京地裁	日付	H13.09.05	種別	判決	
審級関係等						
G　L　頁	21頁					
判　例　集	判時1773号104頁					

〔事案〕
　アナウンサーが学生時代に撮影及び雑誌掲載に同意した水着写真を承諾なく再掲載されたことについて肖像権侵害として損害賠償等を請求した事案

〔主文〕
　認容

〔要旨〕
　「肖像権を放棄し、自らの写真を雑誌等に公表することを承諾するか否かを判断する上で、当該写真の公表の目的、態様、時期等の当該企画の内容は、極めて重要な要素であり、人が自らの写真を公表することにつき承諾を与えるとしても、それは、その前提となった条件の下での公表を承諾したにすぎないものというべきである。したがって、公表者において承諾者が与えた前記条件と異なる目的、態様、時期による公表をするには、改めて承諾者の承諾を得ることを要するものというべきであり、公表自体についての承諾があれば、その公表の態様等に違いがあっても、肖像権の侵害にはならないとする被告［メディア］の主張は失当である。」
　「仮に、その容姿を広く社会に露出している者の肖像の公表に関する利益の侵害については、そうでない者に比べて受忍すべき限度が高いと評価されることがあり得るとしても、それには限度があるのであって、いかに日常その容姿を社会に露出しているアナウンサーであるからといって、アナウンサーとしての生活とは関係のない学生時代の水着姿等を撮影した写真についてまで肖像権を放棄しているものとは到底解し難く、被告の前記主張は、採用することができない。」

1 プロバイダ責任制限法名誉毀損・プライバシー関係ガイドライン

番　　　号	P026	事件名				
キーワード	週刊誌、私生活上のトラブル、社会的影響力					
被 侵 害 者	元著名企業代表者					
裁　判　所	東京地裁		日付	H13.10.05	種別	判決
審級関係等	控訴審（東京高裁H14.03.13）では双方の控訴を棄却					
Ｇ　Ｌ　頁	16頁					
判　例　集	判時1790号131頁					

〔事案〕
　元著名企業代表者で著名刑事事件の被告人であった者が妻との間で起こした民事訴訟の訴訟記録を閲覧して週刊誌が夫婦間の生活上のトラブルを報じたことについてプライバシー侵害として損害賠償を請求した事案

〔主文〕
　認容

〔要旨〕
　「一般に離婚やそれに関連する夫婦間の私生活上の深刻なトラブルはプライバシーの最たるものであって当事者が秘匿を欲する程度は高い。」「本件記事掲載当時は、経済人としての活動はもとより、政府の委員等の公の活動も何ら行っておらず、社会に対する影響力があったとは認められない。」記事の意図は原告（被報道者）が妻との間で深刻な対立関係にあり訴訟にまで発展していることについて、原告が多数の高級ブランド品を所有していることを交えて興味本位に紹介し、一般人の好奇心に答えようとしたもの。「本件記事は、原告の基本的なプライバシーを侵害したものであり、その侵害の程度も決して小さくない。他方原告はもはや公的な立場になく社会的影響力もないから、その私生活上の行状は、社会一般の正当な関心事とはいえず、これを公表する理由や必要性は見出し難い。これらの点と本件記事の意図・目的を考えると、原告のプライバシーの利益がこれを公表する利益に優越するものと認められる。」

番　　　号	P027	事件名	宇治市住民基本台帳データ流出事件		
キーワード	情報流出、自治体、住民基本台帳データ、不正コピー、名簿販売業者				
被侵害者	一般私人				
裁　判　所	大阪高裁	日付	H13.12.25	種別	判決
審級関係等	（第一審は住民の請求を一部認容）				
Ｇ　Ｌ　頁	10頁				
判　例　集	判例集未登載				

〔事案〕
　宇治市が、システム開発のために民間業者に住民基本台帳のデータを渡したところ、再々委託先のアルバイトの従業員が上記データを不正にコピーしてこれを名簿販売業者に販売したことに関して、宇治市の住民らが、上記データの流出により精神的苦痛を被ったと主張して宇治市に対し国家賠償法１条又は民法715条に基づき損害賠償を求めた事案

〔主文〕
　認容

〔要旨〕
　プライバシー権侵害の有無：「本件データに含まれる情報のうち、被控訴人らの氏名、性別、生年月日及び住所は、社会生活上、被控訴人らと関わりのある一定の範囲の者には既に了知され、これらの者により利用され得る情報ではあるけれども、本件データは、上記の情報のみならず、更に転入日、世帯主名及び世帯主との続柄も含み、これらの情報が世帯ごとに関連付けられ整理された一体としてのデータであり、被控訴人らの氏名、年齢、性別及び住所と各世帯主との家族構成までも整理された形態で明らかになる性質のものである。このような本件データの内容や性質にかんがみると、本件データに含まれる被控訴人らの個人情報は、明らかに私生活上の事柄を含むものであり、一般通常人の感受性を基準にしても公開を欲しないであろうと考えられる事柄であり、更にはいまだ一般の人に知られていない事柄であるといえる。したがって、上記の情報は、被控訴人らのプライバシーに属する情報であり、それは権利として保護されるべきものであるということができる。…本件データ中の被控訴人らの住民票データは、前記のとおり、被控訴人らのプライバシーに属するものとして法的に保護されるべきものである以上、法律上、それは控訴人によって管理され、その適正な支配下に置かれているべきものである。それが、その支配下から流出し、名簿販売業者へ販売され、更には不特定の者への販売の広告がインターネット上に掲載されたこと、また、控訴人がそれを名簿販売業者から回収したとはいっても、完全に回収されたものかどうかは不明であるといわざるを得ないことからすると、本件データを流出させてこのような状態に置いたこと自体によって、被控訴人らの権利侵害があったというべきである。」

1 プロバイダ責任制限法名誉毀損・プライバシー関係ガイドライン 535

番　　　号	P028	事件名	早稲田大学江沢民講演会名簿提出事件		
キーワード	無断開示、学籍番号、氏名、住所、電話番号、名簿、警視庁				
被 侵 害 者	講演会参加申込者、一般私人				
裁　判　所	東京高裁	日付	H14.01.16	種別	判決
審級関係等	P022の控訴審（P030、P032とは別事件）				
Ｇ　Ｌ　頁	12頁				
判　例　集	判時1772号17頁				

〔事案〕
　私立大学が中国主席の講演会参加者の学籍番号、氏名、住所及び電話番号を記載した名簿を、警備のために必要とする警視庁の要請に応じて提出したことがプライバシーを侵害したものであるとして、講演会参加申込者が損害賠償を請求した事案

〔主文〕
　認容

〔要旨〕
　原判決要旨記載の事情を認定した上で、「これらの事情を考慮するのみであれば、一般人の感受性を基準とする場合に、控訴人ら［講演会参加申込者］の同意がなくても、これが社会通念上許容されるものと評価することもできないではない。しかし、本件大学は、個人情報保護の必要性に関する十分な認識を有するばかりでなく、その保護のための手続である本件規則を自ら制定することまでしており、かつ、本件個人情報開示の告知をするのに何らの支障もなく、これを行うことも容易であったのに、本件規則に違反して、あえて控訴人らにあらかじめ告知してその同意を得ようとはしなかったのであって、これはひとえに本件大学の手抜かりによるもので配慮に欠けるものであったといわざるを得ず、同意を得ないことがやむを得ないと考えられるような事情があったということはできないのである。そうすると、このような本件大学の配慮に欠けた手抜かりによって控訴人らのプライバシーの権利の侵害が引き起こされた点を考慮すると、上記のように本件個人情報の開示には目的の正当性その他それ相応の理由があったことを考慮しても、本件名簿の提出による本件個人情報の開示が社会通念上全面的に許容されるものであると考えることは困難であり、本件個人情報の開示については、その違法性は阻却されないものと判断するのが相当である。」

番　　　号	P029	事件名	長良川リンチ殺人事件（上告審）
キーワード	週刊誌、犯罪事実、実名類似の仮名、経歴、少年法、実名推知報道			
被侵害者	少年			
裁　判　所	最高裁（小2）	日付	H15.03.14	種別	判決
審級関係等	P020の上告審			
G　L　頁	25頁			
判　例　集	判時1825号63頁、判タ1126号97頁			

〔事案〕
　少年事件について、実名類似の仮名を使用して犯行態様や少年の経歴を記載した週刊誌の記事が、名誉毀損・プライバシー侵害にあたるかが争われた事件

〔主文〕
　（損害賠償請求を認容した原審について）破棄・差戻し

〔要旨〕
　「少年法61条に違反する推知報道かどうかは、その記事等により、不特定多数の一般人がその者を当該事件の本人であると推知することができるかどうかを基準にして判断すべきところ、本件記事は、被上告人［少年］］（筆者注：原文ママ）について、当時の実名と類似する仮名が用いられ、その経歴等が記載されているものの、被上告人と特定するに足りる事項の記載はないから、被上告人と面識等のない不特定多数の一般人が、本件記事により、被上告人が当該事件の本人であることを推知することができるとはいえない。したがって、本件記事は、少年法61条の規定に違反するものではない。」

　「プライバシーの侵害については、その事実を公表されない法的利益とこれを公表する理由とを比較衡量し、前者が後者に優越する場合に不法行為が成立するのであるから…、本件記事が週刊誌に掲載された当時の被上告人［少年］の年齢や社会的地位、当該犯罪行為の内容、これらが公表されることによって被上告人のプライバシーに属する情報が伝達される範囲と被上告人が被る具体的被害の程度、本件記事の目的や意義、公表時の社会的状況、本件記事において当該情報を公表する必要性など、その事実を公表されない法的利益とこれを公表する理由に関する諸事情を個別具体的に審理し、これらを比較衡量して判断することが必要である。」

1　プロバイダ責任制限法名誉毀損・プライバシー関係ガイドライン　537

番　　　　号	P30	事件名	早稲田大学江沢民講演会名簿提出事件		
キーワード	無断開示、学籍番号、氏名、住所、電話番号、名簿、警視庁				
被 侵 害 者	講演会参加申込者、一般私人				
裁　判　所	最高裁（小2）	日付	H15.09.12	種別	判決
審級関係等	差戻し審はP032（P022、P028とは別事件）				
Ｇ　Ｌ　頁	11頁				
判　例　集	判時1837号3頁				

〔事案〕
　私立大学が中国主席の講演会参加申込者の学籍番号、氏名、住所及び電話番号を記載した名簿を、警備のために必要とする警視庁の要請に応じて提出したことがプライバシーを侵害したものであるとして、講演会参加申込者が損害賠償等を請求した事案
〔主文〕
　損害賠償請求認容（3対2の多数決。2名の裁判官の反対意見あり。）
〔要旨〕
　①　プライバシーの保護対象について：
　「学籍番号、氏名、住所及び電話番号は、Ａ大学が個人識別等を行うための単純な情報であって、その限りにおいては、秘匿されるべき必要性が必ずしも高いものではない。」「しかし、このような個人情報についても、本人が、自己が欲しない他者にはみだりにこれを開示されたくないと考えることは自然なことであり、そのことへの期待は保護されるべきものであるから、本件個人情報は、上告人ら［講演会参加申込者］のプライバシーにかかる情報として法的保護の対象となるというべきである。」

　②　違法性の有無・違法阻却事由：
　「本件講演会の主催者として参加者を募る際に上告人らの個人情報を収集したＡ大学は、上告人らの意思に基づかずにみだりにこれを他者に開示することは許されないというべきところ、同大学が本件個人情報を警察に開示することをあらかじめ明示した上で本件講演会参加希望者に本件名簿へ記入させるなどして開示について承諾を求めることは容易であったものと考えられ、それが困難であった特別の事情がうかがわれない本件においては、本件個人情報を開示することについて上告人らの同意を得る手続を執ることなく、上告人らに無断で本件個人情報を警察に開示した同大学の行為は、上告人らが任意に提供したプライバシーに係る情報の適切な管理についての合理的な期待を裏切るものであり、上告人らのプライバシーを侵害するものとして不法行為を構成するというべきである。原判決の説示する本件個人情報の秘匿性の程度、開示による具体的な不利益の不存在、開示の目的の正当性と必要性などの事情は、上記結論を左右するに足りない。」

番　　　号	P 031	事件名			
キーワード	月刊誌、キャバクラ、社会の正当な関心事				
被 侵 害 者	弁護士、司法委員、調停委員、テレビ出演				
裁 判 所	東京地裁	日付	H 16.02.19	種別	判決
審級関係等					
G　L　頁	16頁				
判　例　集	裁判所ウェブサイト				

〔事案〕
　テレビ番組にレギュラー出演していた弁護士がキャバクラ通いをしていることを雑誌に書かれたことをプライバシー侵害として損害賠償を請求した事案

〔主文〕
　（プライバシー侵害については）棄却

〔要旨〕
　「この報道の対象が原告［被報道者］の私生活上の行状に関するものであることは前判示のとおりであるが、そのような場合であっても、報道の対象とされる者の社会における立場及びその活動の性質並びにこれらを通じて社会に及ぼす影響のいかんによっては、その者の社会的活動に対する批判ないし評価の一資料になり得るものとして、社会の正当な関心事に当たる場合もあると解される。」
　「原告が弁護士会の委員や司法委員、調停委員を務め、テレビ番組に出演した際、日常生活上の様々な法律問題につき自己の弁護士としての見解を披露していたことに加え、弁護士の使命等を併せ考慮すると、原告の社会における立場及びその活動の性質は公的な色彩を帯び、これを通じて原告が社会一般に対して多大な影響を及ぼしていたということができる。そして、原告が弁護士として取り扱う法律事務の中には異性間の交際や対立に起因する紛争が含まれており、これを法律専門家として処理する際に異性関係についての基本的な考え方が反映することもないわけではなく、社会の中にはこの点を軽視できないとする傾向があることも否定できないから、前判示のような報道をすること自体は、法律専門家として社会的な活動に携わる者としての資質に疑問を呈する一要素になり得るものというべきであるから社会の正当な関心事にかかるものであり、プライバシー侵害については違法性がない。」

1 プロバイダ責任制限法名誉毀損・プライバシー関係ガイドライン

番　　　号	P032	事件名	早稲田大学江沢民講演会名簿提出事件		
キーワード	無断開示、学籍番号、氏名、住所、電話番号、名簿、警視庁				
被 侵 害 者	講演会参加申込者、一般私人				
裁 判 所	東京高裁	日付	H16.03.23	種別	判決
審級関係等	P030の差戻し審（P022、P028とは別事件）				
Ｇ　Ｌ　頁	12頁				
判　例　集	判時1855号104頁				

〔事案〕
　私立大学が中国主席の講演会参加申込者の学籍番号、氏名、住所及び電話番号を記載した名簿を、警備のために必要とする警視庁の要請に応じて提出したことがプライバシーを侵害したものであるとして、講演会参加申込者が損害賠償を請求した事案

〔主文〕
　損害賠償認容／最高裁判決（P030）と同旨

〔要旨〕
　「なお、控訴人ら［講演会参加申込者］が講演会を妨害する意思を持っていたとしても、控訴人らの個人情報を警察に提出したことについてプライバシー侵害として不法行為が成立する以上、控訴人らが損害賠償請求権を行使することが権利濫用等にあたるものとして許されないということは困難である。」

第4 ガイドライン

番　　　号	P033	事件名				
キーワード	週刊誌、離婚					
被 侵 害 者	著名政治家の長女					
裁　判　所	東京高裁	日付	H16.03.31	種別	決定
審級関係等	原決定：東京地裁H16.03.16決定 保全異議審：東京地裁H16.03.19（判時1865号18頁）申立認容・認可					
Ｇ　Ｌ　頁	16頁					
判　例　集	判時1865号12頁、判タ1157号138頁					

〔事案〕
　著名政治家の長女の離婚に関する週刊誌の記事について、被報道者らがプライバシー侵害を理由に販売差止めの仮処分を申し立てた事案

〔主文〕
　却下

〔要旨〕
　「本件記事は、将来における可能性といったことはともかく、現時点においては一私人に過ぎない相手方〔被報道者〕らの離婚という全くの私事を、不特定多数の人に情報として提供しなければならないほどのことでもないのに、ことさらに暴露したものというべきであり、相手方らのプライバシーの権利を侵害したものと解するのが相当である。」

　「一方、離婚は、前記のように、当事者にとって、喧伝されることを好まない場合が多いとしても、それ自体は、当事者の人格に対する非難など、人格に対する評価に常につながるものでもないし、もとより社会制度上是認されている事象であって、日常生活上、人はどうということもなく耳にし、目にする情報の一つに過ぎない。」「このように考えると、本件記事は、相手方らのプライバシーの権利を侵害するものではあるが、当該プライバシーの内容・程度にかんがみると、本件記事によって、その事前差し止めを認めなければならないほど、相手方らに「重大な著しく回復困難な損害を被らせるおそれがある」とまでいうことはできないと考えるのが相当である。」

1　プロバイダ責任制限法名誉毀損・プライバシー関係ガイドライン　541

番　　号	P034	事件名				
キーワード	一般財団法人運営のウェブサイト、肖像権、ファッション、銀座					
被 侵 害 者	一般私人					
裁 判 所	東京地裁	日付	H17.09.27	種別	判決	
審級関係等						
G　L　頁	21頁					
判　例　集	判時1917号101頁					

〔事案〕
　東京の最先端のファッションを紹介する目的のウェブサイトが銀座界隈を歩いていた原告を無断で撮影し、容貌を含む全身像を大写しでウェブサイトに掲載したことについて、原告が肖像権侵害を理由に損害賠償を請求した事案

〔主文〕
　認容

〔要旨〕
　違法阻却事由：「個人の容貌等の撮影及びウェブサイトへの掲載により肖像権が侵害された場合であっても、①当該写真の撮影及びウェブサイトへの掲載が公共の利害に関する事項と密接な関係があり、②これらが専ら公益を図る目的で行われ、③写真撮影及びウェブサイトへの掲載の方法がその目的に照らし相当なものであれば、当該撮影及びウェブサイトへの掲載行為の違法性は阻却されるものと解するのが相当である。」
　ファッション情報の発信は公共の利害に関し、公益性の要件も満たしていると考えられるが、承諾を得ずに撮影したこと及び容貌も含めて大写しにすることはその目的に照らし相当ではなく、ファッションの紹介であれば容貌は必ずしも必要でないのに敢えて原告（被掲載者）の容貌であることが容易に判明する形で掲載したこともその目的に照らして相当性を欠くから、肖像権侵害の違法性は阻却されない。

番　　　号	P035	事件名				
キーワード	写真週刊誌、肖像権、隠し撮り、法廷イラスト、手錠、腰縄					
被 侵 害 者	著名刑事事件被告人					
裁　判　所	最高裁（小1）	日付	H17.11.10	種別	判決	
審級関係等						
Ｇ　Ｌ　頁	20頁					
判　例　集	民集59巻9号2428頁、裁判所ウェブサイト、判時1925号84頁、判タ1203号74頁					

〔事案〕
　著名刑事事件での被告人の法廷での様子を隠し撮りした写真と法廷での様子のイラスト画を写真週刊誌が掲載したことについて、当該被告人が肖像権侵害を理由として損害賠償を請求した事案

〔主文〕
　破棄・差戻し（肖像権侵害は認めるが損害額の審理のため）

〔要旨〕
　「ある者の容ぼう等をその承諾なく撮影することが不法行為法上違法となるかどうかは、被撮影者の社会的地位、撮影された被撮影者の活動内容、撮影の場所、撮影の目的、撮影の態様、撮影の必要性等を総合考慮して、被撮影者の上記人格的利益の侵害が社会生活上受忍の限度を超えるものといえるかどうかを判断して決すべきである。」
　「また、人は、自己の容ぼう等を撮影された写真をみだりに公表されない人格的利益も有すると解するのが相当であり、人の容ぼう等の撮影が違法と評価される場合には、その容ぼう等が撮影された写真を公表する行為は、被撮影者の上記人格的利益を侵害するものとして、違法性を有するものというべきである。」
　イラスト画については「人は、自己の容ぼう等を描写したイラスト画についても、これをみだりに公表されない人格的利益を有すると解するのが相当である。しかしながら、人の容ぼう等を撮影した写真は、カメラのレンズがとらえた被撮影者の容ぼう等を化学的方法等により再現したものであり、それが公表された場合は、被撮影者の容ぼう等をありのままに示したものであることを前提とした受け取り方をされるものである。これに対し、人の容ぼう等を描写したイラスト画は、その描写に作者の主観や技術が反映するものであり、それが公表された場合も、作者の主観や技術を反映したものであることを前提とした受け取り方をされるものである。したがって、人の容ぼう等を描写したイラスト画を公表する行為が社会生活上受忍の限度を超えて不法行為法上違法と評価されるか否かの判断に当たっては、写真とは異なるイラスト画の上記特質が参酌されなければならない。」として、法廷での通常の様子を描いたものについては受忍すべき限度の範囲内とし、手錠・腰縄のイラストについては社会生活上受忍すべき限度を超えて人格的利益を侵害するものであり不法行為が成立するとした。

1　プロバイダ責任制限法名誉毀損・プライバシー関係ガイドライン　543

番　　号	P036	事件名	
キーワード	写真週刊誌、肖像権、アダルトビデオ購入の事実、防犯ビデオ画像		
被侵害者	お笑い芸人		
裁判所	東京地裁	日付	H18.03.31	種別	判決
審級関係等			
Ｇ　Ｌ　頁	16、20頁		
判例集	判タ1209号60頁		

〔事案〕
　テレビ番組でアダルトビデオの購入・視聴を公言していたお笑い芸人が、アダルトビデオ購入の事実を写真週刊誌で報じられ、記事についてプライバシーの侵害を理由に、同時に掲載された防犯ビデオ画像について肖像権侵害を理由に、損害賠償を請求した事案

〔主文〕
　認容

〔要旨〕
　①　公言した事実とプライバシー侵害：
　既に当該個人が当該自己情報を自ら公表していた場合には、その秘匿性をいわば放棄したものと解するのが自然であり、係る情報については法的保護に値しないと解するのが相当である。アダルトビデオの購入を報じる記事は原告（被報道者）が公表した事実とほぼ同一であり、一般人に知られていない事柄とまでいいがたいからプライバシー侵害に該当しないが、「歌舞伎町にある、Ａちゃんが常連にしている店だね。この日は夜11時過ぎ、ジャガーに乗って来店すると、SMモノを物色して、結局、女子高生制服モノを1本買っていったんだ」という記事は原告が公表した事実より詳細で公知性もなく、具体的にいかなる種類のアダルトビデオに興味を示して購入しているかなどといった具体的事実は秘匿性が高くプライバシー侵害に該当する。

　②　防犯ビデオ画像による肖像権侵害での同一性：
　「掲載された写真自体からはその被写体である人物の容ぼう等が肖像権侵害を訴えている当該個人の容ぼう等であることが明らかでない場合であっても、写真の説明文と併せ読むことによって読者が当該個人である旨特定できると判断される場合や読者が当該個人であると考えるような場合には、撮影により直接肖像権が侵害されたとはいえないものの、当該個人が被写体である人物本人であったか否かにかかわらず、当該個人が公表によって羞恥、困惑などの不快な感情を強いられ、精神的平穏が害されることに変わりはないというべきであるから、やはり撮影により直接肖像権が侵害された場合と同様にその人格的利益を侵害するというべきである」。

番　　　号	P 037	事件名			
キーワード	パブリシティ権、私服、制服、実家				
被 侵 害 者	アイドルタレント、著名な芸能人				
裁 判 所	東京高裁	日付	H18.04.26	種別	判決
審級関係等					
Ｇ　Ｌ　頁	22頁				
判 　例 　集	判タ1214号91頁				

〔事案〕
　アイドルタレントのデビュー前の写真、私服や制服での路上通行中の写真、実家の所在地に関する写真等の掲載がプライバシー権及びパブリシティ権を侵害するとして、被掲載者が損害賠償を請求した事案
〔主文〕
　認容
〔要旨〕
　①　プライバシー権：
　「社会の正当な関心事の法理は、犯罪報道等の社会的ないし公益的な価値を有する報道等を保護する考え方であり、この考え方によって、一審原告ら［被掲載者］が芸能人としてその芸能活動について論評される、あるいは、批評されるといった領域に属する活動とは異なる純然たる私的な言動ないし活動についてまで『公共の利益』に関わるとしてそのプライバシーが制限されるという結果が肯定されることになるとは、到底認められないところというべきである。」

　②　パブリシティ権：
　「一般に、固有の名声、社会的評価、知名度等を獲得した著名な芸能人の氏名、芸名、肖像等（氏名、芸名を含め、以下『肖像等』という）を商品に付した場合には当該商品の販売促進に有益な効果、すなわち、顧客吸引力があることは一般によく知られているところであり、著名な芸能人には、その肖像等が有する顧客吸引力を経済的な利益ないし価値として把握し、これを独占的に享受することができる法律上の地位を有するものと解される。」「著名な芸能人の上記のような法律上の地位はパブリシティ権と称される」「著名な芸能人の有するパブリシティ権に対して、他の者が、当該芸能人に無断で、その顧客吸引力を表す肖像等を商業的な方法で利用する場合には、当該芸能人に対する不法行為を構成し、当該無断利用者は、そのパブリシティ権侵害の不法行為による損害賠償義務を負うと解するのが相当である。」

1 プロバイダ責任制限法名誉毀損・プライバシー関係ガイドライン 545

番　　　号	P038	事件名	ヤフーBB個人情報流出事件			
キーワード	情報流出、顧客情報、氏名、住所、インターネット接続サービス					
被侵害者	一般私人					
裁判所	大阪地裁	日付	H18.5.19	種別	判決	
審級関係等						
GL頁	10頁					
判例集	判時1948号122頁、判タ1230号227頁					

〔事案〕
　インターネット接続等の総合電気通信サービスの顧客情報として保有管理されていた原告らの氏名・住所等の個人情報が外部に漏えいしたことにつき、原告らが、同サービスを提供していた被告に対し、プライバシーの権利が侵害されたとして、不法行為に基づく損害賠償を請求した事案
〔主文〕
　一部認容
〔要旨〕
　「丁木、戊谷らが取得した1月のデータは原告らそれぞれの個人情報を含み、その内容は、①住所②氏名③電話番号④メールアドレス…を含むものであった。…住所・氏名・電話番号・メールアドレス等の情報は、個人の識別等を行うための基礎的な情報であって、その限りにおいては、秘匿されるべき必要性が高いものではない。また、本件サービスの会員であるということ及びその申込日についても同様である。しかし、このような個人情報についても、本人が、自己が欲しない他者にはみだりにこれを開示されたくないと考えることは自然なことであり、そのことへの期待は保護されるべきものであるから、これらの個人情報は、原告らのプライバシーに係る情報として法的保護の対象となるというべきである。…1月のデータは、前記のように、丁木によって不正に取得され、丁木がアクセスを用いて加工し、原告らの個人情報を含むその一部を記録した本件DVD及び本件CDが六郎及び戊谷に渡っているのであって、二次流出が認められなくても、これらのこと自体によって原告らのプライバシーの権利は侵害されたものといえる。」

番　　　号	P 039	事件名			
キーワード	週刊誌、肖像権、下着姿、写真、ゴシップ、羞恥心、アダルトビデオ				
被 侵 害 者	引退したAV女優				
裁　判　所	東京地裁	日付	H18.05.23	種別	判決
審級関係等					
G　L　頁	22頁				
判　例　集	判時1961号72頁、判タ1257号181頁				

〔事案〕
　引退したAV女優が、現役当時に週刊誌の掲載のために撮影した写真、ビデオの販売促進のために撮影した下着姿で股を開いた写真、ビデオのキャプチャー画像を週刊誌にゴシップ記事と合わせて掲載されたことが肖像権侵害にあたる等として損害賠償を請求した事案

〔主文〕
　認容

〔要旨〕
　人はおよそ自己の容姿をみだりに撮影され、それを公表されない権利である肖像権を有しており、特に一般的には羞恥心を伴う態様の写真についてはその公表により精神的苦痛を受ける可能性が高いから「本人が一度その撮影及び公表に同意した場合においても、本人の同意の範囲の判断に当たっては慎重に解釈すべきであり、その同意の範囲を超えたものについては、人格的利益を侵害する違法な行為であると評価すべきである。」
　週刊誌掲載のために撮影された写真については当該週刊誌への再掲載は予測し得なかったとはいえず違法とはいえない、ビデオ販売促進用として撮影された写真は下着姿で股を開いているという点で羞恥心を高める度合いが強く引退後にビデオの宣伝という範囲を超えて週刊誌に掲載されることは事前の同意の範囲外にあるというべき、ビデオのキャプチャー画像は裸体及び性行為の状況を示すものであり羞恥心を伴うものでありビデオの紹介に使用されることはビデオ出演者は認容しているというべきであるがその限度を超えて引退後にゴシップ記事に合わせて週刊誌に掲載されることにつき承諾を与えていたということはできない。

1 プロバイダ責任制限法名誉毀損・プライバシー関係ガイドライン 547

番　　　　号	P040	事件名				
キ ー ワ ー ド	週刊誌、診療中のセクハラ、高度の専門的職業					
被 侵 害 者	医師、医科大学教授					
裁　判　所	東京高裁		日付	H18.08.31	種別	判決
審級関係等	（原審は請求認容）					
G　L　頁	16頁					
判　例　集	判時1950号76頁					

〔事案〕
　医師の患者に対する診察時のセクシャル・ハラスメント及び週刊誌でのコメントによる名誉毀損の提訴が患者の敗訴に終わった後、医師が患者の代理人弁護士が訴状を司法記者クラブ幹事社にFAX送信したこと、記者会見をしたこと、新聞社が提訴記事を実名で書いたことがプライバシーの侵害として謝罪広告及び損害賠償を請求した事案

〔主文〕
　棄却

〔要旨〕
　プライバシーの保護対象：「前提事件〔患者が提訴して敗訴した裁判〕は、医科大学付属病院教授で性同一性障害者に対する医療分野で先駆的立場にある医師である一審原告〔被報道者〕による医科大学付属病院での診察時の患者に対するセクハラを請求原因の一つとし、その件についての週刊誌記事中での一審原告の発言が名誉毀損に当たることも請求原因とされているものであり、医科大学教授の大学病院での診察中の行為という高度の専門的職業にある者の職業上の行為が問題とされている点からも、自ら週刊誌の記者の取材に応じた発言が記載された週刊誌の記事が問題とされている点からも、まさしく、一審原告の社会的活動、社会に向けての発言にかかわる事柄であり、個人の私的領域に属する事柄と言うことはできない。」そして、訴状のFAX送信、記者会見、新聞記事掲載のいずれもプライバシー侵害に当たらないとした。
　FAX送信した訴状に住所が記載されている点については、提訴と請求原因事実の説明資料として訴状の写しをFAX送信したものでことさらに住所を報道させるためにしたものではなく、送信された訴状に接したのは司法記者に限られ、住所が報道されたことを認めるに足りる証拠はなく、何らかの理由で自己の住所を特に厳重に社会から秘匿していた事実も認められないことを考慮すると、損害賠償を要する程度のプライバシー侵害に当たるということはできないとした。

番　　　号	P041	事件名	TBC顧客情報流出事件		
キーワード	情報流出、氏名、住所、職業、電話番号、メールアドレス、年齢、性別、エステサロン				
被侵害者	一般私人				
裁　判　所	東京地裁	日付	H19.02.08	種別	判決
審級関係等	（高裁判決は東京高裁H19.08.28判タ1264号299頁；控訴棄却、確定）				
G　L　頁	13頁				
判　例　集	判時1964号113頁				

〔事案〕
　エステティックサロンを経営する事業者の管理するサイトに読者が書き込んで送信した氏名、住所、職業、電話番号、電子メールアドレス等の個人情報の流出がプライバシー侵害として読者らが損害賠償を請求した事案
〔主文〕
　認容
〔要旨〕
　プライバシーの保護対象：「氏名、住所、電話番号及びメールアドレスは、社会生活上個人を識別するとともに、その者に対してアクセスするために必要とされる情報であり、一定の範囲の者に知られ、情報伝達のための手段として利用されることが予定されているものであるが、他方で、そのような情報であっても、それを利用して私生活の領域にアクセスすることが容易になることなどから、自己が欲しない他者にはみだりにそれを開示されたくないと考えるのは自然のことであり、そのような情報がみだりに開示されないことに対する期待は一定の限度で保護されるべきものである。また、職業、年齢、性別についても、みだりに開示されないことの期待は同様に保護されるべきものである。」

1 プロバイダ責任制限法名誉毀損・プライバシー関係ガイドライン 549

番　　　号	P042	事件名			
キーワード	東京都の公式ホームページ、建造物侵入により刑事告発した事実、都立病院				
被 侵 害 者	東京都都議会議員				
裁　判　所	東京地裁		日付	H20.06.11	種別	判決
審級関係等					
Ｇ　Ｌ　頁	25頁				
判　例　集	判例集未搭載				

〔事案〕
　東京都都議会議員が都立病院の臨床検査室に管理者の許可なく立ち入り、病院内の飲酒に関する調査を行ったことについて、同病院の院長がその議員を建造物侵入で刑事告発したうえで、その事実を病院のウェブサイトで公表した事件について、当該議員が損害賠償を請求した事案

〔主文〕
　棄却

〔要旨〕
　「本件告発は、現職の都議会議員による犯罪行為に係るものであり、被告の都政運営上重要性の高い事柄であるといえ、都民の知る権利の重要性にかんがみれば、広く都民に対してその情報を提供すべき性質のものであると解される。」

番　　　号	P 043	事件名		
キーワード	テレビ報道、青少年保護育成条例違反、実名報道			
被 侵 害 者	公立中学校教師			
裁 判 所	福岡高裁那覇支部	日付	H20.10.28	種別	判決
審級関係等				
G　　L　　頁	25頁			
判 　例 　集	判時2035号48頁			

〔事案〕
　公立中学校の教師が青少年保護育成条例違反で逮捕されたことの実名報道について、当該教師が不法行為に基づく損害賠償を請求した事案
〔主文〕
　棄却
〔要旨〕
　「以上の事情を総合して比較検討すると、一方において、実名で報道されることにより控訴人〔被報道者〕が被る不利益は大きく、実名を公表されない法的利益も十分に考慮する必要があるけれども、他方において、特に、青少年を教育指導すべき立場にある中学校教員が女子中学生とみだらな行為をしたという本件被疑事実の内容からすれば、被者の特定は被疑事実の内容と並んで公共の重大な関心事であると考えられるから、実名報道をする必要性は高いといわなければならず、実名を公表されない法的利益がこれを公表する理由に優越していると認めることはできない。」
　判決は以上のように不法行為の成立を否定しつつ、続けて以下のように述べる。
　「なお、本件において実名報道をすることが不法行為に該当しないとしても、実名報道により控訴人が被る不利益は非常に大きいものであるから、改めて言うまでもなく、被控訴人〔報道機関〕らとしては、実名報道をする際しては、控訴人〔被報道者〕が被る不利益について十分な配慮をする必要がある。したがって、報道の内容としては、もとより、逮捕されたという客観的な事実の伝達にとどめるべきであって、逮捕された者が当然に罪を犯したかのような印象を与えることがないように、節度を持って慎重に対処する必要がある。この点、被控訴人Ｙ１〔報道機関〕において本件被疑事実を報道するに際し、男性アナウンサーが、「あきれた。しかもよりによって。」と発言したこと…などは、配慮に欠ける報道であったと指摘せざるを得ない。また、さきにも述べたように、逮捕された事実が一度実名で報道されると、後に、その事実について無実であったことが判明し、あるいは、起訴されずに手続が終了したような場合に、事後的に名誉を回復することは極めて困難であるから、このような観点からすれば、逮捕された事実を報道しておきながら、その後の手続経過（控訴人が本件被疑事件について起訴猶予処分とされた事実など。…）については、もはやニュースバリューがないとしてこれを報道しないという姿勢にも、報道機関の在り方として考えるべき点があるように思われる。」

1 プロバイダ責任制限法名誉毀損・プライバシー関係ガイドライン 551

番　　　号	P044	事件名				
キーワード	検索結果、犯罪事実、実名、女性宅への侵入、仮処分					
被侵害者	産婦人科医					
裁　判　所	東京地裁	日付	H20.11.14	種別	決定	
審級関係等						
Ｇ　Ｌ　頁	25頁					
判　例　集	判例集未搭載					

〔事案〕
　産婦人科医が女性宅に侵入した事件について、当該医師が、検索サービス事業者に対して、当該事件の報道等の検索結果の非表示を求める仮処分を申し立てた事案

〔主文〕
　却下

〔要旨〕
　「本件事件は、妊娠・出産・女性特有の疾病を扱う産婦人科医である債権者〔被報道者〕が女性宅に侵入するといったもので、一般的に衝撃的なものであったばかりでなく、常勤の産婦人科医がいないことから出産の取扱いができなかった公立病院に、数年ぶりに着任した常勤の産婦人科医である債権者が、着任後2か月も経たない時期に起こしたもので、これによって、再び、当該病院が出産の取扱いを断念せざるを得なかったことにも照らすと、地域社会にとって極めて重大な事件であったということができる。…もっとも有罪判決を受け、刑の執行を終えた者は、一市民として社会に復帰することが期待され、犯罪歴等の公表によって新しく形成している社会生活の平穏やその更生を妨げられない利益を有するというべきであり、他方、時の経過により、事件の歴史的・社会的意義が失われることにより、犯罪歴等を実名を掲げて公表する利益がなくなることや少なくなることはあり得る。しかし、本件事件から未だ約1年半しか経過しておらず、本件事件の地域社会に対する影響力や患者の関心がこの程度の期間によって失われるとは考えられない。
　以上の諸点を併せ考量すれば、債権者にとって、実名を掲げての本件事件を公表されることは未だ受忍しなければならない範囲に属する事項であり、債権者は、債務者に対し、人格権としての犯罪歴等をみだりに公表されない利益（債権者の主張するプライバシー権）の侵害を理由に本件非表示措置を求めることはできないといわざるを得ない。」

番　　　号	P045	事件名				
キーワード	全国放送、肖像権、ゴミ収集車					
被 侵 害 者	一般私人					
裁　判　所	東京地裁	日付	H21.04.14	種別	判決	
審級関係等						
Ｇ　Ｌ　頁	21頁					
判　例　集	判時2047号136頁					

〔事案〕
　テレビの生中継中に通りがかったゴミ収集車運転手にアナウンサーがインタビューして全国中継し、途中で「これテレビに出るんですか」と聞かれたアナウンサーが「写さないように配慮します」といいながらそのまま全国中継を継続したことについて、ゴミ収集車の運転手をしていることを知人にも秘匿していた運転手が、肖像権及びプライバシー侵害としてテレビ局及び番組司会者に対し損害賠償を請求した事案
〔主文〕
　認容
〔要旨〕
　「一般に、何人も、みだりに他者からその容貌を撮影されたり、職業等の個人情報を公表されないことについて法律上保護されるべき人格的利益を有するというべきである。これに対し、本件放送は、上記の通り、原告［被中継者］が収集車を運転していた様子や収集車から下りて収集車の前で説明している原告の顔などを生放送し、原告が収集車の運転手をしていることを広く社会一般に報道して公開したものであるから、原告の承諾があるなど特段の事情が認められない限り、原告の肖像権を侵害しただけではなく、原告のプライバシーをも侵害したものというべきである。」
　「確かに、廃棄物を収集したり処理することも社会に役立つ立派な職業であり、何ら問題はないはずではあるが、社会一般の実情を考えると、一部の職業に対する偏見や無理解が完全には無くなっているわけではなく、ときに差別的な発言がなされたり、子供に対するいじめなどの引き金になったりすることもありうるところである。そうすると、原告において、自分が廃棄物収集業に従事していることを他人には知られたくないと考えることも、理由がないわけでもないものと認められるから、収集車の運転手をしているということは、原告にとってプライバシーに該当するものというべきである。」
　「原告は、前記の通り、Ａアナウンサーからの質問の途中に、同アナウンサーに対して、「これテレビ出るんですか？」、「これテレビ出るんですか？」と二度聞き返しており、Ａアナウンサーも原告に対して、「ああ、あの映さないように、ええ、配慮いたします。」と答えていたのであるから、このような原告とＡアナウンサーとの会話の趣旨から考えれば、原告は、インタビューが生中継されていて自分の映像がそのまま全国に放送されていることを知らなかったものと認めるのが相当であって、自分の容貌等がそのままテレビで放送されることを容認していたものではなく、むしろ画面に原告の容貌等が放送されない前提で取材に応じていたものと考えるのが相当である。」

番　　　号	P046	事件名				
キーワード	週刊誌、パブリシティ権、雑誌、肖像					
被 侵 害 者	著名女性デュオ、著名人					
裁　判　所	知財高裁	日付	H21.08.27	種別	判決	
審級関係等						
Ｇ　Ｌ　頁	22頁					
判　例　集	判タ1311号210頁					

〔事案〕
　雑誌の著名女性デュオのダンスの振付けで踊るダイエット法の紹介記事で、その女性デュオの写真が無断使用されたことについて、パブリシティ権侵害として損害賠償請求がなされた事案

〔主文〕
　棄却

〔要旨〕
　パブリシティ権：「著名人については、その氏名・肖像を、商品の広告に使用し、商品に付し、更に肖像自体を商品化するなどした場合には、著名人が社会的に著名な存在であって、また、憧れの対象となっていることなどによる顧客吸引力を有することから、当該商品の売上げに結びつくなど、経済的利益・価値を生み出すことになるところ、このような経済的利益・価値もまた、人格権に由来する権利として、当該著名人が排他的に支配する権利（以下、この意味での権利を「パブリシティ権」という。）であるということができる。もっとも、著名人は、自らが社会的に著名な存在となった結果として、必然的に一般人に比してより社会の正当な関心事の対象となりやすいものであって、正当な報道、評論、社会事象の紹介等のためにその氏名・肖像が利用される必要もあり、言論、出版、報道等の表現の自由の保障という憲法上の要請からして、またそうといわないまでも、自らの氏名・肖像を第三者が喧伝などすることでその著名の程度が増幅してその社会的な存在が確立されていくという社会的に著名な存在に至る過程からして、著名人がその氏名・肖像を排他的に支配する権利も制限され、あるいは、第三者による利用を許容しなければならない場合があることはやむを得ないということができ、結局のところ、著名人の氏名・肖像の使用が違法性を有するか否かは、著名人が自らの氏名・肖像を排他的に支配する権利と、表現の自由の保障ないしその社会的に著名な存在に至る過程で許容することが予定されていた負担との利益較量の問題として相関関係的にとらえる必要があるのであって、その氏名・肖像を使用する目的、方法、態様、肖像写真についてはその入手方法、著名人の属性、その著名性の程度、当該著名人の自らの氏名・肖像に対する使用・管理の態様等を総合的に観察して判断されるべきものということができる。」

番　　　　号	P 047	事件名	監視カメラ事件		
キーワード	無断開示、コンビニ、監視カメラ、テレビ、ウェブサイト				
被 侵 害 者	著名刑事被告人（故人）				
裁　判　所	東京地裁	日付	H22.9.27	種別	判決
審級関係等					
G　L　頁	23頁				
判　例　集	判タ1343号153頁				

〔事案〕
　過去の刑事事件の被告人（無罪確定）として著名であったXがコンビニで商品を万引きした行為を監視カメラで撮影し、コンビニ経営者がこの映像をテレビ局に提供し、映像が放映されたこと等につき、肖像権及びプライバシー権が侵害されたとして、コンビニ経営者等に対し、不法行為に基づく損害賠償を請求した事案

〔主文〕
　一部認容（ウェブ掲載行為等）・棄却（監視カメラによる撮影・撮影した画像のTV局への提供）

〔要旨〕
　① 店舗内で亡Aを本件監視カメラにより撮影したことが、亡Aの肖像権又はプライバシー権を侵害するものとして不法行為法上違法であるかについて：
　「本件監視カメラにおいて、本件店舗内の客を撮影し、その撮影に係る画像を報道機関に提供することによりこれを公表等することが不法行為法上違法といえるか否かは、撮影の目的、撮影の必要性、撮影の方法及び撮影された画像の管理方法並びに提供の目的、提供の必要性及び提供の方法等諸般の事情を総合考慮して、上記姿を撮影され撮影に係る画像を公表等されない利益と上記姿を撮影し撮影に係る画像を公表等する利益とを比較衡量して、上記人格的利益及びプライバシー権の侵害が社会生活上受忍限度を超えるものかどうかを基準にして決すべきである。」
　「コンビニエンスストアは、通常、24時間にわたって営業をし、多くの商品を取り揃えるとともに、ATMを設置したり公共料金の支払を代行するなど金銭を取り扱う数多くの業務を手掛けるようになってきており、このため、万引きや強盗等の犯罪が数多く発生し、これによりコンビニエンスストアの経営に重大な支障を来す場合も生じていることは公知の事実である。そして、上記認定事実によれば、本件監視カメラを設置し本件店舗内を撮影をする目的は、万引きや強盗等の犯罪の発生に対処するとともに、本件監視カメラが作動していることを知らせることにより万引き等の犯罪の発生を予防することにあると認められる。また、万引き等の犯罪が発生した場合には、本件監視カメラの映像が重要な証拠となり得ることから、これを録画した上、相当程度の期間、保管する必要もあるものと認められる。以上によれば、被告Y2が、本件店舗内に本件監視カメラを設置し、本件店舗内の様子を撮影し、これを録画する行為は、その目的において相当であり、必要性も認められるというべきである。また、撮影の方法についてみると、前記認定のとおり、本件監視カメラは、固定されたものであり、特定の顧客を追跡して撮影することはないこと、被告Y2は、本件店舗の内外に10か所程度、監視カメラが作動中である旨の張り紙をしている上、本件監視カメラのほとんどが客から見えるような位置に設けられていること、レジの横には、監視カメラの映像を流すモニターが設置されていること、本件店舗の周囲にも、日用品を購入することができる店があるのであり、本件監視カメラにより撮影されることを望まないのであれば、他店に行くことも可能であることが認められ、これらの事実によれば、本件店舗に来店する者は、本件監視カメラにより撮影されることを承諾しているものと推定する余地すらあるのであり、本件監視カメラの撮影方法は相当性を有するものというべきである。さらに、撮影された画像の管理方法についてみると、前記認定のとおり、本件監視カメラにより撮影された画像は1か月間程度保存され、その後は自動的に上書きされることとなっており、これにより撮影された映像は自動的に抹消されること、Dは、秦野尾尻店や本件店舗の従業員に対し、本件監視カメラの取扱いには十分に注意するよう指導しており、例えば、財布を置き忘れた者から本件監視カメラの映像を見せてほし

1 プロバイダ責任制限法名誉毀損・プライバシー関係ガイドライン

いという要望があったとしても、これに応じないよう申し渡していたこと、本件監視カメラの映像を再生することができる者は、Dのほかは本件店舗の責任者に限られていたし、本件監視カメラのマニュアルは従業員には知らされていないことから、従業員が本件監視カメラの映像を録画媒体に記憶させた上、店外に持ち出すことは事実上不可能な状況にあることなどが認められ、これらの事実によれば、撮影された画像の管理方法も相当であるというべきである（もとより撮影された画像の管理方法につきマニュアル等を作成することが望ましいということができるが、このようなマニュアル等が作成されていなかったからといって、撮影された画像の管理方法が当然に相当性を欠くということにはならないと解される。）。」

「以上の諸事情を総合考慮すれば、被告Y2が、本件監視カメラにより、亡Aを撮影したことは、社会生活上受忍限度を超えるも（ママ）ではなく、同人の肖像に係る人格的利益及びプライバシー権を侵害するものとして不法行為法上違法であるということはできないと解するのが相当である。」

② ウェブ掲載行為について：
「本件ホームページ動画は、上記レポーターの発言やテロップの記載により、亡Aが万引きをしたかのような印象を与えるものであり、一般視聴者の普通の注意と視聴の仕方とを基準として判断すると、亡Aの社会的評価を低下させるものであることは明らかである。したがって、被告Y1が、本件ホームページ動画をインターネット上にアップロードした行為は、亡Aの名誉を毀損するものというべきである。」

③ DVDの放映及び配布について：
「本件DVDには、亡Aが本件店舗において商品を選定し、これを購入しようとする姿等が映っている上、これを見た者に対し、亡Aが本件店舗内において万引きをしたとの印象をも与えるものであり、前記説示によれば、被告Y1は、本件DVDを作成し、これを放映、配布することにより、亡Aの肖像に係る人格的利益及びプライバシー権を侵害したものである。そして、前記前提となる事実及び証拠…によれば、被告Y1は、自社製品の販売促進を目的として、本件DVDの放映及び配布をしたものと認められ、同被告に専ら公益を図る目的があったとは認められないし、他に亡Aの肖像に係る人格的利益及びプライバシー権の侵害が社会生活上受忍限度内であるとすべき事情も認められないから、同被告の上記行為は、不法行為法上違法であると認めるのが相当である。」

番　　　号	P048	事件名	
キーワード	判例雑誌、実名		
被 侵 害 者	一般私人		
裁 判 所	さいたま地裁	日付 H23.01.26	種別 判決
審級関係等			
Ｇ　Ｌ　頁	−		
判　例　集	判タ1346号185頁		

〔事案〕
　判例雑誌に掲載された判決文において、原告として実名がそのまま掲載されたことにつき、プライバシー権侵害、名誉毀損などを理由に判例雑誌の出版者に対し損害賠償を請求した事案

〔主文〕
　棄却

〔要旨〕
　「本件におけるプライバシーは、原告が別件訴訟を提起した者であること、別件被告らが原告の元勤務先の会社であること、原告が一部敗訴の判決を受けたこと、その他別件各判決文に現れた全ての情報であるところ、裁判の公開の原則に照らせば、原告はいったん原告として訴訟を提起した以上、一定の限度でこれを他者に知られることは当然受忍すべきものといえるし、別件訴訟は知的財産に関する訴訟であって、経済的活動としての性質を有するものであり、私事性、秘匿性が低いといわざるを得ない。原告自身、ホームページ上で別件控訴審判決の判決文を実名とともに公開していることからも、その秘匿性は低かったといえる。被告による本件各掲載行為の目的は、判決文を紹介することにより法曹界の学問的資料を提供することであって、公益性があり、また、掲載態様に関しても、原告の請求が認められた事例として別件各判決文をそのまま掲載したに過ぎないものであり、原告が別件訴訟を提起したことを暴露したり批判の対象とすることを目的としていないことは明らかである。本件各雑誌は法律専門誌であって、一般人が見る機会は新聞やインターネットに比べて低く、開示の相手方はある程度限定されているといえる。」
　「本件において、被告が別件各判決文を本件各雑誌に掲載するに当たり、原告の氏名を実名で掲載する必要性はなく、仮名処理をすることも可能であったことを考慮しても、なお、プライバシーの性質と侵害態様とを総合的に考慮すれば、一般人を基準として私生活上の平穏を害するような態様で開示されたとは認められず、被告による本件各掲載行為に違法性はないというべきである。」

1 プロバイダ責任制限法名誉毀損・プライバシー関係ガイドライン

番　　　号	P049	事件名	ストリートビュー物干し事件第一審		
キーワード	ストリートビュー、洗濯物				
被侵害者	一般私人				
裁　判　所	福岡地裁	日付	H23.03.16	種別	判決
審級関係等	P051の原審				
GL頁	13頁				
判　例　集	裁判所ウェブサイト				

〔事案〕
　インターネット上で、特定地点の画像を見ることのできるサービス「ストリートビュー」の画像の一部に、自宅住居のベランダに干してあった洗濯物が写っていたことにつき、洗濯物を盗撮されたことにより、精神的苦痛を受けたとして、不法行為に基づく損害賠償を請求した事案（なお、被告は訴状の送達を受けた後、画像の公開停止の措置をとっている。）
〔主文〕
　棄却
〔要旨〕
　「本件画像によれば、本件住居のベランダに洗濯物らしきものが掛けてあることは判別できるものの、それが何であるかは判別できないし、もとより、それがその居住者のものであろうことは推測できるものの、原告個人を特定するまでには至らない。そして、元来、当該位置にこれを掛けておけば、公道上を通行する者からは目視できるものであること、本件画像の解像度が目視の次元とは異なる特に高精細なものであるといった事情もないことをも考慮すれば、被告が本件画像を撮影し、これをインターネット上で発信することは、未だ原告が受忍すべき限度の範囲内にとどまるというべきであり、原告のプライバシー権が侵害されたとはいうことができない。したがって、本件においては、不法行為の要件である、権利又は法律上保護すべき利益の侵害が認められないというべきである。」

番　　　号	P050	事件名			
キーワード	ポータルサイトのニュース欄、敬愛追慕の情、手錠姿				
被侵害者	著名刑事事件被告人（故人）				
裁　判　所	東京地裁	日付	H23.06.15	種別	判決
審級関係等					
GL頁	22頁				
判　例　集	判時2123号47頁				

〔事案〕
　ウェブサイトのニュース欄に、死者に関する記事及び死者の手錠姿の写真が掲載されたことにつき、死者の妻が、敬愛追慕の情を侵害されたと主張してウェブサイト運営者及び配信した新聞社に対し損害賠償を請求した事案

〔主文〕
　一部認容（手錠姿の写真）・棄却（記事本文）

〔要旨〕
　① 記事本文による敬愛追慕の情の侵害の有無について：
　「死者の名誉を毀損し、これにより遺族の死者に対する敬愛追慕の情を、その受忍限度を超えて侵害したときは、当該遺族に対する不法行為を構成するものと解するのが相当であり、死者の名誉を毀損する行為が遺族の死者に対する敬愛追慕の情を受忍限度を超えて侵害するものであるか否かについては、当該行為の行われた時期（死亡後の期間）、死者と遺族との関係等のほか、当該行為の目的、態様や、摘示事実の性質、これが真実（又は虚偽）であるか否か、当該行為をした者が真実であると信ずるについて相当な理由があったか否か、当該行為による名誉毀損の程度等の諸事情を総合考慮して判断すべきである。したがって、死者の名誉を毀損する行為が不法行為となるのは、必ずしも虚偽の事実を摘示して死者の名誉を毀損した場合に限られるものではないというべきである。」
　「本件記事本文は、亡Bの母であるCが、亡Aがサイパンにおいて亡Bに対する殺人罪及び共謀罪で逮捕されながらロサンゼルスに移送された直後に死亡したという状況を受けて、「遺族の思い」をコメントしたものをそのまま引用して報道したものであることが明らかである上、一般の読者の普通の注意と読み方とを基準とすると、本件記事①を読む一般の読者は、亡Aは銃撃事件で既に無罪判決が確定し、亡Dの変死体の発見からも既に約29年が経過しており、もはや亡Aが亡Bや亡Dを殺害したとの罪を問われることがないこと、Cが、遺族の心情として、亡Aが亡Bを殺害したものと信じており、銃撃事件につき無罪判決が確定したことに憤り、ロサンゼルス市警の捜査に期待を寄せていたこと、Cが、亡Aが亡Bを殺害したか否かを直接知っているわけでも、亡Aが亡Bを殺害したことを証明する証拠を持っているわけでもないこと（このことは、Cのコメントの「家族からの最後のお願いは、Aを有罪にする確信の元になった捜査証拠資料を公開して、Aの犯罪がどのような犯罪であったのか、明らかにしていただきたい。そうでないと、B、Dさんの霊は永久に安らぐことがありません。」とある部分からも読み取ることができる。）などを十分に認識・理解した上で、本件記事本文を読むものと考えられるから、これにより、亡Aの社会的評価が現実かつ具体的に低下するものと直ちには言い難いものである。そして、前記争いのない事実等や上記認定事実に照らせば、Cが、亡Bや亡Dが亡Aに殺害されたと信じるについては、一応の理由があるものと認められることや、本件記事①の掲載目的、態様等を併せ考慮すると、本件摘示事実①②が、原告の亡Aに対する敬愛追慕の情を、その受忍限度を超えて侵害するものと認めることはできないというべきである。」

　② 死者の手錠姿の写真による敬愛追慕の情の侵害の有無について：
　「死者の容ぼう等が撮影された写真をみだりに公表し、これにより遺族の死者に対する敬愛追慕の情を、その受忍限度を超えて侵害したときは、当該遺族に対する不法行為を構成するものと解するのが相当であり、死者の容ぼう等が撮影された写真を公表する行為が遺族の死者に対する敬愛追慕の情を受忍限度を超えて侵害するものであるか否かについては、当該公表行為の行われた時期（死亡後の期間）、死者と遺族との関係等のほか、当該公

表行為の目的、態様、必要性や、当該写真の撮影の場所、目的、態様、撮影時の被撮影者の社会的地位、撮影された活動内容等を総合考慮して判断すべきである。」

「これを本件について見るに、前記争いのない事実等に証拠及び弁論の全趣旨を総合すれば、① 本件写真は、昭和60年9月、殴打事件の被疑者として逮捕された亡Aが、連行先の警視庁前でパトカーから降ろされ、多数の報道関係者の前を歩いて通った際に撮影されたものであること、② 亡Aは、その際、左手首に手錠をはめられ、複数の警察官にガードされた状態であったこと、③ 原告は、亡Aの元妻であって、通常、20年以上も前に撮影された亡夫の手錠姿の写真を公表されることを欲しないと考えられること、④ 本件記事②における本件写真は、本件サイトの記事欄のかなりの部分を占める大きさであること（本件記事①における本件写真も、「拡大写真」とある部分をクリックすれば、同程度の大きさに拡大されることがうかがわれる。）がそれぞれ認められ、また、本件記事①はCのコメントを引用し「遺族の思い」を伝えるものであり、本件記事②は原告のロサンゼルス到着を伝えるものであって、その内容に照らし、いずれも亡Aの昭和60年当時の手錠姿を掲載するまでの必要性があるものとは認められない。以上の事実関係のほか、本件写真が亡Aの死亡の2～3日後に公表されたことなどにかんがみれば、本件写真の撮影が違法であるか否かは措くとしても、2回に及ぶ本件写真の公表は、いずれも妻である原告の亡Aに対する敬愛追慕の情を受忍し難い程度に侵害するものと認められる。」

番　　　号	P051	事件名	ストリートビュー物干し事件控訴審		
キーワード	ストリートビュー、洗濯物				
被侵害者	一般私人				
裁判所	福岡高裁	日付	H24.07.13	種別	判決
審級関係等	P049の控訴審				
GL頁	13頁				
判例集	判時2234号44頁				

〔事案〕
　インターネット上で、特定地点の画像を見ることのできるサービス「ストリートビュー」の画像の一部に、自宅住居のベランダに干してあった洗濯物が写っていたことにつき、洗濯物を盗撮されたことにより、精神的苦痛を受けたとして、不法行為に基づく損害賠償を請求した事案（なお、被告は訴状の送達を受けた後、画像の公開停止の措置をとっている。）

〔主文〕
　棄却

〔要旨〕
　① 撮影行為の違法性：
　「一般に、他人に知られたくない私的事項をみだりに公表されない権利・利益や私生活の平穏を享受する権利・利益については、プライバシー権として法的保護が与えられ、その違法な侵害に対しては損害賠償等を請求し得るところ、社会に生起するプライバシー侵害の態様は多様であって、…容ぼう・姿態以外の私的事項についても、その撮影行為により私生活上の平穏の利益が侵され、違法と評価されるものであれば、プライバシー侵害として不法行為を構成し、法的な救済の対象とされると解される。…ただし、写真や画像の撮影行為に対する制約にも制限があり、当該撮影行為が違法となるか否かの判断においては、被撮影者の私生活上の平穏の利益の侵害が、社会生活上受忍の限度を超えるものといえるかどうかが判断基準とされるべきであると解される（肖像権の場合に関し、最高裁平成17年11月10日第一小法廷判決・民集59巻9号2428頁参照）。」
　「本件居室のあるアパートの周囲は住宅が多く、アパート建物は公道から通路部分（通路と駐車場と兼用している土地部分。）を経た奥の土地部分に建てられており、アパート建物は公道に直接面してはいない。アパート建物の敷地と公道との間には、平屋建ての建物があり、その建物の一角に乗用車と植木があるため、本件画像の上では、平屋建ての建物等がアパート建物を背にして比較的大きく見える。そして、本件居室は、アパート建物の2階にあるが、当該建物の中でも公道及び前記通路部分から奥の方に位置している。本件画像上には、本件居室のベランダが写っているが、画像全体の構成としては、手前に平屋建ての建物等があり、その奥にアパート建物があり、本件居室はアパート建物の一部として、撮影地点から相当離れたところに見えるにすぎず、ベランダの手すりに布様のものが掛けてあることは分かるが、それが具体的に何であるかは判別できない。ベランダの手すり以外のところに、物干しやハンガー等に吊られている洗濯物もなく、ベランダ全体を見ても下着が干してあることまでは分からない。本件画像には人物、表札や看板など個人名やアパート名が分かるものは写っていない。以上に照らせば、本件画像は、本件居室やベランダの様子を特段に撮影対象としたものではなく、公道から周囲全体を撮影した際に画像に写り込んだものであるところ、本件居室のベランダは公道から奥にあり、画像全体に占めるベランダの画像の割合は小さく、そこに掛けられている物については判然としないのであるから、一般人を基準とした場合には、この画像を撮影したことにより私生活の平穏が侵害されたとは認められないといわざるを得ない。一般に公道において写真・画像を撮影する際には、周囲の様々な物が写ってしまうため、私的事項が写真・画像に写り込むことも十分あり得るところであるが、そのことも一定程度は社会的に容認されていると解される。本件の場合は、ベランダに掛けられている物が具体的に何であるのか判然としないのであるから、たとえそれが下着であったとしても、上記の事情に照らせば、本件に関しては被撮影者の受忍限度の範囲内であるといわなければならない。以上のとおりであるから、控訴人のその他の主張を検討するまでもなく、本件画像の撮影行為について、

1　プロバイダ責任制限法名誉毀損・プライバシー関係ガイドライン　561

不法行為は成立しない。」

② 　公表行為の違法性：
　「撮影された本件画像の公表行為の違法性については、その物を公表されない法的利益とこれを公表する理由とを比較衡量して判断すべきところ（最高裁平成15年3月14日第二小法廷判決・民集57巻3号229頁参照）、前述のとおり、本件画像においてはベランダに掛けられた物が何であるのか判然としないのであり、本件画像に不当に注意を向けさせるような方法で公表されたものではなく、公表された本件画像からは、控訴人のプライバシーとしての権利又は法的に保護すべき利益の侵害があったとは認められない。したがって、その他の事情を検討するまでもなく、本件公表行為についても不法行為は成立しない。」

番　　　号	P052	事件名				
キーワード	検索結果、スニペット、逮捕事実、盗撮					
被 侵 害 者	一般私人					
裁 判 所	京都地裁	日付	H26.08.07	種別	判決	
審級関係等						
Ｇ　Ｌ　頁	−					
判　例　集	判時2264号79頁					

〔事案〕
　インターネット上の検索サイトにおいて自身の氏名を入力して検索を行うと、過去の逮捕に関する事実（サンダルに仕掛けた小型カメラで盗撮した事実）が判明する検索結果が表示され、これにより名誉権又はプライバシー権が侵害されているとして、損害賠償及び同事実が記載されているウェブサイトへのリンクの表示の差止めを請求した事案

〔主文〕
　棄却

〔要旨〕
　「被告が本件検索結果の表示によって摘示する事実は、検索ワードである原告の氏名が含まれている複数のウェブサイトの存在及び所在（URL）並びに当該サイトの記載内容の一部という事実であって、被告がスニペット部分の表示に含まれている本件逮捕事実自体を摘示しているとはいえないから、これにより被告が原告の名誉を毀損したとの原告の主張は、採用することができない。」
　「仮に、被告が本件検索結果の表示をもって本件逮捕事実を摘示していると認められるとしても、又は、被告が本件検索結果の表示をもって、本件逮捕事実が記載されているリンク先サイトの存在及び所在（URL）並びにその記載内容の一部という事実を摘示したことによって、原告の社会的評価が低下すると認められるとしても、その名誉毀損については、違法性が阻却され、不法行為は成立しないというべきである。」

1　プロバイダ責任制限法名誉毀損・プライバシー関係ガイドライン　563

番　　　号	P053	事件名	検索結果（忘れられる権利）事件（第一審）		
キーワード	検索結果、児童買春、逮捕事実、更生を妨げられない利益				
被侵害者	一般私人				
裁判所	さいたま地裁	日付	H27.06.25	種別	決定
審級関係等	P054、P055、P057の仮処分決定				
GL頁	－				
判例集	判時2282号83頁				

〔事案〕
　インターネット上の検索サイトにおいて自身の氏名を入力して検索を行うと、過去の逮捕に関する事実（約5年前の児童買春行為）が判明する検索結果が表示され、これにより人格権（更生を妨げられない利益）が侵害されているとして、検索結果の仮の削除を求める申立てを行った事案
〔主文〕
　申立認容（仮の削除命令）
〔要旨〕
　「更生を妨げられない利益が侵害されるとして、人格権に基づき、検索エンジンの管理運営者に対し、逮捕歴に関する記事が表示される検索結果の削除を求める請求については、その者のその後の生活状況を踏まえ、検索結果として逮捕歴が表示されることによって社会生活の平穏を害され更生を妨げられない利益が侵害される程度を検討し、他方で検索エンジンにおいて逮捕歴を検索結果として表示することの意義及び必要性について、事件後の時の経過も考慮し、事件それ自体の歴史的又は社会的な意義、その当事者の重要性、その者の社会的活動及びその影響力について、その検索エンジンの目的、性格等に照らした実名表示の意義及び必要性をも併せて判断し、その結果、逮捕歴にかかわる事実を公表されない法的利益が優越し、更生を妨げられない利益について受忍限度を超える権利侵害があると判断される場合に、検索結果の削除請求が認められるべきである。」
　「上記観点から検討すれば、前記のとおり、グーグル検索で債権者の住所…と氏名を検索キーワードとして検索を行った場合に債権者の逮捕歴に関する記事が検索結果として表示されることで、債権者は、既に罰金刑に処せられて罪を償ってから三年余り経過した過去の児童買春の罪での逮捕歴が、インターネット利用者であれば誰でも簡単に閲覧されるおそれがあり、そのため知人にも逮捕歴を知られ、平穏な社会生活が著しく阻害され、更生を妨げられない利益が侵害されるおそれがあって、その不利益は回復困難かつ重大なものであると認められる。他方で、検索結果を表示する意義及び必要性についてみると、逮捕歴は、一般的には社会一般の関心事である刑事事件にかかわる事実であるものの、本件の事件自体に歴史的又は社会的意義があるわけでもなく、債権者に社会的活動等からみた重要性や影響力等が認められるものでもなく、債権者が公職等の公的活動を営んでいるものでもない。また児童買春という犯罪に対する社会的関心を考慮したとしても、既に罪を償って三年余り経過した過去の債権者の逮捕歴を債権者の氏名等の個人情報と共にインターネットの検索エンジンで検索結果として表示し続けることの公益性は、それほど大きいとはいえない。本件事件に対する社会一般の関心が、逮捕歴に関する記事がインターネット上に掲載された後も続いているとはいえないことは、前記の検索結果の内容からも明らかで、債権者が逮捕され刑の執行を終えてから三年以上の時が経過した現在において、本件検索結果を今後とも表示すべき意義や必要性は特段認められない。したがって、インターネットの情報検索の重要性や知る権利に寄与する検索エンジンの公益性に照らしても、本件検索結果が表示されることにより家族と共に平穏な社会生活を営むことが阻害され、更生を妨げられない利益が侵害されるという債権者が受ける不利益の程度は、児童買春の罪への社会的関心や知る権利に寄与する検索エンジンの公益性を考慮したとしても、検索結果として氏名等の個人情報と共に表示し続けることの意義及び必要性をもって受忍すべきものとはいえないと評価するのが相当である。」

番　　　号	P054	事件名	検索結果（忘れられる権利）事件（異議審）		
キーワード	検索結果、児童買春、逮捕事実、更生を妨げられない利益				
被 侵 害 者	一般私人				
裁　判　所	さいたま地裁	日付	H27.12.22	種別	決定
審級関係等	P053、P055、P057の異議審				
G　L　頁	－				
判　例　集	判時2282号78頁				

〔事案〕
　インターネット上の検索サイトにおいて自身の氏名を入力して検索を行うと、過去の逮捕に関する事実（約5年前の児童買春行為）が判明する検索結果が表示され、これにより人格権（更生を妨げられない利益）が侵害されているとして、検索結果の削除の仮の削除を求める申立てを行った事案

〔主文〕
　保全異議棄却（原決定認可）

〔要旨〕
　「罪を犯した者が、有罪判決を受けた後、あるいは服役を終えた後、一市民として社会に復帰し、平穏な生活を送ること自体が、その者が犯罪を繰り返さずに更生することそのものなのである。更生の意義をこのように考えれば、犯罪を繰り返すことなく一定期間を経た者については、その逮捕歴の表示は、事件当初の犯罪報道とは異なり、更生を妨げられない利益を侵害するおそれが大きいといえる。一度は逮捕歴を報道され社会に知られてしまった犯罪者といえども、人格権として私生活を尊重されるべき権利を有し、更生を妨げられない利益を有するのであるから、犯罪の性質等にもよるが、ある程度の期間が経過した後は過去の犯罪を社会から「忘れられる権利」を有するというべきである。そして、どのような場合に検索結果から逮捕歴の抹消を求めることができるかについては、公的機関であっても前科に関する情報を一般に提供するような仕組みをとっていないわが国の刑事政策を踏まえつつ、インターネットが広く普及した現代社会においては、ひとたびインターネット上に情報が表示されてしまうと、その情報を抹消し、社会から忘れられることによって平穏な生活を送ることが著しく困難になっていることも、考慮して判断する必要がある。債権者は、既に罰金刑に処せられて罪を償ってから3年余り経過した過去の児童買春の罪での逮捕歴がインターネット利用者によって簡単に閲覧されるおそれがあり、原決定理由説示のとおり、そのため知人にも逮捕歴を知られ、平穏な社会生活が著しく阻害され、更生を妨げられない利益が侵害されるおそれがあって、その不利益は回復困難かつ重大であると認められ、検索エンジンの公益性を考慮しても、更生を妨げられない利益が社会生活において受忍すべき限度を超えて侵害されていると認められるのである。」

1　プロバイダ責任制限法名誉毀損・プライバシー関係ガイドライン　565

番　　　　号	P 055	事件名	検索結果（忘れられる権利）事件（抗告審）
キーワード	検索結果、児童買春、逮捕事実、人格権		
被 侵 害 者	一般私人		
裁　判　所	東京高裁	日付	H 28.07.12　種別　決定
審級関係等	P 053、P 054、P 057の抗告審		
Ｇ　Ｌ　頁	24頁		
判　例　集	判時2318号24頁、判タ1429号112頁		

〔事案〕
　インターネット上の検索サイトにおいて自身の氏名を入力して検索を行うと、過去の逮捕に関する事実（約5年前の児童買春行為）が判明する検索結果が表示され、これにより人格権（更生を妨げられない利益）が侵害されているとして、検索結果の削除の仮の削除を求める申立てを行った事案
〔主文〕
　棄却
〔要旨〕
　「相手方〔検索結果削除の申立人〕が主張する「忘れられる権利」は、そもそも我が国において法律上の明文の根拠がなく、その要件及び効果が明らかではない。…その要件及び効果について、現代的な状況も踏まえた検討が必要になるとしても、その実体は、人格権の一内容としての名誉権ないしプライバシー権に基づく差止請求権と異ならないというべきである。相手方も、「忘れられる権利」の成否の判断として、時間の経過のみならず、当事者の身分や社会的地位、公表に係る事項の性質等を総合考慮して決すべき旨主張しており、これは、人格権の一内容としての名誉権ないしプライバシー権に基づく差止請求権の要件の判断と実質的に同じものである。よって、人格権の一内容としての名誉権ないしプライバシー権に基づく差止請求の存否とは別に、「忘れられる権利」を一内容とする人格権に基づく妨害排除請求権として差止請求権の存否について独立して判断する必要はない。」
　「人のプライバシーに関する事項について、一旦は公知の状態になったとしても、時の経過によりそれが事実上世間に知られていない状態（非公知の状態）となり、当該人の社会的地位や当該事項の内容等も考慮すると公共の利害に係る事項といえなくなり、さらに、上記非公知の状態に基づき、当該人を取り巻く平穏かつ安定した生活状況が形成され、当該人の生活態度等を考慮するとそれを尊重すべきものといえる場合等は、事実上復活した非公知の状態を維持するために必要な措置を求め得る場合もあると解される。…現在、インターネットは、情報及び意見等の流通において、その量の膨大さ及び内容の多様さに加え、随時に双方向的な流通も可能であることから、単に既存の情報流通手段を補完するのみならず、それ自体が重要な社会的基盤の1つとなっていること、また、膨大な情報の中から必要なものにたどり着くためには、抗告人が提供するような全文検索型のロボット型検索エンジンによる検索サービスは必須のものであって、それが表現の自由及び知る権利にとって大きな役割を果たしていることは公知の事実である。このようなインターネットをめぐる現代的な社会状況を考慮すると、本件において、名誉権ないしプライバシー権の侵害に基づく差止請求（本件検索結果の削除等請求）の可否を決するに当たっては、削除等を求める事項の性質（公共の利害に関わるものであるか否か等）、公表の目的及びその社会的意義、差止めを求める者の社会的地位や影響力、公表により差止請求者に生じる損害発生の明白性、重大性及び回復困難性等だけでなく、上記のようなインターネットという情報公表ないし伝達手段の性格や重要性、更には検索サービスの重要性等も総合考慮して決するのが相当であると解される。」
　「本件犯行は、児童買春行為という、子の健全な育成等の観点から、その防止及び取締りの徹底について社会的関心の高い行為であり、特に女子の児童を養育する親にとって重大な関心事であることは明らかである。このような本件犯行の性質からは、その発生から既に5年程度の期間が経過しているとしても、また、相手方が一市民であるとしても、罰金の納付を終えてから5年を経過せず刑の言渡しの効力が失われていないこと（刑法34条の2第1項）も考慮すると、本件犯行は、いまだ公共の利害に関する事項であるというべきである。そして、本件犯行は真実であるし、本件検索結果の表示が公益目的でないことが明らかであると

はいえないから、名誉権の侵害に基づく差止請求は認められない。また、本件犯行は、その発生から既に5年が経過しているものの、相手方の名前及び住所地の県名により検索し得るものであり、そもそも現状非公知の事実としてプライバシーといえるか否かは疑問である。そして、本件犯行は検索サービスにより調べられる状態にあるにとどまり、現実には広くは知られていないことから事実上非公知といえる状態にあると仮定して、一私人として平穏な生活を送っている相手方の周囲の者に本件犯行について知られないようにするために、相手方が本件検索結果の削除を請求することが認められる余地があること、本件検索結果の数は49であり、個々の元サイトに対する削除請求には相当の手間がかかること等の事情が認められるとしても、前記のとおり本件犯行はいまだ公共性を失っていないことに加え、本件検索結果を削除することは、そこに表示されたリンク先のウェブページ上の本件犯行に係る記載を個別に削除するのとは異なり、当該ウェブページ全体の閲覧を極めて困難ないし事実上不可能にして多数の者の表現の自由及び知る権利を大きく侵害し得るものであること、本件犯行を知られること自体が回復不可能な損害であるとしても、そのことにより相手方に直ちに社会生活上又は私生活上の受忍限度を超える重大な支障が生じるとは認められないこと等を考慮すると、表現の自由及び知る権利の保護が優越するというべきであり、相手方のプライバシー権に基づく本件検索結果の削除等請求を認めることはできないというべきである。」

1 プロバイダ責任制限法名誉毀損・プライバシー関係ガイドライン 567

番　　　　号	P056	事件名				
キーワード	検索結果、逮捕事実、詐欺					
被 侵 害 者	一般私人					
裁　判　所	札幌高裁		日付	H28.10.21	種別	決定
審級関係等	（第一審は申立てを却下したため、申立人が抗告）					
Ｇ　Ｌ　頁	－					
判　例　集	判タ1434号93頁					

〔事案〕
　インターネット上の検索サイトにおいて自身の氏名を含む検索語を入力して検索を行うと、詐欺等の容疑で逮捕されて有罪判決を受けた事実が判明する検索結果が表示され、これにより名誉権又はプライバシー権が侵害されているとして、検索結果の仮の削除を求める申立てを行った事案

〔主文〕
　棄却

〔要旨〕
　（検索サイトの管理者が）「検索結果の削除義務を負うのは、検索結果として表示されたスニペットやリンク先のウェブサイトの記載が専ら他人に対する誹謗中傷等を内容とするなど、他人の名誉権やプライバシー権を明らかに侵害し、社会的相当性を逸脱したものであることが、当該検索結果それ自体から明らかな場合に限られると解するのが相当である。また、…他人の名誉権やプライバシー権を侵害するウェブサイトの記載を削除すべき義務を負うのは、原則として、当該ウェブサイトの管理者であることからすれば、上記の要件に加え、名誉権又はプライバシー権を侵害されたと主張する者が当該ウェブサイトの管理者に対して記載の削除を求めていては重大な損害が生じるなどの特段の事情が存在することが必要となると解するのが相当である。」
　「本件履歴情報は、いずれも、抗告人が、暴力団関係者と共謀して携帯電話番号の利用権を詐取するなどしたことについて、詐欺及び有印私文書偽造・同行使の疑いで平成18年×月×日に逮捕され、その犯罪事実により同年×月×日に有罪判決を受けた事実に関する報道機関の記事をそのまま転載したものか、又はその客観的事実の一部のみを摘示したものにすぎないことからすれば、本件履歴情報が殊更に抗告人を誹謗中傷するなどの不当な目的で記載されたものであることが、本件検索結果それ自体から明らかであるとはいえない。また、本件履歴情報には、逮捕日や判決言渡日、抗告人が会社社長であることが記載されているから、上記の逮捕や判決の言渡しが約10年前にされたものであることや、抗告人が政治家等の公的存在ではないことはその記載自体から明らかであるといえるものの、他方で、本件履歴情報からは、上記犯行が暴力団関係者という反社会的存在と協力してされた悪質なものであることや、様々な犯罪行為に利用され得る携帯電話に関する犯罪であることも読み取れることからすれば、現在において抗告人による上記犯行についての社会的関心が全く失われ、上記犯行が公共の利害に関する事実ではなくなったことが、本件検索結果それ自体から明らかであるとはいえない。以上検討したところによれば、本件履歴情報が専ら抗告人に対する誹謗中傷等を内容とするなど、抗告人の名誉権やプライバシー権を明らかに侵害し、社会的相当性を逸脱したものであることが、本件検索結果それ自体から明らかであるとは認められない。」

番　　　号	P 057	事件名	検索結果（忘れられる権利）事件（許可抗告審）		
キーワード	検索結果、児童買春、逮捕事実、更生を妨げられない利益				
被 侵 害 者	一般私人				
裁　判　所	最高裁（小3）	日付	H29.01.31	種別	決定
審級関係等	P053、P054、P055の許可抗告審				
G　L　頁	24頁				
判　例　集	民集71巻1号63頁、判時2328号10頁、判タ1434号48頁				

〔事案〕
　インターネット上の検索サイトにおいて自身の氏名を入力して検索を行うと、過去の逮捕に関する事実（約5年前の児童買春行為）が判明する検索結果が表示され、これにより人格権（更生を妨げられない利益）が侵害されているとして、検索結果の削除の仮の削除を求める申立てを行った事案

〔主文〕
　棄却

〔要旨〕
　「検索事業者は、インターネット上のウェブサイトに掲載されている情報を網羅的に収集してその複製を保存し、同複製を基にした索引を作成するなどして情報を整理し、利用者から示された一定の条件に対応する情報を同索引に基づいて検索結果として提供するものであるが、この情報の収集、整理及び提供はプログラムにより自動的に行われるものの、同プログラムは検索結果の提供に関する検索事業者の方針に沿った結果を得ることができるように作成されたものであるから、検索結果の提供は検索事業者自身による表現行為という側面を有する。また、検索事業者による検索結果の提供は、公衆が、インターネット上に情報を発信したり、インターネット上の膨大な量の情報の中から必要なものを入手したりすることを支援するものであり、現代社会においてインターネット上の情報流通の基盤として大きな役割を果たしている。そして、検索事業者による特定の検索結果の提供行為が違法とされ、その削除を余儀なくされるということは、上記方針に沿った一貫性を有する表現行為の制約であることはもとより、検索結果の提供を通じて果たされている上記役割に対する制約でもあるといえる。以上のような検索事業者による検索結果の提供行為の性質等を踏まえると、検索事業者が、ある者に関する条件による検索の求めに応じ、その者のプライバシーに属する事実を含む記事等が掲載されたウェブサイトのURL等情報を検索結果の一部として提供する行為が違法となるか否かは、当該事実の性質及び内容、当該URL等情報が提供されることによってその者のプライバシーに属する事実が伝達される範囲とその者が被る具体的被害の程度、その者の社会的地位や影響力、上記記事等の目的や意義、上記記事等が掲載された時の社会的状況とその後の変化、上記記事等において当該事実を記載する必要性など、当該事実を公表されない法的利益と当該URL等情報を検索結果として提供する理由に関する諸事情を比較衡量して判断すべきもので、その結果、当該事実を公表されない法的利益が優越することが明らかな場合には、検索事業者に対し、当該URL等情報を検索結果から削除することを求めることができるものと解するのが相当である。」
　「抗告人は、本件検索結果に含まれるURLで識別されるウェブサイトに本件事実の全部又は一部を含む記事等が掲載されているとして本件検索結果の削除を求めているところ、児童買春をしたとの被疑事実に基づき逮捕されたという本件事実は、他人にみだりに知られたくない抗告人のプライバシーに属する事実であるものではあるが、児童買春が児童に対する性的搾取及び性的虐待と位置付けられており、社会的に強い非難の対象とされ、罰則をもって禁止されていることに照らし、今なお公共の利害に関する事項であるといえる。また、本件検索結果は抗告人の居住する県の名称及び抗告人の氏名を条件とした場合の検索結果の一部であることなどからすると、本件事実が伝達される範囲はある程度限られたものであるといえる。以上の諸事情に照らすと、抗告人が妻子と共に生活し、…罰金刑に処せられた後は一定期間犯罪を犯すことなく民間企業で稼働していることがうかがわれることなどの事情を考慮しても、本件事実を公表されない法的利益が優越することが明らかであるとはいえない。」

1 プロバイダ責任制限法名誉毀損・プライバシー関係ガイドライン 569

番　　　号	P058	事件名	住所でポン事件			
キーワード	ウェブサイト（電話帳データ掲載）、氏名、住所、電話番号					
被侵害者	一般私人					
裁　判　所	京都地裁	日付	H29.04.25	種別	判決	
審級関係等						
Ｇ　Ｌ　頁	12頁					
判　例　集	裁判所ウェブサイト					

〔事案〕
　インターネット上のウェブサイトに自身の氏名、住所及び電話番号等が掲載されていること並びに原告の氏名、住所、電話番号及び郵便番号が記載された訴訟の訴状副本、仮処分決定書等の裁判書面をウェブサイトに掲載されていることがプライバシーを法的利益とする人格権を侵害するものであるとして、不法行為に基づき、損害賠償金等を求めるとともに、人格権に基づく妨害排除請求として、ウェブサイトからの氏名、住所及び電話番号の削除及びウェブサイトへの掲載の事前差止め等を求めた事案

〔主文〕
　損害賠償・氏名等の削除認容

〔要旨〕
　「原告の住所（これに付随する郵便番号も含む。）及び電話番号は、原告の生活の本拠を客観的かつ明確に示すものであり、かつ、郵便ないし電話等の手段により情報を伝達するために必要な情報であって、個人の私生活上の事実ないし情報であるといえ、かつ、周知の情報ではない。そして、他人に知られることで生活の本拠における平穏が侵害されるおそれがあるから、一般人を基準として、他人に知られることで私生活上の平穏を害するような情報であるといえる。そして、氏名は、個人を他人から識別し、特定する機能を有するものであり、当該個人の他の情報と結びつくことによってその情報と個人の関連性を示す機能を果たす。以上からすれば、原告の住所、電話番号及び郵便番号は、原告の氏名と結びついて、原告のプライバシーに係る情報として法的保護の対象となるというべきである。」

　① 本件掲載行為〔1〕（原告の氏名、住所及び電話番号をウェブサイトに掲載した行為）について：
　「原告の氏名と結びつけられた住所及び電話番号は、原告の思想、信条等の内面に関わらない外形的かつ単純な情報であるが、原告の私生活の平穏に直接関わる情報であり、これを知られることで原告が私生活上の平穏を侵害される危険性があることは否定できず、要保護性がある。また、原告は公職等に就いていない私人であるから、これらの情報は公益に関する情報ではない。また、インターネットに掲載された情報の複製（コピー）は極めて容易であるため、いったんインターネットで情報が公開されると、それを閲覧した者なら誰でもその情報の複製を作成してインターネットに掲載することができ、短時間のうちに際限なく複製の掲載を行うことも可能であって、そのように多数の複製の掲載が行われた場合、これらを全て中止させることは事実上不可能であるから、いったんインターネットに公開された原告の氏名、住所及び電話番号は、いつまでもインターネットで閲覧可能な状態に置かれることになる。また、インターネットへ掲載されると、検索サービスを利用することで、氏名から住所及び電話番号を、住所から氏名及び電話番号を容易に知られることとなる。このような開示の相手方及び開示の方法は、紙媒体を用い、配布先が基本的に掲載地域に限定されている電話帳（ハローページ）への氏名、住所及び電話番号への掲載とは、著しく異なるものである。したがって、原告がハローページの掲載を承諾したことをもって、インターネットへの掲載を承諾したとはいえないし、原告が氏名、住所及び電話番号をAで公開されない法的利益は大きいということができる。…本件掲載行為〔1〕は違法であるというべきである。」

　② 本件掲載行為〔2〕〔3〕（原告の氏名、住所、電話番号及び郵便番号が記載された訴訟の訴状副本、仮処分決定書等の裁判書面をウェブサイトに掲載した行為）について：

「本件掲載行為〔2〕〔3〕のうち、原告の住所、電話番号及び郵便番号を掲載する部分について、…違法であるというべきである。他方、本件掲載行為〔2〕〔3〕のうち、原告が本件訴訟の原告である事実及び本件仮処分事件の債権者である事実を掲載した部分については、住所、電話番号及び郵便番号とは別に解する必要がある。原告が本件訴訟の原告である事実及び本件仮処分事件の債権者である事実は、周知のものとはいえず、一般人を基準として、他人に知られることで私生活上の平穏を害するおそれがあることは否定できず、プライバシーとして法的保護の対象となるということはできる。しかし、裁判の公開は、司法に対する民主的な監視を実現するため、絶対的に保障されるべきものであり（憲法82条1項）、当事者の権利義務を確定する訴訟については、当事者の氏名も含め、当然に公開が予定されているものである（民事訴訟法91条、312条2項5号）。仮処分は、必ずしも公開の手続を予定していないが（民事保全法3条、5条）、本案訴訟を前提とするものであるから（同法37条）、その内容については秘匿すべき情報とはいえない。そうすると、原告は、本件訴訟を提起し、本件仮処分事件の申立てを行ったことによって、本件訴訟の原告及び本件仮処分事件の債権者として、氏名を他者に知られることを受忍すべきものといえる。また、本件訴訟及び本件仮処分事件において審理の対象となっている情報は、特に私事性、秘匿性が高いものとはいえず、原告の氏名と結びつくことによって、原告の私生活上の平穏を著しく侵害するものとはいえない。このことは、不特定多数人を開示の相手方とし、情報の拡散性、情報取得の容易性を特徴とするインターネットにおける掲載行為においても、同様である。したがって、本件掲載行為〔2〕〔3〕のうち、原告の氏名を掲載した部分については、受忍限度の範囲内であり、違法性はないというべきである。」

1 プロバイダ責任制限法名誉毀損・プライバシー関係ガイドライン

番　　　　号	P 059	事件名				
キーワード	SNS上の掲示板、なりすまし、アイデンティティ権、肖像権					
被 侵 害 者	一般私人					
裁　判　所	大阪地裁	日付	H29.08.30	種別	判決	
審級関係等						
G　L　頁	-					
判　例　集	裁判所ウェブサイト					

〔事案〕
　自身になりすましてインターネット上の掲示板に第三者を罵倒するような投稿等を行ったことにより、アイデンティティ権、肖像権又は名誉権が侵害されたとして、損害賠償を請求した事案
　（名誉毀損の観点では、裁判例要旨－名誉毀損編－D042）

〔主文〕
　認容

〔要旨〕
　① 肖像権：
　「肖像は、個人の人格の象徴であるから、当該個人は、人格権に由来するものとして、これをみだりに利用されない権利を有すると解される（最高裁平成24年2月2日判決・民集66巻2号89頁参照）。他方、他人の肖像の使用が正当な表現行為等として許容されるべき場合もあるというべきであるから、他人の肖像の使用が違法となるかどうかは、使用の目的、被侵害利益の程度や侵害行為の態様等を総合考慮して、その侵害が社会生活上受忍の限度を超えるかどうかを判断して決すべきである（最高裁平成17年11月10日判決・民集59巻9号2428頁参照）。…被告は、原告の顔写真を本件アカウントのプロフィール画像として使用し、原告の社会的評価を低下させるような投稿を行ったことが認められ、被告による原告の肖像の使用について、その目的に正当性を認めることはできない。そして、前記争いのない事実等…のとおり、被告が、原告の社会的評価を低下させる投稿をするために原告の肖像を使用するとともに、「わたしの顔どうですか？ｗ」（平成27年5月18日午前10時39分）、「こんな顔でHさんを罵っていました。ごめんなさい」（同日午前10時54分）などと投稿したことは、原告を侮辱し、原告の肖像権に結びつけられた利益のうち名誉感情に関する利益を侵害したと認めるのが相当である。そうすると、被告による原告の肖像の使用は、その目的や原告に生じた不利益等に照らし、社会生活上受忍すべき限度を超えて、原告の肖像権を違法に侵害したものと認められる。」

　② なりすまし行為：
　「個人が、自己同一性を保持することは人格的生存の前提となる行為であり、社会生活の中で自己実現を図ることも人格的生存の重要な要素であるから、他者との関係における人格的同一性を保持することも、人格的生存に不可欠というべきである。したがって、他者から見た人格の同一性に関する利益も不法行為法上保護される人格的な利益になり得ると解される。もっとも、他者から見た人格の同一性に関する利益の内容、外縁は必ずしも明確ではなく、氏名や肖像を冒用されない権利・利益とは異なり、その性質上不法行為法上の利益として十分に強固なものとはいえないから、他者から見た人格の同一性が偽られたからといって直ちに不法行為が成立すると解すべきではなく、なりすましの意図・動機、なりすましの方法・態様、なりすましをされた者がなりすましによって受ける不利益の有無・程度等を総合考慮して、その人格の同一性に関する利益の侵害が社会生活上受忍の限度を超えるものかどうかを判断して、当該行為が違法性を有するか否かを決すべきである。本件では、…被告は、本件アカウント名にて、原告の社会的評価を低下させるような内容を含む投稿を行っていることからすると、なりすましが正当な意図、動機によるものとは認められない。しかしながら、なりすましの方法、態様についてみると、原告が、被告による原告のなりすましとして主張する行為とは、具体的には、…被告が原告の本件サイトにおけるアカウント名を冒用し、プロフィール画像に原告の顔写真を登録した上で、本件掲

示板への投稿を行ったというものであるところ、通常は、アカウント名やプロフィール画像は、本件サイト内での通用を予定して設定されるものであること、…本件サイトの利用者は、アカウント名・プロフィール画像を自由に変更することができることからすると、社会一般に通用し、通常は身分変動のない限り変更されることなく生涯個人を特定・識別し、個人の人格を象徴する氏名の場合とは異なり、利用者とアカウント名・プロフィール画像との結び付きないしアカウント名・プロフィール画像が具体的な利用者を象徴する度合いは、必ずしも強いとはいえないというべきである。また、原告が被告によるなりすましによって受けた不利益について検討するに、…原告の名誉権及び肖像権の侵害による不利益については別に不法行為上の保護を受けると認められる。その余の不利益については、被告によるなりすましは本件サイト内の投稿にとどまること…被告によるなりすまし投稿の直後から、他の本件サイト利用者により、投稿が原告本人以外の者によるものである可能性が指摘されていたことが認められること、…本件掲示板に「C」とのアカウント名及び原告の顔写真のプロフィール画像が表示されていたのは約1か月余りの間であり、その後これらは変更されたことが認められる。以上の事実を総合考慮すれば、本件では、被告のなりすまし行為（名誉権侵害行為、肖像権侵害行為は除く）による原告の人格的な利益の侵害が社会生活上受忍の限度を超えるものとまでは認められないというべきであり、当該行為が違法とは認められない。」

1 プロバイダ責任制限法名誉毀損・プライバシー関係ガイドライン 573

番　　　号	P060	事件名	大手教育業者個人情報流出事件		
キーワード	情報流出、氏名、性別、生年月日、郵便番号、住所、電話番号、通信教育、名簿業者、精神的損害				
被侵害者	一般私人、未成年者、保護者				
裁判所	最高裁（小3）	日付	H29.10.23	種別	判決
審級関係等					
GL頁	10頁				
判例集	裁判所ウェブサイト、判時2351号7頁、判タ1442号46頁				

〔事案〕
　通信教育等を目的とする会社から、未成年者及び保護者の個人情報が漏えいしたことについて、プライバシー権が侵害されたとして未成年者の保護者が損害賠償を請求した事案
〔主文〕
　（請求棄却の原判決について）破棄・差戻し
〔要旨〕
　「本件漏えいは、被上告人のシステムの開発、運用を行っていた会社の業務委託先の従業員であった者が、被上告人のデータベースから被上告人の顧客等に係る大量の個人情報を不正に持ち出したことによって生じたものであり、上記の者は、持ち出したこれらの個人情報の全部又は一部を複数の名簿業者に売却した。…本件個人情報は、上告人のプライバシーに係る情報として法的保護の対象となるというべきであるところ（最高裁平成14年（受）第1656号同15年9月12日第二小法廷判決・民集57巻8号973頁参照）、上記事実関係によれば、本件漏えいによって、上告人は、そのプライバシーを侵害されたといえる。しかるに、原審は、上記のプライバシーの侵害による上告人の精神的損害の有無及びその程度について十分に審理することなく、不快感等を超える損害の発生についての主張、立証がされていないということのみから直ちに上告人の請求を棄却すべきものとしたものである。そうすると、原審の判断には、不法行為における損害に関する法令の解釈適用を誤った結果、上記の点について審理を尽くさなかった違法があるといわざるを得ない。以上によれば、原審の上記判断には、判決に影響を及ぼすことが明らかな法令の違反がある。論旨は、この趣旨をいうものとして理由があり、原判決は破棄を免れない。そして、本件漏えいについての被上告人の過失の有無並びに上告人の精神的損害の有無及びその程度等について更に審理を尽くさせるため、本件を原審に差し戻すこととする。」

番　　　　号	P 061	事件名	
キーワード	検索結果、逮捕事実、人格権、社会生活の平穏、更生を妨げられない利益、実名使用の意義・必要性			
被 侵 害 者	会社経営者			
裁　判　所	徳島地裁	日付	H29.01.13	種別	決定
審級関係等	P 062の原審			
G L 頁	－			
判　例　集	判時2354号46頁			

〔事案〕
　会社の代表取締役である債権者が、検索エンジンサービスにおいて債権者の氏名等を入力して検索をすると、債権者の過去の逮捕事実に関する情報（約7年前に旧薬事法違反の被疑事実で逮捕された事実）が表示され、債権者が損害を受けるおそれがあると主張して、債務者である検索エンジンサービス事業者に対し、検索結果表示の仮の削除を求めた事案（本決定に先立つ原決定が、検索結果表示を仮に削除することを命じたため、債務者が保全異議を申し立てた。）
〔主文〕
　原決定取消
〔要旨〕
　「刑事事件につき被疑者とされ、更には被告人とされ、有罪判決を受けた…者は、みだりに前科等を公表されないことにつき、法的保護に値する利益を有し…、前科等の公表により新しく形成している社会生活の平穏やその更生を妨げられない利益を有し、この利益は人格権の一内容として法的保護に値するというべきであるが、他方で、…その者の社会的活動の性質や影響力の程度等によっては、その社会的活動に対する批判や評価の一資料として、前科等が公表されることを受忍しなければならないこともある」
　「ある者の前科等の公表の差止めを求めることができるか否かは、その者のその後の生活状況のみならず、事件それ自体の歴史的又は社会的な意義、その当事者の重要性、その者の社会的活動及びその影響力について、事件の目的・性格等に照らした実名使用の意義及び必要性をも併せて判断すべきもので、このような比較衡量の結果、前科等の公表による不利益が受忍限度を超え、前科等を公表されない利益がその余の利益に優越するといえる場合に限り、当該公表の差止めを求めることができるものと解するのが相当である。」
　「検索エンジンサービスは今日において上記のような公益的役割を有しているところ、特に債務者において適法性の判断が困難な表現について、積み重ねられた裁判の内容によっては、これが債務者の行為規範として機能することにより、本来は削除の必要のない検索結果表示まで債務者が削除する運用が行われるような事態を招きかねず、リンク先サイトの表現者の表現の自由や閲覧者の知る権利が不当に害される危険があることに鑑みれば、検索結果表示の削除請求が認められるか否かの判断に当たっては、前記の比較衡量において、検索エンジンサービスを管理・運営する者自身の不利益のみならず、リンク先サイトの表現者やその閲覧者等の不利益をも考慮し、削除請求の可否を慎重に検討する必要がある」
　「これを本件についてみると、…、本件犯罪は、その性質上、一般消費者の利益に関わるものであり、実際にこれに関わった一般消費者も多数に上ると考えられ、一般国民の関心も高いものといえるところ、債権者は、本件会社の代表取締役として、その従業員らと共に本件犯罪を実行したものであって、少なくとも債権者が逮捕された当時及び本件有罪判決の当時においては、本件犯罪について債権者の実名を挙げて公表する必要性が高かったことは明白である…本件犯罪から約7年が経過し、本件有罪判決の確定から約5年半が経過してはいるものの、前記のとおりの本件犯罪の性質に鑑みれば、単に執行猶予期間が満了し、罰金刑の言渡しの効力が失われたことのみをもって、本件犯罪に関する一般国民の関心が消滅するものと解することはできず、本件犯罪に係る情報を公表することには、今もなお、一定の社会的意義があるものといえる。加えて、…潜在的被害者は相当多数に上るものと考えられ、その中には、本件犯罪を認識していない者も一定程度存在し、…これらの者が債権者や本件会社に対し損害賠償を求めるなどするため、本件犯罪に係る情報を入手する必要性は依然とし

て高いものといえ、その知る権利に応えるという観点に照らせば、本件犯罪に係る情報を公表する必要性が高い」

「他方、本件会社は、健康食品の販売事業を譲渡し、その目的や商号を変更したものの、依然として、会社として存続し、…債権者も、依然として、本件会社の代表取締役として経済活動を行っているのであって、このように、本件会社がその同一性を維持しながら事業活動を継続している以上、債権者が本件会社の経済活動として実行した本件犯罪の事実は、経済活動の主体としての債権者及び本件会社を評価するに当たっての重要な要素というべきであるから、債権者は、本件会社の代表取締役として経済活動を行っている限りにおいては、本件会社の代表取締役として過去に実行した本件犯罪に係る情報を公表されることを一定程度は甘受すべき立場にある」

「以上によれば、…債権者が本件犯罪に係る情報を実名で公表されない利益がその余の利益に優越するものとはいうことはできず、債権者が本件検索結果表示の削除請求権を有するものとは認められない」

576 第4 ガイドライン

番　　　号	P062	事件名			
キーワード	検索結果、逮捕事実、人格権、職業関連犯罪、リンク先サイト、民事上の責任追及の余地				
被 侵 害 者	会社経営者				
裁　判　所	高松高裁	日付	H29.07.21	種別	決定
審級関係等	P061の抗告審				
G　L　頁	－				
判　例　集	判時2354号40頁				

〔事案〕
　会社の代表取締役である債権者（抗告人）が、検索エンジンサービスにおいて債権者の氏名等を入力して検索をすると、債権者の過去の逮捕事実に関する情報（約8年前に旧薬事法違反の被疑事実で逮捕された事実）が表示され、債権者が損害を受けるおそれがあると主張して、債務者（被抗告人）である検索エンジンサービス事業者に対し、検索結果表示の仮の削除を求めた事案（原審が債権者の申立てを却下したため、債権者が抗告した。）。

〔主文〕
　抗告棄却

〔要旨〕
　「検索事業者が、ある者に関する条件による検索の求めに応じ、その者のプライバシーに属する事実を含む記事等が掲載されたウェブサイトのURL等情報を検索結果の一部として提供する行為が違法となるか否かは、当該事実の性質及び内容、当該URL等情報が提供されることによってその者のプライバシーに属する事実が伝達される範囲とその者が被る具体的被害の程度、その者の社会的地位や影響力、上記記事等の目的や意義、上記記事等が掲載された時の社会的状況とその後の変化、上記記事等において当該事実を記載する必要性など、当該事実を公表されない法的利益と当該URL等情報を検索結果として提供する理由に関する諸事情を比較衡量して判断すべきもので、その結果、当該事実を公表されない法的利益が優越することが明らかな場合には、検索事業者に対し、当該URL等情報を検索結果から削除することを求めることができるものと解するのが相当である（最高裁判所平成28年（許）第45号同29年1月31日第三小法廷決定・民集71巻1号63頁参照）。」
　「本件犯罪は、抗告人らの指示の下、本件会社の従業員らが関与し、組織を挙げて周到に準備、計画がされた巧妙な犯行である。抗告人は、本件犯罪において、主導的立場にあり、本件会社の代表者として、同発表会を主催するなど最も重要な役割を果たし、当時、健康被害こそ発生しなかったものの、本件会社は上記医薬品の販売により多額の利益を得た。」
　「本件検索結果表示は、抗告人の氏名等を条件とした場合の検索結果のごく一部にとどまり、検索結果の総数のうち本件検索結果表示が占める数の割合に加え、本件会社の商号が変更され、同表示に掲載された人物が直ちに抗告人であると同定されるものではないことなどからすると、本件犯罪に係る事実が伝達される範囲はある程度限られたものといえる。」
　「本件会社は、その後も同じ所在地において存続し、抗告人は、依然として本件会社の代表取締役として事業を行っている。その限りでは、抗告人の社会的地位や影響力は、本件犯罪当時と変わらぬままであり、本件犯罪が職業関連犯罪であることを考慮すると、この点は、事業内容が変わっても、抗告人の信用状況を判断する際の一事情となり得、取引先等が、抗告人の信用調査の一環として本件犯罪に関する事実を知ることは正当な関心事といえる。」
　「本件検索結果表示のリンク先サイトは、仮処分により仮の削除が命じられたウェブサイト（本件元記事）の内容をコピーして保存しているものであるが、リンク先サイトに掲載された記事は、本件元記事と同様に、本件犯罪の事件当時の報道を引用、転載したもので、…その公共性及び社会的関心は高く、これを伝えることについて、一定の意義及び必要性が認められるものである。」
　「確かに、抗告人が処せられた罰金刑については、…刑の言渡しが効力を失っている（刑法34条の2第1項）。また、懲役刑についても、…猶予の期間を経過し、刑の言渡しは、効力を失っている（刑法27条）。しかし、他方で、本件犯罪は、…その当時において、社会的に強い関心を集めたものであり、今日においても…同様な被害があることからすると、本件犯罪

は、そのような犯罪の一事例として、今なお公共の利害に関わる事項であるといえる。加えて、抗告人は、本件犯罪について、懲役■年（■年間刑執行猶予）及び罰金■万円の本件有罪判決を受けており、犯罪に対する主体的な関与が認められ、組織的な犯罪でもあること、懲役刑の執行猶予期間の満了後いまだ２年程度しか経過していないこと、本件犯罪以外の余罪があることがうかがわれ、抗告人は、本件犯罪の収益について余罪も含めて賠償をしたことはうかがわれず、民事上の責任追及の余地があることからすると、本件犯罪に係る事実それ自体に対する公共の関心も、いまだ希薄化したものとはいえない。」

番　　号	P063	事件名	
キーワード	検索結果、逮捕事実、人格権、歯科医師としての資質に関する事実		
被侵害者	歯科医師		
裁　判　所	横浜地裁	日付	H29.09.01	種別	判決
審級関係等			
G　L　頁	−		
判　例　集	判時2367号71頁		

〔事案〕
　歯科医師である原告が、検索エンジンサービスにおいて原告の氏名等を入力して検索をすると、原告の過去の逮捕事実に関する情報（約11年前に、歯科医師法違反の被疑事実で逮捕された事実）や、原告の氏名、年齢、住所等に関する情報が表示され、原告が損害を受けるおそれがあると主張して、検索エンジンサービス事業者に対し、検索結果表示の削除を求めた事案

〔主文〕
　請求棄却

〔要旨〕
　「検索事業者が、ある者に関する条件による検索の求めに応じ、その者のプライバシーに属する事実を含む記事等が掲載されたウェブサイトのURL等情報を検索結果の一部として提供する行為が違法となるか否かは、当該事実の性質及び内容、当該URL等情報が提供されることによってその者のプライバシーに属する事実が伝達される範囲とその者が被る具体的被害の程度、その者の社会的地位や影響力、上記記事等の目的や意義、上記記事等が掲載された時の社会的状況とその後の変化、上記記事等において当該事実を記載する必要性など、当該事実を公表されない法的利益と当該URL等情報を検索結果として提供する理由に関する諸事情を比較衡量して判断すべきものであり、その結果、当該事実を公表されない法的利益が優越することが明らかな場合には、検索事業者に対し、当該URL等情報を検索結果から削除することを求めることができるものと解するのが相当である。（以上につき、平成29年最決）」
　「原告が本件逮捕をされ、罰金刑を受けたのは、歯科医師である原告が歯科医師免許を受けていない■と共謀して、歯科医業となる本件診療行為をしたというものである…。」「これに加え、原告が今なお歯科医師として歯科医業に従事していることを考慮すると、本件診療行為を理由としては歯科医師免許取消等の行政処分がされておらず、本件逮捕から既に約11年が経過しているといった原告が主張する諸事情を踏まえても、本件逮捕等の事実は、その性質及び内容に鑑み、原告の歯科医師としての資質に関する事実として一般市民の正当な関心の対象になるというべきである。」
　「本件検索結果は、原告の氏名に「歯科」との語を検索条件に加えて検索した場合に表示されるものである。そうすると、本件検索結果の表示を通じて本件逮捕等の事実が伝達される範囲は、…歯科医師としての原告や原告の歯科医業につき…正当な関心を有する者に限られる」
　「本件検索結果の表示により原告が被る具体的被害の程度が重大なものであると認めることはできない。」
　「原告は、歯科診療所の歯科医師であり、それ自体としては社会的地位や影響力が大きいといえないとしても、本件において検索結果の削除を求める本件逮捕等の事実との関係では…、原告が歯科医師であることを軽視することはできない。また、本件検索結果の収集元URLに係るウェブサイト上の記事の内容は、…本件逮捕がされた事実を客観的に伝えるものであって、原告に対する個人攻撃や興味本位に基づく私生活上の事実の暴露を目的とするものとは認められない。…本件逮捕の理由とされた本件診療行為の違法性に対する評価が当時と現在とで異なっているといった事情もうかがわれない。」

1 プロバイダ責任制限法名誉毀損・プライバシー関係ガイドライン 579

番　　　号	P064	事件名				
キーワード	動画共有サイト、電話の通話内容					
被侵害者	一般人					
裁　判　所	東京地裁	日付	H30.04.26	種別	判決	
審級関係等						
ＧＬ頁	－					
判　例　集	裁判所ウェブサイト					

〔事案〕
　原告が、原告の有するプログラムの著作権を、被告が許諾なく複製して販売していると主張して損害賠償請求した。これに対し、被告は、著作権侵害の事実を争うとともに、原告が、被告との間で交わした電話での通話内容を録音し、これをインターネット上に配信した行為が、被告の名誉権及びプライバシー権を侵害すると主張して、原告に対し、損害賠償を求め反訴した事案
　（なお、本項目では反訴請求の部分のみ紹介する。）
〔主文〕
　一部認容（プライバシー侵害については認めず、名誉毀損のみ認め、これに基づき請求額の一部を認容）
〔要旨〕
　「原告は、平成28年10月20日午前2時すぎころ、被告に対し、電話で、「僕のEA（判決注：FX自動売買ソフトの意と解される。）を転売していますよね。」、「だからなんで俺のそもそも持ってんのか答えろ言うとるやろが。」、「どこやねん、住んどんの、（住所は省略）か？お前」、「お前なめてんのか、お前。」などと告げた上、「うん、警察いくわ。お前の録音しといたから。」、「僕の持っている、僕が譲ったソースを、まぁいじって売っていることが問題なんですよ。」、「いや被害届まず出しますよ。」、「応じないんだったら、だから法的手段に移りますよって。」、「僕からソースをもらったって認めた。で、示談には応じない。なので、僕は法的手段を取らざるをえない状態になりました。」、「あのー、著作権に、あのー、ソースに載っている時点でダメなんですよ。」、「あのー、オリジナル、自分で作ったもの売っていないんじゃないとダメですよ。」、「まあ、売れた本数が20って言ってたから、大体5万で100万くらいは損失、機会奪われていますね。」、「100やで。」、「20本×5万円で、100万円の損失が生まれましたっていう話。」などと、被告が本件プログラムについての原告の著作権を侵害しているとして、100万円の支払に応じなければ警察に被害届を提出する等の法的手段を採る旨を告げた。」
　「原告は、その後、原告が被告と上記…のやり取りをしている様子を撮影した動画（被告は映っていないが、会話内容は全て録音されている。）を、インターネット上の動画共有サービス…にストリーミング配信し、平成29年1月又は2月ころに削除されるまでの間、同サービスの会員であれば誰でも上記動画を視聴可能な状態においた（以下「本件配信」という。）。また、原告は、上記動画を「…EA転売屋との対決」とのタイトルを付してインターネット上の動画共有サイト…に投稿し、同年1月又は2月ころに削除されるまでの間、上記動画をインターネット上で誰でも視聴可能な状態においた。（以下「本件投稿」という。）。」
　「原告は、本件配信及び本件投稿につき明らかに争わないところ、本件配信及び本件投稿に係る動画中における原告の発言は、被告が原告の著作権を侵害したとの印象を与えるなど、被告の社会的評価を低下させるに足るものと認められるから、被告に対する名誉棄損の不法行為を構成するものと認められる（なお、被告は、原告が被告に著作権侵害に係る示談金100万円の支払を要求するなどし、その対応にとまどい困惑している被告の様子（音声）を本件配信及び本件投稿により公開したとして、プライバシー権の侵害も主張するが、被告の主張を前提としても、被告のプライバシー権が侵害されたとは認められない。）。」

2 プロバイダ責任制限法名誉毀損・プライバシー関係ガイドライン別冊「公職の候補者等に係る特例」に関する対応手引き

初　版：平成25年4月30日
第2版：平成25年6月28日
プロバイダ責任制限法ガイドライン等検討協議会

はじめに

　第183回国会において、「(衆第3号) 公職選挙法の一部を改正する法律」(以下「改正法」という。) が成立した。

　この法律の成立により、インターネット等を使って選挙運動を実施することが可能になり、候補者のみならず、有権者がインターネット上の掲示板やホームページ、ブログ、Facebook、Twitter等に特定の候補者や政党を応援する書き込みを行うなど、インターネットを選挙運動に活用することもできるようになる。

　しかし、中には、公職の候補者等の名誉を侵害する情報が流通し、公職の候補者等から書き込みの削除を求められたりすることなども考えられる。この場合、プロバイダ等がこれらの書き込みを削除すれば発信者から損害賠償の請求を受け、逆に静観すれば申立者からの損害賠償の請求にさらされることもある。

　この点について、プロバイダ等が公職の候補者等から名誉侵害情報に関する送信防止措置の申出を受けた場合の基本的な考え方としては、本協議会「プロバイダ責任制限法名誉毀損・プライバシー関係ガイドライン (第3版)」に従って対応を行うことが望ましい。

尤も、名誉侵害情報に関する送信防止措置の申出を行った者が公職の候補者や政党等であるかについてプロバイダ等が簡便に確認するための制度がないこと、また、電子メールアドレス等が正しく表示されていないことを理由として送信防止措置を講じた場合の責任制限が改正法により新たに追加されたことから、これらの新たな状況において、プロバイダ等は慎重な対応が必要となるものと考えられる。

そこで、プロバイダ等が公職の候補者等から名誉侵害情報に関する送信防止措置の申出を受けた場合の対応等について、特に留意すべき点を明らかにし、もって公職の候補者等に関する情報の充実、有権者の政治への参加の促進などインターネット等を利用した選挙運動が円滑かつ健全に行われることを目的として、本手引きを作成した。

なお、新たな責任制限規定のもとでも、従前から送信防止措置の要請があった場合に対応することの難しい事例（例えば、サーバが海外に設置されている場合、検索エンジンのキャッシュが残っている場合など）については、改正法による解決が図られるものではなく、依然として難しい状況にあることに変わりはない。

プロバイダ等が公職の候補者等からの申出に対応するにあたり、本手引きを参照して、各自のマニュアル等を更新するなど、プロバイダ等における適正な対応に資すれば幸甚である。

平成25年4月30日
プロバイダ責任制限法ガイドライン等検討協議会
名誉毀損・プライバシー関係WG

582　第4　ガイドライン

目　次

第1　本手引きの位置づけ
第2　プロバイダ責任制限法の特例（公職の候補者等に係る特例）の概要
第3　本手引きの適用対象外となるもの
第4　用語解説
　1　第1号関係
　2　第2号関係
第5　対応手順
　1　第1号の対応手順
　2　第2号の対応手順
別添　参考書式
　1　名誉侵害情報の通知書（法第3条の2第1号　公職の候補者）
　2　名誉侵害情報の通知書（法第3条の2第1号　政党等）
　3　名誉侵害情報の通知書（法第3条の2第2号　公職の候補者）
　4　名誉侵害情報の通知書（法第3条の2第2号　政党等）
　5　（メール文例）

改定履歴
・初　版（平成25年4月30日）
・第2版（平成25年6月28日）　第5　1(1)①ア及び関連箇所の詳細化
---

2 プロバイダ責任制限法名誉毀損・プライバシー関係ガイドライン
別冊「公職の候補者等に係る特例」に関する対応手引き

第1 本手引きの位置づけ

　プロバイダ責任制限法名誉毀損・プライバシー関係ガイドライン別冊「公職の候補者等に係る特例」に関する対応の手引き（以下「本手引き」という。）は、特定電気通信役務提供者の損害賠償責任の制限及び発信者情報の開示に関する法律（平成13年法律第137号。以下「プロバイダ責任制限法」又は単に「法」という。）第3条を踏まえてプロバイダ責任制限法ガイドライン等検討協議会（以下「本協議会」という。）において作成した「プロバイダ責任制限法名誉毀損・プライバシー関係ガイドライン（第3版）」（以下「ガイドライン」という。）に関し、インターネット等を利用した選挙運動を解禁する改正公職選挙法に照らし、特に補足、変更又は留意すべき事項をとりまとめたものである。

　特定電気通信役務提供者（以下「プロバイダ等」という。）が、公職の候補者等から名誉を侵害したとする情報について送信防止措置を講ずるよう申出を受けた場合の対応のうち、本手引きに明記されていない事項については、ガイドラインを参照していただきたい。

第2 プロバイダ責任制限法の特例（公職の候補者等に係る特例）の概要

　公職選挙法（以下「公選法」という。）の改正によりインターネット等を利用した選挙運動が解禁されることとなったが、右改正に伴い、プロバイダ責任制限法において「公職の候補者等に係る特例」（以下「本特例」という。）が設けられた。

　本特例は、プロバイダ等が、選挙運動用・落選運動用文書図画に係る情報の流通によって自己の名誉が侵害されたとする公職の候補

者等から送信防止措置を講ずるよう申出を受けて、当該情報の発信者に対して同意照会を行った場合の回答期間を法3条2項2号が規定する「7日」から「2日」に短縮している（法3条の2第1号）。

また、プロバイダ等が、選挙運動用・落選運動用文書図画に係る情報の流通によって自己の名誉を侵害されたとする公職の候補者等から送信防止措置を講ずるよう申出を受けた場合において、発信者の電子メールアドレス等が受信者の通信端末機器の映像面に正しく表示されていないものについては、当該情報を削除したとしても、損害賠償責任を負わない旨の規定を新たに追加している（法3条の2第2号）。

第3　本手引きの適用対象外となるもの

本手引きは、本特例で規定されていない事項については原則として取り扱っていない。

本特例で規定されていない事項とは、次のようなものである。

① 特定電気通信以外の通信（電子メールにおける名誉毀損など）

　本手引きでは、特定電気通信（インターネットでのウェブページ、電子掲示板等のように不特定多数の者に対して情報を送信する形態で行われる電気通信。法2条1号）において情報が発信された場合のみを扱う。

② 名誉侵害以外の権利侵害情報等

　本特例は、プライバシー、著作権及び商標権を侵害する情報並びに有害な情報（違法情報ではないが、受信者の特性によっては問題となりうる情報。例えば青少年の健全な育成に悪影響を及ぼす暴力的表現、性的表現など）については規定していないことから、本手引きでは扱わない。

第4 用語解説

（公職の候補者等に係る特例）
第三条の二 前条第二項の場合のほか、特定電気通信役務提供者は、特定電気通信による①情報（選挙運動の期間中に頒布された文書図画に係る情報に限る。以下この条において同じ。）の送信を防止する措置を講じた場合において、当該措置により送信を防止された情報の発信者に生じた損害については、当該措置が当該情報の不特定の者に対する送信を防止するために必要な限度において行われたものである場合であって、次の各号のいずれかに該当するときは、賠償の責めに任じない。
一　特定電気通信による①情報であって、②選挙運動のために使用し、又は当選を得させないための活動に使用する文書図画（以下「特定文書図画」という。）に係るものの流通によって自己の名誉を侵害されたとする③公職の候補者等（公職の候補者又は候補者届出政党（公職選挙法（昭和二十五年法律第百号）第八十六条第一項又は第八項の規定による届出をした政党その他の政治団体をいう。）若しくは衆議院名簿届出政党等（同法第八十六条の二第一項の規定による届出をした政党その他の政治団体をいう。）若しくは参議院名簿届出政党等（同法第八十六条の三第一項の規定による届出をした政党その他の政治団体をいう。）をいう。以下同じ。）から、④当該名誉を侵害したとする情報（以下「名誉侵害情報」という。）、名誉が侵害された旨、名誉が侵害されたとする理由及び当該名誉侵害情報が特定文書図画に係るものである旨（以下「名誉侵害情報

等」という。）を示して当該特定電気通信役務提供者に対し名誉侵害情報の送信を防止する措置（以下「名誉侵害情報送信防止措置」という。）を講ずるよう申出があった場合に、当該特定電気通信役務提供者が、当該名誉侵害情報の発信者に対し当該名誉侵害情報等を示して当該名誉侵害情報送信防止措置を講ずることに同意するかどうかを照会した場合において、当該発信者が当該照会を受けた日から二日を経過しても当該発信者から当該名誉侵害情報送信防止措置を講ずることに同意しない旨の申出がなかったとき。

二　特定電気通信による①情報であって、特定文書図画に係るものの流通によって自己の名誉を侵害されたとする②公職の候補者等から、③名誉侵害情報等及び④名誉侵害情報の発信者の電子メールアドレス等（公職選挙法第百四十二条の三第三項に規定する電子メールアドレス等をいう。以下同じ。）が⑤同項又は同法第百四十二条の五第一項の規定に違反して表示されていない旨を示して当該特定電気通信役務提供者に対し名誉侵害情報送信防止措置を講ずるよう申出があった場合であって、当該情報の発信者の電子メールアドレス等が当該情報に係る特定電気通信の受信をする者が使用する通信端末機器（入出力装置を含む。）の映像面に正しく表示されていないとき。

【関連条文】公職選挙法（昭和25年法律第100号）（抄）
　（ウェブサイト等を利用する方法による文書図画の頒布）
第百四十二条の三　（略）
　2　（略）

> 3　ウェブサイト等を利用する方法により選挙運動のために使用する文書図画を頒布する者は、その者の電子メールアドレス（特定電子メールの送信の適正化等に関する法律第二条第三号に規定する電子メールアドレスをいう。以下同じ。）その他のインターネット等を利用する方法によりその者に連絡をする際に必要となる情報（以下「電子メールアドレス等」という。）が、当該文書図画に係る電気通信の受信をする者が使用する通信端末機器の映像面に正しく表示されるようにしなければならない。
>
> 　（インターネット等を利用する方法により当選を得させないための活動に使用する文書図画を頒布する者の表示義務）
> 第百四十二条の五　選挙の期日の公示又は告示の日からその選挙の当日までの間に、ウェブサイト等を利用する方法により当選を得させないための活動に使用する文書図画を頒布する者は、その者の電子メールアドレス等が、当該文書図画に係る電気通信の受信をする者が使用する通信端末機器の映像面に正しく表示されるようにしなければならない。
> 2　（略）

1　第1号関係

(1)　概要

　法3条の2第1号では、プロバイダ等が、選挙運動用・落選運動用文書図画に係る情報の流通によって自己の名誉を侵害されたとする公職の候補者等から送信防止措置を講ずるよう申出を受けて、情報発信者に対して同意照会を行った場合の回答期間を法3条2項2号が規定する「7日」から「2日」に短縮している。

(2) 用語の説明
① 「情報」

本条の「情報」とは、プロバイダ責任制限法の他の条項とは異なり、「選挙運動の期間中に頒布された文書図画に係る情報」に限定されている。

本特例は、名誉侵害情報を抑制し、選挙の公正を確保することを目的としているものと考えられること、公選法146条は「選挙運動の期間中」の意義について、選挙の期日の公示又は告示の日から選挙の期日の前日までをいうものと解していることからすると、本条が規定する「選挙運動の期間中」とは、公示日（告示日）から選挙期日の前日までの期間のことである。したがって、本条項の特定電気通信による「情報」とは、特定電気通信により、公示日（告示日）から選挙期日の前日までの期間に頒布された文書図画[1]に掲載された情報を意味すると考えられる。

② 「選挙運動のために使用し、又は当選を得させないための活動に使用する文書図画」

第1号は、選挙運動のために使用し、又は当選を得させないための活動に使用する文書図画に係るものの流通によって自己の名誉を侵害されたとする公職の候補者等から送信防止措置を講ずるよう申出があったことを損害賠償責任の免責要件としている。

この点、選挙運動とは、判例・通説によれば、特定の選挙について、特定の候補者の当選を目的として、（衆議院比例代表選出議員又は参議院比例代表選出議員の選挙においては特定の政党等

---

[1] 公選法における「文書図画」とは、文字若しくはこれに代わるべき符号又は象形を用いて物体の上に多少永続的に記載された意識の表示をいうものであるから、コンピュータ、携帯電話等のディスプレイ上に表示された文字等の意識の表示は、法の「文書図画」に当たる（安田充・荒川敦『逐条解説公職選挙法（下）』（ぎょうせい、3版、2009) 1108頁）

に所属する候補者の全部又は一部の当選を目的として、当該政党等に対する）投票を得又は得させるために直接又は間接に必要かつ有利な行為と解されている[2]。一方、「当選を得させないための活動」とは、選挙運動に該当せず、単に候補者の落選を図る行為（落選運動）を想定しているものと考えられる。

したがって、「選挙運動のために使用し、又は当選を得させないための活動に使用する文書図画」とは、上記のような選挙運動・落選運動に使用する文書図画を意味するものと考えられる。

③ 「公職の候補者等」

公職の候補者等とは、公職の候補者[3]、候補者届出政党、衆議院名簿届出政党等、参議院名簿届出政党等のことである。

したがって、法3条の2が送信防止措置の申出主体として規定している「公職の候補者等」とは、次のとおりである。

- 公職の候補者
- 候補者届出政党
- 衆議院名簿届出政党等
- 参議院名簿届出政党等

④ 「名誉侵害情報等を示して」

第1号は、公職の候補者等から、名誉侵害情報等を示して送信防止措置を講ずるよう申出がなされたことを損害賠償責任の免責要件としている。

名誉侵害情報等の具体的内容は、次のとおりである。

- 名誉を侵害したとする情報
- 名誉が侵害されたこと
- 名誉が侵害されたとする理由

---

[2] 『逐条解説公職選挙法（下）』971頁
[3] 「公職」とは、公選法上、衆議院議員、参議院議員並びに地方公共団体の議会の議員及び長の職をいう（公選法3条）。

・ 名誉侵害情報が選挙運動・落選運動用文書図画に掲載されているものであること

公職の候補者等から送信防止措置を講ずるよう申出を受けた際に、上記各事項が全て示されていなければ、1号の要件を満たさない。

2 第2号関係

(1) 概要

法3条の2第2号では、プロバイダ等が、選挙運動用・落選運動用文書図画に係る情報の流通によって自己の名誉を侵害されたとする公職の候補者等から送信防止措置の申出を受けた場合において、発信者の電子メールアドレス等が受信者の通信端末機器の映像面に正しく表示されていないものについては、当該情報を削除したとしても、損害賠償責任を負わない旨規定している。

(2) 用語の説明

① 「情報」

第1号と同様、「情報」とは、特定電気通信により、公示日（告示日）から選挙期日の前日までの期間に頒布された文書図画に掲載された情報を意味すると考えられる。

② 「公職の候補者等」

第1号と同様、法3条の2が送信防止措置の申出主体として規定している「公職の候補者等」とは、次のとおりである。

・ 公職の候補者
・ 候補者届出政党
・ 衆議院名簿届出政党等
・ 参議院名簿届出政党等

③ 「名誉侵害情報等」

第1号と同様、名誉侵害情報等の具体的内容は、次のとおりである。

- 名誉を侵害したとする情報
- 名誉が侵害されたこと
- 名誉が侵害されたとする理由
- 名誉侵害情報が選挙運動・落選運動用文書図画に掲載されているものであること

公職の候補者等から送信防止措置を講ずるよう申出を受けた際に、上記各事項が全て示されていなければ、2号の要件を満たさない。

④ 「名誉侵害情報の発信者の電子メールアドレス等」

電子メールアドレス等とは、公選法上、「電子メールアドレス（特定電子メールの送信の適正化等に関する法律第2条第3号に規定する電子メールアドレスをいう。以下同じ。）その他のインターネット等を利用する方法によりその者に連絡をする際に必要となる情報」（公選法142条の3第3項）と規定されている。

その他のインターネット等を利用する方法によりその者に連絡をする際に必要となる情報とは、SNS等のユーザーアカウントなど、電子メールアドレス以外でインターネット等を用いて発信者に対し、連絡可能な情報を意味する。

⑤ 「同項又は同法第百四十二条の五第一項の規定に違反して表示されていない旨を示して」

第2号の免責を受けるためには、公職の候補者等から送信防止措置を講じるよう申出を受けた際に公選法142条の3第3項又は同法142条の5第1項の規定に違反して電子メールアドレス等が表示されていないことが示されていなければ第2号の要件を満たさない。

この点、公選法142条の3第3項は、ウェブサイト等を利用する方法により選挙運動用文書図画を頒布する者は、その者の電子メールアドレス等が当該文書図画に係る電気通信の受信をする者

が使用する通信端末機器の映像面に正しく表示されなければならない旨規定している。また、公選法142条の5第1項は、選挙期間中にウェブサイト等を利用する方法により落選運動に使用する文書図画を頒布する者は、その者の電子メールアドレス等が、当該文書図画に係る電気通信の受信をする者が使用する通信端末機器の映像面に正しく表示されるようにしなければならない旨規定している。

　したがって、「同項又は同法第百四十二条の五第一項の規定に違反して表示されていない旨を示して」とは、発信者の電子メールアドレス等が公選法142条の3第3項又は同法142条の5第1項の規定に反して、受信者の通信端末機器の映像面に正しく表示されていないことを公職の候補者等が送信防止措置を講じるようプロバイダ等に申し出た際に示していることを意味する。

第5　対応手順

1　第1号の対応手順

　プロバイダ等は、公職の候補者等から送信防止措置を講じるよう申出があった場合には、法3条の2第1号に定める手続を利用することができる。

(1)　照会前の確認事項

　プロバイダ等は、下記①から④の確認事項が全て満たされている場合には、発信者に対し、法3条の2第1号の手続により同意照会を行うことができる。

　①　公職の候補者等からの削除申出であることの確認
　　ア）申立者の本人確認
　　　「ガイドライン」34頁記載に倣い、照会手続においては、送信防止措置の申出をする者が特定電気通信による情報の流通に

よって自己の名誉を侵害されたとする公職の候補者等又はその代理人（弁護士など）であることを確認しなければならない。したがって、例えば、次の手順で本人確認する必要がある。

・書面による場合　3ヶ月以内の印鑑登録証明書を添付の上、登録印鑑（いわゆる実印）で押印したものを受領する。
・電子メールによる場合　適切な電子証明書等により本人が発信したメールであることが証明できる電子署名が付されていることを確認する。

　電子署名が付されていない場合には、①本人確認可能な公的証明書（運転免許証、印鑑登録証明書等）がPDF等により添付され、②その公的証明書記載の氏名・住所が官報、公報等に掲載されている候補者の氏名・住所と一致していることを確認する[4]。

・代理人がある場合　上記のほかに代理人への委任状を添付してもらう[5]。

　なお、上記の他、FAXで本人確認可能な公的証明書の写し等を受信するなどの方法も考えられる。また、申出者が政党等の場合は、①適切な電子証明書等により政党等が発信したメールであることを証明できる電子署名が付されているか、②政党の代表印の印鑑登録証明書又は③名簿による候補者の届出書（選挙長が受理したものに限る。）の写し等、政党等からの申出であることが確認可能な書類等が添付されていることを確認する。いずれにせよ、プロバイダ等の責任において妥当と考えられる本人確認手段を採用する必要がある。

---

[4] 必要に応じて選挙管理委員会に候補者の氏名・住所を問い合わせる方法もあり得る。

[5] 弁護士が代理人である場合は、通常委任状の添付が要求されないので不要とする。なお、弁護士について、印鑑証明書も不要とする。

イ) 公職の候補者等であることの確認

　公職の候補者等であるか否かについては、必要に応じ選挙管理委員会に問い合わせたり、同委員会のホームページを閲覧する等して確認する。申出書等に選挙管理委員会等が記載されていないことなどにより、公職の候補者等であることが確認できない場合には、本要件を満たしていないおそれがあり、同意照会を行い、発信者が照会を受けた日から2日を経過しても送信防止措置を講ずることに同意しない旨の申出がなかったことから、当該情報を削除した場合であっても、発信者に対する損害賠償責任を免れないおそれがある。

② 特定電気通信による情報であることの確認

　申出者から示されたURL等により不特定の者によって受信されることを目的とする電気通信の送信（放送を除く。）であることを確認する。

③ 選挙運動の期間中に頒布された[6]文書図画に係る情報であることの確認

　本手引き第4・1(2)①で述べたとおり、選挙運動の期間とは、公示日（告示日）から選挙期日の前日までの期間のことである。

　プロバイダ等は、削除申出がなされた情報が選挙運動期間中に

---

[6] 「頒布」とは、不特定多数の者に配布する目的でその内の一人以上の者に配布することをいう（昭51・3・11最高裁）ものであり、文書図画を置いておき自由に持ち帰らせることを期待するような相手方の行為を伴う方法による場合も「頒布」に当たると解されているため、不特定又は多数の者の利用を期待してホームページの開設又は書換えをすることは、「頒布」に当たると解されている。判例においても、「ホームページを開設することは、インターネットを通じて不特定多数の者がホームページにアクセスすることを期待し、不特定多数の者に対してホームページの画像を到達することを目的とするものであるから、現実にインターネットを通じて画像が送信されれば、これが上記「頒布」に当たることは明らかである。」（平17・12・22東京高裁）とされている。（『逐条解説公職選挙法（下）』1109頁）

頒布されたか否かについて、SNS等の書き込み日時、タイムスタンプその他プロバイダ等が現実に利用可能なあらゆる手段を用いて確認する。選挙運動期間前に頒布された情報がそのまま更新されることなく選挙運動期間中においてもウェブサイト上で表示され続けている場合などは、選挙運動の期間中に「頒布」されたことにはならないが、発信者が選挙運動期間前に頒布された文書図画を選挙運動期間中に自ら更新した場合には、通常選挙運動の期間中に「頒布」されたものと考えられる。また、選挙運動期間前に頒布された文書図画に係る情報が発信者又は第三者によって選挙運動期間中に新たに引用された場合にも、当該引用については選挙運動の期間中に「頒布」されたものと考えられる。各プロバイダ等が現実に利用可能なあらゆる手段を用いても、選挙運動の期間中に頒布されたことが確認できない場合には、本要件を満たしていないおそれがあり、同意照会を行い、発信者が照会を受けてから2日を経過しても送信防止措置を講ずることに同意しない旨の申出がなかったことから、当該情報を削除した場合であっても、発信者に対する損害賠償責任を免れないおそれがある。

④ 名誉侵害情報等が通知されていることの確認

照会手続を開始するには、公職の候補者等本人又はその代理人から名誉侵害情報等の通知を受けることが必要である。プロバイダ等は、これらの名誉侵害情報等を発信者に伝えて、送信防止措置を講じるか否かを照会する必要があるため、発信者が送信防止措置を講じることに同意するか否かを判断するに足りる名誉侵害情報等が通知されていることが確認できない場合、プロバイダ等は、申出者に不明確な点について書式を修正して再提出してもらうなどの方法で確認する必要がある。通知されていなければならない名誉侵害情報等は、下記のとおりである。

ア）名誉侵害情報

申出者から通知があった URL その他名誉侵害情報の特定に必要な情報（掲示板の名称、掲示板内の書き込み場所、日付、ファイル名等）により名誉侵害情報が特定されていることを確認する。

イ）公職の候補者等の名誉が侵害された旨の通知

公職の候補者等自身の名誉が侵害された旨が通知されていることを確認する。実際に公職の候補者等の名誉が侵害されているかどうかをプロバイダ等が確認することまでは必要ない。単に公職の候補者等以外の第三者の名誉が侵害されている旨の通知があった場合や名誉以外の権利が侵害された旨の通知があったに過ぎない場合には、公職の候補者等の名誉が侵害された旨の通知がなされたとはいえない。

ウ）名誉が侵害されたとする理由

公職の候補者等から、当該情報により、同人の名誉が侵害されたとする理由（公職の候補者等の社会的評価が低下した理由）が通知されていることを確認する必要がある。名誉毀損による不法行為の免責事由の要件（当該情報が公共の利害に関する事実であること等）を満たさないことまで通知されている必要はない。

エ）名誉侵害情報が選挙運動用・落選運動用文書図画に係るものであること

公職の候補者等から、当該情報が選挙運動用・落選運動用文書図画に掲載されていることが通知されていることを確認する。通知がなされていれば足り、プロバイダ等は、通知された情報が選挙運動用・落選運動用文書図画に係るものであることを確認する必要はない。

(2) 照会手続

プロバイダ等は、上記の手順により確認事項が全て満たされてい

ることを確認できた場合には、発信者に対し、照会手続を行うことができる。

　照会手続は、発信者への通知事項に漏れがないよう参考書式5（メール文例）を用いて行うことが推奨され、当該照会が発信者に到達した日の翌日から起算して2日以内（例えば3月1日に送信した場合、同日にメールが到達するとして[7]、3月3日中）に発信者からの反論があるかどうかを確認する（参照：「ガイドライン」参考書式　回答書）。

　なお、上記(1)の確認事項が全て満たされており、照会手続を行うことが可能な場合であっても、それだけでプロバイダ等が直ちに申立者に対して削除義務を負うことにはならない。

(3)　発信者からの回答

　ア）照会に対し発信者から送信防止措置を講じることに同意しない旨の回答があったとき

　　プロバイダ責任制限法3条の2第1号に該当せず、当該情報を削除した場合には、同号の免責を受けることはできない。

　イ）照会に対し発信者から送信防止措置を講じることに同意しない旨の回答がなかったとき

　　プロバイダ責任制限法3条の2第1号に該当する場合であり、プロバイダ等は送信防止措置を講じることができる。

2　第2号の対応手順

　プロバイダ等は、公職の候補者等から送信防止措置を講じるよう

---

[7]　意思表示の到達とは、一般的には意思表示が相手方の支配圏内におかれたことをいうものと解されている（最高裁昭和43年12月17日第三小法廷判決・民集22巻13号2998頁）。電子メールにより発信者に対し削除同意照会がなされた場合についても上述した意思表示の解釈に準じて考えれば、発信者の使用に係るメールサーバ中のメールボックス内に読み取り可能な状態で記録された時点で相手方の支配圏内におかれたことにより、同意照会が発信者に到達したものと考えられる。

申出があり、電子メールアドレス等の表示義務違反があった場合には、法3条の2第2号に定める手続を利用することができる。
(1) 送信防止措置前の確認事項
　プロバイダ等は、下記①から⑥の確認事項が全て満たされている場合には、法3条の2第2号の手続により送信防止措置を行うことができる。
　① 公職の候補者等からの削除申出であることの確認
　　ア）申立者の本人確認
　　　法3条の2第1号と同様（本手引き第5・1(1)①ア）、申立者の本人確認をする必要がある。
　　イ）公職の候補者等であることの確認
　　　法3条の2第1号と同様（本手引き第5・1(1)①イ）、公職の候補者等からの削除申出であることを確認する必要がある。
　② 特定電気通信による情報であることの確認
　　法3条の2第1号と同様（本手引き第5・1(1)②）、特定電気通信による情報であることを確認する必要がある。
　③ 選挙運動の期間中に頒布された文書図画に係る情報であることの確認
　　法3条の2第1号と同様（本手引き第5・1(1)③）、選挙運動期間中に頒布された文書図画に係る情報であることを確認する必要がある。
　④ 名誉侵害情報等が通知されていることの確認
　　法3条の2第1号と同様（本手引き第5・1(1)④）、名誉侵害情報等が通知されていることを確認する必要がある。
　⑤ 電子メールアドレス等の表示義務違反が通知されていること
　　公職の候補者等から、名誉侵害情報の発信者の電子メールアドレス等が正しく表示されていないことが通知されていることを確認しなければならない。

なお、下記確認事項⑥を適切に判断するためには、公職の候補者等がいかなる事実関係（全く電子メールアドレスが表示されていない、表示されている電子メールアドレスにメールが届かない等）をもって電子メールアドレス等が正しく表示されていないと判断したかの情報を得ておくことが有用である。

⑥　発信者の電子メールアドレス等の表示義務違反

プロバイダ等は、発信者の電子メールアドレス等が公選法142条の3第3項又は同法142条の5第1項が規定する表示義務に違反していることを確認しなければならない。

例えば、送信防止措置を講じる旨の申出の際に全く電子メールアドレスが表示されていないことが通知されていた場合には、通知されたURLにアクセスした上、電子メールアドレス等が正しく表示されているか否かについて確認する必要がある。

公職の候補者等から、電子メールアドレス等が正しく表示されていないことが通知されていたとしても、プロバイダ等の確認作業により、電子メールアドレス等が正しく表示されていることが判明した場合には、2号の要件を満たさない[8]。この場合、プロバイダ等は、表示されている電子メールアドレス等に電子メール等を送信するなどの方法により、電子メールアドレス等が正しく表示されているか否かを確認することが望ましい。

(2)　送信防止措置

プロバイダ等は、上記の手順により確認事項①から⑥が全て満たされていることを確認できた場合には、送信防止措置を行うことができる。

---

[8]　電子メールアドレス等が正しく表示されており、法3条の2第2号の要件を満たさない場合であっても、法3条の2第1号の要件を満たしている場合には、同号の同意照会手続を行った上で同意しない旨の申出がなければ、送信防止を講じることにより損害賠償責任を免れることができる。

なお、上記確認事項が全て満たされており、その結果、プロバイダ責任制限法第3条の2第2号の要件に該当したとしても、それだけでプロバイダ等が直ちに削除義務を負うことにはならない。

2 プロバイダ責任制限法名誉毀損・プライバシー関係ガイドライン 601
別冊「公職の候補者等に係る特例」に関する対応手引き

別添 参考書式1 名誉侵害情報の通知書（法第3条の2第1号 公職の候補者）

年　月　日

至　[特定電気通信役務提供者の名称] 御中

　　　　　　　　　　　　　[名誉を侵害されたと主張する公職の候補者]
　　　　　　　　　　　　　　住所
　　　　　　　　　　　　　　氏名　　　　　　　　　　　　　　印
　　　　　　　　　　　　　　立候補名
　　　　　　　　　　　　　　連絡先（電話番号）
　　　　　　　　　　　　　　　　　（休日・夜間連絡先）
　　　　　　　　　　　　　　　　　（e-mail アドレス）
　　　　　　　　　　　　　　選挙管理委員会の名称・連絡先（電話番号）

　　　　　　　　名誉侵害情報の通知書　兼　送信防止措置依頼書

　あなたが管理する特定電気通信設備に掲載されている下記の情報の流通により私の名誉が侵害されたので、あなたに対し当該情報の送信を防止する措置を講じるよう依頼します。なお、当該情報は、下記に特定する選挙の選挙運動のために使用し、又は当選を得させないための活動に使用する文書図画に係るものです。

記

選挙の特定	例）平成〇〇年〇月〇日執行の衆議院議員総選挙、平成〇〇年〇月〇日執行の〇〇市議会議員選挙、平成〇〇年〇月〇日執行の〇〇県知事選挙　等 ※「執行」とは、選挙期日（投票日）を意味する。
掲載されている場所	URL： その他情報の特定に必要な情報：（掲示板の名称、掲示板内の書き込み場所、日付、ファイル名等）
掲載されている名誉侵害情報	
名誉が侵害されたとする理由 （被害の状況など）	

　上記枠内に記載された内容は、事実に相違なく、あなたから発信者にそのまま通知されることになることに同意いたします。

（注）　本書式を電子メールで送信する場合には、適切な電子証明書等により本人が発信したメールであることが証明できる電子署名を付すか、又は、氏名・住所が記載された公的証明書（運転免許証、印鑑登録証明書等）のPDFファイル等を添付して下さい。

別添 参考書式2 名誉侵害情報の通知書(法第3条の2第1号 政党等)

　　　　　　　　　　　　　　　　　　　　　　　　　　　　　年　月　日

至〔特定電気通信役務提供者の名称〕御中

　　　　　　　　　　〔名誉を侵害されたと主張する政党等〕
　　　　　　　　　　　　政党等の名称　　　　　　　　　　印
　　　　　　　　　　　　公式ページURL：
　　　　　　　　　　　　連絡先（住所）
　　　　　　　　　　　　　　　（電話番号）
　　　　　　　　　　　　　　　（休日・夜間連絡先）
　　　　　　　　　　　　　　　（e-mailアドレス）
　　　　　　　　　　　　　　　（取扱者）

　　　　　　　　名誉侵害情報の通知書　兼　送信防止措置依頼書

　あなたが管理する特定電気通信設備に掲載されている下記の情報の流通により名誉が侵害されたので、あなたに対し当該情報の送信を防止する措置を講じるよう依頼します。なお、当該情報は、下記に特定する選挙の選挙運動のために使用し、又は当選を得させないための活動に使用する文書図画に係るものです。

　　　　　　　　　　　　　　　　記

選挙の特定	例）平成○○年○月○日執行の衆議院議員総選挙、平成○○年○月○日執行の○○市議会議員選挙、平成○○年○月○日執行の○○県知事選挙　等 ※「執行」とは、選挙期日（投票日）を意味する。
掲載されている場所	URL： その他情報の特定に必要な情報：（掲示板の名称、掲示板内の書き込み場所、日付、ファイル名等）
掲載されている名誉侵害情報	
名誉が侵害されたとする理由 （被害の状況など）	

　上記枠内に記載された内容は、事実に相違なく、あなたから発信者にそのまま通知されることになることに同意いたします。

（注）　本書式を電子メールで送信する場合には、適切な電子証明書等により政党等が発信したメールであることが証明できる電子署名を付すか、政党の代表印の印鑑登録証明書又は名簿による候補者届出書（選挙長が受理したもの）の写しのPDFファイル等を添付して下さい。

2 プロバイダ責任制限法名誉毀損・プライバシー関係ガイドライン
別冊「公職の候補者等に係る特例」に関する対応手引き

別添　参考書式3　名誉侵害情報の通知書（法第3条の2第2号　公職の候補者）

年　　月　　日

至　［特定電気通信役務提供者の名称］御中

　　　　　　　　　　［名誉を侵害されたと主張する公職の候補者］
　　　　　　　　　　　　住所
　　　　　　　　　　　　氏名　　　　　　　　　　　　　　　　印
　　　　　　　　　　　　立候補名
　　　　　　　　　　　　連絡先（電話番号）
　　　　　　　　　　　　　　（休日・夜間連絡先）
　　　　　　　　　　　　　　（e-mail アドレス）
　　　　　　　　　　　　選挙管理委員会の名称・連絡先（電話番号）

　　　　　　　名誉侵害情報の通知書　兼　送信防止措置依頼書

　あなたが管理する特定電気通信設備に掲載されている下記の情報の流通により私の名誉が侵害され、発信者の電子メールアドレス等が正しく表示されていませんでしたので、あなたに対し当該情報の送信を防止する措置を講じるよう依頼します。なお、当該情報は、下記に特定する選挙の選挙運動のために使用し、又は当選を得させないための活動に使用する文書図画に係るものです。

記

選挙の特定	例）平成○○年○月○日執行の衆議院議員総選挙、平成○○年○月○日執行の○○市議会議員選挙、平成○○年○月○日執行の○○県知事選挙　等 ※「執行」とは、選挙期日（投票日）を意味する。
掲載されている場所	URL： その他情報の特定に必要な情報：（掲示板の名称、掲示板内の書き込み場所、日付、ファイル名等）
掲載されている名誉侵害情報	
名誉が侵害されたとする理由 （被害の状況など）	
電子メールアドレス等が正しく表示されていない状況	例1）電子メールアドレスが記載されていませんでした。 例2）記載された電子メールアドレス（xxxxx@abc.ne.jp）に2日にわたり何度か送信しても、その度に「Host Unknown」のメッセージが戻ってきました。

　上記枠内に記載された内容は、事実に相違なく、あなたから発信者にそのまま通知されることになることに同意いたします。

　（注）　本書式を電子メールで送信する場合には、適切な電子証明書等により本人が発信したメールであることが証明できる電子署名を付すか、又は、氏名・住所が記載された公的証明書（運転免許証、印鑑登録証明書等）のPDFファイル等を添付して下さい。

別添　参考書式4　名誉侵害情報の通知書（法第3条の2第2号　政党等）

年　　月　　日

至［特定電気通信役務提供者の名称］御中

　　　　　　　　　　　　　　　［名誉を侵害されたと主張する政党等］
　　　　　　　　　　　　　　　　　政党等の名称　　　　　　　　　　印
　　　　　　　　　　　　　　　　　公式ページURL：
　　　　　　　　　　　　　　　　　連絡先（住所）
　　　　　　　　　　　　　　　　　　　　（電話番号）
　　　　　　　　　　　　　　　　　　　　（休日・夜間連絡先）
　　　　　　　　　　　　　　　　　　　　（e-mailアドレス）
　　　　　　　　　　　　　　　　　　　　（取扱者）

　　　　　　　　名誉侵害情報の通知書　兼　送信防止措置依頼書

　あなたが管理する特定電気通信設備に掲載されている下記の情報の流通により名誉が侵害され、発信者の電子メールアドレス等が正しく表示されていませんでしたので、あなたに対し当該情報の送信を防止する措置を講じるよう依頼します。なお、当該情報は、下記に特定する選挙の選挙運動のために使用し、又は当選を得させないための活動に使用する文書図画に係るものです。

記

選挙の特定	例）平成○○年○月○日執行の衆議院議員総選挙、平成○○年○月○日執行の○○市議会議員選挙、平成○○年○月○日執行の○○県知事選挙　等 ※「執行」とは、選挙期日（投票日）を意味する。
掲載されている場所	URL： その他情報の特定に必要な情報：（掲示板の名称、掲示板内の書き込み場所、日付、ファイル名等）
掲載されている名誉侵害情報	
名誉が侵害されたとする理由 （被害の状況など）	
電子メールアドレス等が正しく表示されていない状況	例1）電子メールアドレス等が記載されていませんでした。 例2）記載された電子メールアドレス（xxxx@abc.ne.jp）に2日にわたり何度か送信しても、その度に「Host　Unknown」のメッセージが戻ってきました。

　上記枠内に記載された内容は、事実に相違なく、あなたから発信者にそのまま通知されることになることに同意いたします。

　（注）　本書式を電子メールで送信する場合には、適切な電子証明書等により政党等が発信したメールであることが証明できる電子署名を付すか、政党の代表印の印鑑登録証明書又は名簿による候補者届出書（選挙長が受理したもの）の写しのPDFファイル等を添付して下さい。

2 プロバイダ責任制限法名誉毀損・プライバシー関係ガイドライン 605
別冊「公職の候補者等に係る特例」に関する対応手引き

別添　参考書式5（メール文例）

（注）＜　＞内は、公職の候補者等から、発信者の電子メールアドレス等が公職選挙法142条の3第3項又は同法142条の5第1項の規定に違反して表示されていない旨が示された場合に追記する。

【送信日】　　　年　　月　　日
【宛先（情報の発信者）】[　　　発信者　　　]御中
【送信者（特定電気通信役務提供者）】
　住所：
　社名：
　氏名：
　連絡先：

【件名】公職の候補者等に係る名誉侵害情報のご通知　兼　送信防止措置に関するご照会

【内容】あなたが頒布した情報の流通により公職の候補者等から名誉が侵害されたとの名誉侵害情報並びに送信防止措置を講じるよう申出（申出の内容は下記のとおり）を受けましたので、特定電気通信役務提供者の損害賠償責任の制限及び発信者情報の開示に関する法律（平成13年法律第137号。以下単に「法」という。）第3条の2第1号に基づき、送信防止措置を講じることに同意されるかを照会します。送信防止措置に同意されない場合には、以下のメールアドレスにその旨、ご連絡ください。

　　【同意しない場合の連絡先】
　　　　hidoixxxx@xxxx-service-provider.ne.jp
　本通知が到達した日より2日を経過してもあなたから送信防止措置を講じることに同意しない旨の申し出がない場合、当社はただちに送信防止措置として、下記情報を削除する場合があることを申し添えます。
　＜また、公職の候補者等からは、あなたの電子メールアドレス等が正しく表示されていない旨のご連絡を受けておりますので、あなたの電子メールアドレス等が通信端末機器の映像面に正しく表示されていないことを当社が確認したときには、このご照会にかかわらず、法第3条の2第2号に基づき即時に下記情報を削除することになります。＞
　また、別途弊社契約約款に基づく措置をとらせていただく場合もございますのでご了承ください。
　なお、あなたが自主的に下記の情報を削除するなど送信防止措置を講じていただくことについては差支えありません。

記

1．公職の候補者等
　　（氏名・政党名等）
2．選挙の特定
　例）平成○○年○月○日執行の衆議院議員総選挙、平成○○年○月○日執行の○○市議会議員選挙、平成○○年○月○日執行の○○県知事選挙　等
　※「執行」とは、選挙期日（投票日）を意味する。
3．あなたの発信した特定電気通信による情報
　　URL：
　　その他情報の特定に必要な情報：

（掲示板の名称、掲示板内の書き込み場所、日付、ファイル名等）
4．公職の候補者等から示された名誉侵害情報等
　⑴　名誉侵害情報　上記3のとおり
　⑵　名誉が侵害された旨
　⑶　名誉が侵害されたとする理由（被害の状況など）
　⑷　名誉侵害情報が選挙運動用・落選運動用文書図画に係るものである旨

以上

3 プロバイダ責任制限法著作権関係ガイドライン

初　版：平成14年5月
第2版：平成15年11月
プロバイダ責任制限法ガイドライン等検討協議会

I　はじめに　—　ガイドラインの趣旨

1　ガイドラインの目的

　インターネット上の情報流通によって他人の権利が侵害されたとされる場合には、情報発信者、権利者、特定電気通信役務提供者（サーバの管理・運営者や電子掲示板の管理・運営者等。以下「プロバイダ等」という。）の三者の利害関係が絡むため、時として、その情報流通に対するプロバイダ等の対応には困難な場合がある。このような中で、平成13年11月にプロバイダ等の民事上の責任を制限する規定を有する特定電気通信役務提供者の損害賠償責任の制限及び発信者情報の開示に関する法律（平成13年法律第137号。以下、「プロバイダ責任制限法」又は単に「法」という。）が成立した。

　本ガイドラインは、特定電気通信（法2条1号の「特定電気通信」をいう。以下同じ。）による著作権及び著作隣接権（以下「著作権等」という。）を侵害する情報の流通に関して、プロバイダ等が責任を負わない場合を定めるプロバイダ責任制限法3条の趣旨を踏まえ、情報発信者、著作権者等、プロバイダ等のそれぞれが置かれた立場等を考慮しつつ、著作権者等及びプロバイダ等の行動基準を明確化するものである。これにより、関係者の予見可能性を高

め、特定電気通信による著作権等を侵害する情報の流通に対するプロバイダ等による迅速かつ適切な対応を促進し、もってインターネットの円滑かつ健全な利用を促進することを目的とするものである。

著作権等を侵害する情報の流通が行われた場合、被害の拡大が甚大となる等特に迅速な対応が求められる場合があること、ある程度類型的な判断が可能な場合もあること等の特質がある。こうした特質に鑑み、本ガイドラインは、プロバイダ等が発信者に連絡をして7日間経っても反論がない場合（法3条2項2号）でなくとも、速やかに削除等の送信防止措置を講ずることが可能な場合を現段階で可能な範囲で明らかにするとともに、個別の事案における対応に当たって、プロバイダ等が個別の事情に応じた判断を行うのでなく、ガイドラインに従っているかどうかの形式的な判断をすれば迅速かつ適切な対応が可能となることを目的として構成されるものである。

2 ガイドラインの位置付け

その情報の流通によって本当に権利侵害があったか否か、さらに、情報を誤って削除し、又は放置したことによってプロバイダ等が責任を負うか否かは、最終的には裁判所によって決定されるものである。したがって、個々の事案において、作成されたガイドラインに即した対応が行われたとしても、それのみで裁判所によっても法3条の「相当の理由」があると判断されるものではなく、ガイドラインの内容及びその作成手続にその信頼性を担保する根拠があり、著作権者等及びプロバイダ等が当該信頼性の高いガイドラインに従って適切に対応している場合において、はじめて裁判所によっても法3条の「相当の理由」があると判断され、プロバイダ等が責

任を負わないとされるものと期待される。このような観点から、本ガイドラインでは、単に申出の手続等について記述するのみならず、その背景にある考え方についても記述することとする。

なお、本ガイドラインは、プロバイダ責任制限法の考え方と同様に、プロバイダ等が責任を負わずにできると考えられる対応を可能な範囲で明らかにしたものであってプロバイダ等の義務を定めたものではない。しかし、プロバイダ等が、少なくとも本ガイドラインに従った取扱いをした場合については、裁判手続においてもプロバイダ等が責任を負わないものと判断されると期待されることから、プロバイダ等の自主的な対応に際して本ガイドラインでの取扱いが重要な指針となるものと考えられ、プロバイダ等は、通常本ガイドラインに沿った対応をとることが期待される。

また、本ガイドラインは、本ガイドラインで定めた場合以外については何ら影響を及ぼすものではなく、本ガイドラインに定めがなく、又は本ガイドラインの定める要件を満たさない場合であっても、プロバイダ責任制限法3条の「相当の理由」に該当する場合もありうるものである。

加えて、本ガイドラインは、本協議会に参加している者によって作成されたものであるが、そもそも、インターネットはオープンなものであり、インターネット上の情報流通に関する民事上の責任についても、本協議会参加者相互間のみで問題となるものではないため、本ガイドラインが本協議会の参加者以外の者によっても活用されることが望まれる。

3　見直し

本ガイドラインは、情報通信技術の進展や実務の状況等に応じて、適宜見直しをすることが必要と考えられる。そのため、本ガイ

ドライン策定後も、本協議会における検討を続け、ガイドラインの改善及び拡充を行っていくこととする。

Ⅱ　ガイドラインの適用範囲

1　申出の主体

　権利行使をできる主体は権利者であり、権利者からの申出であれば、著作権等侵害であるか否かを適切に判断することが可能であることから、本ガイドラインにおいても、申出の主体は権利者とする。具体的には、次のとおりとする。

(1) 送信防止措置の申出をする者は、著作権等を侵害されたとする者本人及び弁護士等の代理人とする。

(2) 著作権等管理事業者（著作権等管理事業法（平成12年法律第131号）2条3号の「著作権等管理事業者」をいう。）は、著作権者等との間で、著作権等を移転し、著作物等の利用の許諾その他の当該著作権等の管理を行わせることを目的とする信託契約を締結している（信託管理型）場合は、当該契約等において認められた範囲において、申出を行うことができることとする。

(3) 共同著作物等については、共同著作権者等のうちの一人であっても、申出を行うことができることとする。

＊法3条2項1号の規定は、同項2号とは異なり、「相当な理由があった」とする場合を権利を侵害されたとする者からの申出の場合に限定しておらず、第三者からの申出等による場合も想定されるものであるが、その場合、権利者本人にしか分からないような事情（権利許諾の有無等）までをも確認することは困難な場合が多いと考えられることから、当面、本ガイドラインにおいては、第三者からの申出の場合を対象としない。

＊契約により著作権者等から独占的ライセンスを受けている者に関する扱いについては、個々の事例において判断されることが適切であるが、その場合、独占的ライセンスを受けていることを適切に証する資

料が必要となる。

2 対象とする著作権等侵害の範囲

本ガイドラインにおいては、特定電気通信による情報の流通により著作権等が侵害される場合を対象とする。

(参考) 対象とする著作権等の侵害の主な例

(1) 複製（録音）権（著作権法21条、91条、96条、98条及び100条の2）を侵害する行為
(2) 公衆送信権（著作権法23条）を侵害する行為
(3) 送信可能化権（著作権法92条の2、96条の2）を侵害する行為

＊(1)〜(3)は、あくまで著作権等の侵害の例示であり、これ以外の侵害についても本ガイドラインの対象となりうる。

3 対象とする著作物等の範囲

特定電気通信による情報の流通により、著作権等が侵害されている著作物、実演、レコード、放送および有線放送（以下「著作物等」という。）及び侵害されている可能性がある著作物等を対象とする。

4 対象とする権利侵害の態様

プロバイダ等による情報の送信防止措置は、発信者の表現行為への直接の制約であるため、可能な限り誤った措置が講じられることのないよう、また、ガイドラインの信頼性担保のために、権利侵害があることを容易に判断できるものを対象とすることが好ましい。

そのため、著作権等侵害の態様を、以下の(1)、(2)に分類して、それぞれの分類にどのような態様があるのかを列挙し、この分類に該当するものについて、本ガイドラインの対象とする。また、今回列挙されなかった権利侵害の態様についても、実務の状況等を踏ま

え、今後の本協議会の継続的な検討により合意が得られた場合は、随時追加していくこととする。
(1) 著作権等侵害であることが容易に判断できる態様
　a) 情報の発信者が著作権等侵害であることを自認しているもの
　b) 著作物等の全部又は一部を丸写ししたファイル（a) 以外のものであって、著作物等と侵害情報とを比較することが容易にできるもの)
　c) b)を現在の標準的な圧縮方式（可逆的なもの）により圧縮したもの
(2) 一定の技術を利用すること、個別に視聴等して著作物等と比較すること等の手間をかけることにより、著作権等侵害であることが判断できる態様
　a) 著作物等の全部又は一部を丸写ししたファイル（(1) a)、b) 以外のものであって、著作物等と侵害情報とを視聴して比較することや、専門的方法を用いて比較することで確認が可能なもの)
　b) (1) b)又はa) を圧縮したものであって、(1) c)に該当するものを除いたもの
　c) a) 又はb) が分割されているもの

Ⅲ　申出の手順等

1　著作権者等における申出の際の手続（書面の様式等）

(1) 本ガイドラインによる申出手続は、以下の手順で行うこととする。
　a) 特定電気通信による情報の流通によって自己の著作権等を侵害されたとする者は、関係するプロバイダ等に当該著作権等を侵害する情報の送信を防止すべきことを求めるときは、申出書（様式A。著作権等管理事業者（信託管理型）であってⅤ1(1)

の要件を満たすものは、様式B。）に必要事項を記載の上、当該申出書及びその他の必要な書類をプロバイダ等に提出するものとする

　b）当該著作権等の侵害にかかる著作物等について、申出者と一定の関係にある信頼性確認団体（「信頼性確認団体」の定義は後述）がある場合には、申出者は、申出書（様式C）に必要事項を記載の上、当該申出書及びその他必要な書類を当該信頼性確認団体を経由して提出することができる。その場合において、当該信頼性確認団体は、当該申出書の記載事項等についてⅤ2に従って適切に確認を行った上、当該確認を行った旨の確認書（様式D）を作成して、申出書とともにプロバイダ等に提出するものとする。

(2) 申出手続は、原則として書面によって行うこととする。ただし、送信防止措置を迅速に講ずることが求められる場合があることから、一定の場合には、必要に応じて電子メール、ファックス等の電磁的方法による申出が認められるものとする。電子メール、ファックス等による申出が認められる場合としては、以下の場合がある。

　a）継続的なやりとりがある場合等、プロバイダ等と申出者等との間に一定の継続的信頼関係が認められる場合であって、申出者等が、当該電子メール、ファックス等による申出の後、速やかに電子メール、ファックス等による申出と同内容の申出書を書面によって提出する場合。

　b）プロバイダ等と申出者等の双方が予め了解している場合には、申出を行う電子メールにおいて、公的電子署名又は電子署名及び認証業務に関する法律（平成12年法律102号。以下「電子署名法」という。）の認定認証事業者によって証明される電子署名の措置を講じた場合であって、当該電子メールに当該電

子署名に係る電子証明書を添付している場合。
＊電子メール、ファックス等の電磁的方法による申出の場合、申出があったこと及びその内容について記録が残る必要があるため、電話による申出は認められない。

2 プロバイダ等における申出を受けた際の手続（確認事項等）
(1) 上記1の申出書（及び確認書）の提出を受けたプロバイダ等は、当該申出書等において、本ガイドラインⅣに記載されている項目ごとに、必要事項が記載されていること、必要な書面が添付されていること、記載内容が適切であることを確認するものとする。
(2) プロバイダ等は、申出の内容を確認した後、本ガイドラインⅥの対応を行うこととする。

Ⅳ　申出における確認事項及びその方法

1　申出主体の本人性等

本ガイドラインに従った申出がされた場合には、プロバイダ等は情報の送信防止措置を講ずることとなるが、その措置は、円滑かつ迅速に講じられる必要がある。その反面、発信者にとっては不利益を生ずることもあり、場合によっては、訴訟が提起されることも考えられる。このため、申出をした者が誰であるのか及び申出が当該者によりなされたのかについて確認することが必要であり、申出者に確認のための書類等の提出を求める必要がある。

(1) 書面による申出の場合

申出者の本人性確認は、以下のいずれかの方法による。

　a) 申出者が直接プロバイダ等に申出を行う場合、申出者は、申出書に記名、押印（申出者が法人の場合は、当該法人の代表者（代表者から権限を委譲されている者を含む。以下同じ。）の記

名をし、公印又は当該代表者が通常業務において使用する印（以下「公印等」という。）を用いて押印）するとともに、運転免許証、パスポート等の公的証明書の写し等本人性を証明できる資料を添付するものとする。プロバイダ等は、添付された資料等により本人性を確認するものとする。なお、継続的なやりとりがある場合等、プロバイダ等と申出者との間に一定の継続的信頼関係が認められる場合には、本人性を証明できる資料の添付を省略することができる。

申出者が法人の場合であって、株式を公開・上場している会社である場合など通常であれば当該法人の存在を容易に認識できると考えられる場合は、プロバイダ等は、本人性を証明できる資料の添付がされていなくても、適切に本人性が確認されたものとして差し支えない。

b) 著作権等管理事業者（信託管理型の著作権等管理事業者であって、Ⅴ1(1)の要件を満たすものに限る。以下この章（Ⅳ）において同じ。）が申出をする場合、当該著作権等管理事業者は、申出書に管理事業者登録番号を記載するとともに、代表者の記名をし、公印等を用いて押印するものとし、プロバイダ等はこれにより本人性を確認するものとする。

c) 海外の者からの申出については、署名により記名・押印に代えることができる。

(2) 電子メール等による申出の場合

電子メール等による申出の場合は、以下の方法により本人性を確認する

a) Ⅲ1(2) a)の場合、電子メール等において申出者又は著作権等管理事業者が本人である旨を記載していることをもって、適切に本人性が確認されたと判断するものとする。

b) プロバイダ等と申出者等の双方が予め了解している場合、

申出を行う電子メールにおいて公的電子署名又は電子署名法の認定認証事業者によって証明される電子署名の措置を講じた場合であって、当該電子メールに当該電子署名に係る電子証明書を添付しているときは、プロバイダ等は、当該電子署名及び電子証明書により本人性を確認するものとする。

2 著作権者等であることの確認

次に、申出をした者が著作権者等であること（当該者が著作権等を有していること）が確認できることが必要である。我が国においては、著作権等について登録等が必須とされていないことから、それを厳格に証明することは困難とも考えられるが、一般人の判断からして当該申出者が著作権等を有していると判断できるような証拠が提示される必要がある。

このため、申出において、次のような証拠資料を提示することとし、a)の場合、プロバイダ等は、これにより申出者が著作権者等であることを確認するものとし、また、b)の場合は、これにより申出者が著作権者等であることの確認が適切にされていると判断するものとする。なお、下記a)については、今後これ以外で適切なものがあった場合は、随時追加していくこととする。

 a) 申出者が直接プロバイダ等に申出を行う場合
  ① 著作物等に関して著作権法に根拠のある登録（海外におけるものを含む。）がされている場合には、当該登録が行われていることを証する書面
  ② 著作物等の発行・販売等に当たって著作権者等の氏名等が表示されている場合は、その写し（著作権法14条、ベルヌ条約15条、万国著作権条約3条1項参照）
  ③ 申出がなされる以前に一般に提供されている商品、カタロ

グ等であって申出者が著作権者であることを示す資料がある場合は、当該資料又はその写し

④　著作物等と著作権者等との関係を照会できるデータベースであって、適切に管理されているものが提供されている場合には、当該データベースに登録されていることを証する書面

⑤　原作者と二次的著作物の著作者との間で交わされた翻案及び権利関係に関する契約書、確認書等の文書のうち権利関係の確認に必要な部分など、申出者が二次的著作物に対する原著作者であることを証する書面

b)　著作権等管理事業者が申出を行う場合

著作権等管理事業者が、本ガイドラインⅤ2(2)に従って当該団体が管理している著作物等であることの確認を行い、その旨を申出書に記載する。

3　侵害情報の特定

インターネットにおける情報の流通量は膨大であり、権利を侵害したとする情報の流通があった旨の通知があったとしても、描写があいまいで実際にどの情報が問題とされているのかがプロバイダ等には分からないことも多い（そのようなことから、法3条1項2号においては、権利を侵害したとする情報の流通をプロバイダ等が知らなかったときの権利者に対する責任の制限が規定されているところである。）。そのため、権利を侵害されたとする者からの申出があった場合にプロバイダ等による適切かつ迅速な対応を促すという観点からは、権利を侵害したとする情報が特定される必要がある。

そこで、申出者は、次の方法により、侵害情報を特定して申出を行うこととする。

(1)　申出者は、申出書において、対象となる情報について、そのURL（Uniform Resource Locator）、及びプロバイダ等から見て

対象となる情報を合理的に特定するに足りる情報(ファイル名、データサイズ、特徴等)を記載するものとする。
(2) 申出者は、可能な場合は、対象となる情報のハードコピーにおける図示等をするものとする。
(3) 申出を受けたプロバイダ等が、記載された情報のみでは特定ができない場合であって、申出書を補正するために追加的な情報を求めたときは、当該プロバイダ等が求めた情報を提示するものとする。
(4) プロバイダ等は、申出者が速やかに補正を行わない場合には、書類の不備を理由として送信防止措置を講ずることが困難である旨を申出者に連絡するものとする。

4 著作権等侵害であることの確認

著作権等を有する者から、侵害情報を特定して申出がなされたとしても、権利侵害があったとしてプロバイダ等が送信防止措置を講ずるためには、その情報の流通によって、確かに著作権等が侵害されたと判断できる必要がある。

このため、申出においては、次の内容が示されることが必要であり、プロバイダ等はそれが申出書に記載されているかどうかを確認することとする。

(1) ガイドラインの対象とする著作権等侵害があることの確認
　① 侵害されたとする権利の確認
　　申出者は、申出書において、侵害されたとする権利を記載するものとする。
　② 侵害されたとする著作物等についての確認
　　申出者は、申出書に侵害情報によって侵害されたとする著作物等を特定するために必要な情報を記載するものとする。
　③ 対象とする権利侵害の態様であることの確認

a) 申出者が直接プロバイダ等に申出を行う場合、申出者は、申出書に、著作権等が侵害されたとする理由、当該権利侵害の態様、権利侵害があったことを確認するための方法を記載する。プロバイダ等は、これらの情報等に基づき、当該権利侵害の態様が本ガイドラインの対象とする「著作権等侵害であることが容易に判断できる態様のもの」（Ⅱ4⑴）であり、かつ、その権利侵害があることを確認するものとする。

　　b) 著作権等管理事業者が申出を行う場合、著作権等管理事業者は本ガイドラインⅤ2⑶に従って、対象とする権利侵害であることを確認し、その旨及び確認方法を申出書に記載する。プロバイダ等は、申出書に上記の記載がされていることをもって、適切に確認がされているものと判断するものとする。

⑵　著作権等の保護期間内であることの確認

　プロバイダ等は、著作権等の保護期間が経過していることを窺わせる事情が存在する場合は、申出者に対して保護期間内であることを裏付ける証拠の提出を求めることができる。

⑶　権利許諾していないことの確認

　申出者は、申出書に情報の発信者に対して権利許諾をしていない旨の申述を記載するものとする。プロバイダ等は、当該申述が記載されていることを確認するものとする。

Ⅴ　信頼性確認団体を経由した申出

1　信頼性確認団体の基準、範囲等

　本ガイドラインによる申出において、申出者から個別に証拠を提示させるのではなく、他の信頼できる第三者が一定の信頼できる手続によりそれを確認している場合には、社会的に見ても、申出者の本人性等について確認ができていると判断されると考えられる。

具体的には、申出者と一定の関係にある団体であって本章1(1)に規定する基準を満たすもの（以下「信頼性確認団体」という。）が、プロバイダ等に代わって、本章2の手続に従ってⅣ1、2、4に規定する事項（本人性確認、著作権者等であることの確認、著作権等侵害であることの確認）を確認し、申出書に適切にその確認をした旨の書面等を添付している場合には、プロバイダ等は、当該書面等を確認することで適切な確認がなされているとの判断をすることができると考えられる。

(1) 信頼性確認団体

信頼性確認団体は、Ⅳ1、2、4に規定する事項（本人性確認、著作権者等であることの確認、著作権等侵害であることの確認）についてプロバイダ等に代わって適切に確認することのできるものであることが必要である。そのため、信頼性確認団体は、以下の要件を満たすものであることが必要である。

a) 法人であること（法人格を有しない社団であって、代表者の定めがあるものを含む。）

b) 申出者が持っている権利の内容を適切に確認しうるものであること

c) 著作権等に関する専門的な知識及び相当期間にわたる充分な実績を有していること

　なお、団体と一定の関係にある申出者の著作物に関する二次的著作物について確認を行う場合においては、当該二次的著作物に関してもこれを満たすこと

d) 本章2(1)から(3)までに規定する確認等を適切に行うことのできるものであること

なお、上記a)からc)までの要件を満たす団体として具体的に想定されるものは、下記①から⑤までに記載されている申出対象著作物等に関する申出については、それぞれ①から⑤までに該当する団

体があげられるところであるが、そのような団体はこれらに限定されるものではなく、上記a)からc)までの要件を満たす場合には、これに該当することとなる。また、①から⑤までに該当する団体であっても、信頼性確認団体であるためには、a)からd)の要件を満たす必要がある。

① 著作権等管理事業者
　申出対象著作物等：管理委託されている著作物等
② 著作権法に基づく文化庁指定団体
　申出対象著作物等：権利行使を委任された商業用レコード又はそれに録音された実演
③ 著作権等の権利の保護を主たる目的とする団体
　申出対象著作物等：会員が著作権等を有する著作物等であって、当該団体の目的において著作権等の保護の対象としているもの
④ ①から③までに掲げる団体に該当する国外の団体
　申出対象著作物等：（上記該当団体に同じ）
⑤ ①から③までに掲げる団体が加盟する国際団体
　申出対象著作物等：（上記該当団体に同じ）

(2) 信頼性確認団体の説明等

　信頼性確認団体は、自己の組織、本ガイドラインで当該団体に認められた確認事項についての確認等の手順、管理著作物等の概要及びその管理方法について、個々のプロバイダ等に対して、はじめて確認書を送付するときに通知し、それらに変更があった場合には、速やかに、その変更についても個々のプロバイダ等に通知するものとする。

　プロバイダ等は、本ガイドラインで信頼性確認団体に認められた確認事項についての確認等の手順、管理著作物等の概要及びその管理方法の説明を団体に求めることができる。

(3) 著作権等管理事業者

　著作権等管理事業者については、申出対象著作物等は、管理委託されている著作物等であるが、著作権者等との間で、著作権等を移転し、著作物等の利用の許諾その他の当該著作権等の管理を行わせることを目的とする信託契約を締結している（信託管理型）場合は、当該契約等において認められた範囲において、自ら申出を行うこととなる。

　ここで、上記(1)の基準を満たす著作権等管理事業者（信託管理型）が申出を行う場合には、信頼性確認団体と同様にプロバイダに代わって本ガイドラインⅣの事項の確認を行うことができるものと考えられる。その場合、申出者の本人性確認は、本ガイドラインⅣ1に記載した方法によりプロバイダ等によって行われるため、本章2(1)から(3)までの確認方法のうち、(2)及び(3)が対象となるものである。

(4) 信頼性確認団体の認定

　本ガイドラインの実際の運用に当たって、信頼性確認団体についての審査を行う仕組みを作り、この審査により(1) a)からd)までの要件に該当すると認定された者を一律に本ガイドラインの信頼性確認団体として取り扱うことが考えられる。この際、プロバイダ等の簡便かつ迅速な取扱いに資するため、本ガイドラインに信頼性確認団体一覧を本ガイドラインに添付するものとする。

(5) その他

　著作権者等からの申出の場合であっても、個々のプロバイダ等において、当該著作権者等の対応体制、著作権等に関する専門的知識や実績、過去の申出の際の対応等から判断して、当該著作権者等における著作権侵害等であることの確認が信頼するに足りると確信できる場合には、信頼性確認団体による確認がある場合と同様の取扱いをすることができる。

2　信頼性確認団体による確認

　信頼性確認団体は、Ⅳの１、２、４に規定する事項（本人性確認、著作権者等であることの確認、著作権等侵害であることの確認）について、それぞれ、以下の(1)から(3)の方法により確認し、当該確認を行った旨を確認書（様式Ｄ）に記載するものとする。当該書面には、信頼性確認団体の代表者の記名をし、公印等を用いて押印するものとする。プロバイダ等は、これにより、各事項について適切に確認が行われたと判断するものとする。

(1)　申出者の本人性確認（Ⅳ１の事項）

　次の方法により確認していることとする。

　① 　本人性確認の方法

　　　申出書の記名及び押印により、当該申出者が自己に権利行使を委任した者であるか否か又は自己の会員であるか否かを確認する。

　② 　電子メールの取扱い

　　　公的な電子署名又は電子署名法の認定認証事業者により証明される電子署名がなされた電子メールによる場合に、その電子署名の検証をして確認する。

　　　会員であって普段より継続的な関係がある場合に、通常用いる電子メールアドレスなどにより確実な確認ができる場合には、その他適切な方法によって確認を行う。

(2)　申出者が著作権者等であることの確認（Ⅳ２の事項）

　次の方法により確認していることとする。

　① 　著作物等に関して著作権法に根拠のある登録（海外におけるものを含む。）がされている場合には、登録されていることを証する書面により確認。

　② 　著作物等の発行・販売等に当たって著作権者等の氏名等が表示されている場合には、その写しにより確認（著作権法14条、

ベルヌ条約15条、万国著作権条約3条1項参照)。
③　申出がなされる以前に一般に提供されている商品、広告物、カタログ等申出者が著作権者等であることを示すものがある場合には、当該資料又はその写しにより確認。
④　著作物等と著作権者等との関係を照会できるデータベースであって、適切に管理されているものが提供されている場合には、当該データベースに登録されていることを証する書面により確認。
⑤　申出者から、自らが著作権者等であること、その理由等に関してペーパーを提出させ、それをもとにヒアリング等を行うことにより確認。
⑥　原著作者と二次的著作物の著作者との間で交わされた翻案及び権利関係に関する契約書、確認書等の文書のうち権利関係の確認に必要な部分など、申出者が二次的著作物に対する原作者であることを証する書面がある場合には、当該書面により確認。
⑦　その他これに準ずる方法による確認。
(3) 著作権等の侵害であることの確認（Ⅳ4の事項)
a) 著作権等の保護期間内であることの確認
　著作権等の保護期間が経過していることを窺わせる事情が存在する場合は、申出者に対して保護期間内であることを裏付ける証拠の提出を求めることとし、信頼性確認団体は、それにより著作権等の保護期間内であることの確認を行うこととする。
b) 権利侵害があることの確認
　次の方法により確認していることとする。
①　権利侵害の態様が本ガイドラインの対象とする「著作権等侵害であることが容易に判断できる態様」のものであるときは、申出者は、申出書に、著作権等が侵害されたとする理

由、当該権利侵害の態様、権利侵害があったことを確認可能な方法を記載し、信頼性確認団体は、これらの情報等に基づき、権利侵害があること、本ガイドラインの対象とする権利侵害の態様であること、著作物性、権利の帰属性について既に争いとなっているものではないことを確認する。

② 権利侵害の態様が本ガイドラインの対象となる「一定の技術を利用すること、個別に視聴等して著作物等と比較すること等の手間をかけることにより、著作権等侵害であることが判断できる態様」のものであるときは、申出者は、申出書に、著作権等が侵害されたとする理由、当該権利侵害の態様を記載し、信頼性確認団体は、これらの情報等に基づき、本ガイドラインの対象とする権利侵害の態様であること、著作物性、権利の帰属性について既に争いとなっているものではないことを確認するとともに、次のような方法により、権利侵害があることを確認する。

ア）著作物等と侵害したとする情報を視聴又は実行し、当該団体の職員（それに準ずる者を含む。）が比較して、同一性についての特徴を確認して記録する。

イ）著作物等と侵害したとする情報とを専用ソフト等を用いて機械的に比較し、同一性について特徴を確認して記録する。

ウ）非可逆的に圧縮されたファイルについて、著作物等を同じ方法で圧縮することにより、同一のファイルが生成されることを確認し、記録する。

3 信頼性確認団体の確認手続に過誤等があった場合の対応

本ガイドラインⅤに定める確認手続を行ったとされる申出について、信頼性確認団体が確認手続を踏まず、又はその確認手続にその

信頼を失わせる過誤があった場合については、当該信頼性確認団体による確認手続の信頼性が失われることとなる。このため、これらの場合は、当該信頼性確認団体が確認手順を改善したことが確認できるまでは、当該信頼性確認団体からの確認書については、本ガイドラインに基づく手続を踏んでいるものとしては扱わないこととする。ただし、当該信頼性確認団体の取扱いに関して1⑷の審査を行う仕組みにおける審査の結果、再度誤った確認手続をするおそれがなく、今後も当該信頼性確認団体を本ガイドラインの対象とすることが妥当であると確認がされた場合は、この限りではない。

Ⅵ　プロバイダ等による対応

1　申出及び確認が本ガイドラインの要件を満たす場合

⑴　プロバイダ等は、申出が、本ガイドラインの要件を満たす場合、速やかに、必要な限度において、当該侵害情報の送信を防止するために削除等の措置を講ずるものとする。

⑵　プロバイダ等は、送信防止措置を講ずる前又は講じた後に、当該侵害情報の送信防止措置を講ずる旨又は講じた旨を当該情報の発信者及び申出者へ通知することができる。

　この通知をする場合、申出者への通知については、信頼性確認団体を経由して申出が行われている場合には、プロバイダ等は、当該信頼性確認団体へ通知するものとし、当該通知を受けた信頼性確認団体は、申出者へ通知するものとする。

⑶　送信防止措置を講ずること又は講じたことについて、発信者から苦情・問合せ等があった場合、プロバイダ等は、申出者又は信頼性確認団体に必要な協力を求めることができる。

2　申出及び確認が本ガイドラインの要件を満たさない場合

⑴　申出が本ガイドラインの要件を満たしていない場合において、

申出書、確認書等について補正が可能と考えられるときには、プロバイダ等は、申出者に対して、再提出又は必要な書類等の追加提出を求めることができる。

　この場合において、申出者は、プロバイダ等からの求めに応じて、申出書の再提出又は必要な書類等の追加提出をすることができる。
(2)　プロバイダ等が再提出又は必要な書類の追加提出を求める場合であって、信頼性確認団体を経由して申出が行われている場合には、プロバイダ等は、当該信頼性確認団体に連絡するものとし、当該連絡を受けた信頼性確認団体が、申出者に連絡する等をして、申出書の再提出又は必要な書類等の追加提出をするものとする。
(3)　プロバイダ等は、申出者若しくは信頼性確認団体が速やかに補正を行わない場合には、申出者に対し、書類の不備を理由として送信防止措置を講ずることが困難である旨を連絡することが望ましい。

以　　上

628　第4　ガイドライン

〔様式A〕

　　　　　　　　　　　　　　　　　　　　　　　　平成　年　月　日
【○○株式会社（カスタマーサービス担当）】御中
　　　　　　　　　　　　　　　　　　　氏　名　○○　○○（記名）　㊞

　　　　　　　　著作物等の送信を防止する措置の申出について

　私は、貴社が管理するURL：【http://www.abc.ne.jp/　（名義△△△△）】に掲載されている下記の情報の流通は、下記のとおり、【○○○○】が有する【著作権法第23条に規定する公衆送信権】を侵害しているため、「プロバイダ責任制限法著作権関係ガイドライン」に基づき、下記のとおり、貴社に対して当該著作物等の送信を防止する措置を講じることを求めます。

　　　　　　　　　　　　　　　　記

1. 申出者の住所	【〒　－ ○○県××市△△○丁目×番△号】	
2. 申出者の氏名	【○○　○○】	
3. 申出者の連絡先	電話番号	【○○－○○○○－○○○○】
	e-mailアドレス	【abcd@efg.jp】
4. 侵害情報の特定のための情報	URL	【http://www.abc.ne.jp/aaa/bbb/ccc.txt】
	ファイル名	【ccc.txt】
	その他の特徴	【例えば、作成年月日、ファイルサイズ等その他の属性等】
5. 著作物等の説明	【侵害情報により侵害された著作物は、私が創作した著作物「□□□□」です。参考として当該著作物の写しを添付します。（※）】	
6. 侵害されたとする権利	【著作権法第23条の公衆送信権（送信可能化権を含む。）】	
7. 著作権等が侵害されたとする理由	私は、著作物「□□□□」に係る著作権法第23条に規定する公衆送信権（送信可能化権を含む。）を有しています。 　私は、△△△△に対して著作物「□□□□」を公衆送信（送信可能化を含む。）することに対し、いかなる許諾も与えておりません。 　私は、著作物「□□□□」を公衆送信（送信可能化を含む。）することを許諾する権限をいかなる者にも譲渡又は委託しておりません。	
8. 著作権等侵害の態様	1　ガイドラインの対象とする権利侵害の態様の場合 　　侵害情報である「××××」は、以下の■の態様に該当します。 ■a）　情報の発信者が著作権侵害であることを自認しているもの □b）　著作物等の全部又は一部を丸写ししたファイル（a）以外のものであって、著作物等と侵害情報とを比較することが容易にできるもの） □c）　b）を現在の標準的な圧縮方式（可逆的なもの）により圧縮したもの 2　ガイドラインの対象とする権利侵害の態様以外のものの場合 （権利侵害の態様を適切・詳細に記載する。）	
9. 権利侵害を確認可能な方法	【○○の方法により権利侵害があったことを確認することが可能です。】	

　上記内容のうち、○・○・○の項目については証拠書類を添付いたします。
　また、上記内容が、事実に相違ないことを証します。
　　　　　　　　　　　　　　　　　　　　　　　　　　以　　上

3　プロバイダ責任制限法著作権関係ガイドライン　629

〔様式A'〕　二次的著作物が特定電気通信により権限なく公衆送信されている場合に、原著作者が行う申し出の例

平成　年　月　日

【○○株式会社　（カスタマーサービス担当）】御中

氏名　○○　○○（記名）　㊞

著作物等の送信を防止する措置の申出について

　私は、貴社が管理するURL：【http://www.abc.ne.jp/　（名義△△△△）】に掲載されている下記の情報の流通は、下記のとおり、【○○○○】が有する【著作権法第23条に規定する公衆送信権】を侵害しているため、「プロバイダ責任制限法著作権関係ガイドライン」に基づき、下記のとおり、貴社に対して当該著作物等の送信を防止する措置を講じることを求めます。

記

1. 申出者の住所	【〒　－　　○○県××市△△○丁目×番△号】	
2. 申出者の氏名	【○○　○○】	
3. 申出者の連絡先	電話番号	【○○－○○○○－○○○○】
	e-mailアドレス	【abcd@efg.jp】
4. 侵害情報の特定のための情報	URL	【http://www.abc.ne.jp/aaa/bbb/ccc.txt】
	ファイル名	【ccc.txt】
	その他の特徴	【例えば、作成年月日、ファイルサイズ等その他の属性等】
5. 著作物等の説明	【侵害情報である「××××」は、私が創作した著作物「□□□□」を▽▽▽▽が翻案した著作物「☆☆☆」です。参考として当該著作物の写しを添付します。(※)】	
6. 侵害されたとする権利	【著作権法第23条の公衆送信権（送信可能化権を含む。）】	
7. 著作権等が侵害されたとする理由	【私は、著作物「☆☆☆☆」に係る著作権法第23条に規定する公衆送信権（送信可能化権を含む。）を有しています。 　私は、△△△△に対して著作物「☆☆☆☆」を公衆送信（送信可能化を含む。）することに対し、いかなる許諾も与えておりません。 　私は、著作物「☆☆☆☆」を公衆送信（送信可能化を含む。）することを許諾する権限をいかなる者にも譲渡及は委託しておりません。】	
8. 著作権等侵害の態様	1　ガイドラインの対象とする権利侵害の態様の場合 　侵害情報である「××××」は、以下の■の態様に該当します。 ■a) 情報の発信者が著作権等侵害であることを自認しているもの □b) 著作物等の全部又は一部を丸写ししたファイル (a) 以外のものであって、著作物等と侵害情報とを比較することが容易にできるもの） □c) b) を現在の標準的な圧縮方式（可逆的なもの）により圧縮したもの 2　ガイドラインの対象とする権利侵害の態様以外のものの場合 （権利侵害の態様を適切・詳細に記載する。）	
9. 権利侵害を確認可能な方法	【○○の方法により権利侵害があったことを確認することが可能です。】	

　上記内容のうち、○・○・○の項目については証拠書類（私と▽▽▽▽の著作物「☆☆☆☆」に関する権利関係を示す書類を含む）を添付いたします。
　また、上記内容が、事実に相違ないことを証します。

以　上

〔様式B〕

平成　年　月　日

【○○株式会社　（カスタマーサービス担当）】　御中

　　　　　　　　　　　　　　　　社団法人　◇◇◇◇
　　　　　　　　　　　　　　　　代表者　○○　○○（記名）　㊞

著作物等の送信を防止する措置の申出について

「プロバイダ責任制限法著作権関係ガイドライン」Ⅴ1(3)の**著作権等管理事業者**である弊団体は、貴社が管理するURL：【http://www.abc.ne.jp/　（名義△△△△）】に掲載されている下記の情報の流通は、下記のとおり、弊団体が管理の委託を受けている著作物について**【○○○○が有する著作権法第23条に規定する公衆送信権】**を侵害しているため、同ガイドラインに基づき、下記のとおり、貴社に対して当該著作物等の送信を防止する措置を講じることを求めます。

記

1. 申出者の住所	【〒　－ 東京都○○区××△丁目○番×号】	
2. 申出者の名称	【社団法人　◇◇◇◇　（担当　○○部　××）】	
3. 申出者の連絡先	電話番号	【○○－○○○○－○○○○　（担当　内線××）】
	e-mailアドレス	【abcd@efg.jp】
4. 侵害情報の特定のための情報	URL	【http://www.abc.ne.jp/aaa/bbb/ccc.txt】
	ファイル名	【ccc.txt】
	その他の特徴	【例えば、作成年月日、ファイルサイズ等その他の属性等】
5. 著作物等の説明	【侵害情報により侵害された著作物は、弊団体が○○○○からその管理の委託を受けている著作物であり、○○○○が創作した著作物「□□□□」です。】	
6. 侵害されたとする権利	【著作権法第23条の公衆送信権（送信可能化権を含む。）】	
7. 著作権等が侵害されたとする理由	【○○○○は、弊団体が管理の委託を受けている著作物「□□□□」に係る著作権法第23条に規定する公衆送信権（送信可能化権を含む。）を有しています。 　弊団体及び○○○○は、△△△△に対して著作物「□□□□」を公衆送信（送信可能化を含む。）することに対し、いかなる許諾も与えておりません。 　弊団体及び○○○○は、著作物「□□□□」を公衆送信（送信可能化を含む。）することを許諾する権限をいかなる者にも譲渡又は委託しておりません。】	
8. 著作権等侵害の態様	1　ガイドラインの対象とする権利侵害の態様の場合 　　侵害情報である「××××」は、以下の■の態様に該当します。 (1)　ガイドラインⅡ4(1)の態様に該当するもの 　■a)　情報の発信者が著作権等侵害であることを自認しているもの 　□b)　著作物等の全部又は一部を丸写ししたファイル (a) 以外のものであって、著作物等と侵害情報とを比較することが容易にできるもの） 　□c)　b)を現在の標準的な圧縮方式（可逆的なもの）により圧縮したもの (2)　ガイドラインⅡ4(2)の態様に該当するもの 　□a)　著作物等の全部又は一部を丸写ししたファイル（(1) a)、b)以外のものであって、著作物等と侵害情報とを視聴して比較することや、専門的方法を用いて比較することで確認が可能なもの） 　□b)　(1) b) 又はa)を圧縮したもので、(1) c)に該当するものを除いたもの 　□c)　a) 又はb) が分割されているもの 2　ガイドラインの対象とする権利侵害の態様以外のものの場合 （権利侵害の態様を適切・詳細に記載する。）	
9. 権利侵害を確認可能な方法	【○○の方法により権利侵害があったことを確認することが可能です。】	

上記内容が事実に相違ないこと、及び上記内容について、標記ガイドラインのⅤに従い、弊団体が適切に確認したことを証します。

　　※　その他必要な資料を添付する。

以　上

3 プロバイダ責任制限法著作権関係ガイドライン 631

〔様式B'〕 二次的著作物が特定電気通信により権限なく公衆送信されている場合に、原著作物の著作権等管理事業者が行う申出の例

平成　年　月　日

【○○株式会社　（カスタマーサービス担当）】御中

　　　　　　　　　　　　　　　社団法人　◇◇◇◇
　　　　　　　　　　　　　　　代表者　○○　○○（記名）　㊞

著作物等の送信を防止する措置の申出について

「プロバイダ責任制限法著作権関係ガイドライン」Ⅴ1(3)の著作権等管理事業者である弊団体は、貴社が管理するURL：【http://www.abc.ne.jp/　（名義△△△△）】に掲載されている下記の情報の流通は、下記のとおり、弊団体が管理の委託を受けている著作物について【◇◇◇◇が有する著作権法第23条に規定する公衆送信権】を侵害しているため、同ガイドラインに基づき、下記のとおり、貴社に対して当該著作物等の送信を防止する措置を講じることを求めます。

記

1. 申出者の住所	【〒　－ 東京都○○区××△丁目○番×号】	
2. 申出者の名称	【社団法人　◇◇◇◇　（担当　○○部　××）】	
3. 申出者の連絡先	電話番号	【○○－○○○○－○○○○　（担当　内線××）】
	e-mailアドレス	【abcd@efg.jp】
4. 侵害情報の特定のための情報	URL	【http://www.abc.ne.jp/aaa/bbb/ccc.txt】
	ファイル名	【ccc.txt】
	その他の特徴	【例えば、作成年月日、ファイルサイズ等その他の属性等】
5. 著作物等の説明	【侵害情報により侵害された著作物は、弊団体が○○○○からその管理の委託を受けている著作物「□□□□」を▽▽▽▽が翻案した著作物「☆☆☆☆」です。】	
6. 侵害されたとする権利	【著作権法第23条の公衆送信権（送信可能化権を含む。）】	
7. 著作権等が侵害されたとする理由	【○○○○は、弊団体が管理の委託を受けている著作物「□□□□」を▽▽▽▽が翻案した著作物「☆☆☆☆」に係る著作権法第23条に規定する公衆送信権（送信可能化権を含む。）を有しています。 弊団体及び○○○○は、△△△△に対して著作物「☆☆☆☆」を公衆送信（送信可能化を含む。）することに対し、いかなる許諾も与えておりません。 弊団体及び○○○○は、著作物「☆☆☆☆」を公衆送信（送信可能化を含む。）することを許諾する権限をいかなる者にも譲渡又は委託しておりません。 また、弊団体は、著作物「☆☆☆☆」に関する専門的知識及び相当期間にわたる充分な実績を有しています。これを証明する資料を添付します。】	
8. 著作権等侵害の態様	1　ガイドラインの対象とする権利侵害の態様の場合 侵害情報である「××××」は、以下の　　の態様に該当します。 (1)　ガイドラインⅡ4(1)の態様に該当するもの ■a)　情報の発信者が著作権等侵害であることを自認しているもの □b)　著作物等の全部又は一部を丸写ししたファイル(a)以外のものであって、著作物等と侵害情報とを比較することが容易にできるもの） □c)　b)を現在の標準的な圧縮方式（可逆的なもの）により圧縮したもの (2)　ガイドラインⅡ4(2)の態様に該当するもの □a)　著作物等の全部又は一部を丸写ししたファイル((1)a)、b)以外のものであって、著作物等と侵害情報とを視聴して比較することや、専門的方法を用いて比較することで確認が可能なもの） □b)　(1)b)又はa)を圧縮したもので、(1)c)に該当するものを除いたもの □c)　a)又はb)が分割されているもの 2　ガイドラインの対象とする権利侵害の態様以外のものの場合 （権利侵害の態様を適切・詳細に記載する。）	
9. 権利侵害を確認可能な方法	【○○の方法により権利侵害があったことを確認することが可能です。】	

上記内容が事実に相違ないこと、及び上記内容について、標記ガイドラインのⅤに従い、弊団体が適切に確認したことを証します。

※　その他必要な資料（申出者と▽▽▽▽の著作物「☆☆☆☆」に関する権利関係を示す書類を含む）を添付する。

以　上

〔様式C〕

平成　年　月　日

【○○株式会社　（カスタマーサービス担当）】　御中

☆☆株式会社
代表者　○○　○○（記名）　㊞

著作物等の送信を防止する措置の申出について

　弊社は、貴社が管理するURL：【http://www.abc.ne.jp/（名義△△△△）】に掲載されている下記の情報の流通は、下記のとおり、弊社が有する**著作権法第23条に規定する公衆送信権**を侵害しているため、「プロバイダ責任制限法著作権関係ガイドライン」に基づき、下記のとおり、貴社に対して当該著作物等の送信を防止する措置を講じることを求めます。

記

1. 申出者の住所	【〒　－　　　　　　　　　　　　　　　　　　　　　　　　　　　　　　　　　　　　　○○県××市△△○丁目×番△号】		
2. 申出者の名称	【☆☆株式会社（担当　○○部　××）】		
3. 申出者の連絡先	電話番号	【○○－○○○○－○○○○　（担当　内線××）】	
	e-mailアドレス	【abcd@efg.jp】	
4. 侵害情報の特定のための情報	URL	【http://www.abc.ne.jp/aaa/bbb/ccc.txt】	
	ファイル名	【ccc.txt】	
	その他の特徴	【例えば、作成年月日、ファイルサイズ等その他の属性等】	
5. 著作物等の説明	【侵害情報により侵害された著作物は、弊社が創作した著作物「□□□□」です。】		
6. 侵害されたとする権利	【著作権法第23条の公衆送信権（送信可能化権を含む。）】		
7. 著作権等が侵害されたとする理由	【弊社は、著作物「□□□□」に係る著作権法第23条に規定する公衆送信権（送信可能化権を含む。）を有しています。 　弊社は、△△△△に対して著作物「□□□□」を公衆送信（送信可能化を含む。）することに対し、いかなる許諾も与えておりません。 　弊社は、著作物「□□□□」を公衆送信（送信可能化を含む。）することを許諾する権限をいかなる者にも譲渡又は委託しておりません。】		
8. 著作権等侵害の態様	1　ガイドラインの対象とする権利侵害の態様の場合 　侵害情報である「××××」は、以下の■の態様に該当します。 (1) ガイドラインⅡ4(1)の態様に該当するもの ■a)　情報の発信者が著作権等侵害であることを自認しているもの □b)　著作物等の全部又は一部を丸写ししたファイル（a）以外のものであって、著作物等と侵害情報とを比較することが容易にできるもの） □c)　b)を現在の標準的な圧縮方式（可逆的なもの）により圧縮したもの (2) ガイドラインⅡ4(2)の態様に該当するもの □a)　著作物等の全部又は一部を丸写ししたファイル（(1) a)、b)以外のものであって、著作物等と侵害情報とを視聴して比較することや、専門的方法を用いて比較することで確認が可能なもの） □b)　(1) 又は a) を圧縮したもので、(1) c)に該当するものを除いたもの □c)　a) 又は b) が分割されているもの 2　ガイドラインの対象とする権利侵害の態様以外のものの場合 （権利侵害の態様を適切・詳細に記載する。）		

　上記内容が事実に相違ないこと、及び弊社が標記ガイドラインⅤ1(1)の**信頼性確認団体**である社団法人△△△△の会員であることを証します。

以　上

〔様式C'〕　二次的著作物が特定電気通信により権限なく公衆送信されている場合に、原著作物の著作者（法人）が信頼性確認団体を経由して申出を行う場合

平成　年　月　日

【○○株式会社　（カスタマーサービス担当）】御中

☆☆株式会社
代表者　○○　○○　（記名）　㊞

著作物等の送信を防止する措置の申出について

弊社は、貴社が管理するURL：【http://www.abc.ne.jp/　（名義△△△△）】に掲載されている下記の情報の流通は、下記のとおり、弊社が有する【著作権法第23条に規定する公衆送信権】を侵害しているため、「プロバイダ責任制限法著作権関係ガイドライン」に基づき、下記のとおり、貴社に対して当該著作物等の送信を防止する措置を講じることを求めます。

記

1. 申出者の住所		【〒　　－ ○○県××市△△○丁目×番△号】
2. 申出者の名称		【☆☆株式会社　（担当　○○部　××）】
3. 申出者の連絡先	電話番号	【○○－○○○○－○○○○　（担当　内線××）】
	e-mailアドレス	【abcd@efg.jp】
4. 侵害情報の特定のための情報	URL	【http://www.abc.ne.jp/aaa/bbb/ccc.txt】
	ファイル名	【ccc.txt】
	その他の特徴	【例えば、作成年月日、ファイルサイズ等その他の属性等】
5. 著作物等の説明		【侵害情報により侵害された著作物は、弊社が創作した著作物「□□□□」を▽▽▽▽が翻案した著作物「☆☆☆☆」です。】
6. 侵害されたとする権利		【著作権法第23条の公衆送信権（送信可能化権を含む。）】
7. 著作権等が侵害されたとする理由		【弊社は、著作物「□□□□」を▽▽▽▽が翻案した著作物「☆☆☆☆」に係る著作権法第23条に規定する公衆送信権（送信可能化権を含む。）を有しています。 弊社は、△△△△に対して著作物「☆☆☆☆」を公衆送信（送信可能化を含む。）することに対し、いかなる許諾も与えておりません。 弊社は、著作物「☆☆☆☆」を公衆送信（送信可能化を含む。）することを許諾する権限をいかなる者にも譲渡又は委託しておりません。】
8. 著作権等侵害の態様	1　ガイドラインの対象とする権利侵害の態様の場合 　侵害情報である「××××」は、以下の■の態様に該当します。 (1) ガイドラインⅡ4(1)の態様に該当するもの ■a) 情報の発信者が著作権等侵害であることを自認しているもの □b) 著作物等の全部又は一部を丸写ししたファイル (a) 以外のものであって、著作物等と侵害情報とを比較することが容易にできるもの） □c) b)を現在の標準的な圧縮方式（可逆的なもの）により圧縮したもの (2) ガイドラインⅡ4(2)の態様に該当するもの □a) 著作物等の全部又は一部を丸写ししたファイル（(1) a)、b)以外のものであって、著作物等と侵害情報とを視聴して比較することや、専門的方法を用いて比較することで確認が可能なもの） □b) (1) b)又はa)を圧縮したもので、(1) c)に該当するものを除いたもの □c) a)又はb) が分割されているもの 2　ガイドラインの対象とする権利侵害の態様以外のものの場合 　（権利侵害の態様を適切・詳細に記載する。）	

上記内容が事実に相違ないこと、及び弊社が標記ガイドラインⅤ1(1)の信頼性確認団体である社団法人△△△△の会員であることを証します。

以　上

〔様式D〕

平成　年　月　日

【○○株式会社　（カスタマーサービス担当）】　御中

社団法人◇◇◇◇
代表者　○○　○○（記名）　　㊞

著作物等の送信を防止する措置の申出の確認について

「プロバイダ責任制限法著作権関係ガイドライン」Ⅴ1(1)の信頼性確認団体である弊団体は、平成○○年○○月○○日付けで弊団体の会員である【☆☆株式会社】が同ガイドラインに基づいて貴社に対して行った著作物等の送信を防止する措置の申出の内容について、同ガイドラインⅤに従って以下の事項について適切に確認を行ったので、その旨を証します。

記

1．申出者☆☆株式会社が弊団体の会員であること
2．本申出が確かに☆☆株式会社により行われたこと
3．申出者☆☆株式会社が貴社に対して提出した申出書記載の著作物等「□□□□」（以下「著作物等A」という。）の著作権者等であること
4．著作物等Aの著作権等が侵害されていること
5．4．の著作物等Aに係る著作権等の侵害の態様が標記ガイドラインの対象とするものであること
6．著作物等Aに係る著作権等が保護期間内であること
7．権利侵害があったことを確認した方法
【○○の方法により権利侵害があったことを確認しました。】

上記内容が事実に相違ないことを証します。

※　その他必要な資料を添付する

以　上

〔様式D'〕 様式C'による申出の場合に信頼性確認団体が行う確認の例

平成　年　月　日

【○○株式会社　（カスタマーサービス担当）】　御中

社団法人◇◇◇◇
代表者　○○　○○（記名）　　㊞

著作物等の送信を防止する措置の申出の確認について

「プロバイダ責任制限法著作権関係ガイドライン」Ⅴ1(1)の信頼性確認団体である弊団体は、平成○○年○○月○○日付けで弊団体の会員である【☆☆株式会社】が同ガイドラインに基づいて貴社に対して行った著作物等の送信を防止する措置の申出の内容について、同ガイドラインⅤに従って以下の事項について適切に確認を行ったので、その旨を証します。

記

1. 申出者☆☆株式会社が弊団体の会員であること
2. 本申出が確かに☆☆株式会社により行われたこと
3. 申出者☆☆株式会社が貴社に対して提出した申出書記載の著作物等「☆☆☆☆」（以下「著作物等A」という。）の著作権者等であること
4. 著作物等Aの著作権等が侵害されていること
5. 4.の著作物等Aに係る著作権等の侵害の態様が標記ガイドラインの対象とするものであること
6. 著作物等Aに係る著作権等が保護期間内であること
7. 権利侵害があったことを確認した方法
【○○の方法により権利侵害があったことを確認しました。】

上記内容が事実に相違ないことを証します。

※　その他必要な資料（申出者と▽▽▽▽の著作物「☆☆☆☆」に関する権利関係を示す書類を含む）を添付する

以　上

■著作権関係信頼性確認団体一覧（平成30年1月17日現在）

詳細は http://www.isplaw.jp/guidel_c_list.html 参照

認定番号	認定年月日	団体名	対象とする申出者	対象とする著作物
001	H14.9.30	一般社団法人日本音楽著作権協会	一般社団法人日本音楽著作権協会	音楽の著作物
002	H14.9.30	一般社団法人日本映像ソフト協会	正会員	映画の著作物及びその販売促進等に供される美術の著作物（ジャケット写真、ポスター等）等
003	H14.9.30	一般社団法人コンピュータソフトウェア著作権協会	会員	プログラムの著作物（表示画面又は映像を含む）
004	H14.9.30	BSA Business Software Alliance,Inc.	会員	ソフトウェア
005	H14.9.30	ビデオ倫理監視委員会	会員	映画の著作物及び美術（ジャケット、ポスター、写真等）の著作物
006	H14.9.30	協同組合日本映画製作者協会	組合員	映画の著作物及びその販売促進等に供される美術の著作物等
007	H14.9.30	株式会社日本国際映画著作権協会	モーション・ピクチャー・アソシエーションメンバー社の日本法人	映画の著作物（劇場公開用のフィルム、レンタル、販売または上映用等のDVD、ビデオカセット等）及びその映画の著作物に付随する写真等の著作物（DVD、ビデオカセット等のジャケット、宣伝用のポスター、パンフレット等）
008	H15.1.31	一般社団法人日本映画製作者連盟	会員	映画の著作物及びその販売促進等に供せられる美術の著作物（ジャケット写真、ポスター等）
009	H15.1.31	一般社団法人日本レコード協会	会員	レコード及び映画の著作物並びにそれらの販売促進等に供される美術の著作物及び写真の著作物（ポスター、ジャケット写真等）
010	H15.4.15	協同組合日本シナリオ作家協会	協同組合日本シナリオ作家協会	脚本等言語の著作物
011	H19.3.8	株式会社NexTone	株式会社NexToneに送信防止措置代行を依頼する著作権者	音楽の著作物
012	H24.1.20	一般社団法人コンピュータソフトウェア倫理機構	会員	会員が制作し著作権を有する商品で、機構が審査を行い受理番号を発行したパーソナルコンピュータソフト及び映像ソフト
013	H29.10.30	一般社団法人ユニオン・デ・ファブリカン	インターネット監視システムに登録した一般社団法人ユニオン・デ・ファブリカン会員で、権利者及び権利者から著作権保護対策を委任、授権された者	企業のホームページに掲載された写真等の画像データの著作物

4　プロバイダ責任制限法商標権関係ガイドライン

(平成17年7月プロバイダ責任制限法ガイドライン等検討協議会)

I　はじめに　—　ガイドラインの趣旨

1　ガイドラインの目的

　平成14年5月に施行された特定電気通信役務提供者の損害賠償責任の制限及び発信者情報の開示に関する法律(平成13年法律第137号。以下「プロバイダ責任制限法」又は単に「法」という。)は、インターネット上を流通する他人の権利を侵害する情報について、プロバイダ等が削除等の措置を講じた場合の発信者に対する損害賠償責任が制限される場合などを定めたものであり、これにより、他人の権利を侵害する情報が流通している場合にプロバイダ等が自らの判断で適切な対応をとることを可能とする環境が整えられた。これを受けて、当協議会においても、インターネット上を流通する権利侵害情報に対するプロバイダ等による適切かつ迅速な対応を促進し、インターネットの円滑かつ健全な利用を促進することを目的として、名誉毀損プライバシー関係ガイドライン及び著作権関係ガイドラインを策定し、その周知に努めてきたところである。

　近年、ネットオークション(インターネット上で、物品を売買しようとする者のあっせんを競りの方法により行うものをいう。以下同じ。)上に掲載されている出品情報が商標権等を侵害しているとして、権利者及び権利者団体からネットオークション事業者(ネットオークションを管理又は運営する者をいう。以下同じ。)に対し

て当該情報を削除するよう申出がなされるケースが増大している。こういった背景を踏まえ、知的財産及び消費者自身の利益を保護する観点から、平成16年5月に、政府の知的財産戦略本部が決定した「知的財産推進計画2004」においても、インターネットオークションサイト等の管理者による（中略）権利を侵害している出品物のサイトからの削除等を円滑にする方策等について幅広く検討を行うこととされているところである。

　本ガイドラインは、こうした事情を踏まえ、ネットオークションへの出品物に係る情報その他のウェブページ上の情報の流通によって商標権及び専用使用権（以下この章においては単に「商標権」という。）が侵害されている場合に、ネットオークション事業者等が発信者に連絡をして7日間経っても反論がない場合（法3条2項2号）でなくとも、速やかに削除等の送信防止措置を講じることが可能な場合（法3条2項1号）を現段階で可能な範囲で明らかにするとともに、個別の事案における対応に当たって、ネットオークション事業者等が個別の事情に応じた判断を行うのでなく、ガイドラインに従っているかどうかの形式的な判断をすれば迅速かつ適切な対応が可能とすることを通じて、権利者及びネットオークション事業者等の行動基準を明確化し、特定電気通信（法2条1号にいう特定電気通信をいう。以下同じ。）による商標権を侵害する情報の流通に対するネットオークション事業者等による迅速かつ適切な対応を促進し、もってインターネットの円滑かつ健全な利用を促進することを目的とするものである。なお、本ガイドラインは法2条3号にいう特定電気通信役務提供者を対象とするものであるが、ここで対象となる情報の性質上、主にネットオークション事業者や電子ショッピングモールを管理又は運営する者等であって特定電気通信役務提供者に該当する者が念頭に置かれているものであることか

ら、特定電気通信役務提供者のことをネットオークション事業者等という。

※　商標は、①出所表示機能、②品質保証機能、③広告宣伝機能の3つの機能を持つといわれており、業務上の信用維持や需要者の利益の保護を目的とする商標権は、思想又は感情を創作的に表現した著作物を保護の対象とする著作権とは権利の性質が異なることに留意する必要がある（例えば、著作物が丸写しされたファイルがインターネット上にアップロードされている場合には、それだけで公衆送信権や送信可能化権が侵害されるのに対して、いわゆる模倣品がネットオークションに出品されていることをもって直ちに商標権が侵害されているとは言えない。）。

2　情報の流通による商標権の侵害について

(a)　業として商品を生産、証明又は譲渡（以下「譲渡等」という。）する者が、指定商品又はこれに類似する商品について、登録商標と同一の又は類似する標章を「使用」する行為は商標権の侵害に該当すること

(b)　平成14年の商標法改正（14年9月1日から施行）により、商品又は役務に関する広告等を内容とする情報に標章を付して電磁的方法により提供する行為、すなわち、ネットワークを通じた商品又は役務に関する広告等の行為が商標の使用に当たることが明確化された（商標法2条3項8号）こと

から、商標法の解釈上、

(c)　ネットオークションへの出品等、インターネットを利用して偽ブランド品等（商標権者（その許諾を受けた者を含む。以下この章において同じ。）の商標登録に係る指定商品と同一又は類似の商品であって、商標権者の許可なく当該登録商標と同一又は類似の商標を付した商品をいう。以下同じ。）を販売するに当たり、登録商標と同一又は類似の標章が付された商品の写

真や映像等（以下単に「写真」という）をウェブページ上に掲載する行為は、商品又は商品の包装に標章を付したものを譲渡のために展示する行為として、商標法2条3項2号に規定する標章の「使用」に該当すると考えられる。そして、このような行為が、業として商品を譲渡等する者により行われる場合（反復継続して出品された場合や大量に出品された場合等）には、商標の使用に該当し、商標権侵害が成立する

と考えられる。また、

(d) オークションサイトその他のウェブページ上で偽ブランド品等に関する広告を行うに当たり、登録商標と同一又は類似の標章を表示する行為は、商品に関する広告等を内容とする情報に標章を付して電磁的方法により提供する行為として、商標法2条3項8号に規定する標章の「使用」に該当すると考えられる。そして、このような行為が、業として商品を譲渡等する者により行われる場合（反復継続して出品された場合や大量に出品された場合等）には、商標の使用に該当し、商標権侵害が成立する

と考えられる。この解釈を前提にすると、

①業として商品を譲渡等する者が、

②商標権者の商標登録に係る指定商品又はこれに類似する商品について、

③商品を譲渡するために商標が付された商品の写真をウェブページ上に掲載する行為、又は登録商標と同一又は類似の商標を（広告等を内容とする情報に付して）ウェブページ上で表示する行為

は商標権を侵害していると考えられることとなる。

プロバイダ責任制限法にいう「情報の流通によって権利の侵害があった」とは、「情報の流通」と「権利侵害」との間に相当因果関

係がある場合を意味するものであり、どういう場合に相当因果関係があると判断されるのか否かは、民法等の一般則によって決せられるものであるが、③については、「情報の流通」が直接「権利侵害」を引き起こしていると考えられる。

※　以上の見解については、「模倣品の個人輸入及びインターネット取引に関する事例集」（平成17年2月特許庁）参照
　　http://www.jpo.go.jp/torikumi/mohouhin/mohouhin2/jirei/pdf/inet_trans_jirei/001.pdf
※　現時点で、ネットオークションへの出品に当たり、ブランド名を出品タイトルや商品名として記載した場合等が、商品の広告等を内容とする情報に商標を付したことになるのか否かについての判例はないものの、商標法2条3項8号の使用に該当する場合もあると考えられる。

3　ガイドラインの位置づけ

　その情報の流通によって本当に権利侵害があったか否か、さらに、情報を誤って削除し、又は放置したことによってネットオークション事業者等が責任を負うか否かは、最終的には裁判所によって決定されるものである。したがって、個々の事案において、作成されたガイドラインに即した対応が行われたとしても、それのみで裁判所によっても法3条の「相当の理由」があると判断されるものではなく、ガイドラインの内容及びその作成手続にその信頼性を担保する根拠があり、商標権者等及びネットオークション事業者等が当該信頼性の高いガイドラインに従って適切に対応している場合において、はじめて裁判所によっても法3条の「相当の理由」があると判断され、ネットオークション事業者等が責任を負わないとされるものと期待される。このような観点から、本ガイドラインでは、単に申出の手続等について記述するのみならず、その背景にある考え方についても記述することとする。

なお、本ガイドラインは、プロバイダ責任制限法の考え方と同様に、ネットオークション事業者等が責任を負わずにできると考えられる対応を可能な範囲で明らかにしたものであってネットオークション事業者等の義務を定めたものではない。しかし、ネットオークション事業者等が、少なくとも本ガイドラインに従った取扱いをした場合については、裁判手続においてもネットオークション事業者等が責任を負わないものと判断されると期待されることから、ネットオークション事業者等の自主的な対応に際して本ガイドラインでの取扱いが重要な指針となるものと考えられ、ネットオークション事業者等は、通常本ガイドラインに沿った対応をとることが期待される。

また、本ガイドラインは、本ガイドラインで定めた場合以外については何ら影響を及ぼすものではなく、本ガイドラインに定めがなく、又は本ガイドラインの定める要件を満たさない場合であっても、プロバイダ責任制限法3条の「相当の理由」に該当する場合もあり得るものである。

加えて、本ガイドラインは、本協議会に参加している者によって作成されたものであるが、そもそも、インターネットはオープンなものであり、インターネット上の情報流通に関する民事上の責任についても、本協議会参加者相互間のみで問題となるものではないため、本ガイドラインが本協議会の参加者以外の者によっても活用されることが望まれる。

4　見直し

本ガイドラインは、情報通信技術の進展や実務の状況等に応じて、適宜見直しをすることが必要と考えられる。また、インターネット上の知的財産権の侵害は商標権に限られるものでもない。例えば、ネットオークションへの出品物に係る情報その他ウェブペー

ジ上を流通する情報が不正競争防止法等に違反していることが比較的容易に判断できるケースも考えられる。そのため、本ガイドライン策定後も、本協議会における検討を続け、ガイドラインの改善及び拡充を行っていくこととする。

II ガイドラインの適用範囲

1 申出の主体

ネットオークションへの出品物に関する情報等インターネット上を流通する商品の情報が真正品（商標権者又は商標権者から使用許諾を受けた者が登録商標を付した商品をいう。以下同じ。）の情報であるか否かの判断は最終的には権利者以外の者では行い得ず、また、権利者からの申出であれば、商標権侵害の有無を判断するに足りる適切な根拠が提示されることが期待されることから、本ガイドラインにおける送信防止措置の申出の主体は基本的には権利者とする。具体的には、次のとおりとする。

(1) 送信防止措置の申出をする者は、商標権又は専用使用権を侵害されたとする者本人又はその代理人とする。

(2) 上記(1)において「商標権又は専用使用権を侵害されたとする者」とは、商標権者及び専用使用権者のほか、これらと同視し得る者（以下「商標権者等」という。）を含むものとする。

2 対象とする権利侵害の態様

本ガイドラインにおいては、特定電気通信による情報の流通により商標権が侵害される場合を対象とする。

I 2で述べたとおり、商標法の解釈上、業として商品を譲渡等する者が、指定商品又はこれに類似する商品について、商品を譲渡するために商標が付された商品の写真をウェブページ上に掲載する行為、又は登録商標と同一又は類似する商標を（広告等を内容とする

情報に付して）ウェブページ上で表示する行為は商標権を侵害していると考えられるものである。

したがって、業として商品を譲渡等する者が、商標権者の許諾なく、指定商品又はこれに類似する商品について、商品を譲渡するために商標が付された商品の写真をウェブページ上に掲載している場合、又は登録商標と同一の又は類似する商標を（広告等を内容とする情報に付して）ウェブページ上に表示している場合は、特定電気通信による情報の流通により商標権が侵害されているといえる。具体的には、以下のような場合が考えられる。

(1)　ネットオークションへの偽ブランド品等の出品
(2)　ショッピングモールにおける偽ブランド品等の出品
(3)　その他ウェブサイト上での偽ブランド品等を譲渡する旨の広告

※　上記(1)、(2)及び(3)において、商標が付された商品の写真をウェブページ上に掲載している場合は、商標法2条3項2号（「商品又は商品の包装に標章を付したものを…譲渡若しくは引渡しのために展示…する行為」）に該当し、商標の使用になり得る。また、商標が付された商品の写真が掲載されていない場合であっても、ブランド名が出品タイトルや商品名として記載されている場合には、商標法2条3項8号（「商品若しくは役務に関する広告…を内容とする情報に標章を付して電磁的方法により提供する行為」）に該当する場合がある。なお、(1)及び(2)のネットオークションやショッピングモールにおける偽ブランド品等の出品については、不特定の者に対して商品の説明をするための情報を掲載し、不特定の者に対して購入するよう誘引するものであることから、商品の広告であると考えられる。もっとも、一般的に広告と観念される場合であっても、出品情報におけるブランド名の使用が出品された商品の出所を示すものとしてではなく、単に商品の内容を説明するために用いられているに過ぎない場合、需要者に対し誤認混同を生ぜしめないことが明白である場合等には商標の使用とはいえない場合もある。

3 送信防止措置の対象とする商品の情報

ネットオークション事業者等による情報の送信防止措置は、発信者の表現行為への直接の制約であるため、可能な限り誤った措置が講じられることのないよう、また、ガイドラインの信頼性担保のために、権利侵害の蓋然性が高く、ネットオークション事業者等が、他人の商標権が不当に侵害されていることを容易に判断できる情報を対象とすることが好ましい。

そのため、本ガイドラインにおいては以下の2つの基準のいずれにも該当する商品の情報を送信防止措置の対象とすることとする。これ以外のケースについても、実務の状況を踏まえつつ、本協議会での継続的な検討により合意が得られた場合は随時追加していくこととする。

(1) ウェブページ上で現に表示されている商品に関する情報が真正品に係るものでないと判断できること

次のいずれかに該当する商品の情報については、他に真正品の情報であることをうかがわせる特段の事情がない限り、真正品の情報ではないと判断して差し支えない。

　(a) 情報の発信者が真正品でないことを自認している商品

　(b) 商標権者等により製造されていない類の商品

　(c) 商標権者等が合理的な根拠を示して真正品でないと主張している商品（(b)に該当するものを除く。）

(2) 商標権侵害であることが判断できること

上記(1)の商品の広告等を内容とする情報について、次に掲げるすべての事項が確認できる場合には、当該商品の広告等を内容とする情報は商標権を侵害している蓋然性が高いと判断する。

　(a) 広告等の情報の発信者が業として商品を譲渡等する者であること

　(b) その商品が登録商標の指定商品と同一又は類似の商品である

こと
(c) 商品の広告等を内容とする情報に当該商標権者等の登録商標と同一又は類似の商標が付されていること

Ⅲ　申出の手順等

1　商標権者等における申出の際の手続（書面の様式等）

(1) 本ガイドラインによる申出手続は、以下の手順で行うこととする。

　(a) 特定電気通信による情報の流通によって自己の商標権又は専用使用権を侵害されたとする者（これらと同視し得る者及び代理人を含む。以下同じ。）は、関係するネットオークション事業者等に当該商標権を侵害する情報の送信を防止すべきことを求めるときは、申出書に必要事項を記載の上、当該申出書及びその他の必要な書類を関係するネットオークション事業者等に提出するものとする。

　(b) 当該商標権の侵害に係る商標権者等について、申出者と一定の関係にある信頼性確認団体がある場合には、申出者は、申出書に必要事項を記載の上、当該申出書及びその他必要な書類を当該信頼性確認団体を経由して提出することができる。この場合において、当該信頼性確認団体は、当該申出書の記載事項等についてⅣに従って適切に確認を行った上、当該確認を行った旨の確認書を作成して、申出書とともにネットオークション事業者等に提出するものとする。

(2) 申出手続は、原則として書面によって行うこととする。ただし、送信防止措置を迅速に講ずることが求められる場合があることから、一定の場合には、必要に応じて電子メール、ファックス等の電磁的方法による申出が認められるものとする。電子メール、ファックス等による申出が認められる場合としては、以下の

場合がある。
(a) 継続的なやりとりがある場合等、ネットオークション事業者等と申出者等との間に一定の継続的信頼関係が認められる場合であって、申出者等が、当該電子メール、ファックス等による申出の後、速やかに電子メール、ファックス等による申出と同内容の申出書を書面によって提出する場合。なお、ネットオークション事業者等と申出者等の双方が了解している場合には、事後の書面の提出を省略することができるものとする。
(b) ネットオークション事業者等と申出者等の双方があらかじめ了解している場合には、申出を行う電子メールにおいて、公的電子署名又は電子署名及び認証業務に関する法律（平成12年法律第102号。以下「電子署名法」という。）の認定認証事業者によって証明される電子署名の措置を講じた場合であって、当該電子メールに当該電子署名に係る電子証明書を添付している場合。
※ 申出の本人性を確認する必要があり、また、申出があったこと及びその内容について記録を残す必要があるため、電話による申出は認められない。

2 ネットオークション事業者等における申出を受けた際の手続（確認事項等）

(1) 上記1の申出書及び確認書の提出を受けたネットオークション事業者等は、当該申出書等において、本ガイドラインⅣに記載されている項目ごとに、必要事項が記載されていること、必要な書面が添付されていること、記載内容が適切であることを確認するものとする。
(2) ネットオークション事業者等は、申出の内容を確認した後、本ガイドラインⅥの対応を行うこととする。

Ⅳ 申出における確認事項及びその方法

1 申出主体の本人性等

　本ガイドラインに従った申出がなされた場合には、ネットオークション事業者等は情報の送信防止措置を講ずることとなるが、その措置は、円滑かつ迅速に講じられる必要がある。その反面、発信者にとっては不利益を生ずることもあり、場合によっては、訴訟が提起されることも考えられる。このため、申出をした者が誰であるのか及び申出が当該者によりなされたのかについて確認することが必要であり、申出者に確認のための書類等の提出を求める必要がある。

(1) 書面による提出の場合

　申出者の本人性確認は、以下のいずれかの方法により行う。

(a) 直接ネットオークション事業者等に申出を行う場合、申出者が法人の場合には申出書に当該法人の代表者（代表者から権限を委譲されている者を含む。以下同じ。）の記名をし、公印又は当該代表者が通常業務において使用する印を押印するとともに、登記事項証明書の写しなど本人性を証明できる資料を添付するものとする。但し、株式を公開・上場している会社である場合など通常であれば当該法人の存在を容易に認識できると考えられる場合は、本人性を証明できる資料の添付を省略することも可能である。一方、申出者が個人の場合、申出者は、申出書に記名、押印するとともに、運転免許証、パスポート等の公的証明書の写し等本人性を証明できる資料を添付するものとし、ネットオークション事業者等は添付された資料等により本人性を確認するものとする。なお、継続的なやりとりがある場合等、ネットオークション事業者等と申出者との間に一定の継続的信頼関係が認められる場合には、本人性を証明できる資料

の添付を省略することができる。
  (b) 海外の者からの申出については、署名により記名・押印に代えることができる。
(2) 電子メール等による申出の場合
  電子メール等による申出の場合は、以下の方法により本人性を確認する。
  (a) Ⅲ1(2)(a)の場合、電子メール等において申出者が本人である旨を記載していることをもって、適切に本人性が確認されたと判断するものとする。
  (b) ネットオークション事業者等と申出者等の双方があらかじめ了解している場合、申出を行う電子メールにおいて公的電子署名又は電子署名法の認定認証事業者によって証明される電子署名の措置を講じた場合であって、当該電子メールに当該電子署名に係る電子証明書を添付しているときは、ネットオークション事業者等は、当該電子署名及び電子証明書により本人性を確認するものとする。

 2 商標権者等であることの確認
  次に、申出をした者が商標権者等であること（当該者が商標権等を有していること）が確認できることが必要である。我が国においては、商標権及び専用使用権については登録が要件とされ、これらの権利に関する権利者等の情報は公開されていることから、商標権者及び専用使用権者であることの確認は容易であると考えられる。なお、これらと同視し得る者からの申出の場合は、その立場を証明できるような証拠が提示される必要がある。
  このため、申出において、次のような証拠資料を提示することとし、ネットオークション事業者等は、これにより申出者が商標権者等であることを確認するものとする。なお、今後これ以外で適切な

ものがあった場合は、随時追加していくこととする。
⑴　商標原簿、及び商標公報の写し又は独立行政法人工業所有権情報・研修館が提供する特許電子図書館のウェブページにおいて当該商標に関する情報を検索した結果の写し
⑵　商標権者又は専用使用権者と同視し得る者であることを証する書面
※　特許電子図書館の URL は、http://www.ipdl.inpit.go.jp/homepg.ipdl

3　侵害情報の特定

　インターネットにおける情報の流通量は膨大であり、権利を侵害したとする情報の流通があった旨の通知があったとしても、描写があいまいで実際にどの情報が問題とされているのかがネットオークション事業者等には分からないことも多い（そのようなことから、法3条1項2号においては、権利を侵害したとする情報の流通をネットオークション事業者等が知らなかったときの権利者に対する責任の制限が規定されているところである。）。そのため、商標権者等からの申出があった場合にネットオークション事業者等による適切かつ迅速な対応を促すという観点からは、権利を侵害したとする情報が特定される必要がある。

　そこで、申出者は、次の方法により、侵害情報を特定して申出を行うこととする。

⑴　申出者は、申出書において、対象となる情報について、そのURL（Uniform Resource Locator）、及びネットオークション事業者等から見て対象となる情報を合理的に特定するに足りる情報（商品名、発信者情報（ID 等）、掲載日時、特徴等）を記載するものとする。
⑵　申出者は、可能な場合は、対象となる情報のハードコピーにお

ける図示等をするものとする。
(3) 申出を受けたネットオークション事業者等が、記載された情報のみでは侵害情報の特定ができない場合であって、申出書を補正するために追加的な情報を求めたときは、当該ネットオークション事業者等が求めた情報を提示するものとする。
(4) ネットオークション事業者等は、申出者が速やかに補正を行わない場合には、書類の不備を理由として送信防止措置を講ずることが困難である旨を申出者に連絡するものとする。

4 商標権等侵害であることの確認

商標権者等から、侵害情報を特定して申出がなされたとしても、権利侵害があったとしてネットオークション事業者等が送信防止措置を講ずるためには、その情報の流通によって、確かに商標権が侵害されたと判断できる必要がある。

このため、申出においては、次の内容が示されることが必要であり、ネットオークション事業者等はそれが申出書に記載されているかどうかを確認することとする。
(1) ガイドラインの対象とする商標権侵害があることの確認
　(a) 商標権が侵害されたとする旨の申述
　　　申出者は、申出書において、商標権が侵害された旨（登録商標、登録番号、指定商品等の情報を含む。）記載するものとする。
　(b) 商標権が侵害されたとする理由
　　　申出者は、申出書に侵害情報に係る商品を製造していないことなどを記載するものとする。
(2) 権利侵害の態様が本ガイドラインの対象とするものであることの確認
　　ネットオークション事業者等は、申出書記載の情報等に基づ

き、当該権利侵害の態様が本ガイドラインの対象とする権利侵害の態様（Ⅱ2）であり、かつ、送信防止措置の対象となる商品の情報であることを確認するものとする（Ⅱ3）。

(3) 使用許諾していないことの確認

申出者は、申出書に情報の発信者に対して使用許諾をしていない旨の申述を記載するものとする（申出者が独占的通常使用権者である場合にあっては、申出に係る商標権の原権利者が当該独占的通常使用権者以外の者に権利許諾をしていない旨の申述を記載するものとする）。ネットオークション事業者等は、当該申述が記載されていることを確認するものとする。

Ⅴ　信頼性確認団体を経由した申出

1　信頼性確認団体の基準、範囲等

本ガイドラインによる申出において、申出者から個別に証拠を提示させるのではなく、他の信頼できる第三者が一定の信頼できる手続によりそれを確認している場合には、社会的に見ても、申出者の本人性等について確認ができていると判断されると考えられる。

具体的には、申出者と一定の関係にある団体であって本第Ⅴ章1(1)に規定する基準を満たすもの（以下「信頼性確認団体」という。）が、ネットオークション事業者等に代わって、本第Ⅴ章2の手続に従ってⅣ1、2、4に規定する事項（本人性、商標権者等であること、商標権侵害であること）を確認し、申出書に適切にその確認をした旨の書面等を添付している場合には、ネットオークション事業者等は、当該書面等を確認することで適切な確認がなされているとの判断をすることができると考えられる。

(1) 信頼性確認団体

信頼性確認団体は、Ⅳ1、2及び4に規定する事項（本人性、商標権者等であること、商標権侵害であること）についてネットオー

クション事業者等に代わって適切に確認することのできるものであることが必要である。そのため、信頼性確認団体は、以下の要件を満たすものであることが必要である。

(a) 法人であること（法人格を有しない社団であって、代表者の定めがあるものを含む。）
(b) 申出者が有している権利の内容を適切に確認し得るものであること
(c) 商標権等に関する専門的な知識及び相当期間にわたる充分な実績を有していること。
(d) 本第Ⅴ章2(1)から(3)までに規定する確認等を適切に行うことのできるものであること

なお、上記(a)から(c)までの要件を満たす団体として具体的に想定されるものは、商標権等の権利の保護を主たる目的とする団体があげられるところであるが、これに限定されるものではなく、また、商標権等の権利の保護を主たる目的とする団体であっても、信頼性確認団体であるためには、上記(a)から(d)までの要件を満たす必要がある。

(2) 信頼性確認団体の説明等

信頼性確認団体は、個々のネットオークション事業者等に対してはじめて確認書を送付するときは、自己の組織、本ガイドラインで当該団体に認められた確認事項についての確認等の手順について通知するものとし、それらに変更があった場合には、その変更についても速やかに個々のネットオークション事業者等に通知するものとする。

ネットオークション事業者等は、本ガイドラインで信頼性確認団体に認められた確認事項についての確認等の手順の説明を団体に求めることができる。

(3) 信頼性確認団体の認定

本ガイドラインの実際の運用に当たって、信頼性確認団体についての審査を行う仕組みを作り、この審査により(1)(a)から(d)までの要件に該当すると認定された者を一律に本ガイドラインの信頼性確認団体として取り扱うことが考えられる。この際、ネットオークション事業者等の簡便かつ迅速な取扱いに資するため、本ガイドラインに信頼性確認団体一覧を添付するものとする。

(4) その他

商標権者等からの申出の場合であっても、個々のネットオークション事業者等において、当該商標権者等の対応体制、商標権等に関する専門的知識や実績、過去の申出の際の対応等から判断して、当該商標権者等における商標権侵害等であることの確認が信頼するに足りると確信できる場合には、信頼性確認団体による確認がある場合と同様の取扱いをすることができる。

2　信頼性確認団体による確認

信頼性確認団体は、Ⅳの1、2及び4に規定する事項（本人性、商標権者等であること、商標権侵害であること）について、それぞれ、以下の(1)から(3)までの方法により確認し、当該確認を行った旨を確認書（様式D）に記載するものとする。当該書面には、信頼性確認団体の代表者の記名をし、公印等を用いて押印するものとする。ネットオークション事業者等は、これにより、各事項について適切に確認が行われたと判断するものとする。

(1) 申出者の本人性確認（Ⅳ1の事項）

次の方法により確認していることとする。

(a) 本人性確認の方法

申出書の記名及び押印により、当該申出者が自己に権利行使を委任した者であるか否か又は自己の会員であるか否かを確認する。

(b) 電子メールの取扱い

公的な電子署名又は電子署名法の認定認証事業者により証明される電子署名がなされた電子メールによる場合に、その電子署名の検証をして確認する。

会員であって普段より継続的な関係がある場合に、通常用いる電子メールアドレスなどにより確実な確認ができる場合には、その他適切な方法によって確認を行う。

(2) 申出者が商標権者等であることの確認（Ⅳ2の事項）

次の方法により確認していることとする。

(a) 商標原簿、商標公報その他商標権を有することを証する書面により確認。

(b) 専用使用権者、独占的通常使用権者であることを証する書面により確認。

(3) 商標権の侵害であることの確認（Ⅳ4の事項）

次の方法により確認していることとする。

権利侵害の態様が本ガイドラインの対象とする権利侵害の態様のものであるときは、申出者は、申出書に、商標権等が侵害されたとする理由、当該権利侵害の態様、権利侵害があったことを確認可能な方法を記載し、信頼性確認団体は、これらの情報等に基づき、権利侵害があること、本ガイドラインの対象とする権利侵害の態様であること、送信防止措置の対象となる商品の情報であることを確認する。

3 信頼性確認団体の確認手続に過誤等があった場合の対応

本ガイドラインⅤに定める確認手続を行ったとされる申出について、信頼性確認団体が確認手続を踏まず、又はその確認手続にその信頼を失わせる過誤があった場合については、当該信頼性確認団体による確認手続の信頼性が失われることとなる。このため、これら

の場合は、当該信頼性確認団体が確認手順を改善したことが確認できるまでは、当該信頼性確認団体からの確認書については、本ガイドラインに基づく手続を踏んでいるものとしては扱わないこととする。ただし、当該信頼性確認団体の取扱いに関して1(4)の審査を行う仕組みにおける審査の結果、再度誤った確認手続をするおそれがなく、今後も当該信頼性確認団体を本ガイドラインの対象とすることが妥当であると確認がされた場合は、この限りではない。

Ⅵ ネットオークション事業者等による対応

1 申出及び確認が本ガイドラインの要件を満たす場合

(1) ネットオークション事業者等は、申出が、本ガイドラインの要件を満たす場合、速やかに、必要な限度において、当該侵害情報の送信を防止するために削除等の措置を講ずるものとする。

(2) ネットオークション事業者等は、送信防止措置を講ずる前又は講じた後に、当該侵害情報の送信防止措置を講ずる旨又は講じた旨を当該情報の発信者及び申出者へ通知することができる。この通知をする場合、申出者への通知については、信頼性確認団体を経由して申出が行われている場合には、ネットオークション事業者等は、当該信頼性確認団体へ通知するものとし、当該通知を受けた信頼性確認団体は、申出者へ通知するものとする。

(3) 送信防止措置を講ずること又は講じたことについて、発信者から苦情・問合せ等があった場合、ネットオークション事業者等は、申出者又は信頼性確認団体に必要な協力を求めることができる。

2 申出及び確認が本ガイドラインの要件を満たさない場合

(1) 申出が本ガイドラインの要件を満たしていない場合において、申出書、確認書等について補正が可能と考えられるときには、

ネットオークション事業者等は、申出者に対して、再提出又は必要な書類等の追加提出を求めることができる。この場合において、申出者は、ネットオークション事業者等からの求めに応じて、申出書の再提出又は必要な書類等の追加提出をすることができる。

(2) ネットオークション事業者等が再提出又は必要な書類の追加提出を求める場合であって、信頼性確認団体を経由して申出が行われている場合には、ネットオークション事業者等は、当該信頼性確認団体に連絡するものとし、当該連絡を受けた信頼性確認団体が、申出者に連絡する等をして、申出書の再提出又は必要な書類等の追加提出をするものとする。

(3) ネットオークション事業者等は、申出者若しくは信頼性確認団体が速やかに補正を行わない場合には、申出者に対し、書類の不備を理由として送信防止措置を講ずることが困難である旨を連絡することが望ましい。

以　上

第4　ガイドライン

〔様式〕

平成〇〇年〇〇月〇〇日

【〇〇株式会社】御中

氏名又は名称　〇〇　〇〇　㊞

商標権を侵害する商品情報の送信を防止する措置の申出について

　貴社が管理するURL：【http://】に掲載されている下記の情報の流通は、下記のとおり【〇〇〇〇（商標権者等の氏名又は名称）】が有する商標権を侵害しているため、「プロバイダ責任制限法商標権関係ガイドライン」に基づき、下記のとおり、貴社に対して当該情報の送信を防止する措置を講ずることを求めます。

記

1. 申出者の住所		
2. 申出者の氏名		
3. 申出者の連絡先	電話番号	
	e-mailアドレス	
4. 侵害情報の特定のための情報	URL	
	商品の種類又は名称	
	その他の特徴	【ネットオークションへの出品の場合は出品者ID、出品日時等の情報】
5. 侵害されたとする権利	商標権 【商標、登録番号、指定商品等、侵害されたとする商標権の特定に資する情報を記載】	
6. 商標権が侵害されたとする理由等	［商標権が侵害されたとする理由］ 【□□□□は、私（当社）の登録商標です。私（当社）は、△△△△に対して登録商標□□□□を使用することにつき、いかなる許諾も与えておりません。また、侵害情報に係る商品の情報（広告）は、私（当社）が製造している商品と類似する商品のものですが、侵害情報に係る商品は当社では製造しておりません。】 ［権利侵害の態様がガイドラインの対象とするものであることの申述］ 　4で特定した侵害情報は、以下のいずれにも該当します。 　　(a) 以下の理由により商品は真正品ではありません。 　　　(i) 情報の発信者が真正品でないことを自認している商品である。 　　　　（その根拠：　　　　　　　　　　） 　　　(ii) 私（当社）が製造していない類の商品である。 　　　　【合理的な根拠を記載】 　　(b) 以下の理由により、本件は業としての行為に該当します。 　　【業要件に該当する理由を記載】 　　　(c) 侵害情報に係る商品が登録商標の指定商品と同一又は類似の商品です。 　　　(d) 侵害情報に登録商標と同一又は類似の商標が付されています。	
7. ガイドラインの対象とする権利侵害の態様以外のものの場合	（権利侵害の態様を適切・詳細に記載する）	
8. その他参考となる事項		

　上記内容のうち、【5及び6】の項目については、証拠書類を添付します。
　また、上記内容が、事実に相違ないことを証します。

〔信頼性確認団体を経由して申し出る場合の様式〕

平成　年　月　日

【○○株式会社　（カスタマーサービス担当)】　御中

法人の名称◇◇◇◇
代表者　○○　○○（記名）　　印

商標権を侵害する商品情報の送信を防止する措置の申出について

「プロバイダ責任制限法商標権関係ガイドライン」Ｖ１(1)の信頼性確認団体である弊団体は、平成○○年○○月○○日付けで弊団体の会員である【☆☆株式会社】が同ガイドラインに基づいて貴社に対して行った商標権等を侵害する商品情報の送信を防止する措置の申出の内容について、同ガイドラインＶに従って以下の事項について適切に確認を行ったので、その旨を証します。

記

1．申出者☆☆株式会社が弊団体の会員であること
2．本申出が確かに☆☆株式会社により行われたこと
3．申出者☆☆株式会社が貴社に対して提出した申出書記載の商品情報「☆☆☆☆」（以下の商標権者等であること
4．当該商品情報に係る商標権等が侵害されていること
5．4．にいう商標権等の侵害の態様が同ガイドラインの対象とするものであること

上記内容が事実に相違ないことを証します。

※　その他必要な資料を添付する

以　上

■商標権関係信頼性確認団体一覧（平成30年1月17日現在）
詳細は http://www.isplaw.jp/guidel_t_list.html 参照

認定番号	認定年月日	団体名	対象とする申出者
001	H17.9.7	一般社団法人ユニオン・デ・ファブリカン	会員（インターネット会員）

5 プロバイダ責任制限法 発信者情報開示関係ガイドライン

初　版：平成19年２月
第２版：平成23年９月
第３版：平成27年７月
（補訂：平成27年12月）
第４版：平成28年２月
第５版：平成30年２月
第６版：平成31年４月
第７版：令和２年３月
（補訂：令和２年９月）
第８版：令和３年７月
第９版：令和４年９月
プロバイダ責任制限法ガイドライン等検討協議会

I　はじめに ― ガイドラインの趣旨

1　ガイドラインの目的

　インターネット上の情報流通によって他人の権利が侵害されたとされる場合には、情報発信者、権利を侵害された者及び特定電気通信役務提供者（サーバの管理・運営者やSNS事業者、電子掲示板の管理・運営者等。以下「プロバイダ等」という。）の三者の利害関係が絡むため、時として、その情報流通に対するプロバイダ等の対応には困難が伴う場合がある。このような中で、平成13年11月にプロバイダ等の民事上の責任の制限や、情報の流通によって権利を侵害された者の発信者情報開示請求権に関する規定を有する特定電気通信役務提供者の損害賠償責任の制限及び発信者情報の開示に関する法律（平成13年法律第137号）が成立した。

　発信者情報の開示については、発信者特定のために多くの時間・

コストが必要となる等の課題が指摘される中、令和2年4月より「発信者情報開示の在り方に関する研究会」が開催され、①発信者情報の開示の対象となる発信者情報の範囲の見直し、②発信者情報の開示手続を円滑にするための方策の検討を主な検討課題とし、同年12月「最終とりまとめ」が公表された。そして、同研究会における検討結果に基づき令和3年2月に「特定電気通信役務提供者の損害賠償責任の制限及び発信者情報の開示に関する法律の一部を改正する法律案」が閣議決定・国会提出され、同年4月21日第204回通常国会において、同法(以下「令和3年改正法」といい、令和3年改正法による改正後の特定電気通信役務提供者の損害賠償責任の制限及び発信者情報の開示に関する法律を、以下「法」という。)は成立した。

令和3年改正法は、新たな裁判手続として非訟手続に関する規定を設けることに加えて、発信者の特定のために必要となる一定の場合については、法5条3項に該当するログイン時等の通信(以下「侵害関連通信」という。)に係る発信者情報(以下「特定発信者情報」という。)の開示請求も可能とした。

本ガイドラインは、特定電気通信(法2条1号の「特定電気通信」をいう。以下同じ。)による情報の流通によって権利を侵害された者(以下「被害者」という。)が、当該情報の発信者の特定に資する情報(以下「発信者情報」という。)の開示を請求する権利を規定した法5条の趣旨を踏まえ、情報発信者、被害者及びプロバイダ等のそれぞれが置かれた立場等を考慮しつつ、発信者情報開示請求の手続や判断基準等を、可能な範囲で明確化するものである。これにより、法5条に基づく発信者情報開示手続におけるプロバイダ等による開示・不開示の判断が迅速かつ円滑に行われることを促し、もってインターネットの円滑かつ健全な利用を促進することを

目的とするものである。

2　ガイドラインの位置付け

法5条の発信者情報開示請求権は、実体法上の請求権として規定されているものであり、裁判外で発信者情報開示請求を受けたプロバイダ等は、法5条の要件を満たす場合には、裁判外において発信者情報を開示することも可能である。

もっとも、プロバイダ等が法5条の要件の判断を誤って発信者情報の開示を行った場合には、プロバイダ等は発信者に対して損害賠償責任を負うおそれがあるほか、場合によっては刑事上の責任を問われるおそれもある（電気通信事業法（昭和59年法律第86号）4条及び179条）。

そこで、本ガイドラインでは、発信者情報の開示が認められた裁判例等を参考として、法5条の要件を確実に満たすと考えられる場合について、可能な範囲で明確化を図るものである。

なお、本ガイドラインは、プロバイダ責任制限法ガイドライン等検討協議会（以下「本協議会」という。）の参加者によって作成されたものであるが、インターネット上の情報流通による権利侵害については、本協議会の参加者相互間のみで問題となるものではないため、本ガイドラインが本協議会の参加者以外の者によっても活用されることが望まれる。

3　ガイドラインの運用

本ガイドラインは、法5条に基づく発信者情報開示手続におけるプロバイダ等による開示・不開示の判断が迅速かつ円滑に行われることを目的とするが、当該目的は本ガイドラインのみによって達成されるものではなく、個別の事案において、プロバイダ等及び被害者が十分な意思疎通を行い、適切な協働関係を構築することも重要

であり、本ガイドラインの運用に当たっては、プロバイダ等及び被害者の双方においてかかる点を十分認識した適切な対応がなされることが重要であることは言うまでもない。

本協議会の参加者は言うまでもなく、参加者以外の者においても本ガイドラインの趣旨が十分に理解され、プロバイダ等による迅速かつ円滑な開示・不開示の判断が行われるよう、関係者においては、本ガイドラインの運用にかかる適切かつ具体的な支援を継続的に実施することが望まれる。

4 見直し

本ガイドラインは、情報通信技術の進展や実務の状況等に応じて、適宜見直しをすることが必要と考えられる。そのため、本ガイドライン策定後も、本協議会における検討を続け、本ガイドラインの改善及び拡充を行っていくこととする。

Ⅱ 請求の手順等

1 請求者

発信者[1]情報開示請求権は、特定電気通信[2]による情報の流通によって権利を侵害された者の被害回復を可能ならしめるため、創設的に認められた権利である。したがって、発信者情報の開示を請求できるのは、被害者すなわち特定電気通信による情報の流通によっ

---

[1] リツイートした者が発信者に該当することにつき、最三判令和2年7月21日・民集74巻4号1407頁（裁判例要旨035）参照

[2] いわゆるＰ２Ｐ型ファイル交換ソフトウェアによるファイル送信が特定電気通信に該当するか否かについては、これが争われた裁判例はいずれも特定電気通信に該当すると判断しており（東京地判平成15年9月12日・NBL771号6頁（裁判例要旨007）、東京高判平成16年5月26日・判タ1152号131頁（裁判例要旨013）等）、本ガイドラインにおいても、特定電気通信に該当するものとして扱う。

て自己の権利を侵害された者である。具体的には、発信者情報の開示を請求できる者は、特定電気通信による情報の流通によって自己の権利を侵害された者本人及び弁護士等の代理人とする[3]。

2 請求の手順

(1) 本ガイドラインによる発信者情報開示請求手続は、請求者が、関係するプロバイダ等[4]に対し、必要事項を記入した請求書（書式①参照）、請求者の本人性を確認できる資料、特定電気通信による情報の流通によって自己の権利を侵害されたことを証する資料、その他の必要な資料をプロバイダ等に提出することにより行う[5]。

請求者は、請求書に自己の権利を侵害されたことを記載するに当たっては、請求を受けたプロバイダ等が、侵害されたとする権

---

[3] 著作権等管理事業者（著作権等管理事業法（平成12年法律第131号）2条3項の「著作権等管理事業者」をいう。以下同じ。）は、著作権者等との間で、同条1項1号の信託契約を締結している場合は本人として請求を行うことができ、同項2号の委任契約を締結している場合は、当該契約の範囲内かつ弁護士法（昭和24年法律第205号）等関係法令に抵触しない限度において、代理人として請求を行うことができる。

[4] いわゆる経由プロバイダに対する発信者情報開示請求が認められるか否か（いわゆる経由プロバイダが開示関係役務提供者に該当するか否か）につき、最一判平成22年4月8日・民集64巻3号676頁（裁判例要旨020）は、「最終的に不特定の者に受信されることを目的として特定電気通信設備の記録媒体に情報を記録するためにする発信者とコンテンツプロバイダとの間の通信を媒介する経由プロバイダは，」当時の法2条3号にいう「「特定電気通信役務提供者」に該当すると解するのが相当である。」と判断した。

[5] 請求者は、発信者情報開示請求の準備に時間を要する等やむを得ない事情があるためにプロバイダ等に対し発信者情報を消去しないよう保全要請をする場合は、保全を必要とする発信者情報を特定する情報及び当該やむを得ない事情を記載した書面、本人性を確認できる資料並びに特定電気通信による情報の流通によって自己の権利が侵害されていることを証する資料（その時点で添付可能な資料）をプロバイダ等に提出して要請する。

利及び権利侵害の態様等を明瞭に認識できるよう留意する必要がある。
(2) 請求手続は、原則として書面によって行う。ただし、一定の場合には、必要に応じて、電子メール、ファックス等による請求が認められる。具体的には、以下のような場合がある。

a) 継続的なやりとりがある場合等、プロバイダ等と請求者との間に一定の信頼関係が認められる場合であって、請求者が、電子メール、ファックス等による請求の後、速やかに当該請求と同内容の請求書を書面によって提出するとき。

b) プロバイダ等と請求者の双方が予め了解している場合であって、請求を行う電子メールにおいて、公的電子署名又は「電子署名及び認証業務に関する法律(平成12年法律第102号)」8条の「認定認証事業者」によって証明される電子署名の措置が講じられ、かつ、当該電子メールに当該電子署名に係る電子証明書が添付されているとき。

＊書面を原則とし、例外的に電子メール、ファックスを認める趣旨は、請求があったこと及びその内容について正確な記録を残すためである。請求者としては、可及的に書式①によるべきであり、仮に書式①によらない場合であっても少なくとも書面によることが望ましい。そのようにすることにより、プロバイダ等の定型的判断が可能となり、スムーズな開示を受けられる可能性が高まるからである。他方、プロバイダ等としては、書式①に固執して、それ以外の方式による請求に対しては開示を一切行わないといった対応をとることは相当ではない。発信者情報開示請求権は、実体的権利であり、請求の方式にこだわるあまり、権利の存否の判断を怠って開示を拒む場合には、法6条4項の重過失に基づく責任が認められる場合もあるからである。なお、口頭又は電話による請求しか行わない請求者に対して、書面等によることを求めて開示を留保することは、手続に慎重を期するプロバ

イダ等としての正当な対応であり、特段の事情がない限り、重過失に基づく責任が認められることはないと思われる。

Ⅲ　請求を受けたプロバイダ等の対応

1　書式の記載漏れ等の確認

プロバイダ等は、請求者から書式①による開示請求を受けた場合に、形式的な記載漏れや明らかに不明な点（以下「形式的記載漏れ等」という。）があるときには、必要に応じて、できる限り遅滞なく、請求者に対し、形式的記載漏れ等を指摘し、補正を促す。

2　請求者の本人確認

(1)　開示請求を受けたプロバイダ等は、発信者情報開示の可否について判断することとなるが、発信者情報は、情報の流通によって権利を侵害された者以外に開示されてよいものではない。また、発信者情報の開示を受けた請求者がこれを不当に用いた場合（法7条）にはプライバシー侵害等の不法行為を構成することになり、プロバイダ等が何らかの対応を求められることも考えられる。このため、請求をした者が誰であるのか及び請求が間違いなくその者によりなされたのかについて確認することが必要であるから、請求者の本人性を確認する。

(2)　請求者は、以下の要領で請求書に署名又は記名・押印するとともに、公的証明書の写し又は原本（例えば、運転免許証やパスポートの写し、登記事項証明書の原本）等本人性を証明できる資料を添付し、プロバイダ等は、添付された資料等により請求者の本人性を確認する。

　　a)　請求者が法人の場合は、当該法人の代表者（代表者から権限を付与されている者を含む。以下同じ。）の記名をする。

b）著作権等管理事業者が請求をする場合は、請求書に管理事業者登録番号を記載するとともに、代表者の記名をする。

(3) 継続的なやりとりがある場合等、プロバイダ等と請求者との間に一定の信頼関係が認められる場合には、本人性を証明できる資料の添付を省略することができる。

(4) 代理人が請求する場合（代理人名で請求書を作成する場合）には、代理権を証する書面を添付させることによって、代理権を確認する。著作権等管理事業者の場合は、著作権及び著作隣接権の権利者（以下「著作権者等」という。）との間で締結している契約（信託契約又は委任契約）の契約約款等、契約内容を示す資料を添付する。法定代理人（本人の親等）の場合は、法定代理関係を証する書面（住民票等）を添付する。ただし、弁護士が代理人となる場合は、通常委任状を相手方に提示する慣行はないことから、特にプロバイダ等から求められない限りは、委任状の添付は不要である。

　なお、代理人（弁護士を含む。）が請求する場合であっても、権利を侵害された者本人の公的証明書の写し又は原本（例えば、運転免許証やパスポートの写し、登記事項証明書の原本）等本人性を証明できる資料は必要である。ただし、請求者の代理人が弁護士である場合、当該代理人が、権利を侵害された者が本人であることを確認していることをプロバイダ等に表明する場合は、本人性を証明する資料の添付を省略することができる[6]。

6　代理人の弁護士は、本人性を証明する資料の添付を省略した場合に、プロバイダ等から正確な処理を行う必要があるなどの理由で本人性を証明する資料の提出を求められたときには、かかる求めに応じて本人性を証明する資料を提出するものとする。

3　発信者情報の保有の有無の確認[7]

(1)　法5条では、開示の対象となる発信者情報は、特定発信者情報も含め、プロバイダ等が保有するものに限られている（1項及び2項）。そこで、プロバイダ等は、開示を請求されている発信者情報を保有しているか否かについて、速やかに確認することとする。とりわけ、特定発信者情報については、侵害関連通信の要件（法5条3項・特定電気通信役務提供者の損害賠償責任の制限及び発信者情報の開示に関する法律施行規則（以下「施行規則」という。）5条）に照らして該当する通信を特定し、当該通信に係る記録の保有の有無を確認する必要がある。具体的には、侵害情報を送信した①アカウントの作成、認証、②削除、又は③当該アカウントへのログイン、④ログアウトの際の通信を特定して、これらの通信に係る記録の保有の有無を確認することになる。①から④に該当する記録を複数保有している場合は、①から④の類型それぞれにおいて侵害情報の送信と相当の関連性を有する[8]通信

---

[7]　前掲注5のとおり、請求者から、発信者情報開示請求に先立ち、発信者情報を消去しないよう保全要請がなされる場合がある。このような場合には、保全を要請する者から、保全を必要とする発信者情報を特定する情報及び当該やむを得ない事情を記載した書面、本人性を確認できる資料並びに特定電気通信による情報の流通によって自己の権利が侵害されていることを証する資料（その時点で添付可能な資料）が提出されて保全要請がなされた場合であって、プロバイダ等が当該書面により発信者情報を保全することが合理的であると判断したときは、プロバイダ等は、合理的期間を定めて例外的に発信者情報を保全できるものと考えられる。

　なお、上記合理的期間を定めるに当たっては、発信者情報消去禁止の仮処分が裁判所に申し立てられた場合においては、一般的な実務として、発信者情報開示請求訴訟が和解成立日から60日ないし90日以内に提起されることを前提に、その期間内に限り発信者情報を保全することを和解条件とする事例が多いことが参考となる。

　そして、当該合理的期間内に発信者情報開示請求訴訟が提起された場合には、請求棄却判決が確定するまでの間又は認容判決に基づき開示が行われるまでの間、保全を継続することとする。

の記録が特定発信者情報となる（もし複数の類型の特定発信者情報を保有している場合は、それらすべてが開示対象となりうる）。

(2) プロバイダ等が確認した結果、当該発信者情報を物理的に保有していない場合又は発信者情報の特定が著しく困難な場合には[9]、請求者に対し、発信者情報を保有していないため開示が不可能であることを書式⑤により通知する。

4　侵害情報等の確認

インターネットにおける情報の流通量は膨大であり、権利を侵害したとする情報の流通があった旨の通知があったとしても、通知内容があいまいであるなど、実際にどの情報が問題とされているのかがプロバイダ等には分からないことも多い（そのようなことから、法3条1項においては、権利を侵害したとする情報（以下「侵害情報」という。）の流通をプロバイダ等が知らなかったときの、被害者に対する責任の制限が規定されているところである。）。他方、発信者情報の開示が認められるためには、発信者の発信した特定の情報の流通によって権利が侵害されたことが要件となっているから、請求を受けたプロバイダ等がその判断を行うためには、侵害情報を確認する必要がある。

8　例えば、プロバイダ等が通信記録を保有している通信のうち、侵害情報の送信と最も時間的に近接して行われた通信等が、「侵害情報の送信と相当の関連性を有するもの」に該当すると解される。

9　「保有する」とは、「発信者情報について開示することのできる権限を有すること」をいうが、これは開示が単に理論的に可能なだけではなく、実務的に実行可能なものとして発信者情報の存在を把握していることを含むものであり、抽出のために多額の費用を要する場合や、体系的に保管されておらず、プロバイダ等がその存在を把握できない場合には、「保有する」とはいえないと解されている。

なお、侵害関連通信に係る発信者情報の開示請求（法5条2項）を受けた経由プロバイダが、侵害情報を確認する過程等において、コンテンツプロバイダのサービスに当該侵害関連通信に対応する機能（アカウント作成やログイン等の機能）がないことに気づいた場合等当該侵害関連通信の存在が疑われる事情があるときは、請求者に問い合わせること等により請求者から提示された情報が請求者が主張する権利侵害に係る特定発信者情報であることの確認を行うことが考えられる。請求者から提示された情報が、請求者が主張する権利侵害に係る特定発信者情報であることを確認できない場合には、当該請求を拒否することとなる。

(1) 電子掲示板・ウェブページ上の侵害情報について

a) プロバイダ等は、請求者の主張する侵害情報について、請求書に記載されたURL（Uniform Resource Locator）及び対象となる情報を合理的に特定するに足りる情報（ファイル名、データサイズ、スレッドのタイトル、書込み番号、その他の特徴等）に基づいて、侵害情報が掲載され、又は掲載されていたことを確認できるか否かを検討する[10]。

b) 侵害情報が掲載されているSNSや電子掲示板、ウェブページ等を管理するプロバイダから発信者の特定に資するとして提示されたIPアドレス、当該IPアドレスと組み合わされた接続元（送信元）ポート番号、接続先IPアドレス、移動端末設備からのインターネット接続サービス利用者識別符号、SIMカード識別番号、タイムスタンプ等（以下「提示情報」とい

---

[10] 一般的には、侵害情報が既にウェブページ等から削除されている場合には、プロバイダ等が過去の掲載の事実を確認することは困難である。

う。）に基づいて、いわゆる経由プロバイダに対して請求がなされた場合には、侵害情報を確認するとともに、当該提示情報が特定発信者情報でない場合は、当該提示情報が当該侵害情報の発信の際に送信されたこと、これらが正確に記録されていたことなどを確認する必要がある。そこで、いわゆる経由プロバイダは、ａ）に従って侵害情報を確認するとともに、当該提示情報の正確性を確認することとする。

　具体的には、いわゆる経由プロバイダは、当該提示情報が①裁判所の判決等に基づいて開示されたものである場合には、そのことを示す資料により、②コンテンツプロバイダにおいて任意に開示されたものである場合には、（当該提示情報が特定発信者情報である場合を除き）当該提示情報が当該侵害情報の発信の際に送信されたこと、これらが正確に記録されていたことなどを、コンテンツプロバイダが証した記名・押印のある書面等により、確認する。

(2) いわゆるＰ２Ｐ型ファイル交換ソフトについて

　いわゆるＰ２Ｐ型ファイル交換ソフトについては、請求者において、著作権その他の権利を侵害するファイルを送信可能状態に置いていたユーザのIPアドレス、当該IPアドレスと組み合わされた接続元（送信元）ポート番号、接続先IPアドレス、タイムスタンプ等をプロバイダ等に提示する。加えて、請求者において、これらを特定した方法が信頼できるものであることに関する技術的資料等を提出し、プロバイダ等は当該資料に基づき当該特定方法の信頼性の有無を判断する[11]。ただし、請求者が、本協議会が特定方法の信頼性が認められると別途認定したシステム（以下「認定システム」という。）を用いてこれらを技術的に特定し、プロバイダ等が確認した場合には、当該資料の提出を要しない。

(3) 請求者は、可能な限り、対象となる侵害情報のハードコピーにおける図示やIPアドレス、当該IPアドレスと組み合わされた接続元（送信元）ポート番号、接続先IPアドレス、タイムスタンプ等を特定した技術的方法の解説（P2P型の場合）等をするほか、プロバイダ等が、記載された情報のみでは特定ができないとして請求書を補正するために追加的な情報を求めたときは、当該プロバイダ等が求めた情報を提示する。

　また、請求者は、コンテンツプロバイダから特定発信者情報の開示を受けた後、侵害関連通信を媒介した経由プロバイダに対して侵害関連通信に係る発信者情報の開示請求を行う場合には、当該請求に係る特定発信者情報が①侵害情報を送信したアカウントの作成、認証、②削除、又は③当該アカウントへのログイン、④ログアウトの際の通信のいずれの通信に係るものかを示した上で請求する。

　プロバイダ等は、侵害情報の特定が不十分であり、請求者によって補正が行われない場合には、侵害情報が特定できず、発信者情報の開示を行うことが不可能である旨を請求者に連絡する（書式⑤参照）。

11　IPアドレス等の特定方法の信頼性について、東京地判平成26年7月31日（裁判例要旨028）、東京地判平成23年11月29日（裁判例要旨023）及び東京地判平成23年3月14日（裁判例要旨022）では、侵害情報のダウンロード時に発信元のIPアドレス、ポート番号、ファイルハッシュ値、ファイルサイズ、ダウンロード完了時刻等を自動的にデータベースに記録する機能を有するシステムを請求者が用いる場合には、確認試験により複数回IPアドレス等の特定の結果を確認するなど、正確性が確認されること、その他当該システムによる特定方法の信頼性に疑いを差し挟むような事実がないこと等をもって、当該システムによるIPアドレス等の特定の結果に信頼性が認められるとしている。ただし、特定方法の信頼性に関わる個別の事案について、別の方法でプロバイダ等が特定方法の信頼性を確認したときには、プロバイダ等において開示・不開示の判断がなされることが否定されるものではない。

5 発信者の意見聴取

(1) 法6条1項は、発信者情報の開示請求への対応に当たっては、プライバシーや表現の自由、通信の秘密等、発信者の権利利益が不当に侵害されることのないよう、原則として、開示請求に応じるかどうか、また、開示請求に応じるべきでないとの意見の場合はその理由について、発信者の意見を聴かなければならないことを規定している。そこで、プロバイダ等は、Ⅲ1～3の事項について確認ができたときは、発信者に対する意見照会書（書式②）により、発信者情報の開示に対する発信者の意見を聴取することとする[12]。

(2) ただし、プロバイダ等が保有している発信者情報によっては、発信者に対して意見聴取をすることが不可能又は著しく困難であることがあり、そのような場合には、発信者に対して意見聴取を行わないでよい。

　また、請求者の主張する事実関係及び証拠資料によっては、情報の流通により権利が侵害されたとは認められないことが明確に判断できる場合にも、発信者に対して意見聴取を行わないでよい。

---

[12] 法6条1項は、プロバイダ等が発信者に対して負う一般的な注意義務を規定しており、同項が発信者情報開示の要件となっているわけではない。しかしながら、表現の自由及びプライバシーの保護等の観点から、本ガイドラインでは、意見照会を経た発信者情報開示手続を前提とする。

　なお、法2条6号において、発信者情報は、「氏名、住所その他の侵害情報の発信者の特定に資する情報であって総務省令で定めるもの」をいうとされており、施行規則2条1号及び2号によれば、氏名（又は名称）及び住所については、発信者のみならず「その他侵害情報の送信又は侵害関連通信に係る者」の情報も発信者情報に含まれる。そのため、発信者がプロバイダ等の加入者の家族や同居人であって、当該加入者自身が発信者でないときも、加入者の氏名及び住所は発信者情報に該当しうる。

(3) プロバイダ等は、発信者から開示に同意する旨の回答を得た場合は、Vに従って発信者情報を開示し[13]、そうでない場合は、6ないし8に従い対応を行う。

6 権利侵害の明白性の判断

(1) プロバイダ等は、発信者から開示に同意しない旨の回答[14]を得た場合又は一定期間（二週間）経過しても回答がない場合には、請求者から提出された資料等に基づき、Ⅳの基準等を参考に、「権利が侵害されたことが明らか」（法5条1項1号）であるかどうかについての検討を開始する[15]。

(2) ここで「明らか」とは、権利の侵害がなされたことが明白であるという趣旨であり、不法行為等の成立を阻却する事由の存在をうかがわせるような事情が存在しないことまでを意味すると解されている。そのような事情の存在については、請求者の主張する

---

[13] 前掲12のとおり、加入者自身が発信者でないときも、加入者の氏名及び住所は発信者情報に該当しうるが、プロバイダ等が真の発信者の氏名や住所の情報を得た場合には、加入者の氏名や住所の情報は、特段の事情がない限り開示の必要性がなくなるのが通常と考えられる。したがって、真の発信者が加入者の家族や同居人である場合があることを意見照会手続きにおいて加入者に注意喚起の上、加入者の家族や同居人が、自らが発信者であるとして請求者に開示する連絡先情報を回答した場合には、当該連絡先情報を発信者情報開示請求者に通知する。発信者から開示に関する同意があり、かつ、発信者の指定する連絡先に連絡可能であればその限りで加入者情報の開示は必要性がなくなるためである。なお、加入者と同居人等のいずれもが意見照会に回答してくることも考えられるが、同意が真の発信者によるものか疑わしい場合などもあるため、慎重に対応する必要がある。

[14] 真の発信者が家族や同居人であるのにプロバイダ等の加入者が身に覚えがないとして単に否認してしまう事例を少なくするため、書式②（発信者に対する意見照会書）では、予め意見照会時に家族・同居人が真の発信者である可能性の注意喚起を促すこととしている。

事情に加え、発信者の主張も考慮した上で判断することとなるが、発信者に意見照会を行った場合において、一定期間（二週間）経過しても回答のない場合には、発信者はこの点に関して特段の主張は行わないものとして扱う。

7　発信者情報の開示を受けるべき正当な理由の判断

(1)　プロバイダ等は、請求書の記載に基づいて、請求者が発信者情報の開示を受けるべき正当な理由を有しているかについて判断する。

(2)　発信者情報の開示を求める理由が、①損害賠償請求権の行使のためである場合、②謝罪広告等名誉回復措置の要請のため必要である場合、③発信者への削除要請等、差止請求権の行使のため必要である場合には、通常は、請求者は発信者情報の開示を受けるべき正当な理由を有しているものと考えられるが、例えば、差止請求の場合に既に侵害情報が削除されており、請求の必要性がなくなっていることなどもありうることから、発信者の意見も考慮した上で判断する必要がある。

　その他の理由であって、正当な理由を有しているか否かについての判断が困難な場合には、プロバイダ等は、弁護士等の専門家

15　いわゆるＰ２Ｐ型ファイル交換ソフトを利用したファイル送信による権利侵害については、ソフトによってファイルが送信される技術的な仕組みが様々であることから、請求者は、①当該ファイルの流通が請求者の権利を侵害するものであることに加え、②発信者が当該ファイルを送信可能状態に置いていたなど、発信者の故意又は過失により権利侵害が生じたということについても、利用されていたファイル交換ソフトの技術的な仕組み等を前提に、根拠を示す資料を提出する必要がある。ただし、請求者が認定システムを用いてダウンロードしたファイルについては当該システムが認定された技術的範囲（ファイルを保有していない発信者を発信元として誤って認識・記録しないこと等）に限り、当該技術的な根拠を示す資料の提出は要しない。

に相談した上、判断を行うことが望ましい。

8 補充的な要件の判断

(1) 令和3年改正法では、発信者情報開示請求について、従来の発信者情報に加えて、特定発信者情報（法5条1項）及び侵害関連通信（同条3項）を定義し、「特定発信者情報」の開示請求権を設けた。そして、当該開示の可否については、従来の発信者情報開示請求の要件として存在した権利侵害の明白性（同条1項1号）、開示を受けるべき正当な理由（同項2号）に加え、いわゆる補充的な要件（同項3号）を満たすか否かについて判断を要する。

(2) 補充的な要件（法5条1項3号）は、以下のいずれかに該当する場合とされている。

　イ　当該特定電気通信役務提供者が当該開示の請求に係る発信者情報（特定発信者情報を除く。）を保有していないと認めるとき（いわゆるコンテンツプロバイダ不保有）

　ロ　当該特定電気通信役務提供者が保有する当該権利の侵害に係る特定発信者情報以外の発信者情報が次に掲げる発信者情報以外の発信者情報であって総務省令[16]で定めるもののみであると認めるとき

---

[16] 特定電気通信役務提供者が保有する発信者情報が、以下の情報のみである場合には、特定発信者情報の開示請求が可能となる。①発信者その他侵害情報の送信又は侵害関連通信に係る者の氏名若しくは名称又は住所のいずれか一方のみ（施行規則4条、2条1号又は2号）②発信者その他侵害情報の送信又は侵害関連通信に係る者の電話番号（施行規則4条、2条3号）、③発信者その他侵害情報の送信又は侵害関連通信に係る者のSMTPメールアドレス（施行規則4条、2条4号）、④侵害情報の送信に係るIPアドレス等に対応するタイムスタンプ（施行規則4条、2条8号）

・当該開示の請求に係る侵害情報の発信者の氏名及び住所
・当該権利の侵害に係る他の開示関係役務提供者を特定するために用いることができる発信者情報

ハ）当該開示の請求をする者がこの項の規定により開示を受けた発信者情報によっては当該開示の請求に係る侵害情報の発信者を特定することができないと認めるとき（いわゆる経由プロバイダ不保有[17]）

(3) 上記のうちイ）及びロ）はプロバイダが所定の特定発信者情報以外の発信者情報を保有していないときである。したがって、請求を受けたプロバイダは、システム上当該情報の保有の有無を速やかに確認して、補充的な要件該当性の有無を判断する。他方、ハ）については、被害者（請求者）が一度、特定発信者情報以外の発信者情報の開示を受けたが、それによっては権利侵害投稿の発信者を特定することができなかった場合であるから、当該発信者情報では発信者を特定できなかったとの経由プロバイダからの回答等を示す書面等を確認して、当該補充的な要件該当性の有無を判断する。

Ⅳ 権利侵害の明白性の判断基準等

1 総論

発信者情報開示請求権は、匿名で発信された情報の流通により権利を侵害された者の救済の観点から有益なものであるが、他方で、発信者情報は発信者のプライバシーや表現の自由、通信の秘密とも

---

[17] 例えば、コンテンツプロバイダから特定発信者情報以外の発信者情報を開示された者が、経由プロバイダに対して発信者の氏名・住所等の開示を請求したものの、当該経由プロバイダより「当該発信者情報を用いて特定できる発信者情報は保有していない」旨の回答を受けた場合等が考えられる。

深く結びついた情報であるため、そのバランスをとることが重要である。法5条は、このような被害者の救済の必要性と、発信者の利益の調和を図る観点から、発信者情報の開示については、「権利が侵害されたことが明らか」であることを要件として定めている。

ここで、「明らか」とは、権利を侵害されたことが明白であるという趣旨であり、不法行為等の成立を阻却する事由の存在をうかがわせるような事情が存在しないことまでを意味すると解されている。

したがって、①情報の流通により権利を侵害されたこと及び②不法行為等の成立を阻却する事由の存在をうかがわせるような事情が存在しないことが認められる場合には、発信者情報の開示を行うことが可能となるものである。

発信者情報の開示請求にあたっては、これらの要件について、請求者が主張・立証することとなるが、②の要件について、発信者の主観など請求者が関知し得ない事情まで請求者が主張・立証責任を負うものではないと解されている。

ところで、情報の流通による権利侵害の態様としては、類型的に、①名誉毀損、プライバシー侵害、②著作権等（著作権及び著作隣接権をいう。以下同じ。）侵害、③商標権侵害が考えられるところであり、本ガイドラインにおいては、発信者情報の開示が認められた裁判例等を参考に、それぞれの類型ごとに権利を侵害されたことが明らかと考えられる場合や、その判断要素等について記載するものである。本ガイドラインで取り上げていない類型の権利侵害については、当該事案に応じて、権利侵害の明白性の有無が判断されるべきことは言うまでもない。

2　名誉毀損、プライバシー侵害
(1)　名誉毀損

a）　名誉とは、人の品性、徳行、名声、信用等の人格的価値について社会から受ける客観的な社会的評価のことであり、この社会的評価を低下させる行為は名誉毀損となりうるが（最三判平成9年5月27日・民集51巻5号2024頁（裁判例要旨003））、当該行為が、公共の利害に関する事実に係り、専ら公益を図る目的に出た場合において、摘示された事実が真実であると証明されたときには違法性がなく、仮に摘示された事実が真実でなくても行為者において真実と信ずるについて相当の理由があるときには故意・過失がなく、不法行為は成立しないとされている（最一判昭和41年6月23日・民集20巻5号1118頁（裁判例要旨002））[18]。また、特定の事実を基礎とする意見ないし論評による名誉毀損については、意見等の前提としている事実の重要な部分が真実である場合には同様に違法性が阻却されるとともに、これを真実と信ずるにつき相当の理由があるときは故意・過失は否定されると解される（最三判平成9年9月9日・民集51巻8号3804頁参照（裁判例要旨004））。

したがって、名誉毀損について権利侵害の明白性が認められるためには、当該侵害情報により被害者の社会的評価が低下した等の権利侵害に係る客観的事実のほか、①公共の利害に関する事実に係ること、②目的が専ら公益を図ることにあること、③-1事実を摘示しての名誉毀損においては、摘示された事実の重要な部分について真実であること又は真実であると信じた

---

[18] なお、刑事事件ではあるが、最高裁は、「インターネットの個人利用者による表現行為の場合においても、他の場合と同様に、行為者が摘示した事実を真実であると誤信したことについて、確実な資料、根拠に照らして相当の理由があると認められるときに限り、名誉毀損罪は成立しないものと解するのが相当であって、より緩やかな要件で同罪の成立を否定すべきものとは解されない」と判断した（最一判平成22年3月15日・刑集64巻2号1頁（裁判例要旨019））。

ことについて相当な理由が存すること、③－2意見ないし論評の表明による名誉毀損においては、意見ないし論評の基礎となった事実の重要な部分について真実であること又は真実であると信じたことについて相当な理由が存することの各事由の存在をうかがわせるような事情が存在しないことが必要と解されている。

なお、発信者の主観など請求者が関知し得ない事情まで被害者が主張・立証責任を負うものではないことから、請求者は、①公共の利害に関する事実に係るものではないこと、②もっぱら公益を図る目的に出たものではないこと、③－1摘示された事実が真実ではないこと、③－2意見ないし論評の表明による名誉毀損においては、意見ないし論評の基礎となった事実の重要な部分について真実でないことのいずれかを主張・立証すればよく、摘示された事実の重要な部分について真実であると信じたことについて相当な理由が存しないこと又は意見ないし論評の基礎となった事実の重要部分について真実であると信じたことについて相当な理由が存しないことの主張立証までは要しないと解される。

b) これらの事情等は、個別の事案の内容に応じて判断されるべきものであり、プロバイダ等において判断することが難しいものでもある。したがって、現時点において権利侵害の明白性が認められる場合についての一般的な基準を設けることは難しい。発信者に対して意見を聴取した結果、公益を図る目的がないことや書込みに関する事実が真実でないことを、発信者が自認した場合などには、名誉毀損が明白であると判断してよい場合があるが、それ以外の場合については、別冊裁判例要旨に掲載する発信者情報の開示を認めた裁判例等を参考にして、権利

侵害の明白性の判断を行い、判断に疑義がある場合においては、裁判所の判断に基づき開示を行うことを原則とする。なお、一般社団法人セーファーインターネット協会（SIA）によって「権利侵害明白性ガイドライン（第1版）」が策定・公表されており、これは、名誉毀損の類型に関連して、プロバイダ等による権利侵害明白性の判断の参考とすることができる資料として位置付けることができるものである。「発信者情報開示関係ガイドライン」で紹介した裁判例とともに、裁判外（任意）開示の可否判断に際し必要に応じて参照されたい。

（権利侵害の明白性が認められた事例）
　◎東京地判平成15年3月31日（開示が認められた事例1（裁判例要旨005））
　◎東京地判平成17年8月29日（開示が認められた事例2（裁判例要旨016））
　◎東京地判平成15年9月17日（開示が認められた事例3（裁判例要旨010）。控訴審東京高判平成16年1月29日（裁判例要旨012）も結論を維持）
　◎東京地判平成15年12月24日（開示が認められた事例4（裁判例要旨011））
　◎大阪地判平成20年6月26日（開示が認められた事例5（裁判例要旨017））
　◎東京地判平成25年3月27日（開示が認められた事例6（裁判例要旨025））
　◎東京地判平成25年8月26日（開示が認められた事例7（裁判例要旨026））
　◎東京地判平成25年12月10日（一部につき開示が認められなかった事例1（裁判例要旨027））

◎東京地判平成28年3月8日（一部につき開示が認められなかった事例2（裁判例要旨029））

◎東京高判平成29年9月26日（全部につき開示が認められなかった事例（裁判例要旨031））

◎徳島地判令和2年2月17日（一部につき開示が認められなかった事例3（裁判例要旨033））

◎東京高判令和2年11月11日（開示が認められた事例8（裁判例要旨036））

◎東京高判令和2年12月9日（一部につき開示が認められなかった事例4（裁判例要旨037））

◎東京地判令和3年1月15日（一部につき開示が認められなかった事例5（裁判例要旨038））

◎東京地判令和3年12月21日（開示が認められた事例9（裁判例要旨040））

◎東京地判令和4年1月28日（一部につき開示が認められなかった事例6（裁判例要旨043））

◎東京地判令和4年1月31日（一部につき開示が認められなかった事例7（裁判例要旨045））

◎大阪地判令和4年3月31日（開示が認められた事例10（裁判例要旨046））

◎大阪地判令和4年3月31日（開示が認められた事例11（裁判例要旨047））

(2) プライバシー侵害

a) プライバシーの権利について、その内容を明確に定義した最高裁判例はまだないが、プライバシー侵害について不法行為の成立を認めた裁判例の一つでは、個人に関する情報がプライバシーとして保護されるためには、①私生活上の事実または私生

活上の事実らしく受け取られるおそれのある情報であること、②一般人の感受性を基準にして当該私人の立場に立った場合に、他者に開示されることを欲しないであろうと認められる情報であること、③一般の人に未だ知られていない情報であることが必要である旨判示している（「宴のあと」事件。東京地判昭和39年9月28日（裁判例要旨001））[19]。また、明確な定義とはいえないが、最高裁は、「学籍番号，氏名，住所及び電話番号（中略）のような個人情報についても，本人が，自己が欲しない他者にはみだりにこれを開示されたくないと考えることは自然なことであり，そのことへの期待は保護されるべきものである」旨判示している（早稲田大学江沢民講演会事件。最二判平成15年9月12日・民集57巻8号973頁（裁判例要旨008））。

b)　以上によれば、情報の流通によるプライバシー侵害について一般的な基準を設けることは難しい。しかしながら、プライバシー侵害が明白であるとして発信者情報の開示が認められた事例なども考慮すれば、一般私人の個人情報のうち、住所や電話番号等の連絡先や、病歴、前科前歴等、一般的に本人がみだりに開示されたくないと考えるような情報については、これが氏名等本人を特定できる事項とともに不特定多数の者に対して公表された場合には、通常はプライバシー侵害となると考えられる。また、一般私人に関するものであることからすれば、違法性を阻却するような事情（社会の正当な関心事である等）が存在することも一般的には考えにくい。

　　したがって、このような態様のプライバシー侵害については、当該情報の公開が正当化されるような特段の事情がうかが

---

[19]　プライバシーに関する裁判例の動向については、プロバイダ責任制限法名誉毀損・プライバシー侵害関係ガイドラインにも詳しく記載されている。

われない限り、発信者情報の開示を行うことが可能と考えられる。

（権利侵害の明白性が認められた事例）
　◎東京地判平成15年9月12日（開示が認められた事例1（裁判例要旨009））
　◎東京地判平成16年11月24日（開示が認められた事例2（裁判例要旨014））
　◎東京地判平成20年7月4日（開示が認められた事例3（裁判例要旨018））
　◎東京地判平成24年7月27日（開示が一部認められなかった事例1（裁判例要旨024））
　◎東京高判平成30年6月13日（氏名権であるが、開示が認められた事例4（裁判例要旨032））
　◎東京地判令和2年6月26日（肖像権であるが、一部開示が認められなかった事例2（裁判例要旨034））
　◎東京地判令和3年9月9日（社外秘の情報であるが、開示が認められた事例5（裁判例要旨039））
　◎東京地判令和4年1月28日（開示が認められた事例6（裁判例要旨042））
　◎東京地判令和4年1月28日（一部開示が認められなかった事例3（裁判例要旨044））

c）これに対して、公人等[20]に関する個人情報の公表及びその他の態様でのプライバシー侵害については、権利の侵害となるか否かの判断が必ずしも容易ではなく、参考となる裁判例の蓄積もない。したがって、現時点において一般的な基準を設けることは難しく、裁判所の判断に基づいて開示を行うことを原則と

する。

3 著作権等侵害
(1) 請求者が著作権者等であること
　著作権等侵害を理由として発信者情報の開示を求める場合、請求者が著作物、実演、レコード、放送又は有線放送（以下「著作物等」という。）の著作権者等であることが前提となる。請求者が侵害されたとされる著作権等の著作権者等であることについて明確に判断するためには、以下の証拠資料による必要があると考えられる。
① 著作物等に関して、著作権法に基づく登録がなされている場合又は海外における法令に基づく登録がなされている場合は、当該登録が行われていることを証する書面
② 著作物等の発行・販売等に当たって著作権者等の氏名等が表示されている場合は、その写し（万国著作権条約3条1項参照）
③ 請求がなされる以前に一般に提供されている商品、カタログ等であって請求者が著作権者等であることを示す資料がある場合は、当該資料又はその写し
④ 著作物等と著作権者等との関係を照会できるデータベースであって、適切に管理されているものが提供されている場合には、当該データベースに登録されていることを証する書面
⑤ 原著作者と二次著作物の著作者との間で交わされた翻案及び

---

20 「公人」とは、国会議員、都道府県の長、議員その他要職につく公務員などをいう。また、「公人」に準じる公的性格を持つ存在として、会社代表者、著名人もある。これらの公的存在は、その職務との関係上、一定限度で私生活の平穏を害されることを受忍することを求められる場合があり、一般私人とは異なる配慮が必要である。なお、公人の家族は、特段の事情がない限り、一般私人である。

権利関係に関する契約書、確認書等の文書のうち権利関係の確認に必要な部分など、請求者が二次著作物に対する原著作者であることを示す書面
⑥　著作権等管理事業者が、当該団体が管理している著作物等であることを確認した書面

(2)　著作権等侵害

著作権等侵害については、例えば、複製権侵害、公衆送信権侵害、送信可能化権侵害等の態様による侵害があり得るところではあるが、法5条に基づく発信者情報の開示請求を受けたプロバイダ等が、権利侵害の明白性を判断した上、裁判外で発信者情報の開示を行うためには、著作権等侵害があることを明確に判断できることが必要であると考えられる。

そして、そのような判断が可能となるようなケースとしては、以下のものが考えられる。
①　情報の発信者が著作権等侵害であることを自認している
②　情報が著作物等の全部又は一部を丸写ししている
③　著作物等の全部又は一部を丸写ししたファイルを現在の標準的な圧縮方式（可逆的なもの）により圧縮している

（権利侵害の明白性が認められた事例）
　◎東京地判平成17年6月24日（開示が認められた事例1（裁判例要旨015））
　◎東京地平成28年8月30日（開示が認められた事例2（裁判例要旨030））
　◎東京地判令和3年12月23日（一部開示が認められなかった事例1（裁判例要旨041））

(3) その他

　プロバイダ等は、当該著作権等が保護期間内であること及び請求者が発信者に対して権利許諾をしていないことを確認する。なお、権利許諾については、発信者から許諾を受けている旨の回答がない限り、権利許諾はないものとして扱ってよい。許諾の有無につき争いがある場合には、許諾の存在を主張する発信者から許諾を証する資料を提出させるなどして、その存否を確認する。

(4)　プロバイダ等は、請求者の提出する資料等[21]に基づき、著作権等侵害について判断を行うが、上記を全て満たす形で著作権等侵害がなされており、発信者から具体的な主張もなされていない場合には、不法行為等の成立を阻却するような事情が存在することも一般的には考えにくい。したがって、特段の事情がうかがわれない限り[22]、発信者情報の開示を行うことが可能と考えられる。

　他方、これ以外の類型の著作権等侵害については、その判断が必ずしも容易でないことから、本ガイドラインの対象外とする。

4　商標権侵害

(1)　請求者が商標権者であること[23]

---

[21] 請求者が著作権者等であること及び著作権等侵害の事実に関して、本協議会によって認定された信頼性確認団体（以下「信頼性確認団体」という。）がその内容を証した資料については、信頼性確認団体は専門的な知見及び充分な実績を有していることを要件として認定されていることに照らし、プロバイダ等においてもその判断を尊重することが期待される。

[22] 例えば、著作物等の丸写しが、発信者の創作物の一部に組み込まれている場合など、引用（著作権法（昭和45年法律第48号）32条）にあたる可能性がある場合には、著作権等侵害の判断が必ずしも容易でないと考えられる。

[23] 発信者情報開示請求は、権利の侵害が「情報の流通」自体によって生じた場合を対象とするものであり、流通している商標権侵害情報を閲読したことを契機として詐欺の被害に遭った場合などは、本ガイドラインの対象外とする。

商標権侵害を理由として発信者情報の開示を求める場合は、請求者が商標権者（専用使用権者を含む。以下同じ。）であることが前提となる。請求者が侵害されたとされる商標権の商標権者であることについて明確に判断するためには、商標原簿の写しによることが考えられる。

(2) 商標権侵害

　a) 一般に、商標権の侵害とは、登録商標と同一又は類似の商標を、登録商標の指定商品若しくは指定役務と同一又は類似の商品・役務に権利者に無断で使用することなどをいう。

　このうち、情報の流通により商標権が侵害されていると解される場合とは、

　① 業として商品を譲渡等する者が、
　② 商標権者の商標登録に係る指定商品又はこれに類似する商品について、
　③ 商品を譲渡するために商標が付された商品の写真や映像等をウェブページ上に掲載する行為又は登録商標と同一若しくは類似の商標を（広告等を内容とする情報に付して）ウェブページ上で表示する行為、

であると解されているところである。[24-25]

　b) このような商標権侵害について、法5条に基づく発信者情報の開示請求を受けたプロバイダ等が、権利侵害の明白性を判断した上、裁判外で発信者情報の開示を行うためには、商標権

24　この点に関する考え方については、プロバイダ責任制限法商標権関係ガイドライン2頁以下に詳しく記載されている。

25　具体的には、①ネットオークションへの偽ブランド品等の出品、②ショッピングモールにおける偽ブランド品等の出品、③その他ウェブページ上での偽ブランド品等を譲渡する旨の広告、といった場合が考えられる。

侵害があることを明確に判断できることが必要であると考えられるが、そのためには、以下のⅰ、ⅱの基準をいずれも満たすことが必要であると考えられる。

ⅰ 次のいずれかに該当し、ウェブページ上に表示された商品に関する情報が真正品に係るものでないと判断できること
　① 情報の発信者が真正品でないことを自認している商品
　② 商標権者により製造されていない類の商品
　③ 商標権者が真正品でないことを証する資料[26]を示している商品（②に該当するものを除く）

ⅱ 次の全ての事項が確認でき、商標権侵害であることが判断できること
　① 広告等の情報の発信者が業として商品を譲渡等する者であること
　② その商品が登録商標の指定商品と同一又は類似の商品であること
　③ 商品の広告等を内容とする情報に当該商標権者の登録商標と同一又は類似の商標が付されていること[27-28]

(3) その他

プロバイダ等は、請求者が発信者に対して使用許諾をしていない

---

[26] 具体的には、商標権者において当該商品についてこれが真正品でないことを証した書面について、信頼性確認団体等の専門的知見を有する者がその内容を確認したものなどが考えられる。

[27] 同一、類似の判断については、商標公報の写し又は独立行政法人工業所有権情報・研修館が提供するJ-PlatPat特許情報プラットフォームのウェブページ<https://www.j-platpat.inpit.go.jp/>において当該商標に関する情報を検索した結果の写し等により確認する。

[28] 商標の類似性の判断は必ずしも容易ではない場合もあるため、本ガイドラインでは、登録商標と実質的に同一と判断できるもの及び裁判所又は特許庁によって類似性に関する判断が示されているものを対象とする。

ことを確認する。具体的には、発信者から許諾を受けている旨の回答がない限り、権利許諾はないものとして扱ってよい。許諾の有無につき争いがある場合には、許諾の存在を主張する発信者から許諾を証する資料を提出させるなどして、その存否を確認する。

(4) プロバイダ等は、請求者の提出する資料等[29]に基づき、商標権侵害について判断を行うが、上記を全て満たす形で商標権侵害がなされており、発信者から具体的な主張もなされていない場合には、違法性を阻却するような事情が存在することも一般的には考えにくい。したがって、特段の事情がうかがわれない限り、発信者情報の開示を行うことが可能と考えられる。

　他方、これ以外の商標権侵害の類型については、その判断が必ずしも容易でないことから、本ガイドラインの対象外とする。

V　開示・不開示の手続

1　開示について発信者の同意があった場合

(1) 発信者情報の開示について、発信者から同意があった場合は、プロバイダ等は、速やかに書式④により発信者情報を開示する。
(2) 請求者が開示を求める発信者情報の一部についてのみ発信者が開示に同意した場合には、プロバイダ等は、当該部分についての

---

[29] 請求者が商標権者であること及び商標権侵害の事実に関して、信頼性確認団体がその内容を証した資料については、信頼性確認団体は専門的な知見及び充分な実績を有していることを要件として認定されていることに照らし、プロバイダ等においてもその判断を尊重することが期待される。
[30] 東京地判平成15年3月31日（裁判例要旨006）は、原告が既に発信者情報の一部を把握しており、送信行為自体を行った者が特定されているような場合であっても、その余の発信者情報の開示を受ける必要性はなくならない旨判示している。

み速やかに開示を行い、発信者が同意をしなかった部分については、Ⅲに従って開示の可否を判断する。[30]

なお、特定発信者情報の開示請求を受けたコンテンツプロバイダが特定発信者情報を開示する場合、当該特定発信者情報が、侵害関連通信のうち侵害情報を送信した①アカウントの作成、認証、②削除、又は③当該アカウントへのログイン、④ログアウトの際の通信のいずれの類型に該当するものかを示して開示する。

2 開示のための要件を満たすと判断された場合

(1) プロバイダ等は、請求が開示のための要件を満たすと判断した場合には、速やかに書式④により発信者情報を開示する。[31]
(2) プロバイダ等は、開示を行った場合には、発信者に対し、その旨通知する。

なお、特定発信者情報の開示請求を受けたコンテンツプロバイダが特定発信者情報を開示する場合、同意があった場合と同様、当該特定発信者情報が、侵害関連通信のうち侵害情報を送信した①アカウントの作成、認証、②削除、又は③当該アカウントへのログイン、④ログアウトの際の通信のいずれの類型に該当するものかを示して開示する。

---

[31] 最三判平成22年4月13日・民集64巻3号758頁（裁判例要旨021）は、令和3年改正法による改正前のプロバイダ責任制限法4条4項（現在の法6条4項）につき、「開示関係役務提供者は、侵害情報の流通による開示請求者の権利侵害が明白であることなど当該開示請求が同条1項各号所定の要件のいずれにも該当することを認識し、又は上記要件のいずれにも該当することが一見明白であり、その旨認識することができなかったことにつき重大な過失がある場合にのみ、損害賠償責任を負うものと解するのが相当である。」と判断し、発信者情報が、発信者のプライバシー、表現の自由、通信の秘密にかかる情報であることから、その開示に関して発信者の利益が不当に侵害されることのないように慎重な判断を求めているといえる。

3 開示のための要件を満たさないと判断された場合

⑴ プロバイダ等は、請求が開示のための要件を満たさないと判断した場合には、請求者に対し、書式⑤により、要件を満たさないと判断した理由とともに、発信者情報を開示しない旨を通知する。

⑵ なお、その際、プロバイダ等は、発信者に対する意見聴取を行っていた場合には、発信者に対しても、発信者情報の開示を行わなかったことを通知することが望ましい。

Ⅵ 裁判例要旨について

この裁判例要旨は、このガイドラインの利用者の参考としていただくため、本文において言及された裁判例その他関係する裁判例の要旨を簡潔にまとめたものである。

⑴ 判決文からの引用箇所は、可能な限り「」で括った。

⑵ 裁判例要旨の各項目の説明

個票を次のような形式で作成した。

検索の便宜を図るため、以下の項目の①②③④⑤を抽出した目次を用意した。

5　プロバイダ責任制限法発信者情報開示関係ガイドライン

番　　　号	①	キーワード	②				
裁　判　所	③			日付	④	種別	⑤
審級関係等	⑥						
G　L　頁	⑦						
判　例　集	⑧						

〔事案〕⑨　　〔主文〕⑩　　〔要旨〕⑪

① 番号　　　　ガイドラインに言及のある順に採番して記載した。

② キーワード　権利侵害における権利の性質（送信可能化権、プライバシー権等）、権利侵害の有無について争われた情報の種類（氏名、住所、写真、醜聞、犯罪事実等）、主な争点（公共の利害に関する事実、真実性、相当性等）等を判決文から抽出して記載した。

③ 裁判所　　　判決（決定）をした裁判所名

④ 日付　　　　判決（決定）日

⑤ 種別　　　　判決又は決定の区別

⑥ 審級関係等　収録した裁判例に相互に審級関係がある場合は該当する①の番号。
　　　　　　　他に裁判例の理解を深めることにつながる情報を記載した。

⑦ GL頁　　　　ガイドライン本文の頁番号

⑧ 判例集　　　代表的な判例集の略称、巻号及び頁数
　　　　　　　例）民集：最高裁民事判例集、下民集：下級裁判所民事裁判例集
　　　　　　　　　刑集：最高裁刑事判例集、判時：判例時報、判タ：判例タイムズ　など

⑨ 事案　　　　このガイドラインと関係のある当事者の主張

　　　　　　　　　　　　内容
　⑩　主文　　　　⑨で述べた事案に関する判決又は決定の主文。多数の争点を含む裁判例であっても、発信者情報開示請求に関連するものに限定して記述した。
　⑪　要旨　　　　発信者情報の開示請求等について、当事者からの請求内容に対する裁判所の判断を記載し、その理由を簡潔に紹介している。

以　上

※筆者注：裁判例要旨については掲載を省略した。

書式① 発信者情報開示請求標準書式

年　月　日

至　［開示関係役務提供者の名称］御中

［権利を侵害されたと主張する者］（注1）
住所
氏名　　　　　　　　　　印
連絡先

発信者情報開示請求書

　［貴社・貴殿］が管理する特定電気通信設備に掲載された下記の情報の流通により、私の権利が侵害されたので、特定電気通信役務提供者の損害賠償責任の制限及び発信者情報の開示に関する法律（プロバイダ責任制限法。以下「法」といいます）［第5条第1項・第5条第2項］に基づき、［貴社・貴殿］が保有する、下記記載の、侵害情報の発信者の特定に資する情報（以下「発信者情報」といいます）を開示下さるよう、請求します。

　なお、万一、本請求書の記載事項（添付・追加資料を含みます）に虚偽の事実が含まれており、その結果［貴社・貴殿］が発信者情報を開示された加入者等から苦情又は損害賠償請求等を受けた場合には、私が責任をもって対処いたします。

記

侵害情報等	［貴社・貴殿］が管理する特定電気通信設備又は侵害関連通信の用に供される電気通信設備等	（注2）
	掲載された情報	
	侵害された権利	
	権利が明らかに侵害されたとする理由（注3）	
	発信者情報の開示を受けるべき正当理由（複数選択可）（注4）	1．損害賠償請求権の行使のために必要であるため 2．謝罪広告等の名誉回復措置の要請のために必要であるため 3．差止請求権の行使のために必要であるため 4．発信者に対する削除要求のために必要であるため 5．その他（具体的にご記入ください）
	補充的な要件を満たす理由（注5）	（注6）
	開示を請求する発信者情報（複数選択可）	1．発信者その他侵害情報の送信又は侵害関連通信に係る者の氏名又は名称 2．発信者その他侵害情報の送信又は侵害関連通信に係る者の住所 3．発信者その他侵害情報の送信又は侵害関連通信に係る者の電話番号 4．発信者その他侵害情報の送信又は侵害関連通信に係る者の電子メールアドレス 5．侵害情報の送信に係るIPアドレス（接続元IPアドレス及び接続先IPアドレス）及び当該IPアドレスと組み合わされたポート番号（注7） 6．侵害情報の送信に係る移動端末設備からのインターネット接続サービス利用者識別符号（注7） 7．侵害情報の送信に係るSIMカード識別番号（注7） 8．5ないし7から侵害情報が送信された年月日及び時刻 9．専ら侵害関連通信に係るIPアドレス及び当該IPアドレスと組み合わされたポート

	番号
	10. 専ら侵害関連通信に係る移動端末設備からのインターネット接続サービス利用者識別符号 11. 専ら侵害関連通信に係るSIMカード識別番号 12. 専ら侵害関連通信に係るSMS電話番号 13. 9ないし12から侵害関連通信が行われた年月日及び時刻 14. 発信者その他侵害情報の送信又は侵害関連通信に係る者についての利用管理符号
証拠（注8）	添付別紙参照
発信者に示したくない私の情報（複数選択可）（注9）	1. 氏名（個人の場合に限る） 2. 「権利が明らかに侵害されたとする理由」欄記載事項 3. 添付した証拠
弁護士が代理人として請求する際に本人性を証明する資料の添付を省略する場合（注10）	□　私（代理人弁護士）が、請求者が間違いなく本人であることを確認しています。 ※上記チェックボックス（□）にチェックしてください。

(注1)　原則として、個人の場合は運転免許証、パスポート等本人を確認できる公的書類の写しを、法人の場合は資格証明書を添付してください。

(注2)　URLを明示してください。ただし、経由プロバイダ等に対する請求においては、IPアドレス、当該IPアドレスと組み合わされた接続元（送信元）ポート番号、接続先IPアドレス、タイムスタンプ（侵害情報が送信された年月日及び時刻）等、発信者の特定に資する情報を明示してください。また、侵害関連通信を媒介した経由プロバイダに対する請求において、IPアドレス、当該IPアドレスと組み合わされた接続元（送信元）ポート番号、接続先IPアドレス、タイムスタンプ（侵害情報が送信された年月日及び時刻）等を示す場合には、それが①侵害情報を送信したアカウントの作成、認証、②削除、又は③当該アカウントへのログイン、④ログアウトの際の通信のいずれの通信に係るものかを示してください。

(注3)　著作権、商標権等の知的財産権が侵害されたと主張される方は、当該権利の正当な権利者であることを証明する資料を添付してください。

(注4)　法第7条により、発信者情報の開示を受けた者が、当該発信者情報をみだりに用いて、不当に当該発信者の名誉又は生活の平穏を害する行為は禁じられています。

(注5)　特定発信者情報以外の発信者情報のみの開示を請求する場合又は関連電気通信役務提供者を請求の相手方とする場合には記載は不要です。

(注6)　開示関係役務提供者が特定発信者情報以外の発信者情報を保有していないことを示す資料又は開示関係役務提供者から開示を受けた発信者情報では発信者を特定できないことを示す資料を添付してください。

(注7)　移動端末設備からのインターネット接続サービスにより送信されたものについては、特定できない場合がありますので、あらかじめご承知おきください。

(注8)　証拠については、プロバイダ等において使用するもの及び発信者への意見照会用の2部を添付してください。証拠の中で発信者に示したくない証拠がある場合（注9参照）には、発信者に対して示してもよい証拠一式を意見照会用として添付してください。
　　　　請求者が著作権等又は商標権の権利者であること及び著作権等又は商標権侵害の事実に関して、プロバイダ責任制限法ガイドライン等検討協議会（以下「協議会」といいます）によって認定された信頼性確認団体がその内容を証した場合は、その旨記載して下さい。
　　　　P2Pによる権利侵害を理由として請求する場合であって、協議会によって認定されたシステムを用いたときは、当該システムの名称を記載するとともに当該システムに

5 プロバイダ責任制限法発信者情報開示関係ガイドライン 697

　　記録された発信元ノード（ユーザの PC 等）の IP アドレス、接続元（送信元）ポート番号、接続先 IP アドレス、ファイルハッシュ値、ファイルサイズ、ダウンロード完了時刻等のメタデータの出力結果を添付することとします。
　　当該システムの特定方法の信頼性等に関して協議会が認定した技術的範囲に関する技術的資料の添付は不要です。
（注９）　請求者の氏名（法人の場合はその名称）、「管理する特定電気通信設備又は侵害関連通信の用に供される電気通信設備」、「掲載された情報」、「侵害された権利」、「権利が明らかに侵害されたとする理由」、「開示を受けるべき正当理由」、「補充的な要件を満たす理由」「開示を請求する発信者情報」の各欄記載事項及び添付した証拠については、発信者に示した上で意見照会を行うことを原則としますが、請求者が個人の場合の氏名、「権利侵害が明らかに侵害されたとする理由」及び証拠について、発信者に示してほしくないものがある場合にはこれを示さずに意見照会を行いますので、その旨明示してください。なお、連絡先については原則として発信者に示すことはありません。
　　ただし、請求者の氏名に関しては、発信者に示さなくとも発信者により推知されることがあります。
（注10）　（注１）の例外として、請求者の代理人が弁護士である場合において、当該代理人が、権利を侵害された者が本人であることを確認していることを表明する場合には、本人性を証明する資料の添付を省略することができます。

以上

［開示関係役務提供者の使用欄］

開示請求受付日	発信者への意見照会日	発信者の意見	回答日
（日付）	（日付） 照会できなかった場合はその理由：	有（日付） 無 開示に応じない場合はその理由：	開示（日付） 非開示（日付）

書式②　発信者に対する意見照会書

年　　月　　日

至　［　　　　発信者　　　］御中

　　　　　　　　　　　　　　　　　　　　　　［開示関係役務提供者］
　　　　　　　　　　　　　　　　　　　　　　　住所
　　　　　　　　　　　　　　　　　　　　　　　社名
　　　　　　　　　　　　　　　　　　　　　　　氏名
　　　　　　　　　　　　　　　　　　　　　　　連絡先

発信者情報開示に係る意見照会書

　この度、次葉記載の情報の流通により権利が侵害されたと主張される方から、次葉記載の発信者情報の開示請求を受けました。つきましては、特定電気通信役務提供者の損害賠償責任の制限及び発信者情報の開示に関する法律（プロバイダ責任制限法）第6条第1項に基づき、〔弊社・私〕が開示に応じることについて、貴方（注）のご意見を照会いたします。

　ご意見がございましたら、本照会書受領日から二週間以内に、添付回答書（書式③－1）にてご回答いただきますよう、お願いいたします。二週間以内にご回答いただけない事情がございましたら、その理由を〔弊社・私〕までお知らせください。開示に同意されない場合には、その理由を、回答書に具体的にお書き添えください。なお、ご回答いただけない場合又は開示に同意されない場合でも、同法の要件を満たしている場合には、〔弊社・私〕は、次葉記載の発信者情報を、権利が侵害されたと主張される方に開示することがございますので、その旨ご承知おきください。

（注）　権利を侵害したとされる情報を貴方が発信されていなくても、実際には、インターネット接続を共用されているご家族・同居人等が発信されている場合があります。その場合、貴方ではなく、発信者であるご家族・同居人等のご意見を照会したく、ご確認の上、添付回答書（書式③－2）により発信者からご回答いただけるようお手配ください。

5　プロバイダ責任制限法発信者情報開示関係ガイドライン

請求者の氏名 （法人の場合は名称）		
〔弊社・私〕が管理する特定電気通信設備又は侵害関連通信の用に供される電気通信設備		
掲載された情報		
侵害情報等	侵害された権利	
	権利が明らかに侵害されたとする理由	
	発信者情報の開示を受けるべき正当理由	1．損害賠償請求権の行使のために必要であるため 2．謝罪広告等の名誉回復措置の要請のために必要であるため 3．差止請求権の行使のために必要であるため 4．削除要求のために必要であるため 5．その他
	開示を請求されている発信者情報	1．発信者その他侵害情報の送信又は侵害関連通信に係る者の氏名又は名称 2．発信者その他侵害情報の送信又は侵害関連通信に係る者の住所 3．発信者その他侵害情報の送信又は侵害関連通信に係る者の電話番号 4．発信者その他侵害情報の送信又は侵害関連通信に係る者の電子メールアドレス 5．侵害情報の送信に係るIPアドレス（接続元IPアドレス及び接続先IPアドレス）及び当該IPアドレスと組み合わされたポート番号 6．侵害情報の送信に係る移動端末設備からのインターネット接続サービス利用者識別符号 7．侵害情報の送信に係るSIMカード識別番号 8．5ないし7から侵害情報が送信された年月日及び時刻 9．専ら侵害関連通信に係るIPアドレス及び当該IPアドレスと組み合わされたポート番号 10．専ら侵害関連通信に係る移動端末設備からのインターネット接続サービス利用者識別符号 11．専ら侵害関連通信に係るSIMカード識別番号 12．専ら侵害関連通信に係るSMS電話番号 13．9ないし12から侵害関連通信が行われた年月日及び時刻 14．発信者その他侵害情報の送信又は侵害関連通信に係る者についての利用管理符号
	証拠	添付別紙参照
	その他 （※）	

※　特定発信者情報の開示請求の場合には、補充的な要件を満たす理由を記載

以上

書式③-1　発信者からの回答書

　　　　　　　　　　　　　　　　　　　　　　　　　　　年　　月　　日

至　［開示関係役務提供者の名称］御中

　　　　　　　　　　　　　　　　　　　　　［発信者］
　　　　　　　　　　　　　　　　　　住所
　　　　　　　　　　　　　　　　　　氏名　　　　　　　　　　　　　　印
　　　　　　　　　　　　　　　　　　連絡先

　　　　　　　　　　　　　　　回　答　書

〔貴社・貴方〕より照会のあった私の発信者情報の取扱いについて、下記のとおり回答します。

　　　　　　　　　　　　　　　　　記

［回答内容］（いずれかに○）

（　　）発信者情報開示に同意しません。
　　［理由］（注）

（　　）発信者情報開示に同意します。
　　［備考］

　　　　　　　　　　　　　　　　　　　　　　　　　　　　　　　　以上

（注）　理由の内容が相手方に対して開示を拒否する理由となりますので、詳細に書いてください。証拠がある場合は、本回答書に添付してください。理由や証拠中に相手方にとって貴方を特定し得る情報がある場合は、黒塗りで隠す等して下さい。

書式③-2　発信者（加入者のご家族・同居人）からの回答書

〔弊社・私〕のサービスを実際に利用して発信されたのが、ご加入者ではなく、ご家族・同居人等（発信者）の場合、この書式により発信者からご回答をお願いします。

年　　月　　日

至　［開示関係役務提供者の名称］御中

［発信者（加入者のご家族・同居人）］
　　　　　　　　　住所
　　　　　　　　　氏名　　　　　　　　　　　　印
　　　　　　　　　連絡先

　　　　　　　回　答　書

　発信者情報の開示請求者がその流通により権利を侵害されたと主張する情報は、〔貴社・貴方〕から照会をした加入者ではなく、私が発信した情報ですので、私の発信者情報の取扱いについて、下記のとおり回答します。

記

［回答内容］（いずれかに○）

（　　）発信者情報開示に同意しません。
　　［理由］　（注）

（　　）本件については、発信者情報開示請求者と直接連絡を取りたいので、加入者の情報に代え、上記の私の住所、氏名及び連絡先を請求者に通知願います。

以上

（注）理由の内容が相手方に対して開示を拒否する理由となりますので、詳細に書いてください。証拠がある場合は、本回答書に添付してください。理由や証拠は、原則としてそのまま相手方に通知されます。理由や証拠中に相手方にとって貴方を特定し得る情報がある場合は、黒塗りで隠す等して下さい。

書式④　発信者情報開示決定通知書

　　　　　　　　　　　　　　　　　　　　　　　　　　　　年　月　日

至　〔権利を侵害されたと主張する者〕様

　　　　　　　　　　　　　　〔開示関係役務提供者の名称〕
　　　　　　　　　　　　　　　　　住所
　　　　　　　　　　　　　　　　　氏名
　　　　　　　　　　　　　　　　　連絡先

　　　　　　　　　　　　通　知　書

　貴殿から下記情報に関し請求のありました、〔弊社・私〕が保有する発信者情報の開示について、添付別紙のとおり開示いたしますので、その旨ご通知申し上げます。なお、開示を受けるにあたっては、下記の注意事項をご理解いただきますよう、お願い申し上げます。

　　　　　　　　　　　　　　記

〔注意事項〕
特定電気通信役務提供者の損害賠償責任の制限及び発信者情報の開示に関する法律（プロバイダ責任制限法）第7条により、当該発信者情報をみだりに用いて、不当に発信者の名誉又は生活の平穏を害する行為は禁じられています。

　　　　　　　　　　　　　　　　　　　　　　　　　　　　　　　　以上

書式⑤　発信者情報不開示決定通知書

　　　　　　　　　　　　　　　　　　　　　　　　　　年　　月　　日

至　［権利を侵害されたと主張する者］様

　　　　　　　　　　　　　［開示関係役務提供者の名称］
　　　　　　　　　　　　　　住所
　　　　　　　　　　　　　　氏名
　　　　　　　　　　　　　　連絡先

　　　　　　　　　　　　通　知　書

　貴殿から下記情報の発信者情報の開示について請求がありましたが、下記の理由で、開示に応じることは致しかねますので、その旨ご通知申し上げます。

　　　　　　　　　　　　　　　記

［理由］（いずれかに○）
1．貴殿よりご連絡のあった情報を特定することができませんでした。
2．貴殿よりご連絡のあった発信者情報を保有しておりません。
3．貴殿よりご連絡のあった情報の流通により、「権利が侵害されたことが明らか」（特定電気通信役務提供者の損害賠償責任の制限及び発信者情報の開示に関する法律（プロバイダ責任制限法）第5条第1項第1号）であると判断できません。
4．貴殿が挙げられた、発信者情報の開示を受けるべき理由が、「開示を受けるべき正当な理由」（同項第2号）に当たると判断できません。
5．貴殿が挙げられた、補充的な要件を満たす理由が、プロバイダ責任制限法第5条第1項第3号の要件に当たると判断できません。
6．貴殿から頂いた発信者情報開示請求書には、以下のような形式的な不備があります。
　　不備内容：

7．その他（追加情報の要求等　　　　　　　　　　　　　　　　　　　　　）

　　　　　　　　　　　　　　　　　　　　　　　　　　　　　　　　以上

6 プロバイダ責任制限法発信者情報開示関係ガイドライン別冊「発信者情報開示命令事件」に関する対応手引き

初　版：令和4年9月
プロバイダ責任制限法ガイドライン等検討協議会

I　はじめに

1　本手引きの目的

　特定電気通信役務提供者の損害賠償責任の制限及び発信者情報の開示に関する法律（平成13年法律第137号。以下「法」という。）に基づく発信者情報開示請求については、「プロバイダ責任制限法発信者情報開示関係ガイドライン」（以下「開示ガイドライン」という。）が策定され、手続や判断基準等の明確化が図られている。もっとも、開示ガイドラインは、裁判外において開示請求を行う際の手続と、請求を受けたプロバイダ等による対応を主な対象とするものであった。

　令和3年（2021年）4月28日に公布された同法の改正法（以下「令和3年改正法」という。）により創設された発信者情報開示命令事件（以下「開示命令事件」という。）では、裁判所が、コンテンツプロバイダに対し、その保有する発信者情報をもとに経由プロバイダを特定し、当該経由プロバイダの情報を開示請求者に提供することや、当該発信者情報を経由プロバイダに提供すること等を命じる提供命令（法15条）の手続等、プロバイダ等にとって、改正前とは異なる新たな手続の履践が必要になる。

本手引きは、令和3年改正法に基づく開示命令事件を俯瞰するとともに、特にプロバイダ等と開示請求者の間、又はプロバイダ間で行われるべき手続が円滑に進むように開示ガイドラインを補完することを目的とするものである。

2 本手引きの位置づけ

本手引きは、上記の目的のため、開示命令事件の手続のうち、プロバイダ等による対応が必要になる部分に関し、円滑な実務対応に資する情報を整理したものである。

開示請求者を含む関係者の予測可能性を担保し、安定した手続の運用を実現するためには、適正な内容で実務対応の統一が図られることが望ましい。そのため、本手引きは、策定主体であるプロバイダ責任制限法ガイドライン等検討協議会の関係事業者のみならず、開示請求者や同協議会に参加していないプロバイダ等（一般企業や大学がこれに該当する場合もある。）も含め、令和3年改正法の新たな裁判手続に関与する方々に広く参照されることが期待される。

3 見直し

本手引きは、情報通信技術の進展や発信者情報開示命令事件に関する実務の状況等に応じて、適宜見直しをすることが必要と考えられる。そのため、本手引きの策定後も、本協議会における検討を続け、本手引きの改善及び拡充を行っていくこととする。

Ⅱ 発信者情報開示命令事件における対応

1 発信者情報開示命令事件の手続の概要

図1 従来の手続と発信者情報開示命令事件の手続

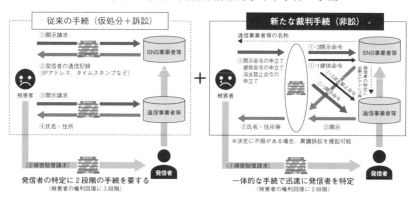

　従来の手続では、権利を侵害されたとする者は、発信者の氏名・住所等を保有する経由プロバイダ（通信事業者等）を特定するため必要であるIPアドレス等がコンテンツプロバイダ（SNS事業者等）から開示されないと、当該経由プロバイダを特定することができないため、一般に、コンテンツプロバイダに対する発信者情報開示仮処分の決定を得ることによりIPアドレス等の開示を受けた後、別途、経由プロバイダに対する発信者情報開示請求訴訟を提起する必要があり、発信者を特定するため、同一の権利侵害投稿について、異なる裁判官による別の裁判で2回の判断を経る必要があった。

　これに対して、開示命令事件では、裁判所が、発信者情報開示命令の申立て（以下「開示命令の申立て」という。）を受けて、発信者情報開示命令（以下「開示命令」という。）より緩やかな要件により、コンテンツプロバイダに対し、（当該コンテンツプロバイダが自らの保有するIPアドレス等により特定した）経由プロバイダの名称等を被害者に提供することを命じること（提供命令）ができ

ることとしている（法15条）。これにより、提供命令の申立人は、コンテンツプロバイダに対する開示命令の発令を待たずに、経由プロバイダに対する開示命令の申立てができることとなる。

また、提供命令の申立人が、提供命令によりその名称等が提供された経由プロバイダに対する開示命令の申立てを行った場合、すでに裁判所に係属しているコンテンツプロバイダに対する開示命令事件の手続と、新たに申立てをした経由プロバイダに対する開示命令事件の手続が併合されることにより、一体的かつ迅速な審理を受けることが可能になる（非訟事件手続法35条1項）。

さらに、提供命令を受けたコンテンツプロバイダは、その保有するIPアドレス等の発信者情報を、提供命令の申立てをした者には秘密にしたまま経由プロバイダに提供することとなるため、当該経由プロバイダが自らが保有する発信者情報（発信者の氏名及び住所等）を特定することにより、また、消去禁止命令の申立てがなされてその決定により、当該発信者情報を保全することができることとなる（法16条）。

このように開示命令事件の手続においては、開示命令、提供命令及び消去禁止命令という3つの命令を活用することにより円滑な発信者の特定が可能となっている。

なお、特定電気通信による情報の流通によって自己の権利を侵害されたとする者は、その選択により、発信者情報開示請求訴訟を提起することも、開示命令（法8条）[1]の申立てを行うこともできるが、同一の権利侵害投稿について、発信者情報開示請求訴訟の提起と発信者情報開示命令の申立てを同時に行うことはできないと考えられる。

---

1 開示命令は、開示請求事案には、開示要件の判断困難性や当事者対立性の高くない事案があることを踏まえ、こうした事案に係る裁判の審理を簡易迅速に行うことができるようにするために創設された。

2 3つの命令を活用した手続の例

(1) 単一の経由プロバイダのみが関与する場合

新たな裁判手続では、3つの命令を活用して発信者の特定が実現されることとなる。開示命令事件の手続により、コンテンツプロバイダが保有するIPアドレス等の発信者情報から経由プロバイダを特定し、経由プロバイダが保有する発信者の氏名、住所等の開示がなされる場合において、一般的に想定される手続の流れの例は以下のとおりとなる。

なお、図2及び以下に示す手続の流れは一例に過ぎず、当事者の対応や裁判長の手続指揮等により、図2及び以下に示す流れとは異なる流れで手続が進行することがあり得ることに留意が必要である。

図2 単一の経由プロバイダのみが関与する場合の手続の流れの例
CP＝コンテンツプロバイダ
AP＝経由プロバイダ

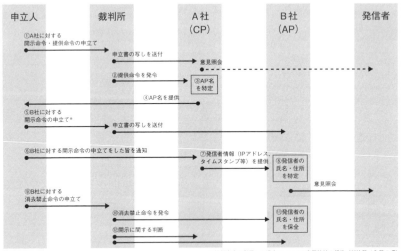

① 申立人は、A社（SNS事業者等：コンテンツプロバイダ）を相手方として、開示命令の申立て及び提供命令の申立てを行

う。

　開示命令事件は、訴訟事件（裁判所が終局的に事実を確定し、当事者の主張する実体的権利義務関係の存否を確定することを目的とする事件）ではなく、非訟事件（裁判所の取り扱う事件のうち、訴訟事件以外のもの）に該当する。そして、3つの命令の関係については、提供命令及び消去禁止命令が開示命令の申立てを本案とする付随的事項という位置付けとなる。このため、申立人は、開示命令の申立て後（又は同時に）提供命令の申立てを行い、必要に応じて消去禁止命令の申立ても行うことになる。

　開示命令の申立てがあった場合、裁判所は、申立てが不適法であるとき又は申立てに理由がないことが明らかなときを除き、その申立書の写しを相手方に送付しなければならない（法11条1項）。

　また、開示関係役務提供者であるプロバイダ等は、発信者情報の開示請求を受けたときは、発信者と連絡することができない場合その他特別の事情がある場合を除き、開示請求に応じるかどうか、また、開示請求に応じるべきでないとの意見の場合はその理由について、発信者の意見を聴かなければならない（法6条1項。開示ガイドラインⅢ5参照）。

② 　裁判所は、提供命令について審理を行い、要件を満たす場合には、A社に対して、提供命令を発令する。

　提供命令は、開示関係役務提供者（コンテンツプロバイダ等）に対する開示命令が発令される前の段階において、開示命令の申立人による申立てを受けた裁判所の命令により、㋐他の開示関係役務提供者（経由プロバイダ等）の氏名等の情報等を申立人に提供するとともに、㋑開示関係役務提供者（コンテンツプロバイダ等）が保有するIPアドレス及びタイムスタンプ

等を、申立人には秘密にしたまま、他の開示関係役務提供者に提供することができる制度を設けることで、当該他の開示関係役務提供者において、あらかじめ発信者情報（発信者の氏名及び住所等）を特定・保全することができるようにしたものである[2]。

提供命令を発令するには、(i)発信者情報開示命令の申立てが裁判所に係属していること（本案係属要件）、及び(ii)「発信者情報開示命令の申立てにかかる侵害情報の発信者を特定することができなくなることを防止するため必要があると認めるとき」（保全の必要性）という要件を満たすことが必要となる（法15条1項）。また、発信者情報開示命令の申立てにおいて「特定発信者情報を含む発信者情報の開示を請求している場合」は、上記の要件に加えて(iii)特定発信者情報の開示を要することについての補充的な要件（法5条1項3号）を満たすことが必要となる（法15条2項）。

提供命令事件の審理については、陳述聴取は必要的なものとなっていないため、陳述の聴取を経ずに提供命令が発令される場合がある（裁判所が職権により開示関係役務提供者から陳述を聴取する場合もある。）。

③ A社は、提供命令に従い、保有する発信者情報（IPアドレス等）に基づき経由プロバイダの氏名又は名称及び住所の特定を行う。

コンテンツプロバイダに対して裁判所から提供命令が発令された場合、当該コンテンツプロバイダは、自らが保有するアクセスログを調査して、侵害情報に係る発信者情報の有無を確認

---

[2] これにより、申立人は、コンテンツプロバイダに対する開示命令事件における裁判所の開示に関する判断を待つことなく、経由プロバイダに対する消去禁止命令の申立てをすることが可能となる。

する。コンテンツプロバイダは、該当する発信者情報を保有している場合には、それに基づいて、発信者の通信を媒介した経由プロバイダの氏名又は名称及び住所（氏名等情報）の特定を行うことになる。そして、経由プロバイダの氏名等情報が特定できた場合には、その情報を申立人に提供し[3]、経由プロバイダを特定するために用いることのできる発信者情報（特定電気通信役務提供者の損害賠償責任の制限及び発信者情報の開示に関する法律施行規則（以下「施行規則」という。）7条）を保有していない場合又は当該発信者情報により経由プロバイダの氏名等情報を特定できない場合は、それぞれその旨を申立人に通知する（法15条1項1号）。

　提供命令に対する具体的な対応は以下のとおりである。
ア　発信者情報の保有の有無の確認

　法5条では、開示の対象となる発信者情報は、特定発信者情報も含め、プロバイダ等が保有するものに限られている（1項及び2項）。そこで、コンテンツプロバイダは、開示を請求されている発信者情報を保有しているか否かについて、速やかに確認する。とりわけ、特定発信者情報については、侵害関連通信の要件（法5条3項・施行規則5条）に照らして該当する通信を特定し、当該通信に係る記録の保有の有無を確認する必要がある。具体的には、侵害情報を送信した①アカウントの作成、認証、②削除、又は③当該アカウントへのログイン、④ログアウトの際の通信を特定して、これらの通信に係る記録の保有の有無を確認することになる。①から

---

[3] 経由プロバイダの氏名等情報の提供を受けた申立人は、コンテンツプロバイダに対する開示命令事件における裁判所の開示に関する判断を待たずに、経由プロバイダに対する消去禁止命令の申立てをすることで、経由プロバイダが保有するアクセスログを保全することが可能となる。

④に該当する記録を複数保有している場合は、①から④の類型それぞれにおいて侵害情報の送信と相当の関連性を有する[4]通信の記録が特定発信者情報となる（もし複数の類型の特定発信者情報を保有している場合は、それらすべてが開示対象となりうる）。

イ　発信者情報による経由プロバイダの特定

コンテンツプロバイダにおいて、開示を請求されている発信者情報の保有を確認したら、経由プロバイダの特定作業を行うことになる。コンテンツプロバイダが、保有する発信者情報により経由プロバイダの氏名等情報を特定するにあたっては、以下のような調査方法を用いることが考えられる。

㈠　経由プロバイダの氏名又は名称

コンテンツプロバイダが発信者情報として、発信者によるコンテンツプロバイダのサービスへのアクセスに使用されたIPアドレス（送信元IPアドレス）を保有している場合、一般的に用いられる技術的な方法を用いて、対象となる通信を媒介した経由プロバイダの氏名又は名称を確認することになる。

この点、インターネット上において、各プロバイダに割

---

[4] 例えば、プロバイダ等が通信記録を保有している通信のうち、侵害情報の送信と最も時間的に近接して行われた通信等が、「侵害情報の送信と相当の関連性を有するもの」に該当すると解される。

[5] 有償から無償まで、様々な調査用のWEB検索ツールが存在するが、無償ツールの例としては以下があげられる。
ICANN LOOKUP　https://lookup.icann.org/en
JPNIC WHOIS Gateway　https://www.nic.ad.jp/ja/whois/ja-gateway.html
なお、JPNICが提供する検索ツールにおいては、以下のページに具体的な調査方法が記載されている。こちらを参照の上調査を行うとより正確に経由プロバイダを特定できると考えられる。
https://www.nic.ad.jp/ja/whois/

り当てされているIPアドレスは、データベースとして管理されており、このデータベースにアクセスを行うことによって、経由プロバイダの氏名又は名称を特定することができる。

当該データベースに具体的にアクセスする手段としてWHOIS・RDAPなどのプロトコルが存在しており、そのプロトコルに基づいてネットワークコマンドツールやWEB上の検索ツール[5]が存在する。コンテンツプロバイダはこれらを利用して経由プロバイダの特定調査を行うことが想定される。

(イ) 経由プロバイダの住所

裁判所からコンテンツプロバイダに対して提供命令が発令された場合、当該コンテンツプロバイダは、経由プロバイダの氏名又は名称のみならず、その住所も氏名等情報として提供することを要する。

経由プロバイダの住所を確認する具体的な方法として[6]、まず、国税庁の「法人番号公表サイト」[7]での検索が挙げられる。同サイトにおいて、法人名で検索することにより、当該法人の登記上の本店所在地の情報を無償で確認することができる。また、有償ではあるが、法務局や「登記ねっと」[8]から登記事項証明書(紙媒体)を取得して確

---

[6] (ア)で紹介した検索ツールでも表示されるケースはあるが、より正確な情報を取得する観点から(イ)において紹介する方法により確認することが望ましい。

[7] 国税庁「法人番号公表サイト」https://www.houjin-bangou.nta.go.jp/
なお、同サイトで表示される情報は、法務局から提供される登記情報に基づいているが、登記情報が変更された場合、処理状況によっては更新までに若干のタイムラグが生じる場合もある。

[8] 法務省「登記ねっと」https://www.touki-kyoutaku-online.moj.go.jp/

認する方法や、「登記情報サービス」[9]により登記事項を記録したPDFデータを取得して確認する方法もある。その他、当該法人のホームページ等において住所の確認を行うことも考えられるが、情報が最新でない場合もあるため、正確性が確保されるよう留意する必要がある。また、もし当該法人の連絡先を知っている場合には、当該法人に直接問い合わせることも考えられる。

④　A社は、特定の結果に従い、申立人に対し、経由プロバイダの名称等（明らかにならなかった場合にはその旨）を提供する。

　ア　提供の対象となる情報

　　コンテンツプロバイダは、経由プロバイダの氏名等情報を特定できた場合には、当該氏名等情報を、提供命令の申立人に対し、書面又は一定の電磁的方法（電子メールの送信、記録媒体の交付、自ら設置したオンラインストレージを用いる方法のいずれか）により提供する（法15条1項1号イ及び2号・施行規則6条1項）。

　　他方、コンテンツプロバイダが、経由プロバイダを特定するために用いることができる発信者情報として施行規則7条で定める情報を保有していない場合、又はコンテンツプロバイダが保有する当該発信者情報によっても経由プロバイダの氏名等情報の特定をすることができない場合には、それぞれその旨を、提供命令の申立人に対し、書面又は上記電磁的方法により通知する（法15条2項1号ロ及び2号・施行規則6条1項）。

　　施行規則7条に定める発信者情報（コンテンツプロバイダ

---

[9]　一般財団法人民事法務協会「登記情報提供サービス」https://www1.touki.or.jp/

が保有していなければ、その旨の通知を要する発信者情報）については、以下のフロー図及び同条各号に対応する情報の一覧表を参照されたい。

図3　施行規則7条各号の適用関係に関するフロー図及び同条各号に対応する情報の一覧表

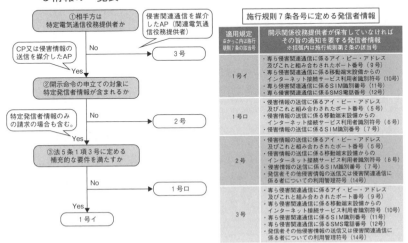

イ　申立人に対する提供方法

　　コンテンツプロバイダによる具体的な提供方法については、必要に応じて申立人と調整の上、各コンテンツプロバイダの判断で適切な方法を選択することが望ましい。例えば、申立人の住所に対して書面を送付する方法[10]のほか、提供命令に記載のある申立人の連絡先に問い合せてメールアドレスを確認し、当該メールアドレス宛に情報を送信する方法等が考えられる。

　　コンテンツプロバイダが、経由プロバイダの氏名等情報（又は施行規則7条に定める発信者情報を保有していなかっ

10　書面で送付する場合は、郵便の引受と配達の事実が記録として残るよう、簡易書留等を用いることが考えられる。

た旨もしくは当該発信者情報からは氏名等情報が特定できなかった旨）を申立人に提供するにあたっては、当該氏名等情報が対応する提供命令を申立人において特定できるよう、開示命令事件及び提供命令事件の事件番号を伝えるものとする。

　なお、⑥記載のとおり、申立人がコンテンツプロバイダから提供を受けた氏名等情報に係る経由プロバイダに対して開示命令の申立てを行った場合、申立人はコンテンツプロバイダに対して当該申立てを行った旨を通知することとなる。コンテンツプロバイダが当該通知を受けた際、経由プロバイダを相手方とする開示命令事件の事件番号等が不明であると、コンテンツプロバイダにおいて対象となる事件を円滑に特定することができないおそれがある。そこで、コンテンツプロバイダとしては、申立人に対する氏名等情報の提供に際して、経由プロバイダを相手方とする開示命令の申立てをした旨の通知を行う際には、当該経由プロバイダに対する開示命令事件及び当該経由プロバイダの氏名等情報の提供に係る提供命令事件の事件番号を併せて提供するように促すことが考えられる[11]。

　コンテンツプロバイダから申立人への情報提供のための書式は後掲「書式【A】」のとおりである。

⑤　申立人は、A社からその名称等を提供されたB社（経由プロバイダ）を相手方として、開示命令の申立てを行う。

---

[11] なお、コンテンツプロバイダが複数の権利侵害について提供命令の発令を受けた場合には、当該氏名等情報がいずれの権利侵害に係るものかを示した上で提供することとなる。また、一つの権利侵害について、複数の関連電気通信役務提供者の氏名等情報を提供する場合には、当該氏名等情報が施行規則第5条各号のいずれに該当する通信に係る関連電気通信役務提供者なのかを示した上で提供することとなる。

⑥　申立人は、A社に対して、B社を相手方として開示命令の申立てを行った旨の通知を行う。

　　コンテンツプロバイダから経由プロバイダの氏名等情報の提供を受けた申立人が、裁判所に対して当該経由プロバイダを相手方とする開示命令の申立てをした場合、申立人は、コンテンツプロバイダに対して、当該開示命令の申立てを行った旨の通知を行うことになる。この通知を受けたコンテンツプロバイダは、提供命令に従って保有する発信者情報を経由プロバイダに提供することとなる（法15条1項2号）。コンテンツプロバイダから発信者情報の提供を受けた経由プロバイダが当該発信者情報を用いて自らのアクセスログにおいて発信者を特定することにより、開示命令や消去禁止命令に対応できることになる。

　　申立人がコンテンツプロバイダに対して上記の通知を行うにあたっては、コンテンツプロバイダにおいて対象となる事件を特定し、円滑に経由プロバイダに発信者情報を提供できるよう、①経由プロバイダに対して開示命令の申立てをした旨に加え、②当該経由プロバイダに対する開示命令事件及び当該経由プロバイダの氏名等情報の提供に係る提供命令事件の事件番号を併せて提供することが考えられる[12]。

　　申立人からコンテンツプロバイダへの通知のための書式は後掲「書式【B】」のとおりである。

⑦　A社は提供命令に従い、B社に対して、保有する発信者情報（IPアドレス等）を提供する。

---

[12] なお、複数の権利侵害について提供命令の申立てが行われた場合、上記の通知にあたって、いずれの権利侵害に係るものかを示した上で行うこととなる。また、申立人は、一つの権利侵害について複数の侵害関連通信に係る氏名等情報の提供を受けた場合には、上記の通知にあたって、当該通知が施行規則第5条各号のいずれに該当する通信に係る関連電気通信役務提供者についての通知なのかを示すこととなる。

コンテンツプロバイダは、申立人から上記⑥の通知を受けた場合、提供命令に従い、経由プロバイダに対して、自らが保有する発信者情報を提供しなければならない（法15条1項2号）[13]。

　提供の方法について、書面又は施行規則6条に定められた電磁的方法（電子メールの送信、記録媒体の交付、自社で自らサーバを用意して運営するオンラインストレージを通じて提供する方法のいずれか）によることができるが（同号・施行規則6条）、コンテンツプロバイダ・経由プロバイダ間で調整の上、適切な方法を選択することが望ましい。

　コンテンツプロバイダが経由プロバイダに対して発信者情報を提供するにあたっては、経由プロバイダにおいて対象となる事件を特定できるよう、①提供命令の対象となる発信者情報に加え、②当該経由プロバイダに対する開示命令申立事件及び当該発信者情報の提供に係る提供命令事件の事件番号（コンテンツプロバイダが申立人から当該事項の伝達をされている場合）並びに③提供命令の写しを添付することが考えられる[14]。

　コンテンツプロバイダから経由プロバイダへの発信者情報の提供の書式は後掲「書式【C】」のとおりである。

⑧　B社は、⑦でA社から提供されたIPアドレス等の発信者情報を元に発信者の氏名及び住所を特定する。

　開示関係役務提供者であるプロバイダ等は、発信者情報の開示請求を受けたときは、発信者と連絡することができない場合

---

[13] ⑦の提供にあたって⑥の通知を条件としているのは、発信者情報は、発信者のプライバシー及び表現の自由、通信の秘密として保護されるべき情報であるため、申立人が経由プロバイダに対して発信者情報の開示を求める意思表示をしていない段階、つまり、経由プロバイダに対する開示命令の申立てをしていない段階で、⑦の提供が行われるのは適当ではない、との考慮に基づくものである。

その他特別の事情がある場合を除き、開示請求に応じるかどうか、また、開示請求に応じるべきでないとの意見の場合はその理由について、発信者の意見を聴かなければならないため（法6条1項。開示ガイドラインⅢ5参照）、プロバイダ等において発信者を特定した場合には、発信者に対して意見聴取を行うこととなる。

⑨　申立人は、B社に対して、消去禁止命令の申立てを行う。
⑩　裁判所は、消去禁止命令について審理を行い、要件を満たす場合には、B社に対して、消去禁止命令を発令する。

　消去禁止命令は、開示命令事件の審理中に発信者情報が消去されることを防ぐため、裁判所が申立てにより、開示命令事件が終了するまでの間、開示関係役務提供者が保有する発信者情報の消去禁止を命ずることができることとするものである（法16条）。

　消去禁止命令を発令するためには、(i)発信者情報開示命令の申立てが裁判所に係属していること（本案係属要件）、(ii)「発信者情報開示命令の申立てに係る侵害情報の発信者を特定することができなくなることを防止するため必要があると認めるとき」（保全の必要性）及び(iii)開示関係役務提供者が発信者情報を保有していること（発信者情報の保有要件）という要件を満たすことが必要である（法16条1項）。

　消去禁止命令事件の審理については、陳述聴取は必要的なものとなっていないため、陳述の聴取を経ずに消去禁止命令が発

14　なお、複数の権利侵害について開示命令の申立てが行われた場合には、発信者情報の提供にあたって、いずれの権利侵害に係るものかを示した上で提供することとなる。また、申立人が一つの権利侵害について、経由プロバイダに対して複数の侵害関連通信に係る開示命令の申立てを行った場合には、発信者情報の提供にあたって、当該発信者情報が施行規則第5条各号のいずれに該当する通信に係る発信者情報なのかを示した上で提供することとなる。

令される場合がある（裁判所が職権により開示関係役務提供者から陳述を聴取する場合もある。）。
⑪　B社は、消去禁止命令に従い、⑧で特定した発信者の氏名・住所を保全する。
⑫　裁判所は、A社及びB社に対する開示命令の申立てを併合した上で審理を行い、開示に関する決定を行う。

　裁判所が開示命令の申立てについての決定をする場合、裁判所は、原則として、当事者の陳述を聴かなければならない（必要的陳述の聴取。法11条3項）。もっとも、開示命令事件の具体的な審理方法（陳述の聴取の方法）は、裁判所の裁量に委ねられており、審問期日を開かずに書面による陳述の聴取の方法をとることも可能とされている。

　開示関係役務提供者であるプロバイダ等は、意見照会に対して提出された意見を尊重して審理に対応することとなる。

　開示命令の申立てについての決定の効力は、その決定の告知により生ずる（非訟事件手続法56条2項及び3項）とされている。告知方法は、裁判所が「相当と認める方法」（非訟事件手続法56条1項）によるとされ、具体的事案に応じて裁判所の適正な裁量に委ねることとされている。これは、一律に送達によるべきものとした場合には、告知に時間を要し、非訟事件における簡易迅速な処理の要請に反する場合もあると考えられたことによる。

　また、当事者は、開示命令の申立てに対する決定（申立てを不適法として却下する決定を除く。）に不服がある場合には、決定の告知を受けてから1月以内に異議の訴えを提起することができ（法15条1項）、これを行わない場合には、当該決定は確定判決と同一の効力を有することとなる（同条4項）。

　なお、開示関係役務提供者であるプロバイダ等が開示命令を

受けた場合、法6条1項に基づく発信者への意見聴取の際に、発信者が開示請求に応じるべきでないという意見を述べていたときは、当該プロバイダ等は、当該発信者に対し、（通知することが困難な場合を除き）発信者情報開示命令が出されたことを遅滞なく通知しなければならない（法6条2項）。

開示関係役務提供者であるプロバイダ等から発信者への通知のための書式は後掲「書式【D】」のとおりである。

(2) 複数の経由プロバイダが関与している場合

(1)に記載された手続の流れが基本的に想定されるパターンの例となるが、複数のISPが関与する場合も現実には起こりうる。すなわち、ISPには、単純化すると「顧客対応・管理」、「IPアドレスの割当」及び「ネットワーク接続」の機能があると考えることができるところ、これらの機能の全てを一つの事業者が提供している場合のみならず、「顧客対応・管理」の機能を提供するISPと「IPアドレス割当」の機能、「ネットワーク接続」の機能を提供するISPとが異なる形でサービスが形成・提供されている場合（MNO／MVNO・VNEなど）もある。この場合は、経由プロバイダに対する開示命令事件手続もその実態に合わせて多層的に対応することが必要となる[15]。

複数ISPが関与するケースにおいて、開示命令事件の手続により、コンテンツプロバイダが保有するIPアドレス等の発信者情報から経由プロバイダを特定し、経由プロバイダが保有する発信者の氏名、住所等の開示を受ける場合の一般的に想定される手続の流れの例は図4のとおりとなる。

---

[15] 本文に記載されたケース以外にも、侵害情報の送信又は侵害関連通信に複数の開示関係役務提供者が関与する場合には、当該事案に応じて多層的な対応が必要となるときがある。

なお、図4の手続の流れは一例に過ぎず、当事者の対応や裁判長の手続指揮等により、図4に示す流れとは異なる流れで手続が進行することがあり得ることに留意が必要である。

6 プロバイダ責任制限法発信者情報開示関係ガイドライン別冊 723
「発信者情報開示命令事件」に関する対応手引き

図4 複数の経由プロバイダが関与している場合の手続の流れの例

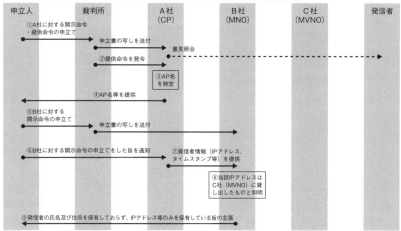

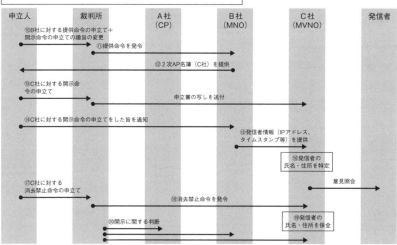

書式【A】　コンテンツプロバイダから申立人に対する情報提供書

　　　　　　　　　　　　　　　　　　　　　　　　年　　月　　日
至　［　申立人　］様

　　　　　　　　　　　　　　　　　［開示関係役務提供者］
　　　　　　　　　　　　　　　　　　　　住所
　　　　　　　　　　　　　　　　　　　　社名
　　　　　　　　　　　　　　　　　　　　氏名
　　　　　　　　　　　　　　　　　　　　連絡先

　　　　　　　　　　　　　　　情報提供書

　別添記載の権利侵害について、貴殿の申立てにより裁判所から発令された提供命令に従い、当社は、特定電気通信役務提供者の損害賠償責任の制限及び発信者情報の開示に関する法律（プロバイダ責任制限法）第15条第1項第1号に基づき、次のとおり情報を提供いたします。

　　　　　　　　　　　　　　　　記

［発信者情報開示命令事件及び提供命令事件の事件番号］
　　●地方裁判所令和●年（●）第●号

［提供する情報の内容］（いずれかに○）

（　）貴殿の申し立てた上記事件に関して、侵害情報に係る他の開示関係役務提供者の氏名又は名称及び住所は以下のとおりです（※）。

［氏名又は名称］

［住所］

［当該他の関係役務提供者が媒介等した通信の種類］（注１）

（　）貴殿の申し立てた上記事件に関して、当社は、侵害情報に係る他の開示関係役務提供者を特定するために用いることができる発信者情報として総務省令で定めるもの（プロバイダ責任制限法施行規則第７条に定める情報）を保有していません。
（　）貴殿の申し立てた上記事件に関して、当社は、侵害情報に係る他の開示関係役務提供者を特定するために用いることができる発信者情報として総務省令で定めるもの（プロバイダ責任制限法施行規則第７条に定める情報）を保有していますが、それにより他の開示関係役務提供者の氏名又は名称及び住所を特定することができませんでした。

※　当該他の開示関係役務提供者に対して、当該侵害情報に関する開示命令の申立てを行った場合には、その旨を、当社に対して、別添の「開示命令を申し立てた旨の通知書」により通知するようお願いいたします。
　　　［備考］

以上

（注１）　他の開示関係役務提供者が媒介等した通信が、侵害情報の送信と侵害関連通信のいずれか、侵害関連通信である場合には特定電気通信役務提供者の損害賠償責任の制限及び発信者情報の開示に関する法律施行規則５条各号のいずれの通信か、について記載してください。

書式【B】　申立人からコンテンツプロバイダに対する通知書

　　　　　　　　　　　　　　　　　　　　　　　　　年　　月　　日
至　［開示関係役務提供者］御中

　　　　　　　　　　　　　　　　　　［申立人］
　　　　　　　　　　　　　　　　　　住所
　　　　　　　　　　　　　　　　　　氏名
　　　　　　　　　　　　　　　　　　連絡先

　　　　　　　　　　開示命令を申し立てた旨の通知書

　私は、別添記載の権利侵害について、貴社から提供された他の開示関係役務提供者の氏名等情報に基づき、裁判所に対して当該他の開示関係役務提供者を相手方とする発信者情報開示命令の申立てを行いましたので、本書をもってその旨通知いたします。

［他の開示関係役務提供者の氏名又は名称］

［他の開示関係役務提供者の氏名等情報の提供に係る発信者情報開示命令事件及び提供命令事件の事件番号］
　　　●地方裁判所令和●年（●）第●号

［当該他の関係役務提供者が媒介等した通信の種類］（注）

［発信者情報開示命令事件の事件番号］
　　　●地方裁判所令和●年（●）第●号

　　　　　　　　　　　　　　　　　　　　　　　　　　　　　　以上

6 プロバイダ責任制限法発信者情報開示関係ガイドライン別冊　727
「発信者情報開示命令事件」に関する対応手引き

（注）　他の開示関係役務提供者が媒介等した通信が、侵害情報の送信と侵害関連通信のいずれか、侵害関連通信である場合には特定電気通信役務提供者の損害賠償責任の制限及び発信者情報の開示に関する法律施行規則5条各号のいずれの通信か、について記載してください。

書式【C】 コンテンツプロバイダから経由プロバイダへの発信者情報の提供

年　　月　　日

至　[　　提供先の開示関係役務提供者　　]御中

[提供元の開示関係役務提供者]
　　　　住所
　　　　社名
　　　　氏名
　　　　連絡先

発信者情報提供のご連絡

　当社は、別添資料のとおり裁判所から特定電気通信役務提供者の損害賠償責任の制限及び発信者情報の開示に関する法律（プロバイダ責任制限法）第15条第1項第2号に基づき提供命令の発令を受けましたので、当該提供命令に従い、貴社に対して、以下のとおり発信者情報を提供します。

記

[発信者情報開示命令事件及び提供命令事件の事件番号]
　　●地方裁判所令和●年（●）第●号

[提供する情報の内容]

1．発信者情報目録1について（注）
　(1) IPアドレス
　　　●●●.●●●.●●●.●●●
　(2) ポート番号
　　　●●●●●
　(3) 送信年月及び時刻
　　　●●●●／●●／●●●●：●●：●●
　(4) ●●●●
　　　●●●●

2．発信者情報目録2について（注）
　(1) IPアドレス
　　　●●●.●●●.●●●.●●●
　(2) ポート番号
　　　●●●●●
　(3) 送信年月日及び時刻
　　　●●●●／●●／●●●●：●●：●●
　(4) ●●●●
　　　●●●●

以上

注　複数の侵害情報に係る発信者情報について提供命令が発令された場合、権利侵害ごとに発信者情報を記載してください。また、一つの侵害情報について、複数の侵害関連通信に係る特定発信者情報が提供命令の対象となる場合、侵害関連通信ごとに発信者情報を記載してください。

書式【D】　開示関係役務提供者から発信者に対する通知書

年　月　日

至　[　発信者　]様

[開示関係役務提供者]
　　　住所
　　　社名
　　　氏名
　　　連絡先

開示命令が発令された旨の通知書

　当社から貴殿に送付した●年●月●日付「発信者情報開示に係る意見照会書」に対し、貴殿からは、●年●月●日付「回答書」にて、「発信者情報開示に同意しません」とのご意見をいただいておりましたが、この度、下記事件に関し、裁判所から【発信者情報開示命令が発令されましたので・発信者情報開示命令が発令され、当該命令に係る発信者情報を申立人に対して開示いたしましたので（注）】、特定電気通信役務提供者の損害賠償責任の制限及び発信者情報の開示に関する法律（プロバイダ責任制限法）第6条第2項に基づき、本書をもってその旨通知いたします。

　●地方裁判所令和●年（●）第●号

以上

（注）　開示命令を受けて、実際に申立人に対して発信者情報開示命令に係る発信者情報の開示をした場合には、発信者情報開示命令を受けた旨に加えて、実際に開示した旨を通知することが考えられます。

第5 参考資料

1　条　文

(1) 特定電気通信役務提供者の損害賠償責任の制限及び発信者情報の開示に関する法律

（平成十三年法律第百三十七号）

最終改正　令和三年法律第二十七号

目次
　第一章　総則（第一条・第二条）
　第二章　損害賠償責任の制限（第三条・第四条）
　第三章　発信者情報の開示請求等（第五条―第七条）
　第四章　発信者情報開示命令事件に関する裁判手続（第八条―第十八条）
　附則

　　　第一章　総則

（趣旨）
第一条　この法律は、特定電気通信による情報の流通によって権利の侵害があった場合について、特定電気通信役務提供者の損害賠償責任の制限及び発信者情報の開示を請求する権利について定めるとともに、発信者情報開示命令事件に関する裁判手続に関し必要な事項を定めるものとする。

（定義）
第二条　この法律において、次の各号に掲げる用語の意義は、当該各号に定めるところによる。
　一　特定電気通信　不特定の者によって受信されることを目的とする電気通信（電気通信事業法（昭和五十九年法律第八十六号）第二条

第一号に規定する電気通信をいう。以下この号及び第五条第三項において同じ。）の送信（公衆によって直接受信されることを目的とする電気通信の送信を除く。）をいう。
二　特定電気通信設備　特定電気通信の用に供される電気通信設備（電気通信事業法第二条第二号に規定する電気通信設備をいう。第五条第二項において同じ。）をいう。
三　特定電気通信役務提供者　特定電気通信役務（特定電気通信設備を用いて提供する電気通信役務（電気通信事業法第二条第三号に規定する電気通信役務をいう。第五条第二項において同じ。）をいう。同条第三項において同じ。）を提供する者をいう。
四　発信者　特定電気通信役務提供者の用いる特定電気通信設備の記録媒体（当該記録媒体に記録された情報が不特定の者に送信されるものに限る。）に情報を記録し、又は当該特定電気通信設備の送信装置（当該送信装置に入力された情報が不特定の者に送信されるものに限る。）に情報を入力した者をいう。
五　侵害情報　特定電気通信による情報の流通によって自己の権利を侵害されたとする者が当該権利を侵害したとする情報をいう。
六　発信者情報　氏名、住所その他の侵害情報の発信者の特定に資する情報であって総務省令で定めるものをいう。
七　開示関係役務提供者　第五条第一項に規定する特定電気通信役務提供者及び同条第二項に規定する関連電気通信役務提供者をいう。
八　発信者情報開示命令　第八条の規定による命令をいう。
九　発信者情報開示命令事件　発信者情報開示命令の申立てに係る事件をいう。

第二章　損害賠償責任の制限

（損害賠償責任の制限）
第三条　特定電気通信による情報の流通により他人の権利が侵害されたときは、当該特定電気通信の用に供される特定電気通信設備を用いる

特定電気通信役務提供者（以下この項において「関係役務提供者」という。）は、これによって生じた損害については、権利を侵害した情報の不特定の者に対する送信を防止する措置を講ずることが技術的に可能な場合であって、次の各号のいずれかに該当するときでなければ、賠償の責めに任じない。ただし、当該関係役務提供者が当該権利を侵害した情報の発信者である場合は、この限りでない。

一　当該関係役務提供者が当該特定電気通信による情報の流通によって他人の権利が侵害されていることを知っていたとき。

二　当該関係役務提供者が、当該特定電気通信による情報の流通を知っていた場合であって、当該特定電気通信による情報の流通によって他人の権利が侵害されていることを知ることができたと認めるに足りる相当の理由があるとき。

2　特定電気通信役務提供者は、特定電気通信による情報の送信を防止する措置を講じた場合において、当該措置により送信を防止された情報の発信者に生じた損害については、当該措置が当該情報の不特定の者に対する送信を防止するために必要な限度において行われたものである場合であって、次の各号のいずれかに該当するときは、賠償の責めに任じない。

一　当該特定電気通信役務提供者が当該特定電気通信による情報の流通によって他人の権利が不当に侵害されていると信じるに足りる相当の理由があったとき。

二　特定電気通信による情報の流通によって自己の権利を侵害されたとする者から、侵害情報、侵害されたとする権利及び権利が侵害されたとする理由（以下この号において「侵害情報等」という。）を示して当該特定電気通信役務提供者に対し侵害情報の送信を防止する措置（以下この号において「送信防止措置」という。）を講ずるよう申出があった場合に、当該特定電気通信役務提供者が、当該侵害情報の発信者に対し当該侵害情報等を示して当該送信防止措置を講ずることに同意するかどうかを照会した場合において、当該発信者が当該照会を受けた日から七日を経過しても当該発信者から当該

送信防止措置を講ずることに同意しない旨の申出がなかったとき。

（公職の候補者等に係る特例）
第四条　前条第二項の場合のほか、特定電気通信役務提供者は、特定電気通信による情報（選挙運動の期間中に頒布された文書図画に係る情報に限る。以下この条において同じ。）の送信を防止する措置を講じた場合において、当該措置により送信を防止された情報の発信者に生じた損害については、当該措置が当該情報の不特定の者に対する送信を防止するために必要な限度において行われたものである場合であって、次の各号のいずれかに該当するときは、賠償の責めに任じない。
一　特定電気通信による情報であって、選挙運動のために使用し、又は当選を得させないための活動に使用する文書図画（以下この条において「特定文書図画」という。）に係るものの流通によって自己の名誉を侵害されたとする公職の候補者等（公職の候補者又は候補者届出政党（公職選挙法（昭和二十五年法律第百号）第八十六条第一項又は第八項の規定による届出をした政党その他の政治団体をいう。）若しくは衆議院名簿届出政党等（同法第八十六条の二第一項の規定による届出をした政党その他の政治団体をいう。）若しくは参議院名簿届出政党等（同法第八十六条の三第一項の規定による届出をした政党その他の政治団体をいう。）をいう。次号において同じ。）から、当該名誉を侵害したとする情報（以下この条において「名誉侵害情報」という。）、名誉が侵害された旨、名誉が侵害されたとする理由及び当該名誉侵害情報が特定文書図画に係るものである旨（以下この条において「名誉侵害情報等」という。）を示して当該特定電気通信役務提供者に対し名誉侵害情報の送信を防止する措置（以下この条において「名誉侵害情報送信防止措置」という。）を講ずるよう申出があった場合に、当該特定電気通信役務提供者が、当該名誉侵害情報の発信者に対し当該名誉侵害情報等を示して当該名誉侵害情報送信防止措置を講ずることに同意するかどうかを照会した場合において、当該発信者が当該照会を受けた日から

二日を経過しても当該発信者から当該名誉侵害情報送信防止措置を講ずることに同意しない旨の申出がなかったとき。
二　特定電気通信による情報であって、特定文書図画に係るものの流通によって自己の名誉を侵害されたとする公職の候補者等から、名誉侵害情報等及び名誉侵害情報の発信者の電子メールアドレス等（公職選挙法第百四十二条の三第三項に規定する電子メールアドレス等をいう。以下この号において同じ。）が同項又は同法第百四十二条の五第一項の規定に違反して表示されていない旨を示して当該特定電気通信役務提供者に対し名誉侵害情報送信防止措置を講ずるよう申出があった場合であって、当該情報の発信者の電子メールアドレス等が当該情報に係る特定電気通信の受信をする者が使用する通信端末機器（入出力装置を含む。）の映像面に正しく表示されていないとき。

　　　第三章　発信者情報の開示請求等

（発信者情報の開示請求）
第五条　特定電気通信による情報の流通によって自己の権利を侵害されたとする者は、当該特定電気通信の用に供される特定電気通信設備を用いる特定電気通信役務提供者に対し、当該特定電気通信役務提供者が保有する当該権利の侵害に係る発信者情報のうち、特定発信者情報（発信者情報であって専ら侵害関連通信に係るものとして総務省令で定めるものをいう。以下この項及び第十五条第二項において同じ。）以外の発信者情報については第一号及び第二号のいずれにも該当するとき、特定発信者情報については次の各号のいずれにも該当するときは、それぞれその開示を請求することができる。
一　当該開示の請求に係る侵害情報の流通によって当該開示の請求をする者の権利が侵害されたことが明らかであるとき。
二　当該発信者情報が当該開示の請求をする者の損害賠償請求権の行使のために必要である場合その他当該発信者情報の開示を受けるべ

き正当な理由があるとき。
　三　次のイからハまでのいずれかに該当するとき。
　　イ　当該特定電気通信役務提供者が当該権利の侵害に係る特定発信者情報以外の発信者情報を保有していないと認めるとき。
　　ロ　当該特定電気通信役務提供者が保有する当該権利の侵害に係る特定発信者情報以外の発信者情報が次に掲げる発信者情報以外の発信者情報であって総務省令で定めるもののみであると認めるとき。
　　　(1)　当該開示の請求に係る侵害情報の発信者の氏名及び住所
　　　(2)　当該権利の侵害に係る他の開示関係役務提供者を特定するために用いることができる発信者情報
　　ハ　当該開示の請求をする者がこの項の規定により開示を受けた発信者情報（特定発信者情報を除く。）によっては当該開示の請求に係る侵害情報の発信者を特定することができないと認めるとき。
2　特定電気通信による情報の流通によって自己の権利を侵害されたとする者は、次の各号のいずれにも該当するときは、当該特定電気通信に係る侵害関連通信の用に供される電気通信設備を用いて電気通信役務を提供した者（当該特定電気通信に係る前項に規定する特定電気通信役務提供者である者を除く。以下この項において「関連電気通信役務提供者」という。）に対し、当該関連電気通信役務提供者が保有する当該侵害関連通信に係る発信者情報の開示を請求することができる。
　一　当該開示の請求に係る侵害情報の流通によって当該開示の請求をする者の権利が侵害されたことが明らかであるとき。
　二　当該発信者情報が当該開示の請求をする者の損害賠償請求権の行使のために必要である場合その他当該発信者情報の開示を受けるべき正当な理由があるとき。
3　前二項に規定する「侵害関連通信」とは、侵害情報の発信者が当該侵害情報の送信に係る特定電気通信役務を利用し、又はその利用を終

了するために行った当該特定電気通信役務に係る識別符号（特定電気通信役務提供者が特定電気通信役務の提供に際して当該特定電気通信役務の提供を受けることができる者を他の者と区別して識別するために用いる文字、番号、記号その他の符号をいう。）その他の符号の電気通信による送信であって、当該侵害情報の発信者を特定するために必要な範囲内であるものとして総務省令で定めるものをいう。

（開示関係役務提供者の義務等）
第六条　開示関係役務提供者は、前条第一項又は第二項の規定による開示の請求を受けたときは、当該開示の請求に係る侵害情報の発信者と連絡することができない場合その他特別の事情がある場合を除き、当該開示の請求に応じるかどうかについて当該発信者の意見（当該開示の請求に応じるべきでない旨の意見である場合には、その理由を含む。）を聴かなければならない。
2　開示関係役務提供者は、発信者情報開示命令を受けたときは、前項の規定による意見の聴取（当該発信者情報開示命令に係るものに限る。）において前条第一項又は第二項の規定による開示の請求に応じるべきでない旨の意見を述べた当該発信者情報開示命令に係る侵害情報の発信者に対し、遅滞なくその旨を通知しなければならない。ただし、当該発信者に対し通知することが困難であるときは、この限りでない。
3　開示関係役務提供者は、第十五条第一項（第二号に係る部分に限る。）の規定による命令を受けた他の開示関係役務提供者から当該命令による発信者情報の提供を受けたときは、当該発信者情報を、その保有する発信者情報（当該提供に係る侵害情報に係るものに限る。）を特定する目的以外に使用してはならない。
4　開示関係役務提供者は、前条第一項又は第二項の規定による開示の請求に応じないことにより当該開示の請求をした者に生じた損害については、故意又は重大な過失がある場合でなければ、賠償の責めに任じない。ただし、当該開示関係役務提供者が当該開示の請求に係る侵

害情報の発信者である場合は、この限りでない。

（発信者情報の開示を受けた者の義務）
第七条　第五条第一項又は第二項の規定により発信者情報の開示を受けた者は、当該発信者情報をみだりに用いて、不当に当該発信者情報に係る発信者の名誉又は生活の平穏を害する行為をしてはならない。

第四章　発信者情報開示命令事件に関する裁判手続

（発信者情報開示命令）
第八条　裁判所は、特定電気通信による情報の流通によって自己の権利を侵害されたとする者の申立てにより、決定で、当該権利の侵害に係る開示関係役務提供者に対し、第五条第一項又は第二項の規定による請求に基づく発信者情報の開示を命ずることができる。

（日本の裁判所の管轄権）
第九条　裁判所は、発信者情報開示命令の申立てについて、次の各号のいずれかに該当するときは、管轄権を有する。
一　人を相手方とする場合において、次のイからハまでのいずれかに該当するとき。
　　イ　相手方の住所又は居所が日本国内にあるとき。
　　ロ　相手方の住所及び居所が日本国内にない場合又はその住所及び居所が知れない場合において、当該相手方が申立て前に日本国内に住所を有していたとき（日本国内に最後に住所を有していた後に外国に住所を有していたときを除く。）。
　　ハ　大使、公使その他外国に在ってその国の裁判権からの免除を享有する日本人を相手方とするとき。
二　法人その他の社団又は財団を相手方とする場合において、次のイ又はロのいずれかに該当するとき。
　　イ　相手方の主たる事務所又は営業所が日本国内にあるとき。

ロ　相手方の主たる事務所又は営業所が日本国内にない場合において、次の⑴又は⑵のいずれかに該当するとき。
　　　⑴　当該相手方の事務所又は営業所が日本国内にある場合において、申立てが当該事務所又は営業所における業務に関するものであるとき。
　　　⑵　当該相手方の事務所若しくは営業所が日本国内にない場合又はその事務所若しくは営業所の所在地が知れない場合において、代表者その他の主たる業務担当者の住所が日本国内にあるとき。
　三　前二号に掲げるもののほか、日本において事業を行う者（日本において取引を継続してする外国会社（会社法（平成十七年法律第八十六号）第二条第二号に規定する外国会社をいう。）を含む。）を相手方とする場合において、申立てが当該相手方の日本における業務に関するものであるとき。
2　前項の規定にかかわらず、当事者は、合意により、いずれの国の裁判所に発信者情報開示命令の申立てをすることができるかについて定めることができる。
3　前項の合意は、書面でしなければ、その効力を生じない。
4　第二項の合意がその内容を記録した電磁的記録（電子的方式、磁気的方式その他人の知覚によっては認識することができない方式で作られる記録であって、電子計算機による情報処理の用に供されるものをいう。）によってされたときは、その合意は、書面によってされたものとみなして、前項の規定を適用する。
5　外国の裁判所にのみ発信者情報開示命令の申立てをすることができる旨の第二項の合意は、その裁判所が法律上又は事実上裁判権を行うことができないときは、これを援用することができない。
6　裁判所は、発信者情報開示命令の申立てについて前各項の規定により日本の裁判所が管轄権を有することとなる場合（日本の裁判所にのみ申立てをすることができる旨の第二項の合意に基づき申立てがされた場合を除く。）においても、事案の性質、手続の追行による相手方

の負担の程度、証拠の所在地その他の事情を考慮して、日本の裁判所が審理及び裁判をすることが当事者間の衡平を害し、又は適正かつ迅速な審理の実現を妨げることとなる特別の事情があると認めるときは、当該申立ての全部又は一部を却下することができる。
7 日本の裁判所の管轄権は、発信者情報開示命令の申立てがあった時を標準として定める。

（管轄）
第十条 発信者情報開示命令の申立ては、次の各号に掲げる場合の区分に応じ、それぞれ当該各号に定める地を管轄する地方裁判所の管轄に属する。
　一 人を相手方とする場合　相手方の住所の所在地（相手方の住所が日本国内にないとき又はその住所が知れないときはその居所の所在地とし、その居所が日本国内にないとき又はその居所が知れないときはその最後の住所の所在地とする。）
　二 大使、公使その他外国に在ってその国の裁判権からの免除を享有する日本人を相手方とする場合において、この項（前号に係る部分に限る。）の規定により管轄が定まらないとき　最高裁判所規則で定める地
　三 法人その他の社団又は財団を相手方とする場合　次のイ又はロに掲げる事務所又は営業所の所在地（当該事務所又は営業所が日本国内にないときは、代表者その他の主たる業務担当者の住所の所在地とする。）
　　イ 相手方の主たる事務所又は営業所
　　ロ 申立てが相手方の事務所又は営業所（イに掲げるものを除く。）における業務に関するものであるときは、当該事務所又は営業所
2 前条の規定により日本の裁判所が管轄権を有することとなる発信者情報開示命令の申立てについて、前項の規定又は他の法令の規定により管轄裁判所が定まらないときは、当該申立ては、最高裁判所規則で

定める地を管轄する地方裁判所の管轄に属する。
3　発信者情報開示命令の申立てについて、前二項の規定により次の各号に掲げる裁判所が管轄権を有することとなる場合には、それぞれ当該各号に定める裁判所にも、当該申立てをすることができる。
　一　東京高等裁判所、名古屋高等裁判所、仙台高等裁判所又は札幌高等裁判所の管轄区域内に所在する地方裁判所（東京地方裁判所を除く。）　東京地方裁判所
　二　大阪高等裁判所、広島高等裁判所、福岡高等裁判所又は高松高等裁判所の管轄区域内に所在する地方裁判所（大阪地方裁判所を除く。）　大阪地方裁判所
4　前三項の規定にかかわらず、発信者情報開示命令の申立ては、当事者が合意で定める地方裁判所の管轄に属する。この場合においては、前条第三項及び第四項の規定を準用する。
5　前各項の規定にかかわらず、特許権、実用新案権、回路配置利用権又はプログラムの著作物についての著作者の権利を侵害されたとする者による当該権利の侵害についての発信者情報開示命令の申立てについて、当該各項の規定により次の各号に掲げる裁判所が管轄権を有することとなる場合には、当該申立ては、それぞれ当該各号に定める裁判所の管轄に専属する。
　一　東京高等裁判所、名古屋高等裁判所、仙台高等裁判所又は札幌高等裁判所の管轄区域内に所在する地方裁判所　東京地方裁判所
　二　大阪高等裁判所、広島高等裁判所、福岡高等裁判所又は高松高等裁判所の管轄区域内に所在する地方裁判所　大阪地方裁判所
6　前項第二号に定める裁判所がした発信者情報開示命令事件（同項に規定する権利の侵害に係るものに限る。）についての決定に対する即時抗告は、東京高等裁判所の管轄に専属する。
7　前各項の規定にかかわらず、第十五条第一項（第一号に係る部分に限る。）の規定による命令により同号イに規定する他の開示関係役務提供者の氏名等情報の提供を受けた者の申立てに係る第一号に掲げる事件は、当該提供を受けた者の申立てに係る第二号に掲げる事件が係

属するときは、当該事件が係属する裁判所の管轄に専属する。
　一　当該他の開示関係役務提供者を相手方とする当該提供に係る侵害情報についての発信者情報開示命令事件
　二　当該提供に係る侵害情報についての他の発信者情報開示命令事件

　（発信者情報開示命令の申立書の写しの送付等）
第十一条　裁判所は、発信者情報開示命令の申立てがあった場合には、当該申立てが不適法であるとき又は当該申立てに理由がないことが明らかなときを除き、当該発信者情報開示命令の申立書の写しを相手方に送付しなければならない。
2　非訟事件手続法（平成二十三年法律第五十一号）第四十三条第四項から第六項までの規定は、発信者情報開示命令の申立書の写しを送付することができない場合（当該申立書の写しの送付に必要な費用を予納しない場合を含む。）について準用する。
3　裁判所は、発信者情報開示命令の申立てについての決定をする場合には、当事者の陳述を聴かなければならない。ただし、不適法又は理由がないことが明らかであるとして当該申立てを却下する決定をするときは、この限りでない。

　（発信者情報開示命令事件の記録の閲覧等）
第十二条　当事者又は利害関係を疎明した第三者は、裁判所書記官に対し、発信者情報開示命令事件の記録の閲覧若しくは謄写、その正本、謄本若しくは抄本の交付又は発信者情報開示命令事件に関する事項の証明書の交付を請求することができる。
2　前項の規定は、発信者情報開示命令事件の記録中の録音テープ又はビデオテープ（これらに準ずる方法により一定の事項を記録した物を含む。）については、適用しない。この場合において、当事者又は利害関係を疎明した第三者は、裁判所書記官に対し、これらの物の複製を請求することができる。
3　前二項の規定による発信者情報開示命令事件の記録の閲覧、謄写及

び複製の請求は、当該記録の保存又は裁判所の執務に支障があるときは、することができない。

（発信者情報開示命令の申立ての取下げ）
第十三条　発信者情報開示命令の申立ては、当該申立てについての決定が確定するまで、その全部又は一部を取り下げることができる。ただし、当該申立ての取下げは、次に掲げる決定がされた後にあっては、相手方の同意を得なければ、その効力を生じない。
一　当該申立てについての決定
二　当該申立てに係る発信者情報開示命令事件を本案とする第十五条第一項の規定による命令
2　発信者情報開示命令の申立ての取下げがあった場合において、前項ただし書の規定により当該申立ての取下げについて相手方の同意を要するときは、裁判所は、相手方に対し、当該申立ての取下げがあったことを通知しなければならない。ただし、当該申立ての取下げが発信者情報開示命令事件の手続の期日において口頭でされた場合において、相手方がその期日に出頭したときは、この限りでない。
3　前項本文の規定による通知を受けた日から二週間以内に相手方が異議を述べないときは、当該通知に係る申立ての取下げに同意したものとみなす。同項ただし書の規定による場合において、当該申立ての取下げがあった日から二週間以内に相手方が異議を述べないときも、同様とする。

（発信者情報開示命令の申立てについての決定に対する異議の訴え）
第十四条　発信者情報開示命令の申立てについての決定（当該申立てを不適法として却下する決定を除く。）に不服がある当事者は、当該決定の告知を受けた日から一月の不変期間内に、異議の訴えを提起することができる。
2　前項に規定する訴えは、同項に規定する決定をした裁判所の管轄に専属する。

3　第一項に規定する訴えについての判決においては、当該訴えを不適法として却下するときを除き、同項に規定する決定を認可し、変更し、又は取り消す。
4　第一項に規定する決定を認可し、又は変更した判決で発信者情報の開示を命ずるものは、強制執行に関しては、給付を命ずる判決と同一の効力を有する。
5　第一項に規定する訴えが、同項に規定する期間内に提起されなかったとき、又は却下されたときは、当該訴えに係る同項に規定する決定は、確定判決と同一の効力を有する。
6　裁判所が第一項に規定する決定をした場合における非訟事件手続法第五十九条第一項の規定の適用については、同項第二号中「即時抗告をする」とあるのは、「異議の訴えを提起する」とする。

（提供命令）
第十五条　本案の発信者情報開示命令事件が係属する裁判所は、発信者情報開示命令の申立てに係る侵害情報の発信者を特定することができなくなることを防止するため必要があると認めるときは、当該発信者情報開示命令の申立てをした者（以下この項において「申立人」という。）の申立てにより、決定で、当該発信者情報開示命令の申立ての相手方である開示関係役務提供者に対し、次に掲げる事項を命ずることができる。
一　当該申立人に対し、次のイ又はロに掲げる場合の区分に応じそれぞれ当該イ又はロに定める事項（イに掲げる場合に該当すると認めるときは、イに定める事項）を書面又は電磁的方法（電子情報処理組織を使用する方法その他の情報通信の技術を利用する方法であって総務省令で定めるものをいう。次号において同じ。）により提供すること。
イ　当該開示関係役務提供者がその保有する発信者情報（当該発信者情報開示命令の申立てに係るものに限る。以下この項において同じ。）により当該侵害情報に係る他の開示関係役務提供者（当

該侵害情報の発信者であると認めるものを除く。ロにおいて同じ。）の氏名又は名称及び住所（以下この項及び第三項において「他の開示関係役務提供者の氏名等情報」という。）の特定をすることができる場合　当該他の開示関係役務提供者の氏名等情報

　　ロ　当該開示関係役務提供者が当該侵害情報に係る他の開示関係役務提供者を特定するために用いることができる発信者情報として総務省令で定めるものを保有していない場合又は当該開示関係役務提供者がその保有する当該発信者情報によりイに規定する特定をすることができない場合　その旨

二　この項の規定による命令（以下この条において「提供命令」といい、前号に係る部分に限る。）により他の開示関係役務提供者の氏名等情報の提供を受けた当該申立人から、当該他の開示関係役務提供者を相手方として当該侵害情報についての発信者情報開示命令の申立てをした旨の書面又は電磁的方法による通知を受けたときは、当該他の開示関係役務提供者に対し、当該開示関係役務提供者が保有する発信者情報を書面又は電磁的方法により提供すること。

2　前項（各号列記以外の部分に限る。）に規定する発信者情報開示命令の申立ての相手方が第五条第一項に規定する特定電気通信役務提供者であって、かつ、当該申立てをした者が当該申立てにおいて特定発信者情報を含む発信者情報の開示を請求している場合における前項の規定の適用については、同項第一号イの規定中「に係るもの」とあるのは、次の表の上欄に掲げる場合の区分に応じ、それぞれ同表の下欄に掲げる字句とする。

当該特定発信者情報の開示の請求について第五条第一項第三号に該当すると認められる場合	に係る第五条第一項に規定する特定発信者情報
当該特定発信者情報の開示の請求について第五条第一項第三号に該当すると認められない場合	に係る第五条第一項に規定する特定発信者情報以外の発信者情報

3　次の各号のいずれかに該当するときは、提供命令（提供命令により

二以上の他の開示関係役務提供者の氏名等情報の提供を受けた者が、当該他の開示関係役務提供者のうちの一部の者について第一項第二号に規定する通知をしないことにより第二号に該当することとなるときは、当該一部の者に係る部分に限る。)は、その効力を失う。
一　当該提供命令の本案である発信者情報開示命令事件(当該発信者情報開示命令事件についての前条第一項に規定する決定に対して同項に規定する訴えが提起されたときは、その訴訟)が終了したとき。
二　当該提供命令により他の開示関係役務提供者の氏名等情報の提供を受けた者が、当該提供を受けた日から二月以内に、当該提供命令を受けた開示関係役務提供者に対し、第一項第二号に規定する通知をしなかったとき。
4　提供命令の申立ては、当該提供命令があった後であっても、その全部又は一部を取り下げることができる。
5　提供命令を受けた開示関係役務提供者は、当該提供命令に対し、即時抗告をすることができる。

(消去禁止命令)
第十六条　本案の発信者情報開示命令事件が係属する裁判所は、発信者情報開示命令の申立てに係る侵害情報の発信者を特定することができなくなることを防止するため必要があると認めるときは、当該発信者情報開示命令の申立てをした者の申立てにより、決定で、当該発信者情報開示命令の申立ての相手方である開示関係役務提供者に対し、当該発信者情報開示命令事件(当該発信者情報開示命令事件についての第十四条第一項に規定する決定に対して同項に規定する訴えが提起されたときは、その訴訟)が終了するまでの間、当該開示関係役務提供者が保有する発信者情報(当該発信者情報開示命令の申立てに係るものに限る。)を消去してはならない旨を命ずることができる。
2　前項の規定による命令(以下この条において「消去禁止命令」という。)の申立ては、当該消去禁止命令があった後であっても、その全

部又は一部を取り下げることができる。
3　消去禁止命令を受けた開示関係役務提供者は、当該消去禁止命令に対し、即時抗告をすることができる。

（非訟事件手続法の適用除外）
第十七条　発信者情報開示命令事件に関する裁判手続については、非訟事件手続法第二十二条第一項ただし書、第二十七条及び第四十条の規定は、適用しない。

（最高裁判所規則）
第十八条　この法律に定めるもののほか、発信者情報開示命令事件に関する裁判手続に関し必要な事項は、最高裁判所規則で定める。

附　則

（令和三年四月二八日法律第二七号）

（施行期日）
第一条　この法律は、公布の日から起算して一年六月を超えない範囲内において政令で定める日から施行する。

（発信者の意見の聴取に関する経過措置）
第二条　この法律の施行の日前にしたこの法律による改正前の特定電気通信役務提供者の損害賠償責任の制限及び発信者情報の開示に関する法律第四条第二項の規定による意見の聴取は、この法律による改正後の特定電気通信役務提供者の損害賠償責任の制限及び発信者情報の開示に関する法律（次条において「新法」という。）第六条第一項の規定によりされた意見の聴取とみなす。

（検討）
第三条　政府は、この法律の施行後五年を経過した場合において、新法

の施行の状況について検討を加え、その結果に基づいて必要な措置を講ずるものとする。

(2) **特定電気通信役務提供者の損害賠償責任の制限及び発信者情報の開示に関する法律の施行期日を定める政令**

(平成十四年政令第百七十八号)

特定電気通信役務提供者の損害賠償責任の制限及び発信者情報の開示に関する法律の施行期日は、平成十四年五月二十七日とする。

(3) **特定電気通信役務提供者の損害賠償責任の制限及び発信者情報の開示に関する法律の一部を改正する法律の施行期日を定める政令**

(令和四年政令第二百八号)

内閣は、特定電気通信役務提供者の損害賠償責任の制限及び発信者情報の開示に関する法律の一部を改正する法律(令和三年法律第二十七号)附則第一条の規定に基づき、この政令を制定する。

特定電気通信役務提供者の損害賠償責任の制限及び発信者情報の開示に関する法律の一部を改正する法律の施行期日は、令和四年十月一日とする。

(4) **特定電気通信役務提供者の損害賠償責任の制限及び発信者情報の開示に関する法律施行規則**

(令和四年総務省令第三十九号)

特定電気通信役務提供者の損害賠償責任の制限及び発信者情報の開示に関する法律(平成十三年法律第百三十七号)第二条第六号、第五条第一項及び第三項並びに第十五条第一項第一号の規定に基づき、特定電気通信役務提供者の損害賠償責任の制限及び発信者情報の開示に関する法律施行規則を次のように定める。

(用語)

第一条　この省令において使用する用語は、特定電気通信役務提供者の損害賠償責任の制限及び発信者情報の開示に関する法律（以下「法」という。）において使用する用語の例による。

（発信者情報）
第二条　法第二条第六号の総務省令で定める侵害情報の発信者の特定に資する情報は、次に掲げるものとする。
　一　発信者その他侵害情報の送信又は侵害関連通信に係る者の氏名又は名称
　二　発信者その他侵害情報の送信又は侵害関連通信に係る者の住所
　三　発信者その他侵害情報の送信又は侵害関連通信に係る者の電話番号
　四　発信者その他侵害情報の送信又は侵害関連通信に係る者の電子メールアドレス（電子メール（特定電子メールの送信の適正化等に関する法律（平成十四年法律第二十六号）第二条第一号に規定する電子メールをいい、特定電子メールの送信の適正化等に関する法律第二条第一号の通信方式を定める省令（平成二十一年総務省令第八十五号）第一号に規定する通信方式を用いるものに限る。第六条第一項第一号において同じ。）の利用者を識別するための文字、番号、記号その他の符号をいう。）
　五　侵害情報の送信に係るアイ・ピー・アドレス（電気通信事業法（昭和五十九年法律第八十六号）第百六十四条第二項第三号に規定するアイ・ピー・アドレスをいう。以下この条において同じ。）及び当該アイ・ピー・アドレスと組み合わされたポート番号（インターネットに接続された電気通信設備（同法第二条第二号に規定する電気通信設備をいう。以下この条において同じ。）において通信に使用されるプログラムを識別するために割り当てられる番号をいう。第九号において同じ。）
　六　侵害情報の送信に係る移動端末設備（電気通信事業法第十二条の二第四項第二号ロに規定する移動端末設備をいう。以下この条にお

いて同じ。）からのインターネット接続サービス利用者識別符号（移動端末設備からのインターネット接続サービス（利用者の電気通信設備と接続される一端が無線により構成される端末系伝送路設備（端末設備（同法第五十二条第一項に規定する端末設備をいう。）又は自営電気通信設備（同法第七十条第一項に規定する自営電気通信設備をいう。）と接続される伝送路設備をいう。）のうち、その一端がブラウザを搭載した移動端末設備と接続されるもの及び当該ブラウザを用いてインターネットへの接続を可能とする電気通信役務（同法第二条第三号に規定する電気通信役務をいう。）をいう。次号において同じ。）の利用者をインターネットにおいて識別するために、当該サービスを提供する電気通信事業者（同条第五号に規定する電気通信事業者をいう。次号において同じ。）により割り当てられる文字、番号、記号その他の符号であって、電気通信（同条第一号に規定する電気通信をいう。第五条において同じ。）により送信されるものをいう。以下この条において同じ。）

七 侵害情報の送信に係るSIM識別番号（移動端末設備からのインターネット接続サービスを提供する電気通信事業者との間で当該サービスの提供を内容とする契約を締結している者を特定するための情報を記録した電磁的記録媒体（電子的方式、磁気的方式その他人の知覚によっては認識することができない方式で作られる記録であって、電子計算機による情報処理の用に供されるものに係る記録媒体をいう。）（移動端末設備に取り付けられ、又は組み込まれて用いられるものに限る。）を識別するために割り当てられる番号をいう。以下この条において同じ。）

八 第五号のアイ・ピー・アドレスを割り当てられた電気通信設備、第六号の移動端末設備からのインターネット接続サービス利用者識別符号に係る移動端末設備又は前号のSIM識別番号に係る移動端末設備から開示関係役務提供者の用いる特定電気通信設備に侵害情報が送信された年月日及び時刻

九 専ら侵害関連通信に係るアイ・ピー・アドレス及び当該アイ・

ピー・アドレスと組み合わされたポート番号
十　専ら侵害関連通信に係る移動端末設備からのインターネット接続サービス利用者識別符号
十一　専ら侵害関連通信に係るSIM識別番号
十二　専ら侵害関連通信に係るSMS電話番号（特定電子メールの送信の適正化等に関する法律第二条第一号に規定する電子メールのうち、特定電子メールの送信の適正化等に関する法律第二条第一号の通信方式を定める省令第二号に規定する通信方式を用いるものの利用者を識別するための番号その他の符号として用いられたものをいう。次号において同じ。）
十三　第九号の専ら侵害関連通信に係るアイ・ピー・アドレスを割り当てられた電気通信設備、第十号の専ら侵害関連通信に係る移動端末設備からのインターネット接続サービス利用者識別符号に係る移動端末設備、第十一号の専ら侵害関連通信に係るSIM識別番号に係る移動端末設備又は前号の専ら侵害関連通信に係るSMS電話番号に係る移動端末設備から開示関係役務提供者の用いる電気通信設備に侵害関連通信が行われた年月日及び時刻
十四　発信者その他侵害情報の送信又は侵害関連通信に係る者についての利用管理符号（開示関係役務提供者と当該開示関係役務提供者と電気通信設備の接続、共用又は卸電気通信役務（電気通信事業法第二十九条第一項第十号に規定する卸電気通信役務をいう。）の提供に関する協定又は契約を締結している他の開示関係役務提供者との間で、インターネット接続サービスの利用者又は当該利用者が使用する電気通信回線を識別するために用いられる文字、番号、記号その他の符号をいう。）

（特定発信者情報）

第三条　法第五条第一項（各号列記以外の部分に限る。）の総務省令で定める発信者情報は、前条第九号から第十三号までに掲げる情報とする。

（法第五条第一項第三号ロの総務省令で定める特定発信者情報以外の発信者情報）

第四条　法第五条第一項第三号ロの総務省令で定める特定発信者情報以外の発信者情報は、特定電気通信役務提供者が第二条第二号に掲げる情報を保有していない場合における同条第一号に掲げる情報、特定電気通信役務提供者が同号に掲げる情報を保有していない場合における同条第二号に掲げる情報、同条第三号に掲げる情報、同条第四号に掲げる情報又は同条第八号に掲げる情報とする。

（侵害関連通信）

第五条　法第五条第三項の総務省令で定める識別符号その他の符号の電気通信による送信は、次に掲げる識別符号その他の符号の電気通信による送信であって、それぞれ同項に規定する侵害情報の送信と相当の関連性を有するものとする。

一　侵害情報の発信者が当該侵害情報の送信に係る特定電気通信役務の利用に先立って当該特定電気通信役務の利用に係る契約（特定電気通信を行うことの許諾をその内容に含むものに限る。）を申し込むために当該契約の相手方である特定電気通信役務提供者によってあらかじめ定められた当該契約の申込みのための手順に従って行った、又は当該発信者が当該契約をしようとする者であることの確認を受けるために当該特定電気通信役務提供者によってあらかじめ定められた当該確認のための手順に従って行った識別符号その他の符号の電気通信による送信（当該侵害情報の送信より前に行ったものに限る。）

二　侵害情報の発信者が前号の契約に係る特定電気通信役務を利用し得る状態にするために当該契約の相手方である特定電気通信役務提供者によってあらかじめ定められた当該特定電気通信役務を利用し得る状態にするための手順に従って行った、又は当該発信者が当該契約をした者であることの確認を受けるために当該特定電気通信役務提供者によってあらかじめ定められた当該確認のための手順に

従って行った識別符号その他の符号の電気通信による送信
三　侵害情報の発信者が前号の特定電気通信役務を利用し得る状態を終了するために当該特定電気通信役務を提供する特定電気通信役務提供者によってあらかじめ定められた当該特定電気通信役務を利用し得る状態を終了するための手順に従って行った識別符号その他の符号の電気通信による送信
四　第一号の契約をした侵害情報の発信者が当該契約を終了させるために当該契約の相手方である特定電気通信役務提供者によってあらかじめ定められた当該契約を終了させるための手順に従って行った識別符号その他の符号の電気通信による送信（当該侵害情報の送信より後に行ったものに限る。）

（提供の方法）
第六条　法第十五条第一項第一号の総務省令で定める電磁的方法は、次に掲げる方法とする。
一　電子メールを送信する方法
二　磁気ディスク、シー・ディー・ロムその他の記録媒体を交付する方法
三　法第十五条第一項（各号列記以外の部分に限る。）の開示関係役務提供者が自ら設置した電子計算機に備えられたファイルに記録された同項に定める事項を、電気通信回線を通じて申立人のみの閲覧に供し、及び当該事項を当該ファイルに記録する旨若しくは記録した旨を当該申立人に通知し、又は当該申立人が当該事項を閲覧していたことを確認する方法であって、当該申立人がファイルへの記録を出力することによる書面を作成することができるもの
2　法第十五条第一項第二号が適用される場合における前項第三号の規定の適用については、同号中「法第十五条第一項（各号列記以外の部分に限る。）の開示関係役務提供者が自ら設置した」とあるのは「法第十五条第一項（各号列記以外の部分に限る。）の開示関係役務提供者又は同項第二号の他の開示関係役務提供者が自ら設置した」と、

「申立人のみ」とあるのは「同号の他の開示関係役務提供者のみ」と、「当該申立人」とあるのは「当該他の開示関係役務提供者」とする。

（法第十五条第一項第一号ロの総務省令で定める発信者情報）
第七条　法第十五条第一項第一号ロの総務省令で定める発信者情報は、次の各号に掲げる場合の区分に応じ、それぞれ当該各号に定める情報とする。
一　法第十五条第一項（各号列記以外の部分に限る。）に規定する発信者情報開示命令の申立ての相手方が法第五条第一項に規定する特定電気通信役務提供者であって、かつ、当該申立てをした者が当該申立てにおいて特定発信者情報を含む発信者情報の開示を請求している場合　次のイ又はロに掲げる場合の区分に応じ、それぞれイ又はロに定める情報
　　イ　法第十五条第二項に規定する特定発信者情報の開示の請求について法第五条第一項第三号に該当すると認められる場合　第二条第九号から第十二号までに掲げる情報
　　ロ　法第十五条第二項に規定する特定発信者情報の開示の請求について法第五条第一項第三号に該当すると認められない場合　第二条第五号から第七号までに掲げる情報
二　法第十五条第一項（各号列記以外の部分に限る。）に規定する発信者情報開示命令の申立ての相手方が法第五条第一項に規定する特定電気通信役務提供者である場合（前号に該当する場合を除く。）　第二条第五号から第七号まで及び第十四号に掲げる情報
三　法第十五条第一項（各号列記以外の部分に限る。）に規定する発信者情報開示命令の申立ての相手方が法第五条第二項に規定する関連電気通信役務提供者である場合　第二条第九号から第十二号まで及び第十四号に掲げる情報

附　則

第一条　この省令は、特定電気通信役務提供者の損害賠償責任の制限及び発信者情報の開示に関する法律の一部を改正する法律（令和三年法律第二十七号）の施行の日〔令和四年一〇月一日〕から施行する。

第二条　特定電気通信役務提供者の損害賠償責任の制限及び発信者情報の開示に関する法律第四条第一項の発信者情報を定める省令（平成十四年総務省令第五十七号）は、廃止する。

(5) 発信者情報開示命令事件手続規則

（令和四年最高裁判所規則第十一号）

発信者情報開示命令事件手続規則を次のように定める。

　（管轄裁判所が定まらない場合の裁判籍所在地の指定・法第十条）
第一条　特定電気通信役務提供者の損害賠償責任の制限及び発信者情報の開示に関する法律（平成十三年法律第百三十七号。以下「法」という。）第十条第一項第二号及び第二項の最高裁判所規則で定める地は、東京都千代田区とする。

　（提供命令に基づき他の開示関係役務提供者の氏名等情報の提供を受けた場合の申立書の記載事項）
第二条　法第十五条第一項（第一号に係る部分に限る。）の規定による命令により同号イに規定する他の開示関係役務提供者の氏名等情報の提供を受けた者が当該他の開示関係役務提供者を相手方とする当該提供に係る侵害情報についての発信者情報開示命令の申立てをするときは、当該発信者情報開示命令の申立書には、申立ての趣旨及び原因、申立てを理由づける事実並びに非訟事件手続規則（平成二十四年最高裁判所規則第七号）第一条第一項各号に掲げる事項のほか、次の各号に掲げる場合の区分に応じ、それぞれ当該各号に定める事項を記載しなければならない。
一　当該提供を受けた者の申立てに係る当該提供に係る侵害情報につ

いて現に係属する他の発信者情報開示命令事件がある場合　当該発信者情報開示命令事件が係属する裁判所及び当該発信者情報開示命令事件の表示
　二　前号に掲げる事件がない場合　その旨

（発信者情報開示命令の申立書の写しの提出）
第三条　発信者情報開示命令の申立てをするときは、申立書に相手方の数と同数の写しを添付しなければならない。

（提供命令及び消去禁止命令の申立ての方式、申立書の記載事項等）
第四条　次に掲げる申立ては、書面でしなければならない。
　一　提供命令の申立て
　二　消去禁止命令の申立て
２　前項各号に掲げる申立てに係る申立書には、申立ての趣旨及び原因、申立てを理由づける事実並びに非訟事件手続規則第一条第一項各号に掲げる事項のほか、発信者情報開示命令の申立てと前項各号に掲げる申立てを一通の書面でする場合を除き、本案の発信者情報開示命令事件が係属する裁判所及び当該発信者情報開示命令事件の表示を記載しなければならない。
３　裁判所は、第一項各号に掲げる申立てがあった場合には、当該申立てが不適法であるとき又は当該申立てに理由がないことが明らかなときを除き、当該申立てに係る申立書の写しを相手方に送付しなければならない。ただし、相手方の陳述を聴かないで提供命令又は消去禁止命令を発する場合は、この限りでない。

（提出書類の直送）
第五条　当事者が陳述書、申立ての趣旨又は原因の変更を記載した書面、証拠書類その他裁判の資料となる書類を提出するときは、当該書類について直送（当事者の相手方に対する直接の送付をいう。）をしなければならない。

（発信者情報開示命令の申立ての変更の取扱い）
第六条　発信者情報開示命令事件の手続の期日において申立人が口頭で申立ての趣旨又は原因の変更をした場合には、その変更を許さない旨の裁判があったときを除き、裁判所書記官は、その期日の調書の謄本を相手方（その期日に出頭した者を除く。）に送付しなければならない。

（非訟事件手続規則の適用除外）
第七条　申立人が非訟事件手続法（平成二十三年法律第五十一号）第四十四条第一項の規定により発信者情報開示命令の申立ての趣旨又は原因を変更した場合については、非訟事件手続規則第四十一条の規定は、適用しない。

（申立ての取下げがあった場合の取扱い）
第八条　法第十三条第一項ただし書の規定により相手方の同意を得なければ発信者情報開示命令の申立ての取下げの効力が生じない場合において、相手方の同意があったとき（同条第三項の規定により同意したものとみなされた場合を含む。）は、裁判所書記官は、その旨を当事者に通知しなければならない。
２　前項の規定は、非訟事件手続法第六十四条の規定により申立ての取下げがあったものとみなされた場合について準用する。
３　発信者情報開示命令の申立ての取下げについては、非訟事件手続規則第四十九条第二項及び第三項の規定は、適用しない。
４　第四条第一項各号に掲げる申立ての取下げがあったときは、裁判所書記官は、その旨を相手方に通知しなければならない。

附　則
　この規則は、特定電気通信役務提供者の損害賠償責任の制限及び発信者情報の開示に関する法律の一部を改正する法律（令和三年法律第二十七号）の施行の日〔令和四年一〇月一日〕から施行する。

(6) 民事訴訟法等の一部を改正する法律　新旧対照条文（抜粋）

(令和四年法律第四十八号)

民事訴訟法（平成八年法律第百九号）（第一条関係）百三十三条から百三十三条の四まで

新	旧
第八章　当事者に対する住所、氏名等の秘匿	（新設）
（申立人の住所、氏名等の秘匿） 第百三十三条　申立て等をする者又はその法定代理人の住所、居所その他その通常所在する場所（以下この項及び次項において「住所等」という。）の全部又は一部が当事者に知られることによって当該申立て等をする者又は当該法定代理人が社会生活を営むのに著しい支障を生ずるおそれがあることにつき疎明があった場合には、裁判所は、申立てにより、決定で、住所等の全部又は一部を秘匿する旨の裁判をすることができる。申立て等をする者又はその法定代理人の氏名その他当該者を特定するに足りる事項（次項において「氏名等」という。）についても、同様とする。 2　前項の申立てをするときは、同項の申立て等をする者又はその法定代理人（以下この章において「秘匿対象者」という。）	（新設）

の住所等又は氏名等（次条第二項において「秘匿事項」という。）その他最高裁判所規則で定める事項を書面により届け出なければならない。
3　第一項の申立てがあったときは、その申立てについての裁判が確定するまで、当該申立てに係る秘匿対象者以外の者は、前項の規定による届出に係る書面（次条において「秘匿事項届出書面」という。）の閲覧若しくは謄写又はその謄本若しくは抄本の交付の請求をすることができない。
4　第一項の申立てを却下した裁判に対しては、即時抗告をすることができる。
5　裁判所は、秘匿対象者の住所又は氏名について第一項の決定（以下この章において「秘匿決定」という。）をする場合には、当該秘匿決定において、当該秘匿対象者の住所又は氏名に代わる事項を定めなければならない。この場合において、その事項を当該事件並びにその事件についての反訴、参加、強制執行、仮差押え及び仮処分に関する手続において記載したときは、この法律その他の法令の規定の適用については、当該秘匿対象者の住所又は氏名を記載したものとみなす。

（秘匿決定があった場合における

閲覧等の制限の特則） 第百三十三条の二　秘匿決定があった場合には、秘匿事項届出書面の閲覧若しくは謄写又はその謄本若しくは抄本の交付の請求をすることができる者を当該秘匿決定に係る秘匿対象者に限る。 2　前項の場合において、裁判所は、申立てにより、決定で、訴訟記録等（訴訟記録又は第百三十二条の四第一項の処分の申立てに係る事件の記録をいう。第百三十三条の四第一項及び第二項において同じ。）中秘匿事項届出書面以外のものであって秘匿事項又は秘匿事項を推知することができる事項が記載され、又は記録された部分（次項において「秘匿事項記載部分」という。）の閲覧若しくは謄写、その正本、謄本若しくは抄本の交付又はその複製の請求をすることができる者を当該秘匿決定に係る秘匿対象者に限ることができる。 3　前項の申立てがあったときは、その申立てについての裁判が確定するまで、当該秘匿決定に係る秘匿対象者以外の者は、当該秘匿事項記載部分の閲覧若しくは謄写、その正本、謄本若しくは抄本の交付又はその複製の請求をすることができない。 4　第二項の申立てを却下した裁判に対しては、即時抗告をする	（新設）

ことができる。

（送達をすべき場所等の調査嘱託があった場合における閲覧等の制限の特則）

第百三十三条の三　裁判所は、当事者又はその法定代理人に対して送達をするため、その者の住所、居所その他送達をすべき場所についての調査を嘱託した場合において、当該嘱託に係る調査結果の報告が記載された書面が閲覧されることにより、当事者又はその法定代理人が社会生活を営むのに著しい支障を生ずるおそれがあることが明らかであると認めるときは、決定で、当該書面及びこれに基づいてされた送達に関する第百九条の書面その他これに類する書面の閲覧若しくは謄写又はその謄本若しくは抄本の交付の請求をすることができる者を当該当事者又は当該法定代理人に限ることができる。当事者又はその法定代理人を特定するため、その者の氏名その他当該者を特定するに足りる事項についての調査を嘱託した場合についても、同様とする。　　　（新設）

（秘匿決定の取消し等）

第百三十三条の四　秘匿決定、第百三十三条の二第二項の決定又は前条の決定（次項及び第七項において「秘匿決定等」とい　　　（新設）

う。）に係る者以外の者は、訴訟記録等の存する裁判所に対し、その要件を欠くこと又はこれを欠くに至ったことを理由として、その決定の取消しの申立てをすることができる。
2　秘匿決定等に係る者以外の当事者は、秘匿決定等がある場合であっても、自己の攻撃又は防御に実質的な不利益を生ずるおそれがあるときは、訴訟記録等の存する裁判所の許可を得て、第百三十三条の二第一項若しくは第二項又は前条の規定により閲覧若しくは謄写、その正本、謄本若しくは抄本の交付又はその複製の請求が制限される部分につきその請求をすることができる。
3　裁判所は、前項の規定による許可の申立てがあった場合において、その原因となる事実につき疎明があったときは、これを許可しなければならない。
4　裁判所は、第一項の取消し又は第二項の許可の裁判をするときは、次の各号に掲げる区分に従い、それぞれ当該各号に定める者の意見を聴かなければならない。
　一　秘匿決定又は第百三十三条の二第二項の決定に係る裁判をするとき当該決定に係る秘匿対象者
　二　前条の決定に係る裁判をするとき当該決定に係る当事者

又は法定代理人 　5　第一項の取消しの申立てについての裁判及び第二項の許可の申立てについての裁判に対しては、即時抗告をすることができる。 　6　第一項の取消し及び第二項の許可の裁判は、確定しなければその効力を生じない。 　7　第二項の許可の裁判があったときは、その許可の申立てに係る当事者又はその法定代理人、訴訟代理人若しくは補佐人は、正当な理由なく、その許可により得られた情報を、当該手続の追行の目的以外の目的のために利用し、又は秘匿決定等に係る者以外の者に開示してはならない。	

特定電気通信役務提供者の損害賠償責任の制限及び発信者情報の開示に関する法律（平成十三年法律第百三十七号）（附則第九十一条関係）

新	旧
目次 第四章　発信者情報開示命令事件に関する裁判手続（第八条—第十九条） （当事者に対する住所、氏名等の秘匿） 第十七条　発信者情報開示命令事件に関する裁判手続における申立てその他の申述については、民事訴訟法（平成八年法律第百	目次 第四章　発信者情報開示命令事件に関する裁判手続（第八条—第十八条） （新設）

九号）第一編第八章の規定を準用する。この場合において、同法第百三十三条第一項中「当事者」とあるのは「当事者又は利害関係参加人（非訟事件手続法（平成二十三年法律第五十一号）第二十一条第五項に規定する利害関係参加人をいう。第百三十三条の四第一項、第二項及び第七項において同じ。）」と、同法第百三十三条の二第二項中「訴訟記録等（訴訟記録又は第百三十二条の四第一項の処分の申立てに係る事件の記録」とあるのは「発信者情報開示命令事件（特定電気通信役務提供者の損害賠償責任の制限及び発信者情報の開示に関する法律第二条第九号に規定する発信者情報開示命令事件」と、「）中」とあるのは「）の記録中」と、同法第百三十三条の四第一項中「者は、訴訟記録等」とあるのは「当事者若しくは利害関係参加人又は利害関係を疎明した第三者は、発信者情報開示命令事件の記録」と、同条第二項中「当事者」とあるのは「当事者又は利害関係参加人」と、「訴訟記録等」とあるのは「発信者情報開示命令事件の記録」と、同条第七項中「当事者」とあるのは「当事者若しくは利害関係参加人」と読み替えるものとする。

（非訟事件手続法の適用除外）

（非訟事件手続法の適用除外）

新	旧
第十八条　発信者情報開示命令事件に関する裁判手続については、非訟事件手続法第二十二条第一項ただし書、第二十七条、第四十条及び第四十二条の二の規定は、適用しない。 （最高裁判所規則） 第十九条　（略）	第十七条　発信者情報開示命令事件に関する裁判手続については、非訟事件手続法第二十二条第一項ただし書、第二十七条及び第四十条の規定は、適用しない。 （最高裁判所規則） 第十八条　（同上）

特定電気通信役務提供者の損害賠償責任の制限及び発信者情報の開示に関する法律（平成十三年法律第百三十七号）（附則第九十二条関係）

新	旧
（当事者に対する住所、氏名等の秘匿） 第十七条　発信者情報開示命令事件に関する裁判手続における申立てその他の申述については、民事訴訟法（平成八年法律第百九号）第一編第八章（第百三十三条の二第五項及び第六項並びに第百三十三条の三第二項を除く。）の規定を準用する。この場合において、同法第百三十三条第一項中「当事者」とあるのは「当事者又は利害関係参加人（非訟事件手続法（平成二十三年法律第五十一号）第二十一条第五項に規定する利害関係参加人をいう。第百三十三条の四第一項、第二項及び第七項において同じ。）」と、同条第三項中「訴訟記録等（訴訟記録又は第	（当事者に対する住所、氏名等の秘匿） 第十七条　発信者情報開示命令事件に関する裁判手続における申立てその他の申述については、民事訴訟法（平成八年法律第百九号）第一編第八章の規定を準用する。この場合において、同法第百三十三条第一項中「当事者」とあるのは「当事者又は利害関係参加人（非訟事件手続法（平成二十三年法律第五十一号）第二十一条第五項に規定する利害関係参加人をいう。第百三十三条の四第一項、第二項及び第七項において同じ。）」と、同法第百三十三条の二第二項中「訴訟記録等（訴訟記録又は第百三十二条の四第一項の処分の申立てに係る事件の記録」とあるの

百三十二条の四第一項の処分の申立てに係る事件の記録」とあるのは「発信者情報開示命令事件（特定電気通信役務提供者の損害賠償責任の制限及び発信者情報の開示に関する法律第二条第九号に規定する発信者情報開示命令事件」と、「）中」とあるのは「）の記録中」と、「について訴訟記録等の閲覧等（訴訟記録の閲覧等、非電磁的証拠収集処分記録の閲覧等又は電磁的証拠収集処分記録の閲覧等をいう。以下この章において同じ。）」とあるのは「の閲覧若しくは謄写又はその謄本若しくは抄本の交付」と、同法第百三十三条の二第一項中「に係る訴訟記録等の閲覧等」とあるのは「の閲覧若しくは謄写又はその謄本若しくは抄本の交付」と、同条第二項中「訴訟記録等中」とあるのは「発信者情報開示命令事件の記録中」と、同項及び同条第三項中「に係る訴訟記録等の閲覧等」とあるのは「の閲覧若しくは謄写、その正本、謄本若しくは抄本の交付又はその複製」と、同法第百三十三条の三第一項中「記載され、又は記録された書面又は電磁的記録」とあるのは「記載された書面」と、「当該書面又は電磁的記録」とあるのは「当該書面」と、「又は電磁的記録その他これに類する書面又は電磁的記録に係は「発信者情報開示命令事件（特定電気通信役務提供者の損害賠償責任の制限及び発信者情報の開示に関する法律第二条第九号に規定する発信者情報開示命令事件」と、「）中」とあるのは「）の記録中」と、同法第百三十三条の四第一項中「者は、訴訟記録等」とあるのは「当事者若しくは利害関係参加人又は利害関係を疎明した第三者は、発信者情報開示命令事件の記録」と、同条第二項中「当事者」とあるのは「当事者又は利害関係参加人」と、「訴訟記録等」とあるのは「発信者情報開示命令事件の記録」と、同条第七項中「当事者」とあるのは「当事者若しくは利害関係参加人」と読み替えるものとする。

る訴訟記録等の閲覧等」とあるのは「その他これに類する書面の閲覧若しくは謄写又はその謄本若しくは抄本の交付」と、同法第百三十三条の四第一項中「者は、訴訟記録等」とあるのは「当事者若しくは利害関係参加人又は利害関係を疎明した第三者は、発信者情報開示命令事件の記録」と、同条第二項中「当事者」とあるのは「当事者又は利害関係参加人」と、「訴訟記録等の存する」とあるのは「発信者情報開示命令事件の記録の存する」と、「訴訟記録等の閲覧等」とあるのは「閲覧若しくは謄写、その正本、謄本若しくは抄本の交付又はその複製」と、同条第七項中「当事者」とあるのは「当事者若しくは利害関係参加人」と読み替えるものとする。

2　国会審議における附帯決議

＜衆議院＞
(1) 特定電気通信役務提供者の損害賠償責任の制限及び発信者情報の開示に関する法律の一部を改正する法律案に対する附帯決議

政府は、本法の施行に当たり、次の各項の実施に努めるべきである。
一　迅速的確な被害者救済とともに、民主主義の根幹である表現の自由、通信の秘密が確保されるよう特に留意の上、関係機関・団体に協力を求めてインターネット上の誹謗中傷・人権侵害対策に当たること。
二　インターネット上の誹謗中傷・人権侵害に関する情報発信について、過去の権利侵害に関する判例に基づいたガイドラインを作成する等により、運営事業者自身による契約約款や利用規約等に基づく主体的な削除等の取組を支援するとともに、迅速・的確な削除等の対応ができる環境整備を行うこと。
三　インターネット上の誹謗中傷・人権侵害情報等に関する相談件数が高止まりしており、今後、デジタル化の進展により多種多様な誹謗中傷・人権侵害情報等の発信が想定されることから、インターネット上で誹謗中傷等を受けた被害者の相談体制を関係機関・団体と連携の上、充実・強化し、実効性のある被害者支援体制を構築すること。
四　インターネット上の誹謗中傷や人権侵害を防止するためには、社会全体の情報モラル、ICTリテラシーの向上が重要であることから、関係機関が連携協力して啓発活動、加害者や被害者にならない対策を行うとともに、特に児童生徒に対する情報モラル、ICTリテラシー教育を充実させること。
五　インターネット上の誹謗中傷・人権侵害が海外のウェブサイトやサーバーを経由して行われ得ることから、発信者情報開示手続や削除

に関連し、諸外国との間で国際協力体制を構築するよう努めること。
六　インターネット上の誹謗中傷・人権侵害対策に当たっては、誹謗中傷等に関する相談や削除対応等の件数等について実態把握を行うとともに、本法施行後において、本法に基づく非訟手続による対応件数、開示までの所要日数等を把握し、適切な被害者救済方策となっているかの検証を行い、その結果を踏まえ必要な見直しを行うこと。
七　インターネット技術の革新が速く、誹謗中傷・人権侵害の態様が今後変化することが予想されることから、変化に適切に対応できるよう、発信者情報開示及び削除制度の不断の見直しを行うこと。
八　インターネット上の性暴力被害が広がっている状況についても、被害者救済のための運営事業者の役割などを明らかにし、対策を強化すること。

＜参議院＞

(2) 特定電気通信役務提供者の損害賠償責任の制限及び発信者情報の開示に関する法律の一部を改正する法律案に対する附帯決議

(令和三年四月二十日)
参議院総務委員会

　政府は、本法施行に当たり、次の事項についてその実現に努めるべきである。
一、迅速・的確な被害者救済とともに、民主主義の根幹である表現の自由、通信の秘密が確保されるよう特に留意の上、関係機関・団体に協力を求めてインターネット上の誹謗中傷・人権侵害対策に当たること。
二、インターネット上の誹謗中傷・人権侵害に関する情報発信について、過去の権利侵害に関する判例に基づくガイドラインを作成すること等により、運営事業者自身による契約約款や利用規約等に基づく主体的な削除等の取組を支援するとともに、迅速・的確な削除等の対応ができる環境整備を行うこと。

三、インターネット上の誹謗中傷・人権侵害情報等に関する相談件数が高止まりしており、今後、デジタル化の進展により多種多様な誹謗中傷・人権侵害情報等の発信が想定されることから、インターネット上で誹謗中傷等を受けた被害者の相談体制を関係機関・団体と連携の上、充実・強化し、実効性のある被害者支援体制を構築すること。

四、インターネット上の誹謗中傷・人権侵害を防止するためには、社会全体の情報モラルやICTリテラシーの向上が重要であることから、関係機関・団体が連携協力して啓発活動及び加害者や被害者にならない対策を行うとともに、特に児童・生徒に対する情報モラルやICTリテラシー教育を充実させること。

五、インターネット上の誹謗中傷・人権侵害が海外のウェブサイトやサーバーを経由して行われ得ることに鑑み、発信者情報開示手続や削除に関し、諸外国との間で国際協力体制を構築するよう努めること。

六、インターネット上の誹謗中傷・人権侵害対策に当たっては、誹謗中傷等に関する相談や削除対応等の件数等について実態把握を行うとともに、本法施行後において、本法に基づく非訟手続による対応件数、開示までの所要日数等を把握し、適切な被害者救済方策となっているかの検証及び運営事業者に寄せられた削除請求等の件数と対応結果について調査研究を行い、その結果を踏まえ必要な見直しを行うこと。

七、インターネットにおける今後の急速な技術革新に伴い予想される誹謗中傷・人権侵害情報の多種多様な態様の変化に適切に対応できるよう、発信者情報開示及び削除の制度について不断の見直しを行うこと。

八、インターネット上で権利侵害を受けた被害者が、迅速かつ円滑に権利回復を図ることができるよう、本法に基づく非訟手続について、関係機関・団体と連携の上、適切な周知を図ること。

九、インターネット上で広がっている性暴力被害についても、被害者救済のための運営事業者の役割などを明らかにし、対策を強化すること。

右決議する。

3 インターネット上の違法な情報への対応に関するガイドライン

> 平成18年11月
> 平成20年12月改訂
> 平成22年1月改訂
> 平成22年9月改訂
> 平成26年10月改訂
> 平成26年12月改訂

(一社)電気通信事業者協会
(一社)テレコムサービス協会
(一社)日本インターネットプロバイダー協会
(一社)日本ケーブルテレビ連盟

I ガイドラインの目的及び範囲

第1 ガイドラインの目的

1 背景

　近年におけるインターネットの急速な発達及び普及は、利用者である国民に大きな利便性をもたらし、インターネットは国民の社会活動、文化活動、経済活動等のあらゆる活動の基盤となる等国民生活にとって必要不可欠な存在となっている。

　一方、インターネット上における児童ポルノの公然陳列、違法な出会い系サイト、規制薬物の濫用を唆す情報等の法令に違反する情報の流通が社会問題となっている。

　これらの違法な情報については、発信側への対応（違法な情報の発信者の取締り等）、受信側の対応（受信者による情報のフィルタリング等）等が行われているところであるが、情報の流通の場を提

供する電子掲示板の管理者やウェブサーバ（以下「サーバ」という。）の管理者においても、何らかの対応が可能な場合があり、その場合には適切な対応を行うことが社会的に期待されている状況である。

電子掲示板の管理者やサーバの管理者といったデータファイルやサーバの管理権限を有する者（以下「電子掲示板の管理者等」という。）が自己の管理する電気通信設備において他人が流通させた違法な情報に対して行う対応については、技術的に違法な情報の送信防止措置が可能な場合も多く[1]、また、違法な情報に関し必要な限度で行われる送信防止措置については法的責任を問われることはない[2]ため、実際に対応が行われているところである。

2　問題点

しかしながら、電子掲示板の管理者等は、必ずしも法律の専門家を擁しているわけではなく、また、容易に相談できる状況にない場合もあるため、特定の情報の流通が法令に違反するか否かの判断に関し、法解釈及び事実認定の両面から困難が生じる場合がある。

また、電子掲示板等やサーバを個人又は小規模で管理運営している場合等、人的、物的な面において、違法な情報が流通しているか否かについて自主的な監視を行うことが難しい場合がある。

3　ガイドラインの目的

ガイドラインは、①違法な情報について、典型的な事例における規制の根拠となる法令を示した上で、可能な範囲で具体的事例にお

---

[1] 電子掲示板の管理者等による違法な情報への対応可能性については、総務省主催の「インターネット上の違法・有害情報への対応に関する研究会」最終報告書（平成18年8月＜http：//warp.ndl.go.jp/info：ndljp/pid/286922/www.soumu.go.jp/menu_news/s-news/2006/pdf/060825_6_1.pdf＞。以下「最終報告書」という。）7頁以下に記載されている。

[2] 電子掲示板の管理者等による違法な情報の送信防止措置に関する法的責任については、最終報告書13頁以下に記載されている。

ける考え方を示すとともに、②第三者機関が情報の違法性を判断して電子掲示板の管理者等に対して送信防止措置を依頼する手続等を整備することにより、電子掲示板の管理者等による違法な情報への送信防止措置が促進されることを目的とするものである。

第2　ガイドラインの判断基準の位置付け

　上記のとおり、電子掲示板の管理者等が、他人が流通させた違法な情報に関して必要な限度で行う送信防止措置については法的責任を問われない。

　一方、電子掲示板の管理者等が、他人が流通させた違法な情報ではない情報について誤って送信防止措置を行った場合における法的責任については裁判手続によって判断されるものである。よって、電子掲示板の管理者等がガイドラインに定める手続に従って送信防止措置を行ったからといって、当然に法的責任が生じないことにはならないことに留意すべきである。

　ガイドラインは、電子掲示板の管理者等が違法な情報について送信防止措置を行う際の判断の一助として利用されることを念頭に作成するものである。

第3　ガイドラインの対象

1　対象通信の範囲

　インターネット上における流通が法令に違反する違法な情報には様々な種類があるが、①特に、電子掲示板、ウェブサイト等の不特定の者によって受信されることを目的とする電気通信（特定電気通信役務提供者の損害賠償責任の制限及び発信者情報の開示に関する法律（以下「プロバイダ責任制限法」という。）第2条第1号に規定する特定電気通信）による違法な情報の流通が大きな社会問題となっていること、②特定電気通信以外の電子メールその他の特定人

間の通信については、電気通信事業法上の通信の秘密保護の規定[3]により、情報の流通を媒介する電気通信事業者等がその内容を知得することができないことから、ガイドラインでは、電子掲示板、ウェブサイト等の特定電気通信による情報の流通を対象とする。

2　対応主体の範囲

特定電気通信による違法な情報の流通について送信防止措置を行うことができる者は、特定電気通信の用に供される電気通信設備（プロバイダ責任制限法第2条第2号に規定する特定電気通信設備）を他人の通信の用に供する者（電子掲示板の管理者等）である。[4]

よって、ガイドラインにおける違法な情報への対応主体は、電子掲示板の管理者等とする。

3　対象情報の範囲

特定電気通信による情報の流通が法令に違反する場合、すなわち、電子掲示板、ウェブサイト等における流通が法令に違反する情報を対象とする。電子掲示板、ウェブサイト等における流通により

---

[3] 電気通信事業法（昭和59年法律第86号）第4条第1項により、「電気通信事業者の取扱中に係る通信の秘密はこれを侵してはならない。」とされている。

[4] 他人が管理するサーバにインターネットアクセスを提供しているだけのプロバイダ（以下「アクセスプロバイダ」という。）においては、通常、当該サーバ内へのアクセスがサーバ管理者により制御されており、当該サーバ内の情報に手を加えること自体が不可能である。また、電気通信事業法（昭和59年法律第86号）第6条により、プロバイダはインターネットアクセスの提供について不当な差別的取扱いをしてはならず、特定のサーバに蔵置されている適法な情報を含むすべての情報についてアクセスを停止することができる場合は相当程度限定されるものと考えられる。したがって、アクセスプロバイダについては、特定の情報が当該サーバ内に蔵置されていることは認識できても、当該サーバ内に他にどのような情報が蔵置されているか知ることができず、当該サーバに対するアクセスを停止した場合には、適法な情報を含むすべての情報について送信を停止することになるといった問題点もあるため、アクセスプロバイダは本ガイドラインの対象としないこととする。

他人の権利（法律上保護される利益を含む。以下同じ。）が侵害されている場合については、プロバイダ責任制限法及びプロバイダ責任制限法ガイドライン等検討協議会[5]により策定された関係ガイドライン[6]において、流通により他人の権利を侵害する情報（以下「権利侵害情報」という。）に対する送信防止措置に関する指針が示されている。したがって、権利侵害情報に関する違法性の判断基準及び被害者からの送信防止措置依頼手続については、基本的には同関係ガイドラインを参照することとする。

情報の流通が法令に違反しない場合には、特定の情報の流通を有害と評価するか否かは受信者によって異なるものであり、違法な情報ではない情報について有害か否かの統一的な基準を設けて対応を行うことが難しいことから、ガイドラインの対象外とする。

以上より、ガイドラインにおいて対象とする情報は、「インターネット上の電子掲示板、ウェブサイト等における流通が法令に違反する情報」（以下「違法な情報」という。）とすることとする。

なお、インターネット上における、違法行為を目的とした電子掲示板への書き込み、人を自殺に誘引する情報の電子掲示板への書き込み、公共の安全や秩序に対する危険を生じさせるおそれのある情報の流通等を契機として違法行為（窃盗、自殺幇助、爆発物を使用した傷害等）が行われる事案が発生し、社会問題となっている。こ

---

[5] プロバイダ責任制限法の制定を受けて、電子掲示板やウェブサイト等における情報の流通による権利侵害に対し、適切かつ迅速に対応できるようガイドラインの作成に向けた検討を行うこと等を目的として、電気通信関連団体、権利者団体その他の関係者により平成14年2月に設置された協議会である。

[6] プロバイダ責任制限法ガイドライン等検討協議会により策定された、「プロバイダ責任制限法名誉毀損・プライバシー関係ガイドライン」、「プロバイダ責任制限法著作権関係ガイドライン」及び「プロバイダ責任制限法商標権関係ガイドライン」の3つをいう。

れら公序良俗に反する情報については、電子掲示板の管理者等による自主的対応が行われているところ、本ガイドラインの最後に、公序良俗に反する情報への対応の参考となる情報を掲載する。

第4　他のガイドラインとの関係
1　プロバイダ責任制限法及び関係ガイドライン

プロバイダ責任制限法第3条においては、電子掲示板、ウェブサイト等において流通する権利侵害情報について、電子掲示板の管理者等がこれを放置していた場合及び誤って権利侵害情報ではない情報について送信防止措置を行った場合における損害賠償責任について、その範囲を規定している。

さらに、関係ガイドラインでは、電子掲示板、ウェブサイト等における流通が特に問題となっている名誉毀損・プライバシー侵害情報、著作権侵害情報及び商標権侵害情報について、それぞれ電子掲示板の管理者等による対応に関する行動指針が示され、個別具体的な事案において活用されている。

よって、これらの権利侵害情報に関しては、関係ガイドラインを参照して対応することが考えられる。[7]

2　インターネット上の自殺予告事案への対応に関するガイドライン[8]

インターネット上の自殺予告事案への対応に関するガイドラインは、電子掲示板における自殺の決行をほのめかす書き込みや他人に

---

[7] 関係ガイドラインは、いずれも（一社）テレコムサービス協会のホームページ（https://www.telesa.or.jp/consortium/provider）に掲載されている。

[8] 電気通信関連4団体（（一社）電気通信事業者協会、（一社）テレコムサービス協会、（一社）日本インターネットプロバイダー協会、（一社）日本ケーブルテレビ連盟）が、警察庁及び総務省の協力を得て、平成17年10月に策定したガイドラインである。

対して集団自殺を呼びかける書き込み及び自殺をほのめかす内容の電子メールの送信に関し、電子掲示板の管理者等やプロバイダが、人命保護の観点から、警察に対し、これら自殺を予告する情報を発信した者の特定に資する情報（氏名、住所等）を開示する場合における判断基準、手続等について定めたガイドラインである。

したがって、警察から、インターネット上の自殺予告者に関する情報開示を求める照会がなされた場合には、同ガイドラインを参照して対応することが考えられる。[9]

第5　見直し

本ガイドラインにおいては、違法な情報についての判断基準を例示するとともに、第三者機関が情報の違法性を判断して電子掲示板の管理者等に対して送信防止措置を依頼する手続等を整備した。今後、情報通信技術の進展、実務の状況、社会的状況の変化等に応じて、対象とする情報の範囲、情報の違法性を判断する第三者機関の追加、対応手順の見直し等、適宜ガイドラインの見直しを検討する必要がある。

Ⅱ　電子掲示板の管理者等による違法な情報への対応

第1　違法性の判断に関する考え方

1　わいせつ関連法規
　(1)　わいせつ電磁的記録記録媒体公然陳列（刑法第175条1項）

> （刑法第175条）
> 1　わいせつな文書、図画、電磁的記録に係る記録媒体その他

---

[9] インターネット上の自殺予告事案への対応に関するガイドラインは、（一社）テレコムサービス協会のホームページ（https://www.telesa.or.jp/consortium/suicide）に掲載されている。

の物を頒布し、又は公然と陳列した者は、二年以下の懲役若しくは二百五十万円以下の罰金若しくは科料に処し、又は懲役及び罰金を併科する。電気通信の送信によりわいせつな電磁的記録その他の記録を頒布した者も、同様とする。
2　（略）

　次のすべてを満たす場合には、わいせつ電磁的記録記録媒体公然陳列の構成要件に該当する情報と判断することができる。
○わいせつ性が明確に認められる場合
　・性器が確認できる画像又は映像（以下「画像等」という。）
　・性器部分にマスク処理が施されているが、当該マスク（※）を容易に除去できる画像等
　　ただし、性器が確認できたとしても、学術・医学目的など、見る者の好色的興味に訴えることを目的としているものではないと認められる場合は、この限りではない。
○公然陳列に該当する場合
　　不特定又は多数の者が閲覧できる電子掲示板、ウェブサイト等に情報が掲載されている場合には、公然陳列されていると判断する。
※マスク処理が施された画像に関する裁判例
＊大阪地裁平成11年3月19日判決（判例タイムズ1034号283頁）
　　わいせつな画像の一部にマスク処理が施されていても、それが容易に除去できて、わいせつ性が顕現するものであれば、マスク処理をした画像自体のわいせつ性は、何ら否定されない。被告人が送信して記憶、蔵置させた各サンプル画像データは、画像処理ソフトにより一部にマスク処理が施されており、これをそのままパソコンの画面に再生してもわいせつ画像ということはできないが、「エフ・エル・マスク」ソフトを用いて右マスクを外せば、男女の性器や性交の場面が露骨に撮影されたわいせつな画像となる。マスクソフトの各操作は、一般的なパソコン利用者やインターネット利用者を基

準とすれば、圧縮、解凍、新しいソフトのインストールの方法といった基礎的な知識があればこれを行うことができ、いずれも格別の知識や技術が要求されるものとはいえず、本件ホームページのサンプル画像にはマスク処理が施されてはいたものの、公開された本件ホームページにわざわざアクセスしてわいせつ画像を求めようとする不特定多数のインターネット利用者との関係では、容易に右マスクを除去し得たものといえるから、結局、本件ホームページ上に掲げられたマスク処理が施されたサンプル画像については、容易にわいせつ性を顕現できるものであったと認めることができる。よって、わいせつ画像の一部にマスク処理が施されていても、それが容易に除去できて、わいせつ性が顕現するものであれば、マスク処理をした画像自体のわいせつ性は、何ら否定されない。

＊岡山地裁平成9年12月15日判決（判例タイムズ972号280頁、判例時報1641号158頁）

エフ・エル・マスクにより処理が施されている画像データについて、インターネットでアダルトページにアクセスする者は、ほとんどがエフ・エル・マスクのソフトを持っており、このソフトを利用すれば、マスクの付け外しは、その場で、直ちに、容易にできる。画像にマスク処理が施されていても、マスクを外すことが、誰にでも、その場で、直ちに、容易にできる場合には、その画像はマスクがかけられていないものと同視することができる。被告人らがサーバコンピュータのディスクアレイに記憶、蔵置させた画像にはマスク処理が施されているが、被告人らのホームページにアクセスしてくる者のほとんどにとっては、その場で、直ちに、容易にマスクを外すことができるのであるから、マスク処理が施された画像自体がわいせつであると認めることができる。

＊東京地裁平成11年3月29日判決

閲覧者は容易に除去することができる覆いがかけられたわいせつ絵画が展示された場合には、その絵画が展示された時点で「陳列」されたものとして差し支えがないように、閲覧者の行為が介在して初めて閲覧が可能となる場合であっても、その行為が、陳列者の想定したものであり、かつ、閲覧者がその場で直ちに容易に実行できる性質のものである場合には、そのような絵画を展示した段階でその閲覧可能な状況を設定したということができる。被告人らは、イ

ンターネット利用者が画像処理ソフトを用いて本件画像のマスクを外して閲覧することを想定しており、使用された画像処理ソフトであるエフ・エル・マスクが、通常のインターネット利用者にとってはこれを入手することも操作することも比較的容易で、現に広く流通しており、マスク画像をダウンロードするのと接着した時点でエフ・エル・マスクを用いてマスクを外すことが可能である。

* 浦和地裁川越支部平成11年9月8日判決

　　ネガポジ反転処理は、本件画像の性器部分等に反対色の色を付けただけの外見上から反転部分の形状等が分かるマスク処理のうちで比較的簡単な処理方法であって、エフ・エル・マスクを使用すればもちろんのこと、ウィンドウズ95のアクセサリーソフトであるペイント等のソフトでさえ、その使い方次第では容易にマスクを外せること、また、およそパソコン通信を介し、アダルトもののパソコンネットワークにアクセスし、わいせつ画像データを購入してダウンロードする者の間にこれらの画像処理ソフトが広く普及していることは、現に被告人が開設・運営するパソコン通信の会員が例外なくといっていいほどジーマスクなどの画像処理ソフトを使用し、反転画像をわいせつ画像にして反転して閲覧していたことが認められることからも容易に窺い知ることができる。したがって、本件画像データにマスク処理が施されていても容易にそのマスクを外すことができる場合はその画像がマスクがかけられていないものと同視でき、本件のネガポジ反転画像はわいせつ図画であると認めることができる。

(2) 児童ポルノ[10]の公然陳列（児童ポルノ法[11]第7条第6項）

> （児童ポルノ法第2条）
> 1　この法律において「児童」とは、十八歳に満たない者をいう。

---

[10] 本ガイドラインでいう「児童ポルノ」とは実在する児童を描写したものを指し、「実在しない児童」を描写した画像等を含まない。

[11] 正式名称は、「児童買春、児童ポルノに係る行為等の規制及び処罰並びに児童の保護等に関する法律」という。

2　（略）
3　この法律において「児童ポルノ」とは、写真、電磁的記録（電子的方式、磁気的方式その他人の知覚によっては認識することができない方式で作られる記録であって、電子計算機による情報処理の用に供されるものをいう。）に係る記録媒体その他の物であって、次の各号のいずれかに掲げる児童の姿態を視覚により認識することができる方法により描写したものをいう。
　一　児童を相手方とする又は児童による性交又は性交類似行為に係る児童の姿態
　二　他人が児童の性器等（性器、肛門又は乳首）を触る行為又は児童が他人の性器等を触る行為に係る児童の姿態であって性欲を興奮させ又は刺激するもの
　三　衣服の全部又は一部を着けない児童の姿態であって、殊更に児童の性的な部位（性器等若しくはその周辺部、臀部又は胸部）が露出され又は強調されているものであり、かつ、性欲を興奮させ又は刺激するもの
（同法第7条）
1～5　（略）
6　児童ポルノを不特定若しくは多数の者に提供し、又は公然と陳列した者は、5年以下の懲役若しくは五百万円以下の罰金に処し、又はこれを併科する。電気通信回線を通じて第二条第三項各号のいずれかに掲げる児童の姿態を視覚により認識することができる方法により描写した情報を記録した電磁的記録その他の記録を不特定又は多数の者に提供した者も、同様とする。

　次のすべてを満たす場合には、児童ポルノ公然陳列の構成要件に

該当する情報と判断することができる。
　○児童（18歳未満）に該当する場合
　　・画像等に描写されている対象者の外見（例：陰毛がない、幼児、小学生にしか見えない）から明らかに18歳未満と認められる場合
　　・画像等に描写されている対象者の外見に加え、附随する情報（対象者の年齢に関する情報等）、対象情報が掲載されているウェブサイトや電子掲示板に掲載されている他の情報（他の画像等の内容等）等から、18歳未満と認められる場合
　○児童ポルノに該当する場合
　　・児童の性交、性交類似行為（性交を模して行う手淫、口淫行為、同性愛行為をいう。以下同じ。）が描写されている画像等
　　・他人が児童の性器等（性器、肛門又は乳首をいう。以下同じ。）を触る行為、児童が他人の性器等を触る行為が描写されている画像等で、性欲を興奮させ又は刺激するもの（性器等にマスク処理が施されているものも含む。）
　　・衣服の全部又は一部を着けない児童の姿態が描写されている画像等で、殊更に児童の性的な部位（性器等若しくはその周辺部、臀部又は胸部をいう。）が露出され又は強調されているものであり、かつ、性欲を興奮させ又は刺激するもの（性器等にマスク処理が施されているものも含む。）
　○公然陳列に該当する場合
　　　不特定又は多数の者が閲覧できる電子掲示板、ウェブサイト等に情報が掲載されている場合には、公然陳列されていると判断する。

(3) 売春防止法違反の広告等（同法第5条第3号・第6条第2項）

（売春防止法第2条）
「売春」とは、対償を受け、又は受ける約束で、不特定の相手方と性交することをいう。
（第5条）
売春をする目的で、次の各号の一に該当する行為をした者は、六月以下の懲役又は一万円以下の罰金に処する。
一　公衆の目にふれるような方法で、人を売春の相手方となるように勧誘すること。
二　売春の相手方となるように勧誘するため、道路その他公共の場所で、人の身辺に立ちふさがり、又はつきまとうこと。
三　公衆の目にふれるような方法で客待ちをし、又は広告その他これに類似する方法により人を売春の相手方となるように誘引すること。
（第6条）
1　売春の周旋をした者は、二年以下の懲役又は五万円以下の罰金に処する。
2　売春の周旋をする目的で、次の各号の一に該当する行為をした者の処罰も、前項と同様とする。
一　人を売春の相手方となるように勧誘すること。
二　売春の相手方となるように勧誘するため、道路その他公共の場所で、人の身辺に立ちふさがり、又はつきまとうこと。
三　広告その他これに類似する方法により人を売春の相手方となるように誘引すること。

次のような場合は、売春目的又は売春周旋目的の誘引の構成要件に該当する情報と判断することができる。

・「Hできます、ナマ（生）、ゴム有」などの売春を窺わせる表現等とともに売春時間、料金、連絡先（電話番号等）等が記載されている場合

(4) 出会い系サイト規制法[12]違反（同法第6条）
　　異性交際等の誘引行為（同法第6条）

> （第6条）
> 　何人も、インターネット異性紹介事業を利用して、次に掲げる行為（以下「禁止誘引行為」という。）をしてはならない。
> 一　児童を性交等（性交若しくは性交類似行為をし、又は自己の性的好奇心を満たす目的で、他人の性器等（性器、肛門又は乳首をいう。以下同じ。）を触り、若しくは他人に自己の性器等を触らせることをいう。以下同じ。）の相手方となるように誘引すること。
> 二　人（児童を除く。第五号において同じ。）を児童との性交等の相手方となるように誘引すること。
> 三　対償を供与することを示して、児童を異性交際（性交等を除く。次号において同じ。）の相手方となるように誘引すること。
> 四　対償を受けることを示して、人を児童との異性交際の相手方となるように誘引すること
> 五　前各号に掲げるもののほか、児童を異性交際の相手方となるように誘引し、又は人を児童との異性交際の相手方となるように誘引すること。

---

[12] 正式名称は、「インターネット異性紹介事業を利用して児童を誘引する行為の規制等に関する法律」という。

次のすべてを満たす場合には、インターネット異性紹介事業（いわゆる「出会い系サイト」）に該当すると判断することができる。
（共通の要件）
　○面識のない異性との交際（以下「異性交際」という。）を希望する者を対象としていること
　○異性交際に関する情報を電子掲示板に掲載していること
　○情報を閲覧した異性交際希望者が、情報を掲載した異性交際希望者と電子メール等により1対1の連絡ができること

　以上の要件を満たし、かつ、次の項目に応じて掲げる要件をすべて満たす場合には、出会い系サイト規制法違反の誘引行為に該当する情報と判断することができる。

【性交等の誘引】（法第6条第1号及び第2号関係）
　○「具体的な18歳未満の年齢、女子中学生」等の児童を意味する表現が記載されていること
　○「Hしたい、口で、手で」等の性交又は性交類似行為を求める表現が記載されていること

【異性交際の誘引】（法第6条第3号及び第4号関係）
　○「具体的な18歳未満の年齢、女子中学生」等の児童を意味する表現が記載されていること
　○「一緒に遊んでくれませんか、お茶したい」等の交際を求める表現が記載されていること
　○「具体的な金額の提示、援助してあげる（ほしい）、お小遣いあげる（ほしい）」等の対償を供与する又は受けることを意味する表現が記載されていること
　○第6条各号に掲げる具体例は以下のとおりである[13]。
　　・第1号

---

[13] 第6条に違反する具体例については、警視庁ホームページ、福島県警ホームページ等より引用。

「女子中学生で僕とＨしてくれるひといませんか」TAROU（25歳）
・第2号
「高校生とＨしたい人いませんか？」byゆみ（17歳）
・第3号
「今日2＄で！条件はポッチャリ系ミニスカブーツ！16～18」
「中とか高の子とかで、お財布中が超きびしい子いませんか？…会える子いたら助けるよ。」
・第4号
「お小遣いくれればお茶してもいいよ」byあけみ（16歳）

2　薬物関連法規
(1)　規制薬物に係る広告

（覚せい剤取締法第20条の2）
　覚せい剤に関する広告は、何人も、医事若しくは薬事又は自然科学に関する記事を掲載する医薬関係者等（医療関係者又は自然科学に関する研究に従事する者をいう。以下この条において同じ。）向けの新聞又は雑誌により行う場合その他主として医薬関係者等を対象として行う場合のほか、行つてはならない。
（麻薬及び向精神薬取締法第29条の2、第50条の18）
　麻薬（向精神薬）に関する広告は、何人も、医事若しくは薬事又は自然科学に関する記事を掲載する医薬関係者等（医薬関係者又は自然科学に関する研究に従事する者をいう。以下この条において同じ。）向けの新聞又は雑誌により行う場合その他主として医薬関係者等を対象として行う場合のほか、行つてはならない。

> （大麻取締法第4条）
> 　何人も次に掲げる行為をしてはならない。
> （一～三略）
> 四　医事若しくは薬事又は自然科学に関する記事を掲載する医薬関係者等（医薬関係者又は自然科学に関する研究に従事する者をいう。以下この号において同じ。）向けの新聞又は雑誌により行う場合その他主として医薬関係者等を対象として行う場合のほか、大麻に関する広告を行うこと。

　次の要件（①、②）をいずれも満たす場合には、規制薬物の広告に該当する情報と判断することができる。

①規制薬物該当性
　〇「覚せい剤、大麻、MDMA」等の表現が記載されている場合
　〇一般的に広く知られている規制薬物名として用いられている表現（エス、チョコ、クサ及びバツなど。）が記載されており、かつ、対象情報が掲載されている電子掲示板、ウェブサイト等に掲載されている他の情報（画像等による対象物の形状、使用方法、効用、品質、値段等対象物に関する説明等）から規制薬物であることが明らかであると判断できる場合

②広告該当性
　〇覚せい剤、大麻、麻薬及び向精神薬の販売等の営業活動に伴い顧客を引き寄せるために薬物名（隠語も含む）、サービス（注射器など）、値段及び取引方法等について、不特定又は多数の者に知られるようにしていること、かつ
　〇医薬関係者等を対象として行っているものではないこと
　例1）　S　0.2g　1万円から　P1サービス
　　　　　都内手渡し可　黒ネコ又は代引き
　　　　　090－○○○○－○○○○

例2) 93　1g　3,000円　5g　10,000円
　　　入金確認後、発送
　　　○○○○＠○○○.ne.jp

(2) 指定薬物に係る広告

> 医薬品、医療機器等の品質、有効性及び安全性の確保等に関する法律【医薬品医療機器等法】
> （広告の制限）
> 第76条の5　指定薬物については、医事若しくは薬事又は自然科学に関する記事を掲載する医薬関係者等（医薬関係者又は自然科学に関する研究に従事する者をいう。）向けの新聞又は雑誌により行う場合その他主として指定薬物を医療等の用途に使用する者を対象として行う場合を除き、何人も、その広告を行つてはならない。

　次の要件（①、②）をいずれも満たす場合には、指定薬物の広告に該当する情報と判断することができる。
①指定薬物該当性
　○指定薬物名が記載されている場合
　○指定薬物の検出例のある商品名（「RUSH」、「Ash360」及び「ROUTE133」など。）が記載されており、かつ、対象情報が掲載されている電子掲示板、ウェブサイト等に掲載されている他の情報（画像等による対象物の形状、使用方法、効用、品質、値段等対象物に関する説明等）から指定薬物であることが明らかであると判断できる場合
②広告該当性
　○指定薬物の販売等の営業活動に伴い顧客を引き寄せるために商品名、サービス、値段及び取引方法等について不特定又は多数

の者に知られるようにしていること、かつ
○医薬関係者等や指定薬物を医療等の用途に使用する者を対象として行っているものではないこと

(3) 指定薬物等である疑いがある物品の広告

医薬品医療機器等法
(指定薬物等である疑いがある物品の検査及び製造等の制限)
第76条の6　厚生労働大臣又は都道府県知事は、指定薬物又は指定薬物と同等以上に精神毒性を有する蓋然性が高い物である疑いがある物品を発見した場合において、保健衛生上の危害の発生を防止するため必要があると認めるときは、厚生労働省令で定めるところにより、当該物品を貯蔵し、若しくは陳列している者又は製造し、輸入し、販売し、若しくは授与した者に対して、当該物品が指定薬物であるかどうか及び当該物品が指定薬物でないことが判明した場合にあつては、当該物品が指定薬物と同等以上に精神毒性を有する蓋然性が高い物であるかどうかについて、厚生労働大臣若しくは都道府県知事又は厚生労働大臣若しくは都道府県知事の指定する者の検査を受けるべきことを命ずることができる。
2　前項の場合において、厚生労働大臣又は都道府県知事は、厚生労働省令で定めるところにより、同項の検査を受けるべきことを命ぜられた者に対し、同項の検査を受け、第四項前段、第六項(第一号に係る部分に限る。)又は第七項の規定による通知を受けるまでの間は、当該物品及びこれと同一の物品を製造し、輸入し、販売し、授与し、販売若しくは授与の目的で陳列し、又は広告してはならない旨を併せて命ずることができる。

3　都道府県知事は、前項の規定による命令をしたときは、当該命令の日、当該命令に係る物品の名称、形状及び包装その他厚生労働省令で定める事項を厚生労働大臣に報告しなければならない。

（指定薬物等である疑いがある物品の製造等の広域的な禁止）
第76条の６の２　厚生労働大臣は、前条第二項の規定による命令をしたとき又は同条第三項の規定による報告を受けたときにおいて、当該命令又は当該報告に係る命令に係る物品のうちその生産及び流通を広域的に規制する必要があると認める物品について、これと名称、形状、包装その他厚生労働省令で定める事項からみて同一のものと認められる物品を製造し、輸入し、販売し、授与し、販売若しくは授与の目的で陳列し、又は広告することを禁止することができる。
2　厚生労働大臣は、前項の規定による禁止をした場合において、前条第一項の検査により当該禁止に係る物品が指定薬物であることが判明したとき（同条第四項後段の規定による報告を受けた場合を含む。）又は同条第六項の規定により第二条第十五項の指定をし、若しくは同項の指定をしない旨を決定したときは、当該禁止を解除するものとする。
3　第一項の規定による禁止又は前項の規定による禁止の解除は、厚生労働省令で定めるところにより、官報に告示して行う。

次の要件（①、②）をいずれも満たす場合には、指定薬物等である疑いがある物品の広域的な広告禁止違反に該当する情報と判断することができる。

①医薬品医療機器等法第76条の６の２第１項に基づき、指定薬物又は指定薬物と同等以上に精神毒性を有する蓋然性が高い物である

疑いがある物品として、告示により広告等を広域的に禁止された物品（広告禁止告示品）の該当性
○その名称、形状、包装からみて広告禁止告示品と同一のものと認められる物品の情報が記載されている場合
・広告禁止告示品と少なくとも名称が同一であり、その形状又は包装が広告禁止告示品と異なることが明らかでなく（情報が記載されていない又は相違が軽微である場合を含む。）、かつ、対象情報が掲載されている電子掲示板、ウェブサイト等に掲載されている他の情報（商品種別、販売方法等）から広告禁止告示品であることが明らかであると判断できる場合
② 広告該当性
　広告禁止告示品の販売等の営業活動に伴い顧客を引き寄せるために、商品名、サービス、値段及び取引方法等について不特定又は多数の者に知られるようにしていること。

(4) 薬物犯罪等の実行又は規制薬物を濫用することを、あおり、又は唆す行為

> 国際的な協力の下に規制薬物に係る不正行為を助長する行為等の防止を図るための麻薬及び向精神薬取締法等の特例等に関する法律【麻薬特例法】
> 第9条　薬物犯罪（前条及びこの条の罪を除く。）、第6条の罪若しくは第7条の罪を実行すること又は規制薬物を濫用することを、公然、あおり、又は唆した者は、3年以下の懲役又は50万円以下の罰金に処する。

　次の要件（①、②）をいずれも満たす場合には、薬物犯罪等の実行又は規制薬物を濫用することを、あおり、又は唆す行為に該当する情報と判断することができる。

①規制薬物該当性
　○「覚せい剤、大麻、MDMA」等の規制薬物名が記載されている場合
　○一般的に広く知られている規制薬物名（隠語など）が記載されており、かつ、対象情報が掲載されている電子掲示板、ウェブサイト等に掲載されている関連情報（画像等による対象物の形状、使用方法、効用、品質、値段等対象物に関する説明等）から規制薬物であることが明らかであると判断できる場合
②あおり、又は唆しの該当性
　○具体的に記載されている事項が、薬物犯罪を実行すること、あるいは、規制薬物を使用することの決意を生じさせるような、又は既に生じている決意を助長させるような刺激を与える行為であることが明らかである場合
例）●密売人から規制薬物を購入する方法や注意点の記載
　　●規制薬物の使用・製造・栽培方法の記載
　　●規制薬物の使用量、品質の見分け方、値段、注意点、効用の記載
　　●規制薬物を販売する内容及びその連絡先の電話番号、メールアドレス等の記載
　　●規制薬物の効果をうたい、「一緒に気持ちよくなりませんか」等の表現での誘引
　　●大麻種子を例えば10粒・数千円～数万円のように販売する広告を掲載したうえ、対象情報が掲載されている電子掲示板、ウェブサイト等に関連情報（それぞれの種子として生育する大麻の画像、品種、花穂の特徴、味、匂い）も併せて掲載

(5) 未承認医薬品の広告

> 医薬品医療機器等法
> （承認前の医薬品、医療機器及び再生医療等製品の広告の禁止）
> 第68条　何人も、第十四条第一項、第二十三条の二の五第一項、第二十三条の二の二十三第一項又は第二十三条の二十五第一項に規定する医薬品、医療機器及び再生医療等製品であつて、まだ第十四条第一項、第十九条の二第一項、第二十三条の二の五第一項、第二十三条の二の十七第一項、第二十三条の二十五第一項若しくは第二十三条の三十七第一項の承認又は第二十三条の二の二十三第一項の認証を受けていないものについて、その名称、製造方法、効能、効果又は性能に関する広告をしてはならない。

1) 医薬品医療機器等法の規定に基づき医薬品として承認等を得ていない製品について、①のア～ウのいずれかに該当し、②の要件を満たす表現を行っている場合は未承認医薬品の広告に該当すると判断することができる。

　なお、海外の規制当局により品質等が確認された製品についても、医薬品医療機器等法の規定に基づき、わが国において医薬品として承認等を得ていない製品は、未承認医薬品である。

① 医薬品該当性
　〇次のいずれかを満たす場合には、医薬品に該当する（医薬品医療機器等法第2条第1項）。
　　ア　日本薬局方に収められている物
　　イ　人又は動物の疾病の診断、治療又は予防に使用されることが目的とされている物であって、機械器具等でないもの
　　ウ　人又は動物の身体の構造又は機能に影響を及ぼすことが目的とされている物であって、機械器具等でないもの

○イ及びウについては、通常人の理解において、個々の製品がイ及びウの目的を有すると認められるか否かについて、成分本質（原材料）、形状及びその物に表示された使用目的・効能効果・用法用量並びにホームページ上の記述等から、総合的に判断される。

・無承認無許可医薬品の取締りについて（昭和46年6月1日薬発第476号厚生省薬務局長通知）別紙「医薬品の範囲に関する基準」別添2「専ら医薬品として使用される成分本質（原材料）リスト」に掲載されている成分本質（原材料）を含むもので、人が経口的に服用するものであれば、原則医薬品に該当する。

・また、いわゆる健康食品と称するものや医薬品ではない旨の表現がなされているものであっても、通常人が医薬品としての目的を有するものであると認識する場合には、当該製品は医薬品に該当する。（最高裁判例、昭和57年9月、昭和63年4月）

・新たに指定薬物に指定され、その省令が公布されてから施行されるまでの間にある当該指定薬物に係る薬物名が記載されている場合、または当該指定薬物に係る製品名が記載されており、かつ、対象情報が掲載されている電子掲示板、ウェブサイト等に掲載されている他の情報（画像等による対象物のパッケージ等のデザイン・形状、使用方法、効用、品質、値段等対象物に関する説明等）から当該指定薬物を含有することが明らかである場合には、当該製品は危険ドラッグに係る未承認医薬品に該当する。

② 広告該当性

次の三要件をすべて満たす場合には、医薬品医療機器等法における医薬品等の広告に該当すると判断することができる（平成10

年9月29日医薬監第148号厚生省医薬安全局監視指導課長通知)。
- ・顧客を誘引する（顧客の購入意欲を昂進させる）意図が明確であること。
- ・特定医薬品等の商品名が明らかにされていること。
- ・一般人が認知できる状態であること。

2）未承認医薬品の広告表現の具体例

① 医薬品成分の含有を明暗示している場合又は既存の医薬品名を記載している場合
- ・タミフル1箱10錠〇〇円。スイス製香港流通品。
- ・リレンザと同じ成分配合。新型インフルエンザ対策に。
- ・漢方版バイアグラ。（バイ●グラ等、一部を伏字にしている場合も同様）
- ・ヨーロッパで有名な勃起不全薬、シアリス、レビトラ。
- ・発毛剤：プロペシアのインド産ジェネリック医薬品。

② 医薬品的効能効果を標ぼうしている場合
- ・医師に見放された末期ガンが完治。
- ・認知症改善サプリメント。みるみる改善。
- ・体に溜まった重金属などの老廃物もデトックスでドバドバ排出。
- ・アトピー性皮膚炎に効果絶大。米国食品薬品局が認可！
- ・とにかくやせる。劇的変化！食事制限不要でヤセ体質に。
- ・勃起不全解消。120分持続可能でお悩み一挙解決。
- ・老化プロセスを遅らせ若さを保つホルモン配合サプリ。

③ 医薬品的用法用量を標ぼうしている場合。
- ・使用方法：1日3回、毎食後2錠づつ。
- ・お休み前に3錠服用下さい。

(参考)
〇医薬品の個人輸入について
　医薬品は、人の健康や身体等に直接影響するものである。このことから、その品質、有効性及び安全性について科学的なデータ等に基づいて確認がなされ、医薬品医療機器等法に基づく承認等を得た製品だけが、同法に基づく許可を得た業者により、国内流通に供されるよう、医薬品医療機器等法によって規制されている。
　一般の個人が輸入（いわゆる個人輸入）することができるのは、輸入者自身が自己の個人的な使用に供する場合に限られており、個人輸入した製品を、販売、授与等することは認められていない。また、含まれる成分によっては、他法（例えば麻薬及び向精神薬取締法など）により厳格な輸入制限がある場合もある。
　なお、上記本文における医薬品医療機器等法68条の説明のとおり、未承認医薬品については、何人も、広告することは認められず、個人輸入代行業者が行う広告についても、当該広告が上記1）記載の未承認医薬品の広告に該当する場合は、当該条文の適用対象となる。

3　振り込め詐欺関連法規
(1)　金融機関の口座売買等の勧誘・誘引の禁止（犯罪収益移転防止法[17]第28条第4項）

（第28条）
1　他人になりすまして特定事業者（第二条第二項第一号から第十五号まで及び第三十六号に掲げる特定事業者に限る。以下この条において同じ。）との間における預貯金契約（別表

---

[17]（筆者注：原文ママ）　正式名称は、「犯罪による収益の移転防止に関する法律」という。

第二条第二項第一号から第三十七号までに掲げる者の項の下欄に規定する預貯金契約をいう。以下この項において同じ。）に係る役務の提供を受けること又はこれを第三者にさせることを目的として、当該預貯金契約に係る預貯金通帳、預貯金の引出用のカード、預貯金の引出し又は振込みに必要な情報その他特定事業者との間における預貯金契約に係る役務の提供を受けるために必要なものとして政令で定めるもの（以下この条において「預貯金通帳等」という。）を譲り受け、その交付を受け、又はその提供を受けた者は、一年以下の懲役若しくは百万円以下の罰金に処し、又はこれを併科する。通常の商取引又は金融取引として行われるものであることその他の正当な理由がないのに、有償で、預貯金通帳等を譲り受け、その交付を受け、又はその提供を受けた者も、同様とする。

2　相手方に前項前段の目的があることの情を知って、その者に預貯金通帳等を譲り渡し、交付し、又は提供した者も、同項と同様とする。通常の商取引又は金融取引として行われるものであることその他の正当な理由がないのに、有償で、預貯金通帳等を譲り渡し、交付し、又は提供した者も、同様とする。

3　業として前二項の罪に当たる行為をした者は、三年以下の懲役若しくは五百万円以下の罰金に処し、又はこれを併科する。

4　第一項又は第二項の罪に当たる行為をするよう、人を勧誘し、又は広告その他これに類似する方法により人を誘引した者も、第一項と同様とする。

　次のすべてを満たす場合には、預貯金通帳等の譲渡の誘引等の構

成要件に該当する情報と判断することができる。
- ○「通帳、口座、キャッシュカード」等の預貯金通帳等を意味する表現が記載されていること
- ○「販売します、譲渡します、買います、売ります」等の譲り渡し、譲り受け等の相手方となるよう誘引する表現が記載されていること

違反となる具体例は以下のとおりである。
- ・「架空口座販売します！全国送料無料！翌日手に入ります！都市銀・信用金庫・郵便貯金あり。常時在庫あり。一通30000円（女性名義＋3000円会社名義＋50000円）お申し込み詳細はお電話で！090－4402－××××」

(2) 携帯電話・PHSの匿名貸与契約・無断有償譲渡業等の勧誘・誘引の禁止（携帯電話不正利用防止法[18]第20条から第23条まで）

> （第7条）
> 1 契約者は、自己が契約者となっている役務提供契約に係る通話可能端末設備等を他人に譲渡しようとする場合には、親族又は生計を同じくしている者に対し譲渡する場合を除き、あらかじめ携帯音声通信事業者の承諾を得なければならない。
> 2 携帯音声通信事業者は、譲受人等につき譲渡時本人確認を行った後又は前条第一項の規定により媒介業者等が譲渡時本人確認を行った後でなければ、前項に規定する承諾をしては

---

[18] 正式名称は、「携帯音声通信事業者による契約者等の本人確認等及び携帯音声通信役務の不正な利用の防止に関する法律」という。

ならない。
（第10条）
1　通話可能端末設備等を有償で貸与することを業とする者（以下「貸与業者」という。）は、通話可能端末設備等を有償で貸与する契約（以下「貸与契約」という。）を締結するに際しては、当該貸与契約を締結しようとする相手方（以下「貸与の相手方」という。）について、次の各号に掲げる貸与の相手方の区分に応じ、運転免許証の提示を受ける方法その他の総務省令で定める方法によるそれぞれ当該各号に定める事項（以下「貸与時本人特定事項」という。）の確認（以下「貸与時本人確認」という。）を行わずに、通話可能端末設備等を貸与の相手方に交付してはならない。
一　自然人氏名、住居（本邦内に住居を有しない外国人で総務省令で定めるものにあっては、総務省令で定める事項）及び生年月日
二　法人名称及び本店又は主たる事務所の所在地
2　（略）
（第20条）
1　第七条第一項の規定に違反して、業として有償で通話可能端末設備等を譲渡した者は、二年以下の懲役若しくは三百万円以下の罰金に処し、又はこれを併科する。
2　相手方が第七条第一項の規定に違反していることの情を知って、業として有償で当該違反に係る通話可能端末設備等を譲り受けた者も、前項と同様とする。
（第21条）
1　自己が契約者となっていない役務提供契約に係る通話可能端末設備等を他人に譲渡した者は、五十万円以下の罰金に処する。

2 相手方が通話可能端末設備等に係る役務提供契約の契約者となっていないことの情を知って、その者から当該通話可能端末設備等を譲り受けた者も、前項と同様とする。
3 業として第一項又は前項の罪に当たる行為をした者は、二年以下の懲役若しくは三百万円以下の罰金に処し、又はこれを併科する。
（第22条）
1 次の各号のいずれかに該当する者は、二年以下の懲役若しくは三百万円以下の罰金に処し、又はこれを併科する。
一 第十条第一項又は同条第二項において準用する第三条第二項の規定に違反して通話可能端末設備等を交付した者
二、三 （略）
2 （略）
（第23条）
　第二十条、第二十一条第一項若しくは第二項又は前条第一項第一号の罪に当たる行為の相手方となるよう、人を勧誘し、又は広告その他これに類似する方法により人を誘引した者は、五十万円以下の罰金に処する。

　次のすべてを満たす場合には、携帯電話（PHSを含む。以下同じ。）の匿名貸与契約等の勧誘・誘引等の構成要件に該当する情報と判断することができる。
【共通の要件】
・「携帯、PHS、プリペ、飛ばし」等、携帯電話を意味する表現、又は、携帯電話の画像等が掲載されていること
【個別の要件】
（無断有償譲渡の勧誘・誘引：第20条第1項関係）
・「名義変更をせずに、足のつかない」等の携帯音声通信事業者の承諾を得ないで譲渡することを意味する表現が記載されてい

ること
- 「高額、現金、安値」等の有償であることを意味する表現が記載されていること
- 「売ります、譲ります」等の譲渡の相手方となるよう勧誘・誘引する表現が記載されていること

（無断有償譲受けの勧誘・誘引：法第20条第2項関係）
- 「名義変更をせずに、足のつかない」等の携帯音声通信事業者の承諾を得ないことを意味する表現が記載されていること
- 「高額、現金、安値」等の有償であることを意味する表現が記載されていること
- 「買います、譲って下さい」等の譲受けの相手方となるよう勧誘・誘引する表現が記載されていること

（他人名義の携帯電話の譲渡の勧誘・誘引：法第21条第1項関係）
- 「足のつかない、他人名義」等の他人名義の携帯電話であることを意味する表現が記載されていること
- 「譲ります、売ります」等の譲渡の相手方となるよう勧誘・誘引する表現が記載されていること

（他人名義の携帯電話の譲受けの勧誘・誘引：法第21条第2項関係）
- 「足のつかない、他人名義」等の他人名義のものであることを意味する表現が記載されていること
- 「譲って下さい、買います」等の譲受けの相手方となるよう勧誘・誘引する表現が記載されていること

（匿名貸与契約の誘引：法第22条第1項関係）
- 「身分確認不要、本人確認なし」等の氏名や法人の名称等を確認しないことを意味する表現が記載されていること
- 「高額、現金、安値」等の有償であることを意味する表現が記載されていること

・「貸します、レンタル」等の貸与を勧誘・誘引する表現が記載されていること

4 貸金業法関連法規
(1) 無登録営業等の禁止に係る広告

> (貸金業法第11条)
> 　第三条第一項の登録を受けない者は、貸金業を営んではならない。
> 2　第三条第一項の登録を受けない者は、次に掲げる行為をしてはならない。
> 一　貸金業を営む旨の表示又は広告をすること。
> 二　貸金業を営む目的をもつて、貸付けの契約の締結について勧誘をすること。
> 3　貸金業者は、貸金業者登録簿に登録された営業所又は事務所以外の営業所又は事務所を設置して貸金業を営んではならない。
> (第47条の3)
> 　次の各号のいずれかに該当する者は、二年以下の懲役若しくは三百万円以下の罰金に処し、又はこれを併科する。情を知つて、第六号又は第七号に該当する者から信用情報の提供を受けた者も、同様とする。
> 一　第四条第一項の登録申請書又は同条第二項の書類に虚偽の記載をして提出した者
> 二　第十一条第二項又は第三項の規定に違反した者
> (以下　略)

　次の要件（①、②）をいずれも満たす場合には、ヤミ金融業者による広告の構成要件に該当する情報と判断することができる。

①無登録業者該当性
　○貸付けの条件についての広告に貸金業登録番号の表示がない、又は詐称された登録番号が表示されている。
　　（但し、貸金業法第2条第1項第1号から5号で「貸金業」から除外されているものを除く。
　　　例：国又は地方公共団体が行うもの、銀行その他民間金融機関、政府関係金融機関等）
　　※貸金業者は、貸付けの条件について広告するときは、登録番号を表示することが義務づけられている（貸金業法第15条第1項）。
　　※登録業者かどうかは、金融庁ホームページに掲載されている「登録貸金業者検索システム」又は登録詐称されている可能性が高い登録行政庁への問合せにより確認することができる。

②広告該当性
　次のいずれかを満たす場合には、広告に該当すると判断することができる。
　○金銭の貸付け又は金銭の貸借の媒介を営む旨の記載があること
　○貸付けの条件（貸付の利率、限度額、返済方法等）に関する表示があること
　○貸付け契約の締結の勧誘を意味する表現があること
　具体例は以下のとおり
　「キャッシングならお任せください」
　「ご利用限度額○○万円、実質年率○％～○％、返済方法　元利均等返済、利用期間　○年」
　「おまとめローン、レディースローン受付中」
　「今なら500万円まで大幅低金利でご融資中です！」
　「即日融資　断りません。今すぐメールで簡単申込み」

5　その他の法規

　1～4以外については、インターネット上における流通が法令に違反する情報であって、警察機関が捜査によって違法であると認めたものを本ガイドラインの対象とする。

例）
- いわゆるフィッシングサイトで、その流通が著作権法に違反する情報
- 不正アクセス助長行為に該当する情報（アクセス制御機能に係る他人の識別符号を、その識別符号がどの特定電子計算機の特定利用に係るものであるかを明らかにして、又はこれを知っている者の求めに応じて、当該アクセス制御機能に係るアクセス管理者及び当該識別符号に係る利用権者以外の者に提供する行為）（不正アクセス行為の禁止等に関する法律第4条）

第2　送信防止措置等の対応

1　自主的な対応の要否

　流通により他人の権利を侵害しない情報についてはその流通を放置したことにより民事上の責任が生じるものではないため、電子掲示板の管理者等が、他人が流通させた違法な情報を放置したことにより直ちに民事上の責任を問われることはないものと考えられる。

　違法な情報の流通を放置したことによる刑事上の責任については、裁判例等[19]によれば、単に他人が流通させた違法な情報の存在を認識したが、これについて送信防止措置を行わず放置したことの

---

[19] 最高裁平成13年7月16日判決（原審：大阪高裁平成11年8月26日判決、一審：京都地裁平成9年9月24日判決）（刑集55巻5号317頁、判例時報1762号150頁、判例時報1692号148頁、判例時報1638号160頁等）、東京高裁平成16年6月23日判決（原審：横浜地裁平成15年12月15日判決）（インターネット上の誹謗中傷と責任（情報ネットワーク法学会・社団法人テレコムサービス協会編）136頁、156頁以下）等

みを理由として責任が認められるものではなく、電子掲示板の管理者等が、違法な情報の流通に積極的な関与をしていた場合に責任が認められるものと解される。[20]

　このように、電子掲示板の管理者等が、自己の管理する電子掲示板等やサーバにおける違法な情報の流通を防止しないと直ちに法的責任を問われるものではないため、電子掲示板の管理者等としては違法な情報の流通に対し自主的に対応を行うこととなる。

　具体的には、電子掲示板の管理者等が、一般の利用者等から、違法な情報が自己の管理する電子掲示板に掲載されているとの情報提供を受けた場合や、自ら違法と思われる情報を発見した場合には、本ガイドラインに基づき情報の違法性等を判断の上、送信防止措置等の対応を行うことが考えられる。違法な情報に対する送信防止措置であれば、電子掲示板の管理者等が法的責任を問われることは一般的にはないと考えられる[21]。

2　具体的な対応

　電子掲示板の管理者等が、違法な情報の流通に対して行う対応としては、対象となる違法な情報について送信防止措置を行うことのほか、違法な情報を流通させた発信者を特定できる場合には発信者に対する発信中止の要求を行うことが考えられる。さらに、電子掲示板の管理者等と発信者との間に契約関係がある場合には、契約に基づく利用停止、契約解除等の対応を行うことも考えられる。

　具体的には、違法な情報に対する措置として、当該情報を発信した者に対して、

---

[20] 電子掲示板等やサーバの管理者が、他人の掲載した違法な情報を放置した場合の刑事上の責任については、最終報告書13頁以下に記載されている。また、「インターネット上の誹謗中傷と責任」第3章（111頁以下）に記載されている。

[21] 違法な情報について送信防止措置を行った場合の法的責任については、最終報告書19頁参照。

(1) 違法な情報の発信をやめるように要求すること
(2) 要求を繰り返し行っても、発信者が要求された措置を講じないときは、事業者が違法な情報を公衆が受信できない状態にすること（ただし、明らかに違法又は有害で、緊急性があると判断できる相当の事由がある場合、(1)の要求を行うことなく、事業者が違法な情報を公衆が受信できない状態にすること）
(3) 発信者が違法な情報の発信を繰り返す場合、発信者の利用を停止し、又は発信者との利用契約を解除すること

等が考えられる。

Ⅲ 第三者機関による違法性の判断を受けて行う違法な情報への対応

第1 警察機関等からの送信防止措置依頼を受けて行う対応

1 総論
(1) 背景

　電子掲示板の管理者等が、警察機関、厚生労働省医薬食品局監視指導・麻薬対策関係機関又は都道府県薬務関係機関（以下「警察機関等」という。）の情報の違法性についての判断を経たのち違法な情報について送信防止措置を行ってほしい旨の依頼を受けて送信防止措置等の対応を行う場合には、違法な情報の発見及び情報の流通に関する違法性の判断が、適切かつ円滑に行われている状況がある。

　しかし一方で、警察機関等からの送信防止措置依頼については、依頼方法が統一されていない、違法性の判断主体が明らかでない、対象情報に関する情報が不十分な場合等がありうる。

　このような場合には、送信防止措置依頼を受けた電子掲示板の管理者等としても、対象情報について適切かつ迅速な対応ができないことになる。そこで、ガイドラインでは、警察機関等からの電子掲

示板の管理者等に対する違法な情報の送信防止措置依頼に関して、依頼方法、違法性の判断主体、依頼内容（書式）等について整備することとする。[22]

(2) 法的位置付け

電子掲示板の管理者等が、他人が流通させた違法ではない情報について誤って送信防止措置を行った場合における法的責任については裁判手続によって判断されるものである。よって、電子掲示板の管理者等が本ガイドラインに定める手続に従ったからといって、当然に送信防止措置について法的責任が生じないことにはならない。

もっとも、警察機関等からなされる違法な情報の送信防止措置依頼については、取締り関連法規に関して知見を有し、具体的事例における犯罪構成要件該当性等の判断に関して経験を有する組織から、所定の手続に従って依頼されるものであり、依頼を受けた電子掲示板の管理者等においてガイドラインに示す手続等に従って違法な情報であると判断して送信防止措置を行なった場合には、当該情報の流通が法令に違反すると信じたことにつき相当の理由があり、故意又は過失がないとして責任を問われないことが期待される。[23]

2　対象とする違法な情報の範囲

Ⅱ　第1の1～5までに掲げる情報を対象とする。

3　送信防止措置手続

警察機関等（厚生労働省医薬食品局監視指導・麻薬対策関係機関

---

[22] ガイドラインに基づく警察機関等からの送信防止措置依頼は、電子掲示板の管理者等に対して対応を義務づけるものではない。なお、違法薬物は多くの健全な市民の人生を転落に追い込んでいる深刻な問題であること、厚生労働省医薬食品局監視指導・麻薬対策関係機関は警察機関と並んで薬物犯罪について司法警察権を有し、実際に多くの執行実績があること、都道府県薬務関係機関は医薬品医療機器等法等の薬事関連法規に基づき、麻薬取締員や薬事監視員等により、指定薬物、未承認医薬品等の指導取締りを実施していることにより、警察機関に準ずる機関として扱うこととした。

又は都道府県薬務関係機関については、別表に記載の「インターネット上の違法な薬物情報に対し、送信防止措置依頼を行う厚生労働省又は都道府県からの部署一覧」に限る）から送信防止措置依頼があった場合には、以下の手順で送信防止措置手続を行うこととする。

(1) 受付

ア　受付方法

電子掲示板の管理者等に、依頼元が警察機関等であることを容易かつ確実に確認できる方法により依頼されていることが重要であることから、原則として、必要な事項を記載した文書（Ⅳ第1参照）の郵送又は交付を都道府県警察本部（警察庁を含む）又は警察署、厚生労働省医薬食品局監視指導・麻薬対策関係機関又は都道府県薬務関係機関（以下「警察本部等」という。）から受ける方法による。

ただし、例外的に、緊急性が高い場合には、依頼文書をファックスにより受信した後に、警察本部等に対し、依頼があったことの確認を電話等により行い、確認できた場合には、事後的に依頼文書を受領することとする。

23　電子掲示板の管理者等が他人の掲載する情報について送信防止措置を行った場合の法的責任については、最終報告書14頁以下においても記載されている。なお、医薬品医療機器等法においては、厚生労働大臣又は都道府県知事が、指定薬物、広告禁止告示品、未承認医薬品に係る違法広告である特定電気通信による情報の送信があるときは、特定電気通信役務提供者に対して、当該情報の送信防止措置を講ずることを要請することができること、特定電気通信役務提供者が、これらの違法広告の情報の送信防止措置を講じた場合において、当該情報の発信者に生じた損害については、賠償の責めに任じないことが明記されている（同法第72条の5、第72条の6、第76条の7の2及び第76条の7の3）が、他の情報と同様に、特定電気通信役務提供者において違法性について確認することが必要で有り、違法性に疑義がある場合、厚生労働省または都道府県庁に確認することが期待される。

その他、依頼文書をPDF化して電子署名付きの電子メールに添付して送信した後に、依頼文書を受領する方法等も考えられる。

イ　形式的記載事項の確認

警察本部等から受領した依頼文書につき、形式的記載事項の確認を行う。

ウ　実質的記載事項の確認

警察本部等から受領した依頼文書につき、実質的記載事項の確認を行う。

a　対象情報の特定

対象情報について、そのURL（Uniform Resource Locator）及び電子掲示板の管理者等が対象情報を合理的に特定することができる情報（ファイル名、データサイズ、具体的な書き込みの内容等）が記載され、又は、対象情報が掲載されている画面が、対象情報を特定できる形で添付されていること等について確認する。

b　違法性の判断

警察本部等において、「対象情報の流通が特定の法令に違反する」と判断したことが、その根拠及び理由とともに、明確かつ分かりやすい形で示されていることを確認する。

具体的には、以下の情報が記載されていること。

ⅰ）違反する法令の名称及び該当条文（禁止規定、罰則等）

ⅱ）対象情報の流通が当該法令に違反していると判断した理由

c　判断者

bの「違法性の判断」が、警察本部等の組織体としての判断であることが電子掲示板の管理者等に対して示されていることを確認する。

(2)　送信防止措置

ア　電子掲示板の管理者等は、警察本部等からの依頼に基づき、対象情報が違法な情報であると判断したときは、可能な限り速やか

に送信防止措置を行うこととする。

　送信防止措置は、対象情報の送信を防止するために必要な限度で行うことが求められる。
イ　電子掲示板の管理者等は、警察本部等からの依頼文書につき不明な事項等が存する場合には、依頼元の警察本部等に対して確認を求める等の適切な対応を行うこととする。

第2　インターネット・ホットラインセンターからの送信防止措置依頼を受けて行う対応

1　総論
(1)　ホットラインの設置及びガイドラインの目的

　インターネット上の違法な情報の流通への対応を促進するに当たっては、広くインターネット利用者から違法な情報に関する情報を集め、適切に処理する機関が必要である。

　そこで、警察庁が主催する総合セキュリティ対策会議における検討の結果、平成18年6月に、国民からインターネット上の違法・有害情報に関する通報等を受け付け、対象情報の違法性・有害性を一定の基準に従って判断し、警察への通報、関係機関への情報提供、電子掲示板の管理者等に対する送信防止措置等の対応依頼等を行う機関として、インターネット・ホットラインセンター（以下「ホットラインセンター」という。）が設置されたところである。[24]

　ホットラインセンターでは、インターネットの利用者である国民から通報を受けた違法な情報に関する情報について、一定の基準、手続等に基づき対象情報の流通に関する違法性を判断し、違法な情報と判断した場合には、電子掲示板の管理者等に対して送信防止措

---

[24]　ホットラインの概要については、警察庁「平成17年度総合セキュリティ対策会議報告書」（http://www.npa.go.jp/cyber/csmeeting/h17/pdf/pdf17.pdf）を参照。

置を依頼することとしている。

　ガイドラインでは、ホットラインセンターから電子掲示板の管理者等に対する違法な情報の送信防止措置依頼に関して、送信防止措置に関する法的責任を整理するとともに、依頼方法、依頼内容（書式）等の手続について整備することとする[25]。

(2)　法的位置付け

　電子掲示板の管理者等が、他人が流通させた違法ではない情報について誤って送信防止措置を行った場合における法的責任については裁判手続によって判断されるものである。よって、電子掲示板の管理者等が本ガイドラインに定める手続に従ったからといって、当然に送信防止措置について法的責任が生じないことにはならない。

　もっとも、ホットラインセンターからなされる違法な情報の送信防止措置依頼については、ホットラインセンターにおいて専門的知見に基づく違法性の判断を経たのちに、適切な手続に基づいて送信防止措置の依頼がなされることから[26]、依頼を受けた電子掲示板の管理者等において、ガイドラインに示す手続等に従って違法な情報であると判断して送信防止措置等を行った場合には、当該情報の流通が違法であると信じたことにつき相当の理由があり故意又は過失がないとして責任を問われないことが期待される。

2　対象とする違法な情報の範囲

　Ⅱ第1の1〜3までに掲げる情報を対象とする。

3　送信防止措置手続

　ホットラインセンターから送信防止措置依頼があった場合には、

---

[25]　なお、ガイドラインに基づくホットラインセンターからの送信防止措置依頼は、電子掲示板の管理者等に対して対応を義務づけるものではない。

[26]　ホットラインセンターにおける情報の流通に関する違法性判断の基準、手続等については、「ホットライン運用ガイドライン」（http://www.internethotline.jp/pages/guideline/index）参照。

以下の手順で送信防止措置手続を行うこととする。
(1) 受付
ア 受付方法
　電子掲示板の管理者等に、依頼元がホットラインセンターであることを容易かつ確実に確認できる手続により依頼されていることが重要であることから、電子署名付きの電子メール等信頼性が確保された形で行うものとする。(Ⅳ第2参照)
イ 形式的記載事項の確認
　ホットラインセンターから受領した依頼文書につき、形式的記載事項の確認を行う。
ウ 実質的記載事項の確認
　ホットラインセンターから受領した依頼文書につき、実質的記載事項の確認を行う。
　a　対象情報の特定
　対象情報について、そのURL（Uniform Resource Locator）及び電子掲示板の管理者等が対象情報を合理的に特定することができる情報（ファイル名、データサイズ、具体的な書き込みの内容等）が記載され、又は、対象情報が掲載されている画面が、対象情報を特定できる形で添付されていること等について確認する。
　b　違法性の判断
　ホットラインセンターにおいて、「対象情報の流通が特定の法令に違反する」と判断したことが、その根拠及び理由とともに、明確かつ分かりやすい形で示されていることを確認する。
　具体的には、以下の情報が記載されていること。
　　ⅰ) 違反する法令の名称及び該当条文（禁止規定、罰則等）
　　ⅱ) 対象情報の流通が当該法令に違反していると判断した理由
　c　判断者
　bの「違法性の判断」が、ホットラインセンターとしての判断で

あることが電子掲示板の管理者等に対して示されていることを確認する。
(2) 送信防止措置

ア　電子掲示板の管理者等は、ホットラインセンターからの依頼に基づき、対象情報が違法な情報であると判断したときは、可能な限り速やかに送信防止措置を行うこととする。

　送信防止措置は、対象情報の送信を防止するために必要な限度で行うことが求められる。

イ　電子掲示板の管理者等は、ホットラインセンターからの依頼文書につき不明な事項等が存する場合には、依頼元のホットラインセンターに対して確認を求める等の適切な対応を行うこととする。

Ⅳ　書式

第1　警察機関等からの送信防止措置依頼について

(1)　警察機関からの違法情報の対応依頼書（児童ポルノのケース）

通知（〇〇.〇〇）第〇〇号
平成〇〇年〇〇月〇〇日

［プロバイダ等］御中

〇〇県警察本部〇〇課長（〇〇県〇〇警察署長）　　　印

違法情報の送信防止措置依頼書

　あなたが管理する［サイト／電子掲示板／サーバ］等に下記のとおり違法な情報が掲載されていますので、当該情報の送信を防止する措置を講じるよう依頼します。

記

掲載されている場所		URL： その他情報の特定に必要な情報：（掲示板の名称、掲示板内の書き込み場所、日付、ファイル名等）
掲載されている情報		例）明らかに18歳未満と認められる少女の性交が描写された画像が「〇〇小学校3年生女子」との書き込みとともに掲載。
違法情報該当性等の判断理由	違反する法令名等	例）児童買春、児童ポルノに係る行為等の規制及び処罰並びに児童の保護等に関する法律（児童ポルノ法）第7条
	上記法令の構成要件に該当すると判断した理由	例）明らかに18歳未満の少女の性交が描写された画像が、「〇〇小学校3年女子」との書き込みとともに、不特定多数の者が閲覧可能な電子掲示板に掲載。

問い合わせ先
担当部署　　〇〇県〇〇警察署〇〇〇課
担当者　　　〇〇係警部補　〇〇〇〇
電話番号　　〇〇〇－〇〇〇－〇〇〇〇
ファックス　〇〇〇－〇〇〇－〇〇〇〇

警察機関からの違法情報の対応依頼書
（ヤミ金融業者による広告のケース）

通知（○○．○○）第○○号
平成○○年○○月○○日

［プロバイダ等］御中

　　　　　　　　　　○○県警察本部○○課長（○○県○○警察署長）　　　印

違法情報の送信防止措置依頼書

　あなたが管理する［サイト／電子掲示板／サーバ］等に下記のとおり違法な情報が掲載されていますので、当該情報の送信を防止する措置を講じるよう依頼します。

記

掲載されている場所		URL： その他情報の特定に必要な情報：（掲示板の名称、掲示板内の書き込み場所、日付、ファイル名等）
掲載されている情報		例）貸付の条件についての広告に貸金業登録番号が表示されていないにも拘わらず、「キャッシングならお任せください」と掲載。
掲載情報の違法該当性の判断理由等	違反する法令名等	例）貸金業法第11条
	上記法令の構成要件に該当すると判断した理由	例）貸付の条件についての広告に貸金業登録番号が表示されていないにも拘わらず、「キャッシングならお任せください」との書き込みが、不特定多数の者が閲覧可能な掲示板に掲載。

　　　　　　　　　　　　　　　問い合わせ先
　　　　　　　　　　　　　　　　担当部署　　○○県○○警察署○○○課
　　　　　　　　　　　　　　　　担当者　　　○○係警部補　○○○○
　　　　　　　　　　　　　　　　電話番号　　○○○－○○○－○○○○
　　　　　　　　　　　　　　　　ファックス　○○○－○○○－○○○○

(2) 厚生労働省医薬食品局監視指導・麻薬対策関係機関からの違法情報の対応依頼書

通知（○○．○○）第○号
平成○○年○○月○○日

［プロバイダ等］御中

厚生労働省○○局○○課○○係

違法情報の送信防止措置依頼書

あなたが管理する［サイト／電子掲示板／サーバ］等に下記のとおり違法な情報が掲載されていますので、当該情報の送信を防止する措置を講じるよう依頼します。

記

掲載されている場所		URL： その他情報の特定に必要な情報：（掲示板の名称、掲示板内の書き込み場所、日付、ファイル名等）
掲載されている情報		例）違法薬物の売買と認められる記載が、「S0.2g　1万円から　P1サービス」との書き込みとともに掲載。
違法情報該当性の判断理由等	該当するカテゴリー	ガイドライン「Ⅱ第1の2薬物関連法規」に記載の案件のどれに該当するか下記選択肢から選択 例）■(1)　規制薬物に係る広告違反 　　□(2)　指定薬物に係る広告違反 　　□(3)　指定薬物等である疑いがある物品の広告違反 　　□(4)　薬事犯罪等の実行又は規制薬物を濫用することを、あおり、又は唆す行為 　　□(5)　未承認医薬品の広告違反
	違反する法令名等	例）覚せい剤取締法第20条の2
	上記法令の構成要件に該当すると判断した理由	例）違法薬物の売買が、「S0.2g　1万円から　P1サービス」との書き込みとともに、不特定多数の者が閲覧可能な電子掲示板に掲載

問い合わせ先
担当部署　　厚生労働省○○局○○課
担当者　　　○○係　○○○○
電話番号　　○○－○○○○－○○○○
ファックス　○○－○○○○－○○○○

(3) 厚生労働大臣・地方厚生局長・都道府県知事からの違法情報の対応要請書

通知（○○．○○）第○号
平成○○年○○月○○日

［プロバイダ等］御中

［厚生労働大臣　○○○○　印
／地方厚生局長　○○○○　印
／○○［都／道／府／県］知事　○○○○　印］

違法情報の送信防止措置要請書

　あなたが管理する［サイト／電子掲示板／サーバ］等に下記のとおり違法な情報が掲載されていますので、医薬品、医療機器等の品質、有効性及び安全性の確保等に関する法律（昭和35年法律第145号）［第72条の5第2項／第76条の7の2第3項］の規定に基づき、当該情報の送信を防止する措置を講じるよう要請します。

記

掲載されている場所		URL： その他情報の特定に必要な情報：（掲示板の名称、掲示板内の書き込み場所、日付、ファイル名等）
掲載されている情報		例）指定薬物等である疑いがある物品（製品名○○）の広告
違法情報該当性の判断理由等	該当するカテゴリー	ガイドライン「Ⅱ第1の2薬物関連法規」に記載の案件のどれに該当するか下記選択肢から選択 例）□(2)　指定薬物に係る広告違反 　　■(3)　指定薬物等である疑いがある物品の広告違反 　　□(5)　未承認医薬品の広告違反
	違反する法令名等	例）医薬品、医療機器等の品質、有効性及び安全性の確保に関する法律第76条の6の2
	上記法令の構成要件に該当すると判断した理由	例）製品名○○については、広告禁止告示品と名称、包装、形状から同一と認められる。不特定多数の者が閲覧可能なウェブサイトに製品名を明らかにし、顧客を誘引する意図が明確である情報が掲載されており、広告に該当する。

問い合わせ先
　担当部署
　担当者
　電話番号
　ファックス

3 インターネット上の違法な情報への対応に関するガイドライン

【別表1】インターネット上の違法な薬物情報に対し送信防止措置依頼、要請を行う厚生労働省の部署一覧

厚生労働省

部署名	※対象案件	住所	電話番号	FAX番号
厚生労働省医薬食品局監視指導・麻薬対策課情報係	(1)～(4)	〒100-8916 東京都千代田区霞ヶ関1-2-2 中央合同庁舎5号館	03-3595-2436	03-3501-0034
厚生労働省医薬食品局監視指導・麻薬対策課薬事監視第一係	(5)			

全国麻薬取締部

部署名	※対象案件	住所	電話番号	FAX番号
北海道厚生局麻薬取締部調査総務課	(1)～(4)	〒060-0808 札幌市北区北8条西2-1-1 札幌第一合同庁舎	011-726-3131	011-709-8063
東北厚生局麻薬取締部調査総務課	(1)～(4)	〒980-0014 仙台市青葉区本町3-2-23 仙台第二合同庁舎	022-221-3701	022-221-3713
関東信越厚生局麻薬取締部調査総務課	(1)～(4)	〒102-8309 東京都千代田区九段南1-2-1 九段第三合同庁舎	03-3512-8688	03-3512-8689
東海北陸厚生局麻薬取締部調査総務課	(1)～(4)	〒460-0001 名古屋市中区三の丸2-5-1 名古屋合同庁舎2号館	052-951-6911	052-951-6876
近畿厚生局麻薬取締部調査総務課	(1)～(4)	〒540-0008 大阪市中央区大手前4-1-76 大阪合同庁舎4号館	06-6949-6336	06-6949-6339
中国四国厚生局麻薬取締部調査総務課	(1)～(4)	〒730-0012 広島市中区上八丁堀6-30 広島合同庁舎4号館	082-227-9011	082-227-9174
四国厚生支局麻薬取締部調査総務課	(1)～(4)	〒760-0019 高松市サンポート3-33 高松サンポート合同庁舎	087-811-8910	087-823-8810

部署名		住所	電話	ファックス
九州厚生局麻薬取締部 調査総務課	(1)〜(4)	〒812-0013 福岡市博多区博多駅東 2-10-7 福岡第二合同庁舎	092-472-2331	092-472-2336
九州厚生局沖縄麻薬取 締支所 捜査課	(1)〜(4)	〒900-0022 那覇市樋川1-15-15 那覇第一地方合同庁舎	098-854-2584	098-834-8978

※対象案件（送信防止措置依頼、要請を行う厚生労働省の部署名とガイドライン「Ⅱ　第1の2　薬物関連法規」に記載の対応する案件）
(1)　規制薬物に係る広告違反
(2)　指定薬物に係る広告違反
(3)　指定薬物等である疑いがある物品の広告違反
(4)　薬物犯罪等の実行又は規制薬物を濫用することを、あおり、又は唆す行為
(5)　未承認医薬品の広告違反

【別表2】インターネット上の違法な薬物情報に対し送信防止措置要請を行う都道府県の部署一覧

部署名	住所	電話	ファックス
北海道保健福祉部地域医療推進局医務薬務課	〒060-0003 札幌市中央区北3条西6丁目	011-204-5265	011-232-4108
青森県健康福祉部医療薬務課	〒030-8570 青森市長島1-1-1	017-734-9289	017-734-8089
岩手県保健福祉部健康国保課	〒020-0023 盛岡市内丸10番1号	019-629-5467	019-629-5474
宮城県保健福祉部薬務課	〒980-0014 仙台市青葉区本町3丁目8-1	022-211-2653	022-211-2490
秋田県健康福祉部医務薬事課	〒010-0951 秋田市山王四丁目1-1	018-860-1411	018-860-3883
山形県健康福祉部健康福祉企画課	〒990-8570 山形市松波二丁目8-1	023-630-2333	023-625-4294
福島県保健福祉部薬務課	〒960-8670 福島市杉妻町2-16西庁舎7階	024-521-7233	024-521-7992
茨城県保健福祉部薬務課	〒310-8555 水戸市笠原町978-6	029-301-3388	029-301-3399
栃木県保健福祉部薬務課	〒320-0027 宇都宮市塙田1-1-20	028-623-3119	028-623-3121

3　インターネット上の違法な情報への対応に関するガイドライン　821

群馬県健康福祉部薬務課	〒371-8570 前橋市大手町1-1-1	027-226-2661	027-223-7872
埼玉県保健医療部薬務課	〒330-9301 さいたま市浦和区高砂3-15-1	(2)(3)： 048-830-3633 (5)： 048-830-3622	048-830-4806
千葉県健康福祉部薬務課	〒260-0855 千葉市中央区市場町1-1	043-223-2619 2620	043-227-5393
東京都福祉保健局健康安全部薬務課	〒163-8001 東京都新宿区西新宿2-8-1 第一本庁舎21階北側	03-5320-4512 03-5320-4515	03-5388-1434
神奈川県保健福祉局生活衛生部薬務課	〒231-8588 横浜市中区日本大通1	045-210-4972 045-210-4967	045-201-9025
新潟県福祉保健部医務薬事課	〒950-8750 新潟市中央区新光町4番地1	025-280-5188	025-285-5723
富山県厚生部くすり政策課	〒930-8501 富山市新総曲輪1番7号	076-444-3234	076-444-3498
石川県健康福祉部薬事衛生課	〒920-8580 金沢市鞍月1丁目1番地	076-225-1441	076-225-1444
福井県健康福祉部医薬食品・衛生課	〒910-0005 福井市大手3丁目17番1号	0776-20-0347	0776-20-0640
山梨県福祉保健部衛生薬務課	〒400-0031 甲府市丸の内一丁目6-1	055-223-1491	055-223-1492
長野県健康福祉部薬事管理課	〒380-8570 長野市大字南長野字幅下692-2	026-235-7157	026-235-7398
岐阜県健康福祉部薬務水道課	〒500-8570 岐阜市薮田南2-1-1	058-272-8285	058-271-5731
静岡県健康福祉部生活衛生局薬事課	〒420-8601 静岡市葵区追手町9-6	054-221-2413	054-221-2199
愛知県健康福祉部保健医療局医薬安全課	〒460-8501 名古屋市中区三の丸三丁目1番2号	052-954-6344	052-953-7149
三重県健康福祉部薬務感染症対策課	〒514-0006 津市広明町13番地	059-224-2330	059-224-2352
滋賀県健康医療福祉部薬務感染症対策課	〒520-0044 大津市京町四丁目1-1	077-528-3634	077-528-4863
京都府健康福祉部薬務課	〒602-8570 京都市上京区下立売通新町西入薮ノ内町	075-414-4790	075-414-4792

大阪府健康医療部薬務課	〒540-8570 大阪市中央区大手前2-1-22	06-6941-9078	06-6944-6701
兵庫県健康福祉部健康局薬務課	〒650-8567 神戸市中央区下山手通5丁目10番1号	078-362-3270	078-362-4713
奈良県医療政策部薬務課	〒630-8501 奈良市登大路町30番地	0742-27-8664	0742-27-3029
和歌山県福祉保健部健康局薬務課	〒640-8585 和歌山市小松原通1-1	073-441-2663	073-433-7118
鳥取県福祉保健部健康医療局医療指導課	〒680-0011 鳥取市東町一丁目220	0857-26-7203	0857-26-8168
島根県健康福祉部薬事衛生課	〒690-0887 松江市殿町128番地	0852-22-5260	0852-22-6041
岡山県保健福祉部医薬安全課	〒700-8570 岡山市北区内山下2-4-6	086-226-7340 086-226-7341	086-224-2133
広島県健康福祉局薬務課	〒730-8511 広島市中区基町10-52	(2)(3) 082-513-3221 (5) 082-513-3222	082-211-3006
山口県健康福祉部薬務課	〒753-8501 山口市滝町1番1号	083-933-3020	083-933-3029
徳島県保健福祉部薬務課	〒770-0941 徳島市万代町1丁目1番地	088-621-2230	088-621-2842
香川県健康福祉部薬務感染症対策課	〒760-8570 高松市番町4丁目1-10	087-832-3301	087-861-1421
愛媛県保健福祉部健康衛生局薬務衛生課	〒790-8570 松山市一番町四丁目4番地2	089-912-2390	089-912-2389
高知県健康政策部医事薬務課	〒780-0850 高知市丸ノ内1丁目2番20号	088-823-9682	088-823-9137
福岡県保健医療介護部薬務課	〒812-0045 福岡市博多区東公園7-7	092-643-3285	092-643-3305
佐賀県健康福祉本部薬務課	〒840-0041 佐賀市城内1-1-59	0952-25-7082	0952-25-7285
長崎県福祉保健部薬務行政室	〒850-0861 長崎市江戸町2-13	095-895-2469	095-895-2574
熊本県健康福祉部薬務衛生課	〒862-8570 熊本市中央区水前寺6丁目18番1号	096-333-2242	096-383-1434

大分県福祉保健部薬務室	〒870-0022 大分市大手町3丁目1番1号	097-506-2650	097-506-1828
宮崎県福祉保健部医療薬務課薬務対策室	〒880-0805 宮崎市橘通東2丁目10番1号	0985-26-7060	0985-32-4458
鹿児島県保健福祉部薬務課	〒890-0064 鹿児島市鴨池新町10番1号	099-286-2804	099-286-5564
沖縄県保健医療部薬務疾病対策課	〒900-8570 那覇市泉崎1-2-2	098-866-2215	098-866-2241

第2　ホットラインセンターからの送信防止措置依頼について

違法情報の対応依頼書

整理番号
年　月　日

［プロバイダ又は電子掲示板の管理者等の名称］御中

インターネット・ホットラインセンター
連絡先（e-mail アドレス）
担当者氏名
確認者氏名

【違法情報】の通知書兼送信防止措置依頼書

　あなたが管理する［サイト／電子掲示板／サーバ］等に下記のとおり刑事処分の対象となる違法な情報が掲載されていますので、あなたに対して当該情報の<u>送信</u>を<u>防止する措置</u>を講じるよう依頼します。

記

掲載されている場所		URL： その他情報の特定に必要な情報：（掲示板の名称、掲示板内の書き込み場所、日付、ファイル名等）
掲載されている情報		例）明らかに10歳前後と認められる少女の性交が描写された画像が「○○小学校3年生女子」との書き込みとともに掲載。
違法情報該当性の判断理由	違反する法令名等	例）児童買春、児童ポルノに係る行為等の規制及び処罰並びに児童の保護等に関する法律（児童ポルノ法）第7条
	上記法令の構成要件に該当すると判断した理由	例）明らかに18歳未満の少女の性交が描写された画像が、「○○小学校3年女子」との書き込みとともに、不特定多数の者が閲覧可能な電子掲示板に掲載。

※本通知に関する問い合わせは、上記の e-mail アドレス又は当センターのウェブサイト（http://www.internethotline.jp/）の問い合わせフォームから行うことができます。

参考　公序良俗に反する情報への対応
第1　自主的な対応

　公序良俗に反する情報については、これまでプロバイダや電子掲示板の管理者等により、契約約款や利用規約に基づく送信防止措置や注意喚起等の自主的な対応が行われてきたところである。

　もっとも、どのような情報が公序良俗に反する情報に該当するのかについての判断が困難な場合があるため、公序良俗に反する情報への該当性の判断を支援するため、電気通信事業者団体において契約約款モデル条項が策定されている。

　今後、これまで契約約款等で公序良俗に反する情報への対応を明確に定めていなかったプロバイダ等においても、モデル条項を参考に契約約款や利用規約の整備がなされ、契約に基づく対応が行われることが考えられる。

　モデル条項については、（一社）テレコムサービス協会のホームページ
＜https://www.telesa.or.jp/consortium/illegal_info＞
を参照されたい。

第2　ホットラインセンター及び警察機関からの依頼を受けて行う対応

　ホットラインセンターでは、公序良俗に反する情報についても一般からの通報を受付け、公序良俗に反すると判断した情報について、電子掲示板の管理者等に契約に基づく対応を依頼している。また、警察機関においても、同様の基準に則り公序良俗に反すると判断した情報について、電子掲示板の管理者等に契約に基づく対応を依頼する場合がある。

　ホットラインセンターの運用ガイドラインについては、
＜http://www.internethotline.jp/guideline/index.html＞を、ホットラインセンター及び警察機関からの対応依頼の様式については次

ページ以降を参照されたい[27]。

---

[27] 最新のガイドライン及び対応依頼の様式等については、ホットラインセンターホームページ＜http：//www.internethotline.jp/＞を参照されたい。

〈警察機関〉
公序良俗に反する情報の対応依頼書

通知（○○.○○）第○○号
平成○○年○○月○○日

[プロバイダ等] 御中

○○県警察本部○○課長（○○県○○警察署長）　　印

【公序良俗に反する情報】の通知書兼対応依頼書

　あなたが管理する［サイト／電子掲示板／サーバ］等に下記のとおり公序良俗に反する情報が掲載されていますので、当該情報について利用者との間の契約や利用に関する取り決め等に基づく対応を依頼します。

記

掲載されている場所		URL： その他情報の特定に必要な情報：（掲示板の名称、掲示板内の書き込み場所、日付、ファイル名等）
掲載されている情報		例）けん銃及び実弾の画像とともに「けん銃売ります。連絡先は○○」との書き込みが掲載。
公序良俗に反するか否かの判断理由	分類の種類	■①情報自体から違法行為を直接かつ明示的に請負・仲介・誘引等する情報 □②人を自殺に誘引・勧誘する情報
	上記分類にあてはまると判断した理由	例）銃砲刀剣類所持等取締法第3条で所持が禁止されているけん銃であることが、画像から明白であり、「けん銃売ります。連絡先は○○」とけん銃の譲渡を誘引する情報が具体的に記載されていることから、違法行為を直接かつ明示的に誘引する情報であると判断。

問い合わせ先
担当部署　　○○県○○警察署○○○課
担当者　　　○○係　警部補　○○○○
電話番号　　○○○—○○○—○○○○
ファックス　○○○—○○○—○○○○

(インターネット・ホットラインセンター)
公序良俗に反する情報の対応依頼書

整理番号
年　月　日

[プロバイダ又は電子掲示板の管理者等の名称] 御中

インターネット・ホットラインセンター
連絡先 (e-mail アドレス)
担当者氏名
確認者氏名

【公序良俗に反する情報】の通知書兼対応依頼書

　あなたが管理する [サイト／電子掲示板／サーバ] 等に下記のとおり公序良俗に反する情報が掲載されていますので、あなたに対して当該情報について送信を防止する措置等の自主的対応や利用者との間の契約や利用に関する取り決め等に基づく対応を依頼します。

記

掲載されている場所		URL： その他情報の特定に必要な情報：(掲示板の名称、掲示板内の書き込み場所、日付、ファイル名等)
掲載されている情報		例) けん銃及び実弾の画像とともに「けん銃売ります。連絡先は○○」との書き込みが掲載。
公序良俗に反するか否かの判断理由	分類の種類	■①情報自体から違法行為を直接かつ明示的に請負・仲介・誘引等する情報 □②違法情報該当性が明らかであると判断することは困難であるが、その疑いが相当程度認められる情報 □③人を自殺に誘引・勧誘する情報
	上記分類にあてはまると判断した理由	例) 銃砲刀剣類所持等取締法第3条で所持が禁止されているけん銃であることが、○○から明白であり、「けん銃売ります。連絡先は○○」とけん銃の譲渡を誘引する情報が具体的に記載されていることから、違法行為を直接かつ明示的に誘引する情報であると判断。

※本通知に関する問い合わせは、上記の e-mail アドレス又は当センターのウェブサイト (http://www.internethotline.jp/) の問い合わせフォームから行うことができます。

4 違法・有害情報への対応等に関する契約約款モデル条項

平成18年11月27日策定
平成20年12月26日改訂
平成22年1月15日改訂
平成22年9月7日改訂
平成23年3月24日改訂
平成24年4月5日改訂
平成26年4月23日改訂
平成26年8月1日改訂
平成26年10月23日改訂
平成26年12月15日改訂
平成28年4月1日改訂

　本モデル条項は、電子掲示板の管理者やインターネットサービスプロバイダ等が自らの提供するサービスの内容に応じて、自らが必要とする範囲内で契約約款に採用していただくことを目的としています。

（禁止事項）
第1条　契約者は、本サービスを利用して、次の行為を行なわないものとします。
　　（1）　当社もしくは他者の著作権、商標権等の知的財産権を侵害する行為、または侵害するおそれのある行為
　　（2）　他者の財産、プライバシーもしくは肖像権を侵害する行為、または侵害するおそれのある行為
　　（3）　他者を不当に差別もしくは誹謗中傷・侮辱し、他者への不当な差別を助長し、またはその名誉もしくは信用を毀損する行為
　　（4）　詐欺、児童売買春、預貯金口座及び携帯電話の違法な売買等の犯罪に結びつく、または結びつくおそれの高い行為

（5）　わいせつ、児童ポルノもしくは児童虐待に相当する画像、映像、音声もしくは文書等を送信又は表示する行為、またはこれらを収録した媒体を販売する行為、またはその送信、表示、販売を想起させる広告を表示または送信する行為
（6）　薬物犯罪、規制薬物、指定薬物、広告禁止告示品（指定薬物等である疑いがある物として告示により広告等を広域的に禁止された物品）もしくはこれらを含むいわゆる危険ドラッグ濫用に結びつく、もしくは結びつくおそれの高い行為、未承認もしくは使用期限切れの医薬品等の広告を行う行為、またはインターネット上で販売等が禁止されている医薬品を販売等する行為
（7）　販売又は頒布をする目的で、広告規制の対象となる希少野生動植物種の個体等の広告を行う行為
（8）　貸金業を営む登録を受けないで、金銭の貸付の広告を行う行為
（9）　無限連鎖講（ネズミ講）を開設し、またはこれを勧誘する行為
（10）　当社の設備に蓄積された情報を不正に書き換え、または消去する行為
（11）　他者になりすまして本サービスを利用する行為
（12）　ウィルス等の有害なコンピュータプログラム等を送信または掲載する行為
（13）　無断で他者に広告、宣伝もしくは勧誘のメールを送信する行為、または社会通念上他者に嫌悪感を抱かせる、もしくはそのおそれのあるメールを送信する行為
（14）　他者の設備等またはインターネット接続サービス用設備の利用もしくは運営に支障を与える行為、または与えるおそれのある行為
（15）　違法な賭博・ギャンブルを行わせ、または違法な賭博・ギャンブルへの参加を勧誘する行為

(16)　違法行為（けん銃等の譲渡、銃砲・爆発物の不正な製造、児童ポルノの提供、公文書偽造、殺人、脅迫等）を請負し、仲介しまたは誘引（他人に依頼することを含む）する行為
(17)　人の殺害現場の画像等の残虐な情報、動物を殺傷・虐待する画像等の情報、その他社会通念上他者に著しく嫌悪感を抱かせる情報を不特定多数の者に対して送信する行為
(18)　人を自殺に誘引または勧誘する行為、または第三者に危害の及ぶおそれの高い自殺の手段等を紹介するなどの行為
(19)　その行為が前各号のいずれかに該当することを知りつつ、その行為を助長する態様又は目的でリンクをはる行為
(20)　犯罪や違法行為に結びつく、またはそのおそれの高い情報や、他者を不当に誹謗中傷・侮辱したり、プライバシーを侵害したりする情報を、不特定の者をして掲載等させることを助長する行為
(21)　その他、公序良俗に違反し、または他者の権利を侵害すると当社が判断した行為

（契約者の関係者による利用）

第2条　当社が別途指定する手続きにより、契約者が当該契約者の家族その他の者（以下「関係者」といいます。）に利用させる目的で、かつ当該関係者の本サービスの利用に係る利用料金の負担に合意して利用契約を締結したときは、当該契約者は、当該関係者に対しても、契約者と同様にこの契約約款を遵守させる義務を負うものとします。

2．前項の場合、契約者は、当該関係者が第1条（禁止事項）各号に定める禁止事項のいずれかを行い、またはその故意または過失により当社に損害を被らせた場合、当該関係者の行為を当該契約者の行為とみなして、この契約約款の各条項が適用されるものとします。

（情報等の削除等）

第3条　当社は、契約者による本サービスの利用が第1条（禁止事項）の各号に該当する場合、当該利用に関し他者から当社に対しクレーム、請求等が為され、かつ当社が必要と認めた場合、またはその他の

理由で本サービスの運営上不適当と当社が判断した場合は、当該契約者に対し、次の措置のいずれかまたはこれらを組み合わせて講ずることがあります。
　（１）　第１条（禁止事項）の各号に該当する行為をやめるように要求します。
　（２）　他者との間で、クレーム等の解消のための協議を行なうよう要求します。
　（３）　契約者に対して、表示した情報の削除を要求します。
　（４）　事前に通知することなく、契約者が発信または表示する情報の全部もしくは一部を削除し、または他者が閲覧できない状態に置きます。
　（５）　第６条に規定する連絡受付体制の整備が講じられていない場合、連絡受付体制の整備を要求します。
２．前項の措置は契約者の自己責任の原則を否定するものではなく、前項の規定の解釈、運用に際しては自己責任の原則が尊重されるものとします。

（児童ポルノ画像のブロッキング）
第４条　当社は、インターネット上の児童ポルノの流通による被害児童の権利侵害の拡大を防止するために、当社または児童ポルノアドレスリスト作成管理団体が児童の権利を著しく侵害すると判断した児童ポルノ画像および映像について、事前に通知することなく、契約者の接続先サイト等を把握した上で、当該画像および映像を閲覧できない状況に置くことがあります。
２．当社は、前項の措置に伴い必要な限度で、当該画像および映像の流通と直接関係のない情報についても閲覧できない状態に置く場合があります。
３．当社は、前二項の措置については、児童の権利を著しく侵害する児童ポルノに係る情報のみを対象とし、また、通信の秘密を不当に侵害せず、かつ、違法性が阻却されると認められる場合に限り行います。

（青少年にとって有害な情報の取扱について）

第5条　契約者は、本サービスを利用することにより、青少年が安全に安心してインターネットを利用できる環境の整備等に関する法律（平成20年法律第79号、以下「青少年インターネット環境整備法」）第2条第11項の特定サーバー管理者（以下「特定サーバー管理者」という。）となる場合、同法第21条の努力義務について十分留意するものとします。

2．契約者は、本サービスを利用することにより、特定サーバー管理者となる場合、自らの管理するサーバーを利用して第三者により青少年にとって有害な情報（青少年の健全な成長を著しく阻害する情報のうち、第1条に規定する情報を除く。以下同じ。）の発信が行われたことを知ったとき又は自ら当該情報を発信する場合、以下に例示する方法等により青少年による当該情報の閲覧の機会を減少させる措置を取るよう努力するものとします。

　（1）　18歳以上を対象とした情報を発信していることを分かり易く周知する。
　（2）　閲覧者に年齢を入力させる等の方法により18歳以上の者のみが当該情報を閲覧しうるシステムを整備する。
　（3）　青少年にとって有害な情報を削除する。
　（4）　青少年にとって有害な情報のURLをフィルタリング提供事業者に対して通知する。

3．当社は、本サービスにより、当社の判断において青少年にとって有害な情報が発信された場合、青少年インターネット環境整備法第21条の趣旨に則り、契約者に対して、当該情報の発信を通知すると共に、前項に例示する方法等により青少年による当該情報の閲覧の機会を減少させる措置を取るよう要求することがあります。

4．前項に基づく当社の通知に対し、契約者が、当該情報は青少年にとって有害な情報に該当しない旨、当社に回答した場合は、当社は当該契約者の判断を尊重するものとします。

5．前項の場合であっても、当社は第2項（4）の方法により、フィルタリングによって青少年による当該情報の閲覧の機会を減少させるた

めの措置をすることがあります。
（連絡受付体制の整備について）
第6条　契約者は、本サービスを利用することにより、特定サーバー管理者となる場合、情報発信に関するトラブルを防止することを目的として、下記に例示する方法等により、第三者からの連絡を受け付ける体制を整備するものとします。
　（1）　本サービスを利用した情報発信に関する第三者向けの問い合わせフォームを整備すること。
　（2）　本サービスを利用した情報発信に関する問い合わせ先のメールアドレスその他の連絡先を公開すること。
　　　なお、上記（2）に例示した方法により、連絡を受け付ける体制を整備する場合、当該連絡先が他の目的で悪用されるおそれがあることに契約者は十分留意するものとします。
2．契約者は本サービスを利用するにあたり、情報発信に関するトラブルが生じた場合に備えて、当社が連絡を取りうる連絡先を当社に対し通知することとします。
（利用の停止）
第7条　当社は、契約者が次の各号のいずれかに該当する場合は、本サービスの利用を停止することがあります。
　（1）　支払期日を経過しても本サービスの利用料金を支払わない場合。
　（2）　本サービスの利用料金の決済に用いるクレジットカードまたは契約者が指定する預金口座の利用が解約その他の理由により認められなくなった場合。
　（3）　本サービスの利用が第1条（禁止事項）の各号のいずれかに該当し、第3条（情報の削除等）第1項第1号ないし第3号及び第5号の要求を受けた契約者が、当社の指定する期間内に当該要求に応じない場合。
　（4）　前各号のほかこの契約約款に違反した場合。
2．当社は、前項の規定により本サービスの利用を停止するときは、あ

らかじめ停止の理由を契約者に通知します。但し、緊急やむを得ない場合は、この限りではありません。

（当社からの解約）

第8条　当社は、第7条（利用の停止）の規定により、本サービスの利用を停止された契約者が当社の指定する期間内にその停止事由を解消または是正しない場合は、その利用契約を解約できるものとします。

2．当社は、前項の規定により利用契約を解約しようとするときには、その契約者に解約の旨を通知もしくは催告しない場合があります。

（関連法令の遵守）

第9条　当社は、この約款に定める措置を講ずるに際しては、関連法令の定める範囲内で、適切な措置を講ずるものとします。

以上

5 違法・有害情報への対応等に関する契約約款モデル条項の解説

```
平成18年11月27日公表
平成20年12月26日改訂
平成22年 1 月15日改訂
平成22年 9 月 7 日改訂
平成23年 3 月24日改訂
平成24年 4 月 5 日改訂
平成26年 4 月23日改訂
平成26年 8 月 1 日改訂
平成26年10月23日改訂
平成26年12月15日改訂
平成28年 4 月 1 日改訂
平成29年 3 月15日改訂
```

（禁止事項）
第 1 条　契約者は、本サービスを利用して、次の行為を行なわないものとします。
 （ 1 ）　当社もしくは他者の著作権、商標権等の知的財産権を侵害する行為、または侵害するおそれのある行為
　　・具体的には、著作権者の許可なく画像ファイルや音楽ファイルをアップロードする、偽ブランド品の写真を掲載して偽ブランド品の販売広告を行う等の行為がこれに該当します。

 （ 2 ）　他者の財産、プライバシーもしくは肖像権を侵害する行為、または侵害するおそれのある行為
　　・具体的には、私人の氏名、住所等の個人情報及び写真等を本人の許可なくホームページ等に掲載する等の行為がこれに該当しま

す。(プライバシー侵害に当たるかどうかについての詳細は、「プロバイダ責任制限法　名誉毀損・プライバシー関係ガイドライン」を参照してください。)

<http://www.telesa.or.jp/consortium/provider>

(3) 他者を不当に差別もしくは誹謗中傷・侮辱し、他者への不当な差別を助長し、またはその名誉もしくは信用を毀損する行為

・具体的には、特定の個人の名誉を損なう内容や侮辱する内容の文章等をホームページ等に掲載する行為、国籍、出身地等を理由とした他者に対する不当な差別を助長する等の行為がこれに該当します。

・名誉毀損に当たるかどうかについての詳細は、「プロバイダ責任制限法名誉毀損・プライバシー関係ガイドライン」を参照してください。

<http://www.telesa.or.jp/consortium/provider>

・他者に対する不当な差別を助長する等の行為には、以下が含まれます。
　－「本邦外出身者に対する不当な差別的言動」(※)を含むいわゆるヘイトスピーチ
　－不当な差別的取扱いを助長・誘発する目的で、特定の地域がいわゆる同和地区であるなどと示す情報をインターネット上に流通させる行為
　※「本邦外出身者に対する不当な差別的言動の解消に向けた取組の推進に関する法律」において定義されており、このような差別的言動のない社会の実現が同法の基本理念とされています。

(4) 詐欺、児童売買春、預貯金口座及び携帯電話の違法な売買等の犯罪に結びつく、または結びつくおそれの高い行為

・具体的には、フィッシング詐欺のために銀行等のホームページに酷似したホームページを開設する、性行為の相手方となるよう児

童を誘引する、または預貯金口座、「身分確認不要」等と謳った携帯電話の販売広告等をホームページに掲載する等の行為がこれに該当します。

(5) わいせつ、児童ポルノもしくは児童虐待に相当する画像、映像、音声もしくは文書等を送信または表示する行為、またはこれらを収録した媒体を販売する行為、またはその送信、表示、販売を想起させる広告を表示または送信する行為
・具体的には、性器が確認できる画像、18歳未満の児童であることが外見から容易に判断できる人物の性交または性交類似行為を描写した画像、実在の児童を虐待する様を記述した日記等をホームページに掲載する行為等がこれに該当します。

(6) 薬物犯罪、規制薬物、指定薬物、広告禁止告示品（指定薬物等である疑いがある物として告示により広告等を広域的に禁止された物品）もしくはこれらを含むいわゆる危険ドラッグ濫用に結びつく、もしくは結びつくおそれの高い行為、未承認もしくは使用期限切れの医薬品等の広告を行う行為、またはインターネット上で販売等が禁止されている医薬品を販売等する行為
・具体的には、覚せい剤等規制薬物、指定薬物、広告禁止告示品の値段及び取引方法、もしくは規制薬物、指定薬物、広告禁止告示品の使用・製造・栽培方法、または漢方版バイアグラ等未承認医薬品の値段、取引方法等をホームページに掲載する等の行為がこれに該当します。
　なお、指定薬物又は広告禁止告示品に該当しない物品であっても、対象情報が掲載されている電子掲示板、ウェブサイト等に掲載されている他の情報（商品種別、販売方法等）からみてこれらと同等以上の精神毒性を有する可能性が高いと認められる物品の値段、取引方法、使用・製造等の情報をホームページに掲載する等の行為はこれに該当します。

また、使用期限切れの医薬品等の広告を行う行為、処方箋医薬品等のインターネット上で販売等が禁止されている医薬品を販売等する行為も該当します。
・危険ドラッグに係る未承認医薬品には、「インターネット上の違法な情報への対応に関するガイドライン」に示したものの他、指定薬物の検出例がある製品または新たに指定薬物に指定され、その省令が公布されてから施行されるまでの間にある製品と同一または類似の名称もしくはパッケージが記載されており、かつ、対象情報が掲載されている電子掲示板、ウェブサイト等に掲載されている他の情報から未承認医薬品である可能性が高いと認められるものがこれに該当します。

（7）　販売又は頒布をする目的で、広告規制の対象となる希少野生動植物種の個体等の広告を行う行為
・具体的には、「絶滅のおそれがある野生動植物の種の保存に関する法律」で規定する国内希少野生動植物種、国際希少野生動植物種及び緊急指定種の、個体（生死は問わない）及びその器官並びに加工品（以下、「個体等」）を、販売又は頒布の目的で、インターネット上で掲載する行為が該当します。
・例外的に、販売又は頒布をする目的での広告が認められる場合として、以下のような場合があります。
　－登録票のある国際希少野生動植物種の個体等。ただし、登録を受けていること及び登録記号番号を明示する必要があります。
　－政令で定める特定国内希少野生動植物の個体等の広告。
　－政令で定める特定器官等の広告。ただし、特定器官等のうち、ぞう科の牙及びその加工品（主に象牙製品の原材料及び象牙製品）又はうみがめ科の甲（主にべっ甲製品の原材料）を、事業として販売するためには、あらかじめ、特定国際種事業の届出を行う必要があります。
　－適法に捕獲された個体等又はそれらからの繁殖個体

広告規制に関する問合せ又は詳細は、下記問合せ先又は環境省HP「譲渡し等の規制及び手続き」を参照。
　　問合せ先：環境省自然環境局野生生物課（TEL：03-5521-8283）
　　環境省HP：http://www.env.go.jp/nature/kisho/kisei/yuzuri/index.html

(8)　貸金業を営む登録を受けないで、金銭の貸付の広告を行う行為
・具体的には貸金業法に基づく、貸金業登録番号の表示がない、又は詐称された登録番号が表示され、金銭の貸付け又は金銭の貸借の媒介を営む旨の記載がされていたり、貸付の条件（貸付の利率、限度額、返済方法等）に関する表示があったり、貸付契約の締結の勧誘を意味する表現があること等がこれに該当します。

(9)　無限連鎖講（ネズミ講）を開設し、またはこれを勧誘する行為
・商品等を販売せず、後順位の加入者が支出した金品を、先順位の加入者が受領することのみを目的とした配当組織をインターネット上で運営するため、または後順位の加入者を募るためにホームページ等を開設する等の行為がこれに該当します。

(10)　当社の設備に蓄積された情報を不正に書き換え、または消去する行為
・他の利用者のID及びパスワードを盗用したり、あるいはサーバのセキュリティホールを利用したりして、サーバに蓄積されたホームページ等の情報を不正に書き換え、または消去する行為がこれに該当します。

(11)　他者になりすまして本サービスを利用する行為
・他の利用者のIDを盗用して、電子掲示板への書き込みや、ホームページの開設等を行う行為がこれに該当します。

(12)　ウィルス等の有害なコンピュータプログラム等を送信または掲

載する行為

・ウィルス、ワーム等、コンピュータの動作に悪影響を与えるプログラム及びそのソースコード等を、インターネット上でダウンロード可能な形で提供する等の行為がこれに該当します。

(13) 無断で他者に広告、宣伝もしくは勧誘のメールを送信する行為、または社会通念上他者に嫌悪感を抱かせる、もしくはそのおそれのあるメールを送信する行為

・事業者の提供するサービスを利用して、受信者の承諾を受けていない広告、宣伝等を内容とした電子メールを送信する等の行為がこれに該当します。

(14) 他者の設備等またはインターネット接続サービス用設備の利用もしくは運営に支障を与える行為、または与えるおそれのある行為

・非常に大容量のファイルを長時間送受信し続ける等の方法で、他の利用者の帯域を圧迫し正常な電気通信サービスの利用を妨げるまたは大量の電子メールを短時間で送信することで、メールサーバの機能に障害を生じさせる等の行為がこれに該当します。

(15) 違法な賭博・ギャンブルを行わせ、または違法な賭博・ギャンブルへの参加を勧誘する行為

・具体的には、オンラインでポーカーやスロットマシーン等を擬似的に利用させる等の方法で賭博を行うためのサイトを開設する、競馬等のノミ行為を勧誘する等の行為がこれにあたります。

(16) 違法行為（けん銃等の譲渡、銃砲・爆発物の不正な製造、児童ポルノの提供、公文書偽造、殺人、脅迫等）を請負し、仲介しまたは誘引（他人に依頼することを含む）する行為

・具体的には、価格、種別、引渡し日時等を特定したけん銃及び重

火器等の譲渡や免許証等の公文書の偽造の請負、実行日時、場所、被害者等を特定した殺人の協力者の募集や依頼等のほか、偽造通貨の交付、臓器売買、人身売買、自殺関与等、広く違法行為の請負・仲介・誘引となる行為やこれらに関する情報を掲載することがこれに該当します。

- また、ウェブサイト上の情報から、3Dプリンタによる銃砲が製造可能な設計図情報の掲載が強く疑われる場合であり、当該ウェブサイトに掲載されている他の情報（性能、使用目的等）から、銃砲の不正な製造を直接的かつ明示的に助長していると認められるときには、銃砲の不正な製造を誘引する行為に該当します。

(17) 人の殺害現場等の残虐な情報、動物を殺傷・虐待する画像等の情報、その他社会通念上他者に著しく嫌悪感を抱かせる情報を不特定多数の者に対して送信する行為

- 具体的には、人の殺害現場や犯罪による死体等の残虐な画像や、人が残虐に殺される動画等の情報や、動物虐待やいわゆるグロテスク系の動画像といった社会通念上著しく他者に嫌悪感を抱かせる情報をホームページ等に掲載する等の行為がこれに該当します。

(18) 人を自殺に誘引または勧誘する行為、または第三者に危害の及ぶおそれの高い自殺の手段等を紹介するなどの行為

- 具体的には、自殺の日時、場所、方法等を明示して、一緒に自殺する人を募集する、自殺用の薬物等の提供を申し出る等の行為がこれに該当します。

    また、第三者に危害の及ぶおそれのある自殺の手段等を紹介するなどの情報としては、硫化水素ガスを発生させて自殺する方法を記載しているような行為がこれに該当します。

(19) その行為が前各号のいずれかに該当することを知りつつ、その

行為を助長する態様又は目的でリンクをはる行為

(20) 犯罪や違法行為に結びつく、またはそのおそれの高い情報や、他者を不当に誹謗中傷・侮辱したり、プライバシーを侵害したりする情報を、不特定の者をしてウェブページに掲載等させることを助長する行為
- 具体的には、いわゆる闇サイトや裏サイトなど、犯罪や違法行為に結びつくおそれの高い内容の情報や、特定の児童・生徒に対するいじめに当たるような情報が、不特定の者によって書き込まれることを助長するような電子掲示板を開設する等の行為がこれに該当します。

(21) その他、公序良俗に違反し、または他者の権利を侵害すると当社が判断した行為

(契約者の関係者による利用)
第2条　当社が別途指定する手続きにより、契約者が当該契約者の家族その他の者（以下「関係者」といいます。）に利用させる目的で、かつ当該関係者の本サービスの利用に係る利用料金の負担に合意して利用契約を締結したときは、当該契約者は、当該関係者に対しても、契約者と同様にこの契約約款を遵守させる義務を負うものとします。

2．前項の場合、契約者は、当該関係者が第1条（禁止事項）各号に定める禁止事項のいずれかを行い、またはその故意または過失により当社に損害を被らせた場合、当該関係者の行為を当該契約者の行為とみなして、この契約約款の各条項が適用されるものとします。
- 契約者の家族等の関係者が禁止事項に違反した場合等に、契約者が違反行為を行ったものとして扱う旨を規定しています。

(情報等の削除等)
第3条　当社は、契約者による本サービスの利用が第1条（禁止事項）

の各号に該当する場合、当該利用に関し他者から当社に対しクレーム、請求等が為され、かつ当社が必要と認めた場合、またはその他の理由で本サービスの運営上不適当と当社が判断した場合は、当該契約者に対し、次の措置のいずれかまたはこれらを組み合わせて講ずることがあります。

(1) 第1条（禁止事項）の各号に該当する行為をやめるように要求します。
(2) 他者との間で、クレーム等の解消のための協議を行なうよう要求します。
(3) 契約者に対して、表示した情報の削除を要求します。
(4) 事前に通知することなく、契約者が発信または表示する情報の全部もしくは一部を削除し、または他者が閲覧できない状態に置きます。
(5) 第6条に規定する連絡受付体制の整備が講じられていない場合、連絡受付体制の整備を要求します。

2．前項の措置は契約者の自己責任の原則を否定するものではなく、前項の規定の解釈、運用に際しては自己責任の原則が尊重されるものとします。

　　・サービスの利用に際して、契約者が禁止事項に該当する行為等を行った場合に、電子掲示板の管理者等が講じる措置について規定しています。

（児童ポルノ画像のブロッキング）
第4条　当社は、インターネット上の児童ポルノの流通による被害児童の権利侵害の拡大を防止するために、当社または児童ポルノアドレスリスト作成管理団体が児童の権利を著しく侵害すると判断した児童ポルノ画像および映像について、事前に通知することなく、契約者の接続先サイト等を把握した上で、当該画像および映像を閲覧できない状況に置くことがあります。

2．当社は、前項の措置に伴い必要な限度で、当該画像および映像の流

通と直接関係のない情報についても閲覧できない状態に置く場合があります。
3．当社は、前二項の措置については、児童の権利を著しく侵害する児童ポルノに係る情報のみを対象とし、また、通信の秘密を不当に侵害せず、かつ、違法性が阻却されると認められる場合に限り行います。
　　・「閲覧できない状況に置く」とは、児童ポルノ画像等を閲覧できなくするように、アクセスしようとする通信を強制的に遮断する措置を示しています。
　　・また、児童ポルノアドレスリスト作成管理団体とは、平成23年3月24日時点では、一般社団法人インターネットコンテンツセーフティ協会を想定しています。

（青少年にとって有害な情報の取扱について）
第5条　契約者は、本サービスを利用することにより、青少年が安全に安心してインターネットを利用できる環境の整備等に関する法律（平成20年法律第79号、以下「青少年インターネット環境整備法」）第2条第11項の特定サーバー管理者（以下「特定サーバー管理者」という。）となる場合、同法第21条の努力義務について十分留意するものとします。
2．契約者は、本サービスを利用することにより、特定サーバー管理者となる場合、自らの管理するサーバーを利用して第三者により青少年にとって有害な情報（青少年の健全な成長を著しく阻害する情報のうち、第1条に規定する情報を除く。以下同じ。）の発信が行われたことを知ったとき又は自ら当該情報を発信する場合、以下に例示する方法等により青少年による当該情報の閲覧の機会を減少させる措置を取るよう努力するものとします。
　（1）　18歳以上を対象とした情報を発信していることを分かり易く周知する。
　（2）　閲覧者に年齢を入力させる等の方法により18歳以上の者のみが当該情報を閲覧しうるシステムを整備する。

（3）　青少年にとって有害な情報を削除する。
（4）　青少年にとって有害な情報のURLをフィルタリング提供事業者に対して通知する。

3．当社は、本サービスにより、当社の判断において青少年にとって有害な情報が発信された場合、青少年インターネット環境整備法第21条の趣旨に則り、契約者に対して、当該情報の発信を通知すると共に、前項に例示する方法等により青少年による当該情報の閲覧の機会を減少させる措置を取るよう要求することがあります。

4．前項に基づく当社の通知に対し、契約者が、当該情報は青少年にとって有害な情報に該当しない旨、当社に回答した場合は、当社は当該契約者の判断を尊重するものとします。

5．前項の場合であっても、当社は第2項（4）の方法により、フィルタリングによって青少年による当該情報の閲覧の機会を減少させるための措置をすることがあります。

・本条項は、青少年インターネット環境整備法第21条の努力義務の周知・履行を目的として規定されたものです。

・青少年インターネット環境整備法第21条
（青少年有害情報の発信が行われた場合における特定サーバー管理者の努力義務）

第21条　特定サーバー管理者は、その管理する特定サーバーを利用して他人により青少年有害情報の発信が行われたことを知ったとき又は自ら青少年有害情報の発信を行おうとするときは、当該青少年有害情報について、インターネットを利用して青少年による閲覧ができないようにするための措置（以下「青少年閲覧防止措置」という。）をとるよう努めなければならない。

・特定サーバー管理者とは、インターネットを利用した公衆による情報の閲覧の用に供されるサーバー（特定サーバー）を用いて、他人の求めに応じ情報をインターネットを利用して公衆による閲覧ができる状態に置き、これに閲覧をさせる役務を提供する者をいいます（同法第2条11項）。具体的には、インターネットサー

ビスプロバイダーや、ホスティングプロバイダー、コンテンツプロバイダー、掲示板やホームページの管理者等が想定されます。

（連絡受付体制の整備について）
第6条　契約者は、本サービスを利用することにより、特定サーバー管理者となる場合、情報発信に関するトラブルを防止することを目的として、下記に例示する方法等により、第三者からの連絡を受け付ける体制を整備するものとします。
　（1）　本サービスを利用した情報発信に関する第三者向けの問い合わせフォームを整備すること。
　（2）　本サービスを利用した情報発信に関する問い合わせ先のメールアドレスその他の連絡先を公開すること。
　　　なお、上記（2）に例示した方法により、連絡を受け付ける体制を整備する場合、当該連絡先が他の目的で悪用されるおそれがあることに契約者は十分留意するものとします。
2．契約者は本サービスを利用するにあたり、情報発信に関するトラブルが生じた場合に備えて、当社が連絡を取りうる連絡先を当社に対し通知することとします。
　　・本条項は、青少年インターネット環境整備法第22条の努力義務の周知・履行を目的として規定されたものです。

・青少年インターネット環境整備法第22条
　（青少年有害情報についての国民からの連絡の受付体制の整備）
第22条　特定サーバー管理者は、その管理する特定サーバーを利用して発信が行われた青少年有害情報について、国民からの連絡を受け付けるための体制を整備するよう努めなければならない。

（利用の停止）
第7条　当社は、契約者が次の各号のいずれかに該当する場合は、本サービスの利用を停止することがあります。

(1) 支払期日を経過しても本サービスの利用料金を支払わない場合。
(2) 本サービスの利用料金の決済に用いるクレジットカードまたは契約者が指定する預金口座の利用が解約その他の理由により認められなくなった場合。
(3) 本サービスの利用が第1条（禁止事項）の各号のいずれかに該当し、第3条（情報の削除等）第1項第1号ないし第3号及び第5号の要求を受けた契約者が、当社の指定する期間内に当該要求に応じない場合。
(4) 前各号のほかこの契約約款に違反した場合。

2. 当社は、前項の規定により本サービスの利用を停止するときは、あらかじめ停止の理由を契約者に通知します。但し、緊急やむを得ない場合は、この限りではありません。

・サービス提供者が、契約者に対してサービスの利用停止措置を講ずる場合を規定しています。

（当社からの解約）
第8条 当社は、第7条（利用の停止）の規定により、本サービスの利用を停止された契約者が当社の指定する期間内にその停止事由を解消または是正しない場合は、その利用契約を解約できるものとします。

2. 当社は、前項の規定により利用契約を解約しようとするときには、その契約者に解約の旨を通知もしくは催告しない場合があります。

・サービス提供者が、契約者に対して利用契約の解約措置を講ずる場合を規定しています。

（関連法令の遵守）
第9条 当社は、この約款に定める措置を講ずるに際しては、関連法令の定める範囲内で、適切な措置を講ずるものとします。

・サービス提供者が本契約約款に定める措置を講ずるに際しては、電気通信事業法第6条の規定する不当な差別的取り扱いの禁止

5 違法・有害情報への対応等に関する契約約款モデル条項の解説 849

等、関連法令により事業者に課せられている義務の範囲内で適切な措置を講ずることを確認的に規定しています。

　　　　　　　　サービス・インフォメーション
　　　　　　　　　　　　　　　　　　　　　　　　　通話無料
①商品に関するご照会・お申込みのご依頼
　　　　　　TEL 0120（203）694／FAX 0120（302）640
②ご住所・ご名義等各種変更のご連絡
　　　　　　TEL 0120（203）696／FAX 0120（202）974
③請求・お支払いに関するご照会・ご要望
　　　　　　TEL 0120（203）695／FAX 0120（202）973

●フリーダイヤル（TEL）の受付時間は、土・日・祝日を除く
　9：00〜17：30です。
●FAXは24時間受け付けておりますので、あわせてご利用ください。

　　　第3版　プロバイダ責任制限法

2002年 8 月28日　初版発行
2011年10月20日　改訂版発行
2014年 3 月25日　改訂増補版発行
2018年 6 月 5 日　改訂増補第 2 版発行
2022年10月15日　第 3 版第 1 刷発行
2023年11月10日　第 3 版第 3 刷発行

　　著　者　総務省総合通信基盤局消費者行政第二課
　　発行者　田　中　英　弥
　　発行所　第一法規株式会社
　　　　　　〒107-8560　東京都港区南青山 2 -11-17
　　　　　　ホームページ　https://www.daiichihoki.co.jp/

プロバイダ責任3　ISBN 978-4-474-07868-0　C 2032　(3)